【贵州省瓮安县地方志丛书】

贵州省瓮安中学志

GUIZHOUSHENG WENGAN ZHONGXUE ZHI

《贵州省瓮安中学志》编纂委员会　编

方志出版社
Publishing House of Local Records

图书在版编目（CIP）数据

贵州省瓮安中学志 / 《贵州省瓮安中学志》编纂委员会编. —北京 : 方志出版社, 2017.8
ISBN 978-7-5144-2476-8

Ⅰ. ①贵… Ⅱ. ①贵… Ⅲ. ①贵州省瓮安中学—校史
Ⅳ. ①G639.287.3

中国版本图书馆 CIP 数据核字(2017)第 181556 号

贵州省瓮安中学志

编　　者：	《贵州省瓮安中学志》编纂委员会
责任编辑：	李志瑜
出 版 人：	冀祥德
出 版 者：	方志出版社 地址　北京市朝阳区潘家园东里 9 号（国家方志馆 4 层） 邮编　100021 网址　http:// www.fzph.org
发　　行：	方志出版社图书经销中心 电话（010）67110500
经　　销：	各地新华书店
设计制作：	四川省天隆文化传播有限公司
印　　刷：	成都市天金浩印务有限公司
开　　本：	889×1194　1/16
印　　张：	43
字　　数：	1078 千字
版　　次：	2017 年 8 月第 1 版　2017 年 8 月第 1 次印刷
印　　数：	0001~3500 册

ISBN 978-7-5144-2476-8　**定价：**398.00 元

2011年4月5日，省委副书记、省长赵克志（前右）在瓮安中学新校区调研

2011年9月28日，贵州省人大常委会常务副主任肖永安（前右二）在瓮安中学新校区视察

2010年5月，黔南州委书记黄家培（前中）在瓮安中学新校区调研学校建设情况

2011年4月，黔南州人民政府州长李月成（前右）在瓮安中学新校区调研

2010年11月，贵州省委常委、纪委书记宋璇涛（前右二）在瓮安中学新校区调研

2010年3月，黔南州委常委、瓮安县委书记龙长春（左）到校视察

2010年4月，瓮安县人民政府县长谢晓东（右）在瓮安中学老校区调研视察

2011年9月，贵州省教育厅厅长霍健康出席瓮安中学新校区落成庆典并讲话

2011年9月，黔南州委副书记、瓮安县委书记陈昌旭出席瓮安中学新校区落成庆典并致辞

2013年11月，黔南州委常委、副州长、瓮安县委书记蒋映生（前左四）到校调研并与校班子合影

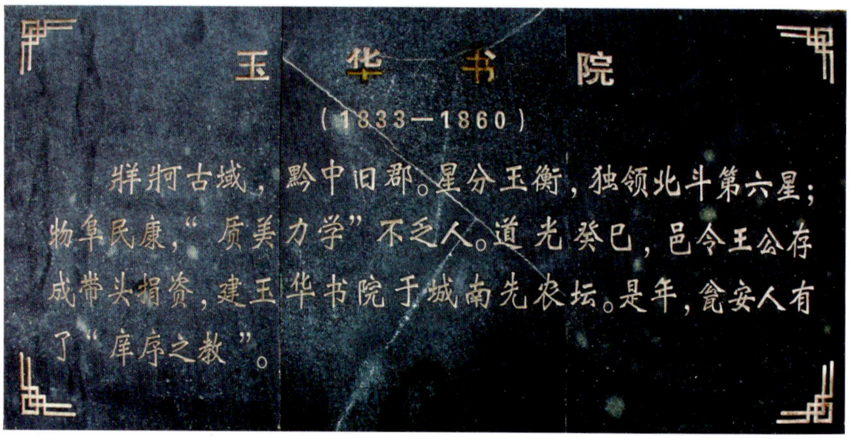

地刻之一

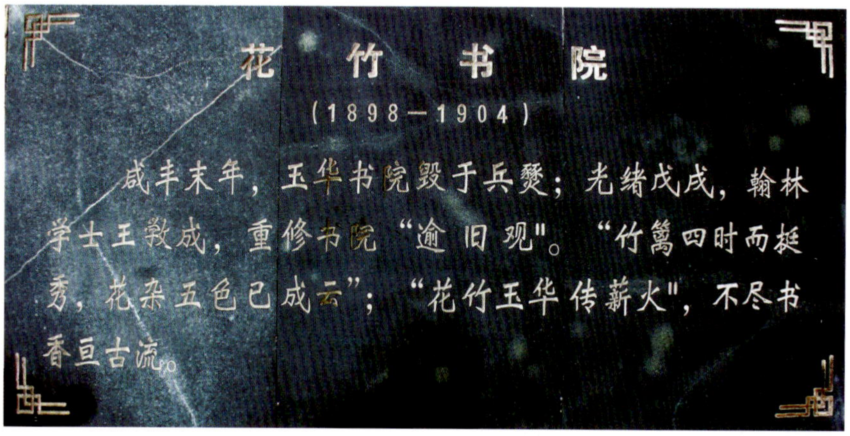

地刻之二

校训

二类示范高中座碑

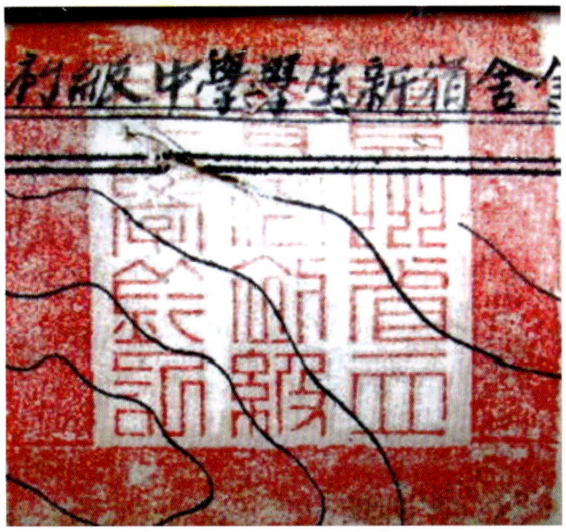

贵州省立瓮安初级中学印章

贵州省瓮安中学校印章

民国时期校长彭建平印章

民国时期校长冉隆堃印章

民国时期校长杨藻章印章

贵州省瓮安中学现用公章

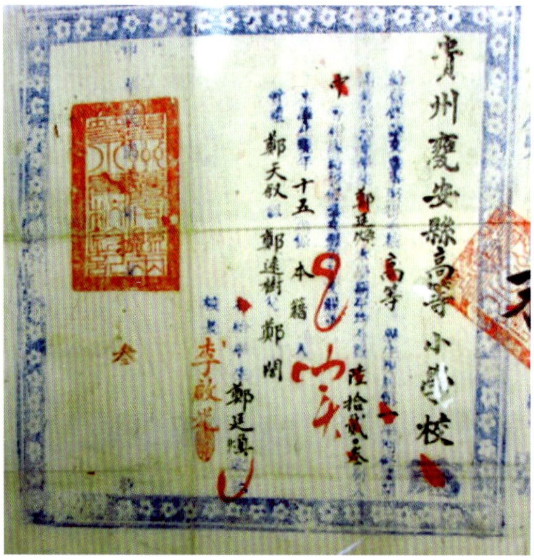

貴州甕安縣高等小學校

民国初年毕业证书

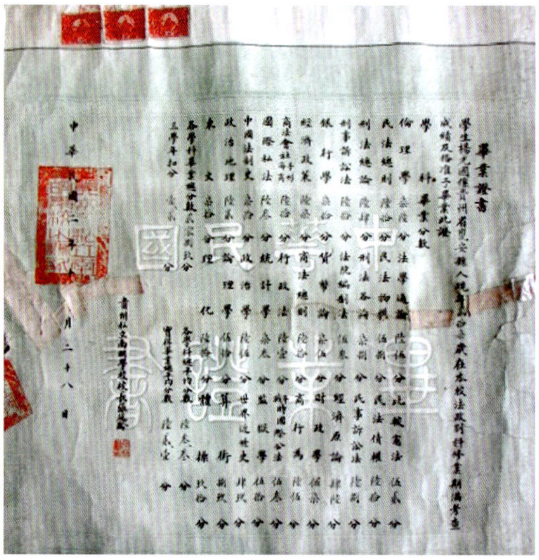

畢業證書

民国初年毕业证书

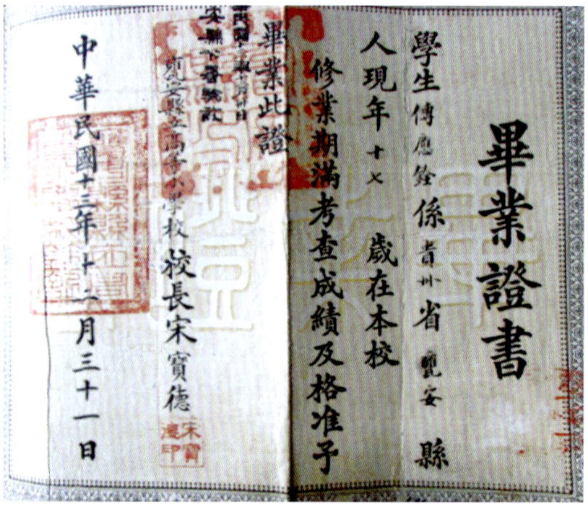

畢業證書

學生傅應銓係貴州省甕安縣人現年十七歲在本校修業期滿考查成績及格准予畢業此證

校長宋寶德

中華民國十三年十一月三十一日

民国时期毕业证书

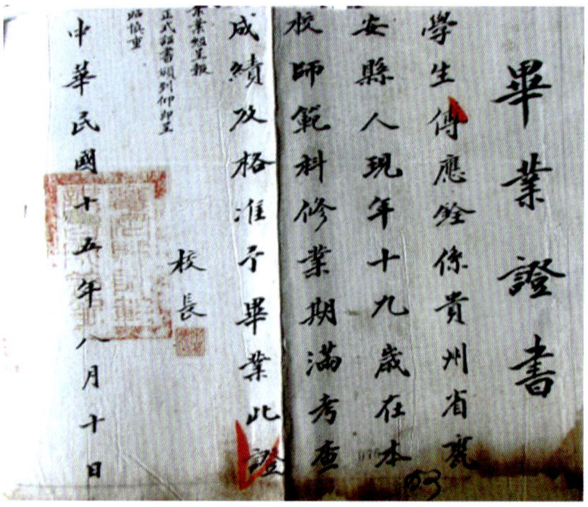

畢業證書

學生傅應銓係貴州省甕安縣人現年十九歲在本校師範科修業期滿考查成績及格准予畢業此證

校長

中華民國十五年八月十日

民国时期毕业证书

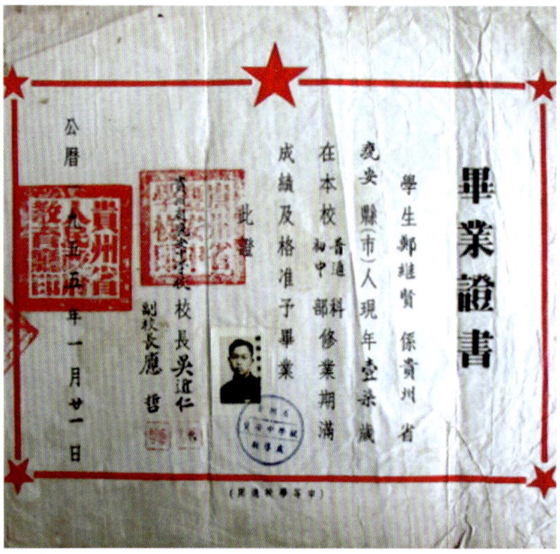

畢業證書

學生鄭維賢係貴州省甕安縣(市)人現年壹柒歲在本校普通科初中部修業期滿成績及格准予畢業

此證

校長吳道仁

副校長應　哲

公曆一九五兩年一月廿一日

解放初期毕业证书

瓮安县人民委员会任命书

(62)瓮人干字第0022号

兹任命丁　章　为瓮安中学教导主任。

县　长

19六　　月十二日

20世纪60年代任命证书

畢業證書
學生鄭維錫係貴州省甕安縣(市)人現年十三歲在本校六年級班修業期滿成績及格准予畢業
此證
校長
公曆一九五一年七月廿日

50年代毕业证书

毕业证书
学生周樨菊系贵州省瓮安县(市)人现年壹捌岁于一九六五年六月在我校高中三年级修业期满成绩及格准予毕业
此证
贵州省瓮安中学 校长
公元一九六五年六月廿四日

60年代毕业证书

毛主席语录
毕业证书
学生杨丽萍现年18岁，系贵州省瓮安县人，在我校高中一班修业期满，准以毕业。
一九七四年七月 日

70年代毕业证书

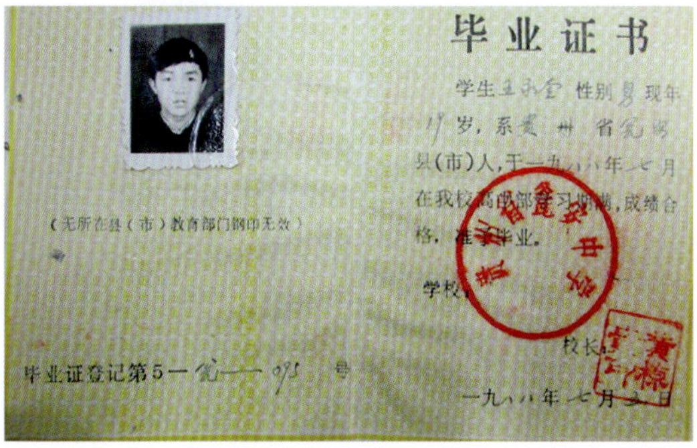
毕业证书
（无所在县（市）教育部门钢印无效）
学校
校长
一九八八年七月

80年代毕业证书

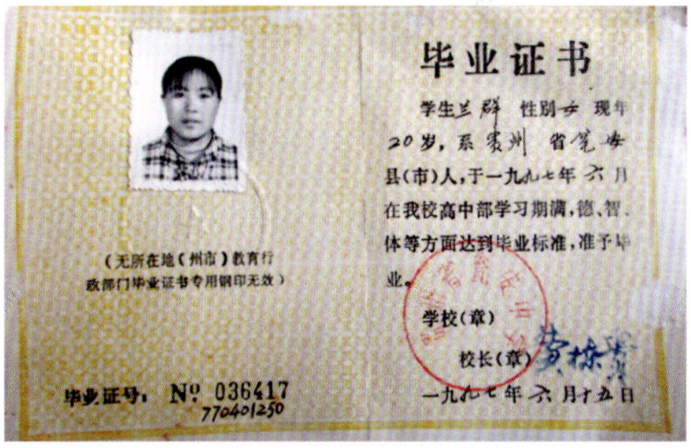
毕业证书
学生兰群 性别女 现年20岁，系贵州省瓮安县(市)人，于一九九七年六月在我校高中部学习期满，德、智、体等方面达到毕业标准，准予毕业。
（无所在地（州市）教育行政部门毕业证书专用钢印无效）
学校(章)
校长(章)
毕业证号：№ 036417
一九九七年六月十五日

90年代毕业证书

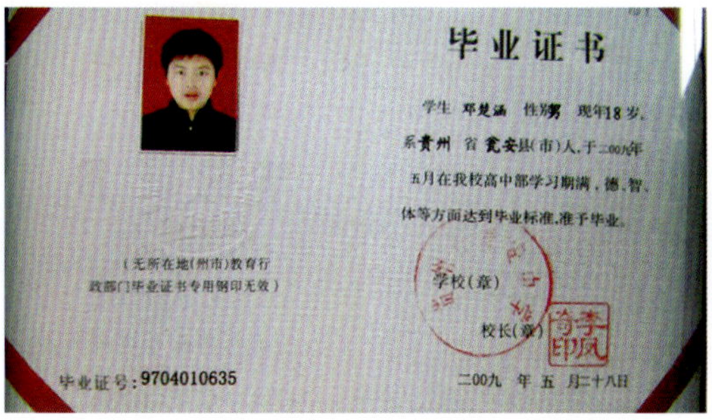
毕业证书
学生邓楚涵 性别男 现年18岁，系贵州省瓮安县(市)人，于2009年5月在我校高中部学习期满，德、智、体等方面达到毕业标准，准予毕业。
（无所在地(州市)教育行政部门毕业证书专用钢印无效）
学校(章)
校长(章)
毕业证号：9704010635
二00九年五月二十八日

2009年毕业证书

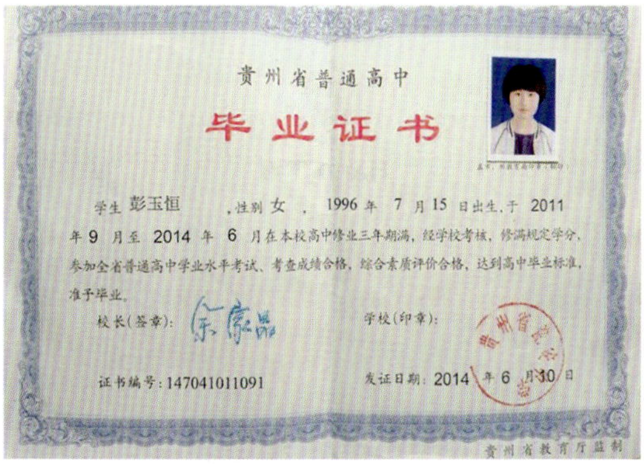
贵州省普通高中
毕业证书
学生 彭玉恒 ，性别 女 ， 1996 年 7 月 15 日出生，于 2011 年 9 月至 2014 年 6 月在本校高中修业三年期满，经学校考核，修满规定学分，参加全省普通高中学业水平考试、考查成绩合格，综合素质评价合格，达到高中毕业标准，准予毕业。
校长(签章)：
学校(印章)：
证书编号：147041011091
发证日期：2014 年 6 月 30 日
贵州省教育厅监制

2014年毕业证书

民国时期校容校貌

初级中学校容校貌

贵州省立瓮安初级中学校容校貌

贵州省立瓮安中学校容校貌

20世纪60年代校容校貌

20世纪70年代校容校貌

1977年校容校貌

20世纪80年代校容校貌

贵州省瓮安中学老校区校门（20世纪80年代）

贵州省瓮安中学老校区校门（20世纪末至21世纪初期）

瓮安中学老校区全貌（21世纪初期）

2011年9月瓮安中学搬入新校区

瓮安中学新校区校门

瓮安中学新校区全景图

贵州省瓮安中学180周年校庆

2013年11月，贵州省示范性普通高中评估专家对瓮安中学评估后合影

1959年学生歌咏比赛

1989年秋季运动会

“让生命充满爱”大型公益演讲活动

2003年助学捐书仪式

2004年毕业汇演

红军作家陈靖到校交流

2005年开学典礼

2007年秋季运动会

2013年球类运动会

教职工篮球运动会

教师节学生舞蹈表演

2013届毕业生代表向辛勤的园丁献花

大型集体舞《小苹果》

第一届美食节

学科组长会

教学常规工作反馈

教学工作研讨会

2013年10月，中央党校新疆班到校考察合影

校长余家品率语文组赴都匀一中学习考察

都匀二中到校交流

2013年黔南州政治思想优质课专家、老师合影

2013年黔南州理化生课改推进会合影

“十一五”规划师德建设示范单位

全国教育科学“十一五”教育部规划课题课题组成员校

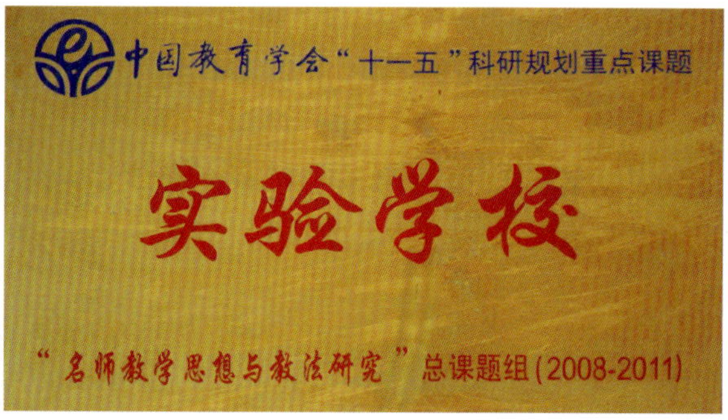

中国教育学会“十一五”科研规划重点课题实验学校

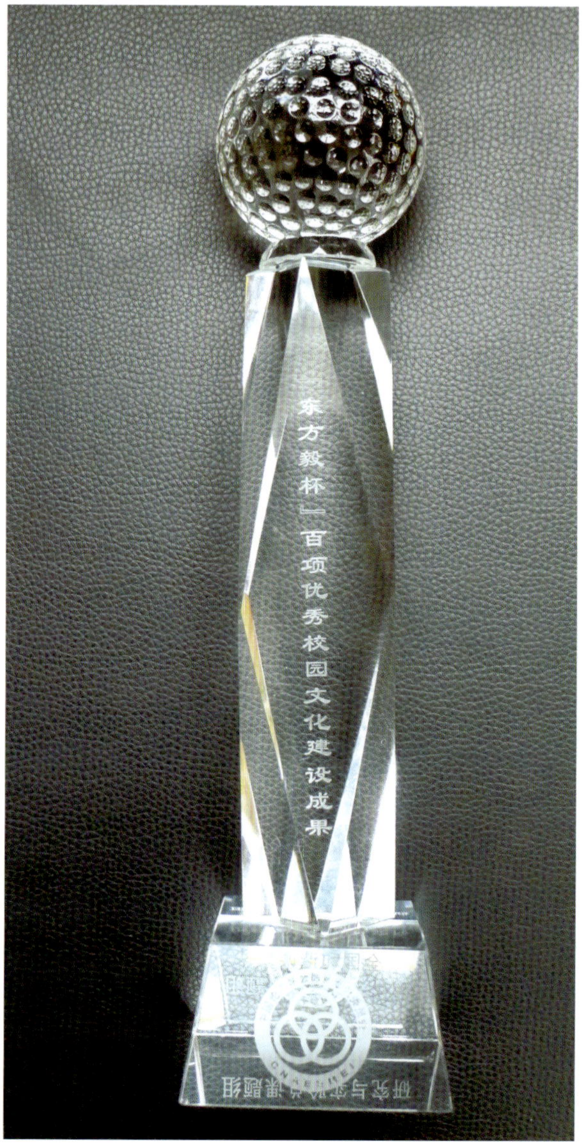

全国百项优秀校园文化建设成果奖

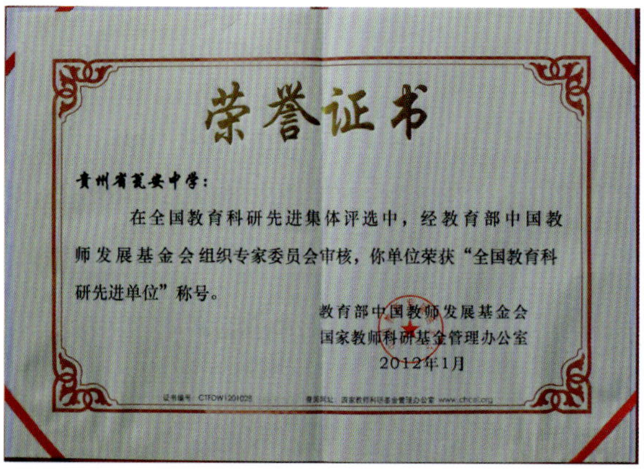

全国教育科研先进单位

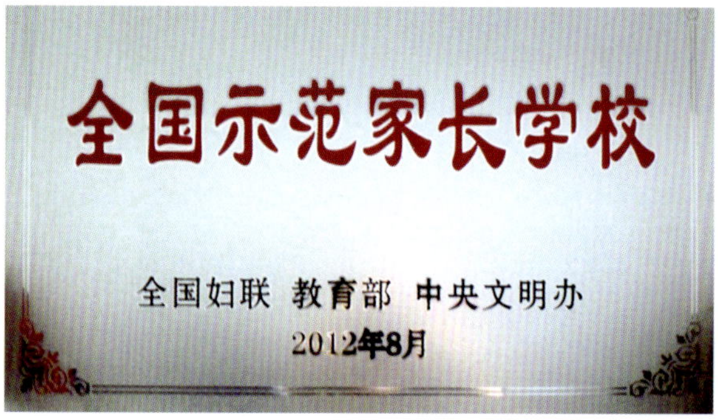

全国示范家长学校

信息技术创新与实践活动先进单位

《校园生活》获最佳校刊一等奖

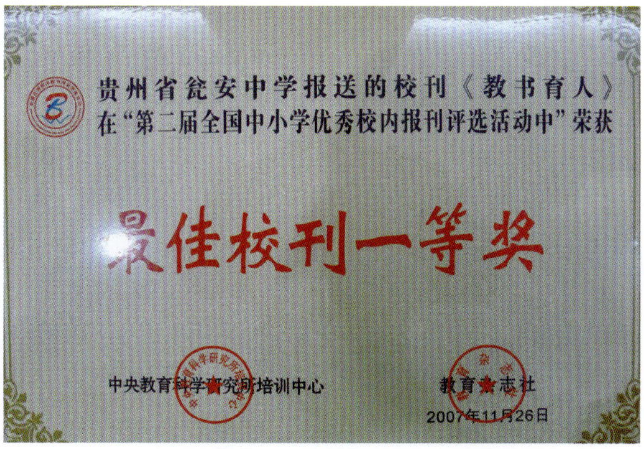

《教书育人》获最佳校刊一等奖

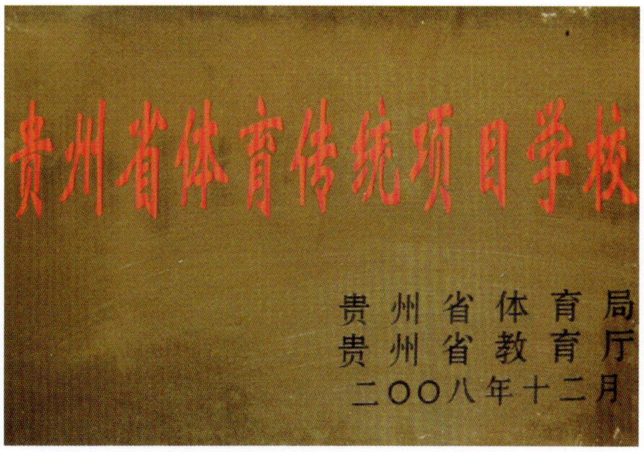

贵州省体育传统项目学校

贵州省校园文化建设先进学校

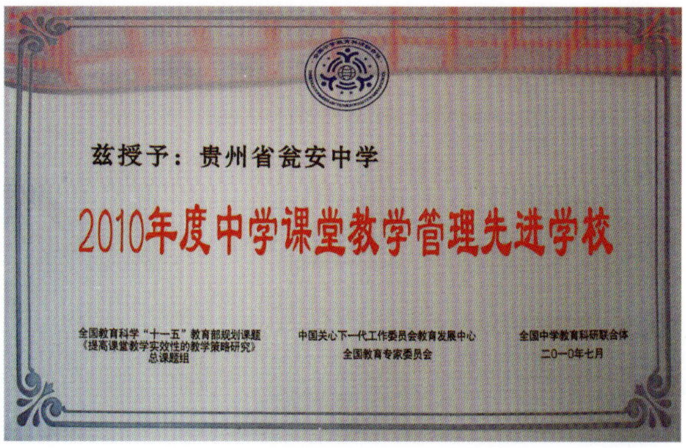

中学课堂教学管理先进学校

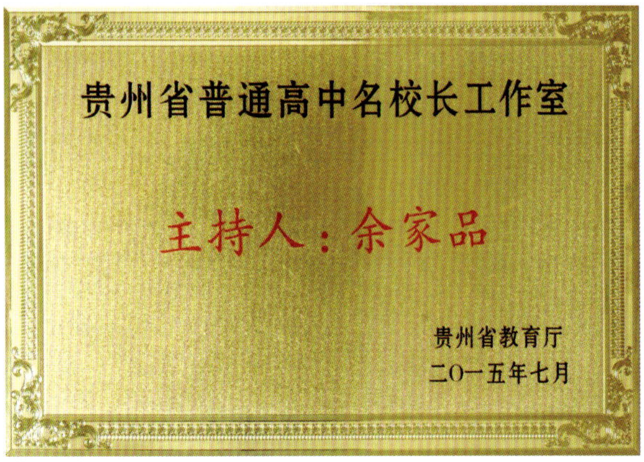

贵州省普通高中名校长工作室

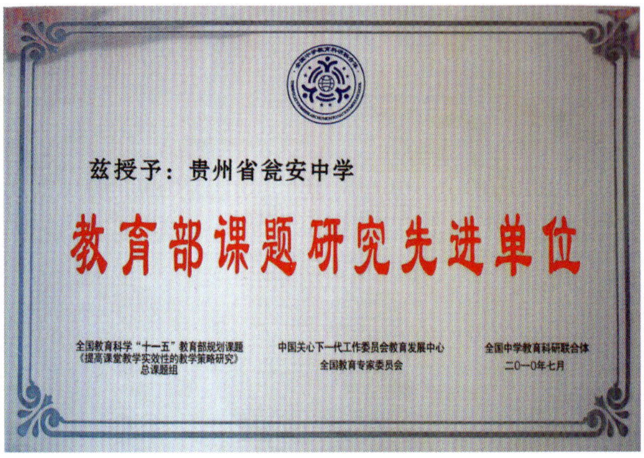

教育部课题研究先进单位

贵州省精神文明建设工作先进单位

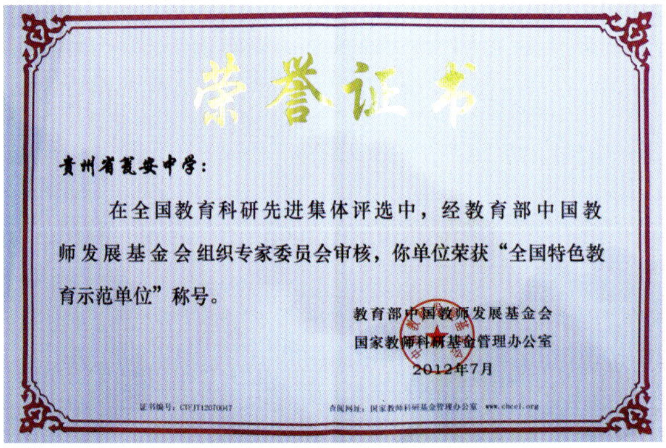

全国特色教育示范单位

百所德育示范学校

贵州省中小学学科教学渗透法制教育省级示范校

《贵州省瓮安中学志》编纂委员会

顾　　问： 夏吉友　谢　静　黄栋贵　李凤奇　张世忠

主任委员： 余家品

副主任委员： 李　琴　周遗贵　杨友发

委　　员： 邓　超　陈　刚　刘忠信　洪庆平　周　洪　游　鹏　张元忠
林长青　何平章　李景辉　肖春花　赵慕琦　刘凤七　赵　俊
宋　健　李长芳　蔡　毅　周学东　刘仁奎　杨贤材

第一排(左起)： 陈　刚　李　琴　余家品　黄栋贵　张世忠　夏吉友　谢　静　刘忠信　李凤奇
周遗贵　杨友发　邓　超

第二排(左起)： 肖春花　李长芳　游　鹏　周　洪　李景辉　林长青　张元忠　刘仁奎　蔡　毅

第三排(左起)： 杨贤材　周学东　赵慕琦　宋　健　赵　俊　洪庆平　何平章　刘凤七

《贵州省瓮安中学志》编辑部

主　　编：刘忠信
副 主 编：万森伟　刘明远
撰　　稿：刘忠信　万森伟　刘明远　袁子进
编　　辑：蒋　露
照片、图表收集整理：陈　刚　肖春花　孔凡祥
封面题字：张世忠
校　　对：顾大忠　曹植铭　蒙祖富
审　　验：瓮安县地方志编纂委员会办公室
范祖贵　王　昱　谢兴贵　谢崇禄　刘德权　王明江

前排（左起）：陈　刚　万森伟　刘明远　刘忠信　顾大忠
后排（左起）：蒙祖富　肖春花　袁子进　赵泽钦　孔凡祥　蒋　露　曹植铭

序 一

贵州师范学院教授 颜迈

一个民族、一个国家，只有它的历史活着，它的存在才是真实的；一个学校也一样，只有它的历史活着，它才会有辉煌的未来。这就使志书显得非常重要。我们先来看看几个学校的校龄：北京大学创建于1898年；清华大学创建于1911年；清朝礼部尚书李端棻于1906年创办了贵阳一中；孙中山为了纪念翻译家朱执信，于1921年创办了广州市执信中学；清华大学校长梅贻琦，于1938年创办了贵阳市清华中学。这些大学和中学的辉煌是有目共睹的。

现在来看看贵州省瓮安中学吧。

清道光癸巳（1833年），瓮安邑令王存成倡修书院于城南先农坛前大路之左，命名为“玉华书院”；咸丰庚申（1860年），玉华书院毁于兵燹。光绪戊戌（1898年），瓮安邑令王敦成于“玉华书院”旧址复修书院，更名为“花竹书院”；光绪丙午（1906年），“花竹书院”改为花竹高等小学堂。民国2年（1913年），花竹高等小学堂改称县立高等小学校。民国15年（1926年）创办县立中学。民国17年（1928年），经省教育厅批准，学校先后被确立为“瓮、余、平、黄”四县联中、省立六中。民国32年（1943年）设高中部，成为完全中学。2000年改制为高级中学。2013年经评审，升格为贵州省二类示范高中。学校历经“书院—学堂—中学”的演变，迄今（2015年）已有182年的历史。——瓮安老百姓把瓮安中学旧址叫作“书院上”，就是因为玉华书院、花竹书院的缘故。老百姓的口碑和记忆，是铭刻在心灵深处的，所谓“金杯银杯不如口碑”是也。

180余年来，在瓮安人民的悉心呵护下，在历届政府的重视支持下，经过数代瓮中人坚持不懈的努力，瓮安中学已从纤纤树苗成长为参天大树，已从垒土建造发展为九层之台。今天的新校区，占地面积16.18公顷，建筑面积8万多平方米，有教室80间，可容纳4480名学生。

180余年来，瓮安中学为社会培养了大批优秀人才。有为民族的独立解放喋血沙场、马革裹尸的民族精英；有为报效祖国、建设祖国，熔铸了无数辉煌的厚德英才；有为教育事业的传承，留下闪光足迹的耕耘者。真可谓“玉华毓秀，半月泽芳”“风雨三甲，星耀瓮中”。学校2000年改制为高级中学后，教育教学质量不断登上新的台阶，先后获“国家级教育观测基地”“全国百所最具成长力学校”“全国特色教育示范单位”等诸多荣誉；学校已成为瓮安县向高等学校输送优质生源的基地，黔南州高考龙头学校，全省“低进高出，高进优出”的示范学校。

瓮安自明季改土设县至2013年，共修有5部方志：一是雍正三年，邑宰韩瑛、举人商基镛、贡生邱中灵所撰《韩志》；二是嘉庆三年，傅玉书所完成的私家方志《桑梓述闻》；三是民国3年，县长李退谷邀返乡前贵州民政司正长朱一清等人所著《瓮安县志》；四是1995年瓮安县地方志编纂委员会编纂出版的《瓮安县志》；五是2015年瓮安县地方志编纂委员会编纂出版的《瓮安县志》。这五部方志，除《韩志》早已亡佚外，其余对瓮安教育的记述甚略，遑论对瓮安中学的记载。

民国时期，李宗彝曾撰写《校史》，但在这篇千余字的文稿中，只描绘了瓮安中学20余年的一个轮廓；1963年，丁章再修校史，所写时段为民国时期至20世纪60年代，该文稿在“文化大革命”中成为批斗丁章的“黑”材料，后佚失；20世纪80年代，学校曾安排罗洪祥编写校史，未果。

2011年上半年，李凤奇校长超前安排学校部门志的编纂工作，诚邀学校退休教师刘忠信主持校史编纂工作。校史编纂室先编纂出学校2008—2010年的年鉴，接着组织人员准备180年校庆资料。2012年瓮委办字〔2012〕104号《关于印发〈瓮安县部门志乡镇志专业志编纂工作实施方案〉的通知》下发后，即着手《贵州省瓮安中学志》的编纂工作。该工作在继任校长余家品的领导下，历时3年，至省、州、县档案馆调阅档案材料，共查阅档案资料3000余万字，撰写毛稿200余万字，成书100余万字。

于是，一部以学校为叙事主题的“史记”雏形诞生了。

瓮安中学各个时代的领导，广大师生员工，以及社会各界仁人志士，为瓮安中学的发展壮大，为瓮安中学校志的编写，辛勤耕耘、呕心沥血，焚膏继晷、爬梳剔抉，做出了巨大的奉献。这次校情校史的全面调查和综合整理，是服务当代，惠及后世，造福桑梓的千秋大业，可谓书之丹青，彪炳史册。

这部校志，是精神文明建设的硕果，是集体智慧的结晶，有“详史之略、补史之无”之用，实现了几代瓮中人的修志愿望，为子孙留下了一部教育史、学校史的宝典。尊史、志史、忠于史实、以史为鉴，是一切史学工作者的职业道德，也是《贵州省瓮安中学志》编写者一颗颗赤诚之心之所钟。

180余年的风雨历程，180余年的不懈努力，从中华传统文化中汲取精粹，融汇成坚实的文化传统、办学理念，是学校永葆活力并形成学校特色的基本经验。我们希望以校史校志的形式，缅怀为学校发展做出贡献的前辈，激励后辈师生员工再创辉煌。我们衷心祝愿这本校志的诞生，能继承并发扬瓮安中学的优良传统，衷心祝愿广大师生员工以实际行动维护瓮安中学的光荣和声誉，为瓮安中学在新时期的再次腾飞贡献力量。

序　二

贵州省瓮安中学校长　余家品

牂牁古域，黔中旧郡。星分玉衡，屈指北斗第六星。物阜民康，“质美力学”不乏人。清道光癸巳（1833 年），邑令王公存成带头捐资，修建玉华书院于城南先农坛。是年，瓮安人有了“庠序之教”。追溯历史，瓮安中学源起于玉华书院。

校园地刻清晰地记录着学校发展的沧桑变化。在 1833 年创办玉华书院的基础上，学校几经变革，几易校名。1898 年更名为花竹书院，1906 年改建为花竹高等小学堂，1926 年由著名教育家黄齐生（革命先驱王若飞的舅父）倡建为中学，1928 年成为省立第六中学，1943 年改名为贵州省瓮安中学至今。在这块古老的土地上，学校经历了“书院—学堂—中学”的演变。先贤筚路蓝缕，艰苦创业，后人苦心经营，发扬光大。

21 世纪初，学校驶上了跨越发展的快车道。2011 年秋，整体移迁县城河西新区学府路（原校址成为瓮安第四中学），办学条件发生了翻天覆地的变化，成为时下全州办学条件最好的高级中学。2013 年初冬，学校荣升为省级二类示范性普通高中，跨入全州 3 所二类示范性普通高中之列，办学实力与办学水平再上新平台。

“三甲子雨润栋梁报国振华夏，十八秩春催桃李芬芳誉黔中”，高度概括了瓮安中学悠久的办学历史和斐然的教育成绩，学校办学声誉响彻黔中大地。民国时期，革命烈士冷少农、舒葆初曾就读于瓮安中学，中共地下党员马仲楠等也曾工作于此。新中国成立后，学校秉承授业为本，坚持传道为先，培养了数以万计的优秀学子，成为共和国建设的中坚力量，为祖国现代化建设做出了巨大贡献。

2012 年冬至，时值建校 180 周年之际，前任校长李凤奇有了了解她的过去、研究她的现状和规划她的未来的想法，会同学校班子商定撰写《贵州省瓮安中学志》，成立了校志编撰领导小组，委请我校退休教师刘忠信为编撰小组牵头人，聘请县史志办退休干部万森伟、车地小学退休教师刘明远组成了校志编撰小组。2012 年岁末，编撰小组着手构想校志框架，起草编撰计划，开始校志的编写工作。

2013 年夏初，县委、县政府委以重任，本人接任瓮安中学校长。当学校工作步入正轨后，忠信先生与我谈了志书编撰进程及详细情况。本人亦深知校志是学校文化的重要组成部分，记载着学校发展的风云变幻，彪炳学校发展的光辉业绩，故倾力支持。

为更深入地贯彻李克强总理 2014 年 4 月 19 日在第五次全国地方志工作会议提出的“修志问道，以启未来”的讲话精神，为达到把《贵州省瓮安中学志》编成省州第一本有影响力的中学志的目标，学校多次召开专题会议，研究校志编撰问题，解决编撰过程中遇到的困难，使校志编撰工作得以顺利进行。

编撰小组三位老先生放弃了享受天伦之乐的幸福时光，凭着对教育的执着与热爱，起三更歇子夜，倾情于校志编撰。为了收集更为翔实的初始资料，舟车劳顿赴都匀、贵阳等地，访问知晓瓮安中学发展的历任领导、退休教师、校友及相关人士。深入筑、匀两地档案馆查找民国时期与解放初期的档案卷宗1700余卷，阅读相关史料3000余万字，拍照5000余张。这些资料为校志的编撰积累了丰富的素材，为后期编撰工作奠定了坚实的基础。

在编撰过程中，县史志办地方志编撰主任范祖贵一行多次深入学校调研、指导，提出许多宝贵的意见和建议。编撰小组在充分采纳县史志办的意见后，多次修改校志内容，删繁就简，忍痛取舍，几易其稿。三位老先生辛勤工作，精心策划、收集素材、组织结构、确定篇章，付出了大量的心血。

历时4年，一部100余万字翔实记录着瓮安中学发展印迹的校志见之于世，为瓮安中学后续发展提供了史实借鉴。

《贵州省瓮安中学志》观点鲜明，史料翔实，素材丰富，可读性强。记录了瓮安中学180余年的历史和现状，反映了学校跨越3个世纪风雨兼程的发展轨迹，讲述了瓮安中学教书育人的许多动人故事。她的出版问世，必将发挥“资治、教化、存史”的功效，为县域中小学校志的编撰工作提供参考和借鉴，具有极为重要的历史意义和现实意义。为此，谨向参与校志修订的师生员工以及给修志工作提供史料的各级各部门、各界仁人志士表示衷心的感谢！

值校志修成之际，抚今追昔，百感咸集。学校之成绩，已成既往；未来之辉煌，犹待奋蹄。砥砺前行克时艰，厚积薄发重起航。愿我校同仁，再接再厉。学校大业，永铭金石！是为序。

2015年冬至前夜于半月山新校园

（作者为贵州省普通高中名校长工作室主持人）

凡　例

一、本志以马克思列宁主义、毛泽东思想、邓小平理论、“三个代表”重要思想和科学发展观为指导，深入贯彻习近平总书记新时代中国特色社会主义思想，坚持辩证唯物主义和历史唯物主义的立场、观点和方法，实事求是地记述贵州省瓮安中学的历史和现状。

二、本志上限起于 1833 年 3 月，下限止于 2013 年 12 月。部分史料根据需要作适当延伸。

三、本志由述、记、志、传、图（照）、表、录组成。以志为主体，辅以图（照）表。各志结构按章、节、目层次记述，并适当随文插入图（照）表。概述、大事记、人物、附录均独立成篇，不排序。

四、本志纪年称谓。纪年采用公元，限外内容涉及年号在公元后括号内加注；名称或职官按当时的称谓，首次出现用全称，之后用规范简称。

五、本志人物按人物传略、人物简介、名录三类记述。人物传略记载对瓮安中学有重大贡献、重大影响的人物，坚持生不列传原则，以本籍为主，客籍为辅。人物简介介绍在瓮安中学工作期间有突出贡献或显著业绩，受州委、州政府及以上党委、政府、教育行政部门表彰的教职工。部分校友名录主要记录正处（正团）、教授、博士生方面的校友。其他名录随文记入。

六、本志特记。记述瓮安书院（书院的变迁、学额、教学、课程管理和科举考试）。

七、本志章节后设名录、统计表。

八、本志行文规范。除引文、附录外，一律采用记述体，严格按照《地方志书质量规定》《瓮安县地方志编纂行文规范》要求记述。

九、本志资料。来源于学校、县教育局、县档案馆和省州档案馆馆藏资料，部分来自正史、旧志、专著、私人札记，均未一一注明出处。

十、本志数据。以原始档案材料（学校、县局、县档案馆、省州档案馆）为准。

十一、大事记。记述限内各年发生的大事、要事。时间发生在同月同日的，用“是月”“是日”表述。

十二、“瓮安解放前”“瓮安解放后”分别指 1949 年 12 月 11 日解放前、后。

十三、五位和五位以上的数字，采用“万”“亿”作单位，数字用阿拉伯数字。

目 录

概　述

瓮安县位于贵州省中部，黔南布依族苗族自治州北端，乌江中游，黔南、黔东南二州和贵阳、遵义市结合部，北纬 26°53′~27°29′、东经 107°07′~107°42′之间。东邻黄平县，南连福泉市，西接开阳县，西北交遵义县，北抵湄潭县，东北靠余庆县。二级公路、高速公路四通八达，形成通衢网络。全县土地面积 1962.74 平方千米，南北最长 56 千米，东西最宽 51 千米。

县境元代置旧州草塘等处长官司。明代置草塘、瓮水 2 安抚司，建乾平、干溪、梭罗、洪头、荆篙、飞练等 15 堡。明万历二十九年四月二十九日（1601 年 5 月 30 日），以 2 司和 15 堡地合置瓮安县（治所雍阳），隶贵州平越府。清嘉庆初年隶平越直隶州。民国时期先后隶黔中道、省直辖区和平越、镇远、遵义行政督察区。1949 年 12 月 11 日解放，先后隶贵阳、贵定、安顺专区和黔南自治州。1958 年 12 月—1961 年 8 月，福泉县一度并入县境。2010 年，县人民政府驻地雍阳街道办；辖 10 镇、1 乡、2 街道办、82 村、2 居委会、15 社区，1803 个村民组。全县总人口 48.48 万人，有苗、布依、土家、仡佬、彝等 34 个少数民族共 2.8 万余人，占总人口的 5.8%。其中苗族 1.9 万余人，占全县少数民族人口的 67.86%。

教育文化源远流长

北宋·神宗熙宁五年（1072 年），犹道明以乡贡考中乙科进士，为贵州进士第一人；明英宗三年（1459 年），乾平堡人杨遵考中天顺己卯科举人，嗣后又于明宪宗五年（1469 年）考中成化己丑科进士，成为瓮安建县前第二位进士。

建县后，“数十年来，人文日起。天启辛酉（1621 年），县人朱应征、叶应甲并领乡荐。今上庚午（1630 年）丙子（1636 年），宋世裕、犹登元、林之平等又相继获隽。境内现在家弦户诵，争相濯磨。”（明季瓮安知县曹昌期《请设学议》）

宋代至明清，瓮安学子考中进士 16 人，考中举子 124 人，进士举子人数远远高于全省县市平均数。

办学历史悠久

清道光十二年（1832 年），山东辽阳人，进士王存成“壬辰岁杪，予承乏兹土”，任瓮安知县。因“见其风俗之醇，士无故不登公堂，妇女白昼不游城市，乡纮户诵之声不辍。载询其人文之盛，则自明辛酉（1621 年）朱应征、叶应甲始领乡荐，至我朝掇科登仕者，代不乏人”，加上康熙末年建造的旗山书院圮没后，仅存其名，“其兴废基址，胥无徒稽也。”次年（1833 年）癸巳仲春上丁日，召集绅士，带头捐金倡修书院。书院建造于城南先农坛前大路之左，命名为“玉华书院”。

咸丰十年（1860 年），“玉华书院”毁于兵燹。

光绪二十四年（1898 年），知县王敩成在“玉华书院”旧址上复修书院。

书院落成后，命名为“花竹书院”。

光绪三十二年（1906 年），花竹书院改组高等小学堂。

民国 2 年（1913 年），高等小学堂改称高等小学校。

民国 15 年（1926 年），创办瓮安县立中学（在花竹书院内）。

民国 17 年（1928 年）1 月，瓮安县立中学改为“瓮（安）、余（庆）、平（越）、黄（平）”四县联中。6 月，改四县联中为“省立第六中学校”。

民国 32 年（1943 年）秋，创设高中部，学校更名为“贵州省瓮安中学校”。

2000 年 6 月，学校改制为高级中学。

2003 年，学校被评审为贵州省三类示范高中。

2013 年，学校经评审升格为贵州省二类示范高中。截至 2013 年，瓮安中学历经“书院—学堂—中学”的演变，已有 180 年的办学历史。

文化底蕴厚重

自建书院始，办学者便注重校园文化生态建设的打造。

玉华书院“前眺诸山，后依城郭，东障黄龙领，西带瓮安江，往来者啧啧称善地”。倡修人知县王存成为玉华书院大门撰写对联：“玉石藏山，须得琢磨方成器；华光射斗，始知学问本谪仙。”

花竹书院修缮完工后，县知事王敩成为书院题门匾“花竹书院”四个大字及书院礼堂内供奉的“大成至圣先师孔子神位”。据说，学校大门牌坊上的眉批“花竹钟灵”和楹联“花杂五色已成文，想多士天才藻丽；竹历四时而挺秀，见硕彦风节坚贞”均为王敩成大笔挥就，字迹娟秀而刚健，令人叹为观止。

民国 18 年（1929 年），高等小学校迁出与初等小学校合称两级小学校，花竹书院全归中学所有。开始实行升降旗仪式、总理纪念周活动。校训为“忠勤爱勇”。校歌为“律转阳和岁建寅，六中诞生”。

民国 25 年（1936 年），任永熙接任校长，校歌改词为今天传唱的校歌歌词。

民国 30 年（1941 年）6 月，瓮安中学完成乡土教材《征集乡土教材问题解答》一书。

新中国成立后，特别是改革开放 30 多年来，瓮安中学追逐时代潮流扬帆前进，得益于不断丰厚的校园文化和反复提炼的鲜明教育思想。

学校秉承并修改传统的校训为“忠、勤、孝、勇”；设计了集厚重人文积淀、多元文化兼容、色彩搭配鲜明于一体的校徽；重新谱曲传唱旋律悠扬、激昂励志的校歌。

学校确立“教育应当是关爱的教育，教育应当是负责的教育，教育应当是超前的教育”的教育思想；提升“以高质量的教育水准吸引人，以优质的办学信誉引导人”和“送学校一名学生，还社会一位人才”的教育理念；坚持“坚实铺垫学生文化知识基础，全面开发学生创新潜能，为学生的未来发展奠基”的教育宗旨；明确“学校有品位，教学有特点，学生有特长。把学校建设成为在省内外有知名度的师生共享的精神家园”的办学目标；遵循“以德立校，依法治校，科研兴校，民主理校，质量强校，创新办校”的办学原则；

打造“鲜明的校本文化生态（体现自然美，展现和谐美，凸现人文美，追求精神美）；优雅的书香校园（学校成为学习型组织，喜爱读书，终身学习成为师生的精神追求）；一流的质量品牌（学校成为瓮安县向高等学校输送优质生源的主要基地、黔南州高考龙头学校、全省‘低进高出，高进优出’的示范学校）”的办学特色。

学校形成“校以育人为本，师以敬业为乐，生以成才为志”的校风；倡导“把教书职业当事业，精心耕耘，做成经典；把教育对象当孩子，精心培育，收获成功；把育人校园当家园，精心爱护，促成和谐”的教风和“把读书看成是实现人生幸福的需要，自觉学习；把读书看成是提升人生价值的动力，自主学习；把读书看成是提高人生品位的源泉，快乐学习”的学风。

基础建设日臻完善

瓮安中学前身玉华书院，1860 年毁于兵燹后，光绪十八年（1892 年），陶懋恭任瓮安邑令时，在被焚烧的玉华书院旧址上，用城南袁氏捐献的木料，修建讲堂 3 间。

光绪二十四年（1898 年），瓮安邑令王敩成（广西藤县人）修复书院，命名为花竹书院。花竹书院“逾旧观”，占地面积 3500 平方米左右，斋房（即书房）有对称的 2 幢，每幢 2 层 18 间，共 36 间，可供 36 人就学。与北面礼堂遥遥相对的是一长排平房，书报室、宿舍、餐厅、憩息室等皆在其内。这一群建筑正好构成标准的四合院。此外，厨房与之相距不远，另有号房、字窟塔、厕所等。

民国 7 年（1918 年），县劝学所召开教育会议，讨论整顿办法，并仿贵阳师范学校教学楼式样，修建新式教学楼 1 栋。

民国 27 年（1938 年），冉隆堃校长请款修建教室 1 栋，计排 7 间，楼下隔作东西两教室，中作教员室，楼上全作学生宿舍。1942 年，王道暄接任后，迭与地方人士磋商，佥谓此屋已向西南偏斜，难以持久。王道暄向教育厅呈明请款改建。

1945 年秋，李宗彝接任省立瓮安中学校长。学校领导与教师配合较好，教学均有改进。竭力扩充校舍，尤其对高中部校舍兴建抓得较紧，指派犹泮香采购木料尅日兴工。张克襄还发起募捐新建图书馆 1 栋的活动。

新中国成立后，新建教室、寝室、办公室 1515 平方米，为“苏式”砖木结构。校舍建筑面积 2806 平方米。修有厨房（109 平方米）、饭厅（266 平方米）、粮仓、澡堂、厕所等。扩建运动场 2700 平方米。

1987 年，学校占地面积 4.64 万平方米，校舍建筑面积 1.26 万平方米（教室 3354 平方米、办公室 673 平方米、实验室 1712 平方米、教师宿舍 6152 平方米、学生宿舍 2630 平方米、厨房 255 平方米、厕所 147 平方米），花园 1.32 万平方米，运动场 1.37 万平方米。

2002 年，学校争取到国债资金 312 万元和扶贫贷款 450 万元，又向全校教职工融资 160 万元，用于新建教学楼（建筑面积 6208 平方米）和科技馆（建筑面积 4450 平方米）。

2003 年，学校拆建行政人员、教师办公楼（命名师道楼）建筑面积 2696 平方米。

2007 年，学校贷款 1200 万元（政府贴息）修建综合大楼（建筑面积 6700 平方米）和学生公寓（建筑面积 6635 平方米）。

2011 年秋，学校整体搬迁到半月山新校区。瓮安中学新校区占地面积 16.16 万平方米，是 1987 年（下同）老校区占地面积 4.64 万平方米的 3.5 倍；建筑面积 8.04 万平方米，是老校区建筑面积 1.26 万平方米的 6.4 倍；教学楼（包括实验楼）2.24 万平方米，是老校区教室（包括实验室）5066平方米的4.4倍；教师宿舍1.97万平方米，是老校区教师宿舍6652平方米的3.2倍；学生公寓2.8万平方米，是老校区学生宿舍2630平方米的10.6倍；学生食堂6243平方米，是老校区学生食堂255平方米的24倍；绿化面积近8万平方米，是老校区绿化面积1.32万平方米的6倍。

至于各种现代化教学设施设备，理化生实验室仪器配置，体艺场馆、图书馆及其设备、藏书，老校区都不能望其项背。

瓮安中学“高起点规划，高标准建设”的新校区是贵州省首批突破高中阶段教育的建设项目（投入资金2.3亿元），是全县对外交流的窗口单位。2011—2013年，共接待30余所学校及教育机构800余人次参观学习。时任中共贵州省委书记栗战书、省长赵克志、省委秘书长张群山等，先后到新校区指导工作。

师资建设成果显著

书院时期，山长（教师）于每年中秋后，由各绅士推荐，由县禀明上级后敦请，非科甲名师、品学兼优者不举。“科甲名师，品学兼优”，成为被遴选山长必备的资格。

民国时期，瓮安中学直属省教育厅领导，省教育厅敦促瓮安中学严格执行民国25年（1936年）2月出台的《中等学校训育主任公民教员资格审核条例》（以下简称《审核条例》）和5月29日出台的《中学及师范教员检定暂行规程》（以下简称《规程》）。

《审核条例》要求“全国各中等学校之训育主任或教导主任公民教员均受审查教员会之审查，其在该地审查委员会开始办公三月后未经审查或审查而不合格者不得继续充任”。民国28年（1939年）9月24日，省训育主任公民教员资格审查委员会第47次常会印制《历届审查训育主任·公民教员姓名》分送各中等学校，以备选聘。

先后在瓮安中学担任过训育主任（教导主任）和公民教员的何增荣、萧显仁、邵光奎、解广运、任永熙、冉隆堃，都是审查合格教员。

《规程》要求全省中等及师范学校教员从1936年6月1日起开始检定。中学及师范学校教员之检定，分无试验检定与试验检定两种。无试验检定由检定委员会审查其各项证明文件决定，每学期开始前举行，合格的为代用教员；试验检定除审查其各项证明文件外，并加以试验，至少每年举行一次，合格的由省政府给予检定合格证书，有效期6年，期满重新检定。

中学及师范教员检定工作一直持续到1949年上半年。中华人民共和国成立后，中学及师范学校的教师主要来自师范专业大专院校，学校的教师不再搞资格审查或检定。

改革开放后，鉴于教师队伍中不具备合格学历者增多之情况，1986年9月6日，国家教育委员会下发〔1986〕教师字004号《关于印发〈中小学教师考核合格证书试行办法〉的通知》，规定考核合格证书暂设“教材教法考试合格证书”和“专业合格证书”；凡不具备国家规定合格学历的中小学教师，工作满1年以上者，可申请参加“教材教法考试合格证书”的考试；工作满1年以上已取得“教材教法合格证书”者，可申请参加“专业合格证书”的文化业务知识考试。

1983—1986年，瓮安中学大部分青年教师参加了“教材教法过关”考试的培训和考试。1986年起，部分教师开始参加“专业合格证书”的文化知识考试。

1996年8月8日，根据省教委会颁发《关于做好在职教师资格认定过渡工作的实施意见》中规定的教师认定条件，瓮安中学绝大多数教师被认定为高级中学教师资格，部分教师被认定为初级中学教师资格，颁发教师资格证书。

教师素质明显提高

从 1983 年至 1986 年组织的“过教材关”考试，到 2004 年开始的部分青年教师每年参加“高考适应性考试”；从 2000 年开始的中学教师继续教育，到 2001 年开始的“普通高中新大纲、新教材”全员培训；从教师个人离职、在职进修（包括校长培训），到国家级、省、州、县级骨干教师批次培训；从学科优质课、教学能手的打造，到学校师德工程、师训工程、名师工程、“青蓝”工程的全面推进……通过多渠道、多形式的业务学习和教学实践，瓮安中学的青年教师很快进入角色，成为教学骨干；中年教师久经锤炼成为行家里手，成为学科带头人；部分教师成为“县管专家”、黔南州或贵州省名师。

截至 2013 年，学校有教职工 249 人，其中专任教师 241 人，工勤 8 人。专任教师全部具有高中教师资格，达到本科及以上学历 237 人（硕士生 19 人），占专任教师总数的 97.9%；专任教师高级职称 65 人（其中特级教师 3 人，不包括退休的 5 人），占专任教师总数的 26.9%；专任教师中级职称 85 人，占专任教师总数的 35.1%。学校中高级教师占专任教师总数的 62%。整个教师队伍政治、业务素质高，学科年龄结构合理，爱岗敬业，乐于奉献，充满活力。

捐资助学再上台阶

新中国成立后，省政府执行教育“向工农开门”的办学方针，制定了《贵州省小中大学生人民助学金暂行办法（草案）》，按照一定比例和助学金等次金额评审发放人民助学金（实物）。

从 1952 年开始，人民助学金以现金的形式发放。中等以上学校享受人民助学金的比例上升。人民助学金一直发放至 20 世纪 90 年代。

2002 年 9 月 15 日，瓮安中学制订《思泉捐资助学金实施方案》。

2004—2007 年，瓮安中学品学兼优、家庭困难的学生，先后得到“西部助学工程”、瓮安磷矿、香港慈善基金会、多彩贵州、黔南州常委、县总工会、北京泰报集团、瓮安前田地产公司、“春晖行动”——百名高中贫困学生一帮一助学活动、“金秋助学”、黔南州贫困大学生（新生）入学补助、广林助学金等单位和个人的捐助。

2008—2011 年，瓮安中学充分整合社会资源，积极争取援助资金，扎实开展爱心助学工作，取得了显著效益。其中，2008—2009 学年度，学校争取到“春晖行动”等 15 个单位和爱心人士的捐助，650 名贫困学生受助，受助金额总计 83.52 万元；2009—2010 学年度，受助贫困学生 447 人，受助金额总计 65.48 万元；2010—2011 学年度，受助贫困学生 1250 人，受助金额总计 188.03 万元。

2011 年春季，瓮安中学 1016 人享受普通高中国家助学金，受助总金额 76.2 万元；秋季，1301 人享受普通高中国家助学金，受助总金额 97.58 万元。

2012 年，瓮安中学家庭经济困难学生享受普通高中国家助学金、社会捐资助学和学校资助（不包括政府奖学金）等共计金额 218 万元。

2013 年，瓮安中学家庭经济困难学生享受普通高中国家助学金、社会捐资助学和学校资助（不包括政府奖学金）等共计金额 259 万元。

教育教学成绩斐然

2002 年，瓮安中学成为“国家级教育观测基地”；2003 年，被评为“黔南州绿色学校”；2004 年，被评为“全国信息基础创新与实践活动先进单位”“贵州省示范性普通高中”；2005 年，被评为“全国艺术教育特色单位”“全国教育教研先进单位”，并获“全国青少年儿童艺术教育成果集体组织奖”；2006 年，成为“国家教育教学管理示范单位”“外籍教师口语合作教育实验学校”；2007 年，被评为“中国师德建设示范单位”“黔南州文明单位”；2008 年，被评为“全国百所最具成长力学校”；2009 年，被评为“贵州省校园文化建设先进单位”；2011 年，被评为“贵州省精神文明建设先进单位”；2012 年，被评为“全国特色教育示范单位”；2013 年，被评为“贵州省中小学学科教学渗透法制教育省级示范校”。

2000 年 6 月，瓮安中学改制为高级中学，高考升学人数一年一个新台阶，在全州、全省县级中学名列前茅。

2000—2013 年，瓮安中学考取本科（含三本）的学生 9000 余名。9 名优秀学子考取北京大学、清华大学。瓮安中学连续荣获“黔南州普通高中教育教学质量奖”。

人才辈出

180 年来，学校为社会培养了大批优秀人才和杰出人士。

有为民族的独立解放喋血沙场、马革裹尸的仁人志士。如：1911 年辛亥革命参与共和，推翻清王朝统治，1927 年阵亡于北伐战争的陆军中将杨恩培；1923 年壮烈牺牲于南京雨花台，“中共历史上最杰出的红色特工之一”，周恩来的军事秘书冷少农；淞沪抗战十九路军英烈施汝德和南京保卫战抗日英烈王伯才等。

有为报效祖国，建设祖国，熔铸无数辉煌的厚德大智英才。如：中国新一代颇有建树的自动化专家蔡远利，中国中医科学院专家、博士生导师朱建贵，中国人民大学国际交流处处长、博士生导师唐忠，清华大学信息技术研究院博士李忻和贵州省农科院院长刘作易等。

有为科技文明的传承，留下一串串闪光足迹的大批耕耘者。如：南开大学经济学院党委书记、第一副院长李万华，北京科技大学化学与生物工程学院副院长李文军，贵州大学资环学院院长杜定全、理学院院长丁召，贵州师范大学外国语学院院长刘谨、法学院副院长文永辉以及省社会主义学院党委书记辛守诚等。

大事记

道光十三年（1833年）

三月（癸巳仲春上丁日），瓮安县令王存成倡捐金修书院，先后得银三千金，于城南先农坛大路之左（现瓮安中学老校区教工宿舍所占之地）修建。第二年（道光甲午）二月初一竣工，命名为“玉华书院”。

咸丰十年（1860年）

玉华书院毁于兵燹。

光绪十八年（1892年）

陶懋恭出任瓮安县令时，在被焚烧的玉华书院旧址上，用城南袁氏捐献的木料，修建讲堂3间。

光绪二十四年（1898年）

广西藤县人，翰林王敦成任瓮安县令时，爰集同寓诸公，暨乡绅耆老以修复书院为请，捐金复修书院。次年（光绪已亥）初秋书院鸠工以落成后，命名为“花竹书院”。

光绪二十九年（1903年）

清政府颁布的《奏定学堂章程》即“癸卯学制”在全国施行后，花竹书院改为花竹高等小学堂。

光绪三十三年（1907年）

三月初一，花竹书院内开办有县城高等小学堂、县城初等小学堂。堂长杨茂辉。县城高等小学堂经考试录取学生136人，分为3个班，教师6人；县城初等小学堂有学生30余人，设1个班，教师2人。

民国元年（1912年）

县城高等小学堂附设简师一班，以解决农村师资问题，培养乡村小学教师，招收初等小学毕业生，学制2年。

民国 2 年（1913 年）

高等小学堂改为县立高等小学校。

民国 3 年（1914 年）

县立高等小学校有学生 200 余人，4 个班，教师 8 人。附设有 2 年制简易师范班。

秋　县城初等小学校改设于武侯祠（现瓮安一小）。

民国 4 年（1915 年）

商南阶任县立高等小学校校长。

民国 6 年（1917 年）

9 月　因县立高等小学校办理不良，几乎瓦解，特到省聘请初级师范生王效行任校长兼教员，力图改进。

民国 7 年（1918 年）

12 月 13 日　县劝学所召开教育会议，讨论县立高等小学校整顿办法，并仿贵阳师范学校教学楼式样，修建新式教学楼 1 幢。

民国 11 年（1922 年）

教育部正式公布《新学制系统》即“壬戌学制”，类似美国的“六三三”学制，规定全部学校教育时间为 16~18 年，分 3 段 5 级（初等教育 6 年，分初小 4 年和高小 2 年两级；中等教育 6 年，分初中 3 年和高中 3 年两级；高等教育 4~6 年，不分级）。

民国 12 年（1923 年）

夏　股匪破城，学校停课。

12 月　县立高等小学校校长为宋宝德，学监谢德祥，庶务杨聚贤。教员有黄中专、戎隆端、丁希忠、申云章、蒋昌基、张延宾、宋贤文、谢德洋、宋宝德、王福森、丁成林、王新宇、王景华、吴源深、敖思稼、冯蜚声、周梁、曾培基，共 18 人，师资队伍逐渐壮大。

民国 13 年（1924 年）

4 月　开学上课，有 3 个班，学生 50 人。

暑假期间学校师生走上街头进行平民义务教育。

民国 14 年（1925 年）

县长陈伴香，劝学所长曾昭淦，小学校长宋毕霖，教员张立三、戎作英、商梓才、商宪章、黄尚之、何芳南，简易师范教员唐尧，知名人士张克襄、冷祥雯、朱迪三等倡议兴办瓮安中学。

省公署派黄齐生到瓮安县视察，黄齐生鼓励高等小学堂学生莫为军阀卖命，到广州黄埔军校参加国民革命。

民国 15 年（1926 年）

遵义筹办十县联中，要瓮安县每年拨款 4000 银圆作联中经费。在著名教育家黄齐生（瓮籍人），国民党中央代表、省教育厅商文立（瓮安中坪人、博士）等人的鼎力相助下，省政府同意瓮安将解款留办中学。11 月 11 日，瓮安县立中学正式开学。第一学期学生经过考试录取 16 人，为一班，附设于县立小学校内。胡国泰任校长。

民国 16 年（1927 年）

1 月　瓮安中学与高等小学共处一校，胡国泰提倡分办。胡国泰以委任状未下晋省，被省厅委任省立一中学监。

3 月　县立中学筹办人之一张克襄（学监）被推举为学校负责人。奉令将原定的秋季始业班降为春季始业，新招学生 10 余人，加上原有学生，共计 28 人。

民国 17 年（1928 年）

1 月　因财力不足，遂与毗邻县洽商，报经省教育厅批准，改为瓮、余、平、黄四县联中。省教育厅委派张纯仁任校长，招收第二期学生，每班由省政府补助银圆 200 元。

6 月　瓮、余、平、黄四县联中奉令改为“贵州省立第六中学校”。当时全省只有 8 所省立中学：贵阳一中、赤水二中、遵义三中、安顺四中、都匀五中、瓮安六中、思南七中、镇远八中。经费由省库拨款。

冬　张纯仁调任教育厅秘书，王道生代理校长。

民国 18 年（1929 年）

1 月　王从周继任校长，招收第三期学生。县城高等小学把花竹书院全部让给省立六中，迁到文昌宫与县城初等小学合并为本城两级小学。

9 月　实行升降旗制度，立校训为“忠、勤、爱、勇”。学校开始配备教导主任和学监各 1 人，分管教务、训导。

12 月　瓮安县立中学第一期学生毕业 18 人，其中 8 人升学，10 人任小学校长或教员。

是年　学校第二期学生办平民夜校，学生轮流上课，募捐买文具发给学员。这是瓮安办夜校最早的记载。

民国 19 年（1930 年）

学校开办平民夜校，招收失学儿童 40 多人入学，由初三班学生轮流授课，在师生中劝募捐款作平民学生书籍、纸笔等费用。

办学经费欠缺，遂商诸县府及地方士绅设法增补，并呈请省政府补拨省款获允，学校基础趋于稳固。由于执教诸先生施教有方，毗邻县学生纷纷负笈到校求学，生员日众。

民国 20 年（1931 年）

3 月　王道生任校长。南开大学教授朱希仲应聘为学校训育主任。

是年　瓮安县县长金慧章欲讨好省长毛光祥，要省立第六中学校师生为毛光祥六一就职周年作演出，全校师生以学习紧张为借口激烈反对，矛盾尖锐竟赶走了贪官金慧章。

民国 21 年（1932 年）

救国义勇军为 1931 年的“九一八”事变、1932 年的“一·二八”事变作长途宣传，揭露日本军国主义侵略本质，借以唤起民众。学校师生积极配合，开展抗日宣传活动。

民国 22 年（1933 年）

教师魏祉修发动第四、五、六期学生修水井 1 口，自黄龙屯坡脚开沟引水进校园内，工程可观，意义也大。魏主任撰写了一篇序，教员曾春如缮书刻于石碑。

学校有教师出语失误，第六期学生乘隙不尊师训罢课，矛盾激化，解散了第六期学生。

民国 23 年（1934 年）

3 月 1 日　杨克增任校长。

冬　红军长征过瓮安，击溃四县总指挥王玉衡部队。中学遭受少数人捣乱破坏，将教学楼及师生宿舍之门窗户壁拆毁，所藏图书及理化试验仪器、药品之贵重者被任意取走，余则损坏，弃之于地。

民国 24 年（1935 年）

2 月 28 日　彭建平任校长。

9 月 17 日　省立第六中学向省教育厅呈请修理礼堂校舍围墙，省教育厅派督学胡国泰驰赴瓮安中学会同校长彭建平勘查估价报厅，省教育厅批准照办。学校随造预算书，工料估价清册请款施行，并于 11 月 30 日完竣向省教育厅呈报修理校舍经费决算书。

是年　学校用砖改修原土围墙五丈，改建校大门（由西向改为南向），添设了号房。

民国 25 年（1936 年）

1 月　省政府批准省教育厅 1935 年 11 月 11 日呈字第 364 号关于更正各校名并请刊发铃记的请示，同意将省城外 7 所（赤水、遵义、安顺、都匀、瓮安、思南、镇远）省立中学更名为省立初级中学。至此，“省立第六中学校”更名为“省立瓮安初级中学”。

1 月 6 日　省立瓮安初级中学校工刘廷良持公函赴黄平政府领取瓮安县 1935 年 12 月契税附加款，返途行抵黄平属地代温堡梨树坳坡脚时，遭土匪拦截，所领 164 元被土匪抢去。

2 月 12 日　教导主任林明因私行拆阅学校投邮公文并以金钱贿赂携文校工保守秘密，被依法审理。

是月　省督学胡国泰到省立瓮安初级中学督查校舍修理情况，并将督查结果上报省教育厅。修理包括教室、学生宿舍、厨房、厕所、围墙等项目，省政府拨款（大洋）1979.21 元。

3 月　任永熙任校长。

6 月 10 日　学校获省教育厅批准，购置物理、化学仪器药品以供实验。

6 月 25 日　学校遵省教育厅规定，在新学期中以教育部颁正式课程标准公布后审定的教科书为课本。

7 月下旬　奉省政府令，学校聘任教员应于资格、经验、教学成绩慎加选择；教职员按《省立中等学校教职员服务及待遇暂行规程》及《贵州省公私立中等学校教职员服务规程》办理。

是月　省立中学经费完全由省款支给，原有各县代各中学征收的契税二成附加一律取消，各县原有帮助各中学的款额拨还各县，作扩充短期小学之用。

8月—1937年4月　学校职教员按月薪比例上交续征公务员飞机捐款。

是年　32名两级女校生毕业，任永熙校长报告省教育厅后，获准招收一年级女生一班。

民国26年（1937年）

2月9日　学校施行教育部颁“初级中学教学科目及各学期每周各科教学时数”、《中等学校强迫课外运动试行办法》以及“青年训练团组织建立、童军管理、卫生教育”。

3月3日　省教育厅同意省立瓮安初级中学1936年第一学期已招收的刘德芬等17名女生为一年级甲组附读生，第二学期招收新生时即并入新生班肄业。

6月27日　学校奉省政府、省教育厅令，选送教员沈如愚、解广运等4人前赴国立四川大学参加暑期讲习班受训。

7月7日　省立瓮安初级中学成立“学生农村服务研究会”。

7月13日　任永熙校长晋省，将维修学校业已动工详情面呈张志韩厅长，要求省教育厅鉴核拨款。

10月24日　瓮安中学认购9月、10月份救国公债共382元，并将教职员认购清册上报省教育厅。

11月　省立瓮安初级中学职教员将5—10月份工资所得税率的10倍作为捐薪助赈款上交省教育厅。

民国27年（1938年）

2月　学校成立歌咏队，36人，每周集中练唱2小时，抗战歌曲约占70%。

是月　学校职教员逐月从薪俸中按比例扣除部分款额给“贵州伤兵之友社”，慰问及救济负伤将士，以鼓励负伤将士重上前线。

3月25日　贵州省瓮安初级中学校徽式样出笼。

是月　学生人数大增，教室不够。学校请款于老校门前西园修砖木结构教学楼1幢，并在新校门前修三合土篮球场1个。冉隆堃任校长。

4月　台儿庄大捷，全校师生捐款慰劳，每人1~20元。学校师生加紧抗敌宣传，出演话剧，唱抗日歌曲，贴标语，办壁报。

5月12日　学校教导处召开训教会议，决定除教导主任担任主任导师外，所有专任或兼任教员、训育员8人，均任导师，将全校学生分成8组，实行训导。

6月7日　学校教导处召开训育工作会议，讨论学校膳食工作，就食料选择与烹饪方法详加研究，以保证学生营养。

7月27日　学校获准将全贵、提香寨、洞口河学租布告标卖，省教育厅令派瓮安县县长安伯英于标卖时临场监视，并将所卖各款随解省教育厅查收。

8月　全体教职员具结签章造表呈省政府、教育厅，决不吸食鸦片烟及毒品，“实行节约，长养国力”。

是月　学校组织暑期抗战建国宣传队分赴城区、杨家林、岩坑、草塘、木老坪、地松、平定营、三江镇等乡镇宣传“抗战必胜、建国必成”，并填写宣传报告表于开学时上交学校转呈省教育厅备查。

9月8日　学校呈报瓮安中学校歌至省教育厅备查。

11月5日　学校抗战建国宣传队在公演抗战话剧中获币，除支付10余元外，余50余元上缴省抗敌后援会资助前方战士寒衣；学校教职员也上缴寒衣捐款77.8元至省抗敌后援会。

是月　附设民众学校1所，招生1班；到刘家堡招收民众识字班1班。2班共99人，其中男性88人，女性11人。寒假期满，毕业43人。

12月12日　附设民众学校第一期学生正式开课。学生60人，均是未接受过教育的农民、工人、小商小贩等从业人员；上课时间为每晚6：00—8：00，课程有《公民》《训练读本》《算术》《习字》4科；所需经费均由省立瓮安初级中学职教员捐助。

12月19日　学校选授抗战音乐教材《义勇军进行曲》《战士的时代》《少年前进歌》《牺牲已到最后关头》《抗战》等歌曲，列表呈送省政府。

12月21日　出台《办理普及教育文化事业实施办法》，分甲乙两部分。甲：关于加紧抗敌宣传事项，包括“集中宣传”“出演话剧”“扩大歌坛”等具体措施；乙：关于普及文化教育事项，包括“增设民校”“设问字处”“增制标语”“发行壁报”“开放图书馆”“开放运动场”等具体措施。

是月　汪精卫通电全国动摇抗战，省立瓮安初级中学师生愤怒揭露汪精卫的罪行，利用寒假组织宣传队进行宣传。

是月　学校兼办社会教育推行委员会成立，冉隆堃校长任主席，何增荣教导主任任副主席，邵光奎、方崇义、萧之亮、褚桂林、谢长安、冉隆英、刘汝骏、冉燧卿等老师为委员。

是年　中共地下党员教师肖之亮（贵阳沙驼剧社创始人之一）、冉隆英率领学生利用寒暑假时间，在街头演出《放下你的鞭子》《送郎打日本》等话剧，演唱《义勇军进行曲》《长城谣》《九一八》《太行山上》《游击队之歌》等歌曲。学校要求学生划片包干进行宣传，并作为学生成绩考核内容之一。

民国28年（1939年）

1月28日　校长冉隆堃安排垦殖学校林。

是月　教师方宜德等指导学生制作教具百余种，大量采集动植物标本，其中鸟类标本达40余种，并将制作最好的教具和标本送省参展。

2月3日　学校组织8个抗战宣传队于寒假期间分赴瓮安城区、余庆、开阳、清镇鸭池河、三江镇、草塘镇、岩坑镇、平定营等地进行宣传，慰问抗战家属，办农民识字班。

是月　贵州省地下党负责人秦天真将马仲楠、余正清从铜仁调往瓮安中学任教员。

4月　接省政府令，学校将洞口河、全贵田、提香寨3处民国26年租谷标卖并呈报省教育厅。其中洞口河米13石，标价5元，标卖65元；全贵田谷8石，标价3元，标卖24元；提香寨谷7石，标价3元，标卖21元，共计标卖110元。

5月16日　省立瓮安初级中学新生活运动会成立，校长为主任委员，教导主任为级任导师，学校职教员均为委员。

6月7日　学校购买《抗敌正气画集》和《正气歌画集》（均取抗战以来可歌可泣之故事），藉资宣传。

是日　学校派负责人在街巷指挥宣传演练“应付敌人轰炸方法”，主要针对空袭时，除劝导学生避入防空洞外，并令向田野空旷地方隐避。

6月22日　成立瓮安县新生活运动促进会，校长冉隆堃为主任，另设总务、设计、调查、推行等委员，并造送新生活运动委员会一览表呈省促进会。

6月23日　执行《修正民众学校规程》，派学生数人赴第一区刘家堡设立民众识字班。

7月7日　学校举行抗战两周年纪念大会，全校师生参加公祭，设“为抗战建国而阵亡之无名将士及死难同胞之灵位”，下半旗志哀，停止娱乐，素食1天，并慰问邻近抗战家属。

是月　省教育厅派员到校，就学校概况、校长工作、班级编制、行政组织、课程及教学、训育及管理、卫生实施、研究与指导、实习、经费、教员资格及待遇进行全面视察。

8月9日　校长冉隆堃会同县长饶夔乾，将标卖民国26年（1937）学租谷米价款110元及民国27年（1938）学租谷米价款223.6元遵照规定上缴省金库，并将2年学租谷米标卖解款书及收款书各2张一并呈送省政府主席吴鼎昌，省教育厅长张志韩。

9月11日　校长冉隆堃奉命赴中央训练团党政训练班受训50日，离校时职务呈准由教导主任邵光奎代。

9月18日　学校职教员学习奇丕彰《倭寇内容》的报告。报告从“敌军员兵补充之困难”“敌国财政经济之穷窘”“敌国内部政治之纠纷”“敌国民众思想之恶化”“敌兵协制蹂躏之内蒙”等5个方面说明了日本军国主义必败，最后胜利终属中国人民。

9月23日　省立瓮安初级中学社会教育推行委员会拟定章程和办事细则。

10月13日　校长冉隆堃被省政府主席吴鼎昌、教育厅长张志韩任命为贵州省第二次小学教员试验检定瓮安试验区主试委员。17日，冉隆堃向瓮安试验区瓮安、余庆、平越3县政府发出公函，要求3县政府通知参加试验人员于考试前3日到瓮安中学报到，并将本县参加试验人员名单先行抄寄1份致瓮安中学。

11月1日—4日　举行贵州省第二次小学教员检定试验，参加此次检定试验的小学教员共37名，其中瓮安县20名，余庆县10名，平越县7名。

11月26日夜　学校在玉山洞口河学产所收稻谷被盗6石。学校派人与当地保长进行勘查追寻盗踪无果，即向省政府、省教育厅呈报。

是年　施裕初捐法币2000元作瓮安中学奖学金。每年所获利息作优秀学生之奖金：一等生5元，二等生3元，三等生2元。

民国29年（1940年）

1月13日　学校对自1939年暑期以来各级学生在推广民众教育、歌咏活动、抗战宣传等公共服务事项中谨慎努力、成绩斐然者发布公告予以嘉奖。

1月25日　学校向思南、印江、镇远、黄平、遵义、独山、清镇、余庆县党部发函，要求策动学生在寒假期间致力兵役宣传，并联合力保举行恳亲会及慰问出征军人家属，特规定“凡外县在校肄业之少数学生，寒假返里时，须向当地县党部报到，请求分派工作，假满回校，须持当地县党部证明文本，始准注册”。

1月28日—2月25日　学校组织寒假工作团到各处深入进行兵役宣传，慰问出征军人家属，表演抗日剧目等活动。

3月11日　冉隆堃校长赴省教育厅参加省立中等学校校长谈话会。

3月16日　学校聘用中央训练团中国童子军教导人员，训练班级二期学员以推进学校童子军训练。

4月20日　校长冉隆堃被瓮安县国民精神动员会聘任为动员会设计委员兼救济股主任。

4月23日　学校为解决国民师资异常缺乏的问题，就学校三年级学生增设师资训练科目和该训练科目加课薪一事报告省教育厅，获准。

5月17日　学校向省教育厅上缴“征求伤兵之友”社会赞助社友捐款37元。

7月9日　学校全体职教员认真学习滇黔绥靖副主任公署、省政府5日下发“关于严禁公务人员，各学校教职员以及各银行公司商店工厂执业人员不得借口家庭游戏或交际应酬进行赌博”的训令，学校开校务会议提出专题报告。

8月17日—18日　校长冉隆堃及训育员出席省教育厅召开的省立中等学校校长及训育人员会议，听取并讨论各校行政及训导改进事宜。

9月10日　学校教唱《国土歌》（杨仪山作词、刘雪盦作曲），激发大家的爱国热情。歌词将全国30个省市（不包括台湾）的代称组成歌词，号召全国人民“保全国土”。

12月31日　全体职教员参加“元旦献金运动”，即“以元旦日一日所得移作献金”，支持抗战。

民国30年（1941年）

1月15日　学校按省教育厅指令举行第二次成绩展览会，受表彰：“瓮安中学此次展览各项成绩尚称齐备、各级各科试卷保存完整，学生劳作成品亦特出色，并能遵照成绩展览办法办理等情，殊堪嘉许!”

2月20日　学校将民国29年第一学期征收各级学生学费432元上缴省金库，并造具学费名册呈送省教育厅。

3月1日　学校奉令办简易师范班1班，学生30名，由附近各县政府考送学生入学，免缴学费，每月津贴伙食费15元。

是月　学校响应省教育厅号召，掀起“各机关学校广种杂粮以增食粮产量”运动，利用校内外空地广种苞谷，并指导学生组织宣传队利用课余例假扩大宣传。

4月　在县政府派员监督下，将学校代管省有学产民国29年（1940年）份租谷标卖，白米十三石每石标卖85元，毛谷十九石五斗每石标卖32元，共获款1729元，上缴省金库。

5月13日　学校完成乡土教材《瓮安县乡土概况》一书的编纂工作。

7月3日　奉省政府《中等学校学生推行社会教育办法》令，招收民众识字班3个班，人数百余人。

7月12日—14日　按省教育厅指令在校举行民国29—30年度（1940—1941年度）第二学期成绩展览，内容包括学校行政及训导表册32种共百余份，各种统计图表16种，本学期平时考试各种试卷148册、学生各科练习共3200余本、学生周记共900余本、学生劳作成品计木刻、竹工、黏土工、纸工共700余件，刺绣60余件，学生绘制地图30种，学生绘制中西图画70余幅，学生通过征求航建协会会员征得会金900余元，话剧歌咏表演募集抗战捐款774.4元以及学生开展“广种集粮运动”将学校内外空地栽种玉米（尚未收获）等。

7月28日　选送《学校校舍平面图》《各级学生比较图》《十四期毕业纪念摄影》《三十七年瓮安县同学会纪念摄影》《16期毕业纪念摄影》《篮球队摄影》《瓮安中学歌咏队摄影》等共8件展品到省教育厅参展。

8月　冉隆堃卸职，杨藻章任校长。

是月　学校在1元献机运动中捐献资金200元。

9月　学校代办简易师范1班，执行教育部发《修正师范学校及简易师范学校教学科目及时数表》，省政府、教育厅、财政厅拨发每生每月25元补助款。

是年　接省政府主席吴鼎昌、省教育厅长欧元怀训令，学校成立推行社教工作委员会兼办社会教育工作，其内容有办理民众学校及识字班；设民众代笔问字处；开放图书室；开放体育场；发行壁报；组织通俗讲演队；歌咏宣传及话剧表演。

民国31年（1942年）

1月16日—18日　按省政府、省教育厅指令，学校举行本学期成绩展览。

5月27日　凌晨1时许，匪徒数十人毁门入校，大肆劫掠约2小时之久，绑去校长杨藻章、教导主任邵光奎、主任导师余正清、组员丁章、学生何国衡等共36人，劫去公款8500余元，图书仪器毁坏殆尽，劫掠私人财物约值10万元之巨。

7月3日　午夜，学校又发生匪警。校中警兵开枪射击，匪乃逸去。但学校师生惊起逃避，因跳楼逾墙而跌伤者达数十人，未伤者悉投旅店或亲友处借宿。

7月4日　省教育厅长欧元怀手书信函安抚遭匪劫持的瓮安中学校长杨藻章。

7月8日　遭匪劫后瓮安中学师生无住处，瓮安县战时公债建设基金劝募委员会召开临时会议，决议通过《由建设基金项下拨助二千五百元以资修理》，并开送支票国币2500元，修理城内原尚公小学校舍（即武圣宫）作为瓮安中学师生宿舍。

8月2日　县政府接省政府财二（1）字第4567号指令，由瓮安县总预备金项下拨支救济费3000元，作为瓮安中学被匪抢劫员生救济补助费。

是月　王道暄接任校长，尽力筹划增设高中部，并邀集地方人士会商，勘定校西荒地作为修建高中部校舍的基地，呈请省教育厅批准立案拨款建校舍。

12月中旬　师生为滑翔运动及空军建设捐款，教职员每人认捐2~5元，学生每人认捐1.5~3元。

民国32年（1943年）

6月9日　师生捐款滑翔机“公务员号”“中学生号”，其中教职员21人500元；学生168人254.50元。共计754.50元。

秋　按《省政府三十二年施政计划》，“自本年起，初中以县设立为原则，省集中力量办好高级中学”规定，省教育厅研究同意省立瓮安初级中学改办为完全中学，随即招生开班。至此，省立瓮安初级中学更名为“贵州省瓮安中学”。

11月30日　召开校务会议，研究实施教育部颁发的《高级中学实施劳动服务及国防训练办法》，决定先由教导处拟定《劳动服务办法》及《体育国防训练实施计划》，然后开校务会议通过施行。

民国33年（1944年）

1月22日　学校将1943年校舍修理费所需资金1万元报告省教育厅，获准，省财政厅拨款1万元。

3月16日　校长王道暄卸任，冉懋森任校长。

7月2日　学校领到中央审计部贵州审计处、省财政厅拨给的“增班设备费1万元”。

8月14日　校长冉懋森到县府参加纪念空军节庆祝大会，并作航空建设专题讲演，全校学生造具会员名册按每生5元收缴县府兼征求大队转解“中国航空建设协会贵州省分会”以实现一县一机抗战目标。

9月15日　学校与中国航空建设协会贵州分会举办“第二届贵州学生航空建设图画竞赛”。

是月　学校将31年（1942年）度第一、二学期及32年（1943年）度第一学期征收各级学生学费4704元，另加前任校长杨藻章移交30年（1941年）度第二学期学费687元，共计5391元上缴国库贵阳支库，并将征收学费名册、收入计算书、缴库收据一并呈报省教育厅。

11月25日　省教育厅委派唐恺为贵州省瓮安中学军训助教。

11月29日　物理教师管金鹰在课堂上被2个穿便衣手持手枪的人叫走，后经李万伦等34名学生联名具保结，冉校长据保结到省教育厅营救，省教育厅派李繁均拍电调解，获释。

12月9日　校长冉懋森呈报省教育厅学校现况：学校渐受战事影响，马场坪邮路不通，独山、都匀、麻江、平越一带军事教育机关及难民又纷纷过瓮赴遵，学校接连被宪兵二十五团、通信兵学校及军委会机场工程处强作宿地，影响教学，致学生离校者日有增加，截至是日课堂缺席已达103人。过瓮难民益多，谣言益炽，学生心理益难镇定。学校拟于12月16日结束第三次月考，同时举行应届毕业班最后一学期的学期考试，以备万一战事接近瓮安而提前停课。

民国34年（1945年）

1月1日　学校在县城场坝子由军训教官主持“34年（1945年）元旦高中学校学生军事训练检阅”，由县民团团长等负责检阅阅兵、队列、射击等内容，并将成绩填表报教育部。

2月　冉懋森卸职。

3月　刁承坤任校长。赖映堂（赖卫民，又名赖子合，受中共南方局派遣到贵州开展革命工作）到瓮安中学任教导主任。

5月12日　全校师生为德国投降举行庆祝盟军胜利大会，悬挂国旗3天。

7月3日　地方行政干部训练团招收高中以上学校毕业或三下肄业生30余人，代办县立师范班1班。县政府委派肖显仁负责行政管理，教学由瓮安中学教师兼任。

8月　李宗彝任校长，王道源任教导主任，胡德新任训育主任。学校推出“数量与质量并重，而质量重于数量；内容与外观并重，而内容重于外观；学问与品行并重，品行重于学问”的整顿目标，并开放图书馆，扩充校舍，还在梓木材南沿修了新校门。

9月　全校师生为“日本投降，抗战胜利”召开庆祝大会。

民国 35 年（1946 年）

春　学校开设 9 个班，设教务、训导、事务 3 处。教务处配教务主任、教务员各 1 人；训导处配训导主任、军训教官、童军教官、女生生活指导各 1 人；事务处配事务主任、庶务组长各 1 人，工作员 3 人。组织学生自治会，协助学校搞好管理工作。

7 月 1 日　初中部第 24 期学生毕业。学校为毕业同学制作毕业纪念册，内容包括：学校教职员通讯处一览表、毕业同学通讯一览表、瓮安中学校歌、校训（忠、勤、爱、勇）级训（诚、义、清、勤），校长李宗彝，教员吴士俊等作序，教务主任王道源撰写校史，校长及教师为毕业学生题词。

7 月 25 日　省政府、省教育厅训令取消在学校流行的《苦命的苗家》一歌。

8 月 13 日　瓮安中学召开高中部师生会议，研究实施省政府制定的“高中以上学校军队管理办法”。

8 月 24 日　全县篮球冠军锦标赛在瓮安中学举办，纪念“九三”胜利节。

9 月 18 日　瓮安中学在县城附近举办 4 个民众识字班级，分派师生进行识字教学。

9 月 24 日　省政府派张人伦到瓮安中学负责筹建会计室。

民国 36 年（1947 年）

3 月 27 日　瓮安中学执行省教育厅《关于推行科学运动应行办理事项》，举办科学表演。

是月　为扩大校际宣传促进学术研究，出台《瓮安中学校讯组织办法》。

4 月 4 日—6 日　瓮安中学童军团派童军维持全县运动会会场场内秩序。

6 月 18 日　学校遵照教育部《革命抗战功勋子女就学免费补助条例》，对已入学校，家境贫困，无力负担费用者，按其经济情况分别给予免学杂费、试验费、讲义费，并补助在校时膳宿费用。。

7 月　学生刘崇傑参加全省运动会铁饼铅球运动项目角逐。

9 月 4 日　高初中国文史地教员吴廷光，因遭遇特殊之贫病在省投河自尽，遇救后衣物卖空，医养无着，其爱人瓮安女小教员孙佩容为之呈《陈情书》，由李宗彝校长转省教育厅。

12 月 5 日　省教育厅发出第 1025 号训令，派教育厅督学卢光义视导瓮安中学。

民国 37 年（1948 年）

3 月 11 日　学校规定自“36 年度第二学期起，凡该校现任教职员子女肄业该校者，应免交学杂各费”。

4 月 22 日　省教育厅发出第 0331 号训令，委派教育厅督学易炎白视导瓮安中学。

5 月 4 日　训导处举行“静、肃、勤、慎、守时、内务”等项目比赛，评定出优劣予以奖惩。嗣后，进行讲演比赛、论文竞赛、书法、绘画比赛等活动，分别评定优胜学生予以公布表彰。

是月　高中部学生何玉辉、徐以权、石明信 3 人发起组织“瓮中话剧社”，以从事话剧研究及演出为主旨，得到校方认可。

7 月　省教育厅配发给瓮安中学英国文学名著 1 套，共 12 本。

8月　校长李宗彝卸任，移交所有任内公函、清册、图书、簿籍给新任校长卢光义。

民国38年（1949年）

3月12日　学校组织师生进行植树活动。

6月3日　全体师生在瓮安体育场参加禁烟节纪念大会。

12月11日　瓮安县宣告解放。贵州省人民政府约法八章，维持原有学校，教育系统不变，人员不变，课程基本不变，稳定学校秩序，即时复课。县长吴近仁兼任中学校长，杨藻章任副校长。全校高中3个班，初中3个班，学生100余人。

1950年

4月上旬　国民党起义部队343师输送营和警卫营哗变，伙同土匪里应外合攻打县城，县人民政府被迫撤离，瓮安中学被迫停课。

4月中旬　贵州军区剿匪部队挥戈奋进，击退残匪，瓮安中学恢复上课。

8月1日　县教育科长贺永年任校长。省教育厅从高农调王树勋任教导主任。

9月12日　瓮安中学开学。由于参军（抗美援朝）参干的多，高中学生仅剩几人，高中停办，改名为瓮安初级中学。

是月　学校校务管理委员会成立，由校长、教导、总务及教员、工友、学生代表组成。

11月8日　根据省教育厅《西南区中小学校、师范教育暂时实施办法》规定：瓮安中学教师由校长、副校长聘任，聘书自8月1日起。

1951年

3月10日　校长贺培真（贺永年）调离瓮安，县教育局文教科长董德恒继任瓮安中学校长。

3月26日　省军事管制领导小组及省教育厅通令：县长吴近仁兼任瓮安中学校长，董德恒任副校长。

3月30日　陈再银、曹文德老师成为全国科学技术普及协会贵州省分会会员。

4月6日—7日　全校教师学习省教育厅厅长申云浦《贵州省教育方针》的报告，深入开展“抗美援朝、反封建、镇压反革命”三大运动。

4月11日　教师陈再银、曹文德被推荐加入中华全国科学普及协会。

6月　按省教育厅教秘〔1951〕（巳字第0152号）《关于青海省立图书馆不慎失火，造成重大损失的通报》要求，学校组织全校教职员开展学习，肃清麻痹思想，并依照财产强制保险办法，将校产投入中国人民保险公司，总保险金额为1.4亿余元。

9月　学校师生按照省文教厅教文〔1951〕（申字第0076号）通知，教唱《歌唱祖国》《全世界人民心一条》两首歌曲，并达到“人人学唱，人人会唱”的要求。

10月2日　瓮安中学保健委员会成立，下设卫生教育、医疗防疫、环境卫生、体育活动及营养保健5个组。

10月10日　省文教厅印发反武训的学习文件。瓮安中学全体教职员学习《武训历史调查记》《反人民反历史的思想和反现实主义的艺术》两篇文章，端正对武训的认识，澄清电影《武训传》的混乱思想，提高教育工作思想水平。

12月1日　学校开始执行《中华人民共和国国旗升降办法》。

1952 年

1 月 17 日　贵州省贵阳专区颁布《贵阳专区各县文教人员本年度整风大会办法》。瓮安中学全体教职员利用寒假时间集中开展“反对贪污、反对浪费、反对官僚主义”三反整风运动。

5 月 1 日—4 日　学校选派篮球、田径、拔河运动员参加县第一届人民体育运动会。

6 月 28 日—7 月 31 日　组织全校教师员工学习《中华人民共和国选举法》。

7 月　全体教职工召开会议，全面学习讨论执行中国人民政治协商会议共同纲领文化教育政策及中央人民政府、政务院“关于改革学制的决定”制定的《中学暂行规程（草案）》45 条。

8 月 8 日—10 月 15 日　全校教职员集中贵阳参加思想改造，秋季开学时间推迟一个月。（10 月 27 日正式上课，1953 年 1 月 5 日半期考试，1953 年 3 月 12—14 日学期考试，无寒假。）

8 月 16 日—10 月 13 日　省教育厅划拨瓮安初级中学修宿舍、厨房、购置费等工程款 1811 万元（旧币、下同），因工人工资标准增加，超出预计 280 余万元，又拨款 290 万元补充。是年，各项工程如期完工。

9 月 12 日　瓮安中学遵照省教育厅教中〔1952〕（申字第 0368 号）通知精神，决定自 1953 年起，停止招收春季始业班班次。

是月　董德桓调贵定师范学校，应哲任副校长，主持学校全面工作。

11 月　组织师生参加全县“中苏友好月”活动，庆祝苏联十月革命 35 周年。

12 月 4 日　贵阳专区更名为贵定专区。瓮安县隶属贵定专区。

1953 年

2 月　学习苏联的教育经验，中学主要学凯洛夫的《教育学》。通过学习与教学实践，教师普遍对每一节课要完成的任务、课的类型、课的结构、5 个教学原则、5 个记分法等有较深的了解。

2 月 25 日　全校师生学习《中华人民共和国婚姻法》。

4 月 15 日—5 月　学校开展“爱国卫生突击月运动”，先后举行大扫除 3 次，进行扑蝇、处理粪便、灭臭虫、师生轮流洗澡、洗衣被、淘水井、注意饮水清洁、注射防疫针、体格检查等活动。

6 月 11 日　学校到县卫生、财政处办教职工公费医疗预防手续。翌年 1 月 1 日，开始执行《贵州省公费医疗预防办法》。

12 月　县城内不幸失火，瓮安初级中学学生奔赴抢救。之后，学生时功恒等 11 人受到学校记功及书面嘉奖。

1954 年

1 月 2 日　学校教师开始认购公债。

3 月 1 日　学校执行省教育厅颁布的新的学生人助金发放标准。初中补助面为 15%，人均每月 5.60 元；少数民族补助面为 75%，人均每月 6.60 元。

5 月 5 日　学校师生参加县第二届人民体育运动大会。

5月27日　副校长应哲参加全省中小学教育会议，学习“整顿巩固、重点发展、提高质量、稳定前进”的总方针。

暑期　副校长应哲和部分教师到贵阳五中培训。培训主要内容：校长交流编制学校工作计划，教师编制各科教学计划，班主任、教研组计划以及课时计划等。培训期间，观摩评议贵阳市教师的示范课，交流各校办学经验。

8月　县长卢雪圃兼任瓮安中学校长。

9月9日　学校组织教师学习贵定专员公署《关于瓮安县银盏小学培修校舍中死伤学生29人事件的通报》。

10月　副校长应哲到贵阳一中学习国家教育方针和苏联教育经验。

11月21日　学校组织教师学习《中华人民共和国宪法》及刘少奇副主席《关于中华人民共和国宪法草案的报告》。

是月　学校试行教育部拟定的《中学生守则（草案）》及《关于中学生守则说明初稿》。

1955年

2月14日　县政府下发《关于发行新币后工资分值的计算问题的通知》。自1955年上半年起，瓮安实行新货币工资制，即原来的1万元钱相等于新币的1元钱。

3月　县长孟仲三兼任瓮安中学校长。

6月30日　学校接县教育局文教科转发圆形木质新印章，文为“贵州省瓮安初级中学”。学校自7月1日起正式启用圆形新章，原有“贵州省瓮安中学印”（1943年秋开始使用）方形旧章自新章启用三日截角上缴销废。

8月9日　体育教师熊德芬及学生10人参加全省“暑期学校劳卫制干部培训班”学习。

11月21日　学校开始遵照教育部《关于在各级各类学校推行简化汉字的通知》，使用简化汉字，执行横排横写的规定。

是月　副校长应哲参加省中学行政人员轮训班，学习凯洛夫教育学、辩证唯物主义和历史唯物主义以及学校各种政策法规、新教学大纲，并到贵阳二、四、五中等校参观。

1956年

2月29日　瓮安中学执行省政府《中小学幼儿园（班）学杂费收支管理暂行办法规定》，学杂费全部收支不纳入国库，收费标准每学期每生2.60元。

5月8日　全校教师收听教育部和广播事业局、中央人民广播电台共同举办的“普通话语音教学广播讲座”。

5月10日　贵定专区撤销，瓮安县改隶安顺专区。

6月2日　执行贵定专署教育科《关于试行保送本届初中毕业生之优秀学生办法》，瓮安中学保送5名学生直接升学。

7月4日　学校领导收阅安顺专员公署和省教育厅《关于安顺师范发生严重的疫情报告》。“副伤寒乙”传染128名学生，造成教学上的损失。

7月15日—8月17日　语文教师颜定在贵阳参加“暑期中学师范语文教师北京语音训练班”学习。

8月21日　学校开始实行普通话教学。

是月　瓮安中学参加安顺专区初中升学统一考试，经30多个县的集中评分，瓮安中学获总分第一，受到专署表彰。

是月　应哲任瓮安初级中学校长，王树勋任副校长。县委书记马诚乙从县党政机关、部门抽调丁章（本县人，国民党中央政治大学毕业）、杨再超（贵州省剑河人，高级农业学校毕业）、徐明尧（福泉人，贵州大学毕业）到中学工作。

10月2日　校长应哲参加安顺专员公署召开的“专区教育行政会议及中学校长会议”。

11月　校团委举行野战演习，全体团员和半数以上的非团员参加，聘请教师当裁判。组织1次夜行军，100多人参加，请体育教师和公安人员作报告后开展活动。

11—12月　组织教师每周一、三、五收听教育部和中央人民广播电台举办的“普通话朗读教学广播讲座”。

12月3日　曹文德被评为全省优秀教师，获省人委表彰。

是年　学校表彰学生严万春、倪顺利、张祯杰同学机智勇敢抓获一逃犯。

1957年

2月27日　学校向省教育厅报送上期毕业生情况：升入高中20人，中技13人，地质2人，师范1人，民师2人，艺术1人，医学院1人。

4月6日—11日　瓮安中学派团干1人参加“全省第二次学校工作会议”，讨论学生的政治教育、毕业生升学和劳动生产、党对学校的领导和团的组织工作、调查学生思想动向及对学生进行教育等问题。

5月4日　中国新民主主义青年团瓮安中学委员会更名为中国共产主义青年团瓮安中学委员会。

6月20日　中国共产主义青年团瓮安中学委员会执行团省委学校少先部《关于暑假组织中等学校团干学习的通知》，派团干1人到贵阳，学习新形势下团的工作任务，落实“积极劳动、努力学习、加强团结”的要求。

12月3日　学校举行纪念“一二·九”运动22周年活动。

是月　学校开展除“四害”（苍蝇、蚊子、老鼠、麻雀）、讲卫生运动。

是年　校团委出版《青年团副刊》12期。主要内容：介绍团的知识，教育团内外学生刻苦学习、热爱劳动、团结友爱、遵守纪律和正确对待人民内部矛盾等。按时出版《团讯》《三好报》。

是年冬至1958年春　学校开展整风运动和反右派斗争。先是宣传政策，解除顾虑，接着大鸣大放，揭露批判主观主义、官僚主义和宗派主义，最后是反右派斗争。

1958年

春　徐明尧老师赴北京参观学习，返校后向全校师生报告了所见所闻，详细介绍首都的伟大，以激励同学们努力学习、奋发向上的进取精神。

3月4日　曹绍庸老师被错划为“右派分子”，受到降级降薪的处分。

4月15日　全校同学响应学校提出“勤工俭学”的号召，开展理发、洗衣、针线、手工、担煤等义务劳动。

5月　学校提倡“五勤五有”（勤洗衣、漱口、洗澡、剪指甲、打扫；人人有面巾、牙刷、学校有厕所、粪桶和粪池有盖）的卫生习惯，做好防治流行疾病，做到无病预防、有病早治。

是月　贯彻中共第八次全国代表大会“鼓足干劲，力争上游，多快好省地建设社会主义”的总路线，教育界出现“大跃进”的局面。瓮安县中学建立党支部，周运程同志任支部书记。

8—9月　全校师生停课上山、下乡，砍柴、烧炭及挖矿、炼铁，同吃、同住、同劳动。

秋　招收高一新生，恢复高中部，学校成为完全中学。

12月29日　根据国务院〔1958〕议字第92号文件批复，撤销福泉县，将原县的行政区域划归瓮安县。瓮安中学迁至福泉县城，与福泉中学合并。张怀臣同志任支部书记，应哲任校长，邵如松、王树勋任副校长，王盛诚（贵州赤水人，贵州大学毕业）任教导主任。全校共有28个班，师生1300多人。

1959年

2月25日　瓮安中学更名为“瓮安县第一中学”。

3月　全校师生进行社会主义和共产主义教育，涌现出“三好生”和“积极分子”114人。

4月30日　共青团瓮安一中委员会成立。表彰“三好生”49人、“积极分子”62人。

5月4日　学校开展纪念“五四运动”40周年活动。

7月24日　在原瓮安中学校园内新开办1所中学（内设高中部），命名为“瓮安第四中学”。

8月18日—20日　副校长王树勋出席瓮安县第三届人民代表第二次会议，被选为黔南州第二届人大代表。

9月8日　瓮安四中教师分期分批参加省、州暑期教改学习。

12月31日—1960年1月4日　瓮安中学参加全县教育工作现场会，介绍语文、数学课教学经验。

1960年

1月5日起　学校总结学期工作。连续召开5次党支部、行政会议，7次班主任会议，5次团总支会议。请县委书记马诚乙作“关于目前形势”的报告和花桥管理区党总支书米绍周作“关于学习文化”的报告。吸收50名青年入团，评出“四好”团支部3个，“四好”干部、团员、少先队员共90余名。

1月13日—2月3日　县人委、县委宣传部、文教局组织的“县教学成绩展览会”在雍阳小学展出。瓮安中学展出了以教学成绩为主体，包括教师备课笔记、班主任手册、工作日志、作业批改笔记、学生作业本、自制教具、学校与教师的各种工作计划、经验总结、统计表册、历史文献、奖旗、奖状及贯彻“教育与生产劳动相结合”在内的各项成绩。

1月18日—22日　全县中学毕业班统一考试。统考成绩显示，瓮安四中红分由半学期的149人增到401人，占学生总数的54%，各科全红的有70人。学校给99名“四好”学生颁发奖品、奖状，敲锣打鼓把城区好学生送到家。

2月12日　学校炊事员、饲养员安之品、蔡泽富、李子文3人因半年合伙毒杀生猪13

头，被县人民法院分别判处 8 年、6 年及群众管制 2 年的刑期。

3 月 7 日　学校参加“贵州省教育展览会”，选送教具、模型、标本、实物用具的改进与创造、教师工作计划、专题经验总结等参展。

是月　校长应哲调铝业公司子校。秦绍品任支书，邵如松任校长，王树勋任副校长。郑书权任副教导主任。

5 月 23 日　学校根据黔南州教育局《关于高中二年级部分优秀生批准参加毕业考试的通知》，批准高二班 18 人参考。

6 月　瓮安县第一中学教师罗康衢出席国务院召开的“全国文教群英会”，受表彰。

7 月 3 日　校领导邵如松、张凤云、秦绍品、王树勋参加县招生委员会，王树勋任办公室副主任，开展招生工作。

7 月 23 日　学校遵照省教育厅《关于举办中小学教师短期讲习班和高中、中师政治课教师讲习会的通知》，派高二年级语、数、理、化教师各 2 人，政治教师 1 人，初中俄语教师 2 人，分别到贵阳六中和省教师进修学校学习。

8 月 24 日　瓮安中学高二提前结业生 18 人，分别考入贵州大学、贵阳医学院、安顺师专及黔南师专。初中毕业班 93 人，88 人被学校高一录取；初中二年级提前结业生 16 人，分别被高中、中师、畜牧学校录取。

9 月 1 日　瓮安中学初一新生下河洗澡溺死，是新中国成立以来的第一次事故，负面影响极大。8 日，县文教局发通报，要求组织教师认真研究，从中吸取教训，严格防止类似不幸事件再发生。

11 月　学校党支部提出评选先进集体和先进工作者的办法，以“六好”（服从党的领导好、思想改造好、备课好、上课好、辅导好、批改作业好）鼓励和要求教师。之后，各教研组内、教师之间、组与组之间，掀起了学先进、比先进、帮后进的热潮。

1961 年

6 月下旬—7 月中旬　校长邵如松到都匀参加黔南州增加劳动力会议。下放学生 344 人到农业第一线劳动。

7 月　根据“调整、巩固、充实、提高”8 字方针，对学校进行压缩。

8 月 1 日　应哲调回瓮安中学，任校长。

8 月 4 日　校长应哲出席全省教育工作会议。之后，学校贯彻“智育第一、分数第一、升学率第一”的方针。

8 月 13 日　原福泉行政地域从瓮安划出，瓮安中学恢复。

11 月　校长应哲参加州教育局在贵定召开的教育工作会议。

1962 年

6 月 12 日　瓮安县人委任命丁章为瓮安中学教导主任。

7 月　学校召开教研组会议，提出教学改革要做到“思想积极、行动稳妥”，并用“三基”（基础知识、基本理论、基本技能技巧）、“四性”（科学性、系统性、量力性、直观性）搞好教学工作。

9 月　学校召开师生会议，要求师生把教改精神贯彻到学习中去，做到“四多”（多想、多读、多讲、多做）、“四好”（预习好、听课好、复习好、练习好）。

10月1日　学校师生参加庆祝国庆13周年纪念活动。

12月　学校党支部组织教师学习人民日报社论《陶里亚蒂同志同我们的分歧》。次年3月，学习《再论陶里亚蒂同志同我们的分歧》等文章。

1963年

2月18日　学校召开优秀教职工表彰大会，表彰优秀教师7人、先进工友2人，优秀学生15人、无缺旷学生21人、优秀学生干部59人。

3月3日　全校开展学习雷锋活动。

3月30日　学校举行唱歌比赛，歌唱雷锋。初一（1）、初二（1）、高一（1）、高二（1）获得好成绩。

4月18日—5月15日　校长应哲到贵阳参加全省教育工作会议，听取反对修正主义的报告、中央对教育工作几个问题的指示及教育厅关于试行《中学生守则》的意见等。

4月26日　瓮安中学职工福利委员会成立。负责人丁方强，委员6人。

6月1日　校长应哲向初三年级以上学生传达《全日制中小学工作条例草案》精神。

6月16日　学校召开教研组长、科任教师、初高中学生代表会议，总结学习教育学讲座和中学条例50条。

6月24日　学校选拔参加黔南州少年体育运动会选手。男生张显忠、陈家德、周平忠、柴端祥、曾启益，女生龙淑芳、王启惠、张若玉、蒋碧英、曹尚荣、曾顺竹11人被选取。

7月1日　全校教职工召开座谈会，庆祝中国共产党成立42周年。

7月12日　县委副书记刘庆立到瓮安中学作中苏关系形势报告。

11月11日　瓮安中学校庆，丁章编写了《从书院、学堂到中学——新中国成立前的瓮安中学》一文。

1964年

1月　全校师生学习毛主席《中国人民坚持支持巴拿马人民的爱国主义斗争》和《中国人民支持日本人民伟大的爱国斗争》2个声明。

3月14日　教导处组织政治、数学教研组和各班会议，讨论学习中共和苏联赫鲁晓夫集团的分歧等文献。

是月　全校各班开展对苏联现代修正主义的批判。

4月　教导主任丁章率队到贵阳一中参观。

7月13日—8月16日　学校教职工集中县城开展社会主义教育运动。

8月　县委“五反”（即反贪污、反浪费、反官僚主义、反偷税漏税、反投机倒把）工作组到校清查总务处账目，查出李永瑞等二人贪污公款1000元左右。

是月　全校师生到银盏等地支援秋收。

9月2日　校长应哲组织召开政治教研组会议，传达省政治工作会议内容。

1965年

3月　校总务主任、工会主席张家骧到贵定师范参观学习。

5月　校团委副书记雷忠香向师生传达外地活学活用毛主席著作的经验。

是月　全校师生到雍阳区桐木生产队帮助拉绳插秧。

9月17日　全校师生参加瓮安县举行的“欢送瓮安县第一批上山下乡知识青年到农村安家落户”大会，瓮安中学应届高初中毕业生31人和社会青年6人，前往茅坡大队大水沟、王家庄、虎场寨插队落户。

11月　全校师生开展向王杰学习的活动。

是年　学校扩建运动场2700平方米；购置2670元体育运动器材；办青少年体校，培养学生运动才能；建立学生健康卡片，定期检查学生健康情况；建立容量6吨的滤水池，加强伙食管理；改修厨房109平方米和饭厅266平方米。

1966年

1月4日　组织全校师生收听《陈毅副总理答日本记者问》的广播。

1月10日　全体教师到县人委礼堂听取县长谢涛关于“国内外形势、第三个五年计划、培养革命接班人”的报告。

2月22日　教导处组织学生收听《北京市百万人集会支援越南人民抗美爱国斗争》的实况录音和刘少奇主席《坚决支援越南人民的正义斗争》的严正声明。

3月11日　党支部召开会议研究“空选”（空军选拔）的摸底排队工作。

3月23日　全校师生收听“中国共产党中央委员会复信苏共中央不参加苏共二十三大”的广播。

4月2日　县武装部组织体检人员对学校初三、高一、高二年级参加“空选”学生323人进行体检，身高不足淘汰140人，五官淘汰152人，余31人填表，再经内外、神经科检查剩7人，最后入选4人。

5月1日　学校组织全体师生650多人到花桥大队牛腿生产队参加修沟渠4华里，挖出毛坯。

5月19日　党支部召开会议，声讨邓拓、吴晗、廖沫沙所谓“三家村”反党反社会主义罪行。

5月20日　全校老师、高中部学生参加全县声讨“三家村”大会。

是月　中共中央召开政治局扩大会议，通过“五一六通知”，“文化大革命”开始。瓮安中学批判邓拓、吴晗、廖沫沙的三家村“黑店”，批判反动学术权威。先写发言稿，接着要求写小字报，进一步改用大字报，批判对象逐步转向成分不好和社会关系复杂的师生。

6月6日　组织师生到县人委礼堂参加“声讨汪小川反党反社会主义罪行大会”。师生回校后分班组进行讨论。

6月14日　校长应哲主持召开党团员、积极分子会议，研究重点批判汪小川，并揭批学校的“牛鬼蛇神”。

6月18日　组织全校师生收听中共中央、国务院《关于改革高考制度，推迟半年举行高考的决定》和人民日报社论《彻底搞好“文化大革命”，彻底搞好教育制度的革命》的广播。

6月24日　全体教职工学习人民日报社论《革命的大字报是揭露一切牛鬼蛇神的照妖镜》。

6月29日　县委派工作组犹林禄、潘文华到瓮安中学开展“文化大革命”工作，工作组向师生作了《如何正确对待运动，对待大字报等问题和关于“文化大革命”的目的意义》的报告。

7 月 11 日　瓮安中学教职工到县电影院聆听县委副书记杨继忠《关于无产阶级文化大革命》的讲话。

7 月 15 日　学校部分师生到县人委礼堂参加声讨蹇先艾“反党反社会主义罪行”大会。

7 月 25 日　瓮安中学组织师生收听《毛主席畅游长江》的报道。

是月　红卫兵组织成立。

8 月上旬　学校工作组召集全校教师召开会议，批判“反革命修正主义分子”丁章。

是月　学校贯彻谭立夫“龙生龙、凤生凤、老鼠养儿会打洞”路线，审批第一批红卫兵，确定“文化大革命”成员名单。

是月　瓮安中学奉命派红卫兵代表赴京接受毛主席第三次红卫兵大检阅。当选代表有杨素碧、陈泽民、蔡志斌、胡长生、余国民、王中华、丁俊书等人。

9 月 5 日　学校教职工及全体“战斗队员”、学生代表批斗“反革命修正主义分子”应哲。

是月　学校派 10 位教师上茅坡公社桐木大队小寨生产队（以下简称小寨）驻扎，全校师生上山大规模开荒。校长应哲上小寨。

是月　瓮安中学第二批知青（初三毕业学生 36 人）上山下乡至瓮安青山农场。

11 月　停课闹革命，红卫兵组织雨后春笋般出现。

1967 年

1 月 29 日　瓮安中学校长、副校长、教导副主任、总务主任被红卫兵戴高帽、挂黑板游街批斗。

是月　学校红卫兵组织勒令县委、县人委批款批粮支持其“革命大串连”。

2 月　县人武部派人到瓮安中学进行“三支两军”（支左、支工、支农、军训、军管）活动。

3 月 22 日　瓮安中学红卫兵联络站成立，包括狂飙兵团、大无畏兵团、星火战斗队、燎原战斗队以及红色教工战斗队等 12 个红卫兵组织。

是月　学校红卫兵分两派参加瓮安地区“三五派”和“二二六派”。两派争斗不休。

4 月　学校红代会核心小组长高国富（高中学生）任夺权总指挥，夺取瓮安中学大权，成立校革委。高国富任主任委员，朱文模任副主任委员，雷忠香、郭德祥（高中学生）、王木森（高中学生）、周洪春（工人）等为委员。

7 月 26 日—8 月 1 日　校革委派代表参加县革委召开的学习毛泽东著作积极分子代表大会。

9 月 10 日—12 日　校革委派红卫兵代表参加县召开的红卫兵代表大会。

10 月 12 日—15 日　校革委派代表参加县职工代表大会。

1968 年

3 月　校革委开展“三忠于”（忠于毛主席、忠于毛泽东思想、忠于毛主席的革命路线）活动。

4 月　校革委执行县革命委员会通知，开始停发“叛徒、特务、顽固不化走资派”和

“资产阶级反动学术权威”以及“混进革命队伍的一切阶级敌人”的工资，每月只发生活费15元。

6月　爆发“六一二”事件，学校分为“高”“郭”两大派。军代表进驻瓮安中学，调整校革委。革委会主任委员由军代表王明学担任，郭德祥任第一副主任委员，雷忠香任第二副主任委员，主持校革委日常工作。高国富、周洪春任委员，另增选两名初中学生进入校革委。

10月28日—11月3日　学校革委组织批判刘少奇主席的《论共产党员的修养》，批判他推行的“六论”（阶级斗争熄灭论、驯服工具论、群众落后论、入党做官论、党内和平论、公私溶化论）。学习中共八届十二中全会公报。

11月30日—12月7日　校革委派红卫兵代表出席县革委、人武部在玉山农业中学召开的四级干部会议，传达中共八届十二中全会精神。

1969年

1月　校革委组织高、初中毕业生下乡插队落户，接受贫下中农再教育。

4月6日　县革委政工组研究安排招生，66级、67级、68级一起招生，5月10日前完成，向“九大”献礼。瓮安中学的招生任务是18个班，学生764人。

7月　调整校革委，主任委员王明学，第一副主任雷忠香、第二副主任张汝森。学生中产生的委员有名无实。

8月　校革委招收新生，正式恢复上课。

12月6日　毛泽东思想宣传队进驻学校，举办学习班，促进两派联合。

1970年

2月11日　校革委组织总务人员、校医开展血吸虫病、钩体病普查。

3月27日　县革委组织工人宣传队进驻瓮安中学。工宣队组长宋仕农兼任学校党支部副书记。

5月　学校革委进行补台，实行老、中、青三结合，应哲被解放，任瓮安中学革命委员会校长，张辉调任党支部书记。

1971年

1月16日　学校开始整党建党工作。

4月26日—30日　校长应哲参加中共瓮安县第三次代表大会。

8月25日　校领导出席县委、县武装部召开的“三防”（防美帝、苏修、日本）工作会议。

9月　传达《全国教育工作纪要》，纪要对新中国成立后17年的教育工作做了“两个估计”：“文化大革命”以前的17年，“教育战线是资产阶级专了无产阶级的政，毛主席的教育路线基本上没有得到贯彻执行；知识分子的大多数世界观基本上是资产阶级的，是资产阶级知识分子。”

11月5日—7日　校长应哲参加县委召开的三级干部会议，听取传达林彪叛党叛国事件。党内外教师、学生讨论中央专案组《粉碎林彪反党集团反革命政变的斗争》材料，开展“批林整风”运动。

是年　学校创办“五七”工厂，生产教学仪器。“五七”工厂分铸造、金工、电镀、油漆、木工五个车间。

1972 年

2 月　校革委召开师生会议，批判林彪一伙炮制的《“571”工程纪要》反革命政变纲领。

3 月 28 日　校革委组织全校师生学习县革委政治部《关于传达讨论中发〔1972〕4 号文件情况报告》，逐条逐段批判林彪反党集团炮制的《“571”工程纪要》反革命政变纲领。

4 月 11 日—24 日　校长应哲出席省革委政治部召开的“中小学教育工作座谈会”。

20 日　瓮安中学根据县委、县武装部党委《关于县属厂矿、企业、机关、学校建立保卫组织的意见》，配备专职保卫干部 1 名，建立 3~5 人的治安保卫小组。

5 月 15 日　学校党支部组织党员学习中共瓮安县委《关于继续深入开展学习马克思主义、列宁主义、毛泽东思想的群众运动的决议》，在全校教职员工和学生中再次掀起“认真看书学习，弄通马克思主义”的学习活动。

6 月　黔南州少年田径运动会在瓮安县城举行，瓮安中学派运动员参加比赛。

9 月　校革委组织全校师生在校园内（教室、寝室、厕所、厨房及一切公共设施）的墙壁上销毁用林彪的“黑语录”“黑题词”作内容的旧标语痕迹，肃清林彪的一切流毒。

11 月 15 日—12 月 16 日　制作《光辉的五七指示——瓮安中学教育革命剪影》，展现了瓮安中学政治、教学、实践（学工）、体育、文艺等活动。

1973 年

1 月 5 日—9 日　学校革委参加县革委召开的教育工作会议，讨论教育革命、教育质量和扫盲工作，落实党的干部政策和知识分子政策。

1 月 24 日　瓮安中学党支部根据县委《关于 1973 年上半年全县干部群众认真看书学习的安排意见》，组织领导教师学习《哥达纲领批判》《正确处理人民内部矛盾》，学生学习《共产党宣言》《为人民服务》《纪念白求恩》《愚公移山》。

3 月 17 日—21 日　瓮安中学团委组织代表队参加“共青团瓮安县第八次代表大会”。

6 月 11 日　学校革委召开全校师生大会，传达县公安局《关于对青少年儿童进行思想政治路线教育，加强预防犯罪工作的意见》。

7 月　学校革委组织教职工及毕业班学生学习贯彻中发〔1973〕21 号、30 号文件，动员知识青年积极响应毛主席号召，上山下乡，走与工农相结合的道路。

1974 年

2 月 24 日　校革委组织女教职工学习县委批转县妇联《关于纪念 1974 年“3・8”国际劳动妇女节的意见》，出“3・8”批林批孔专刊，批判“三纲五常”“三从四德”“男尊女卑”等谬论。

6 月 19 日—22 日　校革委参加县委召开的“教育革命会议”，学习中共中央关于批林批孔和教育革命的指示。听取河北新建“五七”学校、浆水中学、山西省大寨学校的经验。

8 月 18 日　瓮安中学执行县革委《关于 1974 年高等学校、中等专业学校和技工学校招生工作的通知》，选拔具有 2 年以上实践经验的工农兵入学，应届毕业生占招生总数的 10%。

12 月 26 日　校革委会召集教职工传达县整顿社会治安领导小组《关于在机关、学校、厂矿、街道、企事业单位认真贯彻中央〔1974〕21 号、26 号文件，狠抓打击阶级敌人破坏活动的意见》。

1975 年

1 月　学校党支部、革委会组织全校师生打一场消灭流行性脑脊髓膜炎、感冒、麻疹、百日咳、痢疾、肝炎等传染性疾病的“人民战争”。

3 月 5 日　学校党支部召开会议，贯彻县委宣传部《关于 1975 年全县理论学习安排意见》，组织党团员、进步教师继续学习马克思、恩格斯、列宁论无产阶级专政的理论和毛主席《在中国共产党第七届中央委员会第二次全体会议上的报告》《论人民民主专政》等著作。

3 月 24 日　瓮安中学组织全校教职工学习《中共贵州省委教育工作会议纪要》。

4 月 29 日　瓮安中学“五一”国际劳动节暨“五四”青年节体育运动会开幕，5 月 1 日演出文艺节目。

5 月 25 日　学校组织师生学习县委批转知青工作领导小组《关于进一步做好上山下乡知识青年安置巩固工作》的报告。

7 月 30 日　学校组织师生奔赴抗旱救灾第一线。

8 月 9 日—25 日　瓮安中学教师参加县委召开的“全县教育革命工作会议”，学习马恩列毛无产阶级理论、朝阳农学院教育革命经验，贵州省册享县孟农中学有关办学经验。

10 月 17 日　全校师生上山劳动。学校失火烧毁冉隆堃任校长时所建的 1 幢砖木结构的 1 楼 1 底的教工、学生宿舍楼。建筑面积 600 平方米。

11 月　校长应哲调离瓮安中学。

12 月　全省教学仪器生产现场会议在瓮安中学召开。瓮安中学教学与劳动生产相结合，成为全省典范。

是年　瓮安中学在雍阳区桐木大队开荒 50 多亩，创办学校农场。

1976 年

1 月 9 日　瓮安中学贴出“沉痛悼念敬爱的周恩来总理逝世”的大幅标语。全校师生悼念周恩来总理。

3 月 26 日　瓮安中学基本民兵营成立。

5 月　宋泽高任副校长兼党支部书记，主持学校工作。

9 月 11 日—17 日　学校设灵堂悼念毛主席。

9 月 18 日　全校师生举行追悼会，收听首都追悼大会实况广播。

10 月 24 日　瓮安中学师生集会，庆祝粉碎江青反革命集团（王洪文、江青、张春桥、姚文元）历史性胜利。

11 月 23 日—12 月 1 日　瓮安中学召开师生会议，批判江青反革命集团的罪行。

1977年

1月8日　瓮安中学召开缅怀周恩来总理逝世1周年大会。

2月　在瓮安县农业学大寨会议上，瓮安中学被评为县红旗单位。

3月　瓮安中学以贵州省校办工厂先进代表身份，参加四川、云南、贵州、西藏四省区教学仪器生产协作会议，作经验介绍。

7月23日　学校师生集会，庆祝中共十届三中全会召开。

8月8日　学习邓小平主持召开的全国科学和教育工作座谈会文件。

8月13日　国务院批准了《关于1977年高等学校招生工作意见》和《关于高等学校招收研究生的意见》，宣布当年立即恢复高考。

11月下旬—12月5日　贵州省高考报考。全省20多万考生参加“77级招生考试”。瓮安中学10余名学生参加考试，全部榜上有名。

1978年

5月7日　瓮安中学改为瓮安第一中学。

是月　瓮安中学代表出席黔南州群英大会。

6月　学校组织师生阅读《实践是检查真理的唯一标准》的文章，积极参与讨论，解放思想，明辨是非。

12月　组织师生传达中共十一届三中全会精神，停止以阶级斗争为纲，把工作重点转移到社会主义现代化建设上来。

是年　瓮安中学“五七”厂被评为先进集体，参加县、州代表大会。瓮安中学开始按成绩编班。学校重视业务学习，保证教师有5/6的业务学习时间。

1979年

4月7日　学校遭受冰雹灾害，房屋受损。

7月23日　瓮安中学学习教育部、共青团中央、公安部转发《锦西县七名中小学生结伙盗枪预谋杀人案件的情况调查》的通知。

9月6日　召开全校师生大会，贯彻执行《中学生守则》。

是月　宋泽高调离，丁章任校长。

12月11日　刘文炎任瓮安中学总务主任。

是年　学校“五七”厂改制的丰收35型四轮拖拉机传动装置在1979年全国青少年科技作品展览评比中荣获物理中学组三等奖，受组委会表彰。

1980年

1月　赵永庆任党支部书记。

3月10日　师生员工学习邓小平副主席《关于目前形势与任务的报告》和《党的十一届五中全会公报》，并以班为单位组织讨论，出校刊、班刊。

3月21日　学校遭冰雹灾害，房屋受损。

4月14日　副校长王树勋被选为县人大常委会副主任，出席县第八届人民代表大会。

6月23日　党支部召开党员会议，传达县委批转县纪委《关于1980年下半年纪律检查工作意见的报告》，要求搞好党纪党风教育，按党章和党内政治生活准则维护好党规党法，落实干部政策，纠正冤假错案，加强纪律检查工作的组织建设和思想建设。

10月9日　党支部组织党员、教工、团员学习传达中共中央《关于控制中国人口增长问题致全体党员、共青团员的公开信》，要求所有党团员带头响应号召，1对夫妇只生育1个孩子。

12月24日　接县委组织部《关于对赵永庆同志问题的复查决定的通知》，撤销1958年撤销党内职务的处分和1962年维持撤销党内职务处分的甄别结论。

是月　校长丁章调离瓮安中学。副校长王树勋主持工作。

是年　瓮安中学被评为“全省教育系统先进集体”，获奖金300元。

1981年

1月22日—31日　瓮安中学遭受凝冻灾害，电杆压倒，多处断线，自来水表冻坏20%左右。

6月24日—28日　赵永庆出席中共瓮安县第四次代表大会。

7月　学校党支部组织党团员学习《中国共产党中央委员会关于建国以来若干历史问题的决议》《胡耀邦同志在建党60周年纪念大会上的讲话》。

8月5日　杨再超解除县科协副主席职务，调任瓮安中学党支部副书记，主持支部工作。

9月30日　全校教职工学习国务院《关于1981年调整部分职工工资的通知》、教育部《关于调整中小学教职工工资的办法》和《关于增加中小学民办教师补助费的办法》，开展调资工作。

10月13日　全校教职工学习教育局转发教育部《全日制六年制重点中学教学计划试行草案》《全日制五年制中学教学计划试行草案的修订意见》。

11月　学校领导及部分教师参加黔南州教委召开的完全中学会议。

12月4日　落实中央办公厅转发《关于淫秽书刊在学生中流传情况和处理意见的报告》，坚决、稳妥地查禁和收缴淫秽书画物品，加强对青少年学生的思想政治教育。

1982年

1月　教职员工学习教育部、国家人事局、国家劳动局、财政部《关于调整中小学教职工工资中若干具体政策问题的处理意见》。

3月2日　开展“全民文明礼貌月”活动，建设社会主义精神文明，整治学校“脏、乱、差”，树“五讲四美”新风。

5月13日—15日　举行田径运动会。

9月6日　高二年级落实二、三年制分班，确定从是年高一起均实行3年制。

9月9日　学校党支部组织全校教师学习党的十二大文件，并要求政治课教师用一定课时传达党的十二大主要精神。

10月4日　学校开展《伟大的社会主义祖国》教育活动，校团支部、学生会及各班出专刊，登出文章、图片等。

1983 年

3 月 3 日　召开全校教职工会，开展“五讲、四美、三热爱”活动。

4 月 8 日　举行春季田径运动会。

6 月 10 日　组织文娱活动晚会，欢送初三、高三毕业学生。

10 月 27 日—29 日　举办田径运动会。

是月　部分青年教师参加全省教师“过教材关”考试。

1984 年

6 月 5 日　全校教师响应县政府《关于多渠道筹集教育资金，改善办学条件的决定》，每人献资 4 元。

8 月 24 日　吕庆松任瓮安中学校长。

是月　郭大华任党支部书记。

是月　县组织人事部门开展人才招聘工作，瓮安中学 10 名知识分子应聘去外地，外地 5 名知识分子应聘瓮安中学。

9 月 27 日　瓮安中学贯彻执行县委、县政府《关于知识分子政策的补充规定》，增加生活补贴和报刊费。

11 月 25 日—12 月 1 日　副校长马跃银被选为县政协第三届委员会委员。

1985 年

1 月 24 日　县委组织部撤销原县委补台办 1970 年对朱文模老师开除毛泽东思想宣传队队员籍的结论。

4 月　学校召开全校教职工会传达中共中央、国务院等部门纠正不正之风（公款置装、在职干部经商、乱发奖金、公款请客送礼等）的若干规定。

7 月 6 日　吕庆松任党支部书记。

是月　瓮安中学招聘外地教师王顺德、高伏生、罗金元、邓前柯、曹求真、邓裕和、蒋铭桥、黄时新、刘明林、申小平、周遗贵等同志到校工作，并将其家属安排为工人。

8 月 29 日　经县委落实知识分子政策领导小组研究决定：1957 年在贵阳师范读书期间被错划为“右倾分子”的西坡林场留用人员邓三益调瓮安中学工作。

9 月 10 日　全县师生参加县委、县政府召开的第一个“教师节”庆祝大会。

是年　瓮安中学验收了第一幢教师宿舍大楼，新建第二幢教师宿舍大楼和实验大楼。

1986 年

1 月 14 日—18 日　学校领导参加县委、县政府召开的“两个文明”建设经验交流会。

3 月 17 日　教师马德称任黔南州政协六届委员。

9 月 5 日　瓮安中学与县电力公司签订协议书，规定：未录取的职工子女，初高中可降低分数线 20~30 分录取，第一年按正式学生收费，第二年按高费收费，有限期从 9 月起到 2000 年 8 月止；供电所可收变压器的变损费，无偿维修学校外线。

9 月 24 日　学校向全校教师传达省委“加强理论学习问题”的文件，要求初中以上学历的职工用 4 年时间系统学习哲学、政治经济学；大专以上学历的职工学习《关于费尔巴哈提纲》、《政治经济学批判》序言、《唯物主义和经验批判主义》、《矛盾论》、《实践论》。

10 月　举行冬季田径运动会。

11 月 1 日　学校制定《教职工考勤请假制度暂行办法》。

12 月 16 日　副校长马跃银参加县社会治安综合治理经验交流会。

12 月 25 日　学校召开湖南招聘教师座谈会。

1987 年

2 月　瓮安中学获贵州省中小学实验室建设先进集体称号，获实践管理开放一等奖，奖金 9000 多元。

是月　黄栋贵任瓮安中学校长。

4 月　余国民任党支部书记。

8 月 17 日　学校领导参加全县中小学德育工作会议。

9 月 16 日—23 日　瓮安中学马跃银、黄栋贵分别出席政协瓮安县第四届一次会议、县人大十届一次会议。

10 月 1 日　瓮安中学参加县篮球、排球比赛，获男、女排球第一名。

11 月　学校体育运动队参加县级运动会，获高中组第一名，初中组第二名。

1988 年

1 月　瓮安中学被州教育局列为“全州 15 所大型完全中学”，在招生、师资、经费、干部待遇方面得到州重点中学待遇。

4 月 20 日　学校组织学习县招办《招生工作人员守则》《报考条件》《贵州省普通高等学校、中等学校招生考生户口审查的通知》《考场管理》《考点主任职责》《监考守则》《登分员守则》《评卷守则》《资料员守则》《考生政治思想考核工作的有关规定》《体检工作人员守则》《学生体检规则》等 13 个文件。

7 月 12 日—15 日　校长黄栋贵参加中共瓮安县第六次代表大会。

是月　瓮安中学被省教委、省体委联合命名为省体育传统项目学校。

10 月　参加县中学生田径运动会，初、高中组分别获团体总分第一名。

1989 年

1 月 11 日　学校荣获黔南州大型完中体育卫生一等奖，获贵州省传统项目奖金 400 元。

是日　学校基建管理员曾祖华拒收乙方贿赂 200 元，受县教育局表扬。

3 月 8 日　学校给考入大中专的少数民族学生发一次性奖学金。

3 月 29 日　转发县民委、县教育局《关于对部分少数民族学生减免书学费及对 1989 年被录取大中专的少数民族学生实行奖励的通知》。

5 月 1 日—4 日　组织学生参加县总工会、团县委、文化局举办的“五一”暨“五四”歌舞竞赛。

6 月 3 日—6 日　组织师生学习中央精神，要求做到不信谣、不传谣，安定团结，正常教学，和党中央保持高度一致。

6 月 21 日　党支部学习《对当前形势存在的部分模糊认识予以理论分析和实际说明》的汇报材料，把思想统一到邓小平同志的讲话上来，和党中央保持高度一致。

12月12日　学校参加县委、县政府组织的“庆祝瓮安解放40周年纪念活动”，听取瓮安解放后第一任县长吴近仁的革命传统报告、县委书记肖永安作的《继承和发扬革命传统，沿着社会主义道路前进》的报告。

1990年

5月25日　瓮安中学关心下一代协会成立。

6月16日—8月31日　瓮安中学师生捐物支援灾区渡过旱灾。

7月　开始执行《中华人民共和国国旗法》，按时升降国旗。

9月10日　学校转发县民委、县教育局《关于对参加1990年国家普通高考、中考被正式录取的大、中专少数民族考生实行奖励的通知》。

是月　瓮安中学从本学年第一学期起除加照顾分外还降低一个分数段招收1班少数民族初一生。

11月　获黔南州学校卫生工作先进单位。

是月　学校师生参加全省首届大中小学生硬笔书法（篆刻）大赛，江湧荣获中学书法组三等奖。

1991年

3月2日　校长黄栋贵出席“瓮安县第十一届人民代表大会第2次全体会议”。

3月16日　高一年级200多名学生到银盏乡进行“支农学农实践活动”。

3月18日　教师张世忠、田应辉、丁惠敏参加黔南州教委召开的语文高考研讨会。

6月—1992年10月　按照《贵州省完全中学学校工作评估方案》的要求，瓮安中学成立学校工作评估领导小组，从查阅资料、课堂考核对学生、教师、家长问卷、测试、座谈等全方位进行自查自评。

8月8日　学校为雍阳镇修建城关二小捐款3000元，王仁学、刘世君、汪江等师生个人捐款。

9月24日　全体师生员工开展“心系灾区、爱国节约”活动，给受特大洪涝灾害影响的灾区人民捐款捐粮。

10月10日—11月3日　黔南师专外语系35名学员到校实习。学校指导教师原班主任10人，任课教师3人，师专指导教师5人。

10月12日　瓮安中学家长学校成立。

11月5日　高级教师周承欢、曹求真、李贤福、肖必禄、黄藜峨、罗洪祥等被县委常委成员、县政府领导确定为党外人士朋友。

1992年

1月10日　教师王仁学、余国民至县总工会参加县直机关党委1991年度先进党支部、优秀党员、优秀党务工作者表彰大会。

3月10日　学校召开教职工会，布置执行修订完善《校长职责》《教导主任职责》《教师管理制度》《学生管理制度》《财务管理制度》《政治业务学习制度》《奖惩制度》《校产承包管理方案》等规章。

3月16日　校长、党支书着手准备“完中教育工作督导评估”工作，安排有关人员完成办学水平自查自评相关资料内容，9 月接受省州两级督导评估。

11 月 11 日　学校实施省教委转发国家教委《现行普通高中教学计划的调整意见》和《关于实施普通高中毕业会考制度的意见》。

1993 年

4 月　瓮安中学荣获黔南州中学生语言知识竞赛优胜奖，受到州教委表彰。

5 月　瓮安中学获瓮安县职工田径运动会团体总分第二名，受县委表彰。

9 月　瓮安中学获瓮安县教育系统第九个“教师节”歌咏比赛第二名。

1994 年

1 月　瓮安中学获全州高中毕业会考数学科、外语科平均分第一名，受到州教委表彰。

8 月 31 日　瓮安中学决定学生自 9 月 1 日起佩戴瓮安中学校牌。

是月　学校高考首次超过全省平均及格率，创造 16 年来最高水平。学校组织部分教学成绩显著的教师旅游。

9 月　王忠华任党支部书记。

11 月 1 日　瓮安中学购买黔南州管理处瓮安交管所全部房产（宿舍一幢、办公楼一幢及零星附设建筑），费用 50 万元。

1995 年

3 月　瓮安中学被评为全州先进单位，受州教委表彰。

3 月 30 日　瓮安中学举行“1994—1995 学年度春季体育达标运动会”，初中一、二年级，高中一、二年级分为两组，按达标总分高低排列取前 15 名，单项取前 3 名，团体按各班运动员获单项和达标小分的总和在 2 个组中分别取前 3 名。

4 月 29 日　学校举行“五一”职工运动会。

7 月 28 日　瓮安中学与瓮安水泥厂签订《校厂挂钩办学协议书》。

11 月 12 日　举行“1995—1996 学年度体育达标运动会”。

12 月　学校与教职工签订《瓮安中学集资购房协议书》，规定：房屋产权归学校所有，住房无权变卖他人。协议不因学校领导的更换而改变。

1996 年

4 月　瓮安中学获 1995 年度高考录取保基数奖、超基数奖、文理科优秀奖、完中毕业会考数学科全州第二名奖等，受州教委表彰。

5 月　获县“迎接香港回归祖国”知识竞赛第一名。

6 月 26 日　瓮安中学对 1996 届初中毕业生进行职业技术教育，学习后考试合格者发给“农技培训结业证”，方可领取初中毕业证书，取得中考录取资格。

10 月　学校颁布《奖学金试行办法》《职工请假、代课、代岗管理办法》《体育合格统一考试暂行规定》《教师常规要求》《集资修建教师宿舍管理的规定》和《关于加强教职工宿舍、用水、用电管理的规定》等。

12 月 28 日　制定《全面提高教学质量奖励办法》，规定初中教师教学在全州统考、高中教师教学在全省统考中，年级平均分获“州优秀教学成果奖”、州县高考优秀成绩奖的奖励。

是月　获“迎接香港回归祖国读书活动”组织奖，学生刘雪原、李玲获一等奖。学生钱龙、王斌、余祥兴等在县“迎香港回归知识竞赛”中获一等奖。

1997 年

9 月 12 日　开始实施教师聘任制。校长选聘班主任，班主任聘用任课教师。

12 月　瓮安中学体育工作获全州第一名，受州教委、州体委表彰。

12 月 28 日　学校因高考成绩优异获县政府和县教育局奖金近 2 万元。

1998 年

8 月 28 日　学校制发《关于职工住房改革规定》。

12 月 6 日　制定《全面提高教育教学质量奖励暂行办法》。

是年　瓮安中学被省体委、省教委命名为体育田径传统项目学校。

1999 年

是年　学校为全县培训中学实验教师和实验技术人员 111 人，培训中小学计算机初级信息基础 3533 人。

是年　学校获县“安全文明小区”“平安工程模范单位”“社会治安综合治理先进单位”称号。

2000 年

3 月　荣获省、州“绿化先进单位”和县“‘三风’‘三化’校园文化建设先进单位”称号。

6 月　黔南州人民政府批转同意瓮安中学改制为高级中学。瓮安中学召开第三届教职工代表大会，通过《瓮安中学改制为高级中学 2001—2005 年学校发展规划》。

8 月　初中停止招生。高中招生扩大数量，教学班 39 个，学生 2828 人，其中女生 946 人，占学生总数的 34%。在岗教师 140 人。

9 月 15 日　全校师生参加“瓮安监狱‘育新学校’5 名学员‘走向新岸忏悔报告会’”。

是年　唐钜同学以 648 分位居全省第 5 名、全州第 1 名，被清华大学录取。

2001 年

1 月　黄栋贵任党支部书记。

2 月 18 日　第三届教职工代表大会召开，会议听取工会主席谭敬昌所作的《教代会工作报告》；校长黄栋贵公布了学校《三制一管理试行办法》《教职工管理条例（试行）》《教职工违章违纪处罚》《员工聘任暂行办法》《班主任聘任试行办法》《教师聘任暂行办法》《改制为高级中学 2001—2005 年学校发展规划》《优秀教案检查评比方案》《优秀教师评选规定》《奖学金试行办法》《合格教师十条标准》《文明教研组评选条件》《班级管理量化考核暂行方案》；总务主任刘文斌作了《学校财务工作报告》；选举新一届瓮安中学工会委员会，完善了女职工委员会、各种规章制度和岗位职责。

是月　学校学习《普通高中新课程方案》，调整教学计划，使用规定教材，添置计算机和音乐、美术设备，按新课程方案开设课程。

6月　瓮安中学通过省"普实验收"被命名为"省级中学实验教学示范学校"。

7月7日　瓮安中学组织师生参观瓮安籍红军陈靖将军"弘扬长征精神、实践'三个代表'、重走长征路"纪实展览。

8月27日　制定《瓮安中学奖学金试行办法》。

8月30日　学校将学生食堂承包给肖成经营管理。承包期5年，从2001年9月1日起至2006年7月15日止，每年承包费5000元。

10月　学校向瓮安县农业银行贷款200万元修建"师道楼"和学生公寓，贷款3年。

2002年

4月　学校决心跻身省级示范普通高中行列，拟抓好7件事：第一期工程新建2200平方米的教室（含体育室），第二期工程4400平方米的综合性教室；新建三幢青年教师公寓；改造学生公寓，解决学生住宿难问题；招聘合格教师，解决师资不足问题，聘请一至二名外籍教师加强英语口语能力；新建六层科技楼，适应高考制度改革；抓好校园网络教育建设，提高现代化教学水平；高中三年适应3+X考试模式的变革进行训练，高二年级为适应明年3+X+1的考试模式，进行分科教学训练。

7月　瓮安中学完成最后一届初中教育。

8月5日　瓮安中学依省州立项，拟修建学生公寓9600平方米，写出报告送黔南州扶贫开发办公室审核批复（资本金113.6万元，贷款450万元，共563.6万元）。

2003年

1月28日　学校举行"叙师生情，圆大学梦——瓮安中学高中毕业生返母校联谊会"，来自全国各高等院校的35名历届毕业生与学校领导、教师及部分应届高三毕业生叙师生情、交流学习经验。

2月16日　学校举行三届二次教职工代表大会，与会代表38人。

3月13日　州教育局副局长于南华一行3人在县教育局副局长陈全福的陪同下检查学校开学工作和国债项目进展情况。

4月9日　州教育局副局长欧开灿及督导室领导在副县长陈良海等陪同下，就学校申报省级示范性高中进行现场办公。

4月25日　学校成立防治非典型肺炎工作领导小组，组织领导学校非典防控工作。

5月9日　省教育厅基教处副处长邹联克带队检查瓮安中学申报省级示范性高中前期准备工作，县委宣传部部长犹永芬、副县长陈良海，教育局局长王幼石、副局长陈全福陪同检查。

5月14日　李凤奇、周遗贵任瓮安中学副校长。

5月24日　瓮中教学楼竣工验收。教学楼建筑面积6208平方米，内设54个教室，2个年级组办公室，2个阅览室，班班连通有线电视教学系统，12个水冲式卫生间，为全州建筑面积最大、教室设置最多的教学楼。

5月25日　举行新教学楼落成庆典。

6月7日　瓮安中学高考设考场46个，其中两个作防控"非典"准备场所。瓮安中学考点有 1208 人参加高考，其中文科考生 387 人，理科考生 821 人。

6 月 16 日　学校成立申报省级示范高中自查自评领导小组，校长黄栋贵任组长（负责全面工作），谭敬昌任副组长（负责 A1 指标），成员有曾佐藩（负责 A2 指标）、李凤奇（负责 A3 指标）、周遗贵（负责 A4 指标）、郑义（负责 A5 指标）、刘文斌等 7 人。

8 月 15 日　学生公寓改造完毕，可容纳 1200 余名学生，配套 3 个学生食堂准备就绪，为新学年实行半封闭管理做好准备。

9 月 22 日　中央德育教科所贵州指导中心主任安斯寿（伦理学硕士）为全校教师作《道德三原则》德育工作讲座。

10 月 30 日　以爱尔兰的约翰·麦卡锡为组长的联合国教育考察小组一行 3 人到学校考察英语教学。

是日　学校语文、数学、外语、政治、历史、地理、物理、化学、生物 9 个学科组长参加州教育局教研室举办的新课程培训。

10 月 30 日—11 月 1 日　李凤奇副校长领队，骨干教师王顺德、邓前轲、王建华、管志雄、石顺、李琴参加州教育局教研室主办的 2004 年高考备课复习研讨会。

11 月 1 日　瓮安中学校刊《教书育人》2003 年 1、2 期同时出版，填补了瓮安中学发展史上没有校刊的空白。

11 月 5 日　学校新建天文馆通过调试验收。天文馆向全县学校开放。

11 月 14 日　学校科技馆多功能厅各种设备安装完毕通过验收，可容纳 300 余人。

11 月 18 日　以省教育厅基教处处长邹联克为组长的省教育厅、教育督导室的领导和专家一行 6 人检查学校申报省级示范性高中准备工作。

12 月 4 日　州教育局、州环保局对瓮安中学申报绿色学校进行评估验收。学校获州级绿色学校称号。

12 月 15 日—18 日　省教育厅组织专家对瓮安中学申报省级示范性高中进行全方位评估。

2004 年

2 月 6 日　瓮安中学申报省级示范性普通高中成功，成为全省 25 所示范性高中之一。

3 月 18 日　瓮安中学与北大附中签订远程教育合作办学协议。

是月　瓮安中学党总支成立，下设语文、数学、理化生、综合、退休、学生党支部。黄栋贵为党总支书记。

4 月 15 日　北大附中与瓮安中学远程教育合作办学示范学校举行授牌仪式。

6 月 1 日　北京教育研究所来函拟聘瓮安中学化学骨干教师罗晓安、徐孝红两位教师为《中学化学教法》兼职编委。

6 月 8 日　学校天文馆对外开放，本校及外校师生观看金星凌日天象。

6 月 25 日—27 日　副校长李凤奇出席“全国田家炳中学校长论坛（2004）暨贵州省第二届普通高中校长论坛”大会，并接受省教育厅授挂的“贵州省示范性普通高中”牌子。

9 月 10 日　瓮安中学承办“庆祝第 20 个教师节表彰优秀教师暨文艺演出大会”庆典活动。

9 月 29 日　美国耶鲁大学部分学生通过省驻北京办事处向瓮安中学赠送部分外文

图书。

10月9日　张明光任瓮安中学政教主任，陈友华任瓮安中学教务主任，游鹏任教务副主任。

11月28日　省教科所、省社科院、省环保局、州环保局联合评审通过瓮安中学付殿萍和余映竹老师共同主持的课题："瓮安中学垃圾分类处理项目"。

2005年

1月26日　瓮安中学团委被共青团瓮安县委评为"先进集体"。

2月1日　学校被评为"2004年度文明单位"，授挂"文明单位"匾牌。

3月6日　黔南民族师院外语系2001级学生赴瓮安中学实习。

4月28日　首期学生自办校刊《校园生活》印制完毕，向全校学生发行。

6月11日—19日　陈清玲、刘昌荣、杨友发、徐德智、倪祖芳、洪庆平、李琴、张元忠等8位教师在贵州师范大学参加2005年高考评卷工作。

8月8日　"瓮安中学垃圾分类项目"课题在"中国—加拿大参与式农村环境保护合作项目"会上获得好评。

9月16日—23日　都匀市建二公司退休职工赵载渊老先生发起的纪念抗日战争胜利60周年诗书画摄影展在瓮安中学举行。

10月2日—7日　以校长黄栋贵为领队的学校班子送湖南籍老师（含退休职工）集中返乡探亲。

11月8日　深圳少儿图书馆、中国数字图书少年儿童中心馆馆长兼书记、孟子72代孙孟绂一行参观考察瓮安中学。

11月22日　省级示范性高中专家复查组对瓮安中学进行省级示范性普通高中评估后2年的例行复查。

12月23日　中共瓮安中学党总支部将支部建立在年级组。

2006年

1月8日—10日　副校长曾佐藩参加黔南州2005年教育工作会议。学校荣获"黔南州2005年普通高中教育教学"三等奖，获奖金5000元。

3月3日　瓮安中学邀请1980届校友、留美博士后、现加拿大多伦多大学博士后倪祖尧为全校师生作《乡音、乡情》报告。

3月7日　总务处主任林长青参加县治安综合治理工作会。学校被县委、县政府授予"2005年度全县社会治安综合治理先进集体"称号。

4月30日　县教育局下发瓮教发〔2006〕33号文件，转发州教育局黔南教基发〔2006〕16号文件精神，全州从是年起试行普通高中招收保送生制度。瓮安中学有32名保送生指标。

6月13日　瓮安中学将30名保送生的喜报送达保送生所在学校及保送生手中。

6月30日　州委授予瓮安中学党总支部"先进基层党组织"称号。

9月1日　瓮安中学2004届校友、重庆交通大学艺术设计系学生谢飞设计的瓮安中学校徽图案启用。

9月12日—28日　教师游鹏、刘仁奎在上海华东师范大学分别参加语文和化学学科骨干教师培训。

11 月 27 日　瓮安中学与瓮安职中就两校联合办校签订《瓮安中学、瓮安职中关于开办综合高中联合办学协议》。

2007 年

1 月 19 日　86 岁的老校友张骏夫先生（瓮安中学 11 期学生，后毕业于黄埔军校 19 期）向母校赠送《张骏夫印集》。

2 月 7 日　李凤奇任瓮安中学校长。

2 月 14 日　瓮安中学被评为“瓮安县 2006 年度文明单位”，挂“文明单位”牌匾。

4 月 23 日　瓮安中学 1962 届高三毕业校友 22 人参加“‘三年共享读书乐，一世长怀校园情’62 届校友返母校联谊会”。

5 月 1 日　瓮安中学 103 班高三年级团总支书记、学生会劳动生活部部长王祥，98 班高三年级团总支委员、学生会宣传部部长肖莉 2 人被评为 2006 年度“全州优秀共青团员”；97 班杨洁莹被评为 2006 年度“全州优秀共青团干部”。

5 月 28 日　瓮安中学与黔南黔兴城乡建设有限责任公司签署建设合同，承建综合大楼。综合大楼总建筑面积 5480. 2 平方米，包括地下车库、可供 3000 名学生就餐的餐厅及可容纳 1500 人的演艺厅。

6 月 1 日　瓮安中学党总支部被瓮安县直属机关党委评为“推进党的基层组织先进性建设工程示范党总支”，被授予“示范党总支”奖牌。

6 月 4 日　瓮安中学第四届教职工代表大会第一次会议召开。40 名教职工代表参加，其中有 3 名退休教师代表。

8 月 17 日　游鹏由教科处主任调整为教务处主任，邓超由政教处副主任提拔聘用为政教处主任，杨友发由教务处副主任提拔聘用为教科处主任，林长青由总务处副主任提拔聘用为总务处主任，陈刚聘用为校务办公室副主任，李琴和刘仁奎聘用为政教处副主任，倪祖芳聘用为教务处副主任，聘用期为一年。

11 月 7 日—23 日　瓮安中学 9 个学科的骨干教师 58 人参加州教育局召开的 2008 年高考研讨会。

11 月 14 日　瓮安中学在全国教育科研“十一五”规划重点课题师德建设调研活动中，被中国师德建设研究总课题组、中国教苑教育咨询中心授予“中国师德建设示范单位”荣誉称号。

11 月 23 日　瓮安中学教科处、物理学科组联合举行高二年级纸质桥梁制作竞赛，各班利用旧报纸设计制作出造型新颖、有一定承重力的桥梁。

11 月 26 日　校刊《教书育人》和《校园生活》在“第二届全国中小学校内报刊评选”活动中，均获最佳校刊一等奖。

12 月 7 日　瓮安中学获 2007 年州级高中阶段教育资金 15 万元，用于购置电教设备。

12 月 21 日　省综治委秘书长、省法院副院长李健率检查团对瓮安中学创建平安校园工作进行检查，县委常委、政法委书记罗来平陪同。

2008 年

1 月 28 日　瓮安遭遇特大雪凝灾害，近 2000 名农村和外县学生因交通瘫痪滞留学校。

瓮安中学召开行政办公会研究部署抗灾自救工作，终止学期考试，疏导被困学生。

3月21日　瓮安县中心学科组成立大会、兼职教研员聘用仪式暨教育教学研讨会举行。瓮安中学语文学科游鹏、刘忠信，数学学科杨友发、何远红，英语学科倪祖芳、石世学，理综学科组刘仁奎、陶义奎、张润琴，文综学科组张元忠、周学东、曹植铭等12位教师被聘为瓮安县中心学科组兼职教研员，其中游鹏、倪祖芳、刘仁奎3人分别为县中心学科组语文、英语、化学学科组组长。

4月4日　瓮安中学被授予“瓮安县社会治安综合治理工作先进集体”称号，副校长张明光获“社会治安综合治理先进个人”称号。

4月16日　省委党的组织建设年活动督导检查组莅临瓮安中学，督查党的组织建设年活动。省卫生厅党委书记、督查组组长何美率队，州委组织部部务委员罗友军，州委组织部组织科科长彭志伟，县委副书记瓦标龙，县委常委、县委组织部部长莫涛，县委组织部副部长唐显萍，县机关党委书记卢甫贤，县委组织部组织科科长余文刚陪同。

4月19日—21日　校长李凤奇参加“第三届贵州省普通高中校长论坛”。

4月28日　瓮安中学获“黔南州2006—2007年度文明单位”奖牌。

5月6日　省环境保护国际合作中心对瓮安中学生化组教师付殿萍和余映竹实施的国家级课题“用教育戏剧的办法渗透环保教育”进行中期验收。

5月15日　全校师生举行“瓮安中学师生向四川汶川地震灾区募捐”仪式，共募集捐款3.6万余元。

5月27日　瓮安中学全体党员为四川灾区捐献“特殊党费”，共计7310元。

6月27日　瓮安中学举行“青艾小屋”挂牌仪式。学校领导与高一、高二年级全体学生及班主任参加挂牌仪式，“青艾小屋”项目正式启动。

7月9日　瓮安中学组织全校教职工举行“坚持正确方向，维护社会稳定”动员报告会，校长李凤奇通报瓮安县“六二八”事件应急指挥部《关于“六二八”事件阶段性处置情况通报》，要求全校教职工不信谣、不传谣，维护社会稳定。

7月15日　瓮安中学成为全国教育科学“十一五”教育部规划课题“提高课堂教学实效性的教学策略研究”总课题课题组成员校，负责“运用多元智能构建素质教育新课堂”子课题研究。

7月29日　全国关心下一代工作委员会教育发展中心、全国教育专家委员会、全国中学教育科研联合体共同评审瓮安中学为“全国百所最具成长力学校”，并授挂匾牌。

8月12日　省公安厅领导与瓮安县雍阳派出所在瓮安中学召开“预防和打击青少年违法犯罪”座谈会。

8月20日　语文教研组申报的州级课题“高中课文教学与作文教学的链接”经州教育局审批同意立项。

8月22日　瓮安中学申报的课题“课堂电影教学在艾滋病防治教育中心的运用研究”，被列为中国教育学会“十一五”科研规划重点课题“用电影课进行学校艾滋病教育和性健康教育的运用研究”总课题的子课题项目。

10月15日　瓮安中学心理网站正式开通，由心理健康教师谢文剑主办。

11月20日　教育厅副厅长蔡志君等一行6人视察学校校园、综合楼和学生公寓。

12月5日　瓮安中学英语组申报的课题“在英语课堂进行快乐教学的研究”作为中国教育学会“十一五”科研规划重点课题“名师教学思想与教法研究”的子课题立项。

2009年

1月1日　瓮安中学被“名师教学思想与教法研究”总课题组授予“中国教育学会‘十一五’科研规划重点课题实验学校”匾牌。

是日　瓮安中学在全省普通中小学安全教育知识竞赛中获组织奖三等奖。

1月19日　召开行政领导干部述职民主测评会。15位领导述职，平均满意率达97.76%。

2月4日　瓮安中学聘请湖北省大冶市丰景园林古建筑公司对校园重新规划。

3月31日　省教育厅计财处处长徐吉坤等领导考察瓮安中学在建工程综合楼和学生宿舍楼，对工程质量表示满意并要求督促工程进度。

4月17日　省高考评卷组组长、贵州师范大学教授徐强应邀为瓮安中学语文组教师及部分高三学生举办讲座。

4月24日　游鹏老师当选黔南州中学语文教学研究会第三届理事。

4月27日　中国人民大学农业与农村发展学院教授、农经系主任、博士生导师、国际交流处处长、港澳台办公室主任、教育部农林经济类教学指导委员会主任委员、中国农业经济理事会常务副理事长、国家级专家唐忠，应瓮安县委、县政府邀请回乡讲学，并回母校瓮安中学探望。

是月　中共中央政治局委员、中央书记处书记、中央组织部部长李源潮到瓮安河西行政新区视察指导瓮安中学新校区建设工作。

7月9日　组织召开“六二八”事件涉案学生家长、班主任联席会，9名涉案学生家长及班主任参加会议。传达县帮教办文件，帮助涉案学生深刻反省。

8月12日　省教育厅副厅长王碧海等一行8人视察瓮安中学新建食堂、学生宿舍和校园文化广场等建设工程。

9月30日　瓮安中学南侧校门开启，东校门暂时封闭开始改造。

11月17日　省教育厅学习实践科学发展观调研组到瓮安中学调研。

11月24日　瓮安中学18期学生、82岁高龄的张明权先生将自己诗词文联的修订集《雪后吟》2册赠送给学校。

12月26日　贵阳印象雕塑工程有限公司向瓮安中学赠送1尊孔子雕像。

2010年

1月6日　瓮安中学新开发的校本教材《学会学习学会做人》在全校发行。

1月11日　全国教育科学“十一五”规划教育部课题瓮安中学子课题“运用多元智能构建素质教育新课堂”结题筹备会召开。

1月13日　黔南州“园林学校”评估专家吴杉、刘昌隆、陆国治等对瓮安中学申报的黔南州“园林学校”进行评估。

1月18日　省禁毒委员会到瓮安中学开展“全民禁毒教育”活动，并举行问卷调查。

3月7日　瓮安中学召开哈佛国际训练机构培训会。瓮安中学全体教职工、瓮安三中全体教职工以及部分兄弟学校校长参加。

3月28日　省科研课题“和谐德育研究与实验”课题组成员刘华教授、普安一中校长教师一行七人到瓮安中学参观。

5月25日　瓮安中学第五届教职工代表大会第三次会议召开，讨论、审议并通过了《瓮安中学关于在岗教职工进修研究生学历进行补贴的决定》《瓮安中学关于教师分流聘任的暂行规定》和《新校区教师住房管理规定》3个草案。

10月13日　召开教职工代表大会审议《瓮安中学新校区食堂、学生宿舍招商引资方案》。

10月21日　省食品安全卫生检查组到瓮安中学检查工作。评定已达A级标准，可以申请A级食堂挂牌。

11月12日—14日　贵州省心理健康教育协会2010学术年会暨贵州省心理学会2010学术年会和换届选举大会在遵义师范学院召开。瓮安中学专职心理健康教师谢文剑参加相关学术活动。

11月19日　省政协常委姜刚杰（九三学社省委副主委）等一行12人到瓮安中学考察调研，州政协副主席李强、县长谢晓东、县政协主席姚中贞等领导陪同。

11月23日　省纪委书记宋璇涛到新校区考察。

11月29日　省政法委相关领导到学校检查“帮教工作”，对帮教工作“校本文化促帮教、德育教育促帮教、心理辅导促帮教、法制活动促帮教”4大亮点予以肯定。

12月2日　周遗贵任党总支书记。

2011年

1月19日　瓮安中学顺利完成“事改”相关审核工作。

2月24日　副校长张明光和学校养成教育课题组核心成员周洪、刘仁奎、贺光明老师赴省德育中心学习，介绍“中学生养成教育研究与实验”课题的进展情况。

4月5日　省委副书记、省长赵克志等领导视察瓮安中学新校区建设情况。

4月12日　公安部、省公安厅领导到瓮安中学了解“六二八”事件之后学校对公安工作的满意度。

6月9日　瓮安中学祝亚峰、程立、潘家贵、刘宜菊、张友军、罗亚林、李景辉、曹植铭、唐书军共8个学科9名教师赴贵州师范大学参加高考评卷。

9月2日　新校区落成典礼举行，省教育厅厅长霍健康、州教育局局长王可农、瓮安县四大班子领导参加典礼。

9月13日　黔南师院邹洪涛处长、中文系周建自主任等一行6人到瓮安中学检查中文系学生实习情况，并将瓮中确定为长期实习基地。

10月15日—16日　贵州省兼职督学田必涛、省政府教育督导室办公室副主任谢旋、黔南州人民政府教育督导室办公室主任邹勇东一行莅临瓮安中学指导工作。瓮安县人民政府督导室主任张世德、县教育局局长谢静陪同。

10月31日　瓮安中学新校区学生生活区建设完工，高一年级学生搬到新校区。

11月5日—6日　瓮安中学政教处主任周洪，班主任刘怀喜、卢怀芳、王建华、童江、徐国生、张立新、顾晓福参加中国管理科学研究院基础教育研究所、中国教育学会教育政策与法律研究分会、中国关心下一代教育研究院联合主办的“一线教育家讲坛、全国班级管理创新现场交流会”。

11月10日　省委秘书长张群山一行到瓮安中学视察工作。瓮安县四大班子领导陪同。

11月13日　政教处主任周洪、副主任赵慕琦赴北京参加“一线教育家讲坛·第六届全国中（职）小学班级管理创新暨班主任经验交流大会”。瓮安中学被评为“全国德育创新基地学校”，并授予铜牌。

11月18日　省委书记栗战书到瓮安中学视察工作。

11月23日　瓮安中学语文组老师邬培祥负责的课题“高中语文教学与作文教学的链接”获“黔南州2008—2011年中学语文学科教研课题”集体一等奖。

12月7日　瓮安中学获“全省加强和创新社会管理做好新形势下群众工作经验交流现场会”组织筹备服务工作先进集体奖。

12月21日　省督导考核组组长谢永南、省教育技术装备管理中心副科长范宪明、省教育厅项目办柏玉琴一行对瓮安中学加快高中阶段教育教学工作进行考核督查。县教育局局长谢静陪同。

2012年

1月1日—4日　学校教师肖春花、刘凤七赴北京参加由教育部中国教师发展基金会和国家教师科研基金管理办公室组织举办的国家教师科研基金专家型科研工作年会。瓮安中学被评为“全国教育科研先进单位”。

2月17日　瓮安中学获“2011年度全省精神文明建设工作先进单位”。

3月29日　瓮安县城校园文化建设工作会议召开。会议确定，瓮安中学要率先搞好校园文化建设，更好地凸现鲜明的校本文化生态和优雅的书香校园特色；同时，要发挥示范高中的辐射带头作用，为县内其他学校的校园文化建设提供示范和样板，推动全县中小学校园文化建设迈上新台阶。

3月31日　中组部一行50余人到学校参观。

4月13日　中国关工委公益文化中心全国巡回报告团到学校作主题为《激发孩子持久的学习动力》的报告，高一、高二年级学生及部分学生家长参加。

4月27日　省创新社会管理现场会在瓮安县举办，省政法委书记崔亚东及参会各位领导到瓮安中学检查帮教工作。

4月29日　省人大常委会副主任顾久一行到瓮安中学视察。

5月16日　省政协副主席班程农一行到瓮安中学视察。县委书记陈昌旭、县长尹德俊、县人大主任潘玉华、县政协主席陈博等领导陪同。

5月27日　瓮安中学史志办公室组织的“瓮安中学年鉴审稿暨校志编修恳谈会”召开。县党史办主任范祖贵、党史办年鉴科科长林莉等领导，退休老师谭敬昌、周乐忠、张世忠、王开宇、曾昭映，老校友张明权、王再科、李松莲，学校校级领导、各处室主要负责人、大学科组长及校史编委等参加会议。

6月14日　“全国知名网络媒体博主多彩贵州行”共25家媒体记者到瓮安中学参观。

7月1日　校党总支副书记邓超代表瓮安县“五好”基层党组织参加全州“建党91周年”表彰大会。瓮安中学被授予“‘五好’基层党组织”奖牌。

9月1日　全国著名书法家李慧君参观瓮安中学校园文化建设。

9月22日—24日　中国管理科学研究院基础研究所、中国教育学会教育政策与法律研究分会主办的“一线教育家·全国中小学班主任整体班级管理能力高级研修班”在瓮安中学举行。

9月27日　省关心下一代协会主席龚贤永一行莅临学校视察。瓮安县关心下一代协会主席徐银芳陪同。

10月11日　瓮安中学建校180年华诞，省教育厅退干处处长李洪久，州委常委、县委书记沙先贵，州教育局局长王可农等领导参加庆祝活动。

10月24日　搬入新校区第一次运动会开幕。

10月25日—28日　政教处副主任刘仁奎、宋健老师参加2012年全国和谐德育年会暨第十五届学术研讨会。瓮安中学获得“全国百所德育示范校”“全国百项优秀校园文化建设成果”称号。

12月8日　《当代贵州》、《当代党员》、先锋网等媒体组成的参观团到瓮安中学参观考察采风。

2013年

1月15日　石世学老师主持申报的省级课题“农村高中实施新课程的难点及其突破”经省教育厅批准立项，为期2年。

2月18日　广西师范大学教授、约旦大学教授、瓮安中学81届校友犹家仲到瓮安中学举办讲座，高三年级师生共1000余人聆听。

4月18日　余家品任瓮安中学校长，陈友华任瓮安县教育局副局长，杨友发任瓮安中学副校长（试用期1年），李琴任瓮安中学副校长。

7月5日　瓮安中学六届三次教职工代表大会召开，审议通过《教职工请假制度》《教职工违规违纪处分规定》《班级管理工作量化考核方案》3个文件。

7月10日　江南大学西部采梦行动社会实践服务团的6名大学生到瓮安中学社会实践。

8月21日　省教育厅基教处处长吴玉松、省基教处主任苏联俊、何福远一行对学校消防、食品、交通、周边环境等安全工作进行检查。县教育局副局长陈友华、教育科科长李亚芬陪同。

11月3日—5日　2013年黔南州高中新课程课堂教学改革（理、化、生）推进会在瓮安中学举行。

11月26日—28日　省教育厅组织专家到瓮安中学进行省级示范高中升类评估，评估通过。

是月　瓮安中学被县委宣传部、县文联授予“中国辞赋之乡辞赋创作基地”。县委宣传部部长曾薇、县文联主席杨俊松等为学校挂牌。

12月16日—23日　校志编纂室刘忠信、刘明远、万森伟、蒋露4人赴黔南州档案局，查阅与瓮安中学校志相关的档案资料1300多卷，拍照5000余张，洗印、分年整理，装订入档，填补县档案局和瓮安中学1960—1967年时段档案资料的空白。

第一章 建 置

第一节 沿 革

清道光十三年（1833 年）三月（癸巳仲春上丁日），瓮安邑令王存成“先倡捐百金”修书院，先后“得银三千金”，相地于城南先农坛前大路之左（现瓮安中学老校区教工宿舍所占之地）。是年“端阳后鸠工庀材，卜中秋日申时吉，迺建讲堂，树门宇、斋厨、学舍”。次年（道光甲午）二月初一，“各工亦刻期蒇事，而规模略具”后，命名为“玉华书院”。

咸丰十年（1860 年），玉华书院毁于兵燹。

光绪十八年（1892 年），陶懋恭出任瓮安邑令，“以城南袁姓捐木料，即故址建讲堂三间，工未毕而卸事”。

光绪二十四年（1898 年），翰林王敩成任瓮安邑令，“爰集同寓诸公，暨城乡绅耆父老以修复书院为请”，捐金复修书院。次年（光绪己亥）初秋书院鸠工以落成后，命名为“花竹书院”。

光绪三十二年（1906 年），清政府 1903 年颁布的《奏定学堂章程》即“癸卯学制”在全国施行后，花竹书院改组花竹高等小学堂。瓮安县城初等小学堂亦办在花竹书院内。

1911 年辛亥革命后，癸卯学制废止。以孙中山为首的南京临时政府，对教育开始进行一系列适应资产阶级需要的改革。

民国 1 年（1912 年）9 月，公布学制系统（壬子学制）。次年（1913 年）修改后整合为“壬子癸丑学制”。高等小学堂改为县立高等小学校。

民国 11 年（1922 年），教育部正式公布《新学制系统》即“壬戌学制”。学制类似美国“六三三”学制，规定全部学校教育时间为 16~18 年，分三段五级（初等教育 6 年，分初小 4 年和高小 2 年两级；中等教育 6 年，分初中 3 年和高中 3 年两级，高等级教育 4~6 年，不分级）。

民国 14 年（1925 年），著名教育家黄齐生到瓮安视察，倡导兴办中学。

民国 15 年（1926 年），遵义筹办 10 县联中，要瓮安县每年拨款 4000 银圆作联中经费。在黄齐生，国民党中央代表、省教育厅商文立博士等人的鼎力相助下，省政府同意瓮安将解款留办瓮安中学。11 月 11 日，瓮安县立中学正式开学。

民国 17 年（1928 年）1 月，因财力不足，与毗邻县洽商，报经省教育厅批准，改为“瓮、余、平、黄”4 县联中。6 月，省教育厅厅长周恭寿在省长周西成的支持下，对全省中学进行整顿，将全省划分为8个中学区，每区设立省立中学1所，将原来的几所联立中学改为省立中学，经费由省库拨款。“瓮、余、平、黄”4县联中奉令改为“贵州省立第六中学校”。

民国25年（1936年）1月，省政府批准省教育厅1935年11月11日呈字第364号关于更正各校校名，并请刊发钤记的请示，同意将省外7所（赤水、遵义、安顺、都匀、瓮安、思南、镇远）省立中学校更名为省立初级中学。“省立瓮安第六中学校”更名为“省立瓮安初级中学”。

民国32年（1943年）秋，按《省政府三十二年施政计划》规定，省教育厅研究同意省立瓮安初级中学改办为完全中学，随即招生开班。“省立瓮安初级中学”更名为“贵州省瓮安中学校”。

1949年12月11日，瓮安宣告解放，瓮安中学回到人民手中。

1950年9月12日，瓮安中学开学。高中部学生踊跃参军（抗美援朝），高中部生源缺乏，停办，改名为瓮安初级中学。

1958年5月，全省教育事业出现“大跃进”局面。秋季，学校招收高一新生，恢复高中部，成为完全中学。“瓮安初级中学”更名为“贵州省瓮安中学”。

1958年12月29日，福泉县撤销，其行政区域划归瓮安县。瓮安中学迁至福泉县城，与福泉中学合并。

1959年2月25日，贵州省瓮安中学（包括福泉中学）更名为“瓮安县第一中学”。

1961年8月18日，福泉县建制恢复。原从瓮安中学迁至福泉县城的4个初中班迁回瓮安四中（1959年7月在原瓮安中学校址开办，设有高中部），原从瓮安中学迁至草塘（瓮安二中）的3个班迁回四中。瓮安四中1959年招生后有16个班，其中高中部有6个班。瓮安四中更名为贵州省瓮安中学。

2000年6月，黔南州人民政府批转同意瓮安中学改制为高级中学。瓮安中学自2000年9月开学停招初一学生，扩大高中招生。“贵州省瓮安中学”改制为“贵州省瓮安高级中学”。

2004年2月6日，瓮安中学申报省级示范性高中成功，成为全省25所示范性高中之一。

2011年9月2日，瓮安中学搬迁至河西行政中心区新校区。投资2.3亿元。

2013年11月26日—28日，省教育厅组织专家到瓮安中学进行省级示范高中升类评估。瓮安中学“升类”评估顺利通过，升格为省二类示范高中。

第二节 机 构

明清时期，“书院，由县正延聘山长主讲，考取生童入院肄业。”县正为一县之长。山长是历代对书院讲学者的称谓。县正是书院的领导者和管理者。尽管在乾隆时期，山长曾一度改称院长，但其主要职责是管理教学。

另，书院设总理首士。总理即斋长，凡生童在斋事务，均由斋长管理，首士为书院财务管理人员。玉华书院第一任领导为知县王存成。花竹书院第一任领导为知县王敦成。

清光绪三十二年（1906年），花竹书院改组高等小学堂，县令罗本操开办。因原书院经费不及，以致程度不合格，未能立案。是年冬谭希杜赴任，“迭饬权办”，劝学所事务商肇文妥筹经费，于光绪三十三年三月初一开办本城高、初等小学堂各一堂在花竹书院，申文立案。学堂设堂长1人，总揽校务。堂长由县行政长官选聘，报省提学使司批准备案。小学堂第一任堂长为杨茂辉。另，曹履中、谭希杜、刘宪帮、曾荣楚等县令均兼任过堂长。

民国初年，学堂改称学校。初高等小学校皆设校长、学监、教员、庶务、杂役等职。校长，综理全校教学行政事宜；学监，负责管理学生；教员，担任各科教学；庶务，管理学校财务及杂务；杂役，负责打扫、看守学校。后实行校务分掌，比较大型的小学，在校长之下设总务、教导两处，各置主任1人，有的学校还另设训育处，置训育主任1人，统在校长领导下，负责教学、事务、训育工作。瓮安县立高初等小学校第一任校长李启光（原小学堂正教员），第一任学监申云章，第一任庶务袁恩树。

民国15年（1926年），瓮安县立中学获准开办。第一任校长胡国泰。

民国17年（1928年），瓮安县立中学经省教育厅批准，先后命名为“瓮（安）余（庆）平（越）黄（平）”4县联中、省立六中。学校先后设教导处、训育处。第一任教导主任宋毕霖、第一任训育主任朱希仲。

民国25年（1936年）7月，《贵州省公私立中等学校职教员服务规程》出台。学校设校长1人总理学校行政事项，校长由教育厅提出合格人员于省府委员会决定通过后任用之。学校设教导主任1人，协助校长处理教务事项；设训育主任1人，协助校长处理训育事项；设事务主任1人掌理教育及训育以外之事务。学校还设训育员若干人，助理训育事务，文牍会计庶务各1人、教务员若干人分别管理文书、会计、庶务、图书、仪器、标本统计注册编辑及助理其他校务事项，校医1人协助全校医药卫生事项。另组建“经费稽核委员会”，对学校所有经费往来进行稽核，以昭公允。

1950—1956年，瓮安中学校长均由县人民政府县长兼任。1956年11月，瓮安中学副校长应哲提任校长，行政级别为县级。机构设置除校务管理委员会（由校长、教导主任、总务主任、班主任各科教学研究组长及教育工会代表组成之，由校长为主席，青年团、学生会代表列席）外，主要机构设置有教导处、总务处。

解放后，瓮安中学第一任校长吴近仁县长兼任，第一任副校长杨藻章，第一任教导主任王树勋，第一任总务主任戎绍华。

1978年后，学校设校务办公室。第一任办公室主任陈全福。

2004年，增设政教处。2007年，增设教科处。2013年，增设电教实验网络中心。

截至2013年12月，瓮安中学内设机构6个，机构管理负责人20人。其中正副校长4人，正副校务办公室主任3人，正副教务处主任3人，正副政教处主任3人，正副教科处主任3人，正副电教实验网络中心主任2人，正副总务处主任2人。

表1-1　清末、民国时期瓮安中学负责人（堂长、校长）名录

校名	姓名	字别	籍贯	届别	在职时间	级别及学历
玉华书院	王存成		山东		1833	县令代
花竹书院	陶懋恭	少之	广西		1892	县令代
	王敦成		广西		1898—1901	知县代

续表

校名	姓名	字别	籍贯	届别	在职时间	级别及学历
小学堂	罗本操		四川		1905—1906	县令代
	杨茂辉				1906—1907	校长
	曹履中				1907—1907	县令代
	谭希杜		湖南		1908—1909	堂长
	刘宪帮		云南		1908—1908	县令代
	曾荣楚				1909—1913	县令代
小学校	李启光				1913—1914	校长
	商梓才				1914—1915	校长
	谢德洋	子华			1915—1916	校长
	商楠阶				1916—1917	校长
	王孝行				1917—1918	校长
	蒋昌基				1918—1922	校长
	宋宝德	毕霖	瓮安		1923—1926	校长
	冷吉生				1926	校长
瓮安县立中学	胡国泰		遵义	一	1926. 11—1927. 1	校长
	张克襄	廷赞	瓮安	二	1927. 3—1928. 1	校长
贵州省四县联立中学	张纯仁		镇远	三	1928. 1—1928. 5	校长
贵州省立第六中学	王道生		印江		1928. 6—1928. 12	代校长
	王起斌	从周	贵阳	四	1929. 1—1931. 2	校长
	王道生		印江	五	1931. 3—1934. 2	校长
	杨克增	子益	天柱	六	1934. 3—1935. 2	校长
	彭建平		贵阳	七	1935. 2—1936. 2	校长
贵州省立瓮安初级中学	任永熙	辑之	余庆	八	1936. 3—1938. 2	校长
	冉隆堃	尧阶	遵义	九	1938. 3—1941. 8	校长
	杨藻章		瓮安	十	1941. 8—1942. 7	校长
贵州省立瓮安中学	王道暄	孟白	瓮安	十一	1942. 8—1944. 3	校长
	冉茂森	蔚若	湄潭	十二	1944. 3—1945. 2	校长
	刁承坤		山东	十三	1945. 3—1945. 8	校长
	李宗彝		瓮安	十四	1945. 8—1948. 8	校长
	卢光仪		广西	十五	1948. 8—1949. 12	校长

表 1-2　　民国时期瓮安中学教导主任、训育主任名录

教导主任			训育主任		
姓名	籍贯	在职时间	姓名	籍贯	在职时间
宋毕霖	瓮安	1926. 10—1927	朱希仲	瓮安	1931. 3—1935. 2
王道生	印江	1927—1928	解广运	都匀	1935. 3—1937. 2
林明		1929—1935	胡叔光	遵义	1937. 3—1938. 1
熊幼安	贵阳	1935. 8—1937. 5	夏泽膏	遵义	1938. 2—1939. 1
解广运	都匀	1937. 6—1938. 2	余正清	湖北	1939. 2—1943. 1
何增荣	习水	1938. 3—1939. 8	马宗裕	浙江	1943. 3—1945. 1
邵光奎	贵阳	1939. 9—1942. 7	黄　乾		1945. 2—1945. 7
肖显仁	瓮安	1942. 8—1943. 1	管金鹰	浙江	1945. 8—1945. 11
王家修	都匀	1943. 2—1944. 7	胡德兴	瓮安	1945. 12—1946. 7
何增荣	习水	1944. 8—1945. 1	丁　讯	瓮安	1946. 8—1946. 10
赖映棠	习水	1945. 2—1945. 7	张天佑	遵义	1946. 10—1948. 1
王道源	瓮安	1945. 8—1948. 7	石德舆	贵阳	1948. 2—1948. 7
韩史超		1948. 8—1949. 1	杨培智	广西	1948. 8—1949. 1
骆维藩	广西	1949. 1—1949. 12	韩哲孟	辽宁	1949. 2—1949. 12

表 1-3　　1934—1949 年瓮安中学膳食管理人员事务、会计主任名录

<table>
<tr><th>年代</th><th>事务主任</th><th>会计主任</th></tr>
<tr><td>1934</td><td></td><td>杨觉生（代）</td></tr>
<tr><td>1935</td><td></td><td>曾春如　肖德麟（代）</td></tr>
<tr><td>1936</td><td></td><td>曾春如（代）</td></tr>
<tr><td>1937</td><td></td><td rowspan="6">冉燧卿（代）</td></tr>
<tr><td>1938</td><td></td></tr>
<tr><td>1939</td><td></td></tr>
<tr><td>1940</td><td></td></tr>
<tr><td>1941</td><td></td></tr>
<tr><td>1942</td><td></td></tr>
<tr><td>1943</td><td>武承志</td><td rowspan="3">邹鹤群（代）
犹鼎兴
刘崇荣
高吉青</td></tr>
<tr><td>1944</td><td>冯蜚声</td></tr>
<tr><td>1945</td><td>石锦策
黄齐寿
犹泮香</td></tr>
</table>

续表

年代	事务主任	会计主任
1946	犹泮香	高吉青 陈明太
1947	张应文 高吉清	张人伦
1948	王大章	叶发灏
1949	廖国霖	朱德绍

表 1-4　　1949—2013 年瓮安中学历任校长、副校长名录

校名	姓名	职务	任职时间	备注
贵州省瓮安初级中学	吴近仁	校长	1949. 12—1950. 7	县长兼
	贺永年	校长	1950. 8—1951. 3	县教育科长兼
	杨藻章	副校长	1950. 2—1950. 7	县教育副科长兼
	董德恒	副校长	1950. 8—1951. 2	县教育科长兼
	董德恒	校长	1951. 2—1951. 3	县教育科长兼
	吴近仁	校长	1951. 4—1954. 8	省军管接管部指令县长兼
	卢雪圃	校长	1954. 8—1956. 2	县长兼
	孟仲三	校长	1956. 2—1956. 8	县长兼
	董德恒	副校长	1951. 3—1952. 10	
	应 哲	副校长	1952. 12—1956. 8	
瓮安一中	应 哲	校长	1956. 8—1959. 7	1958. 9 迁福泉
	王树勋	副校长	1956. 8—1959. 7	
瓮安四中	王树勋	副校长	1959. 8—1960. 2	主持学校工作
贵州省瓮安中学	应 哲	校长	1959. 8—1960. 3	
	王树勋	副校长	1959. 8—1960. 2	
	邵如松	校长	1960. 3—1961. 8	
	王树勋	副校长	1960. 3—1961. 8	
	应 哲	校长	1961. 8—1967. 3	
	王树勋	副校长	1961. 8—1967. 3	
	应 哲	校长	1970. 5—1975. 11	
	宋泽高	副校长	1976. 5—1979. 6	主持学校工作
	丁 章	校长	1979. 8—1981. 7	
	王树勋	副校长	1977. 12—1981. 7	
	王树勋	校长	1981. 8—1982. 8	调县人大常委会副主任

续表

校名	姓名	职务	任职时间	备注
贵州省瓮安中学	郭大华	副校长	1981.1—1984.7	
	吕庆松	校长	1984.8.24—1987.1	
	马跃银	副校长	1984.8.27—1987.7	
	黄栋贵	校长	1987.2.18—2007.2	
	张炳芝	副校长	1985.1.9—1994.9	任副校长
	王忠华	副校长	1992—1994.8.1	
	张世雄	副校长	1994.9—1995.8	
	谭敬昌	副校长	1996—2001.7	
	曾佐藩	副校长	1996—2001.7	县政协副主席
贵州省示范高级中学	黄栋贵	校长	2001.7—2007.2	
	谭敬昌	副校长	2001.7—2007.7	
	曾佐藩	副校长	2001.7—2007.7	
	李凤奇	副校长	2003—2007	
	周遗贵	副校长	2003—2008	
	李凤奇	校长	2007.2—2013.4	
	周遗贵	副校长	2010.10—	
	张明光	副校长	2007.7—2012	
	陈友华	副校长	2007.7—2013.4	
	余家品	校长	2013.4—	
	李　琴	副校长	2013.4—	
	杨友发	副校长	2013.4—	

注：“文化大革命”中：1967—1969年学生代表高国富、郭德祥分别为主任、第一副主任。老师代表朱文模为副主任，县武装部王明学为军代表。1968—1970.4雷忠香、张汝森分别为第一、第二副主任

表1-5　　1950—2013年瓮安中学历任总务正（副）主任名录

校名	姓名	职务	任职时间	备注
瓮安初级中学	戎绍华	总务主任	1950.7—1951.1	
	屈解三	总务主任	1951.1—1951.2	
	姜天贵	总务主任	1951.3—1953.2	
	华天谷	总务主任	1953.3—1956.6	代主任
瓮安一中	石明信	总务主任	1956.7—1957.6	

续表

校名	姓名	职务	任职时间	备注
瓮安四中	郑朝州	总务主任	1959. 7—1960. 2	
	张家骧	总务主任	1960. 8—1967	
瓮安中学	张家骧	总务主任	1970—1977. 2	
	刘文炎	总务主任	1976. 5—1979	
	王　辉	总务副主任	1979. 7. 5—1981	
贵州省示范高级中学	周乐忠	总务副主任	1981—1983	
	周乐忠	总务主任	1983—1984. 7	
	龙祖荣	总务主任	1984. 8. 27 —1986	
	周双林	总务副主任	1985. 11—1986	
	熊华江	总务主任	1986—1987	
	刘文斌	总务主任	1987. 3. 13—2001	
	陈代才	总务副主任	1997	
	刘文斌	总务主任	2001—2007	
	林长青	总务副主任	2001—2007	
	林长青	总务主任	2007—	
	李景辉	总务副主任	2007—2013	
	刘仁奎	总务处副主任	2013—	

表 1-6　　1950—2013 年瓮安中学历任教导政教、教科、教务处、校务办正（副）主任名录

校名	姓名	职务	任职时间	备注
瓮安初级中学	王树勋	教导主任	1950. 9—1957. 6	
	徐明尧	教务主任	1957. 7—1958. 12	
瓮安一中	王盛诚	教导主任	1959. 2—1959. 7	迁福泉
瓮安中学	郑书权	副教导主任	1959. 9—1961. 8	
	刘瑞秋	副教导主任	1960. 6—1961. 8	
	丁　章	教导主任	1961. 8—1967	1962. 6. 12 任命为教导主任
	郑书权	副教导主任	1961. 8—1967	
瓮安中学革命委员会	雷忠香	第二副主任	1968—1969	教师代表
	张汝森	第二副主任	1969—1970	教师代表
	丁　章	教导主任	1975. 5—1979	
	李吉才	副教导主任	1977. 5. 6—1978. 10. 18	

续表

校名	姓名	职务	任职时间	备注
瓮安中学	郑书权	教导主任	1979—1984	
	郭大华	副教导主任	1979—1981	
	朱文模	副教导主任	1971—1981	
	徐乾麟	副教导主任	1979—1981	
	张炳芝	教导主任	1984. 8. 27—1986. 7	
	张世忠	教导主任	1986. 8. 20—1987	
	王忠华	副教导主任	1986. 8. 20—1987	
	黄栋贵	副教导主任	1986. 8. 20—1982	
	王忠华	教导主任	1987. 2. 20—1988	
	丁惠敏	副教导主任	1987. 2. 20—1988. 8. 21	
	陈全福	副教导主任	1988—1992	
	田景材	副教导主任	1988. 8. 21—1994	
	张世雄	副教导主任	1990—1992. 8	
		教导主任	1992. 9—1994. 8	
	李凤奇	副教导主任	1994. 3. 2—2001. 2	
	周遗贵	副教导主任	1996—2001	
	田景材	教导主任	1996—2000	
贵州省示范高级中学	李凤奇	教导主任	2001—2003	
	郑　义	校务办主任	2001—2010	
	周遗贵	政教主任	2001. 10—2003	
	陈友华	教务主任	2004. 10—2007	教务处主任校长助理
	游　鹏	教务副主任	2004—2006	
	张明光	政教主任	2006—2007	政教主任校长助理
	何平章	教科处副主任	2006—2014	
	杨友发	教务处副主任	2006—2007	
	洪庆平	教务处副主任	2006—2014	
	邓　超	政教处副主任	2006—2007	
	游　鹏	教科处主任	2007—2008	
	邓　超	政教处主任	2007—2009	
	赵慕琦	政教处副主任	2007—	
	刘仁奎	政教处副主任	2006—2013	

续表

校名	姓名	职务	任职时间	备注
贵州省示范高级中学	李　琴	政教处副主任	2007—2010	
	肖春花	校务办副主任	2007—	
	杨友发	教科处主任	2007—2013	
	游　鹏	教务处主任	2008—	
	倪祖芳	教务处副主任	2008—2009	
	张元忠	教务处副主任	2011—2014	
	陈　刚	校务办主任	2011—2014	
	周　洪	政教处主任	2011—	
	何平章	电教实验网络中心主任	2013—	
	赵　俊	电教实验网络中心副主任	2013—	
	洪庆平	校务办主任	2013—	
	宋　健	校务办副主任	2013—	
	张元忠	教科处主任	2013—	
	蔡　毅	教科处副主任	2013—	
	刘凤七	教科处副主任	2013—	

第二章　党群组织

第一节　党总支部委员会

新中国成立初期，瓮安中学无党组织，仅有党员 1 名。学校党员与县文教卫生单位党员共同组建党小组 1 个，应哲担任组长。

1954 年，组建瓮安县文教卫生系统党支部，应哲担任党支部书记。

1958 年 3 月，组建瓮安中学党支部，周远程担任党支部书记。

1966—1976 年，学校受“文化大革命”影响，学校党组织活动停止。

1977 年，学校党组织建设恢复正常。赵永庆、丁章、郭大华、黄栋贵、刘康德 5 同志组成中共瓮安中学支部委员会。赵永庆同志任党支部书记，丁章同志任党支部副书记。

2004 年 3 月，组建中共瓮安中学党支部委员会，党支部委员会下设语数英党支部、理化生党支部、综合党支部、退休职工党支部、学生党支部 5 个支部。黄栋贵任支部委员会书记，田景材任支部委员会副书记，谭敬昌、李凤奇、周遗贵、陈友华、张明光任支部委员会委员。

2005 年 12 月，县直属机关委员会同意《中共瓮安中学支部委员会关于组建中共瓮安中学总支部委员会及所属五个党支部的请示》，任命：黄栋贵同志任中共瓮安中学总支委员会书记；李凤奇同志任中共瓮安中学总支委员会副书记，兼任高三年级支部书记；周遗贵同志任中共瓮安中学高二年级支部书记；陈友华同志任中共瓮安中学高一年级支部书记；张明光同志任中共瓮安中学行政支部书记；游鹏同志为中共瓮安中学总支委员会组织委员；李琴（女）为中共瓮安中学总支委员会青、妇委员（另报团县委作校团委书记和妇工委员会主任）；林长青同志任中共瓮安中学退休教职工支部书记。

2009 年 12 月，中共瓮安中学党总支部委员会原有的高一年级党支部、高二年级党支部、高三年级党支部、行政党支部、退休党支部 5 个党支部调整为语文党支部、数学党支部、英语党支部、政史地党支部、理化生党支部、综合党支部、退休党支部 7 个党支部。

2010 年 12 月，按照瓮直党工组〔2010〕29 号《关于中共瓮安中学党支部委员会换届选举结果的批复》，周遗贵任中共瓮安中学党总支部委员会书记，邓超任中共瓮安中学党总支部委员会副书记。李凤奇、周洪、张明光、陈友华、游鹏 5 位任中共瓮安中学党支部委员会委员。

2013 年 6 月，陈友华、张明光调离，学校党总支委员会空缺 2 人。14 日，瓮安中学党总支召开各支部党员大会，补选党总支委员。余家品、李琴当选为总支委员。

表 2-1　　1954—2013 年中国共产党瓮安中学党组织领导名录

党组织领导			备注
正职	副职	党务委员	
应　哲 （1954—1958. 2）			应哲为文教卫党支书，兼瓮安中学党小组组长
周远程 （1958. 3—1958. 12）			任党支部书记
张怀成 （1958. 12—1959. 8）	许德胜 （1959. 9—1961. 2）	田志远 （1959. 9—1961. 2）	
秦绍品（1959. 9—1962. 2）			
应　哲 （1962. 3—1967. 8，1970. 5）	郑书全 （1962. 3—1967. 8）	雷忠香　李吉才 张家骧 （1962. 3—1967. 8）	
张　辉 （1970. 5—1976. 5）	宋仕农 （1976. 3—1978. 3）	王义芳 （1972. 9—1976. 3）	
宋泽高 （1976. 5—1979. 9）	王义芳 （1976. 8—1979. 9）	李吉才（1976. 8） 雷忠香（1976. 8） 丁　章（1977. 2—1978. 2） 郑友明　黄栋贵 王　晖　蔡志斌 （1977. 2—1979. 9）	宋泽高（副校长兼党支部书记，1977 年 6 月为局党组成员） 1979 年 10 月有正式党员 14 人，预备党员 1 人
赵永庆（1980. 1—1981. 7）	丁　章 （1980. 1—1981. 7） 杨再超（主持工作） （1981. 8—1982. 8） 吕庆松（主持工作） （1982. 9—1984. 9）	郭大华（组织委员） 黄栋贵（青年委员） 刘康德（宣传委员） （1980. 1—1984. 7）	
郭大华 （1984. 8—1985. 6）	马跃银 （1984. 10—1987. 2）	余国民（组织委员） 吕庆松（宣传委员） 左业舟（青年委员）	
吕庆松 （1985. 7—1987. 1）	马跃银 （1984. 10—1987. 2）	余国民　左业舟	1985 年 12 月瓮安中学正式党员： 吕庆松　马跃银　余国民 左业舟　赵永庆　张家骧 张开祥　曾召映　黄栋贵 田景材　周良基　王忠华 招聘党员： 李凤奇　肖必录　王顺德 罗金元 预备党员： 周双林　张炳芝　姚永监 黎师韩　黄明高　谭敬昌 招聘预备党员：陈全福
余国民 （1987. 4—1991. 3）		黄栋贵　王忠华 张炳芝　田景材 刘文斌	

续表

党组织领导			备注
正职	副职	党务委员	
余国民（1991.4—1994.6）		黄栋贵 王忠华 丁惠敏 田景材 陈全福 刘文斌	余国民（1988年任教育局支部委员） 黄栋贵（统战委员） 丁惠敏（宣传委员） 刘文斌（工青妇委员） 田景材（纪检委员） 陈全福（组织委员） 王忠华（教学委员）
王忠华 （1994.9—2000.4）		谭敬昌 黄栋贵 李凤奇	王忠华（教育教学委员） 谭敬昌（组织委员） 黄栋贵（纪检委员） 李凤奇（群工委员）
黄栋贵 （2001.1—2004.3）	田景材	李凤奇 谭敬昌 刘文斌	
黄栋贵 （2004.3—2005.11）	田景材	谭敬昌 周遗贵 陈友华 张明光	2004年3月县直属机关委员会批准组建瓮安中学党总支，下设5个支部（语文数学、理化生、综合、退休、学生党支部）都属临时调整工作
黄栋贵 （2005.12—2007.8）	李凤奇 （2005.12—2007.8）	周遗贵 陈友华 张明光 游 鹏 李 琴	李凤奇（兼高三年支部书记） 周遗贵（兼高二年支部书记） 陈友华（兼高一年支部书记） 张明光（兼行政支部书记） 游 鹏（组织委员） 李 琴（青、妇委员） 林长青（兼退休支部书记）（2005年10月经报批把支部设在年级）
李凤奇 （2007.9—2010.11）	周遗贵 （2007.8—2008.8） 陈友华（调整） （2008.10—2010.11）	陈友华 张明光 游 鹏 李 琴 邓 超（2010年李琴调教局后增补林长青）	周遗贵（兼高一年级支书） 张明光（纪检委员兼高二年级支书） 陈友华（统战委员兼高三年级书记） 邓 超（任宣传委员兼行政支部书记） 游 鹏（任组织委员） 林长青（统战委员退休支部书记（2009年12月由于年级支部不便于开展活动，经报批党总支下设七个支部：语文、数学、英语、理化生、政史地、综合、退休）

续表

<table>
<tr><th colspan="3">党组织领导</th><th rowspan="2">备注</th></tr>
<tr><th>正职</th><th>副职</th><th>党务委员</th></tr>
<tr><td rowspan="2">周遗贵
2010. 12. 2—</td><td rowspan="2">邓　超
（2010. 12. 2—</td><td>周　洪（组织委员）
（2010. 12—）
李凤奇（宣传委员）
（2010. 12—2013. 4）
陈友华（纪检委员）
（2010. 12—2012. 6）
张明光（统战委员）
（2010. 12—2012. 4）
游　鹏（群团委员）
（2010. 12—）</td><td>邓超（兼综合支部书记）
吴正权（宣传委员）
吴定祥（组织委员）
陈友华（兼数学支部书记）
徐德智（宣传委员）
龙光明（组织委员）
张明光（兼理化生支部书记）
赵　俊（宣传委员）
赵慕琦（组织委员）
游　鹏（兼语文支部书记）
肖春花（宣传委员）
朱前红（组织委员）</td></tr>
<tr><td>余家品（纪检委员）
李　琴（统战委员）
陈　刚（宣传委员）
（2013. 6—调选）
（余家品 2013 年 4 月从瓮安四中调任瓮安中学校长、李琴从教育局调任瓮安中学副校长）</td><td>语文党支书：肖春花
委员：潘忠武、文　雯
数学党支书：刘长青
委员：王瑞堂、冯泽会
英语党支书：王建华
委员：宋锡琴、陈堂煜
理化生党支书：赵慕琦
委员：卢国勇、赵　俊
政史地党支书：李景辉
委员：张元忠、罗显英
离退休党支书：林长青
委员：吴正权、杨乔书
（2013 年 6 月各支部换届）</td></tr>
</table>

第二节　教育工会

瓮安解放初期，瓮安中学教育工会有会员 20 人。工会代表（教师、工友代表）参加“校务管理委员会”，参与学校管理与重大决策。

表 2-2　　1955—2013 年瓮安中学教育工会委员名录

年份	主席	副主席	委员	妇工委
1955—1963	丁方强			
1964—1968	张家骧			
1976—1982	王忠华			
1982—1987	余国民			
1987—1994	陈全福			

续表

年份	主席	副主席	委员	妇工委
1994. 1—1995	刘文斌	肖必录	刘明林　华和平　王仁学	王仁学
1995. 3—2001. 1	谭敬昌		刘明林　周遗贵　林长青　王群英	王群英
2001. 2—2006. 2	谭敬昌		周遗贵　林长青　刘明丽　王群英	王群英　张润琴　谢德荣
2006. 3—2008. 9	周遗贵		林长青　陈　刚　王群英　吴正权	王群英
2008. 10—2011. 1	张明光		陈　刚　周　洪　林长青　张元忠　吴正权　陈清玲　周学东　曹植铭　龙光明	陈清玲
2011. 1—2014. 2	邓　超	林长青	陈　刚　王永奎　周　洪　张元忠　吴正权　肖春花　龙光明　赵慕琦　周学东	肖春花
2014. 3—	陈　刚		鄢小梅　罗晓安　王永奎　吴正权　王燕飞　林长青	鄢小梅

第三节　共青团

1950 年 6 月，瓮安中学共产主义青年团成立首个团支部，团员 5 人。

1956 年 3 月，共青团瓮安中学总支委员会建立，下设 4 个团支部，团员 102 人。

1959 年，共青团瓮安中学总支委员会下设 19 个团支部，团员 223 人。

1960 年 1 月，第一届共青团瓮安四中委员会会议召开，瓮安中学校团委成立。

1991 年，共青团瓮安中学委员会下设 20 个团支部，团员 599 人。

2008 年，学校有团总支 3 个，团支部 51 个，团员 2350 人。

2010 年，共青团瓮安中学委员会下设 2 个团总支，1 个教工团支部，65 个团支部，团员 2300 余人。

是年，333 名学生加入共青团。校团委领导班子 8 人作相应调整，其中 3 位专职团干，大学本科 2 人，研究生 1 人；党员 2 人，入党积极分子 1 人。

表 2-3　　1957—2013 年共青团瓮安中学委员会书记、副书记、委员名录

年份	团委书记	副书记	委员	增补委员
1957	张心灵	雷忠香　刘支举	陈立新　唐世荣　周仕烈　陈克良　潘对华（教工支部：熊翼盛　周乐忠）	
1959	郑书全	雷忠香	王龙光　陈永平　全德福　周顺珍　敖文礼　刘安福	
1970—1976	郑书全	雷忠香		
1976—1977	李吉才			

续表

年份	团委书记	副书记	委员	增补委员
1977—1978	黄栋贵	钟才宁　刘志琴	邹　丽　邓端新　朱应琴 刘忠明　汪声明　况新林	
1978—1983	黄栋贵	王仁学　郑友明	黄维亮　石　理　蔡远利 李昌军	
1984—1986	左业舟	孙　玲		
1986—1991. 4	陈全福	杨幼军　曾光明	张　华　王　红　张远健 单灵华	
1991. 4—1994	孙　智	宋　辉	张应龙　张　颖　唐　敏 陈仕荣　倪祖芳　高祖都	万　婷　王　铀 张德军　罗　莎 袁晓旻　冷永祥
1994. 4—1996. 4	孙　智	谢友容　黄海飞	夏吉友　卢　燕　杨　真 王　琨　杨绍坤	
1996. 4—2001. 6	夏吉友			
2001. 6—2006. 9	张明光	周　洪		
2006. 9. 22— 2007. 10. 23	李　琴	周　洪　肖　芸	姚　淞（宣传） 邹　捷（文体） 龚　雪（纪检） 余海银（科技） 王文海（生活） 周　洪（兼组织）	
2007. 10. 29— 2009. 9. 24	周　洪	肖春花（兼教工团支书） 胡　梅	陈朝胜（宣传） 周正亚（生活） 周后骁（文体） 熊国菊（科技） 蒋　雪、毛淇霖（纪检）	黄　鑫（副书记） 王镜淋（宣传） 王滨玥（生活） 肖年童（科技） 尹利锋（纪检）
2009. 9. 28—2011. 3. 9	肖春花	赵　俊（兼教工团支书）	赵　俊（兼组织委员） 杨贤材（2010 年）	罗显英（2011 年） 李长芳（2011 年）
2012. 3. 20—2013. 6	赵　俊	杨贤材 韦泽杰（学生）	李长芳（教工团支书） 方荣东（文体） 刘　毅（科技） 罗显英（宣传） 张颖天（生活） 骆常燕（组织） 陈靖冉（纪检）	甘晗轩　池顺明 栗彩云　袁小英 冉义发
2013. 7—2014	杨贤材	刘　琴 叶春明（学生）	张英波（组织） 张　煜（宣传） 蒙祖富 朱　靓（2013—2014）	沈　波 张万杰

第四节　少先队

1950 年 9 月，瓮安中学成立中国少年先锋队。

1955 年 7 月，学校选聘思想进步、作风正派、热爱少年儿童工作的优秀教师担任少先队辅导员。是年，学校在初一、初二年级建少先队中队，有少先队员 400 人左右，并聘请总辅导员 1 人，辅导员 2~5 人。

截至 1960 年，学校每年度聘少先队总辅导 1 人，辅导员 5 人，组织领导少年先锋队开展工作。少先队活动最基本的是队会，分别有大队、中队、小队队会。大队队会每学期举行 2~3 次，中队队会每月举行 4~5 次，小队队会是大队和中队活动的准备和基础，机动灵活，经常举行。

2001 年，改制为高级中学，停止招收初中学生，学校少年先锋队组织自然消失。

第五节　学生会

民国中后期，瓮安中学均成立“学生自治会”。

新中国成立后，改名学生会，凡在校学生都是学生会的当然成员。学生会干部经全体学生民主选举产生。

1950 年 7 月，瓮安中学学生会成立。瓮安中学学生会分校学生委员会和班学生委员会（简称班委会）。校学生会设正副主席，学习、宣传、文体、生活、劳动等部长。班委会设正副班长，学习、文体、生活、劳动等委员，开展学习、文体、生活、劳动等方面的活动。

1951—1966 年，学生会主席为李贵权、欧正华、王龙光、李国一、李应群、闵国贵、王志君等 17 位同学，委员为刘静怡、曹尚业、胡玉珍、曾顺竹、刘明远、丁丽仙、段君林等 80 位同学。

“文化大革命”期间，学生会组织一度被“红卫兵”组织替代。

1985 年，瓮安中学学生会经过补充和调整，能独立组织开展全校性大型活动。

2013 年，学生会机构调整为生活部、艺体部、食宿部、广播站、纪检部、记者站 6 部门。生活部：负责校园内的卫生检查，提供干净舒适的环境。艺体部：负责学生们的课外活动时间及课间操评分。食宿部：负责食堂与寝室检查，保障安全就餐环境与文明卫生的睡眠环境。广播站：负责下午课外活动时间的校园广播，保障书香环境。纪检部：负责早上深入教室检查。记者站：负责收集校园中各类活动的信息。

是年，校团委组建瓮安中学学生社团 39 个，社团涉及文学艺术、社科、体育、电子计算机等多个门类。

表 2-4　　2013 年瓮安中学学生社团一览表

序号	社团名称	社长姓名	指导教师	活动地点
1	音悦社	陈　阳	钟兴云　肖　洁	演艺大厅
2	梦梅爱乐社	赵光明	孔凡祥　肖　洁	演艺大厅
3	书法协会	唐　涛	卢桂萍　肖连均	书院画室
4	绘画社	王之靖	罗定欣　唐光正	书院画室
5	手工制作社	刘作丹	赵泽钦　陈　敏	通用技术室

续表

序号	社团名称	社长姓名	指导教师	活动地点
6	摄影社	刘沅傑	赵泽钦 孔凡祥	书院音乐室
7	笑缘相声小品	刘 昆	张英波 冯泽会	演艺大厅
8	梦梅街舞社	叶小飞	肖 洁 钟兴云	书院舞蹈室
9	梦梅舞蹈社	宋佳欣	肖 洁 钟兴云	书院舞蹈室
10	TIM 魔术社	王唯灿	蔡开华 谭雯涓	书院活动室
11	以文文学社	李雨涛	王支全 朱前红	三号报告厅
12	纵横辩论社	李 立	曹植铭 陆柏邑	一号报告厅
13	朗诵社	李 湘	朱 靓 潘忠武	文化广场
14	心音社	张元杰	肖春花 蒙祖富	播音室
15	瀚海记者社	张一乘	何俭霞 陈芳芳	玉华书院
16	黑白话剧社	张冰霜	谭 跃 黄富春	演艺大厅
17	梦梅礼仪社	王 婷	刘 琴 蔺 媛	
18	A—wings 动漫社	王智钺	陈首作	计算机室
19	计算机社	严秋霞	龚 雪 崔丽娟	计算机室
20	机器人社	杨定燕	刘 飞 刘元军	通用技术室
21	电子社	兰代俊	潘芹富 白 亮	通用技术室
22	梦梅环保社	梁 健	赵 俊 王瑞堂	
23	梦梅志愿者社	叶明春	罗显英 黄丹丹	
24	国旗护卫队	王 祥	张英波	
25	春晖社	肖大平	杨贤材 吴兴凤	
26	情智心理社	谢云奇	谢文剑 杨 奎	心理咨询室
27	棋牌社	李高坤	李长芳 童 江	书院活动室
28	篮球风云社	谢媛媛	曾 山 宋 勋	篮球场
29	力行足球社	王 杰	吴礼坤 邹 强	足球场
30	摩天乒乓球社	吴贵元	邓华桥 吴忠琪	乒乓球场
31	冰爵羽毛球社	张连青	宋 健 刘志林	羽毛球场
32	Star English	王飞飞	刘宜菊 王 静	四号报告厅
33	田径社	张蜀颖	吴定祥 王小冀	田径场
34	大成跆拳道社	宋定阳	曾 山 吴定祥	田径场
35	推理社	胡佑全	文 雯 鄢小梅	书院活动室

续表

序号	社团名称	社长姓名	指导教师	活动地点
36	科技社	尚扬凌	舒　福　陈宏智	通用技术室
37	爱电影社	罗　佩	李　盼　商婷婷	
38	萌艺舞台剧社	徐　艺	肖　洁	演艺大厅
39	健美操社	宋茂萍	刘志丹　李渊霞	田径场

表 2-5　　2014 年瓮安中学社团社长名录

姓名	职务或名称	班级	姓名	职务或名称	班级
谢云奇	主席	309	田　晗	跆拳道社社长	312
刘晴廙	副主席	309	王文豪	田径社社长	296
田茂林	副主席	315	蒋桂芳	推理社社长	332
张慧琳	副主席	322	王　婧	文体部部长	337
熊家扬	辩论社社长	307	刘钦松	文体部副部长	328
徐泌帛	国旗班班长	296	苏　进	心理社社长	332
唐泽艳	健美操社社长	304	犹昕微	宣传编辑部部长	337
罗胺胧	街舞社社长	269	潘秀颖	宣传编辑部副部长	307
张徐西露	乐器社社长	342	田洋铭	曳步舞社社长	309
任　吉	轮滑社社长	297	裴相维	以文社社长	298
王唯灿	魔术社社长	304	杨　倩	音悦社社长	332
廖天莹	女子篮球社社长	309	李　湘	英语社社长	302
姚　嫣	社会实践部部长	329	张益娜	志愿者社社长	328
陈　芳	社会实践部副部长	332	谭渚霖	足球社社长	309
彭炳亲	书法社社长	329			

第三章　管　理

第一节　行政工作

清代，学校行政事务由知县掌管。辛亥革命后，民国政府设教育部，省政府设教育厅，县政府设劝学所。学校行政管理为校长负责制，中学校长由省政府任命。

民国 15 年（1926 年）10 月，学校校长由县教育局提出合格人选，报省教育厅、省政府委员会通过任命。

民国 17 年（1928 年）1 月起，校长由省政府教育厅直接委派。教导主任由教师兼任，负责教学、注册事宜。

民国 20 年（1931 年），学校设训导处，在校长领导下，负责学校训育工作。

民国 24 年（1935 年），蒋介石借追剿红军进驻贵州，夺取地方军阀王家烈的军政大权。贵州教育进入国民党统治时期。瓮安中学一切听命于国民党中央教育部及省政府、教育厅。省教育厅聘任校长。校长聘任教导、训导、庶务主任及各科教员，组织学校的教育教学机构管理，教育教学工作逐步规范，教学质量逐渐提高。

民国 25 年（1936 年）7 月，《中等学校教职员服务暂行规则》颁发，学校设教务、训育主任各 1 人。教学组掌管教学，实施指导（包括升学、就业、实习指导等，会同训育、管理、体育、卫生等组办理）及管理教学设备（如图书、实习、劳作等设备）；注册组掌管课表、学籍、成绩考查、出勤、缺席等事项（会同教学、训育、管理等组办理）。同时，学校遴选教员合格人选，检收详细履历、毕业证书及服务证书或审查合格证，报省政府审核。合格者由学校聘任。8 月 23 日，省主席吴忠信，民政厅长曹经元、教育厅长叶元龙签发命令，令校长任永熙遵照《中等学校特种教育纲要》之规定，严格实施童军训练。9 月 1 日，学校开始实施此规定。同时，聘任童子军服务员黄文忠为教练员负责训练。10 月 5 日，《贵州省立各教育机关经费稽查委员会简章》下发。规定，委员由 5 人组成，学校教职工共选之。会计、庶务各员不得当选。每年度秋季开学一个月内举行改选，除主席不得连任外，其他委员尚能连选连任，并即呈报教育厅备案。12 月，学校向省政府提交《呈为稽核委员会依法成立仰祈签核府准备案》。全体专任职教各员至推熊其懋（又名幼安）、解广运、沈如愚、方崇义、范元卿 5 人为稽核委员会委员，复由委员等互推范元卿为委员会主席，组织成立，已将诸位所任职务分别成表并加盖委员会新刊图记会章一颗。

民国 26 年（1937 年），选举熊其懋为主席，邵光奎、程国钰替代解广运、范元卿。1941 年，主席曾鹏，委员邵光奎、余正清、张廷赞、李奇谋。1942 年，委员为张廷赞、余正清、印仕依、冯蜚声、孙钟敬。

1937年3月5日，省主席顾祝同、教育厅长张志韩签发训令，要求省立瓮安初级中学童子军管理，应会同训练总监部于12月通令颁行。12月，按《中国童子军战时后方服务训练办法大纲》规定，学校依其能力、体格、志愿，分别组织侦察、交通、宣传、工程、募集、救护、消防七组，训练每日1小时。师资就当地聘任专门人员。凡15岁以下童子军，在协助后方服务时，应取得密切联络。

民国27年（1938年）11月，接省政府训令，拟具制止青年赴陕北受训及加紧青年运动办法。瓮安中学校长、训育主任、教导主任和军训负责人，每月举行会报一次，检讨校内外思想行动及训练情事。学校加紧指导学生自治会政治训练，严密侦察青年的思想行动，其“不正当”者予以监视。

民国31年（1942年）4月，设训育、管理、体育、卫生小组，分别呈请省、县教育行政机关审核备案，掌管训育实施及学生生活指导等事项。

5月27日，朱家山土匪洗劫瓮安中学。绑去校长杨藻章、教导主任邵光奎、主任导师余正清、组员丁章、学生何国衡等36人，劫去公款8500余元，图书、仪器毁坏殆尽，劫掠私人财物约值10万元左右。6月20日，学校收到滇黔绥靖副主任公署、省政府电令：该校钤记（公章），亦被匪掳去，兹刊发新钤记启用。后学校告之旧钤记谨慎保护完好无损，认为无另行启用新钤记之必要，省教育厅将新钤记收还。7月4日，全体教职员上诉重庆国民党中央党部、省政府、省党部、川黔滇监察使署、滇黔绥靖公署暨全国各机关法团学校，就瓮安中学被土匪掠劫一事，要求追究县长裘胜嘉的责任。省政府将裘胜嘉与思南县长杨仲皋对调。

8月，学校为增进学生科学知识、发扬民族意识、提高尚公精神、锻炼学生体魄，厉行童军管理及指导抗战宣传工作。同时，加紧抗战宣传、募捐、普及民教工作。课外注重爬山、越野等训练；课内选授抗御外侮文献及史实等，以期提高学生民族国家观念，养成尚公爱国精神，储为他日国用。鉴于“学校毕业生，升学者绝少，责考其因，厥受经济条件之限制，盖全省高中大多均集中省垣而省垣生活极高，若与本县比较，则相差在四倍以上，毕业生厄于高昂之生活费用，只好裹足不前”之状况，学校拟请教育厅添设高中班次。

民国32年（1943年），学校建立高中部，为高中学生必须进行军事训练。学校沿用省教育厅实施高中生军训的指示，设军训教官一人，学生编为中队、分队、小队。是年，训练总监部通令颁行《中等学校特种教育纲要》。

民国33年（1944年）7月，执行县政府通知：因豫湘桂战役战事紧张，从即日起一律停止使用钟声，以免混淆空袭警报。

12月7日，校长冉懋森、教官唐廷佐就第一期军训实施情况向省长兼司令员吴鼎昌报告，童子军不宜受正规军人完全一样的训练，不强求童子军参与正规军检阅的全部项目；教练与学校训练密切联系，乃不致犯舍本逐末的错误。

民国34年（1945年）21日，学校呈报土匪猖獗情况。为维护治安秩序，按省保安司令杨森要求县政府“请装设电话并派驻军警以维治安”。

民国35年（1946年）5月，各年级每周2小时的战时后方服务训练取消，仍参照教育厅民国32年（1943年）9月所颁高级中学师生劳动服务及国防训练办法开展平时训练。

是年，学校制发《学生请假规则》，本校学生非因确不得已事故不得请假。请假分3种：丧假、病假、事假。丧假以父母妻子之为限。病假过2日者，须附呈医师证明。事假不得超过1日。学生请假在1日以内，由各级导师核准之，1日以上3日以下者由导师核准转训导主任核准之，3日以上者由导师，训导主任核转校长核准之。学生请假须填写请假单（向训导主任领取）。外宿假1日者，高中部学生由军训教官核准之，初中部学生由童军教练员核准之，高初中女生由女生指导员核准之（女生外宿假须附呈家长证明函件）。1日以上者分别由军训教官、童军教练、女生指导核转训导主任核准之。请假经核准后须立即持条亲向训导处登记，期满立即向训导处销假，否则作不假外宿论。

民国36年（1947年）2月，省教育厅发出第0153号训令，令省立瓮安中学改进教学工作：校舍不敷应用，所拟增建计划应即分期进行，使其全部完成。图书仪器缺如，应即设法充实。教授理化博物各科，应尽量利用教具。史地课程亦须悬挂地图。教学方法应采设计式、启发式，使学生易于领悟。各班功课均未授完，应即设法补授，嗣后并应照规定进度教授完竣。校招收学生应照法令规定办理，不得滥收。对于学生管理务须严格，军训童训应遵照法令实施，军事教官、童军教官应饬多尽责任。学生课余时间应多方指导其作有益身心之活动，亦应有计划地指导学生阅读课外书，陶冶其品德并养成读书风气。空地甚多，应广植木花卉，以美化校景。应增辟农场，贯彻部颁《各级学校实习农业增产办法实施计划》；学生宿舍之空气光线均不佳，极应改善，各教室窗户亦应糊纸。冬季尤应禁止学生自带火笼上课。学校环境并应随时保持整洁。各种表格章则应照规定置备齐全，所有校产校具亦须清理登记，妥为保管；未经检定（指教师资格审定）之教员，应饬从速依法申请检定。

5月10日，学校执行省教育厅转发教育部训令："查本年暑期中学生毕业会考，特规定：一、以省会为限，同一地点有高中三所以上者亦应举行，其附近在50千米以内，单本畅通可一日往返之地区内学校并应参加会考，其余不会考之学校应册报本部备核，其毕业证书准由厅加盖奉部令准免会考字样，俾亦得投考大学。二、只限高级中学毕业生，初中毕业生暂不会考。三、会考科目为国文、英语、数学（三角、几何、大代数）、史地（中外史地）、理化（物理、化学）等五科。四、会考成绩最优学生得免试保送。五、试题内容应依据卅年部颁高级中学课程标准。六、试题保密严密，手续力求简捷，一切公平并严防一切可能之流弊发生。会考区：贵阳、安顺。时间：6月11—13日为会考时间。"

12月5日，省政府教育厅发出第1025号训令，委派教育厅督学卢光义视导省立瓮安中学。

民国38年（1949年），政治动荡，学校管理工作陷于瘫痪状态。

新中国成立后，瓮安中学由省教育厅领导，先后隶属贵阳市区、贵定专员公署、安顺专区及黔南布依族苗族自治州领导管理。

1949年12月11日，瓮安解放。根据国务院"统一领导，分级管理"原则和省府"暂维现状，逐步改善"的方针，人民政府对学校进行接管。组织系统、教学人员、课程基本不变，原有职工照常供职。取消"公民、军训、童子军"等课程及教材中的反动内容及训导，代之以教导合一制，加强政治理论和思想教育。进行"爱祖国、爱人民、爱劳动、爱科学、爱护公共财物"五爱教育，讲授《新民主主义论》《社会发展简史》，并结合时事教学。

1950年，执行省人民政府颁布的《关于整理中等学校暂行草案》，中学实行校长负责制。校务管理委员会，为学校最高权力机构。8月，贺永年任瓮安中学解放后第一任校长。

1951年2月，贺永年调贵阳工作，董德恒为校长。是月底，贵阳市军事管制委员会文教接管部及省文教厅为加强政府对学校工作的领导，确定瓮安中学校长由县长吴近仁兼任，董德恒为副校长，主持学校日常工作。王树勋为教导主任，协助校长工作。校务管理委员会改称校务委员会。校长下设教导、总务两处。教导处下设教务、注册、成绩考核、统计、图书仪器等组，总务下设文书、庶务、会计、出纳等组，负责学校行政管理工作。4 月，学校贯彻《贵州省 1951 年教学教育方针的报告》精神，开展新民主主义的政治学习运动，抗美援朝爱国主义教育，反对封建斗争和镇压反革命三大运动。在教育改革中，首先是教学教法的改革。先着重政治科目，其主要是文、史、地，渐次及于数、理、化等科。设置教学研究小组，课代表制度，有重点有步骤地进行。遵照省人民政府文教厅指示，在学校中开展抗美肃特运动，控诉美蒋特务的罪行，检举隐藏的特务分子，敦促其坦白自新向政府登记悔过。

11 月 12 日，执行省文教厅转发政务院《关于改革学制的决定》，中学修业年限为 6 年，分初、高两级，修业年限各为 3 年，均单独设立。教学内容采取一贯制的精神，照顾到分段的需要，初级中学招收小学毕业生或具有其他同等的学历者，入学年龄以 12 岁为标准，毕业后，经过考试升入高级中学或其他同等的中等专业学校。高级中学，招收初级中学毕业生或具有同等学历者，入学年龄以十五足岁为标准，毕业后，得经过考试升入各种高等学校。初级和高级中学的毕业生不升学者，在政府指导之下就业。

1952 年，学校根据中学教育的任务，用马克思列宁主义的理论与中国革命实践相结合的毛泽东思想和普遍文化知识教育青年一代。

1955 年 5 月 18 日，按照《贵州省教育厅、专署对中学师范小学工作管理暂行规定》，省属重点中学和贵阳市各中学由教育厅领导，其余中学由所在专署管理。

1956—1957 学年度第一学期，学校与团委举行一次野外（野战）活动，聘请多数老师参加。体育教师配合各班搞好“劳卫制”工作。第二学期组织百余人参加“夜行军”活动，请体育教师和县公安人员作动员报告。学校组织广大团员和青年参加民兵组织，加强军体活动。是学年，学校体育锻炼活动制度化、经常化。

1958 年，瓮安中学党支部建立。周仁远任党支部书记。学校教育形成党政工青齐抓共管的局面，提出“培养又红又专革命接班人”的办学目标。

1959 年，学校重点抓好思想品德教育工作。行政领导在学期前制定一学年的思想品德教育工作计划，明确对学生进行思想教育的任务要求、具体步骤和措施，借以统一全校各方面的教育力量。此外，对于阶段性的集中教育或临时性的专题教育拟定了计划，作好安排。在对学生的思想品德教育中，重点抓紧班主任的工作。加强对班主任工作的领导，选拔配备好班主任，让思想品德好，教育水平高，工作能力强，热爱学生，在学生中有威信的教师当班主任。对班主任的工作给予关怀和指导，并帮助他们制定好班主任工作计划。学校行政领导还要分别深入各班级，有点有面地指导班主任工作。同时，上好政治课，充分发挥共青团、少先队和学生会的作用，加强与学生家长和校外教育机关的联系，并密切配合，将教育力量有机地组织在一起，达到预期效果。

1960—1961 学年第一学期，发挥教研组在教学研究工作中的作用，发动教师新老互助，共同提高。班级、团队等组织各种活动，教育学生树雄心立大志，钻研苦学。学校整体成绩步步上升。

1962 年新学年开始，学生已由 700 多人增加到 1200 人，达到 14 个班，新生为旧生的 77%，教师也相应大量增加。新学年的主要任务是：深入贯彻党的教育方针，继续发展教育革命，大力进行教学改革，全面提高教学质量，力争全州第一。

1963 年 2 月 5—12 日，学校全体教师参加“瓮安县中小学教师假期集中学习”。县委宣传部负责人彭惠远、文教局长唐佐良、瓮安中学校长应哲、草塘中学校长吕庆松，组成 4 人学习领导小组。听取县委副书记胡俊经的国内外形势报告，讨论八届十中全会公报、农业十二条及人民日报社论，澄清了糊涂认识，激发了学习时事政治的热情，解决了“四多四少”（即国际问题谈得多，国内问题谈得少；理论谈得多，联系实际少；阅读文件多，讨论时间少；酝酿讨论多，启发报告少）问题，达到了充分发挥民主，敞开思想，畅所欲言，明确是非的目的。4 月 16 日，遵照县文教科《关于在学校中开展向米绍周同志学习的通知》，学习 64 岁的活雷锋——茅坡公社党委书记米绍周几十年不辞劳苦、不计回报的先进事迹，组织教师座谈讨论。利用政治课、周会、团队活动时间，教育学生做毛主席的好学生、雷锋式的好少年。

1964 年，学校注重抓好教育教学：明确学习目的，树立为革命而学的雄心壮志；做好摸底工作，对学生辅导计划做到有的放矢；抓教育关键问题、突出重点、分散难点，讲练结合，力争在课堂上解决大部分问题；在作业批改中力求细致，以激发学生学习上进心；利用课余时间耐心辅导少数知识缺陷的学生；分别召开初、高中学习经验交流会，互相启发，互相鼓舞，提高认识，促进学习。

5 月 15—20 日，学校安排专人学习《中央宣传部关于全国中小学开展“五反”运动的请示报告》和《省委宣传部关于中小学“五反”和社会主义教育运动试点工作座谈会的纪要》等文件，并研究工作步骤和方法。学校对职员李应瑞贪污修建费和学生书本费进行批判。

1965 年，学校贯彻教育与生产劳动相结合方针，在校园内开荒种地。师生们种出单个分量达 10 余斤的大萝卜。是年，学校因高考业绩较好，受到州教育局教学仪器优先分配的奖励。9 月，30 余名高初中毕业生上山下乡，接受贫下中农再教育。

1966 年 8 月 8 日，县委批准教职员工余国民、蔡志斌、王忠华、丁俊书和学生方远勤、张伯友、杨素碧、陈泽民、胡长生等 12 名师生到北京接受毛主席第三次大检阅。10 月，学校开始大串联活动，学生分赴延安、井冈山、上海、韶山、重庆红岩等地学习参观。革命大串联停止后，陆续返校“复课闹革命”。

1967 年 1 月，学生打破班级界限，自发组织成立“毛泽东思想红卫兵造反司令部”“大无畏战斗队”“8·18”兵团和“毛泽东思想红卫兵 12·26 战斗队”等，并举行成立大会。各组织开展对校长应哲、副校长王树勋、教导主任丁章、副主任郑书全、总务主任张家骧、教师王大章等人的批判活动。3 月 19 日，学校各红卫兵组织参与夺取县委、县人委大权，并抓捕一些群众组织的领导者进行批斗。3 月 22 日，学校成立红卫兵联络站（包括狂彪、大无畏、星火兵团、燎原、乌江、红色教工战斗队等 12 个“革命”组织）。4 月，学校革命委员会成立，学生代表高国富任主任、郭德祥、王木森任副主任，行使校长、副校长权力。

1968 年 5 月，军代表进驻学校，县武装部王明学兼校革委主任委员。6 月，县委“文化大革命”工作组进校。7 月，工作组和驻校武装人员，把各红卫兵组织的学生归回各班进行军训和政治学习，改变半年来各自为政的状态，并找各班班干部谈话，帮助提高认识、改正错误。9 月，高国富读复旦，王木森读贵工，革命委员会由雷中香任主任、张汝森任副主任。全校师生到木老坪公社搞“三秋”生产，白天劳动晚上学习。

1969 年 10 月，家居农村的学生告别学校回到家乡。居县、公社的学生除少数外，上山下乡接受贫下中农再教育。8 月恢复招生，正式上课，工宣队进驻学校。

1970 年，学校实行老中青三结合，对学校领导机构实行“补台”，县革委派宣传部部长张辉任党支部书记，原校长应哲“解放”出来任校长，基本恢复党支部领导的校长负责制。学校秩序逐渐恢复正常。

1975 年 10 月上旬，学校规定全学年学生在校时间为 320 天。其中支工、支农、学工、学农（包括校办工厂、农场劳动在内）安排 70 天（高、初中学生略有差别），寒暑假共 40 天。每周各科课时安排，根据开门办学和开设各种专业课的需要和搞好大、小课堂相结合，以有利于转变学生思想的原则，允许连排，并班上大课、临时调课。开设英语或俄语课。军体和卫生保健课合开，军体占 4/5，卫生保健占 1/5。学生每天活动总量，住校生原则上 7 小时，走读生 6 小时。除了上社会文化课时间外，其余时间安排阅读马列毛著作以及文体活动。各科作业当天完成，避免学生负担过重。另根据农业学大寨需要，开设不同类型的专业课。每学期安排一至二周机动时间，作学期初和学期末的思想教育以及学工、学农、学军的组织动员、总结评比之用。形势和政策教育，原则上每周 1 课时，纳于政治课教学时间。团队活动、班会时间要保证。

1977 年 8 月，学校贯彻党的教育方针，把坚定正确的政治方向放在首位，树立“忠诚党的教育事业”的光荣感和责任感，做培养革命后代的辛勤园丁。认真贯彻 10 大教授法，加强教研活动的领导，搞好备、教、改、辅、访等方面的工作。学校领导至少每月检查 1 次教师教案，并签字盖章，做到不备课不能上讲台。学校发出《关于加强学校教育管理工作的意见》，开展教学经验总结交流会、评教评学和教案展览活动，拓展学生学习领域。经常对学生进行学习考查，纠正体育、音乐课教学呆板、内容狭窄的现象；成立文艺宣传队和开办业余少体校。开展爱国卫生运动，加强对学生的清洁卫生教育，搞好学校环境卫生和个人卫生。在初中一年级开设生理卫生课。搞好开门办学，组织“学工、学农、学军”，切实抓好教师基础知识和教学业务学习。

1978 年 9 月，学习《全日制中学暂行工作条例（试行草案）》。是年，取消革命委员会，逐步恢复“文化大革命”前学校行政组织机构，并不断加强教育机构的组织建设。

1980 年 9 月，执行教育部《关于报送中小学办公教师试行班主任津贴情况的通知》，从 1979 年 11 月 1 日起，实行班主任津贴，每班按 6 元分配。从任命之月起按月发放。1980 年，学校被评为省级教育系统先进单位，荣获锦旗一面，奖金 300 元。

1984 年年底至 1985 年年初，由于贵州省部分地区曲解中央知识分子合理流动政策，私招乱聘，对招聘人员实行“三不要”（一不要户口粮食迁移，二不要行政工资介绍，三不要党团组织关系），对学校冲击极大，严重影响教学秩序。学校和县委、县政府及教育局及时从湖南和省内其他地区招聘教师，学校秩序得以稳定。

1986 年 9 月，学校贯彻中共中央《关于教育改革的决定》，建立一支合格的教师队伍，更好地普及九年制义务教育，为提高基础教育服务。同时，贯彻落实国家教委《中学小学教师考核合格证书试行办法》。采取目标式激励、满足式激励、主人翁式激励、谈心式激励、表率式激励、制度式激励、竞赛式激励措施，调动全体教师的积极性。学校领导把教学列入主要议事日程，把主要精力用于对教学的领导，坚持以课堂为中心，深入实际，搞好教学工作。

1993 年，率先在全省实施三制一管理制度。对教师的培训、培养和终生教育，采取

“结对子、压担子、爬梯子”等一系列措施，对年轻教师实施“一、三、五”目标（青年教师任教一年，教学各个环节基本过关，学生基本满意；任教三年吃透教材内容；任教五年能胜任从高一到高三的教学；五年以上成为骨干教师），使青年教师脱颖而出。同时，切实维护教师的合法权益，对教学上做出成绩的教师给予奖励，还多渠道筹措资金，改善教师住房条件。发展党员 7 名，选送 13 名入党积极分子到县直属机关党委参加培训、学习。18 名党员被评为优秀党员或优秀党务工作者。学校党支部被评为先进党支部。

1994 年 2 月，推行校内管理改革，实行教师聘任制，岗位责任制和结构工资制。通过传、帮、带培养 2/3 的青年教师成为教学骨干和学科带头人。

1995 年，学校建立校长负责制，党政工团学生会密切配合。建立健全各项规章制度。率先在县内进行“三制改革”。

1996 年，学校深化内部管理体制改革，强化管理，向管理要质量；改进招生办法，保证普通高中生源的数量和质量；自力更生，改善办学条件，逐步实现办学条件的标准化；加强教学常规管理，改革课堂教学，提高教学质量，进行经验和情况交流。

1997 年，校长参加州普通高中校长会议，汇报学校建设基本情况，文化建设和下步改善计划，加强教学常规管理及改革的经验，深化教学改革、全面提高教学质量的经验，德育工作经验，开展健康、体育、卫生、艺术教育的做法，高中招生和巩固学额的做法和经验，举办民族班、培养民族学生的经验及做法，坚持贯彻国家教委取消“择校生”制度，制止乱收费的做法。

1998 年 8 月，学校执行省教委《关于进一步加强中小学校管理工作的几点意见》，从维护社会安定，保证学校正常秩序的高度来认识学校管理工作中出现的新情况和新问题。学校加强学籍管理，完善学生流失情况报告制度，强化入学注册、休学、复学、转学、借读、退学等各项工作环节，完善有关程序和手续。加强学校与家长联系制度，积极配合公安部门，采取有效措施，对扰乱教学秩序、威胁学生安全、损害学生健康的各种违法活动给予严厉打击。培养教师的敬业爱生精神，坚决制止学校进行以谋利为目的的服务和搭车收费、乱摊派等。结合教学开展各种有益于学生身心健康发展的活动，减轻学生过重的课业负担，重视学生体育卫生保健工作。同时，落实《贵州省基础教育实行分级办学、分级管理的暂行规定》，对出现的问题积极采取措施加以解决。

2000 年，学校实行“校长负责，党支部督促保证，教代会民主管理”的体制，并指导和支持共青团、工会、学生会等组织正常开展工作。实行校务公开，发挥教职工民主监督、管理、决策的作用，虚心听取和采纳党外人士、离退休教职工的意见和建议，增强教职工凝聚力。落实教师培训计划、内容和措施，切实维护教职工的合法权益，增强职业使命感和自豪感。建立健全政治、业务学习和考核制度，建立完善、系统、规范的档案，以此为依据对教师进行考核，并将考核结果与评职、晋级、评优、聘用、奖惩挂钩。结合社会和学生实际，进行爱国主义、集体主义和社会主义为核心的政治思想、道德和心理品质教育。成立家长学校，建立学校、社会、家庭三结合的教育网络。组织学生参加校内外各种体育活动，使学生在活动中学会做人。采取形式多样、内容丰富的德育途径，基本达到“管理育人、教书育人、服务育人、环境育人”的要求。坚持以教学为中心，按教学大纲规定组织好学科课和活动课的教学活动，听、评课和教学过程检查制度，完善设施，教学开出率达 100%。考试、考查程序井然，考纪考风严肃，学籍管理规范，注重信息反馈。教师业务档案齐全，教研组织健全，教研方向正确，且形式多样，针对性强，教研成果显著。财务管理制度严密，收支合理，接受监督审计。校产管理账册清楚，专任负责，承包到人。重视安全教育和责任落实，无一安全事故发生。勤工俭学有项目有场地，收益用于改善办学条件和提高职工福利待遇，社会、经济效益显著提高。

2001 年 9 月，学校颁布《瓮安中学教职工管理条例》，奖励先进，激励后进，极大地调动教职工的工作积极性。

2001 年，瓮安中学改制为高级中学后，制定《2001—2005 年学校发展规划》，将职工的德、能、勤、绩和津贴、评职、晋级、评优、聘用、奖惩挂钩。继续加大学科常规教学管理。集体备课走向制度化、规范化，落实“五个统一”（即统一进度、时间、内容、讲课、考试）、“五个落实”（即落实时间、地点、人员、内容、记录）、“三个发挥”（即发挥个人讲课特色、不同创新和特长、集体信息的优势）和“四点”（即突出重点、解决难点、把握热点、突破盲点）要求，实施中学教师继续教育工程，参训教师 100%达计算机初等水平，85%以上教师通过省普通话水平达标测试。是年，学校被教育部信息管理中心与中国国情调查中心定为教育观测基地。参加中国教育发展信息中心地方网站，及时了解国家教育政策信息和招生信息，把握教改动向，调整学校教改部署，成为教育部中国高等教育学会发展的“中学与大学合作教育基地”。将学校的“出口”与“入口”对接，架起与高校沟通的桥梁，使高中毕业生与高校建立一种双向选择的机制。

2003 年 3 月 5 日，学校改制为独立高中。学校培训班主任从管理者变为指导者。完善《班主任管理条例》和评选优秀班主任的条件。通过听课、学科会议、分年级召开学生代表座谈会等方式了解教师教学各方面的情况及各班学生对各位教师的看法和要求，再召开教师会加以反馈，促进教师进步。对教师的日常行为提出具体要求，教师整体素质得到提高。

2004 年，学校建立社会、学校、家庭三位一体的教育网络。分年级成立家长委员会，聘请研究性学习校外专家，与县武装部、县精神文明办、团县委、县关协等多个部门建立合作关系，共同组织对学生的教育活动。是年，结合学校实际，围绕一个明确目标，发扬两个工作作风，抓好三件具体事件，处理好四个重要关系，确立五种办学观念进行管理。

2007 年，全校管理形成“学校领导班子—年级工作领导小组—班主任、科任教师”三级管理模式。逐步完善教师聘任制和岗位责任制，推行教师与学生之间双向选择的机制，实行落聘教师“岗位淘汰”制，试行教师职务评聘分离制度，严格教师职称申报考核制度，施行教师与学生同学习、同考试的制度，加强学生对教师的监督、评议制度。将教师的教学态度、教学业绩与教师收入、评优、评职称挂钩。着力抓好教师、学生个体的教育和管理。倡导“校以育人为本、师以敬业为乐、生以成才为志”的校风，学校要求教师坚持“育人为本”，对学生平等相待，做学生知心朋友，做学生尊敬师长；要求学生要有爱校如家、尊师重教的思想，要与人为善，明礼诚信，遵纪守法，团结同学，与学校发展同呼吸、共命运、共荣辱、同兴衰。推行精细化管理，督促教师做好备、教、改、辅等常规工作。要求教师不备课不准进课堂，认真批改学生作业，更新教育理念、改进教学方法，确保所教学科及格率、优良率和提高率不断上升。

2009 年 4 月，学校制定《瓮安中学人事改革工作方案》。学校分别成立人事制度改革、聘用、争议调解 3 个领导小组。对学校机构编制、人员数量、人员身份、专业技术评聘、管理人员岗位、工勤岗位等情况进行全面摸底，建立学校专业技术人员、管理人员、工勤人员花名册。4 月 2 日—6 月 30 日，分五个阶段（动员学习、制定方案、组织实施、处理问题、总结经验）进行人事改革工作。

10 月 30 日，学校制发《瓮安中学人事制度改革聘用实施方案》《瓮安中学岗位设置方案》《瓮安中学岗位说明书》《瓮安中学岗位聘用实施细则》。

2010 年，学校制定《瓮安中学中长期发展规划（2010—2020）》《瓮安中学十二五规划》等纲领性发展文件。瓮安中学“和谐德育实验与研究”课题成效显著，在全省德育年会上就“养成教育”课题研究作经验交流发言。更加重视班级管理和班主任执行力的建设。倡导班级管理从小、早、实入手的班级管理思想，班主任执行力在班级文化建设、课堂秩序、教学科研和教育教学计划落实中均得到体现，教师之间、师生之间合作意识得到增强，形成教师乐教、学生乐学的教风、学风。强化校园综合治理，多渠道加强学生的法制、安全和禁毒教育。学校后勤服务质量位列黔南各中学之首。办学水平得到整体提升，本科上线（含三本）突破 1000 人大关，独揽黔南州文、理科第一名；上线总量居黔南各校前列，被评为全国 2010 年教学管理先进学校。68 篇教学科研论文在各级各类书刊发表，获得奖励。专著《运用多元智能理论，构建素质教育新课堂》由吉林文史出版社出版发行。教育部“十一五”规划课题《提高课堂教学实效性的教学策略研究》，荣获全国二等奖。

2011 年，学校加强对教师的教育和培养，提高教师的政治思想素质、职业道德水准和教书育人的专业能力。用好《学会求知、学会做人》新的校本教材，强化学生求知方式和做人准则的教育，提高学生思想免疫力，为减少违法犯罪构建好预防机制。按照“1+1+1”的帮教方式，遵循“教育为主，处分为辅，周有反思，月有小结”的帮教思路，依据“用心沟通、以德树德，竭诚交流、以情动情，修身垂范、以行导行”的育人原则，促进后进生转化提高。开展“校园之星”评选活动，树立可亲、可敬、可信、可学的榜样，使同学能见贤思齐。加强对新班主任上岗技能和创新能力培训，启动非班主任的班主任工作培训，壮大德育队伍，实现全员育人。加强贫困生的帮扶力度，不让一个经济困难学生辍学。抓住“三个一流”（校风、教风、学风）目标，建设优质教学平台。紧抓“培优工程”系统建设，为学生全面发展创设条件。把教学常规工作的管理和落实，作为衡量工作任务是否完成的第一指标。利用高一新课程实施，实现教学观念的全面转变。建设“开放式瓮中课堂”，努力提高课堂教学实效性。

2012 年，瓮安中学高考一本上线突破 300 人，达到 306 人；二本以上上线达 843 人。坚持“以高质量的教育水准吸引人，以优秀的办学信誉引导人”的办学思想，鼓励教师以教好书为范，学生以读好书为荣的良好风尚，确保教育教学工作规范有序，运行协调，稳步发展，质量上乘。校领导班子保证党和国家教育方针的贯彻执行，给有能力的人提供发挥作用的平台，给肯干事、干好事的人提供舞台。领导坚持以人文本，倡导“研究先于决策，服务大于领导，协调多于控制，观念重于方法，环境优于制度”的管理理念，使学校逐步达到“管理规范、决策科学、质量强校、创新办校”的标准。调动教职工的积极性、主动性和创造性，使教师成为师德师风高尚，自觉敬业奉献，自觉关爱学生，自觉为学校增光添彩的主人翁。

2013 年，学校构建现代管理制度。校领导班子精干高效、开拓进取，学科结构合理、老中青结合。提出“精、深、细、严、勤、实”管理工作思路，细化管理现职，明确管理权限。修订和完善学校规章制度，重点拟定瓮安中学《教师职称评聘申报评分细则》《教职工违规违纪处理办法》《教师请假制度》《教师教学行为规范》《班级管理工作量化考核方案》《学生违规违纪处分办法》《教学服务人员量化考核办法》《教育教学质量奖励办法》。搞好学校领导的值周检查与考核，提高处室人员的文明素质，建立文明窗口，提升学校形象。借助两刊一报一站，即《校园生活》《教书育人》《校报》与网站，给全校师生搭建平台，展示才华，营造文化校园。完成教师职称评定工作及第二轮事改工作的前期准备，做好评估办公展厅的布置与更换。通过示范性二类普通高中评估。抓好“九个一”活动，即一周一次班会，一周一次升旗仪式和国旗下讲话，一月一次德育主题活动，一年一度新生入学教育，一年一度革命传统教育，一年一次大型法制教育，一年一度田径运动会及球类运动会，一年一度文化艺术月活动，一年一度高三学生毕业庆典。提出瓮安中学教师“十不准”，即：不准有违背国家法律和方针政策的言行；不准歧视、讽刺、侮辱、体罚或变相体罚学生；不准以教师工作之便向学生推销商品、乱收费用，强迫学生购买书籍、资料；不准向学生和家长索要或变相索要财物；不准训斥、侮辱学生家长；不准旷课、随意调课、停课、无教案上课、缺课、上课迟到、早退、不批改学生作业、加重学生课业负担；不准在课堂上抽烟、使用移动电话、寻呼机；不准举办以敛财为目的的补习班或家教活动；不准组织学生参与未经批准的各类校外活动及商业性活动；不准参与赌博、酗酒、邪教活动等违反社会公德和职业道德的不健康活动，不准宣传封建迷信和歪理邪说，不准传播有害学生身心健康的观点和思想。

第二节　中共党务工作

1958 年，学校成立中共党支部，实行党支部领导下的校长负责制，抓好学校教育和勤工俭学活动。

1959 年 7 月 24 日，县人委决定在瓮安中学校舍基础上开办瓮安四中（普通完全中学）。瓮安四中开办初期，支部抓思想教育，整顿纪律，解决学生中出现的不安心学习、纪律松弛、旷课迟到多等问题，提高教学质量。支部组织师生学习党的八届八中全会文件，提出“反右倾、鼓干劲、向科学文化进军”的口号和“向严寒做斗争，师生苦战一个月，猛攻质量差，争取满堂红”教学目标。先后召开团组织、积极分子会，传达会议精神。各教研组、各班级成员都提交向党保证的决心书，争做先进集体和个人。12 月，学校党支部组织教职工学习刘少奇的《马克思列宁主义在中国的胜利》、周恩来的《伟大的十年》和邓小平的《中国人民大团结和世界人民大团结》以及人民日报刊载的《马克思主义者应当如何对待革命群众运动》等文章，要求师生领会精神、联系实际、提高认识，不搞大鸣、大放、大字报、大辩论。

1960 年，经济困难时期，学校规模缩小，师生思想混乱、纪律松懈。党支部召开 10 年以上教龄老教师和员工座谈会，县委副书记刘庆立主持会议，阐明形势及任务。是年，拟定学校班级计划，以提高教学质量为中心，抓思想、教学、纪律、生产、突破质量关等班级工作。注重师生生活，利用学校土地搞蔬菜种植，基本实现蔬菜自给。同时，学校党支部配合学校加强教研组工作，提倡新老教师互相学习，取长补短，对教师谈业务、抓思想，谈理论、讲实际；组织备课小组，提出互相听课和老教师上“带头课”；教研组定期组织业务研讨和学习，组织观摩和经验交流。党支部与行政分别深入教研组的各种会议及研究活动，深入课堂，发动学生提改进教学意见。发动高、初中各团支利用《中国青年报》《中国青年》《中国青少年报》《贵州青年》和《红旗》杂志等刊物，加强学习政治理论和时事。团委配合学生会在全校掀起学习毛主席著作的高潮（每班组织 2~3 个小组）。

1964 年，党支部在全校组织开展忆苦思甜新旧对比教育活动。

1965 年，组织贫下中农学生召开座谈会，教育学生不忘阶级苦，永记血泪仇，加强思想改造，克服部分学生中的“自然红”思想，不断提高阶级觉悟。毕业班树立“一颗红心，两手准备”思想，初一年级进行“忆苦思甜”教育，其他年级批判政治上过得去、业务上过得硬、生活上过得好“三过”思想。继续开展“向雷锋同志学习”活动，帮助贫下中农学生解决学习上的困难。组织教师听党课，细致批改作业，关心学生。在组与组、班与班之间倡导“你追我赶”的新风气。根据党的“两种劳动制度、两种教育制度”指示，投入阶级斗争、生产斗争、科学实验三大革命运动。组织教师参加四清运动；请老工人、老贫农、老干部给师生作忆苦思甜报告；农忙假组织学生下乡锻炼，访贫问苦，给贫下中农写家史、村史；与生产队和工厂挂钩，定期下乡下厂劳动，走与工农相结合的道路；在校内开展种植试验和劳动建校活动，教师参加实践，在三大革命中得到锻炼。

1966 年 4 月 8 日，党支部书记应哲传达何伟部长教育工作讲话，开展教育与生产劳动相结合活动。5—6 月，学校开展对省委宣传部部长汪小川“错误言论”和邓拓、吴晗、廖朱沙“三家村”的批判。6 月 16 日，学校认真贯彻党的阶级路线，优先录取工人、贫下中农子女，破格录取少数民族子女入学，减免学校杂费，评定补助金，发给他们寒衣、被条、蚊帐、书本等生活和学习用品。

1971 年 4—7 月，党支部组织全校教师学习《全国教育工作会议纪要》，明确学校一切工作都是为转变学生的思想，教材要彻底改革。12 月 23 日，校革委学习省革委政治部《关于贯彻执行〈全国教育工作会议纪要〉的意见》，坚持民主集中制，实行党的一元化领导，充分发挥校革委作用；加强党对共青团的领导，搞好整团建团，发挥共青团的助手作用。解放军宣传队进驻学校，领导学校斗批改。中学上课不少于 31 周，学工、学农、学军 8 周（含到工厂、农村劳动时间），不得随意停课。是年，党支部开办“五七”工厂，生产教学仪器。“五七”厂有铸造、金厂、电镀、木工、油漆五个车间，专门生产圆规、三角板、化学支架等教学仪器，年产值 2 万~3 万元。“五七”厂由丁章、王毓汉、王坚定老师负责上课及安排学生劳动。瓮安中学“五七”厂成绩突出，多次被评为州、县先进单位。

1972 年 1 月 21 日，党支部组织全校教师学习贯彻《全国教育工作会议纪要》。

1974 年 1 月，学校出席在都匀举办的“五七”展览。

1975 年 6 月 30 日，党支部推广学习朝阳农学院教育革命的经验。全省教育仪器生产现场会在瓮安中学召开，瓮安中学成为“教育与生产劳动相结合”的基地。在桐木大队开荒 50 余亩，创办学校农场，建立学工学农基地。

1976 年粉碎江青反革命集团后，学校党支部进行拨乱反正，彻底揭批江青反革命集团的反革命罪行，认真贯彻党的教育方针，团结广大师生，调动一切积极因素，切实提高教学质量。

1977 年，党支部组织召开批判会，揭批江青反革命集团，弄清十个问题：坚持党的基本路线；加强党对教育的领导；坚持党的教育方针，用毛泽东思想统帅教育革命；把转变学生思想放在首位，加强政治思想教育；坚持以学为主；加强基础理论和基础知识学习；钻研技术、精通业务、又红又专、提高教育质量；落实知识分子政策，发挥教师作用；尊师爱生；健全合理规章制度。坚持“三要三不要”的基本原则，即坚持“要搞马克思主义，不要搞修正主义；要团结，不要分裂；要光明正大，不要搞阴谋诡计”。认真执行“党政干部三大纪律，八项注意”。

1980 年，学校党组织把思想政治建设放在首位，以改革精神推动党员队伍建设。坚持制度建设，立足教育教学工作。充分发挥党员的先进模范带头作用。

1984 年，遵照县教育局《关于落实我县教育系统知识分子政策的意见》，学校党支部积极发展知识分子入党，协助有关部门做好中级职称以上知识分子家属农转非的办理工作。9 月 1 日开始，学校教职工子女，由父母所在学校报销学杂费，家庭经济困难的，就学单位解决助学金。

1985 年，党支部组织全校师生学习《中共中央关于教育体制改革的决定》，深化学校内部管理体制改革，实行校长负责制、教师聘任制、岗位责任制和“分级办学、分级管理”体制，进行学制改革实验、课程改革、教改实验与教学研究，继续搞好体育、艺术、卫生教育工作。

1986 年 9 月 25 日，副校长马跃银参加县委组织部召开的基层干部培训会。会后，在全校党员中传达关于党的基层组织及其地位和作用、党的原则及其组织形式、党支部的任务和各项制度等内容，提高思想觉悟和政治水平，加强组织观念，增强党性。学校党员教师参加党的方针、政策和各项工作讨论，发表自己的意见和看法，发挥政治积极性；增进党内同志之间、上下之间的互相了解。

1987 年，党支部认真贯彻中共中央〔1987〕1、2、3、4 号文件精神，坚持四项基本原则，反对资产阶级自由化；按《中共中央关于社会主义精神文明建设指导方针的决议》，旗帜鲜明维护党和人民利益，在两个文明建设中做“五个方面”的模范（努力工作，好学上进的模范；不尚空谈，多干事实的模范；坚持改革，勇于开拓的模范；维护群众利益，带领群众劳动致富的模范；遵纪守法，向不正之风和违法犯罪行为做斗争的模范）。

1989 年 6 月 12 日，向县教育局呈交《瓮安中学关于“防止动乱、维护安定”的学习讨论情况汇报》。12 月，学校党支部建立由教师代表、工、青、妇、少先队负责人组成的德育工作领导小组，宣传、教育、关协、文化、卫生、体育、公安等单位负责人参加的中小学德育工作协调委员会、家长代表会、学生代表会，开展“扫黄”、除“六害”活动，全面清理和整顿社会主义文化活动市场，优化育人环境，培养学生养成教育。做到班班有《德育资料汇编》及挂图，人人有《中学生日常行为规范》。开展丰富多彩的热爱中国共产党、热爱祖国、热爱社会主义“三热爱”，讲文明、讲礼貌、讲卫生、讲秩序、讲道德及心灵美、语言美、行为美、环境美“五讲四美”，“学雷锋、学赖宁、树新风”活动，升国旗、唱国歌，大唱革命传统歌曲，开展电视实验教学和电教师资培训，编写地理乡土教材，组织巡回示范教学，组织教师及高中毕业生学习邓小平讲话等有关文件。

1990 年，党支部号召师生员工“人系灾区、爱国节约”，为瓮安县大旱灾和中国部分地区特大洪涝灾害受灾群众捐款捐粮，支援灾区人民抗洪救灾，开展生产自救、重建家园。

1995 年，组织党员学习中共十届五中、六中全会精神，每月支部大会或党小组会学习讨论《中共中央关于制定国民经济和社会发展“九五”计划和 2010 年远景目标的建议》《中共中央关于加强社会主义精神文明建设若干问题的决议》《中国共产党党员权利保障条例》等有关文件，参加州或县组织的“党的基本知识与建设有中国特色社会主义理论知识竞赛”“党员理论学党章知识竞赛”。是年，贯彻《中国教育改革和发展纲要》，切实做到

“五个优先”。完善基础教育，实行“分级办学、分级管理体制”，推进教育综合改革。

1997 年，实行党支部领导下的校长负责制。支部委员分别参加行政、德育、教育、总务、工会、共青团管理工作。高考超省及格率获奖中，党员占 50%。

1999 年 10 月 26 日，党支部开展党性、党风、党纪、政纪和廉政教育，提高干部廉政自律的自觉性，增强法制观念。把党风廉政建设纳入工作目标，实行目标管理、考核，并将其作为评先选优的重要依据。

2001 年，党支部深入教学第一线，解决教职工在工作中存在的思想问题。抓好各项规章制度的落实，继续推行校长负责制、教师聘任制、校内结构工资制和分层次目标管理方案，制发《瓮安中学“三制一管理”暂行办法》。5 月 15 日，全体党员参加“纪念建党 80 周年党的知识竞赛活动”。9 月 27 日，遵照县委《关于做好新形势下统一战线工作的意见》，配备专职干部，做好统战工作。11 月 12 日，组织高一年级学生参观瓮安籍红军陈靖将军“弘扬长征精神，实现三个代表，重走长征路”纪实展，与政教处和团委联合举办以班级为代表队的“校园文化、社会公德”知识抢答赛。

2002 年 1 月 4 日，党支部召开全体党员会议，评选县优秀党员 2 人，支部表彰 6 人。3 月，党员参加县机关党委“党的知识考试”。9 月，4 位教师参加党的积极分子培训班学习，考核成绩均在 90 分以上。开展“师德师风”演讲、“友善·人际交往的基本道德规范”的讨论。

2003 年，党支部成立“防控领导小组”，召开抗击“非典”党员大会，强调“非典”期间的救护工作共产党员必须带头。周遗贵带领支委班子巡查教室学生宿舍，轮流值班，派吴文富参加县南面营定街检查站的“非典”检查工作，完成“严防死守”任务。9 月 12 日，申报“省级示范高级中学”。是年，党支部书记黄栋贵、支委谭敬昌、党员林长青等人在“一帮一，送温暖”活动中多次赴松坪乡，为贫困农民捐赠每户 50 元现金和其他物品。党员戎筑君进驻一类贫困村高水乡青杠林村，党支部为每个学龄儿童送上笔、笔记本、字典和新书包，为 10 户极贫户送上每户 100 元现金及衣物，为高水中学赠送一批初中实验器材。

2004 年，学习中共十六届四中全会《关于加强党的执政能力建设的决定》。4 月，组织党员观看警示教育片《绝路》。6 月，参加县机关党委组织的党的知识测试活动。是年，成立党总支委员会，推行“以德治校”工作，制订《德育工作计划》，把德育工作渗透在各学科教学环节中，贯穿学校生活的各个方面。认真贯彻《公民道德建设实施纲要》，执行“爱国守法、明礼诚信、团结友善、勤俭自强、敬业奉献”的基本道德规范。以建设“团结、求实、廉洁、高效”班子为目标，在思想上相互交流，在工作上相互支持，在生活上相互关心，在原则上相互监督，较好发挥党总支的核心作用。

2005 年 2 月，学校党总支号召全体教师开展以“学魏书生教育思想”为主题的读书活动。7 月中旬，组织全体党员参观息烽集中营、红军娄山关战斗遗址、遵义红军山、遵义会议会址等革命传统教育基地。8 月 15 日，召开共产党员先进性教育转段动员大会，县督察组陈文清主任到会。9 月 14 日，黔南州第一批保持共产党员先进性教育分析评议阶段巩固检查组对学校各阶段工作予以高度评价。11 月，州巡视组到瓮安中学听取汇报、查资料、参观陈列室，肯定了学校的做法。学校党总支响应县委提出的“党建扶贫”号召，倡导全体党员伸出援助之手，给草塘金星村送去水泥 10 吨，帮助新川小学搞好道路硬化和建好水泥球场，支助鱼河乡新农村建设捐资 1800 元。是年，学校有党员 69 人，设高一、高

二、高三，行政、退休5个支部。截至2005年，连续3年被评为“县先进基层党组织”。

2006年7月，学校党总支被评为“黔南州先进党组织”。12月10日，县机关党委书记范六一到校作“中国共产党基础知识讲座”，365名学生写了入党申请书。是年，组织党员学习中共中央印发《关于加强党员经常性教育的意见》等保持共产党员先进性长效机制文件的通知。

2007年4月24日，党总支召开“先进性学习汇报会”，汇报学校抓党员思想、发展党员、利用党员先进资源提高教育教学质量等系列工作，州委组织部部长、县委副书记和县局级领导干部到会并肯定了这些工作。6月24日，组织党员到草塘印山村开展扶贫帮扶活动。8月19日，到鱼河茅塔村党支部了解帮扶情况。10月6日，学校开展“喜迎十七大党员寄语”活动。8日，党总支部发出《关于认真学习宣传党的十七大精神的通知》，要求发挥校工会、团委优势，利用《党建文汇》《共产党员》等学习资料开展各具特色的学习活动，推动瓮安教育事业。是月，根据县委宣传部、县委组织部、县直机关党委《关于在全县开展“喜迎十七大寄语”活动的通知》精神，学校组织师生观看影片《我的长征》。

2008年3月23日，学校党总支13名成员，参观猴场会议旧址，重温入党誓词。4月14日，学校党总支筹备8个展板布展。展板内容：如歌岁月，闪光足迹；坚强堡垒，政治核心；牢记宗旨，坚定信念；励精图治，永续辉煌；愿为党旗，增添光彩；永跟党走，志坚如钢；师生齐心，社会赞赏；春华秋实，硕果满枝。16日，省委党的组织建设活动督导检查组省卫生厅党委书记、督查组长何美率一行3人到瓮安中学督查建设年活动成效。5月15日，全州机关党建工作座谈会代表一行43人到瓮安中学考察党建工作。“六二八”事件发生后，党总支及时封闭校园，登记盘查学生离校情况，严禁师生围观、起哄和参与违法活动。10月14日，县委、县政府抽调专人到校作党风廉政责任制量化考核专项检查。12月24日，学校党总支召开党员大会传达县八大会议精神。

2009年3月5日，学校党总支组织全体党政干部聆听州委书记黄家培在“黔南州深入实践科学发展观动员大会上的讲话”实况直播。3月14日，召开科学发展观动员会。4月12日，党总支发出《关于实践科学发展观，开展教师家访大行动的通知》，要求将“更新思想观念，转变工作作风，优化育人环境，提高教学质量，构建文明和谐校园”活动落到实处。4月26日，学校党总支给包扶单位深溪村送去5000元，支持新农村建设，对考入瓮安中学的青少年学费减半，贫困生学费全免。6月30日，在县举办建党88周年“感党恩，跟党走，唱红歌”的演唱会上，瓮安中学演唱的《走进新时代》获县二等奖。9月4—10日，党总书记李凤奇参加由县直机关工委组织的党务干部赴历史文化名城西安和中国革命圣地延安党建工作考察活动。9月28日，在新中国成立60周年暨政协60周年县委、县政府举办的“红色瓮安·和谐嘉苑”的大型文艺晚会上，瓮安中学师生合唱团演唱革命红歌《东方红》。党的基层组织建设年活动，开展“五好”党支部创建工作，重新布置党员活动室，召开全州机关党组工作现场会，推广学校党建工作的经验，党总支被评为“县示范党支部”“十佳先进党组织”“州优秀基层党组织”，教师邓超、严国艳被评为“县直机关优秀党员”。

2010年2月，学校党总支举行2010年春节团拜会。3月22日，全体师生向县民政局捐赠抗灾款2.38万元。5月，开展“谈心交心”活动，组织教师到省内外培训学习。6月19日，召开践行宗旨民主生活会，学习《中国共产党党员领导干部廉洁从政若干准则》和《党政领导干部选拔任用工作责任追究办法〈试行〉》等规章制度。23日，县践行宗旨教育办公室袁愈辉到校参加党员大会，学习《中国共产党党员领导干部廉洁从政若干规定》，并对学校的开展情况进行评价和对后续工作提出指导性意见。29日，学校党总支被评为县抗旱救灾先进基层党组织和“五好”基层党组织。10月15日，州委宣传部领导在县委宣传部副部长卢甫贤等陪同下到校检查党建工作。11月2日，县委组织部副部长陈安源为组长的党风廉政监察组到校检查工作。10日，县党建工作县直部门督查一组对2010年学校党建工作进行检查。11月19日，党总支召开全体党员会议，听取、通过李凤奇书记作的《忠实践行宗旨，做好人民满意教师，办人民满意学校》的工作报告；选举以周遗贵为书记的新一届党总支委员会。是年，学校党总支开展创先争优活动，以创建“十强十好”先进党组织和优秀党员；实施“先锋工程”，借鉴全县教育系统学习实践科学发展观活动的成功经验，以“共产党员先锋窗”活动为载体，大力宣传先进基层党组织和优秀共产党员的先进事迹。

2011年3月6日，党总支制发《中共瓮安中学党风廉政建设责任分解方案》。4月25日，举行“勤政廉政党课讲座”，学习《关于领导干部报告个人有关事项的规定》《关于实行党风廉政建设责任制的规定》。6月，学校党总支组织部分党员到县新区行政中心观看电影《村官普发兴》，百名教师参加县教育局在二中和县新区广场举办的庆祝建党90周年红歌大赛。9月，学校整体搬迁到河西新区。党总支倡导“把优秀教师培养为党员、将优秀党员培养成为业务骨干，将优秀业务骨干培养成带头人”，树立“党员是党的肌体的细胞和党的活动的主体”的观念。是年，瓮安中学获“县示范党总支”“整脏治乱红旗单位”“劳动光荣、和谐瓮安”、“五一”、“五四”系列活动组织奖、“全省加强和创新交流会”组织筹备工作先进集体、消防工作先进单位、州消防安全教育示范学校等荣誉称号。校长李凤奇撰写的文章《和谐新风育桃李——记贵州省瓮安中学》被编入大型文献画册《光辉的九十年》。

2012年2月，党总支与县直属机关党委签订《党建工作责任状》，开展基层党总支建设年活动。根据县委、县政府《关于实行党风廉政建设责任制的实施细则》要求，制定《瓮安中学党风廉政建设责任状》。3月24日，召开党风廉政建设工作会议，强调党员做好模范带头作用。31日，中组部一行50多人到瓮安中学参观，对学校开展的各项工作和教育教学质量给予充分肯定和高度评价。6月30日，党总支副书记邓超率队到牛场坝学校为学校食堂送去价值4000元的冷藏点菜柜。10月8日，召开廉政工作会议，学习《中国共产党党内监督条例（试行）》和《中国共产党纪律处分条例》，整顿工作作风，严肃工作纪律。12月，党总支副书记邓超作为州十一届党代表赴州党校参加为期3天的“十八大”精神专题培训班学习，返校后召开党总支会议，学习党的十八大《坚持高举伟大旗帜，奋斗夺取新胜利》的报告和胡锦涛总书记《坚定不移沿着中国特色社会主义道路前进，为全面建成小康社会而奋斗》的报告，通报180周年校庆的有关情况和安排迎接省级示范高中二类评估的相关事宜。是年，党总支开展“三亮三比三评三创”（即亮身份、亮职务、亮承诺；比技能、比业绩、比作风；个人自评、领导点评、群众测评；创奉献先锋、创一流形象、创文明处室）活动，形成“处处争当先进单位，人人争创优秀业绩”的良好风尚。

2013年3—6月，党总支完成党员的接转、上册和上报工作。组织召开“关于学校补课情况听证会”，联系县人大、政协分管教科文的主任，纪委、监察局局长，纠风办公室，教育局纪检监察室领导，党代表、人大、政协代表、社区群众代表及家长代表共70余人参会。7月，召开新一届支部委员会的党务工作培训会。按照县纪委、监察局通知，做好党员干部会员卡专项清退工作，上报有关数据。筹建设计党员活动室，安排部署各支部集体照及收集党员历年来获县级以上表彰证书，进行扫描存放。组织召开第六届三次教职工代表大会。组织党员教师参观“猴场会议”旧址，重温入党誓词。制订《瓮安中学深入解放思想大讨论活动实施方案》。12月17日，学校党总支组织全校教职工参加学习贯彻中共十八届三中全会精神报告会。

第三节　学习教育

一、共产党员先进性教育

2005年7月6日，学校党总支成立领导小组。组长黄栋贵，副组长田景材、周遗贵，成员谭敬昌、李凤奇。下设办公室，主任张明光，副主任周洪，成员李景辉、邬培祥。并制发《瓮安中学开展保持共产党员先进性教育活动工作方案》。

8日，召开全体职工会议，启动教育活动。活动分三个阶段进行。

学习动员阶段（7月8日—8月5日）　学习《共产党员先进性教育活动读本》《魏书生教育思想》《班主任工作》《给老师的建议》《给学校的建议》等，要求教师阅读各类报纸杂志，写好笔记。组织党员到息烽集中营、娄山关战斗遗址、遵义会议、红军山等地“参观红色胜地，重温入党誓词”。学习《中共中央关于加强和改进党的作风的决定》。30日，学习“三个代表”重要思想，总结前期工作各个环节，形成“一个党员一个榜样，一个教师一个形象”。8月1日，州巡视组、县督查组到校参加第一阶段总结会，县督查组督导陈文清提出四点要求：强调意识，坚定信念，与时俱进，转变作风；州巡视组提出：搞好本职工作，提高教育教学质量，搞好师德师风建设；县委先进办公室希望：做好检查准备，注重参学率，特别是退休人员。

分析评议阶段（8月5日—9月19日）　按县委先进性教育领导小组安排，做好“7个环节”工作。重点写问题，关键查自身。开好专题组织生活会、民主生活会、认真组织好评议，反馈意见和通报评议搞好“回头看”进行转段测评。把好“三关”（不要专看成绩；不能只谈客观，不谈主观；不能光谈现象，不挖根源），掌握“四重性”（征求意见要广泛性，自我总结要真实性，民主评议要严肃性，民主评议结果要准确性）以及分析材料四重点（从“作风”“纪律”“廉政”“党性”四个方面考虑），开展批评与自我批评关键是“效果”问题。召开教职工大会，对招生、质量、假期补课，优秀教师推荐、插班生收费等问题进行讨论。8月25日，发征求意见表200余份，得到各界人士的大力支持和帮助。9月14日，召开州、县督导组检查会。会议评价：人气旺、人心齐，感情味浓，党员教师是中坚力量，教师身边典型较多，党总支战斗力较强。取得成就：党性观念增强，密切党群关系，教学工作得到很好开展，师德师风得到加强。不足之处：发言不透彻，对政策把握不准，思想认识、舆论宣传力度有待进一步加强。努力方面：抓好一个结合，把“教书育人”与“师德师风”结合起来；突出一个重点，抓好整改问题，从学生、家长最关心的问题作手，逐步解决；探索一个机制，严格教育、严格管理，在政治建设上设立总支，下设分支，进一步加强工会、共青团工作。

整改提高阶段（9月20日—10月12日）　制定整改措施和方案，召开支委扩大会，全体党员会议。要求：继续钻研业务知识，熟读法律法规，让先进性教育持续长效，健康发展。强化整改措施，“改”是重中之重，把握这一环节，做好巩固与扩大成果的具体工作。建立长效机制，建好学习、教育、管理、联系群众等党员制度。操作要求：提出创新口号“党员争先进，学校创一流”；写出 3~5 人的典型材料，用身边事教育身边人，字数 2000 字以上；经典图片选几张；开展创先进的 1 个级、10 个班；选派 2~3 人对教育进行自我检查、巡回检查。

二、行业作风建设

2006 年 8 月 22 日，学校成立行风建设领导小组。24 日，召开全校教职工会议，传达上级行风建设精神。学校就加强行业作风即师德师风、教育收费、校务公开、民主决策、内部管理等工作，进行全方位部署。

9 月 20 日，根据省、州学校行风建设聘请监督员的要求，经学校行风领导小组同意，聘请居住在校的退休教师张世忠、吕庆松、黄万成、周后启、谭敬昌为监督员。制发《瓮安中学行风建设实施方案》，提出抓好教风、整顿学风，提出树立“传道授业解惑，勤奋博学诚信”校风；坚持高中招生限分数、钱数、人数“三限”政策，按规定项目标准收费，加强学校收费使用管理，推行教育收费公示制度，建立学校乱收费责任追究制度，严格执行公办高中招收择校生纪律，不准以任何借口收取其他费用。学校成立年级工作领导小组抓教风建设和教师形象建设，开展教育教学活动，并设立监督电话。召开党政联席会议 10 次，走访群众 50 余人，向社会发放 259 份调查问卷。召开教职工代表会、学生代表座谈会，反馈教师教学情况。学校坚持每周 1 次的学科集体备课活动和 1 月 1 次的月考制度，搞好教师工作月总评、月考及考试评讲，组织教职工参加“四五”“五五”普法学习，自查自纠。听取监督员评议意见，接受县教育局行风建设领导小组监督检查，学校行风建设工作顺利开展。学校开展学生评老师、教师评领导、社会评学校的评议活动，将师德师风建设、教育教学管理、质量与学校年终考核挂钩，与教师职务聘任、晋级晋职挂钩。加强班主任培训、师德培训，实行班主任责任制，学生表现与班主任工作挂钩。将教师仪容、仪表、辅育、教育，精神面貌及教师履行工作职责与聘任待遇挂钩。县纪检、监察部门全程参与监督。

9 月底至 10 月 20 日，学校召开教职工大会，反馈学生评教师情况，点评教师工作。开展高一广播操比赛、高二“庆祝红军长征胜利 70 周年讲文明树新风”歌咏比赛、外语口语演讲比赛等校园活动。加强考风建设，严格考试纪律，健全各项规章制度，完善监督机制，治理考试舞弊和违规违纪行为。成立学校财经工作领导小组，制定《瓮安中学财务管理制度》，实行联签责任制，对收费资金加强管理。坚持经费收支两条线，学生宿舍每学期 120 元，由财务人员开票，委托县农行收费，统一交县预算外资金管理。购物按政府采购办规定办理，杜绝“回扣”等涉腐行为。设立收费公示栏，使用正规票据（统一发票），规定教材征订规范，无强购教辅现象。严格招生收费政策，执行核准收费标准，无假期收费和学生购物现象。校园绿化好，无乱摆摊现象。各阶段、各会议记录齐全。

11 月下旬，学校提出“全面开发学生创新能力，为学生未来发展奠基”的办学理念，拟定“以德立校，依法治校，科研兴校，民主理校，质量强校，创新办校”的办学思路，明确“拟建校本文化生态，打造一流质量品牌，办出人民满意学校”的办学目标。中共黔南州委保持共产党员先进性教育活动领导小组办公室对学校行风建设进行测评并称赞。

三、“结对帮扶”活动

2007年3月，学校党总支开展“双结对”活动，力求做到“党员受教育，群众得利益，组织强基础，学校谋发展”，推动学校各项工作。学校党总支制发《关于开展党员“结对帮扶”活动实施意见》，党组织与困难学生及社区结对，将党的温暖带到群众身边，开展“结对帮扶”工作；把党员保持先进性具体要求与履行岗位职责结合起来，把党员解决自身存在的突出问题与解决基层群众的实际困难结合起来。服务好基层党员；服务好群众。每位党员教职工，要加强业务学习和研究，带头成为“教学、服务骨干”；强化教育服务意识，成为学生欢迎、家长信任、社会尊敬的“群众满意教师”。通过“党员心连心、师生心连心、干群心连心、学校家长心连心”等系列活动，将“结对帮扶”工作具体化、项目化、长期化，推动学校各项工作健康和谐发展。

四、党风廉政建设

2007年4月18日，学校制发《关于成立预防职务犯罪工作领导小组的通知》，成立领导小组。6月，学校开展“以廉洁从政、艰苦奋斗、勤俭办学”为主题的廉政文化进校园教育活动，在教职工中开展“廉洁从政、廉洁服务”为主题的教育活动，在学生中开展“敬廉崇洁、诚信守法”为主题的教育活动，设立廉政标语、警示牌，举行主题演讲比赛、“崇廉倡俭”主题班会、专题讲座，做到“四个坚持”，即坚持与党员先进性教育活动相结合，坚持与校园文化建设相结合，坚持与开展“三风”建设相结合，坚持与学校素质教育相结合。

2008年3月，党总支书记与各支部书记签订《党风廉政建设责任状》，在责任范围、考核、追究三方面，按中央、省州县有关规定和要求，形成一级抓一级，层层抓落实的良好格局。4月，学校党支部召开党风廉政工作会议，提出“以良好的党风，培育出良好的干部作风，带出良好的教风和学风，形成良好的校风”的工作目标。依照《建立健全教育、制度、监督并重的整治和预防腐败体系实施纲要》和有关法律法则，统一部署，稳步推进；宣传动员，全面摸底，找出突出问题，分类处理，监督检查，组织评估验收；结合工作实情、行业特点和干部、职工的思想实际，开展“党风廉政宣传教育月”活动。利用支部生活会和教职工会进行党风廉政教育宣传学习。

9月中旬到12月中旬，组织全校师生聆听学校的优秀党员、优秀德育工作者、优秀班主任的先进事迹报告会。10月14日，根据《县2008年党风廉政建设责任制量化考核项目测评表的通知》精神，县抽调专人到校，采取听取汇报、检查资料、个人谈话等形式进行检查。

2009年1月，党总支做出《关于2009年党风廉政建设和反腐工作任务责任分解的会议纪要》，要求在民主评议教育行风和治理教育乱收费工作中，做好自查自纠工作。学校总务处、办公室负责组织工程建设及学校公共事业产权交易中治理专项工作自查，会计、固定资产检查员、电教资产检查员负责学校、政府采购领域专项工作自查，教导处重点负责教辅资料采购和政教处招生等工作贿赂行为自查。

5月，学校召开党风廉政党员民主生活会。26日，召开全体教职工“党风廉政建设”会议，学习《党内监督条例》。6月21日，学校参加县2009年党风廉政建设责任制贯彻落实情况量化考核，得到99分。9月26日，学校召开教职工会议，决定从“我”做起，带动广大教师，教育广大学生做到“忠、勤、孝、勇”；把教书职业当事业，精心耕耘，做成经典；把教育对象当孩子，精心培育，收获成功；把育人校园当成家园，精心爱护，促成和谐。10月15日，召开全体党员座谈会，传达学习中共中央纪律检查委员会“十七届”三次全会、省纪委十届三次全会和州纪委九届三次全会和县纪委十届三次全会精神。11月15日，召开党总支委员、支部委员、党员代表会议，传达党中央“八个坚持、八个反对”，即坚持解放思想，实事求是，反对因循守旧，不思进取；坚持理论联系群众，反对照搬照抄、本本主义；坚持密切联系群众，反对形式主义、官僚主义；坚持民主集中制，反对独断专行，软弱涣散；坚持党的纪律，反对自由主义；坚持艰苦奋斗，反对享乐主义；坚持清正廉洁，反对以权谋私；坚持任人唯贤，反对用人上的不正之风。

2010年1月，调整党风廉政建设反腐败工作领导小组。2月，学校党总支完善《瓮安中学党风廉政建设责任分解方案》《教职工岗位职责》等一系列责任制度。3月12日，召开支部委员、总支委员会议，学习贯彻《中国共产党党员领导干部廉洁从政若干准则》和《纪委第十七届五次全会公报》，明确“三个抓好”：抓好落实，不断推进检查；抓好作风建设，积极发扬党的优良传统，切实解决工作作风和建设中存在的问题；抓好链接教育，加强对党员领导干部的教育监督，健全反腐协调工作机制和网络机制。5月中旬，学校根据《瓮安县教育局开展廉政风险防范机制建设工作实施方案》，开展“三个廉政风险点防范”（思想道德风险、制度机制风险、岗位职责风险）管理工作。5月25日—6月10日，学校组织教职工学习中纪委第七次会议精神和党的十七大关于加强领导干部作风建设等内容及《关于印发教育乱收费责任追究暂行办法的通知》《中小学教师职业道德规范》等文件，消除“三种错误认识”，增强“三个意识”，将排查出的风险点防范认真梳理、分析，提出对应的防范措施。7月，对产生的廉政风险点认真分析评估，提出评估意见，交党小组综合评估决定，进行梳理、筛选，由分管领导提出评估意见，交教育局风险点防范管理办公室综合评估决定。开展社会调查，通过走访部分教职工代表、学生代表、学生家长代表，发放问卷调查、举行座谈会等方式进行评估。对查找出的风险问题，制定整改措施，限期整改。学校把廉政风险与防范管理作为党风廉政建设的一项重点工作来抓，将廉政风险防范管理考核结果纳入年终考核评定，作为评优和校长选拔、岗位竞聘、考核的重要依据。学校对工作成效进行归纳、分析，召开总结大会，对照《瓮安中学廉政风险点及防范制度》进行检查验收。

是年，党总支把反腐倡廉与师德教育结合起来，开展“争做教育的先锋——党员示范”“一个共产党员的承诺——爱岗敬业作表率”“健全制度抓作风，转变作风促服务”活动；把反腐倡廉与日常思想道德建设结合起来，坚持“五个必访”（婚、丧、产、病、特殊困难必访），利用节假日期间上门慰问离退休职员，关心在职党员、教师，体察群众疾苦，听取群众意见；加大对财务管理、基建工程、后勤管理、物资管理、各类招生、推优等权力的检查和监督，尤其对经济、安全问题加大防范和查处力度，提高部门领导的“一岗双责”意识。领导小组加强巡视力度，保证重点经济资源或容易产生腐败的部门制度落实情况，群众反映的热点问题，将监督关口前移。领导小组和校务公开领导小组联合运用校务公开形式加强民主管理和监督。为保证质量，完善党内监督机制，召开民主生活会、支部扩大会、教职工代表大会，坚持“时间、人员、主题、通报”四落实。

2011年3月6日，学校党总支召开党风廉政建设工作会，学习贯彻《中共中央纪委关于实现党风廉政建设的责任制的规定》，结合学校《廉政建设责任分解方案》，统一思想，为瓮安中学省级示范高中“升类”提供保证。

2012 年 3 月，学习县委、县教育局党组《关于加强全县教育系统党风廉政建设工作的实施意见》，宣布学校调整党风廉政建设和反腐败工作领导小组结果和《瓮安中学党风廉政建设责任分解方案》，与各处室负责人签订《瓮安中学党风廉政建设责任状》及中层以上领导签署《瓮安中学领导干部党风廉政建设承诺书》。12 月，组织党员职工学习《中国共产党内监督条例（试行）》和《中国共产党纪律处分条例》。是月，党总支对学校党风廉政建设工作开展情况进行自查自评，综合自评为 100 分。

2013 年 8 月，学校领导班子召开加强党风廉政建设，防范设置“小金库”现象专题会议。成立学校党风廉政建设和治理“小金库”工作领导小组，明确学校主要领导、主管领导及有关工作人员的职责。抓好重点重要人事任免，重要决策、重要项目、大额资金“三重一大”工作的落实。重要工作主要领导亲自部署、重大问题亲自过问、重要环节亲自协调、重要案件亲自查办。督促抓好本单位资金支付的治理工作，突出重点，认真排查，增大学校资金管理工作的透明度，严格收支两条线，强化资金集中管理的收付工作，让财务账目的管理更加透明。

五、师德师风建设

2007 年 11 月，学校领导出席县教育局召开的“师德师风整顿动员大会”。会后，学校党总支确定将 11 月作为全校“师德师风建设月”，制订《瓮安中学师德师风建设活动方案》，开展“讲师德、做楷模、树形象”系列活动。组织教师学习法律法规及师德建设有关资料，制订学习计划，召开动员会，组织教职工学习研讨、写出学习笔记，使教职工明确自己的职责、权利和义务，从思想上意识到以法施教和以德施教的重要性和必要性，树立起一切为了学生的教育观念，创建民主、平等、和谐、诚信、愉悦的师生关系。瓮安中学领导小组以《中小学教师职业道德规范》为主要依据，要求在师德师风建设突出以下几个方面的内容：教师在教育目标、教育思想方面有没有违背教育方针、政策，是否只教书不育人；在对待学生方面是否做到理解、尊重、信任和关爱每一位学生，在思想品德方面有没有以教谋私和追求吃喝玩乐、不思进取、误人子弟的现象，有没有向学生推销资料、乱收费、乱补课、索要学生家长的礼品、侮辱学生等不良行为；在工作方式方法、言谈举止等方面，是否做到文明礼貌、适当得体、耐心细致，有没有言行粗鲁、工作方法简单粗暴，有损于教师的声誉和形象等问题。学校领导具体分工，深入班级，召开学生座谈会、家长座谈会，了解对每一位任课教师在师德方面的意见和建议，并汇总做出评定，认真整改。经学生或家长反映的问题，核实无误，情节严重的，给予严肃处理。中旬，通过开展系列活动，帮助教师树立良好师德，规范教书育人行为。引导教师树立正气、走正路、使正劲；开展“八不准”“教师忌语”活动，以规章约束教师的教育教学行为；组织教师参加师德师风演讲比赛、教师宣誓、面对国旗和全体学生进行宣誓活动；汇集有关法规、师德方面的资料，供全体教师学习；荟萃模范教师典型事迹。下旬，推荐教育先进工作者和优秀教师，师德作为主要条件，推荐的人员在校内公示。凡师德差的，一律不准列入评优名单。

2008 年 3 月，学校召开师德师风交流会，将师德教育作为必修课程。6 月下旬，瓮安“六二八”事件爆发后，学校成立“六二八”事件大讨论活动领导小组。7 月，全校以剖析“六二八”事件为切入点，开展以强化师德师风教育为题的大讨论活动。全校教职工以学科组为单位分组进行讨论，深刻反思，查找教书育人行为过程中的问题、缺失，并拟定改进方法。继续整顿师德师风，有针对性地讨论一些具体问题，寻找改进方法，认真撰写心得体会。举行典型交流发言会，6名优秀教师作了发言，呼吁全社会都要加倍关注初中教育，关心青少年，要加强高中生德育教育，更要理直气壮地抓好成才教育，耐心细致地抓好成人教育。学校组织班主任和教师开展有针对性的家访和社会调查活动，主要对象是参与“六二八”事件的学生及学生家长。

11月20日，学校成立师德师风领导（督查）小组，制发《瓮安中学深化师德师风专项教育活动实施方案》，以邓小平理论、“三个代表”重要思想和党的十七大精神为指导，以科学发展观为统领，以“坚实铺垫学生文化知识为基础，全面发展学生创新潜能，为学生的未来发展奠基”为宗旨，以“爱岗敬业，关爱学生，刻苦钻研，严谨笃学，勇于创新，奋发进取，淡泊名利，志存高远”为核心，以“学为人师、行为示范”为准则，以“弘扬老校传统，融入现代观念，科学、规范、高效地经营学校，合理配置人力资源，善于沟通和协调，尽心尽力地用好老师”为行政管理目标，以“校以育人为本，师以敬业为乐，生以成长为志”为校风，以“把教师职业为事业，精心耕耘，做成经典；把教育对象当孩子，精心培养，收获成功；把育人校园当家园，精心爱护，促成和谐”为教风，以规范教师言行打造诚信教育、让人民满意为标准，引导教师树立为人师表、爱岗敬业、教书育人的职业道德观念，努力打造成一支师德更优、业务更强，作风更正、学生更喜欢、家长更放心、社会更满意的优秀教师队伍。整个活动分宣传发动、学习提供、组织实施、总结表彰4个阶段进行。

2010年3月，学校决定每年3月、9月为师德师风建设月，重点开展“修师德、铸师魂、练师能，献爱心、做贡献、创一流”为主题的师德教育活动。每年举行1~2次师德千里事迹报告会和师德演讲比赛，评选1次师德标兵在教师节表彰。做好建立一支高素质的能适应教育改革新形势要求的教职工队伍；以良好的师德师风建设，带动良好的校风、教风、学风；抓教育教学质量的落实，把2010年定为“教育质量提高年”；把教研作为提高教育教学质量的重要途径和提高教师专业水平的重要渠道；按照“面向全体培优扶弱，抓尖育强”思路，做好高三年级的复习备考，力争有新的突破；坚持育人为本、德育为先，把以德树人作为学校教育的根本任务；实行全面质量管理，逐步使学生管理步入制度化、规范化、科学化、精细化的轨道；开展和谐校园活动，确立“以人为本、珍爱生命、安全第一、责任重于泰山”的观念；把特色学科建设作为兴校强校的生命线；加快推进学校教育信息化建设步伐；加强学校党团组织建设，建立保持共产党员先进性机制；建立规范的收费监督机制和财务审批制度。

2011年5月17日，召开师德师风专项治理工作动员大会，制定《瓮安中学关于进一步加强师德师风专项治理工作实施方案》。

2013年，学校代表参加全省德育年会和在县市举行的全国和谐德育年会暨14届、15届、16届学术研讨会。

六、党组织建设年

2008年4月7日，成立瓮安中学党的基层组织建设年活动领导小组，落实县直机关党委《关于开展党的基础组织建设年活动实施方案》。印发《关于开展基层党组织建设年活动实施方案》。

基层组织建设年活动：围绕加强党总支的自身建设，强化各年级支部的作用。按照“围绕中心、服务大局、拓宽领域、强化功能”的要求，切实解决各支部有人管事、有钱办事、有章理事、有阵地承事的问题。以“教职工身边有党员，党员身边有组织，组织活动经常化”为工作目标，不断延伸党建工作触角。以党风促校风、教风和学风，发挥党总支部的政治核心作用。坚持党要管党、从严治党。各支部召开二次座谈会，倾听党员心事，了解党员思想动态，帮助党员解决思想上的疑难问题。开展“重温入党誓词”活动，开展城乡党组织结对帮扶活动，激活党员服务意识。重新布置活动室；将支部职责、书记职责、党员权利义务等内容，重新制作展板，悬挂在党员活动室，展示党员活动各种资料。每年度7月评选20%的优秀党员进行张榜表彰和奖励。落实创建“五好”党组织的申报工作，做到“创建一个好班子、培养一支好队伍、形成一种好作风、运用一套好机制、实现一些好效益的‘五好’建设”。抓住关键，激发活力，突出重点，创新方法，注重效果，加强党员队伍的教育和管理工作。

具体措施：建立健全责任考核制度，把实施“党组织建设活动”与“满意在瓮安中学”工作责任制相结合，纳入学校领导和全体教职工考核评优、民主评议党员工作。召开群众代表座谈会、问卷调查、电话追访等方式，接受群众的评议和监督。提高党员干部的重要性认识，扩大群众的关注度和参与度，通过新闻媒体、专题报道等形式，及时宣传报道“党组织建设活动”进展情况。

2011年4月，学校举行“勤政廉政党课讲座”，部署“三个建设年”活动，点评“三个建设年”建设教职工中存在的问题。点评时一分为二看待本职工作，正确对待自己，明确肩上的责任，换位思考，相互理解。同时，学习《关于领导干部报告个人有关事项的规定》《廉政准则》和《关于实行党风廉政建设责任制的规定》。

七、学习实践科学发展观活动

2009年3月，学校召开校务会，研究制定《瓮安中学学习实践科学发展观活动实施方案》，并成立领导小组。学校党总支召开党政工团负责人会议，学习讨论州委常委、县委书记龙长春在县委中心组所作的《贯彻落实科学发展观，以思想大解放促进瓮安经济社会跨越式发展》的重要讲话，对开展活动作了总体部署。26日，制定《关于学习实践科学发展观调研课题实施方案》和《学习实践科学发展观活动计划》，结合学校实际确定5个研究课题。学校班子成员分工负责，深入群众调查研究，做到活动定目标、定内容、定时间、定地点，每次活动有主讲人，人人有记录，真正将活动落到实处。为每名党员配置《科学发展观重要论述摘编》《毛泽东、邓小平、江泽民论科学发展观》及县领导小组印发的《科学发展观100问》学习书籍。通过集中学习和自学相结合，全体党员参学率达98%以上，理论中心组成员参学率达100%，学时达3天以上。校领导及全体党员学习笔记均在1万字以上，每人1篇心得体会。各支部办活动专栏。利用自办优势，学校与县委、县机关党委、县委党校、畜牧局共同编写辅导教材《瓮安县学习实践科学发展观活动》一书，对学校包保乡镇鱼河乡干群法律知识、党的强农惠民政策、民风建设进行宣传培训。学校建立包保乡村工作制度领导小组，确定“千名干部下基层”工作人员。宣传培训工作每月1次。截至7月底，包保村定点联系人与村干部一起调研、办公，落实“一事一议”，努力实现“党员干部受教育、科学发展上水平，人民群众得到实惠”的目标。

4月，党总支印发《关于实践科学发展观，开展“教师家访大行动”活动的通知》。

广大教师特别是班主任围绕“四主题，四途径”开展家访活动。

是月，学校进行“三问三访三征集”活动。其中，问民生稳定 123 人次，问和谐发展 97 人次，问优化环境 86 人次；访干部群众 16 人，访问专家贤能 63 人，访服务对象 880 人；开展科学发展群众建言征集 6 件，科学发展先进事例征集 5 件，科学发展负面现象征集 2 件。为民办实事 3 件，帮扶资金 5000 元。同时，对课题调研和创新完善体制机制情况进行数据采集。参加调研的领导班子成员 14 人，召开调研座谈会 76 人次，完成领导班子调研报告 2 篇。

5 月 14 日，学校召开工作会议，对“一校两区”规划问题、文化建校问题、巩固和提高教育教学质量问题、筑牢青少年违法犯罪预防体系问题、重视和关心青少年心理健康问题、构建素质教育新课堂应成为校本教研核心问题进行讨论。力争 3~5 年时间，把学校建设成为品牌更响、声望更高、质量更好的贵州一流中学。26 日，学校 5 位领导组成科学发展观调研小组到鱼河乡深溪、茅塔、高松村参加公推自选活动。校长李凤奇对乡领导做出 3 点承诺：对该村党建工作，实行对口帮扶，村校领导一起研究农村科学发展对策；对该村考入瓮安中学的贫困生给予帮扶、智力扶贫，免除特困生学费，对贫困程度一般成绩优异的学生减免学费 50%；拿出 5000 元，帮助该村落实科学发展观。28 日，学校党支部组织教师座谈，重点探讨考核原则、考核形式、实施细则等方面的问题，并制定教师评价的体系方案，包括《教师教学成绩评级细则》《教师常规工作考核实施方案》等。开展深化健全学校规章制度调研活动，实践科学发展观，端正办学思想，坚持以法治校、以德治校，实施师表工程，加强师德建设，抓实教师培训，引领教师成长。注重学生管理、增强德育实效，坚持全员育人。严格执行教学常规，规范教学科研过程管理。强化安全管理、抓实安全教育。优化校园环境，建设和谐校园。加强后勤管理，完善各项规章制度。

6 月 9 日，召开专题民主生活会。学校党总支围绕“把握优势，查找突出问题，理清学校科学发展思路”，组织解放思想大讨论。召开实践科学发展观民主生活会，围绕以“把握优势，查找问题，推动学校科学发展”为主题的瓮安中学学习实践科学发展观分析报告进行讨论，要求广大教职工紧扣“更新思想观念，转变教育作风，优化育人环境，提升教育质量，构建文明和谐校园”的学习实践活动主题，心往一处想，劲往一处使，把瓮安中学办成全县向高等院校输送优质生源的主要基地，黔南州高考龙头学校，全省“低进高出、高进优出”的示范学校。

2009 年 8 月，学校推进“科教兴县、人才强县”战略，按照州委、州政府提出的“三实三创”（即求实、务实、落实，创业、创新、创优）要求，做出《在专业技术人才队伍中开展“创新观念促发展，转变作风强服务”主题实践活动实施方案》，以“五个一”活动为载体，推进活动开展。在教职工中发放意见征求表，召开座谈会，开展“要我工作”和“我要工作”大讨论。在教育教学中开展争创优秀、争当先进和更新观念、创新教育教学的“我为‘三创’（创业、创先、创优）献良策”活动。抓好鱼河乡深溪、高松两个村科技帮扶和计生帮扶工作，使计生户早日脱贫致富。

八、“践行宗旨”教育

2010 年 5 月，学校党总支按照县委要求，成立“忠实践行宗旨，勤政廉政为民，做‘双争’表率教育，巩固和扩大深入学习实践科学发展观活动成果领导小组”。召开“践行宗旨”教育民主生活会，学习传达县委书记《牢记勤政廉政为民，为推动瓮安经济社会跨越式发展而努力奋斗》的讲话和《中国共产党党员领导干部廉洁从政若干准则》和《党政领导干部选拔任用工作责任追究办法（试行）》等相关文件，讨论、交流生活上出现的不良现象和教学中遇到的困难及解决办法。6月，党总支召开2次党员干部职工大会，提出加强作风建设，密切联系群众，推进改革创新，促进领导廉洁自律，保证中央重大决策部署的贯彻落实，要求各党支部“各司其职，做出亮点，争当表率”。县督查组袁愈辉书记参会作指导。

7月，学校召开黔南六校教育教学研讨会，与平塘中学、罗甸民中、龙里中学、福泉中学、荔波民中等各学科共80多人进行教育教学的交流与探讨。组织全校教师200多人（次）分赴云南、西安、山东、罗甸、贵定等省内外考察，安排高一所有教师参加国家新课程的网上培训，为转变教育观念、实施新课程改革教学奠定基础。100多位教师利用暑假到学生中家访1711多人次。

8—12月，学校开展“满意在瓮安中学，放心在瓮安中学”活动，创造文明治校新环境。是年，学校被评为县“整脏治乱”红旗单位、州“文明单位”。

是年，高考取得好成绩，独揽黔南州文理科第一名，一本上线240人，二本738人（不含3本）。学校逐渐成为向高等院校输送优质新生的主要基地、黔南高考龙头学校、贵州省“低进高出、高进优出”的示范学校，被评为全国2010年教学管理先进学校。参加国家级课题《和谐德育研究与实验》，构建“以德促学、以学养德”的教育新模式。全面实施“星星校园工程”，激励学生发展特长，陶冶师生情操。学校被评为黔南州德育工作创新先进集体、县师德师风专项教育活动先进单位。开发校本教材《学会求知、学会做人》进入课堂。

九、“创先争优”活动

2010年5月，根据县委党建工作领导小组转发州委党建办《关于进一步发挥领导干部带头表率作用推动创先争优活动深入开展的通知》及县教育局《关于在全县教育系统创先争优活动的宣传报道方案》，学校成立“创先争优”活动领导小组。

学校党总支书记认真履行创先争优活动第一责任人职责，制定具体实施方案，以基层党组织和党员的创先争优活动，带动工、青、妇等群众组织开展创建先进集体，争当先进个人活动。明确创建“十强”先进基层党组织和“十好”优秀共产党员的批准条件。

十、解放思想大讨论

2013年5月，学校党总支成立“解放思想大讨论”活动领导小组。领导小组下设办公室。活动以“追赶跨越，奋力崛起”为主题，以“坚持创新发展，争创示范升类”为载体，解决教师思想观念、工作作风等方面存在的问题，推动学校教育工作再上新台阶。

开展推进思想解放大讨论活动，破解阻碍学校发展的思想观念和体制问题，重点开展制约学校科学发展瓶颈问题的讨论。围绕实施科技兴校战略，增强科学创新能力；实施文化立校战略，加强学风建设；加强民主建设，促进学校发展；实施人才强校战略，建立高水平师资队伍；加强党性，党纪、党风建设，保证学校建设目标的实现；加快示范高中升类步伐；树立学校科学发展的思想观念。

开展“调研大访”活动，共谋学校科学发展大计。组织召开教职工代表大会，征求教职工意见和建议；开展“我为学校建言献策”活动，针对师生员工提出的合理化意见和建议，协调有关部门对照整改，认真落实。

开展“学习政策抓落实，强化执行促跨越”主题活动。各处室增强政策执行力，解放思想，找准差距，探求对策，形成共识，检查完善各处室档案管理工作。

解放思想大讨论自5月22日起到7月22日结束，分系统学、广泛查、认真改、严格评四步进行，达到预期效果。

十一、党支部和党员分类定级

2012年3月23日，根据县委党建办《关于认真做好党支部和党员分类定级的通知》，学校按照“班子不健全的抓紧健全，机构不完善的抓紧完善，组织设置不合理的抓紧调整，应建未建党组织的抓紧组建，实现党组织和当地工作全覆盖”的要求，切实做好党支部和党员分类定级工作。4—12月，按照7个学科党支部和112名党员的实际，对照党组织“五个好”、党员“五带头”的内容，细化党支部和党员晋级保级的考核标准。采取百分量化不同比例合成的方式，搞好分值设定。严格按照“五评一定一公示”“三评一定一公示”的相关评定程序，规范考评方式，做好考评结果公示，及时上报组织审核备案。党总支委员会召集各支部分别填报分类定级动态管理工作台账和整改提高责任书，表彰一批先进党支部和优秀党员，建立健全创先争优的常态化机制，营造良好的舆论氛围，适时总结所取得的成效及经验。通过分类定级、评为先进党员22人。其中语文党支部3人，数学党支部3人，英语党支部2人、理化生党支部5人，政史地党支部3人，综合党支部2人，退休党支部4人。

第四节 群团工作

一、教育工会

1950年，瓮安中学组织教职员工开展学习中央人民政府颁布的《中华人民共和国工会法》，提高对工会工作的认识。

1951年3月，学校工会小组成立，组织教职工参加反美爱国示威游行，开展爱国主义教育和爱国赠产捐献现金活动。4月6日，省人民政府文教厅转发西南军政委员会《解决各级工会房屋及设备问题暂行办法》，工会组织得在公用房屋中设立工会办公室并举行各种会议，政府应提供工会房屋中的设备（电灯、卫生、消防等），将工会房屋的修缮、设备、安装费列入每年财政预算中的人民团队补助费项目下。6月，通过校工会回忆对比、签订爱国公约等活动，提高思想认识，用实际行动支援朝鲜前线。7月，省文教厅通知：“随着减租退押与土地改革等项工作之进展，学生数量激增，急需补充大量师资，则因各地机关、团体的乱招调，学生数量锐减。兹特规定学校内一切教育行政工作，均由学校行政统一领导，一切社会活动，则由该校工会和学生会统一领导，并取得学校行政当局之支持与协助，学校中的一切工作，均应以完成学校教学计划为基本任务。所有在校学生不得任意调动，学生不得自由停课参加校外活动。”学校遵照通知，完成学校教学计划。

1952年，校工会组织教职工参加“三反”（反贪污、反浪费、反官僚主义）、“五反”（反行贿、反偷税漏税、反偷工减料、反盗窃国家财产、反盗窃国家经济情报）运动。工会会员控诉、检举、揭发“五毒”行为，抨击奸商的违法活动。

1953 年 5 月，校工会贯彻中共“七大”精神，举行各教研组竞赛活动。8 月，校长吴近仁兼县工会联合会主任。12 月，校工会开展过渡时期总路线的宣传贯彻活动，协助对私改造。是年，校工会按本人标准工资交纳 0.5%的会费，按独立原则，建立自己的预决算、会计、审理等制度，逐步形成对经费的筹集、管理、分配、使用、监督等一系列财务制度。

1955 年，学校按照《中华人民共和国工会法》规定，按全部职工总额的 2%拨充工会经费，会费 171.31 元。

1956 年 5 月，学校工会小组，职工 27 人，参加工会 21 人。由于教职员多数出身剥削阶级家庭，学校党小组在县工会的协助下开展知识分子思想改造运动。首先，组织教职工学习马列主义毛泽东思想、时事政治，以清除封建思想的影响；学习工会基本知识，充分认识工会的性质任务、作用及会员的权利、义务。其次，进行思想斗争，划清两种思想界限，使知识分子站在工人阶级队伍里来。民主选举工会委员和负责人，工会委员进行具体分工，明确各自责任，逐步建立起工会工作的正常秩序。再次，进行揭发检举，对立场不稳、消极反对者进行批判。

1957 年 1 月，校工会组织教师深入工矿企业办文化学习班，开展扫盲活动。5 月 28 日—6 月 3 日，曹文德老师参加县工会第一次代表大会，当选为第一届执委会委员。8 月，校工会传达《关于整风运动的指示》，开展“反对官僚主义、反对宗派主义、反对主观主义”整风运动，批判赖若愚同党“闹独立”，否定工会在党的领导下的相对独立性，学习毛泽东《关于正确处理人民内部矛盾的问题》。采取大小会、大字报等形式，围绕党政与工会关系等问题进行讨论。10 月，遵照中央《关于组织力量准备反击右派分子进攻的指示》，开始在教职工中划分“右派”，并对“右派”进行处理，将人民内部矛盾转化成对敌斗争。运动中，学校曹绍庸老师被错误地划为“右派分子”。

1958 年 5 月，校工会执行县委批转县总工会的意见，贯彻“鼓足干劲，力争上游，多快好省地建设社会主义”的总路线。发动教职工开展“破除迷信、解放思想”“敢想、敢说、敢干”的“大跃进”运动。以“共产风、高指标、浮夸风、瞎指挥、强迫命令”为标志的“左”倾错误思想严重泛滥。

1959 年 1 月，中央提出“把工会改为妇联性质”，工会停止活动。6 月，工会进行整顿恢复。

1960 年，校工会发动教职工建立伙食管理委员会，实行民主管理伙食。根据县委“低标准、瓜代菜、管好粮食、办好食堂”的指示，精打细算、节约开支、解决生活。

1961 年 4 月，校工会根据全国总工会《关于 1961 年工会经费和劳保金节约要求的报告》，节约 25%的经费。8 月，遵照中央调整经济的指示，实行预决算制度，工会经费不得借支，过去借的要一次性收回，集中财力帮助工会教职工渡难关。是年，工会组织“干部下伙房、政治进食堂”，实行“六六二”伙食低标准（每人每天 6 两粮食、6 两代用品、2 斤以上蔬菜）。

1962 年，校工会协助党支部做精简教师工作。开荒种地，自己动手，抓粮食和蔬菜生产，保证伙食供应，改变完全依靠国家供应的被动局面。

1963 年，工会重新进行充实。

1964 年 5 月 7—9 日，学校工会参加县工会第二次代表大会，总务主任张家骧被选为工会委员、出席州工会代表大会。会后，全校工会会员投入“五好”和“支农”运动。7

月，校工会参加由县工会、县委宣传部召开的学习毛泽东著作经验交流会。会后，掀起职工学习毛泽东著作活动的高潮。9月，校工会结合社教运动，对教职工进行社会主义教育，开展回忆对比、忆苦思甜活动，增强阶级观念；组织师生到银盏乡参观家史、个人翻身史、村史展览；请劳动模范米绍周讲述他在旧社会的苦难经历和深仇大恨及新社会党的关怀和培养；组织学习《二十三条》，开展对资产阶级思想的斗争；开展“三查”“节约”反浪费活动；开展社会主义教育和国际主义教育为主要内容的文艺活动。

1965年7月，校工会建立健全学习制度，并向全校发出“学习毛主席著作倡议书”。开展“四清”运动。9月，校工会开展小型演讲会，抓好抓实学习毛著运动，全校教职工对毛主席著作能学能用者27%、学习一般者70%、学习差的仅有3%。

1966年3月5日，遵照教育部、全国教育工会《关于在教育战线上掀起一个活学活用毛主席著作新高潮的通知》，要求担任工会领导职责的教师深入工农群众，参加生产劳动和社会教育运动，以焦裕禄为榜样，树雄心，立壮志，深入开展教育革命，改进学校工作。学校定期召开活学活用毛主席著作交流会，树立全心全意为人民服务、为学生服务的思想。6月，学校工会参加县工会召开的“五好”竞赛工作会议，提出学大庆“三老四严”“四个第一”，学习永和供销社“铁脚板”精神，进一步落实“五好”目标。22日，学校遵照县委《学习“五一六”通知，坚决开展无产阶级“文化大革命”的决定》，全面展开“文化大革命”运动。

1967年3月，在上海“一月风暴”影响下，学校工会被砸烂。工会干部被批斗，工会经费被冻结，财产被分光。10月12—15日，学校参加县“革命职工代表大会”，否定工会作用，歪曲工会方针。

1973年1月，纠正解散工会的错误做法，恢复工会，重新把教职工组织起来，发挥主力军的作用。

1974年1月6日，学校派出代表出席县工会第四次代表大会，开展学习大庆活动。3月16日，全校教职工参加县工会召开的“批林批孔”动员大会。工会工作再度受到冲击。6月13日，学校参加县工会全委扩大会议，把“批林批孔”运动当作工作的首要任务，掀起一个以大批“修正主义路线”“复辟回潮”为内容的“批林批孔”运动。

1976年3月，学校把“评水浒”活动转向“反击右倾翻案风”，大批所谓“右倾复辟”。“江青反革命集团”及其“爪牙”到处煽风点火，竭力煽动批右、夺权，对各方面工作大肆进行干扰和破坏。学校大批“右倾回潮”，工会的恢复被当成“复旧”“倒退”“右倾回潮”，把抓工会整顿的教师诬蔑为“复辟”的“黑干将”“新生的资产阶级分子”，把工会说成是为“资本主义打基础”，工会再度受到严重冲击陷入混乱。12月，校工会参加县工会召开的全委扩大会议，动员工会会员参加揭批江青反革命集团运动，纠正“左”的错误影响。

1977年12月26日，校工会制发《整顿基层工会的意见》指出，成立整建工会领导小组，党组负责人担任组长，群众中有威信的工人、管理人员和技术人员担任组员，组织整建工作；组织职工学习党的工运方针、政策，学习工会的基本知识，清理江青反革命集团破坏工会组织所造成的恶果。恢复原有会员的组织生活和发展新会员，按照“老中青”三结合的原则，选举工会领导班子；建立工会各项制度，整顿工会秩序。

1978年6月，校工会结合“一批双打”，深入揭批江青反革命集团破坏工人运动在本单位造成的各种恶果。10月11日，校工会组织教职工学习全国总工会“九大精神”，肯定中共“七大”“八大”所规定的正确工运路线，明确工会在新时期的方针、任务。

1979年3月，校工会落实、恢复办理经费拨交手续，恢复财务工作。根据省总工会“六大”精神，讨论研究协助冤假错案的平反，开展对“真理标准问题”的讨论，引导教职工解放思想，打破“两个凡是”禁区。8月，开展“道德风尚良好月”活动，表彰道德良好先进个人。

1980年3月，各单位明确一位党组织负责人抓工会工作。学校基层工会恢复建立工作委员会。4月，遵照全国总工会九届四次常委扩大会议的决定，发动教职工，开展为“四化立功”活动。

1981年1月，学校出席县教育系统职工代表大会，恢复建立县教育工会。5月1日，参加县总工会、团委联合举办的职工文艺晚会。6月，开展治理“脏、乱、差”为主要内容的文明礼貌活动。

1983年6月15日，学校接省教育厅、省工会转发劳动人事部、全国总工会《关于出席全国文教群英会的个人代表退休时可否享受优异待遇的答复的通知》，全国劳动模范享受提高退休费标准的待遇。10月，出席县工会召开的全委扩大会议，贯彻中共“十大”精神，着重讨论和研究工会群众化、民主建设问题，使“五讲、四美、三热爱”取得成效，涌现文明学校、班级，社会风气好转。

1984年3月，机构改革开始，工会进行整顿，学校符合“四化”条件的优秀分子进入工会领导班子。5月，参加县工会举办的职工书法、美术、摄影作品展览会，校工会送展作品3~4幅，其中有1幅送州展览。15日，学习全国总工会《基层工会工作暂行条例》，弄清基层工会是工会组织密切联系群众，开展各项工作的基础。基础任务是做好职工思想政治工作，向职工进行爱国主义、集体主义、社会主义、共产主义教育，加强法制教育和职业责任、道德、纪律的教育；依法维护职工的民主权利，组织职工民主管理企事业，开展社会主义劳动竞赛，吸引和支持职工学习政治、文化、科学、技术和管理知识，办好文化、教育、体育事业；保障职工生活福利，关心职工劳动条件的改善，维护安全和健康；维护女职工的合法权益，同歧视、虐待、摧残、迫害妇女的现象作斗争；针对女职工的特殊问题，做好保护工作；做好、管好、用好工会经费，管理好工会财产；坚持工会的民主制度和民主生活；加强工会小组工作、接收新会员，对会员进行工会基本知识教育；工会接受事业党委领导，贯彻执行党委的有关指示，定期向党委汇报工作情况，反映职工的意见和呼声，提出解决问题的建议；办事要同群众商量，尊重群众意见，坚持真理，修正错误，始终坚持国家、集体、个人三者利益的统一和兼顾的原则。10月13日，贯彻全国教育工会颁发《中小学教育职业道德要求（试行草案）》的通知精神。

1985年3月，贯彻县委印发县总工会、县企业整顿领导小组《关于整顿基层工会组织，建设“职工之家”的意见》。12月，校工会参加县城千余职工集会，听取“老山防御英雄连”连长成名勇作关于老山将士戍边杀敌的英雄事迹报告。

1986年3月，学校成立职工读书活动指导委员会。是年，贯彻执行省政府、省教委、省教育工会《关于县各级教育工会参政议政的试行意见》，“发挥工会组织和职工代表在审议学校重大决策，监督行政领导和维护职工合法利益等方面的权利和作用”。整顿工会组织，建立“职工之家”。明确要求“工会经费是关系到广大教职工的切身利益的问题，一定要收、管、用好工会经费”。

1987年5月1日，校工会组织职工参加县工会、团县委联合举办的职工象棋、围棋赛。

10月，参加县职工技术协作委员会组织8种工业品参加西南三省职工技术交流会。11月2日，落实县教育局工会《关于认真做好基层教育工会换届改选工作的通知》精神，把热爱教育和教育工会工作，热心为教工说话、办事，有开拓精神，有一定领导能力和业务水平的同志选进领导班子。是年，学校教师陈全福被选为全县工运理论政策研究会理事。

1988年1月24日，学校工会在"管理国家事务，管理经济和文化事业，管理社会事务"中发挥积极作用，整顿工会，建立"职工之家"。5月26日，派代表参加县工会第五次代表大会。8月25日，省人民政府转发省教委《关于特级教师实施意见的通知》，教育工会必须参加此项工作，评选出的教师每月按"中学特级教师补贴30元的办法执行"。1989年1月，此项工作结束，教师张炳芝被评为特级教师。12月26日，学习国家教委、中国教育工会转发河北省教育工会、教委《关于农村教师家属扶贫工作阳原县现场经验交流会的报告》。是年，校工会积极为教工办实事、办好事，按职工工资总额，提取2%为工会活动经费，表彰先进个人4人。

1989年3月6日，校工会派代表参加县女职工成立大会。5月1日，参加县工会、团县委、文化局举办的职工歌舞大赛。8月，参加县工会召开的基层工会主席会议，贯彻全国总工会十一届主席团扩大会精神，重点讨论如何对职工加强社会主义思想教育问题。是年，协助校长参与学校管理工作，反映教师职工意见，为教职工解忧解难办好事实事。办好职工之家，成立退休教师协会。

1990年2月27日，校工会派代表参加县工会召开的全委扩大会议，贯彻中央〔1989〕12号文件，讨论全心全意依靠工人阶级问题，统一认识，研究措施。10月，派代表参加县工会、县直机关党委联合举办的职工"双基"知识竞赛，并参加县劳动竞赛领导小组成立大会。是年，有工会会员117人。

1992年10月，贯彻实施《中华人民共和国工会法》，按照"抓机遇，办实事，转作风，求实效，促发展"的总体思路，发挥工会组织的协调、监督、参与重大决策，维护劳动者的合法权利等职能。

1994年8月，校工会开展"进万家门、知万家情、解万家难、暖万家心"活动，把温暖送到贫困职工家中，帮助他们走出困境，稳定教师队伍。

1995年1月1日，校工会组织教职工、学生106人参加县委举行的环城赛跑，12人获得名次。"三八"节组织女教师参加县妇联、县工会组织的拔河比赛，取得名次。4月29日，瓮安中学开展职工运动会，以教研组为单位分成5个组，8个比赛项目，112名教师参加。是年，学校教育工会会员127人（男91人、女36人）。召开2次教职工代表会，审议校财经收支、教师旧宿舍分配和集资建房意见，讨论通过实施中学职务等级工资的暂行办法及全面提高教育质量的奖励办法。提案报请学校支部行政通过裁车一辆（原二辆）。组织全体教职工学习十四大五中全会精神和《中华人民共和国教师法》，学习田沛发、孔繁森的先进事迹，办好学习园地、黑板报。组织学校篮球队、排球队参加校内外比赛。支持学校党支部为教职工集资建房12套，并购买交管站房地产（住房16套）；补助和支持每位教职工都安上程控电话；支持维修学校餐厅厨房，为本校教职工及南街居民办红白喜事提供方便。建立和健全工会经费的开支管理制度，各项开支有计划，有检查，有监督。

1996年2月，落实省委宣传部、省教委、省总工会、省文化厅、新闻局、新华书店联合下发的《关于组织参加全国"迎接香港回归祖国"读书教育活动的联合通知》，组织全校教师积极参加这一教育活动。认真贯彻中共十四届六中全会精神和《中共中央关于社会主义精神文明建设若干重大问题的决议》，以《中华人民共和国教育法》《中华人民共和国教师法》的全面实施为契机，积极参与和推进学校教育改革和发展，开展“养师德、练师能、铸师魂、育新人”活动。要求教师做到不失手、不失言、不失礼，不失信等。“五一”劳动节，组织全校教职工进行登山活动。邀请离退休教师参加“东隅堪称美，桑榆亦辉煌”为主题的庆祝活动，欢度第9个老人节。11月，组织部分青年教师去镇远舞羊河旅游。是年，帮助教职工26家操办红白喜事。修理购买交管站5个门面进行装修出租，缓解学校资金紧缺状况。

1997年，校工会协助学校党支部和行政部门搞好校园绿化建设，整修围墙和环形道路，美化育人环境。“五一”、元旦和春节分别组织象棋、乒乓球等比赛。搞好工会经费管理工作，做到各项开支合理。定期召开教代会，积极采纳教职工的合理化建议。利用节日，慰问退休教职工。组织教职工参加公益活动。抓紧师德师风建设，重塑教师形象。

1998年，校工会组织教职工学习《中国教育改革和发展纲要》《中华人民共和国教育法》《中华人民共和国教师法》和《中共中央关于进一步加强和改进学校德育工作的意见》，参加黔南州普法考试。开展赈灾募捐活动，捐款上万元。动员广大教职工集资修建教师宿舍24套，共计2600平方米。组织教师篮球队、排球队训练，参加校内外比赛。拨款添置象棋、麻将等文娱器材，开展多项文娱活动。“教职工之家”成为广大教职工娱乐休闲的温馨家园。

1999年，校工会组织教职工收看中央电视台的《新闻联播》等节目，关心国内外大事。利用黑板报等形式，宣传党的各项方针、政策。组织全校教职工参加新中国成立50周年庆祝活动和澳门回归祖国的签名活动。配合党支部、行政领导拆除旧房、危房，修建文化区和生活区，开辟后山坡花园，加快校园绿化和美化建设的步伐。为教职工之家添置2个铁炉，安排专人生火，使教职工在冬天有一个温暖的休息娱乐场所。组织对生病教职工、退休人员的慰问工作，为广大教职工服务。

2000年1月，校工会组织全体教职工学习邓小平理论和江泽民总书记关于“三个代表”的讲话精神，参加“普法”学习和考试，提高职工的思想素质，增强遵纪守法观念，学校没发生一起违法乱纪的事，受到县委、县政府的表彰。加强教育工会和教代会建设，教代会成员参加学校内部体制改革等重大工作。听取广大教职工意见，强化民主治校，完善教代会制度。牵头为教职工操办10多家红白喜事。举行开学“迎新”茶会。“教师节”慰问退休教师职工。元旦，组织全体教职工参与“新千年”庆祝活动。参加县教育工会组织的篮球赛、“五一”登山活动等。

2001年2月，召开第三届教职工代表大会，对上届工会工作进行全面总结，审定、通过《瓮安中学“三制一管理”暂时办法》《瓮安中学教职工管理条例（试行）》和《瓮安中学2001—2005年学校发展规划》。成立了第一届工会妇代会。组织教职工开展“三个代表”重要思想理论大讨论，贯彻党的十五届六中全会和《国务院关于基础教育改革与发展的决议》精神。配合学校全面推行《教职工聘任制、岗位责任制实施方案》《全面提高教育质量奖励办法》，完善各种规章制度和岗位职责，使学校工作步入规范化轨道。是年，参与修改住房分配方案，支持旧房改造工程，修建宿舍60套，基本解决教职工住房问题。帮助教职工解决急难险事，慰问离退休老教师。投资10万元把液化气管道安装到每户。参与美化和治理校园环境及拆除违章建筑工作。4月12日，传达教育厅党组、省总工会《关于重申加强地县教育工会组织机构建设的通知》和省教委、省高校工会、省教育工会联合颁发的《关于进一步加强教育工会工作的意见》，配备好教育工会领导班子，坚决抵制撤销县教育工会组织的决定。

2002年，积极配合学校“内抓管理，外树形象”。结合师德教育，开展尊师重教活动，大力掀起学习英模的热潮。“三八”妇女节组织女教师学习《中华人民共和国教师法》《中华人民共和国教育法》，发放慰问品。“国庆节”期间，工会组织高、中考获奖教师22人及家属到北京旅游，参观考察清华大学、北京大学；组织部分教师到湖北黄冈、湖南长沙等地考查，吸取省外中学教育教学经验、管理办法。清明节组织师生给革命烈士扫墓。元旦、春节组织教职工开展游戏运动会，增强教职工的凝聚力。开展“传、帮、带”和集体备课活动，老带新、互相学习、共同进步。配合学校以法治校，提高全体教职工的整体思想素质，经常用“爱国守法、明礼诚信、团结友爱、勤俭自强、敬业奉献”来规范自己的言行。为教职工办实事、办好事，给在岗教师每人发放1000元购买电脑。春节期间，在岗教师146名为松坪乡贫困农民146户献爱心，按每户5斤菜油、5斤白酒、5斤面条、50元钱标准，将爱心送到他们手中。

2003年2月16日，举行三届二次教职工代表大会，38人参会。会议通过工会主席谭敬昌作的《瓮安中学教职工代表大会工作报告》，审议总务主任刘文斌的《2002年学校财务工作报告》。

2004年，校工会注重教职工政治理论学习，制定学习制度，明确学习任务。每周五下午第三节定为集体学习时间，先后学习马列主义、毛泽东思想、邓小平理论和“三个代表”重要思想，学习《深化教育改革，全面推进素质教育》《中华人民共和国未成年人保护法》《中华人民共和国工会法》等法律法规。把党风廉政建设和民主管理监督结合起来，建立和完善教代会制度。召开教代会，审议通过学校年度工作计划、奖学金条例、校园环境的建设规划等。全面推行校务公开，提高学校管理工作透明度。开展“职工之家”创建活动和“送温暖”“献爱心”活动，每逢节日，学校领导走访拜望居住在都匀、贵阳的离退休老师和干部，了解他们的困难，向他们传递学校的变化信息，并征询他们对学校工作的建议。举行师德演讲、歌咏、舞蹈、篮球、拔河等比赛，开展运动会、书画展、棋牌乐等活动。

2005年，校工会抓好学生的道德教育。落实《公民道德建设实施纲要》《中学德育大纲》，从规范学生礼义行为做起，倡导行为规范、行为自觉、行为高雅。重视班级道德环境建设，引导学生在师生交往、同学交流中培养道德感、集体感、友谊感。校工会参与修改学校的高考奖励条例和教师课时津贴制度。帮助教职工解决急难险事，慰问离、退休老教师，参与职工的丧事料理和安排慰问其家属。开展各具特色的文娱活动。

2006年，校工会把德育工作摆在学校各项工作的首位，教师以情促教以身示教，学生健康向上积极进取。8月，邀请《劳动时代报》家庭教育专家报告团举办“把成功传给下一代”家庭教育专场报告会，250余名家长、100余名教师参加。9月，推出《瓮安中学教师宣言》，青年教师迅速成长，成为学校教育及教学工作的中坚力量。开展“八荣八耻”为内容的社会主义荣辱观教育活动，组织师生参加州组织的“知荣明耻”征文活动，2名学生征文获奖。培养学生爱祖国、爱家乡、爱父母、爱他人、爱科学、讲诚信“五爱一讲”情感。是年，学校为草塘镇金星村捐助水泥10吨用于新川小学球场和道路硬化，为鱼河乡新农村建设捐资1.8万元；为高二年级同学邱德清治病献爱心捐款21000多元；协助学校组织社会力量对品学兼优而家境困难学生进行资助、帮扶，共计10余万元，21人受助；组织社会各界资助考上大学的贫困生233名，捐资20万元。

2007年，健全工会组织机构，实行“低重心管理”，做到“三亲近”（亲近师生、亲近课堂、亲近教研）。开展民主评议，加强党的作风建设，促进干部素质的提高。推出《瓮安中学校本文化》一书。召开第四届教工代表大会，讨论《学校工作报告》，审议通过《瓮安中学严禁在校园内摆摊设点的规定》和《瓮安中学关于进一步加强教职工管理的规定》。改选工会委员会，推进学校民主建设。建设“职工之家”，开展送温暖活动，为教职工办实事、办好事。通过校代会取消卫生隐患极大的饮食摊点，委托四川营山弘学后勤服务管理中心经营管理学生食堂，实行刷卡消费，步入校园一卡通的现代化管理模式。是年，遵照《省教育工会关于开展“和谐校园建设”论文征集评优活动的通知》精神，做好宣传、动员、征集、选送工作。县总工会向考取大学的学生聂江、肖开琴、彭仟、向芯、王天智、张淋颁发每人500元的路费补助金，向在校学生王华美、施必凯、冯光辉、雷小安每人颁发500元学杂费补助金。选派教师周洪、刘秋红、田春、程曼代表学校参加州教育工会组织的“黔南州教育系统职工乒乓球赛”。

2008年，工会积极配合党支部组织教工学习中共十七届三中全会精神、“三个代表”重要思想和胡锦涛总书记提出的“社会主义荣辱观”，帮助教工树立正确的人生观、职业观，提高教职工的政治觉悟。宣传和学习《中小学教师职业道德规范》，开展“教师大家访”“孩子，我想对你说”等师德师风主题教育活动。学校重大工作经教职工代表大会表决后交相关部门执行。“三八”妇女节、“五一”劳动节、“教师节”“国庆节”等节日开展相关主题庆祝活动。组织职工参加教育局教育工会组织的篮球运动会、棋类、书画比赛等。成立工会活动兴趣小组，举办羽毛球、乒乓球、保健操等比赛。男子篮球队、羽毛球队和乒乓球队参加州“安康杯”职工运动会，学校获优秀组织奖。8月12日，150余名教职工参加县“讲文明、树新风、展形象，从我做起从现在做起”启动仪式，赴责任区域卫生清扫。9月19日，召开“整脏治乱”专题会，加大“整脏治乱”力度，构建文明校园。10月7日，第五届教职工代表大会召开，参会领导16人，代表38人，共54人。会议选举产生工会委员10人，审议、通过李凤奇校长的学校工作报告，审议《创建无烟校园方案》《瓮安中学2008—2010年共建发展规划》《关于调整课时标准的决定》《关于拓宽教育教学奖金及节日慰问金开支渠道的提议》。

2009年4月28日，学校教职工代表队参加县首届“民族传统体育项目”运动会，获精神文明奖。5月12日，贯彻落实《全国健身计划纲要》，成立瓮安中学教职工体育协会，下设篮球、排球、羽毛球和乒乓球4个分会。10月24—25日，组织30位退休教师和7名家属游黔东南。11月15日，第五届教育工会二次代表大会召开，参加人员53人。会议审核、通过了2009年学校年度工作报告、《瓮安中学2010教育教学质量评价、奖励方案》和《关于取消岗位绩效工资，发放超工作量补贴的决定》。

2010年2月5日，学校举行新春团拜会，全校教职工及家属、县政府副县长郑毅、县教育局、县武警支队的领导及部分学校主要负责人参加。2月26日，教工男队与县武警中队举行篮球友谊赛。3月8日，组织16名师生参加县“三八”国际劳动妇女节100周年登山比赛活动。12日，组织12名教师到殡仪馆参加县机关义务植树造林活动。16日，工会组织教职工向患病教师张应龙捐款1.3万元。4月，工会组织全校教职工（含临时工）232人体检。8名师生参加全县“五一”“五四”劳动光荣和谐瓮安系列活动。5月23日，组织教师吴定祥、李渊霞、宋健入选县代表队，参加“州职工运动会”（乒乓球、羽毛球）

选拔赛。6 月 25 日，第五届教育工会第三次代表大会召开，参会代表 50 人。会议讨论《瓮安中学关于师生分流聘任的暂行规定》。

2011 年 1 月，工会第六届委员会第一次全体会议选举工会主席邓超，副主席林长青，委员陈刚（秘书长）、张元忠（组织委员）、王永奎（财经委员）、吴正权（生活委员）、周洪（文体委员）、肖春花（女工委员），龙光明、赵慕琦、周学东分别为高一、高二、高三组长。10 月，工会主席邓超参加全县教育工会赴西安进行基层工会干部培训，学习新《中华人民共和国工会法》《工会章程》《新工会法个性背景及修改方向》《新时期下教育工会的主要任务和工作要求》。是年，工会根据《瓮安教育工会工作考核细则》和《教职工之家评估细则》，加强台账管理，建立工会电子档案。举办 2 次职工趣味运动会。继续做好送温暖工作，坚持“五必访”（生病住院、婚丧喜事、产妇、退离休、重大困难必访）制度，组织教职工体检，推进女职工素质教育工程，关心女职工生理和心理健康，维护女教职工特殊利益和合法权益。

2012 年 3 月 8 日，校工会召开“三八”节慰问会。11 日，向校长递交教职工之家建设方案。13 日，召开六届四次教职工代表会，审议通过《新校区集资建房分配方案》和《瓮安中学 2012 届高三育才奖励方案》。中国关工委公益文化中心全国巡回报告团莅临瓮安中学，作主题为“激发孩子持久的学习动力”的报告，高一、高二学生及部分学生家长参加报告会。学校工会配合党支部利用周一例会，组织教职工学习《中小学教师职业道德规范》，学习优秀教师先进事迹，观看电影《杨善洲》。开展“每天锻炼一小时，健康工作五十年，幸福生活一辈子”的健康幸福工程活动。开展读书活动，本着自愿喜好的原则，教师自选 1 本著作详细阅读，做好读书笔记，期末交 1 篇读后感，要求电子稿 1 份、手写稿 1 份、字数 2000 字以上。举行以“团结、奋进、文明、健康”为主题的教职工趣味运动会，并选派代表参加教育局举办的趣味运动会。开展送温暖活动，探望病患、慰问丧事、庆贺婚嫁、关心退休工作。

2013 年，校工会组织教职工学习领会《中华人民共和国工会法》《中华人民共和国教师法》《中华人民共和国教育法》等与教育教学相关的法律法规，学习科学发展观，开展以中共十八大精神为主题的宣传教育活动。5 月 3 日，校工会召开离退休教职工专题会议，聆听离退休教师对学校发展好的意见和建议。7 月 5 日，工会组织召开第六届三次教职工代表大会，讨论通过《瓮安中学教职工请假制度的规定》《瓮安中学教职工违纪处分规定》《瓮安中学班级管理工作量化考核方案》。年终，组织教职工听取校长管理学校的财务报告和重大经费的使用情况，听取校级领导的个人述职报告，并进行评议。

二、共青团

1950 年 6 月，县委决定在瓮安中学建立县内第一个团支部，发展团员 5 名，选举第一届团支部书记安之江。团县委给瓮安中学刻发一枚“中国新民主主义青年团瓮安中学团支部”椭圆形公章。学校团支部在团县委和校领导的配合下，利用每周六下午的周会时间，宣讲国内外时事、人民政府政策法令，表明人民政权扬善惩恶的立场。选送团的发展对象参加县举办的农民训练班，坚持广泛征求各方面意见的群众路线，发展团员坚持重表现、重成绩、重实际、重革命觉悟。

1951 年 7 月，学校严格执行学校内一切社会活动，由校教育工会与学生会统一领导，并取得学校领导的支持与协助，方能开展。学校的一切工作，均以完成学校教学计划为基本任务；所有在校学生任何人都不得任意调动，除其因国家建设工作之迫切需要必须调离学校。

1956年3月，学校建立团总支部，下建4个团支部。各支部在总支委员会的领导下，协同学生会、班委会进行工作。至11月，发展团员26人，完成总支计划86.36%。组织团内外同学听团课，帮助大家提高觉悟。同时，协同少先队、学生会出刊“三好报”10期，出刊《团讯》《红五月》《青年团副刊》。随时介绍和借出图书，赠《学生工作通讯》给各班。组织委员召集团员学习2次，听党课1次，组织非团员上团课2次。加强学校与农村（花桥农业生产合作社）联系，帮助农民识字、唱歌、学文化等，增加同学对劳动的认识，也增加农民对学校学生的爱护。元旦，向铁道部写慰问信1次，与农村通信1次。学校团总支对团员、非团员进行军事和劳卫制度教育，聘请部分团员为锻炼组长，成立体育协会。单周开组长会议总结经验。组织多数团员、非团员参加野战演习，聘请老师当裁判。加强对少先队的辅导工作，培养适年队员参加共青团。

1957年4月，学校召开“爱护公物展览会”。至7月，团支部先后在团的副刊上和“三好报”刊登“亚非学生会的材料”和《中国青年报》上的有关文章。学生会宣传部出版青年团副刊12期，介绍团的知识，教育同学积极加入共青团。组织2次团课，参课达187人。出“三好报”10期。配合军体部、学生会体育部协助学校和体育老师做好劳卫制工作。2/3的团员参加“夺红旗”野战演习。4月，派出团干1人参加省文教部和团省委召开的“第二次学校工作会议”，讨论学生的政治教育、毕业生升学和劳动生产、党对学校的领导和团的组织工作、调查学生思想向及对学生进行教育等问题。6月下旬，学校组织支委员干部学习，主要内容为：新形势和青年团工作任务，提出积极劳动、努力学习、加强团结这一号召的重大意义；团员和非团员树立爱劳动的正确观点，发扬勤工俭学的精神，适当开展课余劳动，培养良好的劳动习惯，毕业后愉快地走上生产劳动岗位；学习政治和文化科学知识，提高觉悟、学好本领，建设社会主义；加强团的组织建设，提高团员质量，保证团的先进性，使其成为青年的核心。同时要求校长、党团员、阅读“三大”重要文件（即邓小平代表中共中央在青年团会上的祝词、胡耀邦的工作报告和修改团章的报告、陆定一同志的讲话），在提高思想认识的基础上，认真研究团的工作。10月3日，遵照团省委《关于在社会主义思想教育中加强中学团的工作的意见》，学校对学生进行以反“右派”为中心的社会主义思想教育。组织学生参加与工农相结合的实际劳动锻炼，培养正确的劳动观念。12月3日，学校开展纪念“一二·九”运动20周年活动，请工人、农民、解放军座谈、联欢，出黑板报。

1958年1月，学校按照省教育厅、团省委《关于贯彻执行中华人民共和国教育部、共青团中央“关于中小学寒假工作的通知”的通知》精神，进行“整团”并协助学校行政领导学生会开展活动。整团强调以理服人，不扣帽子。4月，贯彻团省委批转学校少先队部《关于中学整团工作的意见的通知》精神，提高团员思想觉悟，纯洁团的组织，加强基层组织的领导和工作，按团章标准，教育团员做个名副其实的共青团员。15日，全校团员、青年响应“勤工俭学”号召，开展理发、洗衣、针线、手工、担煤等义务劳动。对落后团员分类排队，进行教育。6月12日，召开团员、青年会，党支部报告会。组织讨论或利用读报小组上团课等，使每个团员、青年都了解社会主义建设总路线，并通过黑板报、大字报，编唱山歌、快板、顺口溜、话剧、花灯调，读报、收听广播，俱乐部活动等协助党组织开展总路线的宣传运动。

1959 年 4 月 30 日，因瓮安福泉两县合并，瓮安中学和福泉中学团支部联合开展工作。团委书记由党支部书记兼任，副书记由党员担任。团委委员 13 人，正副书记 3 人，组织、宣传、军体、少先队、学生会各 2 人。团员 155 人，发展团员 68 人，共 223 人。申请入团人数 527 人。常委会由书记、副书记、部委委员组成。常委会主要研究团的重要工作和日常工作，由团支部会议贯彻。团委会一般每周召开 1 次，常委会不定期，支部每周过 1 次组织生活。

5 月，整风和“反右”斗争后，瓮安中学师生参加抢收粮食、钢铁运动、勤工俭学以及声势浩大的社会主义和共产主义思想教育运动。要求团员树立敢想、敢说、敢做、敢为和“我为人人，人人为我”的共产主义风格，做到“六要六不要”和“十心”。“五一”“五四”“七一”出刊 2 版，半月出团报 1 期。团支部每周组织生活，召开团员大会各 1 次。党支部抓宣教，团总支抓组织、军体、少先队。开展“六好”竞赛活动。

9 月，学校团总支配合学生会宣传部，办好“三好报”，做到反映人物、事务及时正确，国庆、元旦各出刊 1 期。以团队为中心办 1 个“团队图书室”供同学们阅读。组织团员学习团的知识、时事政治、上级指示，讨论本校本班的重大事件，研究团员和非团员的思想、学习、劳动等情况，组织文娱活动、野外活动。研究军体工作、少先队工作会议制度。10 月，学校团总支委员会讨论通过“评选先进支部”和“四好团员”的决议。

是月，校团总支委员会号召全校青年学生“在中国共产党的领导下，高举总路线、大跃进、人民公社的光荣旗帜”，积极响应毛主席身体好、学习好、工作好的号召，贯彻执行教育为无产阶级政治服务，教育与生产劳动相结合的方针，努力培养又红又专的工人阶级知识分子，作一个共产主义的好学生。

12 月 23 日，学校团委遵照团县委《关于在全县各组青年中开展“千军万马齐动员，各项活动大开展，家禽家畜双跃进，迎接 1960 年”的意见》，号召青少年开展“采集野生饲料突击周”活动，掀起饲养高潮，为实现一亩一猪贡献力量，迎接 1960 年开门红、月月红。28 日，团委分支部向党支部交决心书、保证书，教研组、班级的个别教师和学生也写了争当先进的保证书。

1960 年 1 月，校团委召开第一届总支委员会，贯彻执行党对团的绝对领导精神。3 月 18 日，校团委遵照团县委《关于协助党办好公共食堂的意见》，号召学生树立“七要七不要”思想。3 月，校团委针对个别学生错误言论，连续召开 5 次团委会和 11 次团支干扩大会议，并以分支为单位多次召开团支委会议、团员大会和积极分子大会。配合学校组织团分支班级学习《反对自由主义》《怎样做一个共产党员》《青年修养十三讲》等书籍。以“市场问题”为题上团课，澄清学生中不正确认识。团委召开积极分子大会，并召开 7 科以上红分同学会议。4 月 25 日，团委决定以初中一二年级、高中年级为重点发展团员。发动团员、青年参加植树造林运动。在学校体育教师的指导下，团委会派军体委员分别担任体协主席、副主席和委员等职，配合学生会体育部搞好野外活动和学生会文娱部教唱革命歌曲 6~8 首。召开团委会每周 2 次，总支委会 2 周 1 次，支委会 1 周 1 次。团委扩大会 2 月 1 次。常委会不定期召开。是年，发展团员 80 人，建立团支部 16 个，共有团员 145 人。在评选的“四好学生”中，团员均占 80%~90%。

1961 年，学校加强对全体团员、青年和少先队员的思想教育。各总支分支部组织上团课、学文件，开展评比。办好校内“团讯”和“四好报”，并在国庆、元旦等节日，通过出特刊、举办晚会等开展教育。各总支分支配合班主任搞好思想教育工作，积极组织同学参加校内外的各项政治活动和学习毛泽东著作。做好毕业班的思想教育工作，明确学习目的，端正学习态度，听党的话，完成党交给的各项任务。配合体协，办好“四好报”，搞好体育锻炼。设“四好标兵台”，表彰先进人物。参加教育改革，按时完成教师布置的任务，提高教学质量。开展“四好”“十比”“七无”政治思想教育运动，开展“向安成香学习”活动。

1964 年 10 月 1 日，校团委组织全校师生参加县委、县政府举行的新中国成立 15 周年国庆大典，观看《东方红》大型歌舞史诗。

1965 年，初二、初三班团员和青年到县城演出话报剧，支持越南人民反帝爱国斗争。高三团支部自导自排歌剧《江姐》，在校内外演出。是年，以“三好”为目标，以学习为中心，开展切合团员、青年实际活动，培养又红又专人才。为帮助青年学生树立远大理想，请革命前辈、英雄模范、劳动模范、工农作报告；开展学习雷锋活动，参加各种社会服务和公益劳动；为激励青年学生努力学习，举办科学技术讲座，学科竞赛、成绩展览等。

“文化大革命”初期，由于林彪、“江青反革命集团”的破坏，团委停止一切活动，“左”倾思想的产物红卫兵取代共青团。

1970 年“复课闹革命”后，中共中央发出《关于整团建团工作的通知》，团的工作逐渐恢复。郑书全任团委书记，雷中香任团委副书记。学校组建有校团委、团支部、团小组、班委会、少先队、学习小组、政治学习小组、读报组、学习毛主席著作小组、锻炼小组、墙报组、乐器组、歌咏组、篮球队、乒乓球队等。每年团支部开会达 50 多次，班委会 30 多次，班主任作“小报告”40 多次。学生干部兼职多、活动多。1973 年 3 月 17—21 日，校团委组织代表队参加“共青团瓮安县第八次代表大会”，以批林整风为纲，学习毛主席关于青年工作的论述，开展学雷锋活动。12 月，校团委组织学习县委批转团县委《关于在农业学大寨，普及大寨县运动中，进一步加强共青团建设的报告》，做好发展新团员工作。

1978 年 10 月，学校在团中央提出的“为伟大的新长征贡献青春”的号召下，掀起“五讲四美”“三热爱”等一系列教育活动。

1980 年 5 月，学校开展“红五月”活动，评选先进团支部、“五四”法制新团员。举行诗歌朗诵会。

1981 年 9 月，校团委按照团省委、教育厅《关于开展“四个一”竞赛活动的通知》精神，开展“四个一”活动（读一本教育学、心理学的书，设计和组织一次新颖的团的活动，上一堂受欢迎的团课），副书记参加活动。

1985 年 2 月，校团委在全校学生大会上传达《共青团中央关于 1985 年“五讲四美三热爱”活动的安排意见》，把学校精神文明建设提升到一个新高度。

1989 年 6 月，根据州团委、州教育局《关于 1989 年全州中小学暑假团队活动的安排意见》，组织开展“三热爱”（热爱党、热爱国家、热爱解放军）教育活动。组织学雷锋小组，为军烈属、五保户、困难户、老干部、老工人、老教师及孤寡病残人做好事、办实事，帮助他们解决生活中的困难。有计划、有部署安排各种勤工俭学活动。开展读书、读报活动。抓好辅导员、团干、队干的培训工作。

1991 年 3 月，校团委组织高中、初中一年级各班（每班选 49 人）到后山坡植树造林。组织高一年级全体共青团员 120 名，参加团县委在七星坡的植树造林活动。组织初一、初二年级全体同学参加“学雷锋活动月”活动，清扫街道，设立茶水站，设立疑难知识咨询点。4 月 7 日，召开团委代表大会。出席会议代表 92 人，校学生会、少先队列席代表 14

人，学生列席代表9人，共125人。会议审议、通过团委书记陈全福作的《加强团的自身建设，发挥共青团的先锋模范作用》的工作报告和新一届团委向全体团员、青年、少先队员的《倡议书》。53名新团员在会上宣誓。11月23日，共青团瓮安中学业余团校成立，并确定发展团员200名的任务。

1992年5月1—6日，校团委举办“纪念五四运动及共青团建立70周年”学习园地评比活动。活动主题为“伟大的党、光荣的共青团”，设计要求美观大方、图文并茂、主题鲜明、栏目新颖、内容充实、书写图画具有艺术性。评比结果：初中部第一名 初一（4）班、初二（1）班、初三（5）班，第二名初一（3）班、初三（4）班。高中部第一名高三（4）班、高三（3）班、高一（3）班，第二名高一（6）班、高三（2）班。

1993年3月，校团委组织全体师生到梅花堰植树造林。5月，组织学习团中央“十三大”《高举建设有中国特色社会主义的伟大旗帜，团结带领各族青年为加快改革和现代化建设而奋斗》的报告。

1994年，校团委参加共青团瓮安县教育工作委员会成立大会。是年，认真实施《跨世纪中国少年雏鹰行动》，围绕“强化管理，全面提高教育教学质量”开展工作，配合学校抓好“后进生”“双差生”的转化工作。学习《中国教育改革和发展纲要》《建立社会主义市场经济体制中中国青年战略发展规划》，成立中心学习小组，制定学习规划。建立健全“三会三制二课”（支部委员、团小组会、团员大会；推荐优秀团员制度、团员教育评议制度、团员证年终注册制度；上党课、团课）及“四簿一册”（团员登记簿、会议登记簿、团费收交簿、好人好事登记簿和青年花名册）。建立业务团校，组建青年之家。举行“五一”“五四”系列纪念活动。根据中共中央印发的《爱国主义教育实施纲要》，学校把参加成人宣誓仪式作为纪念年满18岁步入成人的重要形式。

1995年8月31日，校团委执行县委宣传部、团县委等7个部门《关于第二届青少年“热爱祖国做四有新人”读书活动的表彰决定》，对下列人员进行表彰：特等奖，余祥兴、谢仲勇；一等奖，敖富军、吴松；二等奖，李袁圆、吴升伟、杨军；三等奖，徐元丽、王铀、李林、杨卓；优秀奖39人。教师辅导奖，刘忠信；家长辅导奖，余海生（余祥兴家长）、谢均奇（谢仲勇家长）；组织奖，瓮安中学。是年，校团委在初三各班建团支部，初二各班建团小组。

1997年8月，遵照中共中央组织部、国家教委、团中央印发《关于加强对中学生进行党的基本知识教育的意见》，校团委召开会议讨论对中学生进行党的基本知识教育的重要意义。

1998年3月20日，根据县委宣传部、县精神文明办、教育局、文体广播电视局、民政局、团县委《关于充分利用我县爱国主义教育基地开展爱国主义教育活动的通知》，校团委组织团员、青年对“红军抢渡乌江战斗遗址、冷少农烈士故居、猴场会议会址、塔坡烈士陵园”进行参观，接受爱国主义思想教育和革命传统教育。5月，高三（2）班学生周露秋被团省委授予“全省优秀共青团员”称号，张德军、左黎明被县团委评为“优秀团干”“优秀团员”。6月，组织学习团中央十四大报告及通过的《中国共产主义青年团章程》修正案，明确把马克思列宁主义毛泽东思想和邓小平理论作为行动指南。

1999年4月，按照县教育局《关于在全县中小学开展禁毒教育的通知》精神，学校团委利用广播、壁报、张贴挂图等，宣讲毒品给社会、家庭造成的严重危害，举行“珍惜生命，远离毒品”誓师大会。

2001年3月，校团委贯彻中共中央教育部党组、团中央《关于各级各类学校广泛开展“校园拒绝邪教”活动的通知》精神，对全体师生员工进行遵纪守法、崇尚科学、抵制邪教的教育。教师人手1册《不是真善美而是真残忍》。4月23—25日，组织师生观看影片《宇宙与人》，了解邪教“法轮功”反人类、反社会、反科学的邪教本质。6月，组织师生观看系列电视专题片《为明天奠基——跨世纪的素质教育与教师素质》。

2002年，全校学生3068人，其中，共青团员1848人，党员1人。

2003年7月，学校开始传唱团歌《光荣啊，中国共青团》。歌词是“我们是五月的花海，用青春拥抱时代。我们是初升的太阳，用生命点燃未来。‘五四’的火炬，唤起了民族的觉醒。壮丽的事业，激励着我们的继往开来。光荣啊，中国共青团。母亲用共产主义为我们命名，我们开创新的世界。”

2004年3月18日，学校团委与社会、家庭建立家庭、社会、学校三位一体的教育网络，成立家长委员会。与县武装部、联防队、县精神文明办、团县委、县关协等部门建立合作，共同组织对学生的教育活动。9月30日，学校成立青春期健康教育领导小组，制发《瓮安中学青春期健康教育计划》。组织收看《男孩、女孩》《中小学青春期教育》专题片22碟，并通过心理咨询室倾听学生心声，疏导学生心理，解决存在的问题。

2005年1月26日，瓮安中学团委被共青团瓮安县委评为“先进集体”。4月8日，校团委组织新老共青团员参观“猴场会议”会址，并举行新团员宣誓仪式。16日，学校团委、学生会组织“五四”篮球比赛。12月9日，学校团委举行155名新团员宣誓仪式。

2006年3月10日，校团委组织1800名团员参加县委组织的植树活动。4月22日，校团委和学生会组成黑板报评比小组，评出优质黑板报班级12个。其中一等奖：高一（1）、高二（4）班；二等奖：高一（3）、高二（1）等4个班；三等奖：高一（6）等6个班。5月26日，学校105名新团员在团旗下庄严宣誓。12月8日，校团委、政教处和政治学科联合组织的高二年级《人格修养与知识修养》辩论赛复赛，决出一等奖129班、二等奖120班、三等奖122班、优胜奖123班。最佳辩手周甜，优秀辩手沈飞、王爱淳。是月，团委书记李琴在北京参加“全国教育系统团干部‘素质教育与德育创新’培训班”学习培训。

2007年3月，校团委组织218名青年志愿者参加全民义务植树。20日，117名青年举行入团宣誓。5月，王祥、肖莉、杨洁莹同学受州团委表彰。8月16日，校团委组织300余名学生参加县委宣传部、团县委、县旅游局、县文体广播局、教育局、财政局、人事劳动和社会保障局、民族宗教事务局联合开展的首批“春晖助学——百所外省高校千名黔南学子文化旅游宣传使者”瓮安地区礼聘活动。被北京大学录取的李成果同学作为宣传使者代表发言。11月12日，团省委“学习贯彻党的十七大精神”宣讲会（黔南瓮安会场）在学校举行，县委副书记瓦标龙、副县长陈博，全县各乡镇、各中学团支部书记及县城部分优秀学生代表参加会议。12月7日，149名新团员入团宣誓。29日，校团委将《关于我校学生向雪宁因病情请求资助的报告》提交上级各部门及发送社会各界。

2008年3月，全校团员代表选举新一届校团委领导班子8人，其中2位专职团干部、其余6人为学生会成员。5月15日，校团委组织全校师生为四川汶川大地震灾区献爱心，共募捐3.91万元。6月4日，又筹得2954元，合计4.20万元。“六二八”事件发生后，团省委书记杨杏木、副书记刘锐、州团委书记帅如恩一行到校举行班主任座谈会，围绕“怎样对青少年学生进行思想品德教育”主题，探讨教育缺失的原因及团组织怎样服务于青少年学生。校团委组织高二、高三年级开展“六二八”事件反思大讨论和遵纪守法大讨论主题班会。是年，校团委有团总支 3 个，团支部 51 个，团员 2350 人。评选出优秀团支部 4 个，优秀团干部 4 名，优秀团员 15 名，优秀广播员 3 名，优秀记者 3 人，优秀编辑 3 人。

2009 年 3 月，全校团员代表选举新一届校团委领导班子 9 人。4 位专职团干部中，大学本科学历 3 人，研究生学历 1 人；共产党员 3 人，入党积极分子 1 人，其余 5 人为学生会成员。团委下设 2 个团总支，1 个教工团支部，56 个学生团支部。160 班王镜淋被评为“黔南州优秀共青团员”，黄鑫被评为“黔南州优秀青年志愿者”。5 月 4 日，发展新团员 204 名。年底，又发展新团员 243 名。11 月 27 日，全校学生参加校团委组织的“李阳疯狂英语”演讲报告会。12 月 7 日，学校派出邱警、蒲江同学参加团中央学校部、中国少年儿童新闻出版总社、中学生杂志社联合举办的第七届“叶圣陶杯”全国中学生新作文大赛，双获一等奖；刘忠信、王支全老师分获“优秀指导老师”一等奖；学校被授予组织奖。是年，校团委对播音员集中培训，使学校广播站走上正轨。推出各种主题的宣传板报，让青年了解党、团组织史、英雄事迹、天下大事，提高团员青年政治思想水平。组织高一年级 2 个主题班会课。协同学生会对全校学生的个人仪表、宿舍纪律、食堂秩序进行检查评比，对公共区域卫生进行打分评比。组织青年志愿者开展社区实践活动、植绿护绿活动和“双学”活动及学雷锋活动。先后组织参加有关单位组织的“五一”“五四”登山活动、“全县中学生田径运动会”等比赛。

2010 年 3 月 5 日，校团委、班主任带领高一年级 5 个班学生走上街头打扫卫生，用实际行动向雷锋同志学习。4 月 26 日，高二年级 900 名学生参加庆“五四”“迈入青春门，走好成人路”宣誓活动。10 月，校工团支部成立，赵俊当选为新一届团支书。11 月 14 日，校团委组织全体团员干部举行“社会主义核心价值体系知识复赛”。办好校园广播，招聘并培养播音员、编辑和校园小记者。组织班团学生会干部轮流值日，检查学生日常学习、生活情况、检查各班清洁卫生、宿舍卫生、集会纪律、个人仪表等。各支部开展帮学活动，做到“一帮一”或“多帮一”。开展“珍爱生命、远离毒品、拒绝违法”为主题的讲演比赛，增强学生自我保护意识。

2011 年 8 月 10 日，响应团省委“春晖行动”号召，利用“亲情、乡情、友情”情感纽带，帮助家庭经济困难的学生顺利完成学业，成立瓮安县春晖助学协会。会长张明光，副会长邓超、赵俊，秘书长周洪。成员有年级组长、学科组长。是年，校团委坚持服务学校、服务学生，通过举办讲演赛、汇报会、座谈会、社会主义核心价值体系学习等活动，让青年学生对中国革命历史和科学技术发展状况有更好的了解，以踏实刻苦的学风学好社会主义科学文化知识，报效祖国。在全国教育科学十一五课题推动下，瓮安中学成立《中学生养成教育实验与研究》课堂组，校团委配合学校，帮助学生养成良好的行为习惯、学习习惯、锻炼身体的习惯，并开展“整脏治乱”“躬身行动”“感恩行动”等活动支撑课题的实效性。学校支持共青团工作，划拨“五四”活动经费 5000 元，配套活动经费达 2 万元。开展青年志愿者活动。参与创建文明城镇，“平安瓮安”等活动。校团委加强对留守学生的服务力度，在适龄少年儿童中开展心理健康咨询、学生辅导、助学金资助等活动。组织学生观看电影《第一书记》，参加“瓮安县庆‘三八’登山比赛”“全县中小学文艺会演”“学校高一年级学生第三套全国中小学生广播体操《舞动青春》比赛”“2011 年迎‘五一’‘五四’篮球比赛”“第五届校园十佳歌手大赛”。

2012 年 3 月，校团委参加团县委组织的“弘扬雷锋精神，开展志愿服务”主题活动，关爱“空巢老人”“留守儿童”“残疾人士”。5 月 3 日，学校团委在全县庆祝共青团建团

90周年暨五四运动93周年系列活动中获一等奖。

2013年1月24日，为纪念“五四运动”94周年暨建团91周年，团县委在学校大礼堂召开瓮安县春晖团支部成立大会暨“春晖行动·我与家乡共发展”动员大会。县各学校团支部派员参会。3月10—15日，教师赵泽钦、肖洁到省团校参加全省“千校万师”未成年人思想道德建设骨干教师第四阶段培训班培训。4月28日，县委宣传部、团县委、县教育局、县文体广电旅游局、县文联5家发出《关于印发瓮安县“迎五四爱党爱国爱瓮安”情系演讲比赛暨成人礼仪式方案》通知。学校派出青年教师13人参加演讲比赛。学校获“五四红旗团委”称号；老师杨贤材获“优秀共青团干部”称号，学生田胜楠获“优秀团员”称号。6月23日，教工团支部到艳山红开展“我与学校共成长”打靶活动。结果：一等奖吴定祥；二等奖王燕飞、秦飞；三等奖曾毅、邓华桥、管治雄；唐书军、潘光会等10位教师获优秀奖。7月7日，校团委组织青年86人在新区安置小区开展义务打扫活动。11月10日，团委、政教处组织30余位志愿者参加“爱护环境、美化家园、共创文明和谐新街道”志愿服务活动。12日，团委副书记杨贤材召开第一次社团联合会。38个社团、72位指导教师共700余人参会。

三、少先队

1950年9月，瓮安中学成立中国少年先锋队。

1951年5月14日，中央人民政府教育部、中国新民主主义青年团中央委员会联合发布《关于加强教育行政部门与中国少年儿童队的联系的决定》。决定指出：在学校中，少先队的任务与新民主主义国民教育的任务同样是为了教育少年儿童使之成为新中国的优秀儿女。通过少年儿童队易于培养少年儿童的自觉性、积极性与创造性，在学校中团结同学、学好功课、使国民教育培养新公民的目的能够完满达到。所以，在教育行政部门与少年儿童队之间，应该建立起密切的联系。应该重视与指导少年儿童队的工作，并给予一切必要与可能的协助，团委应在教师中进行经常的工作（如：定期向教师作报告，发现与培养青年荣誉教师，与教师举行座谈等）。学校中的少年儿童队，应尊重学校行政的指导，响应行政上的号召，遵守学习秩序，努力学好功课。教育行政部门与青年团少年儿童工作部门互派代表，出席讨论有关问题的会议，并定期举行联席会议，经常交换意见，以取得密切的配合与联系，共同为办好学校而努力。在聘请教师担任少年儿童队的辅导员时，应先取得教育行政部门的同意，并由教育行政部门同时通知该校，在可能范围内减少辅导员的行政工作或授课时间，并在一般教师的配合与协助下使他们更好地进行辅导工作。教育行政部门在调动担任辅导员的教师时，亦应事先通知青年团少年儿童工作部门，并尽可能取得同意，俾便交代工作和承继经验。已建立少年儿童队的地区，队的经费问题应由当地教育行政部门与青年团共同商洽解决。

1954年4月20日，学校组织教师学习“全国少年儿童节第一次工作会议”文件、朱德总司令《在开幕式上的讲话》、胡耀邦《热爱新的一代是共产主义美德》和胡克实《培养社会主义的新人》。

1955年7月，学校大量发展少年先锋队组织，协助当地团委根据中小学少先队工作的情况，制定少先队发展的具体计划，建立优秀的辅导员队伍，选聘“思想进步、作风正派、热爱儿童”的优秀教师担任少年先锋队的辅导员。同时对新聘的辅导员进行1次短期训练。是年，学校在初一、初二年级建少先队中队，有少先队员400人左右，并聘请总辅导员1

人，辅导员 2~5 人。

1957 年 9 月，瓮安中学收到团省委学校少先部的信函，每班订阅 1 份《贵州青年报》。

1958 年，学校响应团中央《关于在儿童中开展种植、除四害、讲普通话三项活动》号召，利用空地种植向日葵 100 株，蓖麻 100 株，大窝苕、南瓜 30 窝。响应贵阳市八万儿童和甲秀小学与瓮安雍阳小学的倡议，捐献一台“少年号”火车头。搞好卫生工作，组织宣传队、检查队、突击队除“七害”，使学校变为“七无”学校。要求教师用普通话讲课。提倡“五勤五有”（勤洗衣、勤漱口、勤洗澡、勤剪指甲、勤打扫，人人有面巾、人人有牙刷、家家有厕所、厕所有棚、粪桶粪池有盖）的卫生习惯。

1960 年，初中一、二年级少先队工作，注意加强培养班级干部，建立班组织核心，形成班集体。初三明确学习目的，端正学习态度，树立认真、踏实、刻苦、顽强的学习风气，并用书面总结或会议汇报等方式交流教育工作经验。

1961 年，校团委发动全团带动各支部，特别是初中总支及各支部，把队的工作列为团工作的重要内容，在节日和革命领袖、英雄人物纪念日举行纪念活动，清明节祭扫革命烈士墓，新年春节慰问军烈属、解放军和老师，“六一”儿童节举行庆祝活动等。少先队活动最基本的就是队会，有大队、中队、小队的队会。大队的活动每学期举行 2~3 次，或组织纪念重大节日，或解决全大队重要问题。中队队会是同班级队员参加的活动，每月举行 4~5 次。小队队会是大队和中队活动的准备和基础，可经常举行。

1964 年起，组织开展学雷锋、学习各条战线的英雄模范活动，组织社会服务活动，启发队员为人民服务。组织参观工厂、工地、农村，使队员热爱社会主义，热爱人民。在活动过程中，教育学生尊敬师长、有礼貌、守纪律、爱集体、养成文明行为和习惯。

1965 年，校团委加强对少先队员的领导。在辅导员的领导下，加强队委工作，分工合作，使队员能刻苦学习，勤俭朴素，爱劳动，尊敬老师，团结工友，遵守纪律，在学习工作思想上为入团创造条件。

1985 年 6 月，赵泽宇获省级优秀辅导员称号，1988 年 11 月，获西南 5 省市少先队“五有达标”工作先进奖。1991 年 4 月 8 日，团县委聘请倪祖芳为瓮安中学少先队员辅导员。2001 学年度，学校少先队因学校初中部的停办而取消。

四、学生会

1954 年，学生会配合学校教育学生努力学习，开展组织报告会，举办演讲比赛、诗歌朗诵会、科技航模展览会等活动。组织经验介绍、学习方法交流，鼓励同学努力学习，提高学习自觉性。

1957 年 7 月，学生会随时了解收集群众意见，向学校团委反映，在团的领导和帮助下，依靠全体同学开展工作。

1959 年 5 月，学生会依靠宣传部办好“三好报”，协助学校和老师，教育同学增强组织纪律性，执行学生守则，遵守校纪校规，维护学校正常秩序。鼓励同学关心国内外形势，积极参加实践，协助学校和教师组织同学参加一定的社会活动、生产劳动和社会公益劳动。组织合唱队、舞蹈队、各种体育运动队等学生文娱体育活动团体，组织各项比赛。

1960 年，自然灾害造成学生思想不稳，不思学习，影响教育质量。学生会在团支部的协助下，配合班委会提倡勤俭节约、艰苦朴素的作风，学习《反对自由主义》《个人和集体》《青年修养十二讲》等书籍，联系思想实际，分组或全班讨论。同时，在全校范围内掀起学习毛主席著作的高潮，以班为单位组织2~3个小组，全校成立常设委员会，具体指导小组进行学习。办好瓮安四中校刊和“四好”黑板报，向同学们介绍“立雄心、树大志”的书籍和文章，具体指导学习。组织参观瓮安磷肥厂、敬老院，讨论并写出心得、感想。

1961年，学校评选好学生198名。

1966年，班委会在班主任的领导下开展工作，协助老师做好本班学生的思想、学习、文娱、体育、课外活动，以及生活等各方面的工作。

1970年后，学生会组织机构健全。下设学习、生活、宣传、文娱、体育、劳动6个部。宣传部下设通讯、广播、板报三个组。通讯组围绕学校中心工作向各班通讯员、采访员、评议员布置写稿任务。稿件形式有通讯报道、散文、诗歌、日记、评论、述评、消息报道、文艺欣赏等。宣传部发挥宣传、鼓动、教育、战斗作用，培养和锻炼了大批学生。学习部的绘画组多次举办画刊。文娱部利用“五一”“五四”“七一”和“国庆节”等节日，组织学生参加县的唱歌比赛。体育部组织学生开展球类、田径等竞赛活动。生活部负责校园内环境卫生，对学生宿舍、教室、校园坚持每天一小检查、每周一大检查，2周评发1次流动红旗的制度。

1985—1986学年度，学校举办“一二·九”纪念日演讲比赛，各班推荐1名代表，学生会统分，评出名次发奖。从优胜者中选出普通话好的进行朗诵培训，为广播组广播员的新老交替作准备。体育部拟定课外体育活动计划，发动各班体育积极分子参加，轮流带领全校学生做课间操，分级分部举行球类田径等比赛活动。

1989—1991年，学生会下设宣传、学习、劳动生活、体育和文娱5部。学生会利用广播、黑板报播发国内外新闻，宣传党的方针政策。普通话较为标准的播音员参加宣传工作。播送《学习方法谈》《人才与机遇》等稿件和诗歌、随笔等小文章。黑板报每周1期。劳动生活部负责学校的清洁卫生检查和安排。1990年，共检查教室32次、清洁区21次、厕所35次。对评出的优秀班级给予奖励。体育部对学生实行出勤登记，对体育项目考核，采取达标及格两种记分制，出勤登记按20%记入总分。1990年，全校学生达标人数占90%以上，及格人数70%以上。

1994年5月，学校颁发《关于加强学生学风管理的暂行规定》，学生会认真学习。

1997年，学校学生会利用广播、录像、墙报、班会、班刊、展会、红旗下讲话等多种形式，大力宣传法律、法规知识。把普通教育同爱国主义、德育教育相结合，请公安、司法等部门到校作专题报告。

2001年4月18日，校团委、学生会发出倡议书《为一个垂危生命而呼救》，号召全校学生为患淋巴癌的高二年级学生丰元莉献出一份真诚、至高无上的爱。

2004年2月，学校邀请校友硕士研究生唐钷、李竹分别为各年级学生举行专题讲座，鼓励校友勤奋学习。9月6日，全校学生到冷少农烈士故居参加“弘扬和培育民族精神”启动仪式。10—12月，“青春期教育活动”启动，通过专家电视讲座，对学生生理、心理自我防范、礼仪规范等进行全方位教育。

2006年，学生邱德清回乡放鸭，腰椎被树枝砸断，生命垂危。学校党支部、团委发出倡议，号召全体师生捐款2万余元。

2007年12月，学生会协助学校落实省教育厅《关于做好全省普通高中家庭经济特困学生资助工作的紧急通知》，将资金在春节开学前发给89名学生。

2008 年 5 月，开展“唱响瓮安·满意在瓮安·和谐迎奥运”为主题的“第二届校园十佳歌手”大赛。6 月，校团委、学生会联合举办“迎奥运、促和谐、树新风”演讲比赛。瓮安“六二八”事件发生后，学校反思“六二八”事件，编辑《法制教育读本》《心理健康读本》并进入课堂。举行“反思瓮安事件，做遵法守法中学生”主题班会，教育学生知法、懂法、守法，树立正确的人生观、世界观、价值观。

2009 年 5 月，筑梦文学社在校团委和学生会的协助下，举行第二届“筑梦杯”诗歌朗诵比赛。是月，在“三棵树”会所和南洋矿产公司支持下，学校举行“三棵树”杯第三届“校园十佳歌手”大赛。7 月 17 日，政教处牵头，组织学生 50 名参加“贵州大学生走进瓮安慰问演出”活动。26 日，组织 200 名学生参加县委、县政府举办的“瓮安县青少年及各类人才奖励大会”。

2010 年 1 月 18 日，省禁毒委员会祁队长等人到学校开展“全民禁毒教育活动”，高二（172）班全体同学采用问卷调查形式对禁毒的相关问题进行调查。

2012 年 6 月，学校举行“追忆金色年华，放飞青春梦想 2012 届毕业庆典文艺晚会”。州委副书记、县委书记陈昌旭，县委常委、宣传部部长曾薇，副县长夏吉友，政协副主席郑毅等领导观看演出。这是学校搬入新校区的第一届毕业晚会。

2013 年，学生会坚持“查、疏、堵、防”相结合原则，纠正学生走人行道和过斑马线时的不良行为，帮助学生掌握逃生技巧。制定“学校领导带头抓，班主任队伍重点抓，学生干部积极抓，任课教师协助抓”措施，取得明显成效。

五、民兵营

1960 年 2 月，学校党支部响应毛泽东主席“大办民兵师”号召和“民兵三落实”指示，统一研究、统一部署、统一领导，书记带头抓、支委分工抓，人人关心民兵建设工作。学校党支部遵照县委《民兵训练规划》的要求，组建民兵营，每年组织民兵 200 余人参加实弹射击，开展野营活动，增加军事课程训练。

1972 年 4 月，州委、都匀军分区下发《关于纪念毛主席民兵工作“三落实”发表十周年的指示》，要求抓好路线教育，发挥民兵组织在三大革命运动中的骨干作用；唱好《国际歌》和《三大纪律八项注意》；四五月份搞一次民兵集合演习，6 月 19 日前举行一次民兵集合。

1977 年初，学校民兵营组织得到具体落实。县驻校工宣队长、副书记王义方任营长，党支部书记宋泽高任教导员，支委王晖、黄栋贵、郑友明任副营长，副教导员李吉才、石正宽任指导员，共青团干部任副指导员。3 月 5 日，在纪念毛主席发表“向雷锋同志学习”14 周年之际，各民兵连排办学雷锋专栏，召开学雷锋专题讨论会，写学习心得，民兵为军属挑水劈柴等好人好事层出不穷。在校办工厂、农场和农忙假期劳动中，人人争当闯将。全营办起 19 个大批判专栏，召开 60 多次批判会，批判江青反革命集团反党乱军的滔天罪行。开展比、学、赶、超活动，表彰先进。按毛主席提出的“以学为主，兼学别样，不但要学文，也要学工、学农、学军，也要批判资产阶级”开展教育教学活动。党支部把民兵工作列入议事日程，要求民兵做学习的模范、对敌斗争的勇士、生产的能手、遵守纪律的榜样、斗私批修的闯将，使民兵工作出现一个“上有抓头、下有奔头、干有劲头”的新局面。党支部召开支委会和支部大会，认真学习、讨论《关于纪念毛主席民兵工作“三落实”指示发表十五周年的意见》。是年，组建民兵组织 1 次，训练 2 次，进行排列、射击、投弹、拉练等军事训练。民兵营在维护社会治安，保卫学校师生员工生命财产的安全，维护学校纪律，保卫和支援社会主义革命和建设中起到很大作用。

1978 年 10 月 5 日，县人武部批复同意瓮安中学民兵营整顿。全营 6 个连、15 个排，民兵共 693 人。其中，基干民兵 673 人（男 388 人、女 285 人），普通民兵 20 人（男 14 人、女 6 人）。

六、关心下一代协会

1985 年，县“关心下一代协会”副主席许云堂视察瓮安中学，针对教师外流，人心不稳，教育教学受到影响问题，通过召开教师座谈会、家长会和个别走访等方式，引导教师正确对待教育事业，了解教师困难及需求，及时向县委、县政府反馈，帮助解决具体问题，稳定教师队伍。引进一批教师，充实瓮安教师队伍，恢复正常的教学管理秩序。学校工作进入正轨。

1990 年 4 月 20 日，筹建瓮安中学关协分会。5 月 25 日，校党支部和行政负责人会议研究成立瓮安中学关协分会，主席余国民（兼），副主席熊德芬、王伦高，委员王仁学、张仕雄。

1991 年 10 月 12 日，瓮安中学家长学校成立，王仁学为家长学校副校长。每学期开展家长学校活动 1 期。是年入学的初一新生家长参加。课程设置：家庭教育的地位和作用、目的和意义，方法和途径；青少年身体、心理特征，常见疾病的预防与治疗；中学生行为规范，文明礼貌常识；中学教育内容设置与要求。2001 年，家长学校切实贯彻“爱而勿溺，严而有格，科学管理，以身作则”的教育原则。

2004 年 4 月 3—5 日，教育部关心下一代工作委员会，中国关心下一代工作委员会办公室、中国科学技术协会青少年工作部、中国发明协会办公室联合组办的全国第二次中小学信息技术创新与实践活动复赛暨颁奖大会在广州举行。瓮安中学高三毕业班学生张德锟、刘盾、温光武分别获得网络英语、作文、电脑 DIY 装机技能竞赛三等奖，学校获“先进单位”奖牌。

2006 年 3 月 22 日，《劳动时代报》家庭教育专家报告团在瓮安中学举办“把成功传给下一代”家庭教育专题报告会，250 余名家长、100 余名教师参加了报告会。

2007 年 4 月 16 日，县关心下一代协会向瓮安中学颁发“关心下一代工作先进集体”奖牌。

2008 年 7 月 29 日，瓮安中学被全国关协工委会、教育发展中心、全国教育专家委员会、全国中学教育科研联合体评为“全国百所最具成长力学校”并授匾牌。10 月 27 日，学校成立“瓮安中学违法青少年帮教工作领导小组”，确保“六二八”事件违法青少年帮教工作取得实效。

12 月 7 日，学校根据《瓮安县千名教师大家访实施方案》文件精神，开展“全员教师大家访行动”。家访的内容是，向家长通报学生在校期间的思想品德、学习、生活、纪律等表现情况以及摸底排查学生家庭信访诉求、纠纷调处情况；了解学生家庭结构、经济状况、成长环境、家庭教育、学习习惯和生活习惯等情况。家访由班主任牵头、联系，其他任课教师协调前往。形式分为意向型、随机型、重点型、普访型等，具体按《瓮安中学班主任家访工作制度》进行家访，学校领导、中层干部、党（团）员模范带头，学校统一时间，由班主任和任课教师组成家访小组共同前往事先联系好的学生家庭进行家访。教师家访重点放在两个假期进行，上课期间班主任每月家访不少于4次，其他教师必要时随同班主任家访，每月不少于2次。学校根据教师提供的信息及时组织班子成员进行调研，对有问题的学生及信访矛盾的家庭适时进行再次家访，有重大情况及时报告县教育局，达到层层上报，最终解决问题的目的。同时，创新家访形式，建立学校互访制度、学生成长记录袋（档案）。留守学生家访，通过电话、信函、网络等形式进行。

2010年1月，学校联合退休教师成立关心下一代工作委员会领导小组。主任张明光，常务副主任黄栋贵、张世忠、邓超，副主任谭敬昌、田景材、周洪、刘仁奎，成员郑义、刘明林、周承欢、华和平、曾昭映、李树南、游鹏、杨友发、陈刚、李景辉、肖春花、赵俊、杨贤材、学科组长、班主任。11月，县关工委到校参观校园、查阅资料，对学校关工委建设进行量化评分。

2012年4月13日，中国关工委公益文化中心全国巡回报告团莅临瓮安中学，作主题为“激发孩子持久的学习动力”的报告，高一、高二年级的学生及部分学生家长参加报告会。

2013年4月16日，学校党总支调整关心下一代工作委员会领导小组。主任邓超，常务副主任陈刚，副主任谭敬昌、张世忠，成员周洪、游鹏、刘忠信、华和平、杨乔书、杨贤材。陈刚兼任办公室主任，王永奎协助处理日常事务和资料的收集整理。

第四章 师 资

第一节 队 伍

清·光绪三十二年（1906 年），花竹书院改组为高等小学堂，因原书院经费不及，程度不合格，未能立案。是年 12 月 10 日，谭希杜赴任，“迭饬权办”，劝学所事务商肇文妥筹经费，于光绪三十三年（1907 年）3 月开办。堂长杨茂辉，教员李启光、车钧、罗魁 3 人。

民国元年（1912 年），癸卯学制废止。9 月，公布学制系统“壬子学制”，并在次年修正后整合为“壬子癸丑学制”。高等小学堂改为县立高等小学校。1913 年县立高等小学校有教学班 4 个，学生 200 余人，教员 8 人，校长李启光。

民国 13 年（1924 年），县立高等小学校校长宋宝德，学监谢德羊、宋贤文，庶务杨聚贤，教员 14 人。

民国 15 年（1926 年）11 月，瓮安县立中学开学，录取学生 16 人编为一班，小学教员吴宝箴担任国文、历史教员，其余课程由校长胡国泰 1 人承担。

民国 17 年（1928 年）1 月，教育厅通令瓮安县立中学改设为瓮、余、平、黄四县联立中学。6 月，改为贵州省立第六中学，校长张纯仁，教员 6 人。

民国 32 年（1943 年）9 月，省立瓮安初级中学，开办高中班，成为完全中学。贵州省瓮安中学校长王道暄，教导主任肖显仁。教员 21 人。

1950 年 9 月，高中停办，贵州省瓮安中学校改名为省立瓮安初级中学。校长贺永年，教导主任王树勋，总务主任戎绍华，教师 21 人。

1958 年，省立瓮安初级中学办高中班，成为完全中学。校长应哲，副校长王树勋，教导主任徐明尧，总务负责华天谷。教师 22 人。

2000 年 6 月，黔南州人民政府批转同意瓮安中学改制为高级中学。是年，贵州省瓮安中学校长黄栋贵，副校长谭敬昌、曾佐藩，教导主任田景材，副主任李凤奇、周遗贵，总务主任刘文斌。全校教职工 126 人，教师（含兼任）109 人。

2013 年 4 月，李凤奇校长卸任，余家品接任。副校长周遗贵（兼党总支书记）、李琴、杨友发，党总支副书记邓超；办公室主任洪庆平，副主任肖春花、宋健；教务处主任游鹏，副主任李景辉、周学东；政教处主任周洪，副主任赵慕琦、李长芳；教科处主任张元忠，副主任刘凤七、蔡毅；电网图中心主任何平章，副主任赵俊；总务处主任林长青，副主任刘仁奎；工会主席陈刚。全校教职工 273 人，其中，教师（含兼任）228 人，实验、图书、教务、后勤等部门管理人员 36 人，合同门卫、保洁员、电工、木工等 9 人。

表 4-1 1926—1949 年瓮安中学教职员工名录

姓名	籍贯	学历	在校时间
胡国泰	遵义	武昌高师	1926. 11—1927. 1
宋毕霖	瓮安		1926. 11—1927. 7
吴葆箴	印江	清贡生	1926. 11—1935
王祝三	瓮安	清贡生	1927. 3—1928. 7
张克襄	瓮安	上海艺专	1927. 3—1949. 9
张纯仁	镇远	北京大学	1928. 3—1928. 5
徐廷栋	贵阳		1928. 3—1929. 7
王道生	印江	武昌高师	1928. 3—1934. 2
曾昭淦	瓮安	清贡生	1928. 3—1945. 7
朱乃其		留英回国	1929. 1—1930. 7
王从周	贵阳	北京大学	1929. 1—1931. 2
李超凡	贵阳		1929. 1—1932. 7
张安庆	印江		1929. 1—1932. 7
魏子修		上海南洋大学	1929. 1—1933. 7
韩子章		贵阳优级师范	1929. 1—1933. 7
林　明			1929. 1—1935. 1
刘廷樑			1930. 1—1935. 2
朱希仲	瓮安	南开大学	1931. 2—1935. 2
徐孟超			1933. 1—1934. 3
杨克增	天柱	北京工学院	1934. 3—1935. 2
杨觉生			1934. 3—1935. 2
袁书田	瓮安	贵州法政学校	1935. 3—1935. 7
李志明	瓮安	中央军校	1935. 3—1935. 7
袁禄能	瓮安	贵州讲武学校	1935. 3—1935. 7
何循陔	瓮安	瓮安简师	1935. 3—1935. 7
蔡寿贞	余庆	黄平中学	1935. 3—1935. 7
彭建平	贵阳	北京工商学院	1935. 3—1936. 2
肖德麟	瓮安	贵阳一中	1935. 3—1936. 2
解广运	都匀	省立师范	1935. 3—1937. 7

续表

姓名	籍贯	学历	在校时间
沈如愚	都匀	中山大学	1935. 3—1937. 7
刘象离	余庆	遵义中学	1935. 3—1937. 7
任永熙	余庆	武昌商科大学	1936. 2—1938. 2
刘光炳	余庆	遵义中学	1936. 3—1936. 7
范元卿	余庆	前清宪群党政学校	1936. 3—1936. 7
薛友光	贵阳	武昌高师	1936. 3—1936. 7
王荆平	兴仁	上海大学	1936. 3—1936. 7
米子章	贵阳	达德学校	1936. 3—1936. 7
彭光宗	黄平	省立六中	1936. 3—1936. 7
熊幼安	贵阳	中国大学	1936. 3—1937. 6
方崇义	贵阳	省立师范	1936. 3—1940. 7
邵光奎	贵阳	中国大学	1936. 3—1942. 7
谢长安	清镇	上海体专	1937. 2—1940. 2
胡叔光	遵义	上海私立民治学校	1937. 3—1937. 7
李琴芳（女）	贵阳	贵州女子师范	1937. 3—1937. 7
谢瓴高	清镇	上海体专	1937. 3—1937. 7
刘从礼	黔西	贵阳高中	1937. 3—1938. 1
程国钰	镇宁	北平师范	1937. 3—1938. 1
刘叔钧	余庆	瓮安六中	1937. 3—1938. 1
范道之	息烽	高小	1937. 3—1939. 1
何增荣	习水	武昌商科大学	1937. 3—1945. 7
赵泽宣	平越	北平大学	1937. 8—1938. 1
李锡桐	遵义	上海大厦大学	1937. 8—1938. 7
潘津生（女）	无锡	北平大学	1938. 2—1938. 7
夏泽膏	遵义	北平民国大学	1938. 2—1938. 7
史良弼	黔西	贵阳师范	1938. 2—1938. 7
张文履			1938. 2—1938. 7
冉燧卿	遵义	达德学校	1938. 2—1942. 7
曾章武	瓮安		1938. 2—1942. 7
宋正基	瓮安	省立六中	1938. 2—1942. 7

续表

姓名	籍贯	学历	在校时间
刘汝骏	遵义	贵州大学	1938. 2—1942. 8
冉隆堃	遵义	上海商学院	1938. 3—1941. 2
肖之亮	遵义	大厦大学	1938. 8—1939. 8
冉隆英（女）	遵义	上海持志大学	1938. 8—1939. 8
褚桂林	安徽	北平师范	1938. 8—1941. 8
曹志祥			1939. 9—1940. 1
曾　鹏	贵阳	贵州体校	1939. 9—1942. 7
庞尧勲	安徽凤阳	上海东亚体专	1939. 9—1942. 7
李奇谋	福泉	大厦大学	1939. 9—1942. 7
庄传训	山东菏泽	河南大学	1940. 1—1942. 7
陈佩恂	江苏宜兴	苏州美院	1941. 2—1942. 1
张坤华	江苏宜兴	大厦大学	1941. 2—1942. 7
余正清	湖北蒲圻	武昌高师	1941. 2—1942. 7
马仲楠（女）	合肥	湖北教育学院	1941. 2—1942. 7
杨藻章	瓮安	中央大学	1941. 2—1947. 1
戴卓颖（女）	辽宁	北平东北大学	1941. 2—1949. 9
李起元	湖北黄冈	武昌文华高中	1941. 3—1942. 1
袁会同	湖北正定	卫生学校	1941. 3—1942. 1
周泽生	宁乡	中央军校	1941. 3—1942. 1
张祖华	瓮安	贵阳师范	1941. 3—1942. 1
王廷傑			1941. 3—1942. 1
冉子文			1941. 3—1942. 1
商足三	瓮安		1942. 2—1943. 1
印仕依			1942. 2—1943. 1
沈钟敬			1942. 2—1943. 1
何光宣			1942. 2—1943. 1
戎仲华	瓮安		1942. 2—1943. 1
刘凤翔	瓮安	省简师	1942. 2—1947. 1
肖显仁	瓮安		1942. 8—1945. 7
张敏学	瓮安	金陵大学	1942. 8—1945. 7

续表

姓名	籍贯	学历	在校时间
胡德新	瓮安	北平师大	1942. 8—1947. 1
王道暄	瓮安	复旦大学	1942. 8—1949. 9
屠守缪			1942. 9—1943. 1
武承志	贵阳	留日学生	1942. 9—1944. 7
李万华	瓮安	贵州大学	1942. 9—1945. 7
唐　恺	湖南	中央军校	1942. 9—1945. 7
易光荣	湄潭	浙大附中	1942. 9—1945. 7
商志甫	瓮安	县简师	1942. 9—1945. 7
王家修	都匀	西南联大	1942. 9—1945. 7
邹鹤群	湄潭	贵州大学	1942. 9—1949. 1
王承典	安顺	贵阳师范	1943. 2—1944. 1
邹正伦	湄潭	国立体专	1943. 2—1944. 1
王明臣	湄潭	浙大附中	1943. 2—1944. 1
赵铸英	江苏苗城	大厦大学	1943. 2—1945. 7
何蔚慈	浙江嘉欣	浙江法政大学	1943. 2—1945. 7
刘采骥	安徽含山	交通大学	1943. 2—1945. 7
严文藻	安徽巢县	交通大学	1943. 2—1945. 7
黄燕杰	湘潭	之江大学	1943. 2—1945. 7
孙　放	平塘	西南联大	1943. 2—1945. 7
钱东启	浙江鄞县	浙江大学	1943. 2—1945. 7
陈建烈	安徽怀宁	贵阳师范	1943. 2—1945. 7
王建安	瓮安	省简师	1943. 2—1945. 7
冯蜚声	瓮安	贵州师范	1943. 2—1945. 7
马宗裕	浙江	枝江大学	1943. 2—1945. 7
王学槐	湄潭	贵阳师范	1943. 2—1945. 7
商承栋	瓮安	省立六中	1943. 2—1945. 7
汪禄晋	贵阳	贵阳师范	1943. 2—1945. 7
张廷赞	瓮安	上海专科师范	1943. 2—1945. 7
舒远信	瓮安	贵州大学	1943. 2—1945. 7
商玉階	瓮安		1944

续表

姓名	籍贯	学历	在校时间
董宗贤	瓮安		1944. 2
冉懋森	湄潭	武昌师范	1944. 3—1945. 2
朱永陛	湄潭	省立师范	1944. 3—1945. 7
丁 钧	瓮安	大专	1944. 8—1945. 1
石代森	瓮安		1944. 8—1945. 1
易光莲（女）	湄潭	遵义简师	1944. 8—1945. 1
王齐方	瓮安	大厦大学	1944. 8—1945. 1
孟宪达	江苏淮安	江苏教育学院	1944. 8—1945. 1
成书瘘	江苏淮安	江苏教育学院	1944. 8—1945. 1
管络耀	浙江黄岩	省立医专	1944. 8—1945. 1
孟 成	江苏淮阴	上海法学院	1944. 8—1945. 1
商建中	瓮安	县简师	1944. 8—1945. 1
邓广质	平越		1944. 8—1945. 1
符治畿	瓮安		1944. 8—1945. 1
任经柱			1944. 8—1945. 1
陈永康	余庆	中学	1944. 8—1945. 7
何俊川	习水	上海东亚体专	1944. 8—1946. 1
潘立龙	贵阳	四川大学	1944. 8—1946. 1
管金鹰	浙江黄岩	浙江国立大学	1944. 8—1946. 11
严太坤	湄潭	中央陆军学院	1944. 8—1948. 1
丁 讯	瓮安	贵阳师范	1944. 8—1949. 1
唐廷佐	广西桂林	中央军校	1944. 8—1949. 9
王振先			1945. 2—1945. 7
马云航			1945. 2—1945. 7
王文栩（女）			1945. 2—1945. 7
苏海三			1945. 2—1945. 7
潘立先			1945. 2—1945. 7
林川田		中央军校	1945. 2—1945. 7
韩史超			1945. 2—1945. 7
张 炯			1945. 2—1945. 7

续表

姓名	籍贯	学历	在校时间
曾中原			1945.2—1945.7
韩　琦			1945.2—1945.7
肖　瑶			1945.2—1945.7
朱文彬			1945.2—1945.7
彭若逸			1945.2—1945.7
习承坤	山东	中央大学	1945.2—1945.8
赖映棠	四川内江	四川大学	1945.3—1945.7
黄　乾			1945.3—1945.7
石锦策			1945.3—1945.7
黄齐寿			1945.3—1945.7
李宗彝	瓮安	大厦大学	1945.8—1948.8
杨月屏	瓮安		1945.9—1946.7
王贤忠	湖北应城	南洋医大	1945.9—1947.1
高吉清	瓮安	省立师范	1945.9—1947.1
黄庆芳	瓮安		1945.9—1947.1
邓兴增			1945.9—1947.1
唐　炳			1945.9—1947.1
刘正纲	瓮安		1945.9—1947.1
刘昌华	瓮安	省简师	1945.9—1947.1
梁起贵	瓮安		1945.9—1947.7
犹鼎兴	瓮安	之江大学	1945.9—1948.7
王道源	瓮安	四川大学	1945.9—1948.8
丁洪兴	瓮安		1945.9—1949.8
王云飞	湖北武昌	苏州成烈体专	1946.12—1947.1
杨志滨	贵阳	南京工业专门学校	1946.2—1946.7
袁树三			1946.2—1946.7
朱臣汉			1946.2—1946.7
王作泉	湖北		1946.2—1946.7
屈解三	安徽宿县	安庆大学	1946.2—1947.1
吴廷光	玉屏	中山大学	1946.2—1947.1

续表

姓名	籍贯	学历	在校时间
吴天德	安徽合肥	之江大学	1946. 2—1947. 1
蔡玉芬（女）	贵阳	国立音专	1946. 2—1947. 1
王贤悦	安徽	大厦大学	1946. 2—1947. 1
蔡泽惠	瓮安		1946. 2—1947. 1
任永镇	印江	贵阳高中	1946. 2—1947. 1
冷承志	瓮安	交通大学	1946. 2—1947. 1
陈明太	福建	军校及会计班	1946. 2—1947. 1
范大才			1946. 2—1947. 7
王品三			1946. 2—1947. 7
李少清			1946. 2—1947. 7
唐二兴			1946. 2—1947. 7
吴玉清			1946. 2—1947. 7
戴鸿发			1946. 2—1947. 7
许登峰	河南开封	河南大学	1946. 2—1948. 7
戎绍华	瓮安	中央工专	1946. 2—1948. 7
周贤才	平越		1946. 2—1948. 7
王道瑜	瓮安		1946. 2—1949. 1
杨一青			1946. 2—1949. 1
戎希谷	瓮安		1946. 2—1949. 1
陈朝舜			1946. 2—1949. 1
罗英汉			1946. 2—1949. 1
陈禄君			1946. 2—1949. 1
王道珍	瓮安		1946. 2—1949. 1
犹伴香	瓮安	县简易师范	1946. 2—1949. 1
胡博九			1946. 7
张敬学	瓮安	大厦大学	1946. 7—1947. 7
杜海清	湖南长河	浙江大学	1946. 8—1947. 1
姜心波	福建厦门	厦门大学	1946. 8—1947. 1
周舜蘋（女）	湖南长沙	广西大学	1946. 8—1947. 1
戴福晋	安顺	黔江高师	1946. 8—1947. 1

续表

姓名	籍贯	学历	在校时间
冯应崇	瓮安	瓮安中学	1946. 8—1947. 1
张人伦	黔西	省立师范	1946. 8—1947. 1
王大章	瓮安	贵阳高中	1946. 8—1948. 1
张天佑	遵义	大厦大学	1946. 8—1948. 7
胡德一	瓮安	大厦大学	1946. 8—1948. 7
娄　俊	瓮安	瓮安中学	1946. 8—1949. 1
魏雨霖	山东阳谷	北平铁路大学	1946. 8—1949. 7
冷承智	瓮安	交通大学	1947. 2—1948. 2
刘仁峰	瓮安	大学	1947. 2—1948. 7
陈剑秋	湖南桃源	高中	1947. 2—1948. 7
吴士俊	湖北大明	河北法政学校	1947. 2—1948. 7
刘铁生			1947. 2—1948. 7
刘远祥	瓮安	瓮安高中	1947. 2—1949. 12
王械柑	石阡	瓮安高中	1947. 2—1949. 8
商汝勤	瓮安	贵州大学	1947. 2—1949. 9
赖孔贤	广东灵山	大学	1947. 8—1948. 1
洪传珍（女）	贵阳	大学	1947. 8—1948. 1
叶发灏	四川广安	四川大学	1947. 8—1948. 1
任宗经	瓮安	贵阳师范	1947. 8—1948. 7
李竹如（女）	四川广安	大学	1947. 8—1948. 7
宋泽民	瓮安	大学	1947. 8—1948. 7
石德舆	贵阳	大厦大学	1948. 2—1948. 7
许开德	安隆	北京大学	1948. 2—1948. 7
计终胜	贵阳	复旦大学	1948. 2—1948. 7
曾庆善	瓮安	瓮安中学	1948. 2—1948. 7
王道荣	石阡	高中	1948. 2—1948. 7
刘崇杰	广东兴宁	国立中央大学文学系	1948. 2—1949. 1
杨培智	广西平乐	中央大学	1948. 8—1949. 1
谢维新（女）	湖南	贵州大学	1948. 8—1949. 1
张承中	安徽	上海东欧体专	1948. 8—1949. 1

续表

姓名	籍贯	学历	在校时间
方天富	瓮安	瓮安高中	1948. 8—1949. 1
杜　茳（女）	河南郾城	贵阳女师	1948. 8—1949. 1
卢光义	广西荔浦	大厦大学	1948. 8—1949. 12
骆维藩	广东和平	广东大学	1948. 8—1949. 12
廖国霖	广西柳城	大厦大学	1948. 8—1949. 12
林建栋	福建莆田	广西绿洲高中	1948. 8—1949. 12
况若愚	广东中山	岭南大学	1948. 8—1949. 12
王　超	广西上林	南田师范	1948. 8—1949. 12
付笮基	瓮安	贵州大学（进修）	1948. 8—1949. 12
邹鹤群	湄潭	贵州大学	1948. 8—1949. 12
付　懿（女）	辽宁	南宁师范	1948. 8—1949. 7
方　谦（女）	安徽芜湖	上海圣约翰大学	1948. 8—1949. 7
许志光	贵阳	东吴大学	1948. 8—1949. 7
朱德绍	江苏沛县	会计学校	1948. 9—1949. 12
韩哲孟	辽宁辽阳	大厦大学	1949. 2—1949. 12
韦百露	广西南宁	广西大学	1949. 2—1949. 12
米屏书	瓮安	唐山交通大学	1949. 2—1949. 12
陈启明	广东花县	省立体专	1949. 2—1949. 12
袁朝光	瓮安	瓮安中学	1949. 2—1949. 12
王赞麟	广西新林	广东文理学院	1949. 2—1949. 12
饶思德（女）	广东惠阳	圣约翰大学	1949. 2—1949. 12
刘尚馥	广西荔浦	南宁师范	1949. 2—1949. 12
刘　静	湖南	贵阳师范	1949. 2—1949. 12
毕　辉	江苏	上海大学	1949. 2—1949. 5
詹纯谦			
丁履久			

表 4-2　　1949—2013 年瓮安中学教职员工名录

姓名	性别	出生年月	籍贯	民族	毕业院校	在校时间	备注
魏雨霖	男	1907	山东阳谷	汉	北京铁路大学	1949. 12—1950	
商汝勤	男	1921	瓮安	汉	贵州师范大学	1949. 12—1951	
王道暄	男	1911	瓮安	汉	复旦大学	1949. 12—1951	
吴近仁	男	1928	河南南乐	汉	高中	1949. 12—1954. 8	县长
戎绍华	男	1914	瓮安	汉	国立中央土木工程学院	1950. 1—1951. 1	
陈再银	男	1920	天柱	汉	贵州师范大学	1950. 3—1953	
袁绍喜	男	1918. 5	罗甸	汉	贵阳师范学院	1950. 5—1953 1958—1965. 2	
孙桐生	男	1922	安徽阜阳	汉	震华学院	1950. 7—1951	
王新国	男	1918	瓮安	汉	贵州大学	1950. 7—1951. 10	
王树勋	男	1921	修文	汉	贵州大学社会历史系	1950. 8. —1972 1977—1982	
杨藻章	男	1904	瓮安	汉	南京中央大学	1950. 8—1950. 11	
贺永年	男	1896	湖南邵阳	汉	北京中法大学	1950. 8—1951. 3	
马德称	女	1922. 1	贵阳	汉	贵州大学工商管理系	1950. 8—1972 1977—1988. 8	
吴锡强	男	1911	广东南海	汉	广东国民大学	1950. 9—1951	
刘庸诗	男	1921	瓮安	汉	贵州师范大学	1950. 9—1951. 7	
邱兆明	男	1925	瓮安	汉	贵州大学	1950. 9—1951. 7	
吴士俊	男	1897	河北大名府	汉	天津法政	1950. 9—1955	
华钦达	男	1909	江苏无锡	汉	上海艺术学院	1950. 9—1958. 7	
曹文德	男	1922	平坝	汉	贵州工学院	1950. 9—1958. 9	
黄德音	女	1918	湖南长沙	汉	贵州师范大学	1950. 9—1977. 2	
曹绍庸	男	1914. 11	浙江东阳	汉	浙江杭州蚕桑学校	1950. 9—1977. 2	
熊德芬	男	1922. 11	凯里	汉	贵州师范大学	1950. 9—1987. 2	
戴卓颖	女	1915	辽宁辽东	满	东北大学	1950. 12—1951. 7	
屈解三	男	1913	安徽宿县	汉	安徽大学	1950. 12—1951. 7	
王　超	男	1918	广西上林	汉	南宁高中	1950—1951	
彭琪原	男	1926	麻江	汉	贵州大学	1950—1951	
翁　珺	男	1902	安徽六安	汉	上海复旦大学	1950—1951	

续表

姓名	性别	出生年月	籍贯	民族	毕业院校	在校时间	备注
徐裕丰	男	1914	瓮安	汉	雍阳小学	1950—1951	工人
丁洪兴	男	1882	瓮安	汉	初小	1950—1951	工人
谢　鹏	男	1933	瓮安	汉		1950—1951	工人
李子文	男	1918	安徽寿州	汉	初小	1950—1977. 2	工人
欧阳光先	男	1914	广西兴林	汉	初小	1950—1977. 2	工人
董德桓	男			汉		1951. 3—1952. 10	
罗诚守	男	1915	湖南邵东	汉		1951. 7—1953	
商正才	男	1923	瓮安	汉		1951. 8—1955	
彭立铸	男	1912	瓮安	汉	高中	1951. 9—1958	
孙智忠	男	1918	瓮安	汉	高中	1951. 9—1977. 2	
丁俊书	男	1913	瓮安	汉	初中	1951. 10—1977. 2	工人
陈秉隆	男	1912	安徽阜阳	汉		1951. 12—1955	
朱元亮	男				英国留学生	1951—1952	
余　阮	男	1916	贵阳	汉		1952—1953	
赵华辅	男	1904	湖南杞县	汉	大学	1952—1953	
颜　定	男	1915	贵阳	汉	华西大学	1952. 3—1961	
姜天贵	男	1918	赤水	汉	专科	1952. 7—1954	
吴玉华	女	1924	贵阳	汉	贵州大学	1952. 8—1954	
应　哲	男	1926	浙江永康	汉	浙江永康师范	1952. 8—1960. 3 1961. 8—1975. 11	
李永端	男	1929	瓮安	汉	初中	1952. 10—1966	后勤
陈新芳	男	1920	河南兰封	汉		1952. 11—1953	
丁方强	男	1914. 5	江苏铜山	汉	高中	1952—1977. 2	
毛家俊	男	1920	清镇	汉	浙江大学中文系	1952—1977. 2	
卢雪圃	男			汉		1954. 8—1956. 2	县长
谢荣华	男	1919	瓮安	汉		1955—1962	
孙功绪	男	1928	瓮安	汉	四川交通大学数学系	1956. 1—1988. 8	
王大章	男	1915	瓮安	汉	省立高中	1956. —1972	
丁　章	男	1927	瓮安	汉	南京政法大学	1956. —1980. 12	
孟仲三	男			汉		1956. 2—1956. 8	县长

续表

姓名	性别	出生年月	籍贯	民族	毕业院校	在校时间	备注
石明信	男	1929	瓮安	汉	瓮中	1956.2—1957	
徐明尧	男	1925	福泉	汉	贵州大学	1956.7—1958.12	
江　奎	男	1936	瓮安	汉	初中	1956.8—1957.1	后勤
范寿祥	男		安顺	汉	安顺师范	1956.8—1957.1	
张天伦	男	1935.5	瓮安	汉	初小	1956.8—1988.2	后勤
周存理	男	1926	四川江津	汉	贵阳师范学院	1956.9—1957	
张心灵	男	1933	四川仁寿	汉	贵阳师范学院	1956.9—1961	
杨再超	男	1927	剑河	苗	贵阳高级农业学院	1956—1957 1981—1981	
黄长育	男	1931	四川宜宾	汉	大学	1957.8—1961.7	
熊翼盛	男	1933	四川广安	汉	贵阳师范物理系	1957.8—1984	
黄明高	男	1936	清镇	汉	贵阳师范地理科	1957.8—1996.2	
郑银鹏	男			汉	上海第二师范学院	1957.10—1951.1	
段端金	男		山东	汉		1957—1962	
周乐忠	男	1934	瓮安	汉		1957—1985	后勤
文渊博	男	1930	清镇	汉	高中	1958.8—1959.1	
钟文华	男	1936	瓮安	汉	高中	1958.8—1961.7	
葛永柔	男	1930	江苏丹阳	汉	专科	1958.9—1959.1	
温　和	男	1924	安徽滁县	汉	专科	1958.9—1959.1	
宋泽源	男	1938	瓮安	汉	中师	1958.9—1959.1	
龚维玲	女	1933	安徽合肥	汉	专科	1958.9—1959.1	
李奇谋	男	1908	福泉	汉	专科	1958.9—1959.1	
汪宗淦	男	1939.1	贵定	汉	都匀进修学校	1958.9—1984.7	
张世忠	男	1928	龙里	汉	解放军第一师范史地系	1958.9—1996.3	
周远程	男					1958—1960	
徐乾麟	男	1936	瓮安	汉	贵阳师范数学系	1958—1984	
邓朝周	男	1934.12	瓮安	汉	初中	1959.2—1959.7	
郑书全	男	1933.11	四川岳池	汉	大学	1959.7—1983.7	
安之品	男	1940	瓮安	汉		1959.8—1959.10	

续表

姓名	性别	出生年月	籍贯	民族	毕业院校	在校时间	备注
吴秀荣	女	1926	瓮安	汉		1959. 8—1959. 11	
曹国芸	男	1923. 2	湖南长沙	汉	初中	1959. 8—1960. 1	
周钖军	男	1939. 12	三都	布依	大学	1959. 8—1961	
谢清渟	男	1926. 8	四川涪陵	汉	大学	1959. 8—1961	
杨国思	男	1933	凯里	汉	大学	1959. 8—1961	
胡泽玉	女	1929. 7	惠水	汉	初中	1959. 8—1961	
刘廷玖	男	1936. 2	瓮安	汉	高中	1959. 8—1961	
李绍华	男	1916	瓮安	汉		1959. 8—1961	
任　兴	男	1938. 12	瓮安	汉	中师	1959. 8—1961. 7	
陈荣魁	男	1932. 6	都匀	布依	大学	1959. 8—1962	
赵本能	男	1939. 1	开阳	汉	中师	1959. 8—1962	
吴淀珍	女	1937	榕江			1959. 8—1962	
王堂翠	男	1937	三穗	汉	中专	1959. 8—1962. 7	
夏秀莲	女	1924	江西丰城	汉		1959. 8—1962. 8	
罗桃英	女	1910. 6	湖南新化	汉		1959. 8—1977	工人
周洪春	男	1926. 1	湖南邵阳	汉		1959. 8—1986. 11	工人
任道远	男	1927. 5	瓮安	汉	高中	1959. 8—1987. 2	
周厚启	男	1938. 3	瓮安	汉		1959. 8—1995. 3	
李裕藩	女	1935. 9	贵阳	汉	大学	1959. 9—1960. 1	
邓德荣	女	1930	瓮安	汉		1959. 10—1981. 10	厨工
雷忠香	男	1939	瓮安	汉	初中	1959. 11—1976	
黄永珍	女	1927. 12	瓮安	汉		1959. 11—1982. 5	厨工
陈正国	男	1914	瓮安	汉		1959—	
王盛成	男	1909	惠水	汉		1959—	
邵如松	男	1933	瓮安	汉	高中	1959—	
王介一	男		瓮安	汉		1959. —1961. 1	
罗康衢	男					1959—1960	
秦绍品	男	1922. 4	瓮安	汉		1959—1961	
赵仪星	男	1929. 4	云南昆明	汉	大学	1959—1961	
刘瑞秋	女	1936. 9	福泉	汉	大学	1959—1961	

续表

姓名	性别	出生年月	籍贯	民族	毕业院校	在校时间	备注
黄可经	男	1923.9	瓮安	汉	中师	1959—1961	
邓木森	男		福泉	汉		1959—1961	
伍兴莲	女	1943	湖南新化	汉		1959—1962	工人
黄继孟	男	1921.12	湖南	汉	高中	1959—1962	
董邦道	男	1923.9	湖北河石	汉	大学	1959—1962	
聂佩韦	男		瓮安	汉	高中	1959—1962	
聂昌钧	男	1929.2	瓮安	汉		1960.2—1962	后勤
杨国治	男	1935.9	都匀	苗	中师	1960.8—1961	
甘礼义	男	1928.1	瓮安	汉	高中	1960.8—1961	后勤
吴仕军	男	1934.8	开阳	汉	高中	1960.8—1961.1	
黄品剑	男	1928.11	瓮安	汉	初中	1960.8—1961.1	
祝　升	女			汉	大学	1960.8—1961.1	
魏淑芬	女	1934.5	四川永川	汉	高中	1960.8—1961.1	
李声权	男	1925.9	瓮安	汉	高中	1960.8—1961.1	
陈克斌	男	1931.11	湖南隆回	汉	中师	1960.8—1962	
袁祥辉	男	1921.7	瓮安	汉	高中	1960.8—1962	后勤
谢德美	女	1939.7	瓮安	汉	初中	1960.8—1962	后勤
徐　达	男	1928	贵阳	汉	贵阳师范数学系	1960.8—1963	
李莲珍	女	1933.7	瓮安	汉		1960.8—1963	后勤
龙祖荣	男	1939.12	麻江	苗	都匀师范学校	1960.8—1976	
张家骧	男	1930.3.23	湖北武汉	汉	高中	1960.8—1977.2	后勤
张炳芝	男	1935.11	黄平	汉	贵阳师院数学系	1960.8—1996.8	
韦显芳	男	1933.6	独山	布依	大学	1960.9—1961	
罗　毅	男	1933.5	都匀	汉	大学	1960.9—1961	
毛子德	男	1936.12	浙江温岭	汉	大学	1960.9—1961	
周纯英	男	1942.9	独山	汉	中师	1960.9—1961.1	
谌　论	男			汉		1960.9—1961.1	
方炎火	男	1935.11	江西进闲	汉	中国人民大学	1960.9—1963.7	
顾文卓	女	1940.1	麻江	汉	黔南师专数学科	1960.9—1984	
郎仕达	男	1927.1	贵定	汉	贵阳师范俄语系	1960.9—1987.2	

续表

姓名	性别	出生年月	籍贯	民族	毕业院校	在校时间	备注
黎师韩	男	1936.9	独山	汉	贵阳师院化学系	1960.9—1988	
吴朝国	男	1937.6	福泉	彝	黔南师范学校	1960.9—1994.10	
金帮贤	男	1938.9	瓮安	汉	师专	1960.11—1961	
许琼琨	女	1935.8	四川	汉	贵阳师院地理系	1961.5—1983	
朱文模	男	1937.12	瓮安	汉	贵阳师院	1961.8—1984	
王美德	女	1935.3	瓮安	汉	贵州师范中文系	1961.8—1984	
向义文	男	1939.1	瓮安	汉	安顺师专数学科	1961.8—1986.7	
罗洪强	男	1933.9	福泉	汉	云南大学文学系	1961.8—1995.3	
李贤福	男	1937.3	四川合川	汉	贵阳师范数学系	1961.8—1997.4	
王毓翰	男	1939.12	纳雍	汉	都匀师专化学科	1961.9—1984	
姚永鉴	男	1935.8	瓮安	汉	贵阳师院物理系	1961.9—1993.5	
唐次德	女	1923	河北南正门	汉	贵阳师范教育系	1962.8—1977.2	
王坚定	男	1940.1	麻江	汉	贵州大学数学系	1962.9—1980	
王开宇	男	1930.12	瓮安	汉	大学	1962—1988.8	
黄兆祥	男	1926	广西陆川	汉	广东国民大学	1962.10—1976	
张汝森	男		福泉	汉	贵州大学历史系	1963.2—1971	
陈绍全	男	1915	瓮安	汉	初小	1963.7—1977.2	厨工
黎金益	男	1939	贵州	汉	贵阳师院地理系	1963.8—1964.1	
李肇芳	男	1941	湖南	汉	贵阳师院俄语系	1963.8—1966	
胡元煌	男	1938	贵阳	汉	中专	1963.9—1964.1	
曾定荣	男	1939	四川	汉	贵阳师院历史系	1963.9—1972	
蔡志斌	男	1939	湖南	汉	贵阳师院俄语系	1963.9—1977.5	
刘德声	女	1939.11	毕节	汉	贵阳师院物理系	1963.9—1980	
谢朝军	男	1939.2	四川	汉	四川大学俄语系	1963.9—1984	
李惠超	女	1940.3	四川	汉	贵阳师范俄语系	1963.9—1984	
周桂林	男	1947.8	湖南	汉	初中	1964.2—1997.6	工人
邹昌伦	男	1947	湖南祁东	汉		1964.5	
周鸿春	男	1927.1	湖南邵阳	汉	初小	1964.9—1986.12	工人
张德珍	女	1926.12	贵定	汉	初小	1964.9—1986.2	工人
余国民	男	1939.1	瓮安	汉	贵州大学数学系	1964.9—1994	

续表

姓名	性别	出生年月	籍贯	民族	毕业院校	在校时间	备注
魏舜珍	女	1939. 6	瓮安	汉	中专	1964. 9—1994. 10	校医
王再科	男	1947	瓮安	汉		1964	
周贵式	男	1946		汉		1965—	
王忠华	男	1940. 4	赤水	汉	贵阳师院	1965. 1—2000. 9	
王明学	男			汉		1968—1968. 7	军代表兼
宋仕农	男			汉		1969—1969	
王义方	男			汉		1969—1969	
李吉才	男	1944. 8	瓮安	汉	贵州大学体育系	1970. 8—1980	
王国祥	男	1926. 9	瓮安		初小	1971. 4—1977. 2	工人
李世军	男			汉		1971—1976	工人
何贵山	男			汉		1971—1976	工人
彭太仁	男	1945. 9	瓮安	汉	高小	1971—1995. 11	木工
黄栋贵	男	1951. 1	瓮安	汉	北京师范大学政治系	1972. 8—2010. 10	
张　辉	男			汉		1972—1973	支教
何兰先	女			汉		1972—1976	工人
何淑梅	女			汉		1972—1976	工人
黄光碧	女					1972—1976	工人
曹维录	男		瓮安	汉		1972—1976	工人
王世昌	男	1923. 2	瓮安	汉		1972—1977. 2	离休
曹维德	男	1954	瓮安	汉	初中	1973—2013	
毛亚珩	女	1953. 9	瓮安	汉	高小	1977. 2—1987	工人
彭登应	男		瓮安			1977. 3—1977. 6	工人
刘京伟	男	1957. 1	瓮安	汉	高中	1977. 3—1980	
张笑萍	女	1958. 5	瓮安	汉	高中	1977. 3—1980	
张国荣	男	1946. 1		汉	大学	1977. 3—1980	
唐瑞玲	女	1952. 1		汉	高中	1977. 3—1980	
王翠萍	女	1952. 1		汉	高中	1977. 3—1980	
王建国	男	1958. 12	瓮安	汉	高小	1977. 3—1980	工人
王菊仙	男	1940	瓮安	汉		1977. 3—1980. 7	工人
陈小福	男	1955. 3	瓮安	汉	高小	1977. 3—1980. 7	工人

续表

姓名	性别	出生年月	籍贯	民族	毕业院校	在校时间	备注
车邦贤	女	1932.8	瓮安	汉	初中	1977.3—1980.7	工人
王秀德	男	1926.6	瓮安	汉	初小	1977.3—1980.7	工人
杨德荣	男	1940.3	瓮安	汉	大学	1977.3—1984	
彭家寿	男	1942.11		汉	大学	1977.3—1984	
钟才宁	男	1950.9	瓮安	汉	高中	1977.3—1984	
吴　玲	女	1943.5		汉	大学	1977.3—1984	
郭大华	男	1944.1		汉	贵州大学	1977.3—1984	
马学书	男	1951.12	瓮安	汉	大学	1977.3—1984	
彭太英	女	1943.4	瓮安		初小	1977.3—1984	厨工
丁常荣	女	1957.2	瓮安		高中	1977.3—1985	工人
王福荣	女	1958.1	瓮安		初小	1977.3—1986	工人
孙　玲	男	1958.11	瓮安	汉	高中	1977.3—1994	
欧阳敏	男	1957.11	瓮安	汉	高中	1977.3—1997.6	
左建德	男	1948	湖南		高小	1977.3—1998.6	工人
何朝宗	男	1940	瓮安	汉	高中	1977.3—2000	
陈明珍	女	1952.1	瓮安		高小	1977.3—2007.4	工人
吴文富	男	1949.4	瓮安	汉	贵州师范大学地理系	1977.3—2009.5	
王群英	女	1955.8	瓮安	汉	贵州教育学院财会系	1977.3—2010.10	
袁子进	男	1954.6	瓮安	汉	贵州电视大学	1977.3—2013	
王　辉	男	1949.9	瓮安		贵定师范学校	1977.4—1980	
田幼伦	男	1955.2		汉	高小	1977.4—1980.7	工人
张盛祥	男	1953.7		汉	初中	1977.4—1980.7	工人
赵兴平	男	1948.1		汉	高小	1977.4—1980.7	工人
丁颖仙	女	1935.2	湖南桃红		师专	1977.4—1984	会计
李长征	女	1948.5	瓮安		初师	1977.4—1984	出纳
刘文炎	男	1924.3	贵阳	汉	大学	1977.8—1988.9	
宋泽高	男	1932.2	瓮安	汉	初中	1977—1979	
杨礼雄	男	1937.8	广西	汉	大学	1977—1980	
楼佩玮	女	1945.2	都匀	汉	大学	1977—1984	
马跃银	男	1942.11	瓮安	汉	贵州大学	1977—1987	

续表

姓名	性别	出生年月	籍贯	民族	毕业院校	在校时间	备注
王仁学	女	1951.5		汉	高中	1977—1994	
伍新碧	女	1954	瓮安		初中		工人
张　劲	男			汉	大学	1978.8—	
沈德珍	女		瓮安			1978—1980	工人
李润荣	女		瓮安			1978—1980	工人
王世琴	女		瓮安			1978—1980	工人
赵桂东	男		瓮安			1978—1980	工人
张建华	男		瓮安			1978—1980	工人
张　俊	男		瓮安			1978—1980	工人
郑友明	男	1951			大专	1978—1984	
樊礼书	女	1944	瓮安	汉	大学	1978—1984	
丁家友	男	1960.3	瓮安	汉	贵州教育学院中文系	1980.7—2013	
毛　惠	女	1961.4	瓮安	汉	贵州师范大学英语系	1980.8—2013	
赵永庆	男	1921.7	河南滑县	汉	初小	1980—1985.11	离休
梁贵印	男	1959	瓮安	汉	大专	1980—1990.2	
唐广惠	女	1959	瓮安	汉	大专	1980—1994	
宋鄂生	男	1923.9	瓮安	汉	师专	1980—1997.2	
李子忠	男	1959	瓮安	汉	黔南师专英语系	1980—2007.4	
罗应群	女	1946.6	瓮安	汉	初中	1981.3—1997.7	工人
谭仁华	男	1961.7	瓮安	汉	贵州教育学院英语系	1981.7—2013	
林长青	男	1962.1	瓮安	汉	贵州教育学院行管系	1981.7—2013	后勤
顾晓福	男	1960.1	瓮安	汉	黔南师专英语系	1981.7—2013	
黄育雍	男	1955.1	瓮安	汉	贵阳师范历史系	1981.9—2013	
张开祥	男	1940.12	瓮安	汉		1981—1982	
刘正权	男	1945	瓮安	汉	大学	1981—1984	
吴文惠	女	1945	瓮安	汉	大学	1981—1984	
周双林	男	1954	瓮安	汉	大专	1981—1986	
李亚西	男	1961	瓮安	汉	大专	1981—1987	
邓朝阳	男	1963	瓮安	汉	中师	1981—1988	
李长华	男	1932.4	四川	汉	大专	1981—1988.9	

续表

姓名	性别	出生年月	籍贯	民族	毕业院校	在校时间	备注
王伦高	男	1931.4	瓮安	汉	初中	1981—1990.5	后勤
丁惠敏	男	1949	瓮安	汉	贵州教育学院中文系	1981—1994	
邹玉龙	男	1948.1	瓮安	汉	黔南师专数学科	1981—1998.10	
谭敬昌	男	1945.9	瓮安	汉	贵州大学化学系	1981—2005.9	
左业舟	男	1948.7	瓮安	汉	贵州教育学院物理系	1981—2008.7	
华和平	男	1948.8	瓮安	汉	贵州教育学院数学系	1981—2008.8	
杨长生	男	1952.8	贵阳	汉	初中	1981—2012	水电管理员
傅殿萍	女	1959.9	瓮安	汉	贵州教育学院化学系	1982.8—2013	
张月桃	女	1936.5	瓮安	汉	大专	1982—1985	
何廷志	男	1965	瓮安	汉		1982—1986	
杨开林	男	1956	瓮安	汉	本科	1982—1987	
吕庆松	男	1936	浙江	汉	大专	1982.9—1987.1	
邓友明	男	1953		汉	大专	1983—1984	
周正丽	女	1958.1	瓮安	汉	专科	1984.8—1997.6	
杨碧芳	女	1957.7	瓮安	汉	大专	1984.8—2012.7	
吴定明	男	1962.5	瓮安	汉	黔南师院中文系	1984.9—2013	
祁连州	男	1964.4	瓮安	汉	华中师大英语系	1984.9—2013	
曾黎明	女	1946.4	瓮安	汉	初中	1984—2001.7	生物实验员
曾昭映	男	1940.5	瓮安	汉	贵阳师院数学系	1984.10—2000.6	
王伯洋						1985—	
张和森		1962			大专	1985—	
罗隽森					大专	1985—	
钟天模					大专	1985—	
代　鸣					大专	1985—	
何喜贵	男	1955	瓮安	汉	贵阳师范学院中文系	1985—	
匡祥柏						1985—	
蒋铭桥						1985—	
张惠玲						1985—	工人
高秀莲						1985—	工人
王六九	男	1956.6		布依	大专	1985.1—1986.7	

续表

姓名	性别	出生年月	籍贯	民族	毕业院校	在校时间	备注
蒋丹英	女	1961.5	丹寨	汉	黔南师专物理系	1985.3—2006.2	
李光华	男	1957.7		汉	大专	1985.4—1989.7	
谢德丽	女	1943.5	瓮安	汉	专科	1985.4—1998.6	校医
周遗贵	男	1965.2	余庆	汉	省教育学院公共事业管理	1985.4—2008.8 2010.10—2013	
杨雨前	男	1959.4	瓮安	汉	贵州师范大学政治系	1985.6—2013	
周应祥		1962.1	瓮安		大专	1985.7—1988.8	
蔡光平	男	1954.7		汉	本科	1985.7—1996	
刘明林	男	1948.12	湖南祁东	汉	湖南教育学院中文系	1985.7—2008.12	
艾　明	女	1958.1	贵州	布依	省教育学院财会系	1985.7—2013	会计
曾嫦娥	女	1950.5	湖南祁东	汉	初中	1985.80—2000.6	工人
胡玉华	女	1945.8		汉	专科	1985.8—1986.1	
兑剑峰	男	1964		汉	本科	1985.8—1986.10	
谢　申	男	1940		汉	大专	1985.8—1986.7	
周良基	男	1950.1		汉	师专	1985.8—1986.7	
杨顺忠	男	1966.5		汉	师专	1985.8—1986.7	
姚　炬	女	1965		汉	专科	1985.8—1986.7	
曾　勇	男	1965.1		汉	本科	1985.8—1986.7	
单灵华	女	1964.8		汉	师专	1985.8—1987.7	
王建军	男	1965.3	瓮安	汉	贵州教育学院数学系	1985.8—1987.7 1990.7—1993.7	
宁　竹	女	1962		汉	专科	1985.8—1987.7	
陈全福	男	1955.9	瓮安	汉	专科	1985.8—1989.8	
曹求珍	男	1940.2	湖南	汉	专科	1985.8—1993.7	
黄时新	男	1936.7	湖南	汉	大专	1985.8—1995.3	
杨乔书	男	1944.4	瓮安	汉	贵州师范大学中文系	1985.8—1998.10	
颜　彤	女	1944.3	贵州	汉	专科	1985.8—1998.10	
肖必录	男	1938.1	湖南	汉	大专	1985.8—1998.6	
邓三益	男	1939.3	瓮安	汉	本科	1985.8—1998.6	
肖维惠	女	1947.1	瓮安	汉	初中	1985.8—1998.8	工人

续表

姓名	性别	出生年月	籍贯	民族	毕业院校	在校时间	备注
曹金秀	女	1949.2	湖南祁东	汉	初中	1985.8—2000.6	工人
田景材	男	1945.12	瓮安	汉	贵州大学数学系	1985.8—2005.12	
李树南	男	1946.12	湖南祁东	汉	专科	1985.8—2006.8	
王顺德	男	1948.2	湖南祁东	汉	衡阳师专历史系	1985.8—2008.2	
徐　华	男	1964.11	瓮安	汉	贵州教育学院数学系	1985.8—2013	
覃贵殿	男	1964		壮	专科	1985.9—1986.7	
胡祥专	男	1949.6	瓮安	汉	中师	1985.9—1986.7	
蒙　强	男	1963		汉	本科	1985.9—1987.7	
杨幼军	女	1965.1		苗	师专	1985.9—1989.7	
赵　坤	男	1955.8	瓮安	汉	大专	1985.9—1989.7	
王友秀	女	1941.3	湖南祁东	汉		1985.9—1991.9	工人
肖显华	女	1944.8	瓮安	汉	初小	1985.9—1994.11	工人
王秀山	男	1963.1		汉	本科	1985.9—1994.7	
谢桐秀	女	1944.3	湖南祁东	汉	初中	1985.9—1996.9	工人
谢文珍	女	1967	湖南祁东	汉		1985.9—1997.6	工人
黄藜峩	男	1939.1	贵州	汉	本科	1985.9—1998.6	
张芳群	女	1955.3	湖南祁东	汉	高中	1985.9—2010.3	工人
谭元秀	女	1951.5	湖南祁东	汉	初中	1985.9—2006.6	工人
刘文斌	男	1944.2	瓮安	汉	贵定师范	1985.9—2004.2	后勤
邓前轲	男	1946.2	湖南	汉	衡阳师专化学系	1985.9—2006.12	
李贤奇	男	1949.11	四川	汉	初中	1985.9—2009.10	工人
陈玲芳	女	1966.8	浙江临海	汉	贵州教育学院化学系	1985.9—2013	
曾淑云	女	1944.7	湖南祁东	汉		1985.10—1986.7	工人
周承欢	男	1935.5	瓮安	汉	大学	1985.10—1996.2	
范华芝	女	1948.5	黄平	汉	高小	1985.10—1998.6	
周春云	女	1950.2	湖南祁东	汉	大学	1985.10—1998.6	
王德莲	女	1951.9	湖南祁东	汉	初中	1985.10—2001.6	工人
黄贵秀	女	1951.7		汉		1985.10—2002.7	工人
罗金元	男	1950.1	湖南	汉	衡阳师专化学系	1985.10—2003.1	
谢培庆	女	1952.1	湖南祁东	汉	初中	1985.10—2007.6	工人

续表

姓名	性别	出生年月	籍贯	民族	毕业院校	在校时间	备注
王月英	女	1948.4	湖南祁东	汉		1985.11—1989.12	工人
黄桂秀						1985.12—	工人
赵美红						1985.12—	工人
辛世碧						1985.12—	工人
胡芳云	女	1951.6	湖南祁东	汉		1985.12—2001.6	工人
田应辉	男	1952.12	瓮安	汉	本科	1985—1993	
申小平	男	1949		汉	专科	1985—1996	
邓裕和	男	1948.11		汉	师专	1985—1998	
雷庚元	男	1947.1	湖南	汉	师专	1985—1998.9	
李凤奇	男	1954.6	湖南祁东	汉	贵州教育学院政治系	1985—2014	
陈刘愚	男	1963.11	湖南祁东	汉		1986.1—	工人
向　利	男	1962		汉		1986.1—1987.7	工人
周玉明	男	1963.3	瓮安	汉	黔南教育学院英语系	1986.6—2013	
朱　健	女	1962		汉	本科	1986.7—1987.7	
李　琼	女	1967.3		汉	大专	1986.7—1989.7	
许　华	女	1957.1		汉	本科	1986.7—1989.7	
孙　智	男	1965.9	瓮安	汉	本科	1986.8—1997.7	
李景辉	男	1963.12	瓮安	汉	贵州师范大学政教系	1986.8—2013	
黄万成	男	1938.1	瓮安	汉	本科	1987.3—1998.6	
殷国森	男	1938.8		汉	大专	1987.7—1989.7	
曾祖华	男	1956.8	四川	汉	专科	1987.7—1994.7	
许兴荣	女		瓮安	汉		1987.7—1994.7	
张　奎	男	1965	瓮安	汉	本科	1987.7—1996.7	
张应龙	男	1963.2	瓮安	汉	贵州师范大学地理系	1987.7—2011.4	
刘仁奎	男	1965.9	瓮安	汉	贵州师范大学化学系	1987.7—2013	
郑　梅	女	1966		汉	大专	1987.8—1989.7	
黄雪琼	女	1966	瓮安	汉	大专	1987.8—1989.7	
张仕雄	男	1963.10	瓮安	汉	电子科技大学软件工程	1988.9—1996.8	硕士研究生
杨胜林	男	1961.1	瓮安	汉	贵州民院中文系	1987.8—1997	

续表

姓名	性别	出生年月	籍贯	民族	毕业院校	在校时间	备注
孙仲时	男	1960.9	瓮安	汉	贵州师范大学物理系	1987.8—2013	
盛邦伦	男	1953.1	瓮安	汉	贵州省民院	1987.8—2013.12	
黄雪瑶	女	1966.7	瓮安	汉	贵州教育学院英语系	1987.9—2013	
雷甲汉	男					1988.7—1989.7	
刘汉世	男					1988.7—1989.7	
刘世君	男	1956.7	瓮安	汉	贵州民院	1988.7—1996.7	
陈天银	男	1964.10	瓮安	汉	黔南教育学院政史系	1988—1996.7	
雷国治	男	1953.6	瓮安	汉	黔南师专数学系	1988.7—2013.6	
张润琴	女	1966.3	瓮安	汉	贵州师范大学生物系	1988.8—2013	
陈　琴	女	1965.1	瓮安	汉	贵州师范大学数学系	1988.9—2013	
邓　超	男	1964.9	瓮安	汉	贵州教育学院行政管理	1988.9—2013	
唐　敏	女	1966.1	瓮安	汉	贵州教育学院英语系	1989—2013	
田　春	女	1966.2	瓮安	汉	贵州师范学院体育系	1989—2013	
邓华乔	男	1968.8	瓮安	汉	黔南师专体育系	1990.3—2013	
冷　静	女	1966.7	瓮安	汉	省艺专美术系	1990.8—1998.7	
张松林	男	1968.5	瓮安	汉	贵州师范大学物理系	1990.8—2009.7	
倪祖芳	女	1968.4	瓮安	汉	贵州师范大学英语系	1990.8—2012.1	
罗晓安	男	1962.6	瓮安	汉	贵州师范大学化学系	1990.8—2013	
胡朝志	男	1965.12	瓮安	汉	黔南师专中文系	1991.7—2006.7	
刘忠信	男	1950.2	瓮安	汉	黔南教育学院中文系	1991.7—2010.2	
万　军	男	1969.3	瓮安	汉	贵州师范大学地理系	1991.7—2013	
谢承章	男	1968.8	瓮安	汉	本科	1991.8—1996.7	
戎筑君	男	1949.1	瓮安	汉	黔南师专数学系	1991.8—2009.12	
谢　曼	女	1969.7	瓮安	汉	贵州大学英语系	1991.8—2013	
张元忠	男	1967.8	瓮安	汉	贵州教育学院地理系	1991.8—2013	
童　江	男	1967.4	余庆	汉	贵州师范大学政教系	1991.9—2013	
朱仕宇	女	1966.11	瓮安	汉	黔南教院中文系	1991.9—2013	
吴定祥	男	1968.1	瓮安	汉	贵州师范大学体育系	1991.9—2013	
曹代陶	男	1970.5	瓮安	汉	贵州师范学院政教系	1992.8—1998.7	

续表

姓名	性别	出生年月	籍贯	民族	毕业院校	在校时间	备注
胡　容	男	1963. 6	瓮安	汉	贵州教育学院物理系	1992. 8—2013	
余映竹	女	1967. 9	瓮安	汉	贵州师范大学生物系	1992. 9—2013	
陈清玲	女	1968. 2	瓮安	汉	贵州师范大学中文系	1992. 9—2013	
陶义奎	男	1960. 3	瓮安	仡佬	黔南师专物理系	1993. 3—2013	
苏永琪	男	1952. 11	瓮安	汉	瓮安师范	1993. 8—2012. 11	
吴可兴	男	1933. 12	贵州	汉	西南师范大学化学系	1993—2008. 3	
李阳刚	男	1970. 5	长顺	汉	贵州师范大学数学系	1994. 8—2000. 7	
夏吉友	男	1976. 9	瓮安	汉	中央广播电视大学法学	1994. 9—1999. 2	
游　鹏	男	1967. 1	瓮安	汉	贵州师范大学中文系	1994. 9—2013	
杨友发	男	1971. 3	瓮安	汉	贵州师范大学数学系	1995. 7—2013	
陈代才	男	1957. 6	瓮安	汉	高中	1995. 8—1996. 1	
徐顺成	男	1938. 4	瓮安	汉	本科	1995. 8—1998. 6	
韩　梅	女	1969. 4	瓮安	汉	贵州师范大学英语系	1995. 8—1998. 7	
卢　维	男	1966. 2	瓮安	汉	黔南师专英语系	1995. 8—1999. 7	
谢友容	女	1971. 1	遵义	汉	贵州师范大学数学系	1995. 8—2000	
肖正平	男	1946. 1	湖南祁东	汉	衡阳师专	1995. 8—2006. 2	
徐孝红	男	1970. 8	瓮安	汉	贵州师范大学化学系	1995. 8—2006. 7	
曾佐藩	男	1946. 9	湖南祁东	汉	衡阳师院英语专科	1995. 8—2006. 9	
赵泽宇	女	1952. 1	瓮安	汉	瓮安师范	1995. 8—2007. 10	
王　碧	女	1967. 1	都匀	汉	贵州教育学院历史系	1995. 8—2009. 6	
谢承宇	男	1950. 8	瓮安	汉	黔南教育学院数学系	1995. 8—2010. 8	
张明光	男	1966. 12	瓮安	汉	贵州师范大学物理系	1995. 8—2012	
谢会军	男	1952. 1	瓮安	汉	贵州教育学院数学系	1995. 8—2012. 11	
黄永基	男	1952. 11	瓮安	汉	瓮安师范	1995. 8—2012. 11	
杨长生	男	1950. 8	贵阳	汉	贵阳五中	1995. 8—2012. 11	
顾大忠	男	1954. 9	瓮安	汉	贵阳民院中文系	1995. 8—2013	
刘乾坤	男	1967. 12	瓮安	汉	黔南师院中文系	1995. 8—2013	
邓正富	男	1969. 6	瓮安	汉	贵州教育学院中文系	1995. 8—2013	
朱模忠	男	1954. 5	瓮安	汉	贵州教育学院数学系	1995. 8—2013	

续表

姓名	性别	出生年月	籍贯	民族	毕业院校	在校时间	备注
陈友华	男	1965.6	瓮安	汉	贵州师范大学数学系	1995.8—2013	
管治雄	男	1964.4	湖南祁东	汉	贵州教育学院英语系	1995.10—2013	
王安云	男	1949.1	湖南祁东	汉	祁东教育学院图书管理	1996.8—2006.2	
李先富	男	1961.6	瓮安	汉	黔南师院中文系	1996.8—2013	
邬培祥	男	1957.6	瓮安	汉	贵州师范大学中文系	1996.9—2013	
罗亚林	男	1970.2	瓮安	汉	西南民院化学系	1996.9—2013	
曹植铭	男	1968.1	瓮安	汉	贵州教育学院政史系	1996.9—2013	
徐德智	男	1965.8	瓮安	汉	贵州教育学院数学系	1997.3—2013	
徐国武	男	1974.2	瓮安	汉	贵州师范大学中文系	1997.7—2005.5	
殷　谦	男	1971.7	瓮安	汉	贵州教育学院中文系	1997.7—2012	
吴正权	男	1974.9	瓮安	汉	中央电大法学	1997.7—2013	
洪庆平	男	1965.11	瓮安	汉	黔南师专物理系	1997.7—2013	
杨　平	男	1969.2	瓮安	汉	贵州大学化学系	1997.8—2002.9	
唐之林	男	1949.6	贵阳	汉	都匀民师数学专业	1997.8—2009.6	
王成举	男	1962.5	贵州	汉	黔南师专化学系	1997.8—2013	
王　静	女	1971.1	瓮安	汉	贵州教育学院英语系	1997.8—2013	
毛红艳	女	1974.4	瓮安	汉	贵州教育学院中文系	1997.9—2013	
潘家贵	男	1973.12	瓮安	汉	贵州师范大学数学系	1997.9—2013	
曾　山	男	1974.10	贵州	汉	贵州师范大学体育系	1997.9—2013	
何家林	男	1967.9	瓮安	汉	黔南师专中文系	1998.7—2006.7	
罗民兵	男	1974.9	瓮安	布依	黔南医专	1998.8—1999.1	
易光前	男		瓮安			1998.8—1999.1	工人
栗永豪	男					1998.8—1999.1	工人
刘开荣	男		瓮安			1998.8—1999.1	工人
周福开	男		瓮安			1998.8—1999.1	工人
郑　义	男	1949.7	瓮安	汉	贵州省教育学院中文系	1998.8—2009.7	
张　进	男	1972.6	黄平	汉	贵州师范大学历史系	1998.8—2009.8	
王建华	男	1971.2	瓮安	汉	贵州教育学院英语系	1998.8—2013	

续表

姓名	性别	出生年月	籍贯	民族	毕业院校	在校时间	备注
何平章	男	1965.12	瓮安	汉	贵州教育学院物理系	1998.8—2013	
唐书军	男	1978.4	贵州瓮安	汉	贵州师范大学地理系	1999.7—2013	
祝亚峰	男	1973.9	瓮安	汉	贵州教育学院中文系	1999.8—2013	
王国剑	男	1977.9	瓮安	汉	贵州师范大学英语系	1999.9—2003.7	
潘光会	女	1976.2	瓮安	苗	贵州师范大学数学系	1999.9—2013	
肖祥明	男	1973.9	湖南祁东	汉	贵州省民院数学系	1999.9—2013	
吴中琪	男	1973.8	瓮安	彝	贵州师范大学体育系	1999.9—2013	
商正达	男	1970.11	瓮安	汉	贵州师范大学英语系	1999.9—2013	
刘元军	男	1974.12	瓮安	汉	贵州师范大学物理系	1999.9—2013	
张友军	男	1976.4	瓮安	汉	贵州师范大学物理系	1999.9—2013	
周学东	男	1966.11	瓮安	汉	西南师范学院政教系	1999.12—2013	
邓先迪	男	1973.1	贵州	汉	贵州师范大学中文系	2000.1—2004.9	
石世学	男	1971.9	瓮安	汉	云南师范大学英语系	2000.1—2013	
何远红	男	1972.5	余庆	汉	贵州师范大学数学系	2000.8—2013	
严国艳	女	1975.8	瓮安	汉	贵州师范大学物理系	2000.9—2012.7	
夏忠富	男	1974.7	瓮安	汉	贵州师范大学生物系	2000.9—2013	
杨应平	男	1975.12	瓮安	汉	贵州师范大学化学系	2000.9—2013	
周　洪	男	1976.1	瓮安	汉	贵州师范大学体育系	2000.9—2013	
石　顺	男	1970.5	瓮安	汉	贵州师范大学物理系	2001—2006.7	
梁　艳	女	1975.1	瓮安	汉	贵州教育学院英语系	2001.8—2013	
李　琴	女	1971.12	遵义	汉	贵州师范大学生物系	2001.8—2010.10 2013.4—	
姚明亮	男	1974.5	瓮安	汉	贵州师范大学中文系	2001.8—2013	
刘昌荣	女	1970.4	瓮安	汉	贵州教育学院中文系	2001.8—2013	
龙光明	男	1966.1	瓮安	苗	贵州教育学院数学系	2001.8—2013	
张立新	男	1973.11	瓮安	汉	贵州师范大学数学系	2001.8—2013	
赵慕琦	男	1975.8	瓮安	汉	贵州师范大学生物系	2001.8—2013	
陈　刚	男	1965.12	瓮安	汉	贵州师范大学美术系	2001.8—2013	
宋锡立	男	1976.4	瓮安	汉	贵州师范大学物理系	2001.9—2013	
李叶梅	女	1971.1	瓮安	汉	贵州教育学院英语系	2001.9—2013	

续表

姓名	性别	出生年月	籍贯	民族	毕业院校	在校时间	备注
姚中奎	男	1975.7	瓮安	汉	贵州教育学院计算机系	2001.9—2013	
盛定勇	男	1974.11	瓮安	汉	贵州艺专音乐系	2001.9—2013	
蒋中利	男	1976.12	瓮安	仡佬	四川大学计算机科学系	2002.5—2005.8	借用
石方红	男	1979.9	瓮安	汉	贵州师范大学地理系	2002.8—2007.1	
张玉胜	男	1976.1	瓮安	汉	贵州师范大学政治系	2002.8—2010.7	
王支全	男	1971.11	瓮安	汉	贵州教育学院中文系	2002.8—2013	
朱前红	女	1975.2	瓮安	汉	贵州教育学院中文系	2002.8—2013	
鄢小梅	女	1975.1	瓮安	汉	贵州教育学院中文系	2002.8—2013	
何俭霞	女	1969.9	瓮安	汉	贵州教育学院中文系	2002.8—2013	
肖连均	男	1972.1	瓮安	汉	贵州师范大学数学系	2002.8—2013	
宋志飞	女	1976.9	瓮安	汉	贵州师范大学心理学系	2002.8—2013	研究生
秦　飞	男	1972.4	瓮安	汉	贵州教育学院英语系	2002.8—2013	
宋锡琴	女	1976.8	瓮安	汉	贵州教育学院英语系	2002.8—2013	
席德杰	男	1975.8	瓮安	汉	贵州师范大学化学系	2002.8—2013	
程　曼	女	1977.1	瓮安	汉	贵州教育学院英语系	2002.8—2013	研究生
程　立	女	1980.02	瓮安	汉	贵州民族学院中文系	2003.8—	
班　吉	男	1982.12	瓮安	汉	贵州师范大学历史系	2003.8—2009.3	
刘宜菊	女	1980.2	瓮安	汉	西南大学农学系	2003.8—2013	研究生
蔡　毅	男	1977.9	瓮安	汉	南方冶金化学系	2003.8—2013	
蔡志武	男	1979.8	瓮安	汉	贵州师范大学化学系	2003.8—2013	
刘　毅	男	1981.9	瓮安	汉	贵州师范大学计算机系	2003.8—2013	
左世杰	男	1979.7	湖南祁东	汉	北京航空学院	2003.8—2004.4	
吴礼坤	男	1978.1	瓮安	汉	贵州师范大学体育系	2003.8—2013	
李志鸿	男	1975.5	湖南邵东	汉	贵州师范大学数学系	2003.8—2013	
张玲莉	女	1962.5	瓮安	汉	贵州教育学院英语系	2004.2—2013	
张　琼	女	1971.1	瓮安	汉	贵州师范大学政教系	2004.2—2013	
王永奇	男	1973.1	瓮安	汉	贵州师范大学数学系	2004.5—2013	

续表

姓名	性别	出生年月	籍贯	民族	毕业院校	在校时间	备注
汤兴明	男	1975.4	瓮安	汉	贵州教育学院计算机系	2004.8—2010.7	
汪举芳	男	1970.1	瓮安	汉	贵州师范大学教育系	2004.8—2013	
朱明兰	女	1970.6	瓮安	汉	贵州教育学院物理系	2004.8—2013	
唐光正	男	1977.2	瓮安	汉	贵州师范大学美术系	2004.8—2013	
龙运琴	女	1969.1	瓮安	汉	贵州师范大学外语系	2004.8—2013	
王光先	女	1975.9	瓮安	汉	贵州教育学院化学系	2004.8—2013	
徐国生	男	1968.9	瓮安	汉	贵州教育学院化学系	2004.8—2013	
何宣柱	男	1975.6	瓮安	汉	西南大学政治系	2004.8—2013	研究生
赵泽钦	女	1972.11	瓮安	汉	贵州师范大学美术系	2004.8—2013	
刘秋红	男	1976.9	瓮安	汉	黔南师院计算机系	2004.8—2013	
宋　勋	男	1977.11	瓮安	汉	贵州师范大学数学系	2004.8—2013	
刘怀喜	男	1975.1	瓮安	汉	贵州师范大学数学系	2004.8—2013	
卢怀芳	男	1975.1	瓮安	汉	贵州师范大学数学系	2004.8—2013	
黄富春	女	1981.8	瓮安	汉	黔南师院英语系	2005.8—2013	
潘芹富	男	1978.9	六盘水	汉	贵州师范大学物理系	2005.8—2013	
鲁仕发	男	1982.1	贵阳	汉	贵州师范大学化学系	2005.8—2013	
李玉敏	男	1981.1	普定	汉	贵州师院大学化学系	2005.8—2013	
罗显英	女	1982.2	遵义	汉	贵州师范大学地理系	2005.8—2013	
吴喜艳	女	1983.12	瓮安	汉	贵州师范大学地理系	2005.8—2013	
杨连珠	女	1982.11	黎平	侗	贵州师范大学英语系	2006.8—2008.8	
李　坤	男	1982.9	凤岗	土家	贵州师范大学历史系	2006.8—2012.2	
肖春花	女	1983.1	湖南衡东	汉	黔南师院中文系	2006.8—2013	
杨贤材	男	1982.5	天柱	侗	西北师院数学系	2006.8—2013	
蔡开华	男	1982.4	瓮安	汉	黔南师院数学系	2006.8—2013	
王瑞堂	男	1981.8	黎平	侗	黔南师院数学系	2006.8—2013	
陈　敏	女	1984.1	瓮安	汉	黔南师院数学系	2006.8—2013	
刘　琴	女	1981.9	贵定	水	黔南师院英语系	2006.8—2013	
董　旭	男	1982.12	石阡	侗	贵州师范大学物理系	2006.8—2013	
卢国勇	男	1983.5	贵定	汉	黔南师院物理系	2006.8—2013	

续表

姓名	性别	出生年月	籍贯	民族	毕业院校	在校时间	备注
杨通银	女	1983.1	黎平	苗	贵州师范大学物理系	2006.8—2013	
黄仁江	男	1983.8	织金	汉	贵州师范大学历史系	2006.8—2013	
林举华	男	1980.11	瓮安	汉	贵州师范大学政治系	2006.8—2013	研究生
邓思源	男	1981.11	遵义	汉	贵州师范大学生物系	2006.8—2013	
钟兴云	女	1979.6	大方	汉	贵州师范大学音乐系	2006.8—2013	
杨平坤	男	1983.1	黎平	苗	贵州大学	2007.8—2008.9	
李远航	女	1986.4	遵义	汉	贵州师范大学中文系	2007.8—2011.11	
孙典英	女	1984.8	开阳	汉	贵州师范大学中文系	2007.8—2012.7	
朱克红	男	1983.7	黄平	汉	贵州师范大学	2007.8—2010.9	
李长芳	女	1984.12	安顺	汉	贵州大学英语系	2007.8—2013	
贾　莉	女	1984.12	瓮安	汉	贵州师范大学物理系	2007.8—2013	
赵　俊	男	1981.11	瓮安	汉	西北农林科技大学生物系	2007.8—2013	研究生
肖　洁	女	1981.1	瓮安	汉	贵州大学音乐表演系	2007.8—2013	
吴兴凤	女	1984.1	湄潭	汉	重庆师范大学数学系	2008.8—2013	
唐　倩	女	1986.3	瓮安	汉	贵州师范大学生物系	2008.8—2013	
龚　雪	女	1985.12	湖北枝江	汉	遵义师院计算机系	2008.8—2013	
蔡　芬	女	1983.12	六枝	汉	贵州师范大学地理系	2008.9—2010.8	
谢文剑	男	1978.12	湖南	汉	贵州师范大学应用心理学	2008.9—2013	
袁家明	男	1983.1	金沙	汉	黔南师院英语系	2008.12—2013	
罗小红	男	1984.12	遵义	汉	贵州师范大学数学系	2009.8—2010.12	
邹　强	男	1981.11	瓮安	汉	广西师范大学化学系	2009.8—2013	
肖　捷	女	1987.8	黎平	侗	贵州师范大学中文系	2009.9—2013	
游丕坤	男	1985.6	瓮安	汉	宁波大学	2009.9—2011.7	
曾　莉	女	1987.3	湄潭	汉	贵州师范大学英语系	2009.9—2013	
于　萍	女	1986.5	湖南会同	汉	贵州师范大学英语系	2009.9—2013	
龙杏霞	女	1983.3	天柱	侗	西北民族大学英语系	2009.9—2013	
谭　跃	男	1985.6	六枝	汉	贵州师范大学物理系	2009.9—2013	
陈全松	男	1980.7	瓮安	汉	贵州师范大学生物系	2009.9—2013	

续表

姓名	性别	出生年月	籍贯	民族	毕业院校	在校时间	备注
刘　晶	女	1980.1	吉林农县	汉	贵州大学农学院	2009.9—2013	研究生
涂　刚	男	1970.1	瓮安	汉	贵州教育学院政教系	2009.9—2013	
贺光明	男	1982.7	重庆荣昌	汉	贵州师范大学哲学系	2009.9—2013	研究生
汪　强	男	1978.2	遵义	汉	贵州师范大学政教系	2009.9—2013	研究生
刘朝辉	男	1974.9	湖南祁东	汉	贵州师范大学中文系	2009.9—2013	
冯泽会	女	1985.4	福泉	汉	贵州师范大学数学系	2009.9—2013	
周开敏	女	1983.9	遵义	汉	贵州师范大学数学系	2009.9—2013	
刘凤七	女	1985.7	天柱	侗	贵州师范大学信息系	2009.9—2013	研究生
陈立燕	女	1981.1	湖北利川	汉	湖北民族学院中文系	2010.8—2013	
胡　蓉	女	1986.11	普定	汉	陕西师范大学化学系	2010.9—2013	
陈文会	女	1982.9	遵义	汉	遵义师范学院英语系	2010.9—2013	
何雪雁	女	1979.2	甘肃礼县	汉	重庆师范大学英语系	2010.9—2011.10	研究生
朱　姝	女	1988.11	重庆丰都	汉	重庆师范大学历史系	2010.9—2011.11	
舒亚岚	女	1988.11	天柱	汉	湖南科技大学	2010.9—2011.11	
曾　慧	女	1987.6	湖南祁阳	汉	湖南师范大学	2010.9—2011.2	
叶　曼	女	1987.9	贵定	汉	西南大学	2010.9—2011.2	
彭子辉	男	1982.9	绥阳	汉	贵州大学	2010.9—2012.1	研究生
赵彦丽	女	1985.4	瓮安	汉	东北大学	2010.9—2012.1	研究生
龙　俊	男	1983.12	岑巩	侗	西南大学	2010.9—2012.7	研究生
胡　慧	女	1988.5	湖南湘阴	汉	湖南科技大学	2010.9—2012.7	
张汝坤	男	1983.6	思南	土家	贵州大学	2010.9—2012.7	研究生
宋定蓉	女	1987.5	黄平	汉	贵州师范大学生物系	2010.9—2012.7	
代亨燕	女	1983.4	瓮安	汉	贵州大学化学系	2010.9—2012.8	研究生
李绍仙	女	1987.2	独山	汉	贵州师范大学化学系	2010.9—2012.8	
葛诗平	男	1969.4	瓮安	汉	贵州教育学院化学系	2010.9—2013	
王永奎	男	1968.3	瓮安	汉	贵州教育学院物理系	2010.9—2013	
朱　靓	女	1988.8	湘乡	汉	湖南城市学院汉语言文学	2010.9—2013	
陈　霞	女	1987.4	贵阳	汉	西南大学	2010.9—2011	

续表

姓名	性别	出生年月	籍贯	民族	毕业院校	在校时间	备注
文 雯	女	1987.9	福泉	汉	贵州师范大学汉语言文学	2010.9—2013	
蒙祖富	男	1987.1	都匀	水	贵州师范大学汉语言文学	2010.9—2013	研究生
陈芳芳	女	1982.8	湖南邵阳	汉	云南师范大学汉语言文学	2010.9—2013	研究生
刘长青	男	1983.11	湖南湘乡	汉	湖南师范大学应用数学	2010.9—2013	研究生
谢承宏	男	1985.4	四川邻水	汉	内江师范学院数学系	2010.9—2013	
廖朝勇	男	1980.11	遵义	汉	贵州师范大学数学系	2010.9—2013	
谭雯涓	女	1986.8	瓮安	汉	中南大学信息与计算机	2010.9—2013	
徐 频	女	1986.3	遵义	汉	贵州师范大学数学与应用	2010.9—2013	
况忠丽	女	1987.4	瓮安	汉	贵州师范大学数学与应用	2010.9—2013	
谭阳辉	女	1987.8	湖南益阳	汉	湖南科技大学英语系	2010.9—2013	
陆柏邑	男	1983.5	瓮安	汉	上海外国语大学英语系	2010.9—2013	
李绍艳	女	1987.11	黄平	汉	贵州师范大学英语系	2010.9—2013	
白 亮	男	1987.3	重庆酉阳	土家	重庆师范大学物理系	2010.9—2013	
姜金燕	女	1987.4	剑河	侗	西南大学物理系	2010.9—2013	
刘 飞	男	1985.1	开阳	汉	贵州师范大学物理系	2010.9—2013	
贾小燕	女	1985.4	四川冕宁	汉	西南大学环境科学系	2010.9—2013	研究生
张英波	男	1985.1	重庆秀山	土家	西南大学化学系	2010.9—2013	
曾 毅	男	1978.1	瓮安	汉	贵州师范大学化学系	2010.9—2013	
唐 艺	女	1985.2	桐梓	汉	贵州师范大学生物系	2010.9—2013	
夏 云	女	1988.1	黔西	汉	贵州师范大学生物科学	2010.9—2013	
商小燕	女	1986.6	福泉	汉	云南师范大学应用师范教育	2010.9—2013	
陶竹英	女	1988.2	剑河	侗	贵州师范大学生物系	2010.9—2013	
陈孝凯	男	1987	榕江	苗	贵州师范大学政治系	2010.9—2013	研究生
黄丹丹	女	1990.7	平坝	汉	贵州师范大学思想政治系	2010.9—2013	

续表

姓名	性别	出生年月	籍贯	民族	毕业院校	在校时间	备注
王祥群	男	1983.6	湖南洞口	汉	云南师范大学	2010.9—2013	研究生
杜洪江	男	1987.1	瓮安	汉	贵州师范大学政治与行政	2010.9—2013	
宋　健	男	1984.2	思南	侗	西南大学亘域经济	2010.9—2013	研究生
兰　梦	女	1988.4	瓮安	汉	新疆师范大学地理科学	2010.9—2013	
舒　福	男	1987.7	天柱	侗	贵州师范大学地理系	2010.9—2013	
李渊霞	女	1986.11	金沙	汉	贵州师范大学体育系	2010.9—2013	
潘忠武	男	1983.3	黄平	汉	贵州师范大学中文系	2011.7—2013	研究生
张学贵	男	1982.3	毕节	汉	云南大学研究生	2011.8—2012.7	
刘志丹	女	1985.7	瓮安	汉	黔南师院体育系	2011.8—2013	
罗定欣	女	1986.9	瓮安	汉	四川美术学院	2011.8—2013	
冯忠琴	女	1975.12	瓮安	汉	贵州教育学院地理系	2011.8—2013	
刘汉丽	女	1973.1	瓮安	汉	黔南师专汉语系	2011.8—2013	
李　昱	男	1970.5	湖南新宁	汉	黔南师院	2011.8—2013	
王　兴	女	1988.7	瓮安	汉	贵州师范大学汉语言文学	2011.8—2013	
邓东强	男	1984.11	邵阳	汉	贵州师范大学汉语言文学	2011.8—2013	研究生
杨文艳	女	1985.7	湖南益阳	汉	广西民族大学数学系	2011.8—2013	研究生
周　清	女	1987.12	开阳	汉	西南大学数学系	2011.8—2013	
詹金星	男	1983.4	湖南沅陵	汉	贵州师范大学研究生	2011.8—2013	
龙国庆	男	1984.9	瓮安	汉	中山大学历史系	2011.8—2013	研究生
张　煜	男	1987.11	瓮安	汉	遵义师范学院历史系	2011.8—2013	
汪天华	男	1986.9	瓮安	汉	陕西师范大学生物系	2011.8—2013	
陈宏智	男	1983.1	黎平	苗	贵州师范大学地环学院地理科学	2011.8—2013	
李家庆	男		瓮安	苗		2011.12—2013.6	借调
杨　奎	男	1982.12	剑河	苗	海南师大地理系	2012.3—2013	
陈堂煜	女	1989.9	瓮安	汉	贵州大学英语专业	2012.3—2013	
崔丽娟	女	1982.5	瓮安	苗	贵州师范大学计算机系	2012.8—2013	

续表

姓名	性别	出生年月	籍贯	民族	毕业院校	在校时间	备注
彭 冲	男	1980.7	晴隆	苗	贵州师范大学物理系	2012.8—2013	
金佳俊	男	1988.12	湖南靖州	汉	湖北师院汉语言文学	2012.8—2013	
魏天艳	女	1990.5	瓮安	汉	贵州师范大学语言文学系	2012.8—2013	
班秋沙	女	1989.7	惠水	布依	西南大学数学系	2012.8—2013	
王晴宇	女	1989.8	瓮安	汉	黔南师院数学系	2012.8—2013	
李 盼	女	1990.1	瓮安	汉	重庆三峡学院英语系	2012.8—2013	
卢桂萍	女	1988.2	甘肃金昌	汉	湖北师范学院历史系	2012.8—2013	
徐晓婷	女	1988.5	辽宁丹东	满	贵州师范大学历史系	2012.8—2013	
刘志林	男	1988.7	四川双流	汉	绵阳师范学院资源环境工程学院	2012.8—2013	
王小冀	女	1988.7	瓮安	汉	成都体育学院	2012.8—2013	研究生
李应红	女	1985.3	盘县	汉	西南大学城乡管理系	2012.9—2013	
张欢欢	女	1986.6	福泉	彝	西南大学地理系	2012.9—2013	
王燕飞	男	1964.9	瓮安	汉	黔南师院数学系	2012.9—2013	
饶成宇	男	1977.3	瓮安	汉	黔南师院物理系	2012.10—2013	
王 炯	男	1986.3	瓮安	汉	贵州师范大学历史系	2012.10—2013	
李子梅	女	1981.5	瓮安	汉	中央电大贵州广播电视大学	2012.10—2013	
蒋 露	女	1988.8	瓮安	汉	重庆城市职业学院	2012.10—2013	
向正琴	女	1986.2	瓮安	汉	北京科技技术学院	2012.10—2013	
梁 巍	男	1977.9	黎平	侗	中央电大黔东南民管校	2012.10—2013	
黄俊松	男	1964.11	瓮安	汉	贵州师范大学数学系	2012.12—2013	
蒋忠勇	男	1978.9	瓮安	苗	贵州师范大学化学系	2013.2—2013	
余家品	男	1966.11	瓮安	汉	贵州师范大学化学系	2013.4—	
张 澧	女	1986.2	湖南湘乡	汉	贵州师范大学历史系	2013.8—	
蔺 媛	女	1988.3	陕西高陵	汉	西安外国语大学英语系	2013.8—	研究生
冯少欢	女	1986.8	广西贵港	汉	华中师范大学汉语言文学系	2013.8—	
刘 璐	女	1990.2	瓮安	汉	贵州师范大学汉语言文学系	2013.8—	

续表

姓名	性别	出生年月	籍贯	民族	毕业院校	在校时间	备注
商婷婷	女	1990. 3	瓮安	汉	湖北第二师院英语系	2013. 8—	
陈首作	男	1991. 9	瓮安	汉	贵州师范大学地理系	2013. 8—	
李贺飞	女	1990. 2	辽宁建昌	汉	沈阳师范大学生物系	2013. 8—	
吴喜年	男	1988. 7	甘肃金昌	汉	长春师范大学政治系	2013. 8—	
饶承庆	女	1982. 7	瓮安	苗	重庆师范大学数学系	2013. 8—	
张　波	男	1988. 7	瓮安	汉	贵州师范大学数学系	2013. 8—	
李小艺	男	1988. 3	瓮安	汉	贵州师范大学数学系	2013. 8—	
罗　鑫	男	1982. 11	黄平	僅家人	贵州师范大学历政学院	2013. 8—	
谢早丽	女	1974. 5	瓮安	汉	省教院汉语文学系	2013. 8—	
刘兴旭	男	1978. 9	瓮安	汉	贵州教育学院数学系	2013. 8—	
何井萍	女	1971. 9	瓮安	汉	瓮安党校	2013. 11—	
陈　萍	女	1970. 8	瓮安	汉	中央电大	2013. 11—	
张思群	女	1975. 12	瓮安	汉	中央电大	2013. 11—	
吴　娟	女	1974. 9	瓮安	汉		2001. 4—2013	临时工
董有翠	女	1968. 1	瓮安	汉		2005. 4—2013	临时工
孔凡祥	男	1965. 1	瓮安	汉		2009. 7—2013	临时工
万光军	男	1981. 1	瓮安	汉		2003. 7—2013	临时工
杨明会	女	1978. 12	瓮安	汉		2010. 3—2013	临时工
杨跃英	女	1976. 9	瓮安	汉		2010. 7—2013	临时工
赵碧先	女	1970. 8	瓮安	汉		2010. 5—2013	临时工
冯忠敏	男	1971. 3	瓮安	汉		2008. 2—2013	临时工
张　胤	男	1979. 9	瓮安	汉		2007. 11—2013	临时工
全　昕	男	1971. 7	瓮安	汉		2008. 9—2008. 11	临时工
熊兴贵	男	1970. 8	瓮安	汉		2011. 8—2013	临时工
伍尚伦	男	1972. 7	瓮安	汉		2011. 7—2013	临时工
秦安和	男	1971. 11	瓮安	汉		2011. 9—2012. 1	临时工
何邦毅	男	1987. 1	瓮安	汉		2011. 9—2012. 1	临时工
陈全先	女	1963. 5	瓮安	汉		2011. 12—2013	临时工

表 4-3　　1955—2011 年瓮安中学高级教师名录

序号	姓名	参加工作时间	学科	评聘时间
1	张炳芝	1955.08	中学数学高级教师	1987.12
2	余国明	1964.07	中学语文高级教师	1987.12
3	王忠华	1964.08	中学化学高级教师	1987.12
4	熊德芬	1949.11	中学体育高级教师	1987.12
5	张世忠	1950.03	中学语文高级教师	1987.12
6	马德称	1950.09	中学数学高级教师	1987.12
7	孙功绪	1950.09	中学数学高级教师	1987.12
8	王开宇	1951.01	中学语文高级教师	1987.12
9	李贤福	1961.08	中学数学高级教师	1987.12
10	周承欢	1960.08	中学数学高级教师	1987.12
11	肖必录	1962.08	中学数学高级教师	1987.12
12	黄万成	1962.08	中学物理高级教师	1987.12
13	徐顺成	1962.08	中学化学高级教师	1987.12
14	黄明高	1957.08	中学地理高级教师	1987.12
15	黎师韩	1955.08	中学化学高级教师	1987.12
16	罗洪强	1960.01	中学语文高级教师	1987.12
17	姚永鋻	1961.09	中学物理高级教师	1987.12
18	曹求真	1960.09	中学数学高级教师	1987.12
19	周厚启	1959.08	中学数学高级教师	1987.12
20	黄栋贵	1972.08	中学政治高级教师	1993.12
21	田景材	1968.12	中学数学高级教师	1993.12
22	王仁学	1972.08	中学政治高级教师	1993.12
23	谭敬昌	1969.08	中学化学高级教师	1993.12
24	黄藜峨	1963.08	中学生物高级教师	1993.12
25	王顺德	1967.09	中学历史高级教师	1993.12
26	李凤奇	1973.01	中学政治高级教师	1995.10
27	刘明林	1970.01	中学语文高级教师	1995.10
28	华和平	1968.12	中学数学高级教师	1995.10
29	陈全福	1977.06	中学数学高级教师	1995.10
30	左业舟	1980.08	中学物理高级教师	1995.10
31	邓前轲	1967.08	中学化学高级教师	1995.10
32	肖正平	1967.04	中学数学高级教师	1995.10

续表

序号	姓名	参加工作时间	学科	评聘时间
33	曾佐藩	1966.09	中学英语高级教师	1993.10
34	罗金元	1969.01	中学化学高级教师	1996.10
35	李树南	1968.08	中学英语高级教师	1996.10
36	丁家友	1980.08	中学语文高级教师	1996.10
37	雷国志	1973.08	中学数学高级教师	1996.10
38	蒋丹英	1980.08	中学物理高级教师	1996.10
39	刘忠信	1976.12	中学语文高级教师	1997.11
40	谢承宇	1973.08	中学数学高级教师	1997.11
41	邓三益	1958.08	中学物理高级教师	1997.11
42	杨碧芳	1979.01	中学数学高级教师	1998.09
43	曾昭映	1963.02	中学数学高级教师	1998.09
44	李子忠	1980.08	中学英语高级教师	1998.09
45	毛　惠	1980.07	中学英语高级教师	1999.12
46	戎筑君	1969.09	中学数学高级教师	2000.11
47	顾晓福	1982.08	中学英语高级教师	2000.11
48	谭仁华	1981.07	中学英语高级教师	2000.11
49	周遗贵	1982.08	中学生物高级教师	2000.11
50	顾大忠	1979.01	中学语文高级教师	2002.12
51	吴定明	1981.08	中学语文高级教师	2002.12
52	徐　华	1985.08	中学数学高级教师	2002.12
53	孙仲时	1980.08	中学物理高级教师	2002.12
54	罗晓安	1981.08	中学化学高级教师	2002.12
55	杨雨前	1982.08	中学政治高级教师	2002.12
56	袁子进	1973.03	中学历史高级教师	2002.12
57	朱模忠	1975.08	中学数学高级教师	2003.11
58	陶义奎	1980.08	中学物理高级教师	2003.11
59	祁连州	1983.08	中学英语高级教师	2003.11
60	陈友华	1985.08	中学数学高级教师	2003.11
61	邓　超	1988.08	中学体育高级教师	2003.11
62	李先富	1981.08	中学语文高级教师	2003.11
63	邬培祥	1980.09	中学语文高级教师	2003.11
64	郑　义	1974.04	中学语文高级教师	2004.12

续表

序号	姓名	参加工作时间	学科	评聘时间
65	陈　琴	1984. 08	中学数学高级教师	2004. 12
66	周玉明	1987. 08	中学英语高级教师	2004. 12
67	管治雄	1983. 08	中学英语高级教师	2004. 12
68	何平章	1988. 08	中学物理高级教师	2004. 12
69	刘仁奎	1988. 08	中学化学高级教师	2004. 12
70	陈玲芳	1985. 08	中学化学高级教师	2004. 12
71	张润琴	1988. 08	中学生物高级教师	2004. 12
72	黄育雍	1977. 02	中学历史高级教师	2004. 12
73	张元忠	1986. 08	中学地理高级教师	2004. 12
74	李景辉	1986. 08	中学政治高级教师	2005. 12
75	胡朝志	1987. 08	中学语文高级教师	2005. 12
76	王成举	1982. 08	中学化学高级教师	2005. 12
77	黄雪瑶	1987. 02	中学英语高级教师	2005. 12
78	张应龙	1988. 02	中学地理高级教师	2005. 12
79	洪庆平	1988. 08	中学物理高级教师	2006. 12
80	龙运琴	1991. 08	中学英语高级教师	2006. 12
81	徐德智	1987. 08	中学数学高级教师	2006. 12
82	游　鹏	1982. 08	中学语文高级教师	2007. 12
83	杨友发	1995. 08	中学数学高级教师	2007. 12
84	唐　敏	1989. 08	中学英语高级教师	2007. 12
85	陈清玲	1986. 08	中学语文高级教师	2008. 12
86	何远红	1996. 08	中学数学高级教师	2008. 12
87	王建华	1992. 08	中学英语高级教师	2008. 12
88	谢　曼	1991. 08	中学英语高级教师	2008. 12
89	张明光	1997. 08	中学物理高级教师	2008. 12
90	罗亚林	1992. 08	中学化学高级教师	2008. 12
91	曹植铭	1991. 08	中学历史高级教师	2008. 12
92	吴定祥	1991. 08	中学体育高级教师	2008. 12
93	张立新	1994. 08	中学数学高级教师	2010. 06
94	李　琴	1996. 07	中学生物高级教师	2010. 06
95	付殿萍	1982. 08	中学化学高级教师	2010. 06
96	朱前红	1994. 08	中学语文高级教师	2010. 12

续表

序号	姓名	参加工作时间	学科	评聘时间
97	刘昌荣	1989.08	中学语文高级教师	2010.12
98	李叶梅	1992.08	中学英语高级教师	2010.12
99	商正达	1995.08	中学英语高级教师	2010.12
100	石世学	1996.08	中学英语高级教师	2010.12
101	赵慕琦	1996.08	中学化学高级教师	2010.12
102	余映竹	1986.08	中学生物高级教师	2010.12
103	何俭霞	1993.08	中学语文高级教师	2011.12
104	毛红艳	1993.08	中学语文高级教师	2011.12
105	曾　山	1995.08	中学体育高级教师	2011.12
106	龙光明	1990.08	中学数学高级教师	2011.12
107	夏忠富	2000.08	中学生物高级教师	2011.12
108	李家庆	1992.08	中学数学高级教师	2006.12
109	余家品	1990.08	中学化学高级教师	2004.04
110	黄俊松	1984.09	中学数学高级教师	2002.12

第二节　资　格

民国24年（1935年）5月，贵州省审查训育主任公民教员资格委员会发出通告“审查中等学校训育主任公民教员资格条例之颁发，业将两载；各地审查委员会之成立，亦已年余；所有中等学校之现任训育主任、公民教员，应皆系审查合格之人充任。”要求“省内各中等学校现任公民教员暨训育主任之既审查合格者与未经审查合格者之姓名及服务学校，从速查明具报”。至此，民国时期教员资格审查的帷幕拉开。

民国25年（1936年）2月，《中等学校训育主任公民教员资格审查条例》（以下简称《条例》）出台，强调“全国各中等学校之训育主任或教导主任公民教员均应受审查委员会之审查，其在各该地审查委员会开始办公三月后未经审查或审查而不合格者不得继续充任”。明确规定了申请受审教员应具备资格、应呈缴证件，免审资格和登记要求以及代用训育主任公民教员资格和办理程序。

5月29日，省政府下发“遵照部颁《中学及师范教员检定暂行规程》，斟酌全省情形，拟定实施办法，提付本府委员会第325次常会决议在案，兹遵章组织委员会并定期从六月一日起开始检定”的训令。贵州省中等及师范学校教员检定正式启动。一直持续到1949年年底，是民国时期教师队伍管理的重要举措之一。

8月，省政府向全省各公私立中等学校下发训令：贵阳各公私立中等学校未经审定之训育主任公民教员，限通知后一星期内，到会领取《志愿书》《履历书》，附缴证件，请求审定；省外各县中等学校未经审定之训育主任公民教员，限通知后两星期内，依照法定手续，请求审定。如再违延，即会同教育厅切实取缔。

民国26年（1937年）2月，省训育主任公民教员审查工作结束。这次审查工作召开了27次会议，先后查审合格高初中训育主任49人，高初中公民教员128人。

民国27年（1938年），省立瓮安初级中学任教的邵光奎先生被列为初中合格训育主任和高中合格公民教员。瓮安任县长的傅啟运也被列为高中合格公民教员和初中合格公民教员。

是年，（中执委社会部）调查重庆市内中等学校之训育主任与公民教员，“其未经审查合格者，颇不乏人。按该省师资审查法令之施行，已历数年之久。凡非合格人员，早应绝迹黉舍。乃渝市各校犹有此中现象，殊堪注意！渝市如此，恐他处亦复不免，事关学校行政。（中执委社）特请贵部转饬渝市暨其他各地区中等学校，嗣后务须选聘审查合格人员充任训育与公民教职并饬各省市教育行政机关，对该项不合格人员，厉行取缔，以维法令而重师资。”8月9日，教育部发出“各省市训育主任公民教员资格审查委员会调查具报……切实遵照”的训令。

民国28年（1939年）9月，省训育主任公民教员资格审查委员会第47次常会印制《历届审查合格训育主任公民教员姓名》分送各中等学校，以备送聘。瓮安中学担任过训育主任（教导主任）和公民教员的何增荣、萧显仁、邵光奎、解广运、任永熙、冉隆堃均为审查合格教员。10月，省立瓮安初级中学奉省训育主任、公民教员资格审查委员会关于“查二十八年度下学期业经开始，所有各该校训公人员应即重新调查”的训令，将何增荣、冉隆堃遵式填报。同时，还填报了《中等学校训育主任工作报告表（何增荣填）》和《中等学校公民教育工作报告表（冉隆堃填）》。

民国33年（1943年）10月，省立瓮安中学校长冉懋森、教导主任王家修、训导主任马宗裕，教员戴卓颖、王道暄、刘采骥等21名全部通过检定。

1949年2月，省政府教育厅训令：“查该校尚有多数教员未经参加检定，殊与规定不合，合亟抄发申请表或仰转知各该尚未检定教员，遵照规定填具申请表，连同资历证件暨最近二寸相片3张，汇送来厅以凭检定为要。”

1985年5月，《中共中央关于教育体制改革的决定》颁布，提出“必须对现有的教师进行认真的培训和考核”“要争取在五年或者更长一点的时间内使绝大多数教师能够胜任教学工作。在此之后，只有具备合格学历或有考核合格证书的，才能担任教师”，有效提高中学教师的文化专业知识水平和教育教学能力，以适应中国基础教育发展和实施九年义务教育的需要。

1986年9月，国家教育委员会下发〔1986〕教师字009号《关于印发〈中小学教师考核合格证书试行办法〉的通知》。瓮安中学按照《中小学教师考核合格证书试行办法》，对不具备合格学历教师，组织参加初中教师教材教法考试和高中教师教材教法考试，均获得相应合格证书。

1996年8月，省教育委员会颁发黔教通〔1996〕193号《关于做好在职教师资格认定过渡工作的实施意见》，规定“一直从事高中教学工作的，可认定高级中学教师资格；一直从事初中教学工作的，只能认定初级中学教师资格；既从事高中教学又从事初中教学工作，已评聘中级及以上教师职务的，可认定高级教师资格；评聘初级教师职务的，只能认定初级中学教师资格”。是年，瓮安中学绝大部分教师被认定为高级中学教师资格，并获得“教师资格证书”。

第三节 聘 任

民国25年（1936年）7月，遵照中央教育法令及参酌省实际情形订定的《贵州省公私立中等学校职教员服务暂行规程》出台，对全省公私立中等学校校长的任用条件、任用程序、惩戒或免职、职责与待遇，对全省公私立中等学校专任及兼任教员的聘任条件、聘任期、教学时数、训导要求与待遇，对全省公私立中等学校教导主任、训育员、文牍会计庶务、教务员的配备、工作职责与待遇等均作了明确而具体的规定。

10月3日，省政府就省立瓮安初级中学长期担任公民教学及专任教员兼教导主任职务熊其懋，未经全省训育主任公民教员资格审查委员会审查合格，应予转饬迅速请求审查以符规定。教员沈如愚在中山大学修业几年，教员方崇义、解广运、范元卿曾服务中学教育几年，应予查明呈复再核。国文教员范文卿仅担任国文教学6小时，不能比照国文专任教员给薪，应以时数计之。其余各员资历，尚无不合，准予聘任。11月3日，省立瓮安初级中学校长任永熙向省政府教育厅书面回复陈述："……除教员主任熊其懋一员即函知该员迅速专函贵阳训育主任公民教员资格审查委员会请求审查，俟得复再行专案呈报外，余如沈如愚一员，系在广州中山大学修业三年；方崇义一员，历任贵阳达德中学教员一年，赤水中学教员一年；解广运一员，历任黄平中学教员二年半，教育局长一年半，兼中学校长半年；范元卿一员，曾任四川巴县中学教员二年。……具文呈请钧府俯赐鉴核备案。"

民国27年（1938年）1月，省政府教育厅教贰字第030号训令要求：各校延聘教员，事先应呈请省县教育行政机关允准，方得聘任。下学期该校长拟聘教员，应即遵照规定，于学期开始前一月，开具合格人员详细履历（包括学历经验）及担任教学科目、每周教学时数、每月薪金数目、连同各项证件，呈经本厅核准，再行聘任。若所聘教员，逾期呈报，即不予核定，并不准支付该员薪给。如违令支给，应由该校长负责赔偿。又申请检定教员，在未经核定合格以前，亦不得致送正式聘书。

2月，省政府下发教秘字第639号"案查本府委员会第403次常会议决，省立瓮安初级中学校长任永熙，另候任用，遗缺调委教育厅督学冉隆堃充任"训令，任永熙校长辞任。

5月19日，省政府〔教贰字第896号〕训令对省立瓮安初级中学呈报的预聘教员核定做出回复。29日，省立瓮安初级中学冉隆堃校长"声叙理由"如下："窃查拟聘教员李锡桐，在大学肄业时，曾攻研生物学二年，出校后在安顺、遵义两地中等学校任职，照样授生物学科，对于植物一科持有充分教材及教学经验。赵泽宣、潘津生两员，均系应用化学系毕业，在校肄业时算学及生物学，均系主要课程，该员等近数年来曾服务于北平、天津等处中学，仍并教算学、生物、卫生等科；本季在职校任教上列等科，亦颇著有成绩；并且职校班次过少，每科钟点不多，势难均聘任教员，有此碍难情形，故对于算学生物等科，即由上述各员分别担任。"

8月30日，省政府转发教育部民国27年（1938年）6月30日汉教字第526号训令，要求"自二十七年度起，各学校应一律推行（导师制），不得延搁。"

9月30日，省立瓮安初级中学在《呈报遵令实施级任导师制情形》中陈述：关于实施办法第一项，职校因人员过少，事务进行，常感人员支绌，拟请暂准保留训育员一人职务，业将详情另案呈请。关于实施办法第二项，校长遵照聘请职校教导主任李锡桐充任主任导师，综理全校学生训导事宜。查职校学级共为四级，应设级任导师四人，复查职校教员，除职员兼课外，共有专任教员何增荣、邵光奎、褚桂林等三人。兼任教员谢瓴高（长安）、方崇义二人。教员谢长安，所授为童军体育，例须对全体学生作一般训导，除请其指导全体学生生活外，校长遵照规定，聘请专任教员何增荣兼任三年级任导师，教员褚桂林兼任二年级级任导师，教员邵光奎兼任春季一年级级任导师，教员方崇义兼任秋季一年级级任导师。关于实施办法第三项，查职校虽有女生，但无专为女生所设班级，且人数亦少，校中亦无女性教员，故该生等之训导事宜，仍由各该班级之男性级任导师一并担任。关于实施办法第四项，查职校驻于乡村，全体职教员均行住校，历来师生均实行共同生活，作息食宿，全校一致。关于实施办法第五项，校长自应于遵照聘请教员聘书内明白规定，聘任级任导师，不得任意辞退。

10 月 26 日，省政府教贰字第 4215 号指令认可省立瓮安初级中学做法："……查核所呈该校实施导师制情形，尚无不合，准予备查。所谓暂行保留训育员一人一节，本学期姑予照准。下期仍应遵照撤销。"

民国 28 年（1939 年），省立瓮安初级中学先后聘用何增荣、邵光奎、褚桂林、萧之亮、谢长安、方崇义、冉隆英（女）、刘汝骏、冉燧卿、曾章武、曾鹔、庞尧勋、李奇谋 13 人，并颁发聘书。

民国 30 年（1941 年）8 月，省教育厅教师供应股将 7 月 1 日—30 日该股登记人员编印成册，随函附送省立瓮安初级中学参考。是年，省立瓮安初级中学拟聘教职员有：邵光奎（教导主任）、刘汝骏（文牍）、冉燧卿（会计）、曾章武（图书仪器管理员）、张祖华（校务员）、宋正基（校务员）、曾鹔（专任教师）、张坤华（专任教师）、余正清（专任教师）、庄传训（专任教师）、李奇谋（专任教师）、陈佩恫（专任教师）、马仲楠（专任女教师）、庞国樑（专任教师）、戴卓颖（专任女教师）、周泽生（兼任军事教官）、李起元（兼任教员）、袁会同（兼任教员）。

民国 30 年（1941 年）8 月，省立瓮安初级中学冉隆堃辞职，杨藻章接任校长。与冉隆堃一起辞职的职教员有：刘汝骏、冉燧卿、宋正基、张坤华、庄传训、陈佩恫、周泽生、李起元计 8 人。杨藻章接任校长后，"力事整顿"，续聘职教员邵光奎、曾鹔、李奇谋、余正清、马仲楠、戴卓颖、曾章武、庞尧勋，留聘辞职职教员庄传训，刘汝骏、宋正基、冉燧卿，薪聘职教员张克襄、曾春如、商足三、何光宣、刘凤翔、戎仲华。

民国 31 年（1942 年）8 月，学校历遭匪劫，校长杨藻章辞职，王道暄接任省立瓮安初级中学校长。新聘职教员肖显仁、张敏学、胡德新、邹鹤群、李万华、唐恺、易光荣、商志甫、武志承（留日学生）、屠守缪、王家修，计 11 人，续聘职教员曾鹔、曾春如、戴卓颖（女）、邵光奎、庄传训、李奇谋、余正清、马仲楠（女）、刘汝骏、曾章武、宋正基、庞尧勋、张克襄、商足之、何光奎、刘凤翔、戎仲华、冉燧卿，计 18 人。

民国 32 年（1943 年）秋，按《省政府三十二年施政计划》"自本年起，初中以县设立为原则，省集中力量办好高级中学"的规定，省政府教育厅研究同意省立瓮安初级中学改办为完全中学，随即招生开班。至此，"省立瓮安初级中学"更名为"贵州省瓮安中学"。王道暄校长除续聘肖显仁、戴卓颖、曾春如、刘凤翔、邹鹤群、李万华、王家修、武志承、商光甫、唐恺等 9 名职教员外，其他 24 名职教员均系新聘。

民国 33 年（1944 年）2 月，王道暄被选为瓮安县政府参议长后，根据《贵州省公私立中学学校职教员服务暂行规程》第九条"校长应为专任职不得兼任其他职务"之规定，免去校长职务，仅作为兼职教员在贵州省瓮安中学任教。冉懋森接任校长。是年上半年，除新增职教员何增荣（1937年曾在瓮安中学任教）、朱永陛、陈永康外，绝大部分职教员留聘。下半年则新聘职教员管金鹰、何俊川、严太坤、易光莲（女）、王齐方、孟奕达、成书廑、管络耀、潘立龙、杨藻章（原瓮安初级中学校长）、孟成、丁讯、唐廷佑、丁钧、石代森、邓广质、符治畿、任经中、冉蔚若等19人。

民国34年（1945年）2月，刁承坤接任贵州省瓮安中学校长，新聘职教员赖映堂、黄乾、石锦策、黄海杰、钱东启、王振先、马云航、王文栩、苏海三、彭若逸、潘立先、林川田、潘立龙、韩史超、张炯、曾中原、韩绮、肖瑶、朱文彬等19人。

民国34年（1945年）8月，李宗彝接任贵州省瓮安中学校长。李宗彝校长除继续留用部分优秀教员如胡德新、杨藻章、王道暄、戴卓颖、曾春如、唐廷佑等人外，也相应新聘了部分优秀教员如王道源、许登峰、屈解山、吴廷光、犹鼎兴、戎绍华、王贤忠等员，增强瓮安中学教育教学力量。

民国37年（1948年）8月，李宗彝校长卸任，卢光义接任贵州省瓮安中学校长。

瓮安解放后，贵州省立瓮安初级中学按照《贵阳市军管会教育接管部贵州省人民政府教育办公室关于整理中等学校暂行办法草案》“暂维现状”“逐步改造”的方针，在保持原有教学系统不变，人员不变，课程基本不变的情况下，让原有教师安心教学，稳定教学秩序。

1950年10月，学校有教职员工26人（教员19人，职工7人）。19名教员均与学校行政领导签订了聘用书，聘用时间均为1学期（1950年8月—1951年1月）。

1952年后，国家实行“统招统分制”，不再签订聘用书。新进教师，均由教育行政主管部门配合人事劳动部门，主要从大专院校师范专业毕业生中分配。

1984年，知识分子大流动。瓮安中学向贵阳地区、六盘水地区流出10人。1985年，流出3人。瓮安中学、瓮安二中、草塘中学等学校共流出30余人。鉴于以瓮安中学为首的瓮安县普通中学教师猝然受聘外流，学校教职工奇缺的严重态势，县委、县政府加快《关于贯彻落实知识分子政策的暂行办法》的落实步伐，“采取重奖措施，鼓励人才流动”之规定，成立县人才招聘办公室，按照“对县内外、省内外，有真才实学的知识分子和通过自学有一技之长的人才实行重金招聘，可不受工资、户口、粮食、编制等方面的限制”等规定，自1985年1月起，向外县、外省公开招聘教师。

1985年1月—5月，瓮安县向外县共招聘教师22人。8—11月，瓮安县向外省（主要是湖南祁东地区）招聘教师54人，主要安排在瓮安中学、瓮安二中、草塘中学工作。安排到瓮安中学的湖南籍教师有18人。

1998年，统招统分制停止，大中专毕业生停止分配后，对新进教职工实行公开招考（调）。

2001年，《瓮安中学教师聘任暂行办法》出台，该暂行办法获学校第三届教职工代表大会通过。

2002年，县教育局、县人事劳动和社会保障局、县机构编制委员会办公室、县财政局联合印发《瓮安县关于2002年公开招考录用教师的实施办法》，通过考试、考核，从全日制大学4年本科毕业生中考录教师，从乡镇中学考调教师。经县教师招考录用工作领导小组审核后，11位本科毕业生由乡镇学校调瓮安中学工作。

2010年，瓮安中学教师招考录用工作相关人员，分赴重庆、长沙、贵阳等地招考教师。经县教师招考录用工作领导小组审核后决定，48 名全日制大学四年本科毕业生被安排到瓮安中学工作。为瓮安中学招考录用教师人数最多的一年。

2011—2013 年，瓮安中学先后招考录用教师 38 人。

第四节 学 习

一、政治学习

1950 年，全省各中学开始开展抗美援朝的爱国主义教育，肃清崇美恐美思想和帝国主义的文化侵略影响。寒假、暑假期间，瓮安中学组织教师学习业务和进行新民主主义思想教育；组织师生下乡参加土地改革，接受反封建教育。

1951 年 4 月 6 日，省文教厅印发申云浦厅长《贵州省 1951 年教育工作方针的报告》，要求“各校应即进行学习，组织讨论，对三大中心工作‘政治学习’‘教育改革’‘民主领导’作一次普遍地深入地检查”。10 月，瓮安中学开始学习《武训历史调查记》《反人民反历史的思想和反现实主义的艺术》两篇文章，并就“从反武训的学习，我们对孔子、杜威、陶行知等人物的认识怎样，对旧教育和旧教育工作者如何评价”“学习武训问题，使自己思想上明确了一些什么”等问题进行探讨，为期 20 天。

1952 年 7 月，瓮安中学全体教员及部分学生暑期赴贵阳市第一中学参加全省中等学校教职员思想改造。此次思想改造从 1952 年 8 月 8 日开始至 10 月 15 日结束，历时 69 天。

1953 年，政治学习以学习中共党史为资料，并以党史为经常的理论学习文件。业务学习以教学大纲、教科书、教育学及有关学习苏联教学先进经验等为学习资料，以教科书及教育学为经常的业务学习文件。进度统一由教育厅拟定印发，学习资料由教育厅编印价发或指定后各校经同书店洽购。学习时间为 1953 年 11 月中旬起至 12 月底，每周学习 135 分钟。

1954 年，政治学习以党的总路线实行理论与实践相结合的学习。教师更加重视劳动教育，课堂能结合进行教学，课外能以实际行动带动学生与生产劳动相结合。

1955 年 5 月，瓮安中学执行省教育厅《关于贵州省中等学校教师学习中国现代革命史的通知》精神，组织教师学习中国现代革命史。按计划把学习中国现代革命史作为全年政治学习的主要内容。

1956 年 3 月 1 日，省教育厅教中〔1956〕寅字第 0033 号《关于我省中等学校教师继续学习〈中国现代革命史〉的通知》提出关于具体进度的意见，并就“学习目的和要求”“学习文件和时间”“学习方法和方式”“组织领导”等问题作了具体说明。9 月，省教育厅将政治理论学习测验题下发各中学、师范学校，进行了第一次测验（开卷考试）。

1957—1958 年春，全省各级教育行政部门和各级各类学校都开展了整风运动和反右派斗争。瓮安中学整风运动和反右派斗争中，有 1 人被错划右派，受到降级降薪的处理。

1960 年 2 月 5 日—20 日，瓮安中学全体教职员参加县文教局组织的全县公、民办中小学教师集中学习，学习围绕“反右倾、鼓干劲”“使广大教师鼓足更大的干劲，以迎接全县教育事业的继续跃进”进行。6 月，瓮安中学按上级要求，印发学习“列宁主义万岁”“在列宁的革命旗帜下团结起来”“沿着伟大列宁的道路前进”参考题目各 10 道，指导教职员认真学习。

1962 年，瓮安中学组织全体教职员学习《农村人民公社工作条例（修正草案）》及陈毅、聂荣臻副总理的报告文件等，进一步澄清了混乱思想，认清形势，提高觉悟，明确方向。

1963 年，学校组织全体师生员工利用寒假进行国际主义、爱国主义和社会主义教育，进一步提高政治思想觉悟。

1964 年，学校组织开展向米绍周同志学习的活动。县茅坡公社党委书记米绍周同志的报告，使大家受到深刻的教育。组织参观河西大队、银盏公社、雍阳区的阶级教育展览馆；利用集中劳动时间组织师生下乡访贫问苦；寒暑假期间两度布置调查访问瓮安“村史”的假期作业；以班级为单位，师生共同参加“忆苦思甜”教育活动等。

1965 年暑期，教职工集中进行为期 12 天的政治学习，学习《为人民服务》《纪念白求恩》《愚公移山》《九评》《为革命而学》单行本。12 月，黔南自治州教育局召开各县文教局长、完全中学、师范学校校长会议，着重学习领会主席“七三”指示精神和中央办公厅有关保证学校师生健康、劳逸结合问题的一个资料以及彭真同志的批语。

1966 年 1 月，瓮安中学全体教职工贯彻执行毛主席“七三”指示精神，开展教学改革。在教学改革中，注重反对故步自封保守思想和等待观望、畏缩不前的消极情绪，提倡敢于实践、敢于创造、敢于胜利的革命精神，提倡有所发现、有所发明、有所创造、有所前进的英雄气概，采取“边学、边议、边改”“再学、再议、再改”的方法。

“文化大革命”期间，瓮安中学教职工正常的政治业务学习、教育教学秩序受到严重干扰，政治学习中断。

1977 年，政治学习逐渐恢复。是年，瓮安中学广大教职工在县委和县教育局的统筹安排下，掀起了批判“两个估计”的高潮，联系教育战线实际，搞清 10 个问题。

1978 年，瓮安中学全体教职工在州教育局、县教育局的安排下，抓住受“江青反革命集团”影响最深、危害最大的问题，联系学校实际边揭边批，务求在理论、路线、政策、作风等方面划清是非界限，拨乱反正。

1980 年，瓮安中学全体党员和教职工利用每周政治学习时间，集中学习邓小平同志关于目前的形式和任务以及十一届五中全会公报内容，认识到全党工作着重点转移到经济建设上来，思想政治工作不但不能放松，而且必须进一步加强。

1981 年，宣讲、学习《关于建国以来党的若干历史问题的决议》成为瓮安中学教职工政治学习的重要内容。

1982 年，瓮安中学组织全体教职工宣讲学习十二大报告，提高贯彻执行党的三中全会以来正确路线和方针政策的自觉性。

1986 年 4 月，学校组织全体教职工学习《中华人民共和国义务教育法》。全体教职工参加第一个全民普法（简称“一五普法”）学习考试。是年，瓮安中学就“改进工作方法，加强思想工作”确定新学期学校思想工作的重点：坚持四项基本原则，反对资产阶级自由化，保障学校的办学方向，维护安定团结的政治局面，促进教学改革，提高教育质量，为社会主义现代化培养四有人才。

1988 年，瓮安中学教职工学习中共十三大文件。重点领会“社会主义初级阶段”的理论、方针、政策，进一步解决好教育如何为民族地区经济服务，各类学校如何发展，教学质量如何进一步提高等重大问题。学习要求：保证学习时间，逐段逐节以文件为主，认真组织讨论，并落实到各项工作中。

1989 年，瓮安中学组织教职工学习中央领导关于平息北京反革命动乱的重要讲话和十三届四中全会公报精神，学习社会主义初级阶段的基本理论，澄清模糊认识，辨明是非，消除谣言和诽谤，把思想统一到中共十三届四中全会的精神上来，做到与党中央保持高度一致。师生员工自觉以平息反革命暴乱的解放军英模为榜样，学习他们的英勇事迹和献身精神，以实际行动为四化建设贡献力量。

1991 年 11 月，中共中央宣传部，国家教委下发中宣通〔1991〕21 号《关于加强和改进中学干部、教师思想政治工作若干问题的通知》。学校围绕通知精神，开展各种活动。

1992 年暑假，瓮安中学党支部、行政领导组织全校教职工集中进行为期一周的“两史一情”辅导学习，并参加全县中小学干部职工“两史一情”学习测试。

1993 年，瓮安中学政治学习围绕《中共关于建立社会主义市场经济体制若干问题的决定》、《邓小平文选》第三卷、邓小平“视察南方讲话”和党的十四大报告等进行。组织全校教职工学习《中国教育改革和发展纲要》《教师法》。

1996 年，组织全校教职工继续学习《中国教育改革和发展纲要》《教育法》《教师法》《义务教育法》《未成年人保护法》等，参加“二五”普法宣传活动。

1997 年，瓮安中学组织全校教职工学习江泽民总书记《高举邓小平理论伟大旗帜，把建设有中国特色社会主义事业全面推向二十一世纪》的报告。

1998 年 5 月，瓮安中学党支部、行政领导组织全校教职工学习中共十五大报告中关于经济体制改革和经济发展战略的内容，学习邓小平经济理论；组织学习中宣部编写的《建设有中国特色社会主义若干重要理论问题》；把《邓小平人才人事理论学习纲要》内容作为专题，集中安排组织学习和讨论。组织教职工尤其是党员干部参加《党的生活》杂志社举办的中共“十五大”知识竞赛。

2001 年 7 月，瓮安中学组织党员、干部学习江泽民“七一”重要讲话，深刻领会“三个代表”重要思想，进一步加强和改进党的作风建设，推动学校教育教学工作。学习“四五”普法相关知识，并参加普法考试。

2004 年 4 月，瓮安中学政治学习围绕贯彻胡锦涛总书记讲话精神，加强社会主义荣辱观教育活动。政教处、年级组、各班级充分利用校园广播、电视、网络、校刊、墙报、橱窗等载体，宣传社会主义荣辱观的重大意义和深刻内涵。

2007 年 3 月，瓮安中学以胡锦涛总书记讲话精神为重点，结合全校师生员工工作、学习和生活实际，提出“瓮安中学校园八荣八耻”，即“以爱国爱校为荣，以知恩不报为耻；以遵章守纪为荣，以违法乱纪为耻；以育人教书为荣，以误人子弟为耻；以勤奋好学为荣，以不学无术为耻；以诚实守信为荣，以欺瞒哄骗为耻；以团结互助为荣，以自私自利为耻；以勤俭朴素为荣，以浪费奢华为耻；以举止文明为荣，以言行低下为耻。”9 月，瓮安中学印发瓮中字〔2007〕22 号《关于学习胡锦涛书记在全国优秀教师座谈会上的讲话的通知》，要求全校教师以处室和学科组为单位组织学习讨论，作好记录。教师自学并写出学习心得，交学校中继教办公室存入个人学习档案。

2009 年 3 月，中共瓮安中学党总支委员会印发瓮中党字〔2009〕2 号《关于开展深入学习实践科学发展观活动的实施方案》，召开深入学习实践科学发展观动员会。安排部署学习实践全过程中各个阶段的任务，明确领导小组成员及办公室的工作职责。

2010 年，瓮安中学组织全校教职工采取集中学习、分组讨论的方式学习全国教育工作会议精神和《教育规划纲要》。组织学习《侵权责任法》《统计法》《村委组织法》《保密法》《国防动员法》《人民调解法》《农村土地承包经营纠纷调整仲裁法》《可再生能源法》《行政监察法》及国务院《全面推进依法行政实施纲要》等法律法规，并参加县和教育系统组织学法用法和教育规划纲要考试，合格率100%。

2011年5月，瓮安中学召开师德师风专项治理工作动员大会，制定《瓮安中学关于进一步加强师德师风专项治理工作实施方案》，部署相关工作，要求全校教职工积极投身活动，不断加强师德修养，甘为人梯，乐于奉献。是月，瓮安中学举办“庆祝建党90周年暨教职工‘师德师风’演讲比赛”。

2013年5月，瓮安中学开展以“追赶跨越、奋斗崛起”为主题，以“坚持创新发展，争创示范升类”为活动载体的解放思想大讨论活动，为期2个月，分“学、查、改、评”四个阶段。

二、业务学习

民国26年（1937年），省立瓮安初级中学校长任永熙按照《贵州省二十六年暑期中学及师范学校教员参加暑期讲习班办法》的具体要求，派4名教员参加国立四川大学暑期讲习班学习。学习科目为英语、数学、生活、理化。

民国27年（1938年），校长冉隆堃率7名教员赴省参加暑假讲习班学习。讲习科目有公民、历史、国文、英语、体育、童训、卫生、数学、物理、化学、美术、音乐、生物等。

民国28年（1939年），省立瓮安初级中学派国文、公民教员邵光奎，国文、史地教员萧之亮，数理化教员褚桂林遵令赴省参加讲习。

民国29年（1940年），省立瓮安初级中学调派职校童军教练员庞尧勋赴渝参加中央训练团第四期童军教导人员训练班受训。抽派教员褚桂林、方崇义、李奇谋赴省分别参加数理化组、生物组、国文组之讲习讨论会。

民国30年（1941年）8月，省立瓮安初级中学教导主任邵光奎赴重庆参加自8月24日起至9月24日的中央训练团党政训练班第十六期调集训练。

1950年开始，瓮安中学在加强教师的思想政治学习教育和思想改造的同时，组织教师开展业务学习，逐步进行“教育改革”。

1952年10月，学校明确“提高教学质量是今后教育工作的中心任务”，组织教师学习苏联的先进教学方法。

1953年，瓮安中学开始有计划的业务学习，选定苏联凯洛夫的《教育学》为学习内容。教师分散自学，集体讨论。教师普遍对每一节课要完成的任务，课的类型、课的结构环节，5个教学原则，5级记分法等有较深的了解。

1954年，瓮安中学除正副校长及教导主任是以研究普式金教授所讲《教育科学讲座记录》为主外，其余教师均以钻研教学大纲、教科书及所教学科知识为主，进行业务学习。

1956年，瓮安中学教师除在职自学教学大纲教材及所教学科知识外，无合格学历的教师转向函授进修。是年，瓮安中学全体教师和党政领导先后分两批集中都匀师专参加教改学习，8月18日结束。

1961年8月，瓮安中学除按省、州分配计划选送几位不及师专毕业的教师进省州函授培训外，组织教师进行政治理论学习和系统的业务知识学习。

1963年，瓮安中学派出30名各科教员分期参加教师进修培训。

1966年1月，瓮安中学全体教职工按州、县指示，以贯彻执行毛泽东主席“七三”指示为中心，进一步开展以教学改革为目的的教改业务学习。

“文化大革命”期间，瓮安中学教师的业务学习停止。

1977 年，瓮安中学业务学习恢复，学校统一领导，以教研组为单位组织学习。文科教师系统学习《中小学作文教学》《语文知识》两本书，理科教师重点学习数理化定理、定律、公式及运算方法。教研组进行集体备课，开展经常性的评课评学、上示范课、互相听课等教研活动。学校提倡和鼓励教师利用空余时间自学，并把学习的态度、成绩，作为评选先进教职工的条件之一。8 月，瓮安中学组织教师参加暑期业务学习。每天安排 5 节课，分科分班学习，早晚有自习，天天有作业，每阶段有成绩考核；采用专人讲授，集体或分组讨论，能者为师的方法进行教学；以现行教材为基础，突破重点和难点，掌握基础知识，研究教学教法。文科班教师重点学习初中语文的政论文、小说、诗歌、通讯、特写等各种体裁课文的教学教法及语法、语音、古典文学等知识；数理化班教师重点学习和掌握初一至初三年级数理化学科的教学重点和难点及教材教法，弄通定理、定律、原理和计算技能技巧及推理方法。瓮安中学部分教师担任中学文科班和中学数理化班的授课。

1978 年 3 月，贯彻州教育局下发《关于贯彻中央教育部〈关于加强中小学在职教师培训工作的意见〉的意见》。瓮安中学以“在职进修为主，自学为主，业余为主，立足于基层”为主渠道，采用专题讲座，周末进修班，以及开展老带新、熟带生、一帮一等教研活动形式，有效地进行师训。

1981 年 7 月，省教育厅关于举办高中政治、语文、英语少数民族师资暑期短训班。瓮安中学派 1 名教师参加短期培训。

1983 年暑期，瓮安中学受县教育局的委托，举办初中教师“过教材关”培训班。全县 200 多位初中教师参加了为期 20 天的培训，瓮安中学部分初中教师参加这次培训。

1987 年，《瓮安中学 1987—1988 学年度第一学期学校工作计划》要求：除各教研组定期开展教研活动外，还可以采取“老带新、熟带生”，听示范课、观摩课、优质课等形式培养青年教师，新教师；学校领导深入教学第一线，坚持听课；教师互相听课，取长补短，抓好课堂教学，开展第一课堂活动；教学进修，以个人钻研为主，脱产进修为辅。李凤奇（黔南州政治学科中心教研组成员）、黄藜峨（黔南州生物学科中心教研组成员）分别承担政治、生物讲习班的授课任务。高三年级化学、数学、政治、物理、历史、英语、生物、地理 8 门学科的教师参加这次讲习班的学习。

1995 年 12 月，瓮安中学张世雄、邓超、袁子进 3 位教师参加本科自学助学班（省教育学院组织的面授和考试）的进修学习。

1996 年，瓮安中学派 12 名教师参加在职函授、面授，更新知识，提高教学能力。学校制定《教师教学常规要求》，日常重视新教师、年轻教师的培养，要求新教师上好汇报课，中年教师上好公开课，老年教师上好示范课，搞好教师的传、帮、带，以克服教师“青黄不接”的断裂层现象。利用暑假对各学科教研组长进行培训，要求坚持每周 1 次以教研组为单位的集体备课制度，年级学科教师提前 1 周备好课，并且研究《教学大纲》《考试说明》在教材内容中的最佳结合点。鼓励教师撰写科研论文。是年，邓前轲、周承欢、李凤奇、张世雄的教研论文发表在国家级刊物上，并获州、县的表彰和奖励。刘忠信、丁家友在研读《教学大纲》《考试说明》，分析近 10 年高考试题的基础上，撰写出《“3+2”高考必考项知识点诠释·语文》，作为高三学生高考复习迎考内部资料。

1998 年寒假，县教育局贯彻落实省教育委员会黔教通〔1997〕306 号《关于贵州省教育系统公务员专业技术人员参加计算机应用培训、考核的实施办法》文件精神，组织全县中学教师集中在瓮安中学开班培训。瓮安中学的中青年教师都参加了这次计算机应用培训，推动瓮安中学信息技术课步入正轨。

2001 年 7 月，瓮安中学新高一年级 12 个班的各学科教师，组队前往贵阳市参加新大纲、新教材培训。培训学科有数学、物理、英语、地理、生物、历史、化学，综合实践活动课。是年，瓮安中学所有在职教师参加全县普通话水平等级测试培训和测试，绝大多数在职教师都达到了自己对应的持证上岗等级要求。

2002 年，瓮安中学组织 107 名教师参加中学教师继续教育培训，其中男教师 77 人，女教师 30 人；本科学历 72 人，大专学历 36 人；语文学科组 22 人，数学学科组 14 人，外语学科组 21 人，物理学科组 11 人，生化学科组 15 人，政史地学科组 13 人，综合组 11 人。参加本科中文专业学历培训 5 人，参加本科类物理专业学系培训 2 人。学校中继教工作领导小组聘请中学政治高级教师、学校党支部书记黄栋贵负责辅导教师职业道德教育和现代教育思想教育理念、素质教育与实践培训，中学语文二级教师、省普通话培训骨干教师姚明亮负责普通话培训，中学英语高级教师曾佐藩负责辅导新课程计划、教学大纲、新教材培训，中学化学高级教师谭敬昌负责新任教师培训，中学政治特级教师李凤奇负责骨干教师培训。是年，各学科组结合《走进新课堂——与课程实施者的谈话》和《素质教育观念学习提要》的培训，积极开展教研教改活动，自编各学科学习资料和练习试题。语文学科组刘忠信编辑了《中国古诗名句名篇》，英语学科组曾佐藩编辑了《英语听力训练》，作为校本资料发行；政治学科组李凤奇编辑的《文科综合考试的特点及复习策略》、历史学科组王顺德编辑的《浅谈今年考前复习》对黔南州 2002 年高考起到了指导性作用。

2003 年 8 月 20 日，瓮安中学印发《瓮安中学新课程培训与考核计划》，1953 年 10 月 31 日后出生的男教师（50 岁以下）、1958 年 10 月 31 日后出生的女教师（45 岁以下）被列为培训对象，并明确具体的培训内容、时间、方式等。11 月，132 名中继教参培参考教师参加全省《中小学教师职业道德规范》和《课程改革通识性培训》考试。

2004 年，瓮安中学规定，凡 1953 年 10 月 31 日后出生的男教师（50 岁以下）、1958 年 10 月 31 人后出生的女教师（45 周岁以下），必须参加 2004 年的高考适应性考试。4 月，学校 50 岁以下的男教师、45 岁以下的女教师共计 132 人与高三年级学生一同参加了对应学科的高考适应性考试。考试结果与聘用挂钩；不合格者下年重考，直至合格为止。6 月，132 名中继教参培参考教师参加县中小学教师继续教育工程办公室组织的全省中小学继续教育《信息技术基础》考试。

2005 年，瓮安中学印发《关于在教师中开展向魏书生同志学习活动的通知》。为班主任配发魏书生的《班主任工作》，为语文教师配发魏书生的《语文教学》，为校长、主任配发陈茂林的《给校长的建议》，给全体教师配发陈茂林的《给教师的建议》等学习活动书籍，要求教师阅读并撰写心得体会。组织观看《魏书生教改理论与实践报告》《教师礼仪》录像，并座谈、讨论。6 月，瓮安中学印发《关于 2005 年暑期组织全体在岗教师进行“高中新课程改革”学习培训的通知》。培训内容：《普通高中新课程改革方案》的基本特点和理念，新课程背景下的教育评价改革高中教育质量的提高，新课标指导下的选修制度的实践，高中课程教学的重建——走向研究性学习，高中新课程选课指导与学分管理，高中新课程的教学实施，校本教研与教学实施。培训采取通识培训和学科培训相结合，理论与实践相结合，经验与问题相结合，认识与行为相结合，普及与提高相结合，接受学习与沟通互动相结合，观摩教学与反思研讨相结合。

2006年7月，州教育局下发黔南教师〔2006〕11号《关于举办高中语文、化学学科骨干教师培训班的通知》。培训内容为：高中课程改革理念，课改试验区经验介绍，教师教育科研能力培训，教育实践。培训采取理论学习和专题研究相结合，集中学习与分散学习相结合的方式进行，培训时间为1年。瓮安中学语文学科骨干教师游鹏，化学学科骨干教师刘仁奎在上海华东师范大学分别参加了语文、化学学科骨干教师培训。

2007年3月，瓮安中学印发《关于加强“中继教”工作开展读书活动的通知》，要求全体教师自觉学习《教育就是培训习惯》《反思教育习惯》《给教师的一百条新建议》《教师反思的方法》《教师专业成长的途径》《优秀教师是教出来的》《怎样教得精彩》等中学教育继续教育读本。各学科组利用组会时间，组织教师讨论《教师反思的方法》《教师专业成长的途径》《优秀教师是教出来的》《怎样教得精彩》等读本的内容和教学实例，并作好资料的收集整理，交学校“中继教”办公室存档。每位教师结合自己的学习和教学实施情况写学习心得，交学校“中继教”办公室归档。3月，瓮安中学印发《关于组织部分教师参加2007年高考适应性考试的通知》，要求1970年后出生的没有经历过高三年级教学工作的59名青年教师与高三年级高考学生一道参加2007年高考适应性考试。

2008年3月，瓮安中学印发《瓮安中学优质课评比方案》，对参评对象、评比内容、评比办法等做出具体规定。10名教师获得“十佳青年教学能手”称号。10月，学校开展“新课程、新理论”培训，语文、英语、物理、化学、生物5个学科组分别开展学科教研活动。培训时间为20天。采取分组收看“新课程、新理念”名师教学设计、课堂实录光盘，教师从教学理念、教学目标、教学内容、教学程序、教学方法、教学效果、教学基本功7个方面参与评课，听专家点评。

是年，瓮安县使用北京大学网络教育学院开发的《新时期中小学班主任培训网络课程》，利用现代远程手段，开展中学教师“班主任工作素养”全员培训。培训内容包括：班主任工作基本规范、学生心理健康教育指导、班级活动设计与组织、班级管理、未成年人思想道德教育、相关教育政策法规等，共计30学时内容。北京大学网络教育学院组织专家、培训者开展教学。瓮安中学每期安排6位教师参加远程培训。1个学员使用1个学习账号（每人上网费75元），学期15天。

2009年5月，瓮安中学9位老师被确定为县级骨干教师培训对象。9月，瓮安中学组织应试教师参加全省普通中小学教师“新课程”统一考试。

2010年，瓮安中学利用暑假对教师进行全员培训。7月15日—20日，学校分批次组织高一年级备课组长到山东进行“课程管理领导骨干”培训；其余各学科教师根据学科特点和需要，分别安排到湖南、云南、广西、四川等地的教育机构或兄弟学校参加学习培训。培训内容：“新教师上岗培训”“骨干培训”“通识培训”“学科标准培训”“学科教材培训”。9月，组织全校教职工学习《创新能力开发与培养》，并组织测试（开卷考试）。

2012年1月，学校成立瓮安中学“十二五”（2011—2015）教师继续教育工程领导小组。7月，瓮安中学教师以学科为单位，分批次赴都匀参加由州教育局组织的高一、高二、高三年级学科任课教师新课程培训。同时，开展暑期教师全员培训工作。学校组织学科组长、年级组长、中层以上管理人员赴广州参加北京师范大学继续教育与教师培训学院组织的学习培训。

2013年6月，县教育局印发《关于印发〈瓮安县2013年“十二五”教师继续教育县级集中培训实施方案〉的通知》，全县在职中小学教师及幼儿和特殊教育教师（含教育局机关专业技术人员）列为培训对象，“公共学科”（“一德四新”即：师德、新理念、新知识、新方法、新技能，心理健康教育）和“专业学科”作为培训学科。8月25日，高中教师县级集中培训在瓮安中学进行。学校生物教师张润琴主讲“生物教学研究与案例”，政治教师彭长刚主讲“走进高中思想教学现场”，历史教师曹植铭主讲“历史教学研究与案例”，地理教师张元忠主讲“地理教学研究与案例”，音乐教师韦袆主讲“走进高中音乐教师现场”，体育教师吴定祥主讲“体育教学研究与案例”，美术教师罗定欣教师主讲“走进高中美术教学现场”，信息技术教师潘池育主讲“走进高中信息技术教学现场。”

第五节　待　遇

民国25年（1936年）7月，教职工薪酬按照《贵州省公私立中等学校职教员服务暂行规程》第十一条规定执行。省立中等学校校长应支薪金等级除依照下列规定外不得另支特别办公费：高初中合办达10班以上或单办高中达6班以上者支1级薪月薪法币178元。不达上述班额者支2级薪月薪法币150元。单办初中者支3级薪月薪法币136元；省立中等学校各主任除照支专任教员月薪外每月增加法币10元，训育员月薪法币42元。文牍会计庶务教务各员月薪支法币35元至42元。校医月薪支给法币20元。

省立高级中学及其同等程度学校专任教员及初级中学及其同等程度学校专任教员担任教学时数及应支薪额规定如下：专任初级中学国文教员以3班为限每周任课16小时至18小时；专任高级中学国文教员以3班为限每周任课15小时；专任师范学校国文教员以3班为限如3班教学时数合计每周不满15小时者，须酌配性质相近之其他课程；专任初级中学英语算学教员每周任课21小时至23小时；专任高级中学师范学校英语算学教员每周任课19小时至21小时；专任初级中学其他各科教员每周任课24小时至26小时；专任高级中学师范学校其他各科教员每周任课22小时至26小时；兼任高中（或师范学校）初中课程之专任教员每周任课23小时至25小时（所任高中或师范课程时数至少须占总时数1/2）其兼任高中（或师范学校）初中之国文或算学或英语之专任教员课时数均比照上列1~5各款之规定酌量办理。初级中学各科专任教员月支法币112元；高级中学师范学校各科专任教员月支付法币140元；兼任高中（或师范学校）初中课程之专任教员月支法币126元。

省立高级中学及其同等程度学校兼任教员每小时课薪为1.2元，初级中学及其同等学校每小时课薪为0.9元。

全省各公私立中等学校女职教员在生产期内予以6个星期之休息假，其代理人之俸给得由学校校长呈请省县教育行政机关另行支给。

是年，全省各公私立中等学校教职员开始享受退休养老及抚恤金。

表4-4　　1937年度第一学期贵州省立瓮安初级中学职教员一览表

姓 名	性 别	职 务	担任学科	每周教学时数	月薪（法币）
任永熙	男	校长	公民 地理	8小时	136.00元
熊幼安	男	教导主任	史地 卫生	14小时	122.00元

续表

姓 名	性 别	职 务	担任学科	每周教学时数	月薪（法币）
胡叔光	男	训育员兼教员	国文	5 小时	62.70 元
李琴芳	女	教务员	劳作 家事	2 小时	50.10 元
沈如愚	男	教员	数学 理化	24 小时	112.00 元
邵光奎	男	教员	算术 英文	21 小时	112.00 元
谢瓴高	男	教员	童军 体育	16 小时	74.56 元
何增荣	男	教员	国文	17 小时	112.00 元
方崇义	男	教员	音乐 劳作 图画 动植物	18 小时	72.90 元
曾春如	男	文牍兼会计			35.00 元
刘象離	男	庶务图书管理			35.00 元
刘从礼	男	雇员			21.00 元
范道之	男	雇员			18.00 元

民国 29 年（1940 年）10 月，政府为提高各教育文化机关职教员、雇员待遇及工役工资以维生活起见，特酌予增加薪资及生活补助费。省立瓮安初级中学共增加待遇追加经费计 1348 元。其中，校长 1 人月增 28 元，教导主任 1 人月增 26 元；校务员 1 人、文牍兼会计 1 人，庶务兼图书员 1 人、雇员 2 人，月各增 20 元；初中专任教员 5 人，月各增 26 元；校役 8 人，各增 8 元；月共增 337 元，4 个月共增 1348 元。

民国 34 年（1945 年）4 月，瓮安中学申领 9—11 月教职工生活补助 117.5 万元。其中，薪俸加成 72.5 万元，生活补助 45 万元。

1949 年 11 月 25 日，“贵阳市军事管制委员会”成立，设有文教接管部。12 月 26 日，贵州省人民政府成立，设有教育办公室。出台《贵阳市军管会教育接管部、贵州省人民政府教育办公室关于整理中等学校暂行办法草案》。其中“附件二”《中等学校校务管理委员会组织大纲草案》，对学校的管理形式、职权等做了详尽规定。

1950 年，学校教师薪金实行“米薪制”。

1952 年 3 月 18 日，中华人民共和国教育部颁布的《中学暂行规程（草案）》，进一步肯定了校务管理委员会的组织形式和任务。《中学暂行规程（草案）》第六章《组织编制及会议制度》第三十七条“中学建立下列各种会议制度”第一款规定：校务会议由校长、副校长、教导主任、副教导主任、总务主任、班主任各科教学研究组长及教育工会代表组成之，由校长为主席，青年团、学生会代表列席。其任务为讨论教育实施计划，布置与总结教育工作，审查学校预决算及商议其他重大问题。校务会每月举行 1 次，必要时召开临时会议。

1952 年 7 月起，实行“工资分”（以粮、油、盐、布、煤五种实物的当地价格计算工资的单位），称“工资分”制。23 日，省人民政府出台《全国各级学校教职员工工资标准表》，省辖市以上城市和一般地区的学校教职员工的工资界定为 24 级。最高级别为 12 级，月工资分 485 分；最低级别为 35 级，月工资分 75 分；并界定了“高级中等学校（完中）

校长”“初级中等学校校长、高级中等学校教导主任”“初级中等学校总务主任、教员，高初级中等学校一般职员”“工友”的对应级别，按照职务大小，工作繁简、工作能力、学识经验及实际工作成绩进行评薪。

1953年7月，省《关于“送去本厅直属学校教职员工福利暂行办法”的通知》下发，要求各专署在掌握使用福利费上，应力求做到“深入群众、掌握情况、合情合理，解决问题”，防止过分紧扣，应解决的问题未能适当解决，而将福利费积压下来，增加了教职员工的困难；防止不管情节，任意核定，随意超越标准，不分轻重平均使用等现象。福利费使用范围分为“经常补助”和“临时性特殊困难补助”两部分。是年，瓮安中学校教职员工申请补助的有13人，金额190.4万元。17名离职教职员工公费医疗证缴销。

1954年，省人民政府教育厅出台《关于多子女补助问题的补助说明》。3月和11月，瓮安中学有10名教职工申请补助。3月，省人民政府教育厅出台关于《制定教员支给代课费办法》，对请求代课的情形、代课费发放做了明确规定：高中（包括中师）代课费每周1小时每月发给代课费2.5万元，初中（包括初师）每周每1小时每月2.2万元。是年，瓮安中学支付代课费共计28.325万元。11月，省人民政府贵阳区专员公署行文对边远地区干部生活之特殊补助费中小学教师亦可享受补助。

1955年3月，省教育厅下发《贵州省中学、师范学校、小学（包括幼儿园及盲哑学校）教职员工病假期间待遇的暂行办法》，就教职员工病假期间的生活待遇作明确规定。12月，省贵定专署印发《关于我区1955年中学、师范、小学、幼儿园教育事业工资调整计划的通知》，自1956年1月起，全省中等学校、中等师范及初等学校教职员工废除“工资分”计算办法，改行货币工资制。而且从1953年起，每年都不同程度增加工资。其中，1956年增加的幅度最大，瓮安中学平均增加18.5%。

1956年2月，省人民委员会出台《贵州省推选优秀中学、师范教师的办法》和《贵州省评选优秀小学教师的办法》。贵州省瓮安中学校教师曹文德被评为优秀教师。6月，省教育厅印发《学校教职员工福利费掌管使用暂行办法》，把“福利费使用范围”分为“经常补助”和“临时特殊困难补助”两部分。

1957年8月，省教育厅、省民政厅、省财政厅、省人民委员会印发《关于处理公立学校和公立幼儿园教职工退休和病假期间待遇等问题补充的通知》。

1958年，瓮安县人民委员会发《贵州省各级国家机关事业单位工作人员福利费掌管使用的暂行规定（草案）》，规定：“自7月份起取消定期补助（即经常补助），确实困难的可酌情给临时补助。”6月，瓮安中学将学校3名教职员的临时困难补助评议意见及申请报送瓮安县人民委员会批准。3人的临时困难补助费共计68元。

1959年6月18日，瓮安中学3名教职员经批准，获得临时困难申请补助90元。

1962年12月，省教育厅、省劳动局转发《中华人民共和国劳动部、中华人民共和国教育部对〈国务院批转教育部关于各级学校教职工探亲假以及回家探亲往返车船费问题的请示报告〉的补充说明》。瓮安中学不带家属的教职工，均享受探亲假以及回家探亲往返车船费。

1963年8月，省教育厅根据省委、省人民委员会“关于贵州省1963年调整职工工资计划安排方案”及中央教育部“关于1963年全国各级公办学校教职工工资调整工作的几点意见”，结合全省中小学、师范学校教职工工资的情况，经与省劳动局研究，并取得一致意见，向省人民委员会提交《贵州省教育厅关于全省中小学、师范学校教职工工资调整工作的意见的报告》。调整前幼儿园、小学教职工月平均工资31.60元，中学、师范教职工月平均工资43.44元；调整后幼儿园、小学教职工月平均工资34.45元，中学、师范学校教职工月平均工资48.50元。经过工资调整后教职工最低工资（不包括转正定级的）为：幼儿园、小学教师26.50元，职员34.50元，工勤人员25.50元；中学、师范学校教师39.00元，职员30.00元，工勤人员25.50元。

1976年11月—1977年2月，瓮安中学按照政策规定，29名教职工退休后由其子女顶替参加工作。1977年12月，县劳动局转发国务院《关于调整部分职工工资的通知》，瓮安中学34名教职工升一级工资。

1978年，瓮安中学收到县委组织部关于本校3名教师恢复名誉平反的通知。

1979年7月，县革委会退休（退职）领导小组办公室更改12名教职工退休费，王世昌的退休费从1978年6月起，按本人标准工资的80%发给；王国祥等八位的退休费从1978年6月起，按本人标准工资的75%发给；周安顺等的退休费从1978年6月起，按本人标准工资的70%发给。退休费低于25元的，按25元发给。

1979年，瓮安中学教职工调资升级工作按照上级部署安排，为40名教职工调资升级。

1980年1月，省教育局、省财政局、省劳动局发布《转发教育部、财政部、国家劳动总局〈关于在全国普通中学和小学公办教师中试行班主任津贴的通知〉》，对班主任津贴做了明确规定：班主任津贴按月发放，津贴标准一般定为：中学每班学生人数在35人以下发5元，36~50人，发6元；51人以上发7元。是年，瓮安中学先后收到县委组织部对瓮安中学4名教师恢复工作籍、恢复原工资级别，收回对2名教师的错误处理后安排工作补发工资的决定。

1981年10月，国务院下发《关于1981年调整部分职工工资的通知》，决定从1981年10月起，给中、小学教职工，医疗卫生单位部分职工，体委系统优秀运动员、专职教练员及部分从事体育事业的人员调整工资。

1982年3月，瓮安中学符合调资条件的70名教职工普升一级工资。9月，县调资办、教育局批复瓮安中学27名教职工工资获升二级。

1984年5月，省委、省政府出台《关于贯彻执行知识分子政策的若干暂行规定》。8月，县委、县政府制发《关于贯彻落实知识分子政策的暂行办法》，就大中专毕业生转正定级、浮动工资、补贴标准、工龄计算、考试、考核等方面作了具体规定。是年，瓮安中学61名教师享受知识分子补贴，标准为8元~15元，4名教师解决配偶及子女由农村户口转为非农业户口，2名高、中级职称知识分子解决子女就业。学校为24名教师解决住房，14名教师获“三十年教龄荣誉证书”。

1985年6月，中共中央、国务院下发中发〔1985〕9号《关于国家机关和事业单位工作人员工资制度改革问题的通知》，决定对国家机关和事业单位工作人员工资制度进行改革。8月，县委决定在教师节前，把“理顺工资”后教师增补的全部或部分工资发到教师手里。“理顺工资”后，瓮安中学教职工，除新招聘工勤人员（教师配偶或子女）外都增加了工资，赵永庆等17位离退休教职工，从1985年5月1日起，每人每月发给17元生活补助费。9月，瓮安县举行第一个教师节集会庆祝活动。瓮安中学9位教师被评为先进教师。是年，2名蒙冤的教师予以平反，朱文模恢复政治名誉，邓三益同志到瓮安中学工作。

1987年10月，瓮安中学18位教职工晋升一级工资，增资自1986年10月起执行。是月，县教育局印发《关于贯彻〈贵州省中小学、幼儿园教师任职条件考核办法（试行）〉

的实施细则（试行）》。瓮安中学教师在职称改革中，17 名教师获中学高级教师，39 名教师获中学一般教师的职称。

1988 年 5 月，省政府下发《批转省人事局、教委〈关于提高中小学教师工资待遇有关问题的具体规定〉的通知》。瓮安中学全体教师享受 10%的教龄补贴。

1989 年 3 月，省国家机关事业单位工资改革办公室、省人事局、省教委、省财政厅联合下发《关于印发〈贵州省提高中小学班主任津贴标准和建立中小学教师超课时酬金制度实施细则〉的通知》，决定从 1988 年 10 月起，提高中小学班主任津贴和建立中小学教师超课时酬金制度。1989 年，瓮安中学初中部 18 位班主任享受每月 8 元的班主任津贴；高中部 11 位班主任享受每月 6 元的班主任津贴。瓮安中学统一按每节 1. 5 元计发高初中教师超课时酬金，62 名教师享受超课时酬金，1 名教师被评为中学教学特级教师。

1993 年 5 月，县人社局、县财政局印发《关于发放州政府特殊津贴有关问题的通知》。瓮安中学 1 名教师享受黔南州政府特殊津贴。8 月，省职称改革工作领导小组办公室印发《关于转发〈贵州省中小学教师职务评聘工作转入经常化的安排意见〉的通知》。瓮安中学评审高级教师 6 人；评审一级教师 13 人。

1994 年，瓮安中学印发《关于开展“解放思想大讨论”活动的通知》，打破平均主义，使用激励手段，调动教师工作的积极性，把教师校内收入的多少和工作的质和量挂钩，“在分配上按照工作实绩拉开距离”，建立“能多能少、多劳多得、优质优酬”的机制，颁行了校内结构工资（超量工资、岗位工资、兼职工资、效益工资和其他工资等五个部分组成）岗位责任制，较大幅度地提高学校教职工的实际收入。

1996 年 12 月，李凤奇老师被评选为“国务院特殊津贴”优秀人才。

1997 年 2 月，黔南州人民政府办公室转发州教育局等 6 个部门《关于加快解决教师住宅问题的实施意见》。瓮安中学通过集资建房，1993—1998 年间修建 8400 平方米的教师住房 76 套，基本缓解瓮安中学教职工住房的供求矛盾。

1997 年 9 月，人事部、财政部下发《关于 1997 年调整机关、事业单位工作人员工资标准等问题的通知》。瓮安中学教职工从 1997 年 7 月 1 日起，执行调整后中小学教师专业技术职务等级工资标准，没有教师专业技术职务的执行调整后的技术等级工资标准或普通工人等级工资标准。10 月，机关、事业单位工作人员继续在考核的基础上正常晋升工资档次。对连续三年考核优秀的，晋升一级级别工资。

1998 年 6 月，州教育局、州人事局印发《关于认真做好 1998 年全国、全省和全州优秀教师和优秀教育工作者推荐评选工作的通知》，就“评选奖励的名称和范围”作了明确规定。瓮安中学 1 名教师被教育部授予“全国优秀教师”称号。

2002 年 8 月，瓮安中学落实国家计划用 3 年左右时间，在中国西部培养 100 万计算机实用人才的“西部计算机实用培训”精神，为尽快普及全校教职工计算机知识和提高全校教职工计算机等级水平，进一步拓宽现代教学手段，为建设校园网络做好准备，印发《关于补助在岗教职工个人购置电脑资金的决定》，给每名在岗教职工补贴 1000 元购置电脑，所购置电脑归个人所有。经本人、校长、总务处主任及财务会计联签发票后在财会室报销 1000 元，双职工可凭发票报销 2000 元。9 月 10 日，学校为庆祝第 18 个教师节，为每位在职在岗教职工发放慰问金 500 元，为每位离退休人员、在职不在岗教职工发放慰问金 100 元。是月，瓮安中学印发《关于组织 2002 年高、中考获奖教师国庆假期到北京旅游的决定》。是年，高、中考获奖旅游教师 22 人。

2003年4月，县人社局印发《关于罗华强等同志具备中学一级专业技术职务任职资格的通知》。瓮安中学12人通过评审具备中学一级教师任职资格。11月起，学校给在岗教职工发放工作餐票每人每月60元。12月，学校为每位在职在岗教职工发放学期岗位津贴600元。是年，在职在岗教职工163人，发放岗位津贴9.78万元。

2004年3月，县人社局下发《关于2003年度高、中级教师职务任职资格的通知》。瓮安中学12名教师获中学一级教师任职资格，7名教师获中学高级教师任职资格。8月27日，学校按照县财政局相关通知精神补发教职工“三费”（每人每月70元）和“菜篮子补贴”（每人每月30元）。9月10日，瓮安中学邬培祥被教育部、人事部授予“全国模范教师”和“全国中小学优秀班主任”称号，成为瓮安中学同时获国家级双优表彰第一人。12月21日，瓮安中学根据县财政局相关通知，发放教师岗位补贴和边补工资。岗位补贴、边补工资的标准为：中学高级分别是120元、60元，中学一级分别为110元、47元，中学初级分别为90元、40元（含离退休教师）。

2005年4月，县人社局下发《关于刘昌荣等79人专业技术职务任职资格的通知》。瓮安中学12名教师获中学一级教师任职资格，10名教师获中学高级教师任职资格。5月，瓮安中学给在职在岗教职工发放公务移动通讯补贴，教师每人每月60元。

2006年1月，瓮安中学印发瓮中字〔2006〕2号《关于给予吴喜艳等六名教师困难补助的决定》，指出：2005年8月应聘到瓮安中学工作的吴喜艳等6位应届大学生家庭均系双农户，经济困难，在大学期间靠贷款读书，工作后工资偏低。为帮助其克服暂时困难，稳定情绪，经2005年12月23日学校行政办公会议研究决定，给予吴喜艳等6名教师困难补助每人780元。

2006年4月，瓮安中学5位教师获中学高级教师任职资格。6月，瓮安中学全国优秀教师、全国师德先进个人袁子进老师赴都匀，参加黔南州人事局组织的中青年专家东北三省考察休假活动。7月6日，瓮安中学印发《关于表彰2005—2006学年级优秀党员、优秀班主任、优秀学科组长的决定》，6名教职工被评为优秀共产党员，12名班主任被评为优秀班主任，6名学科组长被评为优秀学科组长。

2007年2月，贵州省瓮安中学印发《关于2006—2007学年第一学期绩效奖、离退休教职工春节慰问金的决定》，学校发给教职工绩效奖每人1000元，临时工绩效奖每人300元；发给70岁以上离退休教职工春节慰问金每人300元，发给其他退休教职工春节慰问金每人200元；因病不在岗教职工春节慰问金每人300元。6月，省委组织部、省人事厅印发《关于事业单位工作人员收入分配制度改革后有关离退休（职）问题处理意见的通知》，明确规定中小学教师退休后，提高的10%部分纳入计发退休费基数，按一定比例计发；按规定享受的教龄津贴、户龄津贴、特级教师津贴，离休、退休后按全额发给。

2008年3月，瓮安中学3位教师获中学高级专业技术职务任职资格。8月8日，瓮安中学国家级有突出贡献的知识分子、国务院特殊津贴获得者李凤奇被省教育厅授予“贵州省教育名师”称号。9月4日，校行政办公会议研究决定，为庆祝第24个教师节，每名在岗教职工颁发节日慰问金600元；不在岗教职工、离退休教职工、临时工每人颁发节日慰问金200元。9月5日，校长李凤奇召集各处室、校团委负责人召开行政办公会扩大会议，针对支教教师因工作要求提高通讯费补贴标准进行研究，形成《会议纪要》：学科组长、班主任因工作、家访等联系需要，每月通讯费支出实际比普通教职工高，同意调整提高。对既是班主任又兼学科组长的每人每月在原通讯费补贴标准上提高30元，即每月通讯费补贴标准为90元。只任班主任或学科组长的在原通讯费补贴标准上提高20元，即每月通讯费补贴标准为80元。团委副书记每月在原通讯费补贴标准上提高20元，即每月通讯费补贴标准为80元。提高标准自2008年9月起执行。

2009年1月9日，校行政办公会议研究决定，每名在岗教职工颁发慰问金1200元；不在岗教职工、离退休教职工、临时工每人颁发慰问金300元。3月，王建华老师获“黔南州优秀科技人才奖”，受州委、黔南州人民政府表彰。4月15日，校行政办公会议研究决定：在岗教职工满工作量（工作量系数0.8及以上按满工作量计算）的每人颁发岗位绩效奖500元；工作量系数低于0.8的，按实际工作量计发岗位绩效奖。6月，县直属机关党委召开庆祝建党88周年暨表彰大会，瓮安中学邓超、严国艳二位老师被评为“优秀共产党员”。7月，根据《瓮安中学2006—2010教师继续教育规划》，2009年暑假全校教师将参加继续教育学习培训。经行政办公会议研究决定补助在岗教师暑期培训费每人600元。重阳节前，学校组织30位退休教职工和7位家属，游览黔东南西江千户苗寨。11月20日，县政府召开瓮安县青少年帮教工作总结表彰大会。瓮安中学被授予先进集体匾牌，政教处主任邓超被评为青少年帮教工作先进个人。

2010年6月，瓮安中学印发《关于教师参加研究生学历进修学习补贴的决定》，主要内容为：对离岗攻读学科教学论硕士研究生的教师，经学校同意，学习期间可带薪读书。学习期满后，应获得学科论研究生毕业证书和硕士学位证书，并回瓮安中学工作。否则，退还学校发给的全部带薪工资，并给予学校发给该教师全部带薪工资一半的经济赔偿。对不离岗期间参加研究生课程班学习的教师，在规定时间内学完规定的全部课程，经考试成绩合格，并获得课程毕业证书，学校一次性给予书学费4000元，差旅费1000元的补贴。是年，3名教师获学校一次性补贴。

是月，瓮安中学印发《关于新校区教师集资建房的有关规定》。明确集资原则为：全额集资，一次缴清，政府贴息，统一调配；土地费用、设计费用、园林绿化等公共设施建设由政府或学校负责；集资款为住房面积乘以单位面积招标价。集资要求为：凡符合本次集资建房条件的教职工应在规定时间内一次性缴清房款，否则，视为自动放弃；集资户如在交房前要求退出集资建房的，学校按其集资款的1%扣除手续费用后，退还所缴房款。瓮安中学新校区教师宿舍建修工程通过招标，省建工集团获标招标价为每平方米850元，每单元面积为120平方米。每户教职工需集资10.2万元。

8月，瓮安中学印发《关于老校区退房、新校区集资建房的补充规定》。规定：政府按同期国债利息贴息的计算不受教职工退休时间及退休前逝世的限制，但计息年限最高不超过15年。

12月，学校贯彻县财政局、县人社局文件精神，进一步规范学校加班工作安排及加班补助费发放的标准，印发《瓮安中学关于节假日发放加班补贴的规定》，对节假日加班补贴发放作详尽规定。

2011年1月，瓮安中学印发瓮中字〔2011〕4号《关于颁发2010年年度绩效奖的决定》，决定颁发2010年年度绩效奖，标准是：全年满勤教职工每人颁发绩效奖2000元，退休教职工、临时工和不在岗教职工每人颁发绩效奖500元。8月16日，贵州省瓮安中学印发《关于搬入新校区补助教职工交通费、工作餐的会议纪要》，决定9月1日起，在教职工住房建好前，教职工上班交通问题自行解决，学校每月补助交通费200元，每天为教职工补助一餐，每餐每人补助5元。交通费、工作餐补贴在住房建好交教职工搬迁入住后取消。

10月13日，瓮安中学教科处主任获“首届黔南州优秀人才奖”。

26日，县人社局、县机构编制委员会办公室、县财政局、县教育局转发《瓮安县其他事业单位实施绩效工资实施方案》。瓮安县其他事业单位系指瓮安县义务教育以外的事业单位，教育系统如瓮安一中、二中和幼儿园等。全县义务教育学校绩效工资已从2009年1月1日起执行。而全县其他事业单位绩效工资的执行时间，则从2010年1月1日起执行。同义务教育学校教师绩效一样，其他事业单位绩效工资分为基础性和奖励性两部分。其中基础性工资占绩效工资总量的70%，奖励性绩效占绩效工资总量的30%。实施绩效工资后，国家规定的津贴补贴如艰苦边远地区津贴、特教津贴、教龄津贴等仍按国家现行政策继续执行，不纳入绩效工资管理。瓮安县保留的补贴如独生子女保健费及父母奖励费、高龄补贴、离退休健康营养费、离休干部取暖费、高层次人才岗位补贴等均予以保留。实施绩效工资后，各单位不得违反国家和省的规定自行发放任何津贴或奖金。

2012年1月，瓮安中学1名教师被省政府授予中学语文特级教师称号。3月，县政府印发《关于离退休干部和瓮安中学瓮安二中教师津贴补贴相关事宜的会议纪要》。瓮安中学按照其纪要精神提高生活性补贴执行标准和住房增量补贴执行标准后，教职工工资收入总量大幅度提升。9月7日，瓮安中学组织100~120人的合唱团参加迎国庆会演，学校办公会议研究决定，为每位在职参演人员购买一套休闲西装、一件衬衣、一条领带，采购资金每人1500元。

2013年1月，县人社局印发《关于2012年度中学一级专业技术职务任职资格的通知》。瓮安中学13位教师获中学一级教师任职资格，4位教师获中学高级教师任职资格。3月，瓮安中学副校长陈友华在科技兴州事业中做出优异成绩，获“黔南州优秀科技人才奖”。4月28日，学校行政办公会议研究决定：为迎接省教育厅专家组对瓮安中学申创省级示范性二类普通高中复查评估验收工作，给在职在岗教师每人发放“申示”课务准备及资料整理加班费1000元，给校长余家品、副校长李琴每人发放“申示”课务准备及资料整理加班费400元，给临时工每人发放“申示”加班费300元。

表4-5　　1954—2014年瓮安中学获县委、县政府及以上表彰的教职工名录

序号	姓名	荣誉名称	授予单位	时间
1	曹文德	优秀教师	省教育厅	1954
2	曹绍庸	全国科技成果奖	国务院	1958
3	周乐忠	省级劳动模范	贵州省政府	1957
4	孙智忠	先进教育工作者、先进教师	瓮安县委、县政府	1959、1960、1961
5	龙祖荣	优秀教职工	瓮安县委	1963
6	黄明高	优秀教师	瓮安县委、县政府	1960—1963
7	张世忠	教育先进工作者	瓮安县委、县政府	1961、1963
8	雷忠香	先进工作者	瓮安县委	1962
9	袁绍喜	优秀教师	瓮安县委	1963
10	王大章	先进工作者	瓮安县委	1962、1964

续表

序号	姓名	荣誉名称	授予单位	时间
11	马德称	先进工作者	瓮安县委	1963—1965
12	任道远	先进工作者	瓮安县委	1961、1964
13	熊德芬	体育先进工作者	黔南州教育局	1963
14	黄兆祥	优秀教师	瓮安县委	1963
15	李贤福	优秀教师、先进工作者	瓮安县委	1962、1963
16	蔡志斌	五好教师	瓮安县委	1963、1964
17	李肇芳	五好教师	瓮安县委	1963
18	龙祖荣	“五七”教学仪器厂劳动模范	瓮安县革委	1973
19	黄栋贵	“五七”教学仪器厂劳动模范	瓮安县革委	1973
20	张世忠	先进工作者	黔南州政府	1979
21	张世忠	优秀班主任	黔南州教育局	1981
22	熊翼盛	优秀党员	瓮安县委	1982
23	王仁学	优秀党员	瓮安县委	1982
24	杨再超	优秀党员	瓮安县委	1982
25	黄栋贵	优秀党员	瓮安县委	1982
26	张世忠	先进工作者	黔南州教育局	1982
27	张月桃	先进工作者	黔南州教育局	1982
28	黄栋贵	优秀党员	瓮安县委	1983
29	熊翼盛	优秀党员	瓮安县委	1983
30	谢朝军	贵州省大中学校政治理论课先进教师	贵州省教委	1984
31	张世忠	黔南州为四化服务先进代表	黔南州政府	1984
32	刘康德	“五讲四美、为人师表”先进个人	黔南州政府	1984
33	吕庆松	模范共产党员	瓮安县委、县政府	1984
34	张世忠	第一个教师节“先进个人”	瓮安县委、县政府	1985
35	李贤福	第一个教师节“先进个人”	瓮安县委、县政府	1985
36	马德称	第一个教师节“先进个人”	瓮安县委、县政府	1985
37	黎师韩	第一个教师节“先进个人”	瓮安县委、县政府	1985
38	丁方强	第一个教师节“先进个人”	瓮安县委、县政府	1985
39	熊德芬	第一个教师节“先进个人”	瓮安县委、县政府	1985
40	姚永鉴	第一个教师节“先进个人”	瓮安县委、县政府	1985

续表

序号	姓名	荣誉名称	授予单位	时间
41	张开祥	第一个教师节“先进个人”	瓮安县委、县政府	1985
42	周双林	第一个教师节“先进个人”	瓮安县委、县政府	1985
43	王仁学	优秀班主任、优秀共产党员“三八”红旗手	黔南州教育局	1985
44	赵泽宇	优秀辅导员	贵州省教育厅、团省委	1985
45	张世雄	优秀教师	黔南州教育局	1986
46	肖必录	先进教研工作者	黔南州教育局	1986
47	李凤奇	优秀教师	黔南州教育局	1986
48	张世忠	“教书育人、为人师表”先进个人	省教委	1986
49	丁惠敏	“教书育人、为人师表”先进个人	黔南州教育局	1986
50	李凤奇	“教书育人、为人师表”先进个人	瓮安县政府	1986
51	张月桃	“教书育人、为人师表”先进个人	瓮安县政府	1986
52	田应辉	“教书育人、为人师表”先进个人	瓮安县政府	1986
53	李贤福	“教书育人、为人师表”先进个人	瓮安县政府	1986
54	王忠华	先进教研工作者	县委、县政府	1987
55	肖必录	优秀共产党员	县委、县政府	1987
56	赵泽宇	西南五省市少先队大队五有达标先进奖	贵州省人民政府	1988
57	王仁学	教志好儿女金榜奖	黔南州政府、瓮安县政府	1988
58	陈全福	优秀职工之友	瓮安县委、县政府	1988
59	黄栋贵	优秀共产党员	瓮安县委	1988
60	肖必录	优秀共产党员、优秀团干部	瓮安县委、团县委	1988
61	张炳芝	数学特级教师	贵州省教委	1989
62	张世忠	全国教育系统劳动模范	国家教委人事部	1989
63	黄栋贵	优秀教育工作者	贵州省教委	1989
64	王仁学	教育工会积极分子	贵州省教委	1989
65	陈全福	省优秀教师	贵州省教委	1989
66		州“优秀团干部”“新长征突击手”	黔南州政府	1989
67	徐顺成	先进工作者	贵州省教委	1989
68	周承欢	专业技术拔尖人才（优秀专家）	瓮安县委	1989
69	张世忠	专业技术拔尖人才（优秀专家）	瓮安县委	1989

续表

序号	姓名	荣誉名称	授予单位	时间
70	丁方强	老有所为先进个人	瓮安县委、县政府	1990
71	熊德芬	老有所为先进个人	瓮安县委、县政府	1990
72	王仁学	先进女职工工作者	黔南州委、州政府	1990
73	黄黎峨	德育先进工作者	黔南州委、州政府	1990
74	刘忠信	优秀教育工作者	瓮安县委、县政府	1990
75	谭敬昌	德育工作先进个人	瓮安县委、县政府	1990
76	李子忠	德育工作先进个人	瓮安县委、县政府	1990
77	李凤奇	优秀班主任	贵州省政府	1991
78	王仁学	优秀班主任、工会工作积极分子优秀共产党员	贵州省政府	1991
79	周承欢	优秀科技人才	黔南州政府	1991
80	陈全福	招生工作先进个人	黔南州招生办	1991
81	杨乔书	招生工作先进个人	黔南州招生办	1991
82	谭敬昌	德育先进工作者	黔南州政府	1991
83	李子忠	德育先进工作者	黔南州政府	1991
84	赵泽宇	德育先进工作者	黔南州政府	1991
85	刘明林	优秀科技工作者	黔南州政府	1991
86	李凤奇	州优秀教研员、州政治教师单科优秀奖	黔南州政府、教育局	1992
87	王仁学	优秀共产党员、先进工作者	瓮安县委、县政府	1992
88	陈全福	优秀党务工作者	瓮安县委	1992
89	徐顺成	先进工作者	瓮安县政府	1992
90	黄黎娥	优秀科技人才、教研员	黔南州政府	1992
91	刘明林	先进科技工作者	瓮安县委、县政府	1992
92	王顺德	历史教学单科奖	黔南州教育局	1992
93	黄栋贵	州优秀共产党员、县优秀科技知识分子	黔南州委、瓮安县政府	1993
94	陈全福	县“保密工作先进个人”	瓮安县委	1993
95	洪庆平	优秀团干部	共青团黔南州委	1993
96	曾佐藩	全国优秀教师	国家教委人事部	1993
97	王顺德	优秀科技人才	黔南州政府	1993
98	黄栋贵	优秀共产党员	瓮安县委	1994

续表

序号	姓名	荣誉名称	授予单位	时间
99	李凤奇	优秀科技人员	瓮安县委、县政府	1994
100	王仁学	优秀科技人员、优秀共产党员	瓮安县委、县政府	1994
101	陈全福	优秀党务工作者、优秀教育工作者	瓮安县委、县政府	1994
102	张世雄	优秀共产党员	瓮安县委	1994
103	谭敬昌	优秀科技人才	瓮安县委、县政府	1994
104	赵泽宇	优秀科技人才	瓮安县委、县政府	1994
105	王顺德	优秀科技人才	瓮安县委、县政府	1994
106	邓前轲	优秀科技人才	瓮安县委、县政府	1994
107	顾晓福	优秀教师	瓮安县委、县政府	1994
108	周承欢	中学数学特级教师	黔南州委、州政府	1994
109	黄栋贵	优秀共产党员	黔南州委、州政府	1994
110	张世雄	优秀科技人才	黔南州委、州政府	1994
111	顾晓福	“教学能手”称号	瓮安县委、县政府	1995
112	李凤奇	有突出贡献的优秀知识分子	国务院	1996
113	邓　超	全国体育先进工作者	国家教委、体委	1996
114	孙仲时	优秀科技人才	黔南州政府	1996
115	郑　义	高等教育自学考试优秀党员	贵州省教育厅	1997
116	袁子进	优秀教师	国家教育部	1998
117	王顺德	中学历史特级教师	贵州省人民政府	1999
118	李凤奇	中学政治特级教师	贵州省人民政府	2001
119	袁子进	德育标兵	中国教育总工会	2001
120	余家品	贵州省优秀教师、特级教师	贵州省教委人事厅	2001
121	邓前轲	优秀科技人才	黔南州人民政府	2001
122	陈　刚	优秀教师	贵州省人民政府	2001
123	黄栋贵	优秀校长	瓮安县委、县政府	2002
124	邬培祥	德育标兵	瓮安县委、县政府	2002
125	何远红	优秀班主任	瓮安县委、县政府	2002
126	刘乾坤	教学能手	瓮安县委、县政府	2002
127	谢承宇	教学能手	瓮安县委、县政府	2002
128	刘怀喜	优秀共青团员	共青团黔南州委	2003

续表

序号	姓名	荣誉名称	授予单位	时间
129	邓前轲	中学化学特级教师	贵州省人民政府	2003
130	邬培祥	全国模范教师、全国中小学优秀班主任	教育部、人事部	2004
131	刘忠信	优秀科技人才	黔南州人民政府	2004
132	田景材	瓮安县优秀党务工作者	瓮安县委	2004
133	黄栋贵	优秀共产党员、优秀中学校长	黔南州委	2004
134	石世学	高考教学成绩优秀奖	瓮安县委	2004
135	李凤奇	优秀共产党员	瓮安县委	2005
136	田景材	优秀共产党员	瓮安县委	2005
137	田景材	优秀党务工作者	瓮安县委	2005
138	曾佐藩	十佳校长	瓮安县人民政府	2005
139	顾晓福	十佳班主任	瓮安县人民政府	2005
140	杨友发	十佳教师	瓮安县人民政府	2005
141	陈清玲	优秀班主任	瓮安县人民政府	2005
142	何平章	优秀班主任	瓮安县人民政府	2005
143	刘昌荣	优秀班主任	瓮安县人民政府	2005
144	徐德智	优秀班主任	瓮安县人民政府	2005
145	李景辉	优秀班主任	瓮安县人民政府	2005
146	刘乾坤	优秀教师	瓮安县人民政府	2005
147	张立新	优秀教师	瓮安县人民政府	2005
148	张润琴	优秀教师	瓮安县人民政府	2005
149	徐　华	优秀教师	瓮安县人民政府	2005
150	祁连州	优秀教师	瓮安县人民政府	2005
151	刘忠信	全县百名优秀共产党员	中共瓮安县委	2005
152	潘光会	高考成绩优秀奖	中共瓮安县委、县政府	2005
153	罗晓安	优秀教师	瓮安县人民政府	2005
154	余家品	优秀党员、十佳教师、优秀校长	瓮安县委、县政府	2005
155	顾晓福	英语学科骨干教师	黔南州教委	2005
156	陈友华	推进科教进步先进个人	黔南州人民政府	2005
157	余家品	优秀共产党员、黔南州第一届青年科技奖	黔南州委、州政府	2006

续表

序号	姓名	荣誉名称	授予单位	时间
158	李景辉	骨干教师	州教育局	2007
159	邬培祥	优秀知识分子	瓮安县委、县政府	2007
160	王建华	优秀知识分子	瓮安县委、县政府	2007
161	陈　刚	交通安全漫画作品奖	黔南州交通局	2007
162	陈　刚	“税务连着你我他”漫画奖	黔南州税务局	2007
163	何平章	黔南州师德标兵	黔南州教育局、教育工会	2007
164	王建华	优秀共产党员	瓮安县委	2007
165	李　琴	优秀共产党员	瓮安县委	2007
166	蔡　毅	优秀共产党员	瓮安县委	2007
167	罗显英	优秀共产党员	瓮安县委	2007
168	吴正权	优秀共产党员	瓮安县委	2007
169	汪举芳	高中教学成绩优秀奖	瓮安县委、县政府	2007
170	肖　洁	优秀园丁（放飞梦想——2007 全国青少年艺术人才选拔活动）	瓮安县委、县政府	2007
171	游　鹏	优秀党务工作者	瓮安县委	2007
172	张明光	“双拥”先进个人	瓮安县委、县政府	2007
173	黄栋贵	教育特别贡献奖	瓮安县委、县政府	2007
174	杨友发	先进教导主任	瓮安县委、县政府	2007
175	夏忠富	优秀班主任	黔南州教育局	2007
176	刘乾坤	优秀班主任	瓮安县委、县政府	2007
177	刘宜菊	优秀班主任	瓮安县委、县政府	2007
178	何远红	优秀教师	瓮安县委、县政府	2007
179	何俭霞	优秀教师	瓮安县委、县政府	2007
180	赵慕琦	优秀教师	瓮安县委、县政府	2007
181	曹植铭	优秀教师	瓮安县委、县政府	2007
182	唐书军	高中教学成绩优秀奖	瓮安县委、县政府	2007
183	夏忠富	贵州省中小学优秀班主任	贵州省教育厅	2008. 1
184	周　洪	“黔南团员青年抗冻救灾行动”先进个人	共青团黔南州委	2008. 4
185	陶义奎	骨干教师	黔南州教育局	2008
186	余家品	十佳党务工作者	瓮安县委	2008

续表

序号	姓名	荣誉名称	授予单位	时间
187	邓　超	优秀党务工作者	瓮安县委	2008
188	龙光明	优秀共产党员	瓮安县委	2008
189	龙运琴	全国英语教师教学技能大赛奖	国家基础教育实验中心	2008
190	肖春花	优秀共产党员	瓮安县委	2008
191	张明光	“社会治安综合治理”先进个人	中共瓮安县委、县人民政府	2008
192	罗定欣	贵州省首届书画大赛优秀奖	贵州省文化厅、省委宣传部	2008
193	肖　洁	贵州省多彩贵州声乐大赛瓮安赛区三等奖	瓮安县人民政府	2008
194	王建华	黔南州优秀科教人才	中共黔南州委、州人民政府	2009.3
195	李渊霞	“贵州信合杯”暨全省第十二届“篮球杯”第二名	贵州省体校	2009.6
196	邓　超	优秀共产党员	中共瓮安县委	2009.7
197	游　鹏	十佳主任	中共瓮安县委、县人民政府	2009.9
198	李景辉	十佳优秀教师	中共瓮安县委、县人民政府	2009.9
199	张元忠	“德育工作创新”先进个人	黔南州教育局	2009.9
200	罗晓安	十佳班主任	中共瓮安县委、县人民政府	2009.9
201	邓　超	“青少年帮教工作”先进个人	中共瓮安县委、县人民政府	2009.11
202	余家品	骨干教师	贵州省教育厅	2009
203	徐国生	“关爱学生”大家访先进个人	黔南州教育局	2009
204	严国艳	优秀共产党员	瓮安县委	2009
205	李凤奇	十佳校长	瓮安县委、县政府	2009
206	李渊霞	“贵州省大学生篮球锦标赛”第一名	贵州省教育厅	2009
207	李渊霞	“贵州省大学生排球锦标赛”第一名	贵州省教育厅	2009
208	罗显英	黔南州地理优质课二等奖	黔南州教育局	2009
209	李渊霞	全国 CvBA 大学生联赛西南赛区“优秀运动员”称号	全国大学生竞赛委员会	2010.5

续表

序号	姓名	荣誉名称	授予单位	时间
210	唐光正	黔南州三届老年书画二等奖	中共瓮安县委、县人民政府、黔南州老年书画研究会	2010.9
211	罗定欣	黔南州三届四次老年书画二等奖	中共瓮安县委、县人民政府黔南州老年书画研究会	2010.9
212	罗定欣	黔南州三届四次老年书画三等奖	中共瓮安县委、县人民政府黔南州老年书画研究会	2010.9
213	杨友发	全县十佳班主任	中共瓮安县委、县人民政府	2010.9
214	邓　超	十佳主任	中共瓮安县委、县人民政府	2010.9
215	王永奎	黔南州2010年中学教师师德标兵	黔南州教育局	2010
216	汪举芳	德育先进实验教师		2010
217	卢怀芳	十佳教师	瓮安县委、县政府	2010
218	李渊霞	贵州省大学生排球锦标赛第三名	贵州省教育厅	2010
219	罗定欣	贵州省第二届美术专业大赛优秀奖	贵州省宣传部 省文化厅	2010
220	李景辉	消防工作先进个人	黔南州消防安全委员会	2011.1
221	朱前红	瓮安县2010年度政法工作先进个人	中共瓮安县委、县人民政府	2011.3
222	周　洪	抗冻救灾先进个人	中共瓮安县委、县人民政府	2011.3
223	罗定欣	“瓮安人看瓮安写瓮安画瓮安”绘画二等奖	中共瓮安县委、县人民政府	2011.4
224	邓　超	优秀党务工作者	中共瓮安县委	2011.6
225	邓　超	全州“五五”普法依法治理先进个人	黔南州普法依法治州领导小组	2011.7
226	游　鹏	十佳主任	瓮安县委、县政府	2011
227	朱　靓	先进个人	瓮安县委、县政府	2011
228	杨友发	黔南州首届“优秀青年人才”	黔南州人才工作组	2011
229	潘光会	高考教学优秀奖	中共瓮安县委、县人民政府	2011
230	罗定欣	瓮安县职工美术现场书画大赛二等奖	中共瓮安县委、县人民政府	2011
231	唐书军	黔南州地理课件制作二等奖	黔南州教育局	2011
232	张润琴	优秀科技人才	瓮安县委县人民政府	2012.3

续表

序号	姓名	荣誉名称	授予单位	时间
233	洪庆平	十佳教师	瓮安县委县人民政府	2012.9
234	谢文剑	瓮安县“十二五“继教工程优秀主讲教师	中共瓮安县委、县人民政府	2012
235	杨友发	全国科研优秀教师	教育部	2012
236	郛培祥	语文特级教师	贵州省政府	2012
237	余家品	十佳校长、特级教师	县府、省政府	2012
238	张元忠	骨干教师	省政府教育厅	2012
239	王建华	优秀科技人才、英语骨干教师	州政府	2012
240	李　琴	全省加强和创新管理，做好新形势下群众工作服务先进个人	瓮安县人民政府	2012
241	陈友华	优秀科技人才	黔南州政府	2013
242	赵泽钦	高考教学优秀奖	瓮安县委、县政府	2013
243	汪举芳	高考教学优秀奖	瓮安县委、县政府	2013
244	吴礼坤	优秀先进工作者	瓮安县委、县政府	2013
245	吴定祥	优秀先进工作者	瓮安县委、县政府	2013
246	石世学	县高考教学优秀奖	瓮安县委政府	2013
247	罗定欣	瓮安县先进文艺个人	瓮安县宣传部	2013
249	陈　刚	黔南州骨干教师	黔南州教育局	2014.5
248	张元忠	特级教师	贵州省人民政府	2014
250	张元忠	首批黔南州中小学州级教育名师	黔南州教育局	2014
251	张元忠	县管专家	瓮安县委、县人民政府	2014
252	顾晓福	高考教学能手、十佳班主任	瓮安县委、县人民政府	2014
253	吴喜艳	高考教学能手、十佳班主任	瓮安县委、县人民政府	2014
254	杨贤材	春晖行动先进个人	贵州省委组织部、教育厅	2014
255	蔡　毅	黔南州优秀教师	黔南州委、州政府	2014
256	王永奎	优秀党务工作者	瓮安县委、县政府	2014
257	汪举芳	高考教学能手、十佳班主任	瓮安县委、县政府	2014
258	曹植铭	优秀科技人才	瓮安县委、县政府	2014
259	潘光会	高考教学能手	瓮安县委、县政府	2014
260	肖春花	高考教学能手	瓮安县委、县政府	2014

续表

序号	姓名	荣誉名称	授予单位	时间
261	赵泽钦	高考教学能手	瓮安县委、县政府	2014
262	石世学	优秀模拟试卷英语学科奖	黔南州教育局	2014
263	吴定祥	先进体育工作者	瓮安县委、县政府	2014
264	曾　山	先进体育工作者	瓮安县委、县政府	2014
265	顾晓福	高考教学能手	瓮安县委、县政府	2014
266	赵泽钦	黔南州高中美术优质课比赛一等奖	黔南州教育局	2014
267	吴忠琪	先进体育工作者	瓮安县委、县政府	2014
268	吴礼坤	先进体育工作者	瓮安县委、县政府	2014
269	赵慕琦	高考教学能手、十佳班主任	瓮安县委、县人民政府	2014

第五章　德育教育

第一节　常规教育

光绪三十三年（1906 年），清政府将“忠君、尊孔、尚公、尚武、尚实”定为教育宗旨。

民国 1 年（1912 年），确定“注重道德教育，以实训教育、军国民教育辅之，并以美感教育完成其道德”为教育宗旨。

民国 17 年（1928 年）7 月，教育部确定的教育宗旨为“中华民国之教育，根据三民主义，以充实人民生活，扶植社会生存，发展国民生计，延续民族生存为目的，务期民族独立、民权普遍、民生发展以促进世界大同”。

民国 18 年（1929 年），贵州省立六中宣布校训为“忠勤爱勇”，同时将学子歌确定为校歌。

民国 27 年（1938 年）9 月 19 日，中华民国教育部令：各校一律以“忠孝仁爱信义和平”为国民道德标准，学生应“信仰三民主义，培养革命精神”，具有“改造旧社会，建设新中国”之志愿，负起“解除国难及复兴民族的任务”，具有“服务人民”之精神，抱“乐观勇进”的思想，养成刻苦耐劳简朴的习惯，注重公德，出言审慎。并颁发《青年训育大纲》和青年守则。使青年有健全体格，自卫技能。是年，瓮安初级中学制作童子军向着太阳吹奏军号三角作为校徽。

新中国成立后，瓮安中学德育常规教育承袭老校传统，新时期校训为“忠、勤、孝、勇”，保持每周一升降国旗仪式，学子歌为新校歌，制定新校风、教风、学风，确定办学指导思想、教育宗旨和教育理念，确定师德师风、师生礼仪等一系列规章。

第二节　传统教育

民国 20 年（1931 年），瓮安中学根据民国教育部规定，开始设训育主任，并规定中学训育主任公民教员须经审查合格才能充任。省政府根据民国中央文件精神制定了训教纲要，并规定以“忠孝仁爱信义和平”为国民道德最高目标。瓮安中学制定了《训育要目系统表》和《训导内容表》对学生进行训育。训育分一般与特殊两种方法。一般的为集体训话、各级训话；特殊的如个别谈话、家访或随时随地指导训勉等。由导师训导每组学生，导师采取劝说诱导和启发等方式对该组学生作团体或个别训导，考查言行，督导学习，核阅周记，检查缺旷，解决纠纷，指导日常生活，督促自治及战时服务，指导推行社会教育。瓮安中学组成宣传队，在抗日战争宣传“抗战必胜、建国必成”，假期深入农村宣传《从军保国宣传大纲》，募集寒衣和航建征款等。还办农民识字学校，教唱抗战歌曲，演抗战戏剧，慰问抗战家属等。

民国25年（1936年）5月，瓮安中学举行“日行一善”活动记录比赛，激励学生多做好事善事，养成仁爱性行。瓮安中学订立各种规约让学生共同遵守，培养学生遵规守纪的行为。是年，教育部成立特种教育委员会。为教育适合国难需要，制订《中等学校特种教育纲要》，令省教育厅转饬各中等学校遵照实施。《特纲》分精神训练、体格训练、特殊教学、劳动服务四章。

民国27年（1938年）6月，省立瓮安初级中学执行教育部制定导师制纲要。

民国28年（1939年）7月，瓮安中学举行抗战2周年纪念大会，设置“为抗战建国而阵亡之无名将士及死难同胞之灵位”，全校师生参加公祭追悼。下半旗志哀，停止娱乐活动，素食1天，激发师生抗战爱国热情，并于当天组织师生慰问邻近的抗战将士家属。

民国29年（1940年）3月，瓮安中学对中国国民党常委委员会决议“总理孙先生倡导国民革命手创中华民国，更新政体，永奠邦基，谋世界之大同，求国际之平等，光被四表，功高万世。凡中国民，报本追源宜表尊崇，尊称总理为中华民国国父”进行宣传。

民国34年（1945年）5月，省立瓮安中学全校师生召开“德国法西斯投降、盟军抗战胜利”庆祝大会，学校悬挂国旗3天。8月，日本天皇宣布投降，中国八年抗战取得胜利，全校师生召开庆祝游行大会。瓮安中学还经常举行“静、肃、勤、慎、守时、内务”等项目的演讲、论文竞赛，培养学生的各种良好品德。

瓮安中学坚持的训导原则是，注重精神感化，不用形式权威，循循诱导，潜移默化，非万不得已时对学生决不妄加惩处，在可能范围内尽量废除处罚。注意训练学生对时代潮流的认识，使学生具有远大抱负而革除一切偏狭的封建思想及个人主义行动，具有科学的头脑，对事有客观的体认和批判的能力而能革除轻率盲从的举动，使学生深知忠恕之旨，对人处己恳挚谦和，能革除虚浮骄慢的恶习。教育学生专心努力于学业，严守纪律，谨敕行动，服从师长，热心公益，舍己为群，合作互助。能自己管束自己，有自觉、自动、自治、自立，负责任的能力，养成刻苦耐劳、手脑并用、发挥智力、乐于服务的习惯。提倡锻炼，使学生身体健康、意志坚强、精力充沛、学习效率增加而能克服所遭遇的一切困难。让学生养成身体服装居住用物都能整齐清洁而具有良好的生活规律与卫生习惯。教育学生语言诚笃雅训清晰流畅而无鄙俗讥嘲荒诞之弊，养成有礼貌、活泼大方的生活态度，使学生愉快活泼、善于用休息时间从事身心调节以培养高尚优雅情趣。使学生在德、智、群、体、美五育上得到全面发展以达树立法纪、提高程度、培养风气之目的而收纪律自觉、学习自动、生活自治、管教合一之实效。具有研究科学之兴趣，养成终身服务社会国家之精神，坚定领导社会之志愿。

每学期，学校举行开学典礼，检查学生体格清洁、书籍文具，组织童子军团、军训大队实施军事训练管理，训导主任和各级导师指导学生成立级会、学生自治会，开展活动促进自学自治。定期出版校刊，召开演讲会和辩论会，开展文艺、体育竞赛会，举行师生联谊会、展览会或恳亲会邀请学生家长或地方父老绅耆参观。注意公共环境卫生。厉行节约，施行个别训导，了解学生升学志愿并加以指导。管理上从不姑息放任，严格训导，同时以公平态度解决学生纠纷，以七分规章法律三分情感纠正学生不良习气。学校还设置训导意见箱，征集师生意见，改进训导工作。

1952年，中央人民政府教育部规定中学教育任务。此后，瓮安中学领导和老师每学年都会对毕业学生进行思想教育，让学生明确学习目的，懂得个人志愿必须与国家需要结合起来，能升学继续努力学习，不能升学去就业或参加生产劳动，做到“一颗红心，两种准备”。

1958年春，瓮安中学徐明尧老师赴北京参观学习，返校后向全校师生报告他在北京的所见所闻，激励学生努力学习、奋发向上。

1960年后，瓮安中学多次请瓮安县花桥管理区党总支书米绍周作“忆苦思甜、学习文化”的报告。

1963年，瓮安中学师生响应“向雷锋同志学习”的号召，学习雷锋日记，唱学习雷锋的歌曲，发扬雷锋精神并落实到行动中。

1981年起，瓮安中学开展“五讲四美三热爱”活动。每年3月12日，组织学生参加县林业单位、团县委或学校自己组织的植树造林、栽花种草等活动。

1994年11月16日，瓮安中学学生张德军、张兴福拾得内有存款840元的存折1个，交给学校并协助学校交还失主银盏乡村民刘银富，收到感谢信。

2003年3月23日，瓮安中学学生廖天涯、胡大芸发现山火，拨打“119”电话报警后再赴现场扑救山火，受到县森林防火指挥部通报表扬。

2005年12月12日，瓮安中学学生姜静在县农行营业厅拾得人民币1万元，归还失主兰银美，受到通报表扬。

2006年，瓮安中学300多名师生为致残、品学兼优的学生邱德清募捐医疗费2万多元。

2008年5月，汶川地震后，瓮安中学师生先募集爱心款3.6621万元，随后又募集特殊党费2550元捐助受灾人民。3位学生为灾区人民献血。

2009年清明节，瓮安中学组织学生开展“缅怀革命先烈”的扫墓活动。5月，开展庆祝“五一”劳动节和纪念“五四”活动。团委、学生会出板报，各班出班刊，举办新团员入团宣誓活动和18周岁学生成人礼“迈进青春门·走好成人路”活动。

第三节 法制教育

1985年，省司法厅、教育厅发出通知“加强中小学法制教育课”，在中学比较系统地用法制知识武装学生，使广大青少年知法、守法，增强法制观念，预防违法犯罪。

1997年，瓮安中学建立学校、社会、家庭三结合教育网，聘请法制副校长（公检法领导）和有关领导做法制教育报告。与县政协、瓮安监狱“育新学校”联合举办“走向新岸忏悔报告”会，失足青年以违法犯罪的亲身经历“现身说法”进行警示教育。会后组织学生讨论，写心得体会。举行法律知识竞赛活动和考试。

2007年，县公安局刘永州科长被聘为瓮安中学法制教师，到学校作《法，我们怎样去遵守》的法制专题讲座。学校组织3000多名师生参加北斗山监狱举办的在押犯现身说法警示教育报告会。观看开封市普法艺术团到学校举行的“珍爱生命、拒绝毒品”法制之光义演。

2008年6月28日，“瓮安事件”发生后，瓮安中学通过反思，落实德育首位思想，编写校本法制教材，培养学生遵纪守法素质和预防违法犯罪能力。是年，“六二八”警示教育大会在瓮安中学举行，师生明辨是非，决心遵纪守法努力学习，重塑瓮安形象。学校举行“关爱每一位学生家访大行动”，每位班主任对学生全员家访，与学生、家长深入交谈，掌握每位学生思想、学习、生活动态。加强法制教育，将校本教材《法制教育读本》发给全校 3500 余名学生，预防违法犯罪。开展对问题学生的帮教，召开“六二八”事件 9 名涉案学生家长、班主任联席会，学习帮扶文件，提出帮扶要求，共同帮助涉案学生深刻反省，放下包袱，调整心态，努力学习。组织学生参加县法制办、司法局、教育局联合举办的“青少年法制征文和法制漫画”比赛，学生童鸿景《遵纪守法 创平安校园》获一等奖，何慧贤《法令行则国治 法制弛则国乱》、吴徐《心灵与法制》、刘朝群《遵纪守法 健康成长》获三等奖，罗雪《青少年心理健康与犯罪》获优秀奖。

2012 年 4 月 27 日，省委、州委、县委等领导莅临瓮安中学检查帮教工作，参观校园建设、帮教工作样板、帮教办公室、心理咨询室并查阅相关资料，对瓮安中学帮教工作给予充分肯定。是年，省教育厅举行中小学学科教学渗透法制教育检查考核，瓮安中学成为省级示范学校。

第四节 感恩教育

瓮安中学经常性开展“感恩”教育，围绕“知恩、感恩、责任”为主题开展班级、学校和社会活动，营造感恩文化氛围，促进学生思想道德水平提升。学校成立感恩课题组，全体教师参与，在课堂教学和各种活动中渗透感恩教育，让学生感悟、体验感恩情感。在校园环境、班级文化建设上突出感恩内涵，让学生学会感恩报恩，构建平等、理解、尊重的师生关系。学校领导要感恩教职员工，以师为本，关心、包容、激励他们，让教师有尊严感和成就感；教师要感恩学生，理解尊重学生，创建高效课堂；师生都要感恩国家社会，使自己在教学上有展示自己的平台，物质文化生活水平得到不断提高。校长、老师、学生都常怀感恩之心，共同促进和谐校园的形成和发展。学校与学生家长沟通，让家长以身作则尽到对子女的责任和义务，从而使自己的子女养成尊敬、孝敬父母的习惯，明白父母是长者，了解父母为子女和家庭付出的辛苦，产生感激和尊重，听从父母教导，参与家务劳动，分担父母忧愁，珍惜来之不易的生活。

2012 年 5 月 12 日，瓮安中学举行“寸草报春晖”大型公益感恩教育主题演讲活动，请著名演讲家、《春晖》杂志执行主编蔡顺华教授作感恩教育演讲，培养学生“知恩、感恩、报恩和爱党爱国”的情操。

2013 年，瓮安中学举行“寸草报春晖共圆中国梦”演讲大赛。学生在感恩教育活动中，学会感恩父母，孝敬父母；学会感恩师长，尊重教师；学会感恩社会，增强报效国家的责任意识；学会感恩自然，增强环保意识；学会感恩他人，促进人与人之间的互助互爱。

第五节 渗透教育

瓮安中学各学科教师寓思想政治教育于教学和课外活动中，思想政治教育呈常态化。

各科教师在备课中把握学科特点进行总体目标设计，既有知识、能力目标，又有德育目标。文科教材以形象思维为主，有利于爱国主义、理想情操、传统美德教育；理科教材以逻辑思维为主，有利于辩证唯物主义基本观点教育。

在地理课教学中，利用国情知识，处处突出思想政治教育，激励学生爱党、爱国，奋发学习的热情。

生物学科通过实例教学，帮助学生树立唯物主义世界观，让学生自觉遵守《中华人民共和国森林保护法》《中华人民共和国环境保护法》等法规，以实际行动来维护生态平衡，保护人类生存环境。

美术教学大纲向学生传授美术基础知识和训练美术技能技巧，同时，采取多种有效的形式对学生进行审美教育，使他们具有美好的理想、良好的道德、机敏的才智、高尚的情操，成为身心全面发展的一代新人。

音乐老师向学生们介绍聂耳、冼星海等著名革命音乐家的事迹，介绍他们用音乐作为斗争的武器，激励中华民族抗御外辱、振兴中华的斗志，使学生懂得音乐的重要，增强学好音乐课的积极性。

数学教学对学生进行唯物主义教育，用无数的具体事例说明数学知识源于实践又服务于现实。通过数学知识的发展、变化、互相联系、互相制约的特征，对学生进行辩证法教育。

语文教学中的德育教育，就是通过引导学生深刻理解作品内容，从而受到熏陶、感染，潜移默化培养学生的爱国主义精神和树立崇高理想作为重点。

第六章 教 学

第一节 学 制

光绪二十九年（1903 年），清政府颁布《奏定学堂章程》，史称“癸卯学制”。该学制分 3 段 6 级，共 25~26 年。其中，小学教育 9 年，分初级、高级，初级 5 年，高级 4 年。中学教育 5 年，属普通教育性质，兼有升学和就业两重任务。高等教育分 3 类（经学、政法、文学、商科；格致、工科、农科；医科），亦称分科大学，修业 4 年或 3 年。大学还设有通儒院，以 5 年为限。1906 年瓮安初、高等小学堂实施癸卯学制。

民国 1 年（1912 年）9 月，以孙中山为首的南京政府教育部公布《壬子学制》，随即陆续颁布各种学校规程，对新学制补充修改，合成更完整的学制系统，称《壬子癸丑学制》。学制规定整个学程为 17~18 年，分 3 段 4 级。初等教育阶段分 2 级：初等小学 4 年，高等小学 3 年。中等教育阶段，年限 4 年。高等教育阶段设本科 3 年或 4 年，预科 3 年。全县初、高等小学校自 1913—1922 年施行壬子癸丑学制。

民国 11 年（1922 年）11 月，教育部公布《学校系统改草案》。这年系旧历壬戌，称“壬戌学制”，亦称“新学制”。新学制规定小学修业 6 年，分初高两级，初级 4 年得单设，高级 2 年。规定中学修业年限，由 4 年延长至 6 年，分初高两级，各为 3 年。

壬戌学制缩短了小学修业年限，延长了中学修业年限。注意实际需要，不作硬性规定，重视职业训练和补习教育。侧重实用，实行选科制和分科教育，兼顾了学生升学和就业两种准备，适合中国国情。瓮安初高等小学校和民国 15 年（1926 年）创办的贵州省瓮安县初级中学，以及民国 32 年（1943 年）创办的高中，均施行这个学制。

1951 年 8 月 10 日，中央人民政府制发的《改革学制的决定》。学制规定小学 5 年，后改为 6 年，学生 7 岁入学，不分级。中学 6 年，分初高两级，各为 3 年。这个阶段设中等专业学校（技术、师范、医药及其他）、工农速成中学、业余初级中学或业余高级中学。大学和专科学校 3~5 年，年龄不限。以上还设研究部，修业年限 2 年以上。

瓮安中学在 1950—1958 年施行初中 3 年制，1958—1968 年办成完中施行三三制，1969—1975 年施行“三二制”，1975—1977 年施行“二二制”，1977—1982 年施行“三二制”，1982—2002 年施行“三三制”。2002 年秋办成完全高中，施行高中 3 年制。

第二节　招　生

民国时期瓮安中学实行春、秋两季招生。教育部及省教育厅对学生年龄、学历资格、准考证办理、试题内容、招收插班生、录取后入学须知等都有详细规定。

民国15年（1926年）11月，瓮安县立中学创办，开始从县立高等小学校中招收学生。经考核后，录取16名学生。民国16年（1927年）春，招学生12人，与1926年秋季生16人合为1班，共28人。民国17年（1928年），招瓮安、余庆、黄平、平越4县小学毕业生。

民国25年（1936年）7月，省府令省立瓮安初级中学：准在25年度第一学期添招一年级新生1班。瓮安中学写广告张贴，注明名额、报名日期、地点及手续，并要求缴呈小学毕业证书，最近4寸半身相片，报名费二角（作应考生点心费）。考试科目：国文、算学、自然、社会、体格检查、口试。征收费用：学费全年法币6元，分两期缴纳；图书体育费每学期5角。一应事项该按省厅要求办理。9月，校长任永熙因无秋季生不能招足定额呈文请示，获省政府教育厅允准，招收女生1班29名。

民国26年（1937年）6月，教育部对学生年龄生日规定以国历计算以资划一，通知各校新生入学应一律按填具实足年龄及国历生日。7月，省教育厅通知瓮安中学“将所设免费及公费学额办法及名额载入二十六年度招生简章，以便清贫学生周知。各校并将招生简章送呈主管教育行政机关备核”。是年，省教育厅通知瓮安中学，将原定高中以上学历改为初中，劝勉学生报考中央军校以资补救招生困难。

民国35年（1946年），瓮安中学第二学期招收学生投考资格：投考初中一年级须具有中心国民学校毕业证件，投考高中科各年级插班生须有相当年级之转学证书，投考高中一年级须有初中毕业证书。报名时缴二寸半身脱帽照片2张，缴验毕业证书及转学证书。缴报名费500元。考试科目高中插班生考试公民、国文、英语、数学（代数几何）、理、化、生、史、地、口试，高中一年级考公民、国文兼英语、数学、理化、口试，初中一年级考国文、算术、常识、口试。学生入学规定：“学生到校，首先到教导处或训育处报到，由教导处或训育处核发缴费通知单；凭缴费通知单到会计处清缴各项费用；凭缴费单到教导处或教务处注册；凭注册证上课；寄宿生并须凭注册证迁入宿舍。”

1951年，瓮安中学因抗美援朝参军、土地改革参干的学生多，高中停办。初中学生仅有5班共109人。1951—1952学年第一学期的招生工作压力特别大，这一学期全县没有小学毕业生，只有往年毕业未入学的学生。学校在上学期末要求在校同学假期返乡动员适龄青年于8月20日到瓮中报考入学。仅有22人参考，录取19名。学校决定再考，并将招生范围扩大到珠藏、余庆等地，仍严重不足。9月14日，学校将老师分为6组，由学生带路下乡招生。通过宣传“文化还家”，由农会去开导学生家长鼓励青年报考；请村小教师帮忙介绍并开导说服青年报考；由在校同学去说服青年报考；老师下乡登门说服青年报考等方法。10月初，新生达到百余名。

1952年1月14日，省文教厅指示，严格禁止在校小学肄业生招考初中预备班，在初中在校肄业生招考高中预备班。全省除专业学校外，一律按新学制实行秋季招生，春季中学一律不招正式班新生。暑期，瓮安中学让留校教职员深入农村，发动学生报考入学。9月

28 日，报名学生 148 人，到考 138 人，录取 78 人；复学生 14 人，留级生约六七人，总计近 100 人准备开两班。录取标准：失学毕业生及同等学历生均以小学五年级程度为最低标准。其中，年龄 12~15 岁的占 26.1%，16~19 岁的占 55.4%，21~25 岁的占 18.5%；工农占 48.9%，小商占 18.5%，小土地出租占 13%，地主占 19.6%；瓮安 64 人，平越 21 人，余庆 7 人；汉族 86 人，苗族 6 人。

1953 年，省中等学校招生委员会招生办法明确：各专区成立省招生委员会分会负责领导本专区及办理本地中等学校招生工作，各有招生任务及有初中毕业班县应成立招生工作组负责办理本地中学招生工作。各地招生数字必须按规定招收，不得任意变动。同时今年小学毕业生较去年为多，可考选条件较好的学生入学以保证质量，但对革命军人及烈士家属子女、工农成分与少数民族学生必须予以适当照顾。各校在录取新生中工农成分学生至少应占 40%。初中、初师报名、考试、录取工作均由各招生分会按规定办理。试题及标准统一由省招生委员会制发。初中生考试除笔试外并应进行口试，并应对学生健康状况进行了解，如有明显疾病的应不予录取。考试科目：高中、中师、中技考数学、本国语文、政治常识、理化、英文、史地；初中初师考算术、语文、常识、口试。

1954 年，省政府教育厅遵照中央教育部、高教部《关于 1954 年全国中等学校招生工作的指示》，结合全省实际情况，组成中等学校招生委员会，统一领导全省中等学校招生工作。各专区成立分会领导办理本地区中等学校招生工作。有初中毕业班的县成立小组，由中学主持办理本地中学招生工作。招生工作必须按既定计划根据指标完成招生任务，做到既要保证数量，又要保证一定的质量。首先必须适当保证工农成分和少数民族比额，城市地区的其他阶层子女。录取时应注意到，如工农、少数民族生与一般生成绩相同，应优先录取以达比额。凡工农、少数民族生成绩达到录取标准均应录取，以达到比额。如按上两项办法仍不能达到比额时，可降低原定比额 5%，或同时适当降低录取标准 5%~10%，使不致过分降低质量的情况下达到一定比额。如还不能达到比额，小组可向分会联系，不必机械照原定比额执行。对烈士家属子女亦按此精神予以优先录取和照顾。其次，必须保证一定的文化水平与健康水平，一般应达到总平均及格（60 分）才录取。工农及少数民族生稍微降低亦应估计其入学后不致过分困难。对报考高中、中师、中技学生进行体格检查，报考初中的学生应在口试时对考生健康状况进行了解，以免有严重疾病而不能坚持学习的学生入学。

是年，中等学校招生考试日期定于 7 月 29—31 日。入学年龄：初中 12~16 岁；烈属、工、农酌量放宽 1~2 岁。考试科目：初中考语文、算术、常识等科；除笔试外，并应举行口试。口试时除对学生成绩、家庭情况、健康状况进行了解外，并应进行必要的思想教育。各类中等学校招生的入学试题仍由省招生委员会统一出题。为了适应全省各地区小学教育发展不平衡情况，初中入学试题系根据贵阳市及各专署所在地、一般地区、文化落后地区 3 种情况分别出题。

1956 年 4 月，省教育厅根据教育部指示，制发保送高小、初中毕业优秀学生升学办法，于 1955—1956 学年度选择部分学校重点试行。保送条件：凡各科毕业成绩均在 4 分以上（或百分制的 80 分以上），抑或只有一种毕业成绩为 3 分或丙等（初中不包括语文、数学、政常，小学不包括语文、算术在内），品行成绩为 5 分（或甲等），身体健康（经体格检查合于招考学校之要求）者，即可保送。保送手续：被指定试行保送升学办法之学校，于毕业成绩评定后，由学校公布合于保送条件之学生名单，再由学生自愿填写申请保送单具（初中学生应填3个不同志愿，小学生不填志愿），学校经审查签注意见后，连同各项成绩，造具保送名册，分别呈报各专、县（市）。高小毕业保送入初中者由各县（市）批准。初中升入高中、师范学校、各专业学校（不包括外地来贵州省招生之专业学校）须经各专署批准。贵阳市初中由厅批准。各专、县（市）核定后，即通知保送学校（保送入高中、中师、中专之学生应注明批准入何校），并将此项材料转送当地招生机构（招生委员会分会或组），以便其确定招生录取工作。省贵定专员公署教育科指定在瓮安中学、贵定中学、惠水民族中学三校的初中毕业班重点试行此办法。

1963年，瓮安中学招初一4个班200人。其中，工农生113人，占56.5%。录取语数平均分是67.05分。瓮安中学初三毕业班原有47人，留级6人，退学1人，毕结业40人。报考34人，除1人保送入黔南师范外，录取33人。

1964年7月6日，瓮安县成立招生委员会。县招生委员会制定1964年全日制中等学校招生简章。是年，瓮安中学招收高中一年级新生和初中一年级新生。代黔南民师招收一年级新生、黔南中级速师招收新生若干名。报考条件：初中入学年龄为13~15周岁，高中为15~18周岁，中级师范为15~22周岁。保送的社会考生年龄可放宽1~2岁。应届毕业生不受年龄限制。报考初中、高中、中师或中速师的考生，应届毕业生必须持有学校证明和身体检查证，往届毕业生和具有同等学历的社会青年，必须持有本地人民公社或街道办事处的证明和身体检查证。小学毕业生只限于本县初中，初中毕业生只限于本县高中和黔南民师。中速师全系保送报考。初中考语文、算术两科。高中考政治常识、语文、数学、外语四科。没学过外语的可申请免试。考生要缴验学历证件、介绍函件、健康检查证明。高中中师考生须缴最近本人二寸半身脱帽照片3张，初中免交。试后，瓮安中学初中录取正式生221名，备取生14人，共235人。高中录取43人。

1966年，“文化大革命”开始。6月8日，教育部党组《关于改革高级中学招生办法的请示报告》经中央、国务院批转，废止招生考试办法。

1967年后，全国大中学校停止招生。

1969年秋，瓮安中学原有在校生全部离校，学校开始招初中4班，学生200余人，招高中2年制2班100余人。

1970—1976年，招生工作按推荐与选拔的方针进行。

1977年，国务院批转教育部意见，指出：“高等学校招生工作，直接关系大学培养高级专门人才的质量，影响中小学教育，涉及各行各业和千家万户，是一件大事。为快出人才，早出成果，尽快改变教育与社会主义事业发展严重不适应的情况，在20世纪末把中国建设成为伟大的社会主义现代化强国，各地要加强对招生工作的领导，深入批判江青反革命集团的反革命修正主义路线，努力提高招收新生的质量，切实把优秀青年选拔上来。要认真总结经验，逐步健全和完善无产阶级的招生制度。”全县根据教育部文件精神成立招生委员会办公室开展招生工作。

1982年起，贵州省高等学校，中等专业学校招生实行预选。把预选指标逐级下达到中学，由中学根据高中毕业考试成绩，结合平时成绩，德、智、体全面考核，择优预选，参加全国统一考试。三好生、优秀学生干部、地区级以上体育竞赛获单项前五名或集体前三名主力队员如差3~5分可以加5分达到预选合格线。贵阳、安顺、遵义三市少数民族生照顾10分，其他地区少数民族生照顾20分。照顾或加分的考生只能享受一次，不能累计计算。

1983年，全国高校招生规定：应届高中毕业生报考高等学校，必须具备高中阶段的档案。有应届高中毕业生的学校应健全学生档案，对预选上线考生提供高中阶段的全面情况，包括学生各学期的操行评语、期末考试成绩、是否学生干部和三好学生等；有何特殊表现、爱好、特长、社会活动能力，受过何种奖励或处分；健康状况和既往病史健康卡片，体育达标情况等。应届初中毕业生的毕业考试和高中的升学考试，由州命题，用同一个试题。对预选上线考生应立即进行政审和体检。

1988年5月，省招生委员会、教委及公安厅根据国家教委“制止高分省的考生到低分省报考”的精神，对普通高等学校、中等专业学校招生考生户口审查做出限制外省籍考生到贵州无条件参加高考的规定。

1989年，省教委规定，报考普通高等学校和报考招收高中毕业生的中等专业学校的考生必须经过预选考试（免试者除外），预选合格才能参加全国统考。凡报名参加预选考试的考生，必须符合报考条件，必须是省内的常住户口。借考问题，鉴于预选考试和统考都是使用省编实验教材，并由省统一命题，因此，凡在外省（区）直辖市借读的应届高中毕业生，原则上不办理借考手续，应在户籍所在地报名参加预选考试。省内跨地区跨县借读的应届高中毕业生可在就读学校参加预选考试，合格后持证回户籍所在地参加全国统考。往届高中毕业生，不论是跨省或省内跨地、县补习或复读的，均一律回户口所在地报名参加预选考试。报考体育专业兼报理、工、医农和报考艺术兼报文史类的考生，必须参加文化预选考试，并与理科及文科的考生同线。单独报考体育专业或艺术专业的考生，只办理报名登记手续，可不参加文化预选考试，以专业成绩决定是否参加统考（这类考生只作统计，不占预选指标）。预选考试中，对少数民族考生仍降分予以照顾，择优录取。对应届高中毕业生受地区以上表彰的优秀学生干部，总分低于预选分数线10分以内的，可以照顾预选上线。对在少数民族地区（指自治州、自治县）连续工作15年以上的汉族干部和公办教师子女，总分低于预选控制分数线10分以内的，可以照顾预选上线。对应届高中毕业生中，在高中阶段参加地区以上体育竞赛获单项前5名或集体前3名的主力队员及获国家二级运动员称号的考生，总分低于预选控制线20分内的可给预选上线。

1992年，高考仍按文、理分科进行。规定高中学生档案必须具备以下方面材料：《贵州省普通高中学生德、智、体考核情况登记表》《贵州省普通高中毕业生政治思想品德考核表》及政治思想品德考核的有关记录；体育成绩情况登记表（卡）；毕业生登记表。《高中毕业证书》和《会考合格证书》。92届学生高三年级政治、语文、数学、外语4个会考科目的第一次补考及其余学科第二次补考，仍由省统一时间、统一命题、统一参考答案和评分标准。会考成绩仍按A、B、C、D、E五等划分，从1993年开始按优、良、及格、不及格四等划分。93届学生已会考地理学科成绩A等转换为“优”，B、C等转换为“良”D等转换为“及格”，E等为“不及格”。1992年参加艺术类高考学生仍需参加文化课考试，科目与文史类同。1993年起，学籍和考籍均由普教部门管理。

瓮安中学是省教委批准具有推荐保送大学本科生资格的完全中学。保送大学本科生必须具备的条件是：应届高中毕业生，各科会考一次性合格；会考每科都为A、B等。所推荐专业相关学科必须是A等。五科会考总分必须达到当年保送生要求。1990—2000年，瓮安中学推荐保送大学生30名。

2000年，省教委〔2000〕114号文件规定，在高中毕业会考英语科中加试听力。2001年3月，瓮安教育局决定：瓮安中学、瓮安二中办成独立高中，不再招初中部学生。规范高中招生，按成绩从高到低排列，一、二中各1名依次录取。如遇特殊情况，在录取场内经两校校长签字同意可以调换，但上录取册后一律不得私调。对违反纪律私招、私控、私调学生，影响学校正常教学秩序者，要严格查处学校领导及当事教师。校长当年年度考核为不合格，班主任或任课教师除年度考核为不合格外，调离所任学校，安排到其他乡镇学校工作。未被高中正式录取而又要求就读高中的学生为计划外生，必须在县教育局教育股报名，按学生自愿进行分配。学生报名时需一次性交纳计划外费用1800元，学生凭收费收据及通知书到校报到，并按学校正式学生收费标准交纳费用。录取结束，学校将正式录取生及计划外生分别造册交教育股审查，报州教育局办理学籍。审查中如发现未按规定程序办理而私自上册者一律剔除，并按第二条办法查处当事人。高中开办补习班，一、二中可开办文、理科各1个。补习班必须在县招办报名，按自愿进行分配，并一次性交纳费用。收费标准如下：高考成绩上重点本科线者按高三级正式生交费；上一般本科线者在正式生标准外加收300元；未上一般本科线者加收500元（每学期）。补习结束，在县招办报名参考。补习生高考成绩不计入就读学校高考成绩。学生档案由原毕业学校负责提供。高中学生不允许借读，外县籍户口学生就读必须到教育股办理相关手续学校才可以报名注册，县城范围内不准转学。

2002年，高考实行“3+1”考试：即语数外+文科综合（政史地）或语数外+理科综合（理化生）。

2003年5月，省招生委员会〔2003〕6号文件下发，实行高考考生资格公示。公示内容有：考生的姓名、报考号、所在学校、户口所在地，享受少数民族加分的考生民族，农村独生子女户的女孩、二女结扎户女孩，获省级以上科技发明创造奖，奥赛省区一等奖，重大国际比赛和全国性体育大赛前六名，获国家二级运动员称号的学生获奖类别，归国华侨子女，军功烈属子女，在民族州、县工作15年以上的干部及教育卫生人员子女，高中阶段获地州及以上表彰的三好生和优秀学生干部。外省籍在贵州省正常报考或限考的考生也要公示。县级招办在招生或考生所在学校张榜公示有关内容。

8月，县政府关于指导性招生计划规定，2003年瓮安中学高中招生计划为1000名。州下达指令性计划800名（实招805名）。指导性计划200名，根据州教育局规定每生每学年收费上限不超过4000元，结合当地实际，按中考成绩分数每生每学年收取：420分以上400元，410~419分700元，400~409分800元，390~399分900元，380~389分1000元。380分以上考生按报名交费顺序录满为止。如录不满，再适当降低分录满，但每生每学年交纳教育成本补偿费不得超过1000元。将指导性招生计划纳入县招生计划，招生人数和收费标准，统一按分数择优录取，统一办理入学手续。学校不得擅自扩大招生比例，降低录取分数线，提高收费标准或在限定金额外收取其他任何费用。对指令性录取新生严格按计划在被录取学校就读，不得擅自择校，各校不得擅自招收他校录取新生。

2004年，瓮安中学根据全省普通高中招生的有关精神，决定开办体艺特长综合班1个，招收体艺特长生50名（体育20人，美术15人，音乐15人）。考生必须参加全州统一中考，文化成绩可按学校录取分数线的80%录取，个别学生素质特别优异或省州级竞赛获取名次的考生特殊考虑。6月30日前在政教处或综合组办公室报名，7月3日统一考试，当场公布成绩。

2006年，瓮安中学总计划招生1080人，指令性计划964人，择校生计划216人。示范性高中具有招收保送生资格，名额在计划的3%以内。瓮安中学根据州教育局首次招收保送生的精神做出有关规定：招收对象为县内各初级中学2006年应届优秀毕业生，在初中阶段获州级以上优秀学生或优秀学生干部称号；初中毕业成绩或初三统考成绩应是大型初中前8名，中小型初中前3名学生；表现良好，思品考核为优，未受过处分。是年，瓮安中学招收保送学生32名，免费进入远程教育网络班学习。

2008年，瓮安中学招生指令性计划851人，“三限”计划213人，合计1064人。

2009年，州教育局〔2009〕9号文件规定，普通高中招生录取严格按照学生志愿、招生计划和学业成绩排序，由州统一拟录。省级示范性高中录取严格按省教育厅〔2008〕1号文件执行，不得突破招生计划，严格执行“三限”政策。体艺生的录取做到公开、公平、公正，防止徇私舞弊，按学生志愿、招生计划和学业成绩排序。其中文化成绩占70%，专业测试成绩占30%，由州统一录取。调档按考生志愿，同一批次录取时间段中，按学业成绩排序录取。若成绩相同，则按综合素质择优录取。招高一新生1120人。

2010年8月，瓮安中学申请扩大高中一年级招生计划，由原来的19个班1054人，扩大为21个班1288人。

2011年，州教育局〔2011〕12号文件对普通高中招生规定，报考普通高中同时可兼报5年大专、中专（中师）和职业高中。全部为平行志愿，按录取学校调档顺序（批次）确定志愿顺序。普通高中招生严格按学生志愿、招生计划、学业考试成绩和综合素质评价等级条件择优录取，由州统一办理录取手续。试行省级示范性高中招生配额制。体艺特长班招生按学业考试成绩加术科成绩，总分不低于本校统一招生录取分数线50分从高到低依次录取。少数民族应届考生加10分计入总分。录取顺序为：配额生—统招生（二类示范性高中—三类示范性高中—其他高中）—特长生。

省级示范性高中招生，地理、生物、综合素质评价成绩应在B等以上，其他高中应在C等以上。按考生志愿同一批次录取时间段中，按学业成绩排序，若学业成绩相同则按综合素质评价择优调档。新学年开学工作结束20日内，各校必须持未到校学生名单到州办理退档手续，办理完毕后由州局统一安排补录。凡未参加中考和未经州统一录取的学生一律不予办理注册手续。

2011年7月，瓮安中学将增加招生计划请示县教育局。8月，瓮安中学迁至新校区后，申请增加高中招生计划200人。是年高一增到20个班，学生1293人。

2012年，瓮安中学招生计划1380人。统招生1104人，择校生276人。

2013年，瓮安中学统招生1199人，择校生244人，外县择校生31人和本县漏录生、择校生97人。共计1571人。

第三节 班 额

民国15年（1926年），瓮安县立中学创办。招收秋季班学生16人。

民国16年（1927年）2月，胡国泰辞去校长职务，张克襄任校长，新招学生12名，将原秋季班学生16名降为春季班始业，合为1班。

民国25年（1936年），省教育厅令瓮安初级中学三年级甲组学生并入乙组教学。次年，又将13期女子班并入14期合为1班教学。

民国时期，实行春秋两季招生，春季招收的学生为春季班，秋季招收的学生为秋季班。

中华民国教育部规定每班学生不得超过 50 名，以免妨碍教学；亦不能过少，不足 30 人的班次应采取同期并班办法。

1951 年秋，瓮安中学因学生少将初一两班进行合并教学。是年，高中一、二、三各年级每班学生都不足 10 人，且不稳定，高中停办。

1980 年后，学生不断增加。国家教委规定从 1992 年起，高中招生每班班额不得超过 50 人，特殊情况可至 56 人。2006 年，班额放宽到每班 60 人。

表 6-1 1926—2013 年瓮安中学班级学生统计表

时间	初中						合计		高中						合计		总计		备注
	一年级		二年级		三年级				一年级		二年级		三年级						
	班	人	班	人	班	人	班	人	班	人	班	人	班	人	班	人	班	人	
1926	1	16					1	16											
1927	1	28					1	28											
1928	1	26	1	28			2	54											
1929	1	40	1	24	1	18	3	82											
1930	1	40	1	34	1	18	3	82											
1931	1	42	1	38	1	29	3	109											
1932	1	45	1	36	1	36	36	117											
1933	1	44	1	42	1	35	3	121											
1934	2	66	1	44	1	38	4	148											
1935	1	63	2	64	1	29	4	156											
1936	2	74	2	63	2	42	6	169											
1937	2	83	2	74	2	62	6	219											
1938	2	105	2	88	1	32	5	225											
1939	2	66	2	87	1	42	5	195											
1940	2	70	1	46	2	53	5	169											
1941	2	144	2	102	2	59	6	305											
1942	2	101	2	87	1	42	5	230											
1943	2	100	2	101	2	62	6	263	1	35					1	35	7	298	

续表

时间	初中						合计		高中						合计		总计		备注
	一年级		二年级		三年级				一年级		二年级		三年级						
	班	人	班	人	班	人	班	人	班	人	班	人	班	人	班	人	班	人	
1944	2	125	2	83	2	60	6	268	1	46	1	25			2	71	8	339	
1945	2	125	2	71	2	59	6	235	1	37	1	44	1	7	3	88	9	323	
1946	2	119	2	67	1	44	5	230	1	46	1	35	1	41	3	122	8	352	
1947	2	119	2	66	1	48	5	233	1	56	1	42	1	30	3	128	8	361	
1948	2	123	2	75	2	60	6	258	1	33	1	50	1	40	3	123	9	381	
1949	2	222	2	76	2	48	6	346	1	23	1	25	1	49	3	97	9	443	
1950	2	65	2	31	2	15	6	111	1	13	1	9	1	9	3	31	9	142	
1951	2	74	2	22	1	13	5	109											
1952	3	109	2	78	1	14	6	201											
1953	1	64	1	48	2	66	4	178											
1954	1	54	1	62	2	66	4	182											
1955	2	111	1	55	1	50	4	216											
1956	5	275	2	99	1	48	8	422											
1957	3	160	4	216	2	83	9	459											
1958	4	321							1	73									
1959	5	276	4	172	2	104	11	552	4	193	2	64			6	266	17	818	
1960	6	299	5	237	3	112	14	648	5	256	4	122	1	48	10	419	24	1067	
1961	5	282	6	296	4	218	15	796	5	248	5	252	2	104	12	604	27	1400	

续表

时间	初中						合计		高中						合计		总计		备注
	一年级		二年级		三年级				一年级		二年级		三年级						
	班	人	班	人	班	人	班	人	班	人	班	人	班	人	班	人	班	人	
1962	2	102	2	75	1	56	5	233	1	46	1	53	1	46	3	145	8	278	
1963	4	150	2	63	2	55	8	268	1	40	2	54	1	40	4	134	12	402	
1964	5	226	4	161	4	136	13	423	1		1		1		3				
1965	4	179	5	221	3	138	12	538	1		1		1		3		15	721	
1966	5	303	4	214	4	179	13	696	1	55	1	43	1	35	3	133	16	829	
1967																			
1968																			
1969	4	200							2	100									
1970	4	200	4	200			8	400	2	102	2	100			4	202	12	602	
1971	4	200	4	200	4	200	12	600	3	150	2	100			5	250	17	850	
1972																			
1973									4	240									
1975	4	240						724	2	103						421		1145	
1976	4	224							2	125									
1977																			
1978									6	255	5	304							
1979																			
1981																			

续表

时间	初中						合计		高中						合计		总计		备注
	一年级		二年级		三年级				一年级		二年级		三年级						
	班	人	班	人	班	人	班	人	班	人	班	人	班	人	班	人	班	人	
1982	4	272	4	256	3	191	11	727	6		3								
1983	4		4		4		12		4		4		2		10		22		
1985	4		4		4		12		4		4		4		12		24	1398	
1986	4		4		4		12		4		4		4		12			1376	
1987	4	127	4	136	4	147	12	410	4	106	4	102	4	133	12	341	24	751	
1988	5	333	4	290	4	271	13	894	4	189	4	196	4	202	12	587	25	1481	
1989	4	220	5	261	4	287	13	768	3	212	3	220	4	208	10	640	25	1408	
1990	4	200	4	265	4	135	12	600	4	236	4	139	4	141	12	516	24	1116	
1991	4	267	4	288	4	247	12	802	4	119	3	153	4	199	11	471	23	1273	
1992	6	401	4	283	4	282	14	966	6	372	4	228	4	261	14	861	28	1827	
1993	6	370	6	407	4	249	16	126	4	275	5	360	4	282	13	917	29	1943	
1994	6	379	6	370	6	376	18	1125	4	216	4	249	5	331	13	795	31	1920	
1995	4	263	6	385	6	362	16	990	6	364	4	209	4	237	14	810	30	1800	
1996	6	375	4	264	6	368	16	1107	6	409	6	334	4	188	16	931	32	2038	
1997	5	338	5	316	4	264	14	918	7	496	6	377	7	440	20	1313	34	2231	
1998	4	396	5	331	4	280	13	1009	7	594	6	455	9	575	22	1624	35	2633	
1999	4	333	4	288	5	320	13	941	9	762	7	542	9	542	25	1864	38	2287	
2000			4	323	4	331	8	654	11		8		11		30		38	2828	

续表

时间	初中						合计		高中						合计		总计		备注
	一年级		二年级		三年级				一年级		二年级		三年级						
	班	人	班	人	班	人	班	人	班	人	班	人	班	人	班	人	班	人	
2001					5	355	5	355	12	1058	11	946	11	861	34	2865	39	3220	
2002									12	1101	12	981	15	1216	39	3298			
2003									16	1051	14	1012	15	1333	45	3396			
2004									16	1188	16	1076	19	1032	51	3296			
2005									14	957	16	1117	21	1572	51	3546			
2006									16	972	14	937	16	1036	46	2942			
2007									16	1141	16		13		45	3033			
2008									16	1077	16	1090	14	905	46	3072			
2009									16	1080	16	1095	16	1073	48	3248			
2010									16	1120	16	1055	16	1052	48	3717			
2011									20	1293	16	1067	16	1027	52	3387			
2012									28	1530	24	1274	19	1050	71	3854			
2013									27	1468	27	1471	22	1203	76	4142			

第四节　学　籍

民国17年（1928年）6月，奉省政府教育厅令，原县立中学、四县联中改为“贵州省立第六中学”。从此，瓮安中学包括学生学籍等管理皆由省政府、教育厅统一。

民国时期，教育部规定学生年龄、生日应以国历计算，用实足年龄以资划一。

严格学籍管理。高小毕业生入考初中得有小学毕业证书，初中毕业生入考高中得有初中毕业证书，外校学生就读得有转学证书，学生因病因事停学后重新转入得有休学证书。不得收他校开除学籍学生。请假、旷课达全学期1/3时间者，报到时间过迟，操行、体育、学业成绩均列丁等，未经许可私自集会者令其退学。违犯党义宣传、窃取校具及同学物品，一学期中记小过9次、大过3次，破坏学校风纪名誉、侮辱师长、操行不良、不堪造就或严重违纪学生布告开除学籍。

1952年3月8日，省文教厅制发《贵州省中等学校学籍处理暂行办法》，就学籍处理、学籍转移、学籍保留、退学处理等作了详尽规定。

表6-2　　1953—1954学年度第一学期贵州省瓮安中学休退学情况统计表

类别 年级	本学期初学生人数	本学期终学生人数	休退学生						休退学生占学期初总数的百分比
			原因及人数					合计	
			经济困难	患病	病故	休学	其他		
一年级	69	65		1	1	2		4	5.80%
二年级	80	78		2				2	2.50%
三年级	37	37							
合计	186	180		3	1	2		6	3.20%

1955年9月9日，省教育厅做出关于加强对退学处理的学生的思想教育指示，呈准退学时，学校必须向学生与家庭反复说清退学对国家、学校和学生都有好处的道理，以消除其思想抵触，自觉地接受退学，避免简单粗暴、强迫命令的做法。

11月2日，教育部函：“中学学生应征入伍后，其学籍应予保留。复员时，按照国务院关于安置复员军人工作的决议的规定，准其复学。”

1958年1月，省教育厅制发《贵州省中学学生学籍管理暂行办法（修正草案）》，规定：新生学籍、毕业证书验印、勒令退学、开除学籍均由主管行政部门审核批准。学生休学期间不得报考其他学校或参加工作，但可参加生产劳动。服兵役的学生保留学籍，退役后返校复学准其复学。留级生不得于同年以同等学历资格报考高一级学校。瓮安中学严格按学籍管理办法规范学生学籍。

1981年，瓮安中学学籍管理规定：

新生入学　每学年初、高中一年级新生一律按招生委员会录取分配名单发出《入学通知书》，新生凭入学通知书和学校规定的有关证件按期到校办理报到注册手续。因故不能按期入学者应向学校书面请假，假期不得超过二周。未经请假越期不到者，以旷课论，超过二周不到者取消入学资格。新生入学后由教导处统一分配班级，分班名单已经确定不得私自更动，如有特殊情况，需要调动，由教导处决定。学校在新生入学一月内按招生规定进行复查，经注册验证复查合格即取得学籍。对不附合招生条件者，由学校区别情况予以处理，新生验证合格，由班主任认真如实填写《黔南州初中学生登记表》《贵州省高中学生登记表》按期上报审批。

升级、留级、跳级　每学年经过考试成绩及格准予升级。初一、二，高一、二年级凡语文、数学、政治、外语、体育五科中有四科不及格者，应予留级。以上五科有三科不及格加上其他各科中有两科不及格者，应予留级。以上五科有两科不及格，其他各科不及格者，应予留级。凡经学校批准的按比例留级的学生，由教导处开列名单，交学籍管理人员办理转移手续。初中学生只能留级一次，第二次达到留级者，令其退学。高中不办理留级手续。各年级学生所学学科的学习成绩平均在20分以下者，令其退学。毕业班不执行留级规定，达到毕业标准给予毕业，达不到毕业标准给予结业。留级或退学由教导处按成绩决定。学习成绩特别优秀者，可根据本人及家长要求，由教导处决定允许跳一级学习。

休学、退学、复学　无正当理由不准休学。因病或因特殊原因不能坚持学习者，必须由本人或家长申请，持县以上医院证明，经班主任签署意见，教导处审批同意，由学籍管理人员办理休学手续。休学以一年为限。休学期满，因病修学者须持县以上医院疾病痊愈证明书到教导处办理复学手续并安排所读班级。逾期不办理复学手续者取消学籍。学生本人及家长要求退学者，须由本人申请、班主任签署意见，报教导处审批同意，学籍管理人员注销其学籍，准予退学。退学学生不准复学。

转学　凡学生及家长要求转出者须有书面申请、班主任签署意见、经教导处审批同意，交学籍管理人员办理转学证明书。学生转入瓮安中学，须持县城常住户口证明、父母工作调动及接收单位证明，原校正式转学证明、学习成绩单及学籍卡，经学校研究同意转入瓮安中学学习。

注销学籍　凡受学校开除学籍处分的学生，由教导处通知学籍管理人员注销学籍。

学籍　学生在初中、高中学习期间，学籍4年有效。

1986年4月15日，瓮安中学校务委员会重新规定学生学籍管理：经县招生委员会批准录取瓮安中学的学生为正式学生；因父母或抚养人工作调动，户口迁至县城，学生本人户口随同迁入属我校划定范围，持原校转学证书及成绩单，经学校考核（思想品德和文化考核）合格者，方可作为正式学生转入瓮安中学学习；因病或其他特殊情况需要休学的学生，必须持县医院疾病证明书、家长申请、班主任签出意见、学校同意，方可办理休学手续，休学期满，持休学证明书到校办理复学手续，过期作自动退学处理，如需延长休学期限，必须再办休学手续；因父母或抚养人工作调出，户口迁至外地要求办理转学手续的，需家长申请，班主任签注意见，学校批准，可以办理转学手续；严格控制插班生，凡未经学校批准私自插班、留级、调班、经学校劝阻不听者，令其离校，经学校批准的附读生在一学期内取得所学学科各科都及格且表现良好者，可由班主任提名，报学校批准，转为正式学生，附读生在学期、学年成绩评定中，有政治、语文、数学和外语4科不及格者，一律取消其附读资格；学年成绩，有5科以上不及格且年龄小、表现好、学习态度端正，可作留级对象，但留级生每班不得超过3名，留级生名单由班主任提出，教导处批准；正式生、留级生在学期或学年成绩评定中，有5科以上（含5科）不及格者，在下一学期开学必须进行补考，补考后仍有5科以上不及格者，令其作退学处理。留级两次，或在一学期中各科均不及格者，令其退学。

1990 年 8 月，瓮安中学就学校招收当地供电所未达线学生学籍问题请示州县教育行政部门。州教委批复："未经教育行政部门同意的计划外招生，一律不承认学籍。"10 月，瓮安中学向县教育局报告：在学校高一年级的计划外招生中，王道练、李绍林二人未参加今年中考，故无考试成绩。由于学校实际招生计划并未突破，上述二人皆属县教师子女，并已入学就读，特恳请局领导作特殊情况处理，考虑解决二人的学籍问题。县局领导签批："同意办理学籍。"

是年，瓮安中学出台学籍管理新规：新生凭录取通知书，插班生经研究同意凭转学证和档案方可取得正式学籍。政教处建立学生档案、学籍卡片，学生成绩、品德评语由班主任填写，交教务处保存。学生受到各种奖励或处分均要及时入档；学生请假必须履行正式手续，否则作旷课论处；请假 3 天以内由班主任审批，3~7 天以内由政教处审批，7 天以上由校长室审批。属于下列情况之一者取消学籍：新生无正当理由未按时入学或入学后一个月内因病停学；在籍学生一学期内旷课达 36 节（3 次迟到或早退算 1 节旷课）；一学期内请事假累计达两个月；在籍学生开学时逾期 3 天不到；休学期满，逾期不办理复学手续，因犯严重错误而被勒令退学。学生因病休学必须呈交请求休学报告及县级以上医院证明，由学校发给休学证书，休学期限不超过 1 年。休学后一般不能提前复学，有特殊原因要求提前复学者，必须经学校审批。学生因特殊原因可准予转学，但不得借转学机会跳级、留级或降级。学生申请退学必须持家长的书面申请及所在单位的证明方能获准，并由学校发给退学证明。

1991 年 4 月，县教育局关于中学学籍管理补充规定：初高中学生留级面不超过 5%，初三、高三学生不能留级；初三、高三学生第一学期半期考试后一般不能办理休学手续；瓮安县内转学，经转出转入学校同意后，由转入学校到教育局办理学籍转入手续后方可入校，转入学生按该校正式录取生收费，外地转入瓮安县就读学生必须有当地县以上招生录取证明和教育局学籍管理证明方可转入，并由学校到教育局办理学籍转移手续。留级、休学、转学手续每年 9 月份以中学为单位到教育局一次性办清。凡在学籍、留级、休学、转学手续办理中弄虚作假，合伙舞弊者，视其情节给予严肃处理。

1995 年 9 月，瓮安中学调整学生学籍管理规定：

学籍　凡经上级部门批准招收的初、高中学生都办理正式学籍。学生学籍管理以教学班为基本单位，班主任在每学期开学时，须到教导处学生学籍管理处领学生学籍登记表，学期期终时将本班学生的学习成绩、品德考核及班主任评语如实填入有关栏目，然后交教导处审阅、验收存档。

休学　学生在休学期内学籍登记表存放学籍管理处，待该生复学后转入新的班级。复学病休学生休学期满，须持县级以上医院复查证明、本人申请到县教育股办理复学手续后再到校办理复学手续。

转学　凡外地就读的高中学生需要转到瓮安中学就读，必须持省教委统一印制的"贵州省高中学生转学证明书""普通高中学生学籍登记表"，经县、州、省教育行政部门签署意见和学校领导同意后方能转学就读。独立中学的初中生要转入瓮安中学就读，须持转学证书、该生学籍登记表、经县教育股签注意见和学校领导同意后方能转入初中就读。代帽初中要转入瓮安中学就读，按县教育局有关规定，须持转出学校和当地乡（镇）辅导站的转学证明书及该生学籍并经校领导同意后方能就读。

2000 年，县教育局出台学籍管理规定：中学以校为单位于每年 9 月中旬到局办理学籍。初、高中学生学籍 3 年有效，均不得留级。中学一律不得私自招收无任何手续的学生进校就读。因父母工作调动或迁居需办理转学手续的学生必须持调动证明、迁居证、学籍卡、素质教育报告书、户口证，才能在居住片区所辖学校办理转学手续，转入学校应接受正常转校学生，不得收取借读费和转学费。考生必须在取得学籍的学校报名参考，学籍、考籍在同一学校管理，不得跨校参加高中毕业会考。普通高中原则上不接收寄读生。学生生病住院需休学者凭医院病历和药费发票由所在学校学籍管理人员到局教育股办理休学手续。高中生因病或其他特殊原因不能坚持学习的，由学生或家长写出申请，附县级以上医院证明，班主任、学校签署意见后，由学籍管理人员到县局办理手续。高中生休学要经州教育局审批，县局备案后方可。休学期满，凭县级以上医院证明病愈，向学校提出申请，学校签署意见后，由学籍管理人员到局办理复学手续，高中生休学期满后由县局报州备案恢复该生学籍。为便于管理统一，必须使用州教育局统一制定的初中毕业证、省教委统一印制的初、高中体育合格证、贵州省高中学生登记表和高中毕业证、结业证。要认真填写初中学生学籍档案登记表，高中生登记表，数字要准确，文字书写要规范，真实客观地反映学生变化状况。体育考核凭国家体育锻炼标准测验成绩登记表到局办理合格证，再凭证参加毕业体育考试。每年中、高考前，学校严格审查学籍后，按初三、高三毕业生登记表的学籍号顺序造册办理毕业证，学生凭证报名参加中考、高考。

2008 年底，全州普通高中实行学籍电子化管理。学校配备可通过互联网发送和接收数据的计算机，统一使用“盛奇教育数字化管理平台”软件，安排专人负责系统管理，及时登陆“黔南教育”网站下载新版“盛奇教育数字化管理平台”的使用说明，以熟练掌握该管理系统的使用方法。普通高中学生由各校进行相关信息录入、编排学籍号并建立电子初步学籍，待州教育局审核后建立正式学籍。高一学生学籍录入时间从 2008 年 12 月 1 日起至 12 月 19 日。如有上学年休学到期复学就读的高一学生，须持有关印证凭据到州局基教科办理确认手续，经同意后方可录入本学年高一年级的学籍。高二、高三学生的学籍录入时间不得晚于 2008—2009 年度第二学期开学后两周内。初次录入的学生基本信息要与中考或报送州局备案的信息相一致，如有学生姓名变更，应持户口复印件到州局基教科更改手续后才可更改。学校必须严格按照招生规定招收新生，凡未经州教育局办理录取手续而擅自招收的新生，州局将不予办理电子学籍注册手续。高一学生电子注册后，学校应及时组织学生拍摄数码照片，数码学籍照片底色为蓝色，规格为 120×90（毫米），每张照片的存储文件名必须是该生的学籍号。建立普通高中学生电子档案后，学生纸质档案同时保留。

第五节 课 程

民国时期，所有各中学各级学科用书自民国 24 年（1935 年）后都以教育部颁正式课程标准公布后审定的教科书为教材。抗战开始后增加战时补充教材。民国 27 年（1938 年）后，采用教育部组织改编的初高中国文、公民、历史、地理等 12 种教科书作教材，数理化科采用商务印书馆、中华书局等出版的课本。

瓮安中学自民国 15 年（1926 年）创办后，课程按新学制规定设置，有社会（包括公民、历史、地理），言文（包括国语、外语），算学，自然艺术（包括图画、音乐、手工），体育（包括体育、生理、卫生）5 科 12 门课程，共 164 学分，以修满 180 分为毕业。除必修 164 分外，余分得选其他科目或补习必修科目。

民国 22 年（1933 年），教育部取消选科制，所有课程一律作为必修科。初中设有公民、体育及童子军、国文、英语、数学、生理卫生、植物、动物、物理、化学、历史、地理、图画、音乐、劳作等 15 门课程；高中开设公民、体育、军训、国文、伦理、英语、算学、生物学、物理、化学、本国历史、外国历史、本国地理、外国地理、图画、音乐等 16 门课程。

民国 25 年（1936 年），废除学分制，实行全省会考，修正课程标准，减少教学时数。修正初、高级中学课程标准较原标准学时数减少，原每周 35~36 小时，每日约 6 小时，减少为每周 31 小时，每日约 5 小时；高中算学、物理、化学各科酌量添授；为高中女生增授看护 1 科；劳作原分工艺、农业，由各校任设 1 种，没有见习机会，修正标准于男生只设 1 种，第一学年为木工、第二学年为金工、第三学年为金木工、竹工、土工、农业畜养 4 种，由学生选习；高中算学分组，自高中第二学年分甲乙两组，甲组时间增加，乙组时间减少，使不近算学之学生减少困难。修正课程标准为减轻学生学习负担与困难，顾全学生体力、适应学生个性；为增加与国防有关之教材科目或与生产有关的内容以适应非常时期的教育。

民国 27 年（1938 年），教育部制定《国立中学课程纲要》，“是项课程纲要与战时各地中学之需要均甚合适……各中等学校参照施行”。全面抗战后，为利战时教育，增进民众抗战意识，发挥抗战力量，自然、社会科采用《新编战时补充课本》。

民国 29 年（1940 年），航空委员会建议“注意幼年航空教育、培养未来空军人才”。教育部认为“至关重要，应分别实施”，于教材中增加航空常识，工艺课程，以各种飞机、滑翔机及机件模型为教材与制作实习，制作编配航空知识教材，编印航空常识课外读物供学生阅读，加强体格锻炼，使体力肺量各种机能能适合空中人身条件。

民国 30 年（1941 年），教育部、军政部令各级学校加授兵役课程，初中用《兵役浅说》。瓮安中学将《兵役浅说》作为公民补充教材。

民国 35 年（1946 年）5 月，省教育厅通知瓮安中学：因抗战结束，取消各年级每周 2 小时的战时后方服务训练，实施劳动服务及国防训练。瓮安中学让学生日记、作文、各种笔记等誊写一律用毛笔楷书，并于自休时间内分出时间练习大楷或行书，请教师指正。

民国 36 年（1947 年），教育部通知在历史、伦理、公民课中讲授有关联合国知识，各科课本因取材于战前，在二战后内容有讹误之处（如疆域、地名）应随时修正以符现况。

1950 年，贵阳市军管会教育接管部、省人民政府教育办公室令，瓮安中学理科教材仍用旧教材、政治用人民出版社出版的《政治常识》课本、《社会科学基础常识讲座》，历史删去原教材中的反动内容，增加革命内容。并制发《整理中等学校暂行办法草案》。

1951 年 9 月，中央人民政府出版总署公布《标点符号用法》。省教育厅规定中等学校教职员在业务学习时间学习，学生在语文课内学习，由原任课教师讲授。

1952 年，中央人民政府教育部《中学暂行规程草案》规定，每年秋季始制定教学计划，每周 31 或 32 课时。每学期 20 周（上课 18 周），每节课 45 分钟，学生每日学习时间初中不超过 8 小时，高中不超过 9 小时。课本用中央教育部审定或指定教材。10 月 12 日，贵州省教育厅下文将初中二、三年级的化学、物理均调整为 5 小时。

1954 年，瓮安中学学科教材开始使用人民出版社的中学各科教材和教纲。瓮安中学向省教育厅请示加授语法内容，修辞结合课本适当进行讲授。语法分年级进行标点符号、词类、句子构造的讲授，一年级教标点符号使用，二年级讲授词类知识，为三年级学习句子分析打下基础。10 月 26 日，中央人民政府教育部通知，在本学期内对初中及以上学生在时事报告时间内，作宪法报告 2~3 次，使学生了解宪法的基本精神。

1955 年年底，瓮安中学执行教育部推行简化汉字的决议，在教学中推行使用简化汉字，学生作业、日常书写实行横排横写。

1958 年秋季起，合并汉语、文学为语文科，结合文学教学讲授文法修辞，增加作文次数（每周 1 次），命题作文和写作练习各占一半。增加语数理化课时，适当减少史地生物课时。

1964 年，教育部规定，1964—1965 学年度开始的高中三年级应开设平面解析几何课。1965 年暑期开始，高等学校招生时，平面解析几何将正式列入考试内容并计算分数。

1966 年“文化大革命”开始，原教材停用，文科主要学毛泽东著作选读（初中学乙种本，高中学甲种本）、鲁迅著作、《红旗》杂志、《人民日报》有关文章。政治课由原来的 2 节增至 3 节、4 节、5 节。

1976 年 10 月，按中央精神，清除教材中“江青反革命集团”的文章和言论，学习中央文件及社论文章。

1978 年秋，瓮安中学学生一律用教育部统编教材。

1981 年，初中设政治、语文、数学、物理、化学、历史、地理、生理卫生、体育、音乐、美术等 12 门课程；高中设政治、语文、数学、外语、物理、化学、历史、地理、生物、体育 10 门课程。高中试行文、理分科，除前 4 科外，文科设历史、地理、体育 7 门，理科设物理、化学、生物、体育 8 门课程。

1990 年，国家教委印发《现行普通高中教学计划调整意见》（以下简称《调整意见》），全日制中学语文、数学、物理、化学、生物、生理卫生、英语、俄语、日语、历史各学科进行修订出版，1991 年秋季供应实施，停止使用各省编教学用书，统一使用人民教育出版社出版的教科书、练习册和课外习题集。随后下发调整补充意见，1991 年秋开始，政治由每周 2 课时改为 3 课时，其中 1 课时用于时事政治教育。1992 年秋入学的高一年级开始开设世界史，高二年级设中国近现代史，每周 2 课时。1992 年入学的高一年级开始，人口教育为必修课，总课时 8~12 节，占用地理、时事课时。《调整意见》在高中开设选修课，选修课和课外活动、社会实践活动组成普通高中课程结构的有机整体，让学生在学好必修课的基础上发展兴趣特长，开阔视野，发挥潜在能力，培养学生自觉钻研、积极进取的精神，提高学生素质。选修课内容要与必修课相关，使学有余力的学生拓展和加深必修课内容，适应学生兴趣爱好特长，培养学生的文化艺术修养素质。高三选修为升学做准备，文科含史地，理科含理化生；为入职做准备，含技能、知识和心理。

1994 年，国家教委通知，在普通高中开设“艺术欣赏课”，分美术欣赏和音乐欣赏课，在高一、高二年级开设，每周 1 课时。

2001 年起，全省普通高中施行省教育厅根据教育部颁普通高中新课程方案精神制定的课程计划。

2000 年，瓮安中学开设信息技术课程。原只在高一开设地理，2003 年在高二、高三文科班增设，生物在理科班作必修课开设。

2008 年 9 月，学校自编《法制教育读本》《心理健康读本》两册校本教材课程进入课堂。心理健康教育课进课堂，隔周开设，高一引导学生进行学习、生活等方面的调整，适应高中生活，养成有益身心健康的学习生活习惯。高二文理分班，放松情绪，以饱满精神投入学习。高三举行与高中学习、复习考试相关心理健康的知识讲座。建立心理咨询室提供心理咨询场所。

2009年，学校开设的课程：高一，语文、数学、英语、政治、历史、地理、物理、化学、信息技术、音乐和体育；高二，语文、数学、英语、政治（法制）、物理、化学、生物、体育、美术、心理健康、信息技术和实践课（文科设史、地）；高三文科设语文、数学、英语、政治、历史、地理、音乐、体育、美术，理科设语文、数学、英语、物理、化学、生物、体育和实践课。

2010年，学校增添《学会学习，学会做人》新校本教材。

2012年，高二年级增开通用技术课。是年，学校开设的课程：高一，语文、数学、英语、政治、历史、地理、物理、化学、音乐、体育、美术、信息技术和心理健康；高二，语文、数学、英语、物理、化学、生物、政治、历史、地理、音乐、体育、美术、信息技术、心理健康和通用技术；高三文科班设语文、数学、政治、历史、地理、音乐、美术、体育，理科班设语文、数学、英语、物理、化学、生物、体育课。

第六节　常规教学

民国时期，教师教学必须做好课前准备、秩序维持、上课态度、说话艺术、问答方法、学生练习、指导学生发表、学生欣赏、讲述、教室管理等方面的工作。

民国时期，教师要拟好各科教学进度计划。每学期要进行月考、半期、学期和毕业考试。规定作业批改国文每周1次，作文每学期不少于7篇，国文作业和作文每学期批改不少于10次，算学、理化、博物每周1次，英语每周2次，史地三周1次，学生各种笔记本每学期至少改正2次。还利用暑假对各级学生国文、英语、数学三科成绩平常者进行1个月的强制补习，补习期间缺课1周以上不得参加考试，应参加补习而不到者下学期不予补考。还规定假期作业：写日记、作文20篇，演算数学50题，写大、小字各30篇。开学时无作业不予注册。

民国22年（1933年）9月，教育部令各省市中等学校每学期应依校历开学上课，如有特殊情形应经校核准其所缺上课日期，用假期设法补足。并指示理化博物各科应尽量利用教具，史地须悬挂地图教学，方法应采设计式、启发式使学生易于领悟；未授完功课应设法补授，照规定进度教授完竣；课余时间应引导学生作有益身心的活动，有计划地指导学生阅读有益身心的书籍和陶冶品德，养成读书风气。

民国27年（1938年），教育部规定学科课集中在上午，生产劳动及特殊教学与战后服务均排于下午，精神体格训练于晨间及下午举行。上午教学科目为国文、公民、算学、历史、地理、物理、化学、英文。下午为体育及童子军、劳作与劳动、音乐、图画。凡校长、专任教员每日均须在校工作足7小时，能住校尤佳，凡导师均须住宿校内与学生共同生活。

民国28年（1939年），瓮安中学举行“校庆学生成绩展览会”，赢得家长、社会众口一词的称赞。地方名人王升平、王朝钦两位老先生题词：“树木树人贵在勤，教育救国赖后生。满目琳琅出奇迹，喜看创造与革新。”

民国29年（1940年）前后，瓮安中学因教育质量好，声誉远播，生源遍及全省许多县。计有城区、三江、草塘、岩坑、珠藏、余庆城区、松烟、龙溪、平越城区、中坪、黄平、平溪、遵义新民、开阳城区、湄潭凤仪、印江城区、思南城区、德江城区、沿河城区、习水温水、清镇鸭池河等小学毕业生。

民国29年（1940年）6月，瓮安中学按照《贵州省中等学校成绩展览办法》，开展成绩展览活动。展品有缝纫类176件，竹工类82件，包括帽筒2个、笔筒11个、纸竿竹24个、竹杯2个、碗枕3个、笔架7个，箐1根、油提3个、竹筷2把、绳拍5个、米尺5把、平行尺6把、面中架2个、静恒实验器3个、抽水筒4个、学校模型1个、炸弹模型1个，各种图表30张，图画60幅，泥工类187件，包括缸、盂、茶盘、果盘、通缸、调色板、笔筒、砚盘、花钵等，金工类13件，木工类画碟、挂衣钩、牙签筒、某屏4块、对子3块，总理遗像一幅，国药标本三箱（90副）、矿物标本一箱（30副）、通讯管实验器5副，童军模型类130个，其中炸弹模型58个，坐凳7个。展会期间，学生还表演了健身操、国花操（女生）、器械操，男女队篮球竞赛，开展田径运动、歌咏表演、器乐表演等活动。

民国30年（1941年）1月中旬，学校举行第二次成绩展览会。内容包括：三年来学校行政及教导方面的图表册簿记录，学校实施上级教育部门颁布的文件规章等；学生各科作业、历年试卷、学生劳作图画作品、学生周记生活日记、课外假期活动、童训体育成绩、体检记录等。分别编定号码、标注说明、条签、整理排比，依类分成4处。2000余人参观。全国节约勤储干事宋方石题词“成绩优异”。省督学郑炳炎题词“玲珑满目、美不胜收”。郑督学参观展览后向省教育厅答报评核瓮安中学成绩展览情况，受到省教育厅厅长欧元怀高度赞誉。同时，省教育厅征集文化资料设立陈列室，瓮安中学检选学生劳作成绩数件送展。有动物标本4件（山猫1件、枭1件、雉1件、凫1件），竹刻帽筒1对，手制物理仪器——色板1件。

7月，瓮安中学举行第三次成绩展览。内容有学校行政训导表册32种共百余份，各种统计图16种，本学期平时考试各种试卷148册，学生各科练习3200余本，周记900余本，学生劳作成品计有木刻、竹工、黏土工、纸工700余件，刺绣60余件，学生绘制地图30种，绘制中西图画70余幅，学生通过征求航建协会会员征得会金900余元，话剧歌咏表演募集抗战捐款744元等。是月，学校选送展品到省教育厅参展，有《校舍平面图》《各级学生比较图》《十四期毕业纪念摄影》《三十七年瓮安县周乐会纪念摄影》《16期毕业纪念摄影》《篮球队摄影》《瓮安中学歌咏队摄影》，共8件。

民国33年（1944年）3月，省教育厅厅长欧元怀写信指示瓮安中学“中等学校各科课程及教材进度之最低要求，全省吴主席（鼎昌）曾有‘三完教学’（教科书必须教完，练习本必须改完，各种实验必须考完；教完须使学生了解内容，改完须使学生改正错误，考完须使学生能有心得）之昭示。现各校开学伊始，务希聘齐教员，准时上课，依照规定时间，进行教学。批改作业宜如期如数，尤应详尽普遍。成绩考查，除学期考试及毕业考试外，须厉行日常考查，月考及临时试验。杜绝考试弊端，更应养成自爱精神，完成教学任务，以培养敦淳朴实之学风。”

1950年，省政府教育办公室规定，中学各种文化课占90%。每周授课时间初中不超过30小时，高中不超过32小时。教材一律采用省文教厅新规定的教材。以课堂教学为主，配合适当的课外自习。教导合一，理论联系实际，启发开导，循循善诱。在教导处统一领导下成立各种教学研究小组探讨指导教学工作，并指出提高教学质量是以后教学工作的中心任务。

1952年3月，中央人民政府教育部颁布的《中等学校暂行规程草案》，规定中学以课堂教学为基本形式。教师根据教学计划、课程标准的规定和学生身心发展的规律，充分掌握教材内容，运用正确的教学方法，按照一定进度循序渐进地进行教学。教学方法应注意启发学生学习的自觉性、积极性和创造性，培养其良好的学习习惯与分析、批判、独立思考的能力，对所学知识深切领会，具体运用，并在实践活动中获得验证和发展。学校应合理分配学生的体育、娱乐、生产劳动及社会活动时间，避免妨碍学生健康与课业学习。瓮安中学教师在教学工作中，加强学习，认真备课，计划教学。学校行政每半月进行1次教学检查，吸收学生提出改进意见，克服自以为是不按进度施教的陋习，做到作业按时批改，课后辅导学生学习。

1960年秋，贵州省决定各大专院校不再向外省招生，为保证生源，省决定在设有高中部而没有高三毕业生的中学提前招生。瓮安中学选送了18名高二年级学生提前结业参加毕业考试合格毕业，然后参加全国统一高考，18名学生全部录取贵州大学等校。同时，初中二年级也选送16名学生提前结业参与初三毕业生考试毕业后参加升学考试，全部录取到高中、中师等校学习。1962年秋，48名高中毕业生通过毕业考试全部毕业。37人参加高考，12名进入高等院校学习，其余大多数参加工作。

1963年3月，中共中央发布《全日制中学暂行工作条例（草案）》，规定中学必须根据教育部统一的教学计划、大纲和教科书教学。以教学为主，加强基本知识的教学和基本技能的训练，为学生毕业后就业和升学打好文化基础。必须妥善地安排教学、劳动、放假和社会活动的时间，保证学校正常的教学秩序。贯彻“教学为主”原则，保证全年有9个月的教学时间，1个月的劳动，2个月的寒暑假，按期完成教学计划。

1977年后，国家对教育工作陆续出台一系列的管理意见。恢复高等学校招生考试，重新公布《暂行工作条例》，把教育工作的中心转到提高教育教学质量上来，不断制定和完善各种规章制度。

1979—1980学年，瓮安中学的教学工作注重发挥教研组作用，开展教研活动，组织公开教学，搞出成果。加强教学工作的计划性，同年级同科目认真钻研教学大纲及教材，摸清学生知识水平的实际，做出进度计划安排及提高质量的相应措施并送教导处备查。平时备课统一目的要求、教学进度、作业布置，明确教材的重点难点，教学的深度与广度等。不仅加强“双基”教学，还加强智力与能力的培养，以开阔视野，启迪智慧，培养才能。课堂教学精讲多练，讲练结合。布置作业有利于学生巩固课堂知识，有利于思考问题与开阔眼界。重视实验，培养学生实际操作能力。举行半期考试和学期考试，不增加学生过重负担，单元或阶段测验适度进行，考后进行分析，总结出教学得失。

1985—1990年，瓮安中学把学校的工作中心转移到教学工作上来。教师尽力尽职教好书、育好人。每个教师都要为自己所担负的教学负责，为提高教学质量做出贡献。订好教学计划，认真备课，充分利用45分钟讲好课，按学校规定批改作业，加强对学生的辅导，提高教学质量。学校的工作中心是为中考、高考服务，各教研组切实落实。要求各任课教师在教研组拟出工作计划的指导下拟订出教学进度计划，学习新编教学大纲和说明，学习交流外地和本县的教学经验，检查班组教师备课、上课、听课、作业、辅导等情况。建立第二课堂指导小组。备课，新教师要求详案，老教师要求写提纲，严禁不备课上课或只带课本上课。统一同年级同科教学进度，按时按质完成教学任务。上课严肃认真，改进教学方法，启发学生思维，培养学生分析问题和解决问题的能力。教师不能私自调课、缺课和早退，课本上的习题题题见面，使学生全部掌握。加强对中下学生辅导，提高中等生成绩，克服“重尖子丢多数”的做法。毕业班要成立工作小组，首先做好思想工作，鼓励学生集中精力，苦战数月，创优异成绩向党汇报，同时作好升学或就业教育。各科教学必须有计划性地抓紧抓早，留出较充裕的时间进行全面复习。复习时以掌握基础知识为主，并在此基础上培养学生综合分析问题和解决问题的能力。非毕业班半期、学年考试采取统考。按国家教委要求，各年级增设职业技术课。学校半学期不举办大型体育运动会，体育组进行某些年级的单项比赛以丰富课余生活，增强学生体质。

1990—1991 学年，瓮安中学开展对考试制度改革的会考研究和会考信息资料收集整理，使师生了解会考的意义、目的以及与毕业、升学的关系。加强学科教学，努力提高会考的合格率和 A、B 等级的百分率。各学科按新的教学大纲进行教学，认真学习、理解和执行新大纲所规定的教学目的、要求，教学内容及原则，在制定计划时，适当提前教学进度，留有余地，防止前松后紧现象。创造条件，完善实施措施，加强实验室管理，注意实验技能技巧的培养，实验开出率达到 100%，完成实验考查标准的各项内容。课堂教学中使学生真正成为教学活动中的主人，既向学生传授知识，更把学习知识的方法教给学生。在观摩教学、优质课评比、评讲评学活动中检查处理好教与学、教知识和教方法之间的关系。在实验教学中培养学生的科学态度和实事求是精神。加强毕业班复习迎考工作，努力提高升学率，为国家多出人才、出好人才。收集高考资料和信息，培养学生的应试能力，大面积提高成绩。瓮安中学实行以“德育为首位，教学为中心”的原则，在备、教、改、辅、成绩考核、实验 6 个环节的教学活动中以“教师为主导、学生为主体”，促进教学质量的提高。

1996 年 9 月，瓮安中学制定教案作业检查制度。教师要根据本班、科具体情况备课，教案设计新颖、合理。书写认真、详略得当，能指导教学。教案不仅备教材，而且备到每个学生。作业布置分量适中，详略得当。作业批改认真，做到全收全改。对于后进生的作业批改，能进行面批详批。

2000 年 8 月，瓮安中学为抓好教学基本环节的管理，形成科学、系统、规范的常规，学校对教师备课、上课、作业布置、教学辅导、成绩考核、教案编写提出具体要求，形成较为完备的教法体系，有效促进了教学效果和教师专业素质的提高。

2005 年 2 月，瓮安中学注重规范教学过程，优化教学要素，提高教学质量。

优化教学目标　要提高教学效果，必须克服教学随意性，增强目标意识，制定正确的教学目标。从素质教育的角度出发，根据教学大纲和教材内容的要求以及学生的实际水平制定教学目标，要体现导向性、全面性、层次性、可及性、可测性。

优化教学结构　设计课程体系，将着眼点放在学生知识结构与能力结构的优化上，选择课程内容，着眼于内容的智力价值，注意新知识与旧知识、学程与学科、学与用的渗透；实施课程方案，着眼于“提高理科、改进文科、加强术科”和“理科文教、文科理教”的思路拓展学科内涵，促进学生协调发展，健康成长。

优化教学模式　要围绕三个着眼，即着眼于提高课堂效率，让学生当堂掌握和巩固，帮助学生学会、记牢、用好。坚持“教以学为主，学以练为主”，使学生学以致用。帮助学生构建系统的知识结构，随时将所学知识类化到已有的知识体系中去，真正成为自己的知识，成为自己知识结构中的有机组成部分；着眼于学生的主动发展，让学生带着教材走向教师，带着问题走进课堂，又带着更多的问题走出课堂，培养学生良好的学习习惯，促进学生积极主动好学乐学；着眼于学生的能动发展，改进教法，指导学法，把教学要求定位于学生创新意识、创造性思维能力的培养与提高，让学生会学、爱学，学会学习，以至培养终身学习的本领。

优化教师素质　教师不仅要提高思想、业务素质，提高组织教学本领，还要注意取长补短，优化组合，充分发挥教师的整体功能优势。

是年，瓮安中学启动高中新课程改革，在学生中倡导自主学习、合作学习、探究学习，帮助学生了解学习规律、改变学习方式、讲究学习方法。引导学生“乐于学习、善于沟通、敢于承担、勇于创新”，把学校作为锻炼自己，增长才干的平台。面对“课改”和“考改”新要求，加强对学生学习方法的指导，引导学生从学习的积累层面发展到学习的巩固层面，再发展到学习的意义层面，自觉落实“听、看、写、思、问、练、习、记、用、创”10字要求，实现从接受性学习到主动性学习的转变。注重课堂结构改革，变教师主演为导演，变讲堂为学堂，变学会为会学，变统一要求为分类推进，优化教学过程。注重学生个性发展，不求全责备；启发学生创新意识，允许学生异想天开；倡导创新型、开放型课堂，满足各类学生的不同需要。

2010年，瓮安中学首先把构建一流校风、一流教风、一流学风作为追求目标，建设优质教学平台，使学校成为校风正、教风严、学风好的学生理想的求知场所。各部门、各班级构建科学管理系统，激励学生勤奋学习，立志成长，感恩社会，增强报效祖国的社会责任感，形成良好的班风和学风。教师乐教，用优良的教风、渊博的知识、高尚的人格魅力感染学生，做学生的引路人。其次是抓好教学常规，改进管理方案，优化管理措施，将备、教、改、辅、考、评、教学反思切实落到实处，根据评价考核方案督促到位、反馈到位、评价到位、改正到位。教师树立终身学习习惯，形成扎实的理论基础和专业技能，更新观念，改进教法，构建思考、互动、体验感知的课堂，促进教学“三维目标”的实现，提高教学质量。要提高课堂教学的实效性，老师要做到精心准备，研究教材教法，研究学生现有知识和认知结构，研究学法，做好合理的教学设计，深入浅出的教学分析，画龙点睛的点拨指导，向课堂要效率和质量，把学生从题海中解脱出来，给予更多的思考时间和思维空间，主动参与探索和研究，最大限度发挥主观能动性，提高综合能力。要争取把每一节课上成示范课和精品课，欢迎其他教师随堂听课，接受指导建议，相互学习提高。最后是抓好培优计划的实施，为优秀学生脱颖而出创设条件，提高学校的核心竞争力和知名度，

2012年，瓮安中学狠抓高三学生复习备考，认真研究学生学习状况、认知结构，重点解决薄弱环节，有针对性地设计训练试题，提高学生的应试水平和综合能力。同时，组织教学经验丰富的老师负责“培优”工作，关注“培优”对象。学校成立高三工作领导小组，协调联动，指导到位，搞好“五种教育”：“有志者事竟成”的希望教育，“功到自然成”的苦乐观教育，“教育之路就在脚下”的理想和现实教育、“知识就是力量”的学知识长才干增智慧教育，“一颗红心、两种准备”的升学与就业教育。

第七节　实验教学

1984年9月后，瓮安中学建立起物理、化学、生物实验室。校长或教导主任分管实验

室工作。实验室管理办法规定，20个班以上学校，实验室教师不少于3人，应具有大专文化水平。实验人员应具有高中以上文化水平，应相对稳定，负责实验教学的指导和仪器设备的管理、维护、维修等工作，做到“四懂”（对所管仪器要懂性能、懂用途、懂操作、懂维护保养）、“四熟悉”（熟悉教学进度、熟悉教学仪器、熟悉实验、熟悉教学仪器管理使用规章制度）。学校督促教研室制定切实可行的实验教学规划和计划，努力完成教学大纲规定和教材要求的实验教学任务。实验室仪器设备的购置、使用、保管、维护、修理等，必须建立严格的管理制度，对定期通电、烘晒、擦油、防尘、防潮、防锈、防腐蚀、防形变等工作制度化，教学仪器设备的报填、报废建立审批制度。同时，加强对实验室的管理和建立奖惩制度。

1987年，瓮安中学由于实验开出率高、实验教学规范、实验仪器管理到位，获贵州省中学实验室建设先进集体称号，并获管理开放一等奖。

1988年9月20—28日，州教育局检查组对瓮安中学实验室建设全面检查。检查结果：队伍建设和实验室建设，明确专人负责人员配齐，实验室“四有”条件具备，附属设施完备齐全；实验室管理各种账册、实验和标签三统一，仪器陈列科学、规范，管理制度健全，档案建立，实验人员必要的劳保落实；实验教学分组演示，增开实验合乎要求，学生实验成绩考核较好，发挥“中心”作用；能自制教具。之后被授予“黔南州实验室建设先进单位”。

1990年以后，学校按“普九”标准配备教学仪器，规范物理、化学、生物实验室，注重实验、电教等教学。理、化、生实验完成良好，被授予“瓮安县89年度教学仪器管理使用先进单位”。

1993年3月，瓮安中学加强教学仪器管理和实验人员工作，拟定《关于实验人员的工作量、超工作量补贴和劳保用品、津贴的实施细则》。

1998年，成立以副校长谭敬昌为组长的“普实”领导小组，配备物理、化学、生物专职实验教师和实验技术人员，并于2000年4月成立实验教研组，开展实验教学工作。要求实验教师学历达标，持证上岗，高质量上好实验课，积极开展课外活动。实验技术人员积极协助实验教师完成实验教学，并负责实验仪器设备管理、维护等工作，做到“四懂”“三熟悉”，积极参加学科教研活动。

2000年，瓮安中学筹集50万元，由北京航空航天大学实验仪器公司改建实验室，12月底前竣工使用。建立严格的实验室仪器设备及耗材管理制度，拟订切实可行的实验规则、学生实验守则、实验教师和实验技术人员职责、实验室危险药品管理条例等。实验室仪器建立有总账、分账，并做到账账相符。理、化、生仪器、药品管理室，按仪器的性能和特点分类、分室、分柜存放，在仪器药品瓶上贴上标签。实验仪器（或药品）配备齐全充足，实验室宽阔舒适，实验开得齐。学校按照教学大纲和教材要求，督促指导教研组制定切实可行的实验工作计划，努力完成教学大纲规定和教材要求的实验教学任务。支持实验教师和实验技术人员自制教具，开展课外科技活动，并尽可能为当地经济建设服务。建立实验教学登记制度，实验登记表统一由实验技术人员保管。实验教研组保证实验教学数量、质量。瓮安中学按九年义务教育教学大纲和调整后的高中教学大纲要求，开好开齐实验，建立严格的奖惩制度，对成绩显著者给予表彰和物质奖励；对工作不负责任，损坏或丢失仪器设备者，追究责任，赔偿损失。将实验教师和实验技术人员从事实验教学工龄的长短、管理水平高低、贡献大小列为评定职称的考核、晋级条件之一。2000年11月18日，瓮安中学“普实”领导小组按《贵州省普及中小学实验教学验收评分表》逐条逐款自查：队伍建设60分；实验室建设60分；规范化管理60分；自制教具30分；仪器配置100分；实验教学270分。总分580分，满分。

2001年12月，学校被省人民政府教育督导室、省教育厅命名为“普及中小学实验教学示范学校”。

2004年7月，瓮安中学注重队伍建设，配齐实验教师和技术员10人，其中物理4人、化学4人、生物2人；高级教师2人、中级一级3人、初级职称5人。实验组教师与理、化、生各组教师团结互助，巩固和完善学校“普实”工作。加大实验室建设力度，新建科技馆1栋，拥有物理实验室4间，面积328平方米，准备室2个，面积54平方米，桌凳256套，仪器61个，保管室大小共8间，面积238平方米；化学实验室4间，面积352平方米，准备室2个，面积64平方米，桌凳256套，仪器柜63个，保管室大小共6间，面积213平方米；生物实验室2间，面积188平方米，准备室1个，面积37平方米，桌凳128套，仪器柜57个，保管室1间，面积94平方米；体艺室3个，面积400平方米；语音室2个，面积164平方米；计算机室2个，面积320平方米。理、化、生实验室均有实验准备台2张。理、化、生实验室均按新课程理念设计，有利学生自主、合作、探究性的完成实验学习。化学实验室和准备室有桌式通风装置功能，化学药品柜有通风设备，桌面防腐、耐酸、耐碱、耐热、防水、防静电，吸风屏轴可升降、伸缩吸气，彻底解决化学实验室空气污染问题。生物实验室配置观察带解剖的装置，教师准备台电磁控制用水、用电，一室多用。物理实验桌备有电源箱、电压表、电流表、交直流电两用，主控台安装有系列控制系统。整个实验室安全、实用、管理方便。理、化、生实验室均置有消防器材。有天文馆1个，内有电脑自动控制系统的天文观测镜等装置，对外开放。

学校对实验坚持制度化、规范化、科学化的管理原则。仪器、药品管理账目清楚，均有总账和分账目表。分类规范、整洁，有上蜡标签。仪器、药品柜均有柜卡，化学危险品设有专用保管室，专人保管。实验教师和实验技术人员随时检查，维修常用的简单仪器。学校重视实验室常规管理，管理制度完善，将《实验规划》等悬挂墙上，以利执行。执行仪器借用、领用、仪器报废报销登记制度。对违反操作规程而造成损坏的仪器，责成责任人赔偿。需要开出的演示实验、学生分组实验要求任课教师与实验教师填写仪器、药品试剂、实验登记、统计等表册，并由实验技术人员按年级、按学年度装订成册，归档。实验教师和实验技术人员配置相对稳定，人员业务水平强。

大力鼓励和支持教师根据教学需要自制教具，并运用于课堂教学。理、化、生任课教师制作电子课件200余件，其他各学科教师自制教具182件，其中教学仪器113件，动物标本1件，植物标本52件，矿化石表针18件，改进原教学仪器8件。多名教师自制的教具受到县、州表彰。加大实验仪器更新添置力度，投资50万元更新、添置物理仪器292种，3135件；化学仪器378种，7877件；生物314种，3160件。理、化、生仪器配备率均达100%。同时，严格按教学大纲和调整后的高中教学新课程开齐开好实验。理、化、生教师演示实验，学生分组实验开出率均为100%。实验教师和实验技术人员根据教材要求，结合现有仪器情况，编制实验目录。实验室组、教务处制定学期实验教学计划，学校批准后，提前做好实验准备，积极配合任课教师完成实验教学任务。建立实验教学登记制度，由任课教师填写实验登记表交实验人员做好实验准备，并执行教研组长周签、校主管领导月签的制度。教师在培养学生的观察能力、思维能力、动手能力和严谨的科学作风方面花大力气、下大功夫。教师演示实验100%会做，学生分组实验达到合格标准。理、化、生实验教师和实验技术人员定期开展教研活动，研讨教学和教学方面的问题。实验教研组有计划开展教研活动，坚持课外活动向学生开放，每学期由教务处、教研组组织学生开展课外实验活动和科学技术活动。

搬迁新校区后，学校补充完善有关实验室的一系列规章制度、职责和条例。学校的实验教学得到长足发展。

第八节 电化教学

1980年后，学校改变传统的教学方式，实行电化教学。

1988年，瓮安中学加速发展电化教育。

1997年3月18日，省教委转发国家教委《关于印发〈中小学计算机教育五年发展纲要（1996—2000年）〉的通知》，提出“解放思想，深化改革，增加投入，协调发展，加强社会参与，从实际出发，注重效益，有计划、有重点、分层次地发展”的指导思想。

1998年9月，学校针对现代信息技术教育滞后现状，加速信息技术教育的力度，建立和完善计算机教学的考核、检查、评估制度，加强对师资的培训工作。

1999年，瓮安中学安装校园音响，班班通广播。

2000年4月，瓮安中学执行州物价局、教育局、财政局《关于实施“计算机教育工程”相应提高学校学杂费标准的通知》，每学期每生收费提高50元。22日，根据省计算机教育工程学校开设《信息技术课程教材的征订通知》，初一、高一年级各订160、700本《信息技术课程教材》。是年，学校属省首批计算机教育工程学校，开设信息技术课。

2001年，学校为各班配备29英寸彩电。新装计算机语言室1间，学生计算机50台；配备教师电脑室1间，改造配备电脑42台。搬迁旧计算机房，改造计算机30台，新增10台。建立200座多媒体电教室1间，增设闭路电视系统和语音听力系统，建立校园教学网络。

2002年，学校装备师道楼主控室，安装电子阅览室，开通远程教育网络，安装校园网络。

2004年3月上旬，瓮安中学刘邓、温光武、张德坤3名学生在教育部等单位联合举办的中小学信息科技创新与实践活动中，取得决赛资格，于3月31日—4月5日赴广州市参加全国决赛，均获三等奖。学校荣获“全国中小学信息技术创新与实践活动先进单位”荣誉称号。4月1日—5日，教师蒋忠利率学生参加“中小学信息技术”创新与实践活动组织委员会举办的“教育信息化发展与创新人才培养暨中小学校长纵论教育信息化发展趋势峰会”，并出席“信息技术创新与实践活动先进单位”颁发仪式。

2005年，学校实施中学教师继续教育工程，参训教师100%达到计算机初等水平，被教育部信息管理中心与中国国情调查中心定为教育观测基地学校。加入中国教育发展信息中心地方网站，及时了解国家教育政策信息和招生信息，把握教改方向，调整教育教学，使教育效果获得质的飞跃。学校成为教育部中国高等教育学会发展的“中学与大学合作教育基地”。

2007年7月5日，制定《瓮安中学信息技术实践活动》报告册，要求学生每上1次机完成1张卡。第二轮中继教启动，制作《瓮安中学中继教参训登记册》《瓮安中学中继教实施方案》。聘任辅导教师，颁发《黔南州2006—2010年中小学样本培训登记册》《瓮安中学中继教经费收入登记册》和《瓮安中学中继教教师档案袋》。成立瓮安中学中继教办公室，教师班吉任办公室资料员。每位参训教师根据档案袋上的项目，分年度将自己的参训材料和佐证材料装入档案袋，中继教领导小组结合每位教师的情况给以评分。

2008年12月，学校实行学籍电子化管理，加快高中教育现代化信息化进程。配备互联网发送和接收数据的计算机，使用“盛奇教育数字化管理平台”软件，安排专人负责软件系统管理工作，登陆“黔南教育”软件，下载新版“盛奇教育数字化管理平台”的使用说明。对普通高中生进行相关信息录入，编排学籍号并建立电子初步学籍。

2010年，瓮安中学电教组改革教学模式，以往1节理论课，1节实践课，理论与实践相距时间太长，难以完成教学任务，改变为“讲—练—讲—练—总结”授课模式，即教师用10分钟通过教师主机边讲边操作演示，然后让学生练习15分钟，教师再用5分钟对学生练习中出现的问题讲解，再让学生练习5分钟，最后5分钟抓住重点进行总结。同时，针对“学生不交或不按时交作业，作业质量差、抄袭多、批改量大”等问题，电教老师变传统用作业本或发电子邮箱的方法为采用课堂打分的方式对学生作业进行批改。上课时老师拿着记分册给学生布置作业，再根据学生表现情况和作业质量现场打分。

2012年，州教育局转发省教育厅《关于加强高中阶段学校网站建设的通知》。12月中旬，学校中英文网站建设通过评估，网站建设迈上新台阶。

2013年3月，学校中级教师陈全松（生物）、卢国勇（物理），高级教师陈刚（美术）、邓正富（语文），参加省人力资源和社会保障厅举办的专业技术人员职称计算机应用能力提高班培训，获得“计算机应用能力考核合格证”。5月，学校依据省教科院《2013年普通高中信息技术学科学业水平考试大纲》，举行“贵州省普通高中信息技术学科专业水平考试”。考试方式：采用局域网环境下的无纸化上机闭卷考试。7月，选拔教师参加“十二五”中小学州级骨干教师培训，要求熟练掌握计算机操作技能。参选资格为中教一级教师，从事本学科教学5年以上，男50岁以下，女45岁以下，担任过“十二五”教师继续教育工程县级培训和县级以上优质课评比活动并获奖。9月18日，政教处落实“实名制”信息采集系统安装条件及相关要求。29日，学校网络中心按照信息化工作的要求，组织落实规划和推进教育信息网络和校园信息化基础设施建设、教育电子政务和学校管理信息化建设及指导、检查、评估教育信息化建设、管理、应用等工作。是年，采购台式电脑9台和自动双面讲稿、落地纸盒、网络打印、扫描多功能复印机一台。瓮安中学成为拥有80个教学班4800名学生的省级二类示范高中。拥有按新课标配备标准6∶6∶3的最先进的实验室，400台电脑的计算机电教室。所有教室均安装手写式白板显示屏多媒体教学系统和教学监控系统。拥有5个多功能报告厅，2个可直录直播的精品课堂系统。校园网有500个信息点。

第九节　素质教育

2000年，瓮安中学改制为高级中学，全面学习和贯彻《中共中央国务院关于深化教育改革全面推进素质教育的决定》精神，实施素质教育，把德育、智育、体育、美育等有机地统一在教育活动的各个环节中。

2002 年，瓮安中学教务处为全面实施以创新精神和实践能力为重点的素质教育，使学生形成一种理论联系实际、不断主动发现问题、研究问题、探索解决问题的方法、途径和策略，制定“研究性学习”工作条例，并列为高中阶段学习的一门必修课。研究性学习贯穿于高中阶段，增强针对性和层次性解决实际问题。高一侧重于人文科学，完成学习的方法指导，从军训和入学教育开始，解决文明习惯、自信心、青春期和安全等教育问题；高二侧重于自然科学、工程技术等方面，着重解决社会意识、法制观念、责任感等问题；高三围绕现代科技、生产、生活等某一领域的比较前沿课题进行研究，拓宽知识面和视野，注重综合、整理、提高乃至推广、应用，抓好择业指导、理想抱负、考试心理等问题。普遍性培养目标要让每位学生具备通过发现、研究、尝试解决学习生活和社会生活中的应用型问题，具备有目的地选择材料—分析、归纳、重组材料—形成专题、总结各类材料汇编或专题综述，提出自我评价能力，具备对他人的评价做出评价的能力，并在评价中具有某些新的思想观念或建议，初步具备对不同的评价进行分析，做出体现自我观点的评判，提高学生的批判性思维能力和深化性思辨能力。发展性培养目标要让学生通过实践与探研，了解并学会资料收集、课题调研、分析总结、思辨、评价、协作、管理以及创新发展等方法，培养学生的科学态度和精神，提高科学素养，为今后的发展奠定良好的基础。

2006 年，瓮安中学素质教育迈上新台阶。素质教育在对学生进行德育教育时，引导学生在师生交往、同学交往中培养道德感、集体感、友谊感。同时，学校校务委员会结合课改，在学生中大力倡导自主学习、合作学习、探究学习，帮助学生了解学习规律，改变学习方式，讲究学习方法。对基础知识力争做到“准确熟练，一丝不苟”，发现问题、拓展思维、反馈信息、自我调节，做学习的主人。学校遵循学生成长的规律和身心健康规律，因地制宜开展群众性体育锻炼。

2010 年 1 月，瓮安中学新开发的校本教材《学会学习学会做人》在全校发行。教材以素质教育和个性发展为内容，重点对学生学习规划、好习惯养成、感恩诚信培育等方面的问题进行指导，让学生学会学习，学会做人做事，促进学生个体综合素质全面发展。

2011 年 3 月，省教育厅〔2011〕85 号文提出“坚决规范中小学办学行为，切实减轻学生过重课业负担，全面提高教育教学质量”的意见。瓮安中学按省厅文件规范办学行为，切实减轻学生过重课业负担，对全面提高教育教学质量达成共识。5 月，学校召开办公会议，再次学习“坚持八个严控，规范办学行为”“建立八个制度减轻学生过重课业负担”“破解八个难题，努力实现教育质量八个突破”的具体要求，并提出新要求。具体做法：严控学生在校学习时间和确保休息时间，取消早自习，上午上课时间推迟到早上 7：30 以后，在校学习时间不超过 8 小时。寄宿学生早上起床推迟到 6：30 之后，晚自习时间不超过 2 课时，午休时间保证在 2 小时以上，晚上睡眠时间不少于 8 小时。严控课程课时，实施国家课程计划，按照《贵州省普通高中课程方案》开齐课程，开足课时，不增减课程和课时，保障学生在校体育锻炼时间每天不少于 1 小时。严控家庭作业和考试次数，学生家庭作业时间不超过 2 小时，学校协调好各学科作业量，并针对不同水平差异的学生布置不同的作业。参加由上级教育行政部门组织的联考、竞赛、考级等活动，严控考试次数。严控集体补课和招生秩序。不利用寒假、暑假、周末、节日组织学生集体补课，把自习课还给学生自主学习，在职教师不准到中介机构、补习场所进行有偿补课及有偿家教。遵守招生政策和秩序，不违规招生。严控教辅资料，教辅资料的选择由学生自主自愿，任何老师不得强求，每科教材的教辅资料选择最多一册而且只能在省定教学用书目录之内。学校各处室不参与教辅资料购买的相关接洽工作。

第十节　体育、卫生

一、体育

民国25年（1936年），省政府制定《中等学校25年度体育实施纲要》（简称《体纲》），分总纲、行政、经费、设备、体育课，早操与强迫跑步及课外运动，运动比赛、紧急集合、成绩考核及附则等部分。该纲要所订成绩考核办法，自该年度初高中一年级起实行。该年度初高中二、三年级学生体育成绩，由各学校体育教员根据各生上年度体育成绩，视其进步之程度核定之。

省教育厅同时印发《柔软操》《器械操》的具体教学内容，令瓮安中学按要求贯彻施行。

民国26年（1937年），省教育厅规定各级学校参加校外各种运动会选派校运动员代表的标准：品行端正，正式入学在校1年以上，上学期各科学业成绩均及格，身体健壮，堪行剧烈运动。规定运动代表不能兼充两种球类运动的代表，参加运动会前由学校具函证明。

是年，省教育厅根据教育部精神制定《中等学校强迫课外运动试行办法》，规定课外运动在下午3时以后举行，学生一律强迫全体参加，每生每日至少应有2小时以上运动。早操或课间操于晨间或上午课间举行，以15分钟为度。在冬季严寒或日短及雨季之时，早操改为课间操。每日下午3时以后，不得授其他课。课后运动应按学生年龄、性别、体力与需要规定。课外运动项目，应含有相当运动量。初中学生年龄幼稚，体格未发育完全，不能课以严格军事训练及类似之剧烈运动，以免妨碍身心。初中以下学生，应停止军训，切实实施童军训练。

瓮安中学贯彻《体育实施纲要》，每周排正课4课时，于每学年末时造学生体育成绩册呈省府查考。

民国28年（1939年）12月，瓮安中学派体育老师庞尧勋组织篮球队去平越与国立唐山工程学院、平越县立初级中学进行篮球技艺探讨比赛。

民国32年（1943年），瓮安中学招收高一新生，办成完全中学后，高中学生除按部颁高中体育教材施教外，实行军事训练。

民国34年（1944年）1月1日，瓮安中学在县城场坝子由军事教官唐廷佐主持举行“三十四年元旦高中学校军事训练检阅”，县长、军训团团长、民兵团团长负责检阅阅兵、列队、射击等项内容。检阅成绩填表报省政府教育厅并转呈教育部。次年6月8日，省军管区司令杨森令瓮安中学军训团兼团长李宗彝到司令部领取“79射击步弹”51发，组织学生实弹射击演练和其他军事演练，事后将成绩表、消耗表连同弹壳缴报备查。

民国35年（1946年）春，瓮安中学23期毕业纪念册显示：“本级程度整齐成绩斐然而出类拔萃，才能脱颖而出，长于田径而参加省运或优于球术而瓮安无双，干练精神及艺术人才济济一堂。”8月24日，瓮安县在瓮安中学举行篮球冠军锦标赛，瓮安中学师生参加并取得优异成绩。

民国36年（1947年）5月，瓮安中学高中二年级学生刘崇杰、刘崇荣，初中三年级学生王毓芬、曾庆书、李惠民、杨诚意、李守谷、李学书、雷选隆、陈福斌等参加贵州省直辖区运动会，均取得优异成绩。

民国 37 年（1948 年），贵州省全运会召开，瓮安中学学生刘崇杰参加铅球、铁饼比赛，取得优秀成绩。

1952 年，中央人民政府教育部颁发《中学暂行规程》规定，中学应对学生实施智育、德育、体育、美育等全面发展的教育，培养学生体育卫生的智能和习惯，以养成其强健的体格。

1952—1954 年，学校有径赛场 1 个，120 米直跑道一条（正在修建），沙坑 1 个，篮球场 3 个，排球场 2 个，羽毛球场 1 个，乒乓球台 1 个，铅球 3 个（6 磅、8 磅、12 磅），铁饼（女用）1 个，手榴弹 2 个，单杠 1 个，双杠 2 个，跳箱 2 个，垫子 3 个，爬杆 2 个，皮尺 1 个，简单健身房（利用多余教室）1 个，举重器 2 个，跳栏 10 个。学校开展各类体育活动，按学生性别、年龄和身体发育情况分为男子初级组、中级组和高级组 3 组，女子分为初级组和高级组两组（男子初级组年龄在 14~16 岁，中级组年龄在 16~18 岁，高级组年龄在 18 足岁以上；女子初级组年龄在 13~16 岁，高级组 16 足岁以上），编成锻炼小组，并订出项目和标准进行锻炼。经常锻炼内容：早锻炼、课间操、课外活动。上学期起开展星期篮球赛。男女生有 21 个篮球队，4 个排球队。举行第一次田径运动会。同时，举行单项体育比赛，如 50 米、100 米的游泳比赛，爬山比赛，1500 米、400 米、100 米、60 米的跑步比赛，拔河比赛，踢毽比赛和班级小型运动会等。全校 3 个班，共 144 人，男生 118 人，女生 26 人。男生分 10 个锻炼组，女生分 2 个锻炼组，学生全部参加小组锻炼。

1955 年 12 月 7 日，瓮安中学为组织二、三年级的学生参加劳卫制预备级锻炼请示省人民体育运动委员会：学校上学期为重点开展劳卫制预备级锻炼，曾组织两小组学生试行，本学期在原有两组基础上，于二、三年级的两班内全部推行。学生中除 1 人因身体较差动员其暂缓参加以外，其余 103 人经考查合乎条件编为男生 6 组，女生 2 组，按照标准分别进行锻炼。锻炼详情俟期终再行汇报外，特将本学期组织情况报请审查备案。12 月 15 日，省体育运动委员会回复瓮安中学："同意你校本学期关于推行劳卫制预备级工作的做法。"

1956 年 5 月 3 日，教育部下发《关于在中等学校建立体育协会和推行劳卫制通知》，指出：原推行劳卫制的学校，除毕业班外，均按新标准进行测验。各校推行劳卫制时应广泛、深入宣传劳卫制的目的、内容，在日常锻炼中注意宣传各项目的价值，科学的锻炼方法，运动生理、安全保护和如何制定锻炼计划等，教育大家坚持经常全面的锻炼。在进行劳卫制测验发给劳卫制证章、证书时，要教育大家正确对待测验，了解测验的办法，懂得获得劳卫制证章、证书的荣誉和权利义务等。各校应注意培养和训练干部的工作，1956 年要求各校将 10%的学生进行训练成为劳卫制锻炼的技术辅导员和测验裁判员。6 月中旬以前，建立体协、推行劳卫制的学校应向专署作一简报，6 月底由专署汇转省厅。

8 月 21 日，省教育厅再次指出，学校应加强体育和卫生工作，进一步增进学生的体质和健康。从初高中一年级起开始试行体育教学大纲，已推行劳卫制的学校应加强领导，继续进行（现行劳卫制锻炼项目中应取消 10 千米负重行军的负重，将一级、二级中的第九、十两个项目合并为一项）。条件不具备、未推行劳卫制的学校暂不推行。已成立体协的学校应加强领导，使其能真正发挥作用。未成立体协的学校可暂不成立。各学校均应注意减轻学生的过重负担，培养学生的卫生习惯，改善学校伙食和环境卫生，在锻炼和各种活动中要特别注意学生的安全，切实防止发生事故。

1960 年，瓮安四中在黔南贵定分区 10 所中学少年排球比赛中，报名参赛 3 个项目获 2 个冠军，1 个亚军。

1963 年，瓮安中学有学生 532 人，14 个班，其中初中 10 班，高中 4 班，是一所中型完中。有篮球场 4 个，排球场 1 个，跳坑 2 个，250 米的环形跑道 1 条，运动器材也相应增加。学生分两批进行锻炼活动，基本上可以满足需要。体育教师 2 人，1 人是已有 15 年体育教龄的专业教师，另 1 人是有 4 年体育教龄改行且兼班主任的教师。是年，学校培养选拔 10 人出席 1963 年黔南州少年田径运动会，获得男子 800 米、跳远、撑竿跳高、铅球、铁饼、手榴弹和女子 200 米七项第一名；110 米中栏、400 米接力、女子 100 米、800 米接力、跳远、铅球、铁饼、标枪、三项全能九项第二名；还有 5 项第三名，4 项第四名，总分 78 分，被评选为全州学校体育工作先进单位。是年 8 月，8 人代表州参加全省少年田径运动会，获得男子 200 米、三级跳远、200 米低栏、手榴弹和铁饼 5 项第一名；男子 800 米及铅球 2 项第二名；女子跳高第三名；男子撑竿跳高、女子铁饼、100 米 3 项第四名。共得分 36 分。

1973 年 2 月 15—20 日，在黔南州中学生田径运动会中，瓮安中学男子甲组学生况正祥以 2. 12 米获跳高第二名，郭海照在三级跳远中以 9. 55 米获第五名，粟登其掷铁饼以 25. 84 米获得第五名、铅球以 9. 10 米获第五名，粟朝方掷手榴弹以 43. 89 米获第三名。男子乙组李清泉跳高获第六名，李春禄掷手榴弹以 41. 50 米获第四名，女子甲组屈美莲跳远以 3. 46 米获第五名，周志荣掷铁饼以 16. 41 米获第四名；段祥荣掷铅球以 6. 33 米获得第四名、标枪投掷以 11. 97 米获第二名，雷忠英掷手榴弹以 24. 52 米获第二名、三项全能以 949 分获第四名。女子乙组刘会跳高以 1. 12 米获第三名，闵燕跳远以 3. 38 米获第四名、掷铅球获第六名。男子甲组径赛 200 米粟朝方以 29 秒获第四名，400 米冯光文以 19 秒 9 获得第五名，800 米冯光文以 2 分 39 秒 5 获第六名，1500 米颜登华以 5 分 18 秒 4 获第三名。4×200 米接力瓮安中学获第五名。男子乙组 200 米宋志文以 30 秒 9 获第六名、400 米以 1 分 12 秒获第五名，110 米中栏李双华以 24 秒 3 获第六名。女子甲组 400 米杨丽萍以 1 分 19 秒 5 获第五名。1500 米周志荣以 6 分 4 秒 6 获第二名，100 米低栏李群以 28 秒 7 获第四名。女子乙组 60 米夏书平以 9 秒 8 获第五名，80 米低栏周正丽以 17 秒 5 获第三名。80 米低栏刘会以 18 秒 2 获第四名。团体总分甲组以 63 分居全州第五名，乙组以 25 分居第九名。

1987 年，瓮安县举办中学生田径运动会，瓮安中学学生罗成彦获 100 米第一名，向劲松获 200 米第一名、400 米第二名，宋泽茂获 800 米第二名，郭莲获 3000 米第二名，5000 米第一名，丁文富获 1500 米第二名，吴盛勇获铅球第二名，兰琴获铁饼第一名，杨孟获跳高第一名，熊兴龙获跳远第一名。熊兴龙、杨孟、吴盛勇、杨杰获 4×100 米接力赛第一名。

1988 年 4 月，黔南州举行中小学田径运动会，瓮安中学兰琴（女）获铁饼第一名，破州女子乙组铁饼记录。赵贵群（女）参加 3000 米长跑获第一名、1500 米跑获第二名。男子高中组团体总分获全州第三名。其他队员均获前六名，分别是熊兴龙、吴盛勇、杨昌齐、宋泽茂、邓荣军、周轲、滕建莲、罗雪梅等。参加州运会的 24 名队员均取得名次。是年 8 月，州体委抽吴盛勇参加省七运会集训，在六盘水运动会上获男子铅球第六名。赵贵群（女）参加全国农民运动会，获长跑（西南赛区）第八名。

1989 年 7 月，赵贵群、熊兴龙参加全州运动会，赵贵群获长跑 3000 米第二名，熊兴龙获男子甲组跳远第三名。

1990 年，瓮安中学贯彻国务院颁发《学校体育工作条例》。

1991 年 11 月 4—16 日，瓮安中学举办田径运动会，以班级为单位组队参加，分甲、乙、丙三组进行。高二、高三年级为甲组，初三、高一年级为乙组，初一、初二为丙组。竞赛项目男子甲、乙组有 100 米、800 米、1500 米、3000 米赛跑，4×250 米接力，跳高、跳远、铅球标枪，女子甲乙组除 3000 米外与男子甲乙组同。男子丙组有 100 米、800 米、1500 米赛跑、4×250 米接力、跳高、跳远、铅球，女子丙组除 1500 米外与男子丙组相同。每班男女运动员 10 人，甲、乙组男 8 女 6，丙组男、女各 7 人，每队领队 1 人（班主任兼）。各组运动员经报名后不能调换。运动员每人限报两项，可兼报接力。接力赛运动员必须在本队运动员中产生。比赛使用国家体委规定的最新田径竞赛规则。单项记分取前六名，按 6、5、4、3、2、1 记入团体总分。男子 3000 米加倍记入团体总分，接力赛每组的第一名、第二名按 14 分、10 分记入团体总分。单项取前六名，团体按甲、乙、丙组分别取前三名给予精神和物质奖励。团体每组按总分取前三名，若总分相同，以获单项第一名多者列前，若获单项第一相等，再以单项第二名多者列前，以下类推。比赛结果，获团体优胜者如后：甲组高三（3）班总分 146 分，班主任曹求真班获第一名；高二（3）班总分 100 分，班主任谭敬昌班获第二名；高三（4）班总分 34 分，班主任邓前轲班获第三名。乙组高一（6）班总分 80 分，班主任唐广惠班获第一名；初三（4）班总分 56 分，班主任张应龙班获第二名；初三（1）班总分 47 分，班主任吴文富班获第三名。丙组初二（2）班 137 分，班主任刘世君班获第一名；初二（3）班总分 49 分，班主任倪祖芳班获第二名；初二（1）班 36 分，班主任王仁学班获第三名。

瓮安中学是申报体育田径传统项目学校，常年组织田径 1 队、田径 2 队、球队、高初中体育考生训练队进行训练。1 队是基础训练队，2 队是各年级参加比赛队，球队和体育考生训练队 35~40 人，定教师指导训练。先由教师拟好训练计划，严格要求学生，定期测试运动员成绩。每队在开学两周测验 1 次，目的是恢复运动员素质。半期考试后 1 周测验 1 次，期末前 1 周测验 1 次，在指导老师的认真训练下，各运动队都有上进，田径一队的成绩 85%以上达到要求。田径二队在参加县中学生田径运动会上获团体总分第一名。1992 年，学校高考体育考生 11 名有 9 名上线，合格率达 88%。

1992 年 7 月，瓮安中学初中学生兰登成参加全省中学生第八次运动会，获铁饼第五名，为黔南州队投掷项目夺得 2 分。10 月 16 日，瓮安中学举行第七套广播体操比赛。全校初中 16 个班、高中 14 个班参赛。初中组初二（2）班以 76. 1 分获得第一名，初二（5）班以 75. 8 分获第二名，初二（3）班以 75. 4 分获第三名，初三（1）班以 74. 7 分获第四名。高中组高一（2）班以 74. 7 分获第一名，高三（3）班以 73. 9 分获第二名，高二（3）班以 73. 8 分获第三名。

表 6-3　　1991—1992 学年度第二学期瓮安中学体育锻炼合格标准统计表

合格情况 年级	应考人	实考人	合格人数	合格率%	达标人数	达标率	全校总合格率及达标率	备注
初一	383	383	380	99. 22%	379	98. 69%	合格率 99. 19%	
初二	261	361	360	99. 61%	258	98. 85%	达标率 98. 03%	

续表

合格情况 年级	应考人	实考人	合格人数	合格率%	达标人数	达标率	全校总合格率及达标率	备注
初三	257	257	250	97.65%	249	97.26%		初三①班有1人身残
高一	370	370	368	99.45%	360	97.29%		
高二	226	226	224	99.11%	220	97.34%		
高三	242	241	241	100%	238	98.75%		高三③班有1人身残

1994年10月8日，瓮安中学举行初一和高一年级第七套广播体操比赛。初一年级取前2名，高一年级取前3名；第一名奖30元，第二名奖25元，第三名奖20元。

1995年3月30日—4月1日，瓮安中学举行体育达标运动会。初一、二，高一、二年级各班学生参加。竞赛分初中组和高中组。项目有：100米（各组男女生）；800米（女生）、1000米（初中男生）、1500米（高中男生）；跳高、跳远（初高中男生任选一项）；铅球（初中男女生3千克，高中男生5千克，女生4千克）；引体向上、双杠臂屈伸（男生任选）、一分钟仰卧起坐（女生）。附加4×250米接力。每班运动员20人。初中组男女生各10人；高中组男生12人，女生8人。

4月3—6日，瓮安中学举行高一、高二年级各班篮球运动会。各班男女生各组一队。每队队员5~8人，班主任兼教练员。实行分组淘汰制。

是年，瓮安中学制定对高、初中毕业班学生进行体育合格统一考试和对非毕业班进行体育统考的规定。体育统考工作在学校领导下，由教导处、体育教研组组织实施。统考时间在第二学期前半期。统考内容及方法：以田径和体操教材为主，同时各任课教师所制定的教学计划项目也列入考试内容。

1997年3月，瓮安中学体育组对初中毕业班学生进行体育统一考试。考核内容为速度、耐力、弹跳力、投掷力。

1998年4月，黔南州召开田径运动会，瓮安中学学生李绍斌获400米第一名、800米第一名，杨毓刚获800米第二名，苏子敬获5000米第三名。9月，瓮安中学举行98—99学年度“迎新杯”第八套广播体操比赛，高一与初一年级参加。冬，瓮安中学举办田径运动会，初中一、二年级，高一年级各班参加。

1999年1月—2000年年底，瓮安中学开展“为祖国而锻炼，健康地奔向21世纪”长跑活动。

1998—2000年，瓮安中学被命名为“黔南州体育健身先进单位”。全校考取体育专业本科生21人，专科生24人，罗鑫同学被北京体育大学录取。

2002年7月4日，国家教委教体艺〔2002〕12号发布《学生体质健康标准》。标准测试项目：初中以上各年级（含大学）测验项目为六级，其中身高、体重、肺活量为必测项目。选测项目三项：从50米跑、立定跳远中选测一项；男生从台阶试验、1000米跑中选测一项，女生从台阶试验，800米跑中选测一项；男生从坐位体前屈、握力中选测一项，女生从坐位体前屈、仰卧起坐和握力中选测一项。测验与评分标准：标准中的选测项目由各地市级教育行政部门在测验前随机确定。考虑到城乡的不同情况，标准台阶试验的测试即标准中的身体形态、身体机能和身体素质的测验方法按人民教育出版的《学生体质健康标准（试行方案）解读》中的有关要求进行。等级评定与各个项目的得分之和为标准的最后得分。根据最后得分评定等级：86 分以上为优秀，76～85 分为良好，60～75 分为及格，59 分以下为不及格。每学年评定一次成绩并记入“学生体质健康标准等级卡片”，每学年评定一次。学生毕业年级的等级评定，按毕业当年的成绩和其他学年平均成绩（各占 50%）之和评定。标准的实施工作在教育部、国家体育总局的领导下，由各级教育行政部门管理，体育行政部门指导，学校负责组织实施。在校长领导下，由教务处（科）、体育教研部（组）、校医院（医务室）、学生工作部、辅导员（班主任）协同配合共同组织实施。测试应与学生的健康体检有机结合，避免重复测试。各测试项目的成绩由体育教研室（组）汇总，并按照标准的要求评定成绩、确定等级，记入“学生体质健康标准登记卡”，在毕业时放入学生档案。对标准测试成绩不及格者，在本学年度准予补考一次，补考仍不及格，则学年评定成绩不及格。学生毕业时标准成绩达到 60 分为及格，准予毕业；不及格者，按肄业处理。因病或残疾学生，可向学校提交免于执行标准的申请，经医生证明，体育教研室（组）核准后，可免于执行标准，所填表格存入学生档案。

2005 年 11 月，瓮安中学举行秋季运动会，除学校传统项目外，增加了班级团体运球接力、企鹅走路写正字接力赛和拔河赛等项目。

2006 年 4 月，黔南州中学生传统项目学校举行田径运动赛，瓮安中学获一等奖 8 人，二等奖 6 人，三等奖 2 人，四等奖 5 人，五等奖 1 人。学校获甲组团体总分第三名，吴定祥、周洪二位教师获优秀教练奖，学生何大前获全州体育道德风尚奖。瓮安中学在县举办的“青年文明号”杯篮球赛中女子球队获冠军，男子球队获季军。9 月，高一年级 16 个班千余名学生举行第二套广播体操《时代在召唤》比赛。

2007 年 5 月，学校举行高一年级乒乓球赛，高二年级篮球赛。乒乓球赛中，张文镜获第一名，邓书平获第二名，李肇昕获第三名，田勇获第四名。女子单打刘玉蕾获第一名，姜峰获第二名，陈力获第三名。篮球分男女组，各取一、二、三名。

6 月 10 日，瓮安中学向省体育局、省教育厅报告体育传统项目学校工作：全校学生 3200 余人，专职体育教师 8 人，器材保管员 1 人，专职传统项目训练教师 4 人，专职校医 1 人。制定《体育课堂教学常规》《早操、课间操、课外体育活动管理要求》《体育教师职责》《教练员工作制度和要求》《学校运动队队员守则》等一系列规章制度。学校每个季度检查体育教师的教案、训练计划和班主任工作手册，检查学校体育工作计划落实情况和各项目标的完成情况。对体育教师在政治、工作、生活、晋级等方面与其他教师一视同仁。学校按国家规定开足、开齐体育课程，坚持“三操”（早操、课间操、眼保健操）“三活动”（每周三节课外活动），保证学生每天 1 小时体育锻炼时间。适龄学生按照学生体质健康标准合格率占学校总数的 98%，学生参加体育传统项目活动的人数占学生总数的 90%以上。每年定期进行体育统考和学生体质健康标准的测试并及时上报国家数据库。每年秋季举行一次大型田径运动会，春季举行一次全校性体操比赛和一次以年级为主的小型田径运动会，每学期举行教职工球类比赛和学生球类比赛各 2 次，不定期进行田径单项、体操单项、乒乓球、拔河等各种小型比赛，丰富师生校园文化生活，促进全民健身效果，推进学生素质教育。体育课程以“健康第一”为指导思想，以学生为主体，发挥体育与健康学科的综合功能，关注学生的个体差异和不同要求，确保每生都有机会练习自己喜爱的运动项目，挖掘和发挥学生在专项上的运动潜力。在高一年级实行课改，在以田径为基础上由学生自主选择喜爱的运动项目。学校51个教学班的8名体育教师，4名田径传统项目专职教练，分别负责短跑、长跑、投掷、跳跃四个田径大项。还有高考术科训练队、篮球队、足球队等。学校有350米、7跑道的标准田径场一个，90×45米足球场1个，4个标准篮球场，4个训练式篮球场，6个排球场和4个羽毛球场，并有单杠、双杠10副，乒乓球桌8张，为师生活动锻炼训练提供充裕的物质保证。田径传统项目训练器材符合国家和省配备标准，能满足教学和训练需要。有单独的体育办公室、体艺陈列室、更衣室、器材室、室内力量训练室等。学校订有五年体育发展规划，有年度计划、总结，各训练队有计划、总结。在传统项目训练中，能遵循青少年生长发育规律和生理、心理特点引入竞争机制，制定科学合理的训练步骤。运动员年龄结构合理、管理制度健全，学习、生活、训练制度健全，有考勤、奖惩制度，常年对运动员的身体机能和运动水平测试数据进行储存和跟踪调查。1999—2003年考上省内外体育运动院校的学生有84人，其中本科53人，专科31人；2004—2007年，考上省内外体育学院的学生有60多名，其中北京体育大学1名。2004年参加黔南州中学生体育传统学校田径运动会，获甲组单项3个第一名。2006年在全州田径比赛中获甲组团体总分第三名，学生获一等奖8人，二等奖6人，三等奖2人，四等奖5人，五等奖1人。校篮球队在全县“青年文明号杯”篮球比赛中获女子第一名，男子第二名。2007年篮球队女子再获全县第一名。学校体育教研组连续被评为全校优秀教研组，有1名全国体育先进工作者，1名省级体育骨干教师，1名全州优秀田径裁判员，2名全州优秀田径教练员。多名体育教师的体育学科论文在全国新课改教学论文比赛中获奖，3名教师论文在2007年《西南教师教学研讨论文集》一书中正式发表。2003年，省体育局、省教育厅授予瓮中“体育传统项目学校”。

2008年6月9日，教育部、卫生部、财政部制定《国家学校体育卫生条件试行基本标准》(教体艺〔2008〕5号)，对学校体育教师、场地器材、教学卫生、生活设施、卫生保健室配备及学生健康体检等方面做出最基本的要求。规定体育教师必须经过体育专业学习或培训，获得教师资格证书，学校应当按照教学计划中体育课授课时数和开展课外体育活动的需要配备体育教师，高中每8~9班配备1名。9月中旬，瓮安中学高一年级举行第二套中学生系列广播体操比赛，16班1077名学生参加。比赛评奖班集体一、二、三、四名，张兴星等3名同学评为最佳领操员。是年秋季田径运动会，田赛项目21个，径赛项目44个，教职工参赛项目7个，选手646人次。甲、乙、丙三组分别获总分第一、二、三、四名。陈健等10名学生获道德风尚运动员奖，李立等5名学生和汪举芳等5名老师获优秀裁判员奖。

2009年4月下旬，瓮安中学举办迎“五一”“五四”篮球运动会。高一、二年级32个班64支男、女球队分2个阶段进行了64场比赛。5月，学校田径队13名运动员参加“县中学生民族团结田径运动会”，获8个第一名，3个第二名，5个第三名，总成绩居全县第一名。8月，1100名高一新生进行1周的军训，接受国防教育。9月，全校49个班的学生参加2009年度第三套广播体操《舞动青春》比赛。

2010年，学校举办“五一”“五四”篮球、乒乓球、羽毛球等球类运动会。9月，举行高一年级第三套全国中学生广播体操《舞动青春》比赛。11月，召开以“青春无畏逐梦扬威”为主题的秋季田径运动会，794名运动员参加。

2011年，瓮安中学16名师生参加县组织“三八”登山比赛，8人取得名次。是年，3387名学生参加国家学生体质健康标准测试，优秀853人，良好1030人，及格1503人，不及格 1 人。

2012 年，瓮安中学参加国家学生体质健康标准测试人数 3854 人，优秀 963 人，良好 1180 人，及格 1709 人，不及格 2 人。

2013 年 4 月 18 日，学校举办球类运动会，高一、二年级 50 个班级的运动员参加，是瓮安中学有史以来种类最齐全，规模最大的一次。9 月，高一年级举行体操比赛，23 个班 1400 余名学生参加。12 月 4—6 日，举办冬季运动会。是年，体检学生数 4407 人，测试人数 4407 人，优秀 968 人，良好 1186 人，及格 1838 人，不及格 2 人。

二、卫生

清道光癸巳年间（1833 年），玉华书院（瓮安中学前身）创办。学校地处县城南门外，环境卫生差。

民国 15 年（1926 年），瓮安中学创办，开始注重卫生。组织师生疏通沟渠、扫除垃圾，并限定两周举行 1 次大扫除，以重卫生，而资倡勤。学校有公厕 2 座，有工人 1 人清粪消毒，请城内医生施行夏秋霍乱之预防接种，同时取缔校内外不良食品，制定购菜规定，进行卫生检查，各班以“最清洁、清洁、不清洁”3 等分别给予奖惩。师生疾病有所减少。

民国 21 年（1932 年）后，地方有识之士阐述卫生与健康及社会盛衰之利害关系，提出“防瘟疫、保健康”之策。学校卫生面貌大为改善，但限于积习，不能持之以恒，疫病每年仍然不断。

民国 25 年（1936 年）8 月，瓮安中学遵照省教育厅根据教育部《中等学校卫生设施暂行标准》，要求全校师生：明了人体结构与生理机能；培养卫生习惯，训练健康生活，以增进教育效能。利用现代科学医药之设施，保障学生健康，预防学生疾病。学校环境渐合于卫生条件，全校教职员及学生生活均有健康保障。学校卫生工作列入学校行政工作之一，组织健康教育委员会，校长、教导主任、事务主任、体育教员、各级级任教员及卫生指导员等为委员。每生每年担负卫生经费 1 元。学校依照部颁初中卫生课程标准，让学生实习各种生理卫生工作，参加课外活动。明确教师应实践卫生要则，使卫生知识充分实现于日常生活。进行健康检查。

民国 26 年（1937 年）12 月，校长任永熙向省教育厅呈递《拟请增设巡回医师救济偏僻各中学祈核示饬遵一案由》。

民国 27 年（1938 年）1 月，省政府下发（228）号指令：“瓮安中学呈请选派医师轮赴各偏僻中学视察卫生事项，并注意牛痘预防等事乞核示由，呈悉，俟健康教育委员会医师有暇兼顾时，再为设法办理可之。”9 月，省卫生委员会派护士张益珍携带疫苗前往瓮安中学施行霍乱预防注射，配发奎宁以防疟疾及种牛痘。次年 7 月，省政府发给瓮中霍乱疫苗四十公撮装 12 瓶，并称：县卫生所即可成立，将来学校员生医药救济事宜，自可由卫生所负责办理。8 月，学校向省厅《呈请转卫生委员会发给奎宁丸由》，“职校学生常罹疟疾者实繁，有碍瓮地交通不便，不惟市上无药可购，即向省中购买，有时亦感缺乏。现瓮安卫生事务所尚未成立，拟请转到卫生委员会酌发奎宁丸一、二瓶，以便具领救济。”

民国 28 年（1939 年）12 月，瓮安中学填报“教育部中等学校视察纲要”，报告 4 年来卫生实施情况：

全校推举卫生指导员 1 人负责指导卫生事宜，每周举行清洁检查 1 次。学校偏在贵州东南一隅，社会医药甚为简陋，经费项下无卫生设备费，亦无校医设置。仅为补救环境计，向学生征收卫生设备费四角，购置简单药品作时疫急症轻伤之救济，并无疗养室及校医之设置。新舍厕所每间便溺处修成倾斜石槽汇入总粪坑；饮水系离校3里许高坡经渠沟引入校内，水源出于高山极清洁。唯引沟经过田坝不免为田水混淆，虽在入水处施用滤水器滤去渣滓，覆在水池内用药水消毒，但污浊之质不易滤尽，一部分学生遂染皮肤症。校中曾一再设法整理以谋补救，惟经费缺乏迄无大效。消防设备有水桶数挑，蓄水池1个。校外无近代医药机关或商店即中医亦少。社会上人民限于旧习，市街房屋不甚清洁。幸学校在郊外已离尘嚣。

卫生教学及训练　教学材料，以挂图数十幅或以动物实际解剖与学生观察。教学方法，使学生由学而行了解人生生活当中卫生之重要，间取学生中之有病或健康强壮者为标准而从事实例教学。训练材料，由学生起居饮食当中录取材料随时加以训练。训练方法，取实证方式使学生衣食住各方面合于卫生为训练方法。

健康检查及疾病治理　每年检查数次，无健康检查器械，关于体重身高及表面可察病状，每学年简单检查1次，并填写健康记录中之各项个人健康史。轻疾病矫治，由校中推举职员中较有医药经验1员或童子军施以救护或包裹。沙眼、皮肤、耳病其他眼病者，每学期结束前复查1次，牙齿每年复查1次，其他疾病，酌量定期复查。因政府经费预算内无校医及医药设备，本地又无卫生事务所，关于时疫及传染病之处理极感困难，兼之本地亦无西医，若遇急症亦只得请卖草药者诊治。至于时疫、传染病之预防，校中厉行清洁运动随时检查厨房、厕所及宿舍。但种痘、注射、预防针等则因地方物质环境太差无人举办。体重每学期在一定时间举行1次。

安全设备　防空，校居城外临近山林天然隐蔽之所甚多，故未辟防空洞。防备，无防毒面具，仅将各种毒气性质及防御方法灌输学生使具防毒常识。紧急演习，每学期举行2~3次。

膳食管理及营养研究　由训育委员会指导学生组织食事会管理，并由值日导师轮流视察，每班推举2人负责食事之责，1人负膳厅清洁秩序责任，1人负监督采买菜蔬责任，并每日由职教员中轮流1员监督管理，并随时会同当值学生研究各种食料之采购问题，俾营养不致缺乏或偏畸。食类品种，有米、白菜、青菜、豌豆、蚕豆、番薯、猪鱼肉等类。

民国29年（1940年）9月中旬，省卫生委员会健康教育委员会制发《学生转诊优待办法》规定，学生转医院诊治须领省健教会印发的转诊单并须由学校医生和护士签名盖章，可受下列优待：药费减半，化验费免收，X光费减半；住院费减半，手续费免收，药品材料费减半；急症挂号免收；诊察结果及意见填写上交校卫生室备查；患病学生因家境贫寒经健教会调查属实，在转诊单上注明，由医院复查相符得免收一切费用。10月11日，省教育厅令瓮安中学："所到应用药品单并未随同颁发，相应检送是项药品单，即希查收转发。"

民国30年（1941年）1月，校长冉隆堃给省长吴鼎昌、教育厅长张志韩发函《呈复组织服务团体监察全校食宿以保健由》。其内容为："窃校居瓮安，地方不当孔道，关于学生健康，自抗战以远，因物价高涨，除膳食一项，影响较远外，其他各项均照常办理。兹分陈于后：查瓮地生活费用，原本低贱，三年前学生伙食费用，月仅法币三元，鱼肉鸡蛋，间日而食。近来物价猛腾，约增高六七倍，伙食费用业已增至十元，佐膳肉蔬，逐渐减低，营养缺乏，影响健康极大。欲再增高费用，又恐学生负担加重，影响学业，只得严密监督厨房，务使颖不虚糜，点滴归公。近来乡间豕豚不惟价昂，亦且缺乏，本节约之义，亦只得注事菜根蔬食而已。关于宿舍课堂浴室厕所厨房之保持清洁，职校仍本经常规则管理。宿舍则使学生轮流服务扫除，每月终动员师生工友实施全校清洁大扫除一次。学生之起居休息，除课内作业课外活动外，学生自习，均有教师轮流监督指导，睡眠亦定有充分时间。至于灯火管理，师生向用菜油土灯，对目力尚无伤损，每夜就寝前均有轮值教师监督熄灯以防危险。关于蚊蝇扑灭一项，除平日清除沟渠厕所外，并常动员学生扑灭蚊子苍蝇，捕杀臭虫。唯学校地近乡村，蚊类特多，学生多贫寒乏蚊帐，每夜受蚊类骚扰殊为痛苦，只得利用乡间土法睡前用土制蚊烟熏杀一遍，虽效果极微，亦胜于无而已。”12 月 5 日，省教育厅下发训令，“治理校园周边环境，严禁校园小摊贩。”瓮安中学对小摊小贩在校内及校门附近售卖不洁糖果、饼饵，甚至凉粉、凉面，出面加以禁止，并对学生加以督促，养成不吃零食习惯，以重学生健康。

民国 31 年（1942 年）6 月，省政府教育厅、卫生处联合发出《促进学校卫生合作办法》，规定每学期应收学生卫生费 2 元。家境贫寒学生（名额为 15%）免收。每学期开学后两周内由校收齐后转卫生处购办药械，不足时由主办机构酌予补充，学校派 1 人予以协助。学校应设置卫生室并有便利工作之普通设备，学校卫生员应接受主办机关监导与训练，所有表格及记录等由学校依次印制。主办机关每星期至少派员到校工作 1~2 次，每次至少 1 小时半。学校职员工疾病诊疗与预防检查与学生同等待遇。学校修订全校卫生实施计划或办法时，应尽量采纳并尊重主办机关之意见。

民国 34 年（1945 年）2 月，省教育厅下发政府训令，“为准教育部函送学校教职员因公伤病核给医疗办法一案”，可按《战时公务员因公伤病核给医疗费办法》办理。办法规定：伤病较轻可自行延医治疗者，延医治疗后，检同医药费、证件报由服务机关核定后酌给，但其所给数额以不超过其 6 个月俸额为限；伤病较重须住院或施手术者，其医药费由服务机关核明，全部支给，但病室以二等为限。5 月 23 日，县卫生院转送奎宁 100 粒给瓮安中学医治疟疾。

民国 35 年（1946 年）9 月，学校正式成立卫生室。除内科药品尚欠完备，仍由卫生院诊治外，外科一项，县卫生院派员驻校治疗。并规定自是日起每日上午 9：00 至 11：00 为诊疗时间。事后，举行学生健康检查，请县医院派出医生到校讲授卫生课，先后聘用兼职校医。

民国 36 年（1947 年）6 月，瓮安中学为预防各种疾病，特别是传染病流行，要求县卫生院派员来校防疫注射药剂。县卫生院派出检查、医防、宣传等组，分层负责。

民国 37 年（1948 年），瓮安中学卫生室有瓷缸 4 个，药瓶 7 个，硼酸水、防疫药水、高锰酸钾各 1 瓶，硼酸粉 2 瓶，樟脑油注射液 4 盒共 48 瓶，硫酸粉 2 包，铅氯粉 1 包，硫黄膏 1 块，大小洗液盘 3 个，点眼液 1 个，药棉 1 包，夹子 1 个，其他药品 4 瓶。是年，实施防疫注射，组织夏秋两季全校清洁大扫除，清除污垢，并组织检查，对校内班级、宿舍卫生情况给予评价并分贴“清洁”与“不清洁”纸标，以示褒贬。此外，在各路沟及公共场所阴暗潮湿地方洒放 DDT 和石灰等灭蚊防蝇。

民国 38 年（1949 年）3 月，校长卢光义函请县卫生院，按每星期二、四日派员到校诊治。为避免往返取药麻烦，函请酌发美国红十字会捐赠药品一批应用，得到县医院的同意。

1951 年春，瓮安中学师生参加县城万余人集会，声讨美国侵略者撒布细菌毒物的罪行。学校总务处卫生室加强对工友的卫生教育和对厨房卫生工作的检查指导，注意饮水卫生，开展反细菌战运动，着手制定反细菌战应急措施和防疫工作。是年，除饮水过滤外，增用热水供学生洗澡用，并将全校学生的衣物普遍用土甑蒸一次，女生头上用DDT除虫，配合县医院医务人员开展天花、鼠疫霍乱疫苗的预防接种工作。各班清洁区经常打扫，定期给学生宿舍消毒。班主任、女生指导和教师教育学生注意身体健康，不喝生水，不拿别人吃过的碗筷，建立定期和不定期检查制度，以保证全体师生的身体健康。8月，瓮安中学正式成立保健委员会，下设卫生教育、医疗防疫、环境卫生、体育活动及营养保健五组，于期初写出计划、期末写出总结开展卫生保健工作。

1952年10月2日，学校设立卫生常识宣传牌1块，编写卫生常识8期刊出，并作卫生专题演讲2次，还对学生进行门诊教育。防疫工作每学期接种牛痘1次，注射伤寒、霍乱混合疫苗2次，集体灭虱3次（包括女生灭头虱）。每周1次大扫除，后因校工扫除改为两周1次。3月，学生发生白喉感染，15名学生送县医院治疗均痊愈。学校师生学习毛主席“动员起来，讲究卫生，减少疾病，提高健康水平”的指示，结合“土改”“三反”“五反”工作，全力以赴搞好防御细菌战和清洁卫生运动。学校召集各教研组、青年团、学生会、少先队、工会等，学习“反细菌战宣传资料”和“防疫宣传参考资料”。学校内门窗户壁细致清扫，多年未动的礼堂台脚也搬开扫除。每月喷射DDT，旧屋板壁、地板中的臭虫跳蚤基本消灭。注射百喉、伤寒、霍乱预防针4次。疥疮初期有49人，期末只有17人。

1953年3月，学校保健委员会印发卫生常识3期，介绍白喉、疥疮、经期等卫生常识。举行大扫除8次，清理沟渠2次，洒臭水5次，淘水井2次。熏蝨6次，注射“DDT”5次、石灰酸1次，开支8万元（小教班在内）。在校内洗澡每半月1次，皮肤病患者隔1日1次，发药352次，送医院治疗252人次。4月14日，召开保健委员会扩大会议，组织“爱国卫生突击月”委员会，教师陈再银、颜定、华钦达与学生李少生为宣传股，主任王树勋、教师曹绍庸、学生会李贵权同生活部的李子文、阳观先2位工友等为执行股。4月25日—5月15日，学校召开紧急防疫委员会，成立反细菌战宣传队，利用学生大小会议，黑板报、漫画、标语、报纸、幻灯等形式，向师生宣传反细菌战的意义和消灭细菌武器的方法和主要事项，发动师生开展对空览视和报警工作，开展“爱国卫生运动突击月”活动。先后举行大扫除3次，疏通水沟、填平洼地、清理垃圾、粪坑厕所和蚊蝇滋生地，进行“五灭”（灭蚊、灭蝇、灭鼠、灭蚤、灭虱）运动，以及饮水消毒和各种预防接种等工作。工友杨观先利用午休时粉刷宿舍，学生张有贵、甘勋安等洗楼板，并把新中国成立以来未曾打扫的戏台脚打扫干净。女生清洗礼堂川枋。仅3天时间学生75名、工友4人、教师3人、家属5人共扑灭苍蝇24074只。同时注射DDT及扑灭臭虫210只，送出垃圾50车以上。先后注射白喉预防针1次、伤寒预防针2次。开展体格检查1次，体重检查2次。是年，基本消灭臭虫与跳蚤。内科，校内医治90人、161人次。外科，每日10人以上，在县内诊治29人，计50次。

1954年，坚持预防为主，加强锻炼原则，学生健康大有好转。9月前学生医疗费开支100万元（旧币）以上，购买医务室的剪刀、镊子等器械及一批药品。学校在适当区域增放果皮箱，将果皮、木屑、字纸等投入垃圾箱内，不任意抛丢。经常保证有开水喝，饮水过滤。不买病兽肉给学生吃。将菜脚及零星物品倾倒垃圾箱内，吐痰应入痰盂盒。经常扫除室内外清洁，学生体质相应增强。

1956年上学期，全校组织清洁大扫除9次，清除垃圾75担，清理水沟3条，设置垃圾桶12个，改良水井1个，厕所加盖1个，新建厕所1个，铲除杂草3200斤，捕鼠68只，灭蚊蝇、臭虫、蚤、虱等。全校接受各种预防接种达480人次。召开誓师大会，响应中共中央“除四害、讲卫生、灭疾病”的号召，开展“除四害、讲卫生”活动。下学期，发起改善环境卫生的爱国卫生运动。全校师生实行卫生值日制，制订卫生公约，落实地段清扫保洁制度。是年，先后组织“除四害、讲卫生”队伍，采用人工捕杀、烟熏、药物喷杀、疏通污水沟、填平洼地、清除垃圾粪便等综合措施除“四害”，降低蚊、蝇和老鼠密度。9月，接教育部《布拉格儿童医院矫正所照顾高度近视儿童的规则》，学校要求学生写字、画画应在光线最适合的地方，保持一定距离，限制近处看物只能连续5分钟。每季度检查1次眼睛，保护学生视力。

1957年2月，学校作好预防流行性感冒的工作，组织学生加强体育锻炼，增强体质，提高抵御疾病能力。学校先后组织元旦、清明节、五一节、国庆节等节日前的除四害讲卫生突击月活动，并在夏收前后，开展灭鼠保粮食、消灭蚊蝇等活动，预防乙型脑炎等季节性传染病的发生和流行。9月，全校实行地段保洁制，定时大扫除，行动目标为“一平二洁三不五光”（即路平；厨、厕洁；不随地吐痰、大小便和乱倒垃圾；房、厅、墙、门、窗明亮光洁）。

1958年3月，学校举行文艺演出和游行，扩大“除四害、讲卫生”的宣传声势。4月，全校熏杀蚊蝇，整顿环境卫生。组织学生规劝队，上街观劝和纠正不良卫生习惯，提倡1人1拍，消灭苍蝇。学校组织学生挑沙填路、排污积肥、堵鼠洞、毁雀巢、毒蚊蝇。学校号召学生养成良好卫生习惯，遵守社会主义卫生道德，做到“四不”（即不随地吐痰，不乱丢果皮纸屑，不乱倒粪便、垃圾、污水，不随地大小便），基本实现“八无”学校。是年，学校评比评出卫生班级5个。

1959年，教育部、卫生部针对学生视力减退，不注意用眼卫生，不注意学校照明设备的采光，要求青年团、妇联部门开展一次学生眼睛卫生的宣传、教育运动。瓮安中学教师（特别是班主任）注意教导学生保护视力，养成用眼卫生的良好习惯，执行预防为主的方针，总结眼睛卫生的经验加以推广。

1960年，教育部、卫生部发出《关于保护学生视力的通知》后，师生对保护视力引起足够重视。

1964年12月18日，省卫生厅、教育厅等单位联合颁发试行《中小学保护学生视力暂行办法》，规定：读书、写字时姿势端正，眼睛与书本保持适当距离；看书、写字约1小时，要休息几分钟或远眺片刻；不躺在床上看书；不在过弱的光线下看书，积极开展眼保健操，保护学生视力。瓮安中学严格执行保护学生视力办法，每天开始做眼保健操。

1966年，学校加强卫生保健工作，保证师生有足够时间睡眠（学生10小时，教师8小时），搞好劳逸结合。在通常情况下，周末不安排活动，由师生自由支配，培养学生卫生习惯，保证集体和个人卫生，作好防治病患工作，并指定女教师每月给女学生讲1次妇女卫生基本知识。

1971年8月，校革委传达国务院总理周恩来关于“立即发动一次大规模的爱国卫生运动的紧急批示”。全校立即组织广大师生开展宣传动员。此后，学校进一步形成“以卫生为荣，不卫生为耻”的公共卫生以及“人人讲卫生，个个爱清洁”的校园风尚，多次进行爱国卫生大突击运动。

1978年，学校邀请卫生部门同志到学校作报告，组织卫生检查。开展脊柱弯曲防止矫正操、眼保健操。在卫生部门协助下，逐步恢复每年对学生进行2次体格检查制度，建立健康卡片，掌握学生健康情况。随后开展“六要六不要”活动，即要遵守爱国卫生公约和制度，要搞好个人卫生和宿舍卫生，要执行各种防疫措施，要积极参加除四害活动，要坚持教室、宿舍天天打扫，要积极参加体育运动；不乱丢果皮、纸屑、烟头，不随地吐痰、擤鼻涕，不乱倒垃圾、粪便、污水等，不随地大小便，不在马路步道、公共场所乱丢放废弃物，不在校内养狗放禽。

1981年，瓮安中学继续开展除害灭病运动，坚持每星期二、五清洁大扫除和五月一日前的突击运动。校医坚持每天查宿舍，对疾病以预防为主，及时治疗。校医务室负责建立学生健康卡片，做到人人有案可查。保证学生睡眠9小时。

1983年，校医、生活辅导员坚持每天查学生宿舍，制订校医规则，建立卫生保健制度，办好卫生宣传栏，杜绝传染病的流行。定期召开卫生委员会，对学生视力采取措施，控制近视。校医深入学生厨房、宿舍调查了解存在的问题，报学校研究处理。

1986年，学校集中力量搞好“卫生突击周活动”，提出“三管”（管理饮用水、管理粪便、管理伙食卫生）、“三灭”（灭蚊、灭蝇、灭鼠）和“三化”（净化、美化、绿化）目标。以治“脏乱差”为突破口，清除卫生死角，落实“门前三包责任制”（包卫生、包绿化、包秩序），签订协议书，新建果皮箱。各班级、各宿舍设置垃圾箱数十个。高中女生参加“女生青春期卫生讲座”。对初、高中生进行体检，做好防病治病工作。10月，熊德芬老师成为“贵州省中小学体育、卫生教育研究会”会员。

1987年4月16日，县教育局转发省教委、省红十字会《关于在学校中积极开展红十字青少年活动的通知》。学校走出校门宣传红十字精神和卫生救护知识，开展敬老助残等活动。每星期二、五课外活动进行清洁大扫除，由校医会同学生会生活部检查、评比，并设流动红旗以资鼓励。每天两节课后，眼保健骨干指导同学做眼保健操。校医兼管室内外卫生检查，并兼任女生督导。学校与县防疫站联系对学生进行体质测试。

1989年4月，校医协助校长抓好组织、发动、宣传、督促、检查工作，实行四定（定人、定点、定内容、定措施），做到“三无”（无纸屑果壳、无痰迹、无积尘）、“四洁”（课桌椅整洁、地面整洁、门窗玻璃整洁、黑板整洁），全校未发生乙型脑炎、流行性脑膜炎、伤寒、疟疾、传染性肝炎等急性传染病。其他常见病发病率也明显下降。医务室配合县防疫站做好一年一度的体检工作，建立健全学生健康档案。

1991年，组织全校2000余名学生进行监测体质健康检查，组织新生班级卫生员进行眼保健操培训。对学生常见病、营养状况和因病缺课等情况进行经常性检查，个别严重的与班主任和家长取得联系，及时治疗。举办卫生培训班，宣传冬季预防呼吸道感染，防治冻疮等常识，印发卫生宣传资料给全校师生，广泛开展宣传、教育工作。与县防疫站联系，给学生注射预防针，服预防药。做好医务室前面三包（即包清洁、包绿化、包秩序），室内达标；做好国庆、元旦、春节前的卫生工作。4月29日，学校妇工委和校医对女生进行“青春期教育”和“自尊、自重、自强、自立”教育。学校医务室按国家教委、卫生部签发的《学校卫生工作条例》，督促学生坚持上好“两课两操”，坚持优化、美化、绿化、净化校园，使之成为清洁、舒适、优雅的学习环境，防止各种疾病的滋生蔓延，保证师生身心健康。

1997年9月2日，瓮安中学制发卫生管理处罚规定。

1999年，学校执行《中小学保护学生视力暂行办法》，采取多种形式，对学生进行保护视力的宣传教育，教育学生认真养成良好的阅读、写字习惯。

2002年4月3日，卫生部下发《预防性健康体检管理办法》。按照该办法精神，学校每年完成在校生和毕业生毕业前的体检工作，力争病毒性肝炎、结核病等传染病，霍乱、肠道传染病、肠蛔虫、沙眼、贫血、营养不良等症防治达标。杜绝或减少错报、漏报、缺报的现象发生。同时，整顿校园饮食摊点。

2003 年 4 月，学校成立防治非典型肺炎工作领导小组，组织领导学校非典防控工作。8 月 21 日，学校邀请县防疫站对学校饮食从业人员进行培训，提高卫生常识，保障学生饮食卫生安全。

2004 年，学校制定青春期健康教育计划，帮助青少年正确对待性问题，建立正确的自我观、异性观、友爱观、恋爱观，使身心健康发展。组织收看青春期教育系列专题片《男孩、女孩》《中小学青春期教育》等 44 碟光盘。不定期开展讲座、演讲、辩论等活动。通过心理咨询室倾听学生心声，疏导学生心理，解决存在问题。10 月 20 日，县委宣传部、县疾控中心、县防疫站、县文化局到学校举办“预防 · 知识 · 关爱——青少年预防艾滋病”图片展。12 月，全校师生参加由县卫生局、县疾控中心联合举行的“远离毒品、珍爱生命、预防艾滋病”万人签名活动并对全校 50 个班级学生作了“预防艾滋病”专题电视讲座。

2005 年 5 月，学校邀请县食品卫生监督所对全校 38 位饮食从业人员进行食品卫生知识培训，以增强食品卫生知识和食品卫生安全意识。6 月 16 日，学校 200 余名青年志愿者参加瓮安县创建国家级卫生城市动员大会。

2006 年 5 月，《瓮安中学“整脏治乱、创建省级绿色学校”专题整治实施方案》施行。11 月 20 日—25 日，为瓮安中学“整脏治乱”周，聘请县疾控中心为全校 2948 名学生进行一年一度的生长、发育健康检查。

2007 年 1 月 23 日，县老龄委、县卫生局联合开展“新世界助老健康服务工程”活动，聘请贵州省助老健康服务中心专家负责为学校 38 名退休教职员工进行心脑血管无损伤检测，并提出保健、治疗建议。10 月 18 日，黔南州“整脏治乱”考评组到校检查工作。学校成功创建无烟校园，荣获县“整脏治乱”专项行动“流动红旗”和“先进单位”。12 月 8 日，由县疾控中心和教育局联合举办“瓮安县第一轮中国全球基金——结核病项目中小学结核病健康教育试点培训会”。全县 50 所学校 100 余名负责健康教育的领导和教师参加培训。11 日，县疾控中心柳太明向全校 3000 余名学生主讲艾滋病的危害、传播途径及预防措施，号召全体学生洁身自好，远离毒品，做一名积极向上健康成长的合格青年。

2008 年 3 月 11 日，学校参加县委、县政府举行的“瓮安县整脏治乱专项行动‘满意在瓮安’动员大会”，被授予“文明单位”荣誉称号。校长李凤奇在会上作《文明之花绽放校园》的经验发言。21 日，学校调整卫生工作领导小组，贯彻落实《学校卫生工作条例》和卫生部监督局“开展以学习餐饮卫生、传染病防治和饮用水卫生为重点的监督检查，促进学校传染病防治管理工作”的精神，召开全校教职工和家属、学生食堂、学生服务部员工的“瓮安中学‘整脏治乱’专题会”，开展“整脏治乱”工作。9 月 15 日，学校制定“整脏治乱”工作实施细则。

2009 年 1 月 5 日，瓮安中学制定《关于进一步加强和推进“整脏治乱”工作的决定》。12 月，学校举行“世界艾滋病日”高一、高二年级知识竞赛。生物组“青艾小屋”“全球基金第四轮中国艾滋病项目”课题组组织 128 名学生参赛。

2010 年 1 月 18 日，省禁毒委员会到学校开展“全民禁毒教育”活动。2 月 12 日，副校长张明光、陈友华及中层干部、部分教师、保洁员、门卫、保卫等参加“打扫校园环境，干干净净迎接新年活动”。4 月 8 日，学校被县委、县政府授予“瓮安县 2009‘整脏治乱’专项行动先进单位”。10 月 12 日，学校整脏治乱工作领导小组召开“整脏治乱”专题会，布置工作任务，做到谁分管，谁负责，长期不懈，细致入微。21 日，县“整脏治乱”督查组把学校作为“整脏治乱”典型向全县推广。是日，省食品安全卫生检查组到学校检查工作，学校食堂达 A 级标准。

2011 年 3 月 14 日，学校在县委、县政府召开的“满意在瓮安”主题活动暨“整脏治乱”专项活动表彰大会上，被评为 2010 年度整脏治乱专项活动红旗单位，并获奖金 3000 元。

2012 年 3 月 15 日，学校制定“整脏治乱”工作实施方案。方案基本沿用 2009 年的方案，强调做好宣传，重点治理，抓好整改，提高师生语言和行为文明水平，保持校园干净整洁；并强调督查到位，奖惩分明，务实求效；学校行政领导分片管理，做到人力、财力管理到位。

2013 年 7 月，学校青年志愿者 86 人，在新区小区内开展义务打扫活动。

第十一节　音乐、美术

民国 15 年（1926 年）瓮安中学创办，初中各级音乐、图画课各设 2 节。

民国 25 年（1936 年），教育部颁布《中小学音乐课程标准》，并编订《中学音乐教材初集》供全国初级中学采用。

民国 26 年（1937 年）4 月，省立瓮安初级中学选择 6 件美术作品送省府展览会参展。计有：陈光福山水画 2 件，张昌骑花卉画 1 件，李素莲花卉画 1 件，蒋学荣山水画 1 件，胡伦动物铅笔画 1 件。6 月，省厅再次举办美术成绩展览会，冷开晟美术作品 3 件、胡伦 1 件、宋国基 2 件、蒋学荣 3 件、席光奎 2 件、陈祚胤 1 件、陈光福 1 件、陈光文 2 件、刘德芬 1 件、张政学 2 件（均山水花卉画），王道琼、王道义剪贴各 1 件，孙芥、李素莲、李繁珍刺绣各 1 件参展。

民国 27 年（1938 年），教育部明确规定音乐为陶冶青少年儿童身心的主要科目，各校自编校歌以代表该校特点于新生入学教之歌咏以启发其爱校之心，应将所编校歌呈送备查。瓮安中学将民国 18 年（1929 年）编、民国 25 年（1936 年）修改过的校歌呈教育部。8 月，接教育部通知：音乐与图画 2 科，足以激发民众意识，鼓舞抗战情绪，在非常时期需要加倍注重。11 月，教育部决议“各级学校现有音乐教材除业经本部审查者外，须一律送会审查”。瓮安初级中学将选授音乐教材列表呈报，有聂耳的《义勇军进行曲》、麦新的《牺牲已到最后关头》、冼星海等的《抗战》等。12 月 29 日，瓮安初级中学向教育部报送学校音乐教学情况。

民国 29 年（1940 年）9 月，教育部公布《初高级中学音乐课程标准》。瓮安中学遵照部令在学生中教唱《国土歌》（杨仪山作词、刘雪盦作曲），激发学生抗战保土激情。

民国 33 年（1944 年），教育部、军政部令向学生教唱《国民兵歌》《青年从军歌》。瓮安中学安排潘立龙先生教唱。

民国 37 年（1948 年）7 月，瓮安中学举行书画比赛。4 人获高中书法优胜奖，11 人获初中书法优胜奖，4 人获初高中图画优胜奖。

1950，省政府教育办公室规定中学美术课程每周2课时，音乐1课时。1952年教育部规定初中各年级美术、音乐各为1节，高中不设课。以后的教学中，只在初中一、二年级设音乐、美术课各1节。8月，华天谷老师由贵阳专区分配到瓮安中学上音乐、美术课，成为新中国成立后瓮安中学第一个具备系统专业知识的艺术教师。

1951年9月1日，省教育厅通知《歌唱祖国》《全世界人民心一条》2首歌曲在国庆节达到师生“人人学唱，人人会唱”的要求。华天谷老师利用每天课外活动组织全校师生集中教唱。

1962年4月，省教育厅通知：“本学期初中一年级新增音乐、图画课，其成绩作一门学科计算。”

1965年4月，省教育厅通知：“全省春季使用的初中一年级音乐试用教材第二册、初二年级音乐试用教材第四册因内容有错误，不适宜作教材，决定停止使用。将师生使用书收回就地销毁，损失书款由学校在学校经费内报销。”是学期初中一、二年级音乐课选教《大海航行靠舵手》《社会主义好》《我们走在大路上》等25首革命歌曲。

1959—1966年，只在初中一年级设1节音乐课，其他年级未设。

1967—1977年，音乐课改称“革命文艺”，在初中各年级中设2节，高中未设。

1977—1993年，初中一、二年级设音乐、美术课各1节，初三和高中未设。

1994年，国家教委通知，在初中一、二、三年级设音乐、美术课各1节；在普通高中开设“艺术欣赏”课，分音乐欣赏课和美术欣赏课。瓮安中学在高一、二年级设课。

1995年后，瓮安中学逐年有学生考入音乐、美术艺术学院。学校开始关注体艺学生，陆续配齐教学设施和教学人员，对爱好音乐、美术的学生加强辅导。

2001年，高中一、二、三年级每周设置艺术课（音、美）共1节，为必修课。2000—2003年，考入音美学院的学生达50人。

2005年3月，中国教育学会、中国教育报联合举办“第七届世纪之星少年儿童美术书法摄影教育成果展”。瓮安中学获金奖13名。其中，学生美术金奖11名，教师美术金奖1名，教师摄影金奖1名。银奖11名。其中，学生美术银奖8名，学生书法银奖2名。教师论文银奖1名。5月23日，朱劲豪同学参加“黄果树杯”首届多彩贵州歌唱大赛获通俗组唱法优秀奖。

2006年6月，瓮安中学选拔测试音美特长生，27人参加音乐测试，53名学生参加美术测试。是年，县政府主办“开磷杯”多彩贵州旅游商品能工巧匠选拔大赛，学校赵泽钦、陈刚、唐光正3位教师的美术作品获奖。

2007年5月，瓮安中学团委组织排练6个文艺节目《竹林深处》《印度舞》《龙拳》《站在高岗上》《向往》和《valtnti》参加“多彩贵州”舞蹈大赛瓮安赛区海选赛，《站在高岗上》获现代当代舞三等奖，并代表瓮安县赴都匀参加州“多彩贵州”舞蹈大赛。是月，石倩等10名同学在校园“十佳歌手”决赛中，获“十佳歌手”称号。黔南州举行交通安全漫画作品大赛，瓮安中学陈刚老师的作品《禁》获二等奖、《新编崂山道士》和学生江乾的《难兄难弟》、邹青的《千脚观音》获优秀奖。这4幅作品与陈刚老师的《血盆大口》，学生柯依楠的《死亡提速》、李仕秀的《不堪负重》、黄万丽的《把握生命进程》、胡芳的《绝处难逃》、赵显杰的《爬车》《防堵设施》《断桥》、邬青的《羊入虎口》13幅作品入选瓮安道路交通安全漫画展出作品并送州展出评比。9月，伍廷伟同学在“放飞梦想”全国青少年儿童优秀艺术人才选拔大赛贵州赛区总决赛管乐青年组中获一等奖，进入全国总决赛，获全国总决赛器乐类巴呜（簧管乐器）专业青年 A 组金奖。是月，黔南州国家税务局组织“税务连着你我他”漫画大赛，陈刚、唐光正老师各选送 4 幅作品参赛，陈刚创作的《悔恨的泪》获奖并在省国税局举办的漫画大赛中获三等奖。10 月，县离退休干部局、关工委、老年书画摄影研究会联合组织“瓮安县庆祝十七大群众书画笔会”，瓮安中学教师的 15 幅美术作品、7 幅摄影作品，学生的 68 幅美术作品参加展出，学校获组织奖，陈刚、唐光正、郑义老师获优秀辅导奖。是年，86 岁的老校友张骏夫（毕业于瓮安中学 11 期，后毕业于黄埔军校 19 期）将《张骏夫印集》赠送给母校。

2008 年 3 月，瓮安中学为落实教育部《关于推广第一套全国中小学校园集体舞的通知》精神，组织高中一、二年级 32 个班 2008 名学生参加“青春风采”和“校园华尔兹”2 个校园集体舞比赛。5 月，学校第二届校园“十佳歌手”大赛，49 个班 259 名选手参赛。是月，学校举行“迎奥运师生花鸟工笔画展”。10 月，黔南州《第一套全国中小学校园集体舞》录像比赛，瓮安中学选送的录像获高中组三等奖。

2009 年，瓮安中学举办“三棵树”杯第三届校园十佳歌手大赛，孔瑞等 11 位同学获校园“十佳歌手”称号。学生董念、金沙等同学表演的舞蹈《梁祝》在全县中小学文艺会演活动中受到好评，学校获得组织奖，钟兴云、肖洁 2 位老师获节目编排辅导奖。10 月，县普法依法治县办公室、司法局、教育局联合举办青少年法制征文法制漫画比赛，陈刚、唐光正、赵泽钦辅导的学生漫画作品囊括高中组全部奖项，学生李顺凤的《书法》获一等奖，林健的《所谓“复仇”》获二等奖、杨秀奎的《现在的我们》、钟仁乾的《万能的钥匙》、王娟的《跨“栏”高手》获三等奖、梦友青的《放生》获优秀奖。音乐美术教师在教学实践中总结出许多可贵的经验，先后在瓮安中学校刊《教书育人》上发表。有盛敏《钢琴电子琴学习之我见》，钟兴云《数字化教学手段在声乐教学中的运用》和《谈歌唱中的舞台表演》，肖洁《歌唱中的情感与吐字》，赵泽钦《美术教学中学生非智力因素的培养》，陈刚《学慎始习，功在初化》《略谈中国古代人物画》欣赏、《怎样欣赏中国古代花鸟画》和《开展课外艺术活动与培养学生能力的作用》，唐光正《美术欣赏课现状的思考》和《浅谈美术与周边学科的联系》等。是年，考入音美学院的学生达 59 人。

截至 2010 年，共有 286 人考入音乐美术院校深造。

2011 年 3 月，县教育局举办题为“阳光·成长”全县中小学生、幼儿园书画现场比赛，唐光正老师指导的学生李贤霞获高中组绘画第一名。5 月 7 日，全校书画比赛，110 名同学参加。是年，举办第五届校园十佳歌手大赛，170 名参赛，范信一等 10 名选手获校园十佳歌手称号，董汶源等 11 位同学获校园优秀歌手称号。

2012 年 5 月，县教育局举办第二届全县中小学幼儿园现场书画比赛，瓮安中学学生吴迎荣获高中组绘画一等奖，王建获二等奖，赵坤获三等奖，其余参赛学生获优秀奖。是年，瓮安中学举办第六届校园十佳歌手大赛。11 月 11 日，学校举办 180 年校庆文艺晚会。

2013 年 4 月 27 日，瓮安中学文艺代表队参加县文化馆举办的“百姓大舞台”文艺会演。是日，在县局举办的县中小学生（幼儿园）书画大赛中，瓮安中学学生池顺明获高中组软笔书法一等奖，伍星翰、杨胜松分别获高中软笔书法二、三等奖，冉应琴、龙章洪分别获硬笔书法二、三等奖，刘兴蔚获绘画二等奖，滕建新、徐胜、蔡东获绘画三等奖，学校获书画大赛团体一等奖。11 月 4 日，瓮安中学举行“星辰传媒”杯舞蹈大赛，展现文化艺术活动，《吉宇鸟》获一等奖。

第十二节 安全、劳技

一、安全

1956年6月，普定初中学生张显光等私自作爆炸性东西之实验发生伤害事件。省教育厅通报各校就学生安全的问题提出意见：加强对学生的思想教育，教育学生遵守学校规章制度。加强对学生科学活动的指导，建立制度，注意安全教育和实验中必须按操作规程的教育。学生科学活动所用药品及工具，应统一由学校负责保管，仪器、药品专人管理，根据制度取用，各学校对实验药品的保管使用制度的执行情况，应进行检查。在体育锻炼及公益劳动中，也要严防伤害事故发生。有病不能作过分运动和劳动的学生，学校应特别予以照顾。夏令时间已至，天气逐渐炎热，对于学生的游泳问题，也必须做好组织和教育工作，以防止意外事故的发生。瓮安中学遵照执行。

1960年5月28日，县文教局发出《关于加强教育学生不要乱吃野生植物的紧急通知》。学校对全体师生进行安全教育，并写出材料向上级报告候请处理。

1964年7月，瓮安中学传达学习教育部《关于部分中小学生伤害事故的通报》，组织各班级讨论制定具体安全防范措施。

1988年5月11日，省教育委员会下发〔1988〕黔教普通字节93号《关于防止中小学发生意外事故的通知》，要求各校除加强危房改造减少不安全因素外，还须注意：组织人员对学校危房进行一次全面检查，采取措施，排除隐患，确保师生安全。各校要普及防火、用电安全知识，教育学生不玩火，尽一切努力将火灾发生率降到最低限度，保证校舍、森林以及师生人身安全。学校组织各类校外活动，要制定严密的安全措施，在选择活动地点、交通工具、驾驶员以及路况等方面都要作缜密的考虑，严防意外事故发生。教育学生不要私自下河游泳，更不要单独下河。学校组织学生游泳要制定防范措施和准备救护器材，选择熟悉水况的地段开展活动。瓮安中学遵照执行。

1991年4月9日，学校认真组织学习国家教委办公厅编发的《中小学安全须知》，并实施教育局《加强安全教育和防范措施意见》。

1999年6月，瓮安中学贯彻州教育局重申和强调中小学安全教育工作的要求，组织师生学习《中小学安全须知》及国家、省、州有关文件精神，制定和采取安全防范措施。对学校教学楼、学生宿舍、食堂、围墙、厕所等经常活动的地方进行检查和维修。强调注意交通安全，防止各类事故发生；加强卫生防疫，防止食物中毒；举行大型体育比赛、文艺演出，要安排医生值班，有急救措施，注意防火及用电安全；教育学生做家务时，防止煤气、液化气中毒或燃烧爆炸以及触电等事故。加强学校卫生保健工作。学校食堂、学生宿舍要保持清洁卫生，防止食物中毒。

2001年，瓮安中学制定的消防安全制度，要求各班级和教师宿舍楼必须订立安全消防公约，强调教师家庭用火要符合消防安全要求，使用管道燃气必须由燃气公司专业人员安装，严禁私接私搭。学生宿舍内不准乱拉乱接电线，不得设置临时插座，禁用电炉、石英炉，禁用明火，不得使用电热毯。实验室的易燃易爆化学危险物品必须做到专人专柜专门管理。全校师生必须爱护消防设备器材，如有损坏照价赔偿。固定假和寒暑假规定专职人员值班，巡逻队负责夜间巡逻，值班人员和巡逻队员须认真履行职责。实行每年四次的自检和年度检查评比，对执行消防制度好的师生员工及宿舍、班级进行表彰，对消防意识淡薄、不充分考虑执行消防制度的除通报批评外，还将评比结果纳入年度考核。对承担经营者违反制度造成灾害的，除赔偿损失外，会同公安消防机关按《治安管理处罚条例》处理。制定“学生安全制度”，内容有：不在校园内奔跑追逐；不爬墙爬树、爬阳台上的栏杆；不玩火、玩电、玩火药、爆竹；不带木棒、小刀、匕首、气枪等利器进校园；未经老师和家长批准允许，不下河游泳，不下水捕鱼；不在公路上学骑车，不骑单车载人；不在上学和放学路上玩耍、逗留；不在井沿、变压器旁、高压电线下等危险地方玩耍；学习期间不玩电子游戏；不喝酒、抽烟，不看黄色书画，不搞不正当活动。此外，瓮安中学还与走读学生家长签订安全责任承诺书。

2002 年，教育部要求学校举办者应当提供符合安全标准的校舍、场地、其他教育教学设施和生活设施。加强安全工作，落实预防学生伤害事故的措施，妥善处理伤害事故，维护学校正常的教育教学秩序。学校应对学生进行必要的安全教育和自救自护教育，建立健全安全制度，采取相应的管理措施，预防和消除教育教学环境中存在的安全隐患。瓮安中学遵照执行。

2004 年，县人民政府、县教育局以瓮安中学为试点，将“消防进校园”活动纳入全县社会消防安全管理目标。学校成立以校长黄栋贵为组长、副校长谭敬昌为副组长的安全教育工作领导小组，及时组建工作责任心强的一支消防宣传队伍。采取分工合作的办法，按照消防要求做好消防安全群防群治工作。9 月 4 日，在全县中小学消防试点工作现场会上，瓮安中学作了题为《教育一个孩子，带动一个家庭，影响整个社会》的经验交流。学校要求老师将消防安全教育工作当作学生素质教育的一项重要内容来抓。安排专人上消防教育课，课时上总课表，每月 1~2 节。以点带面，学校党支部和行政领导带队检查消防安全情况，各科室对教室及重点防火部位进行全方位检查。根据检查发现问题召开专门会议，分析研究各种消防安全情况，拟定消防工作计划及各种措施方案，和各处室、班主任签订责任书。建立健全规章制度。学校在县消防队的指导下，起草 24 种规章制度。签订消防责任书，进行宣传教育，做到家喻户晓，人人皆知，条条落实。完善各种消防设施。学校按消防要求投入 1 万元购置各种消防设施、器具，安装在学生公寓、办公楼、实验室、电脑室。教学楼和学校操场安装消防栓 4 具，并将宣传牌和警示牌固定在教学楼和操场较为醒目的地方。定期开辟消防安全教育宣传栏或请县消防大队同志到校有针对地给学生上消防安全课，保证学生所学到的消防知识能够用到日常生活中去。定期演练、自防自救。3 月 29 日，县消防支队官兵到学校举行“学生消防安全意识”启动大会。4 月 13 日，学校请县消防大队官员 10 余人到学校进行灭火演练，指导学生现场灭火。组织高一年级学生近 900 人到县消防队进行参观，接受高楼灭火、高楼自救的直观性和针对性的消防教育，使学生懂得消防安全的重要性和学习消防知识的必要性。11 月 24 日，省消防安全工作检查组到校检查工作，对薄弱环节提出整改意见。是日，州工商局对食堂、饮食摊点等进行证照检查。

2005 年 5 月 11 日，学校邀请县食品卫生监督所对学校经营饮食从业人员进行食品卫生知识培训。9 月 6 日，瓮安中学贯彻县教育局《关于加强学校安全工作的实施意见》，组织安全教育报告会并全面检查安全设施，落实目标考核和责任制，签订安全责任书，发布告学生家长书和制定班级安全公约。是年，雍阳镇党委政府授予瓮安中学“安全文明小区”称号。

2006 年 4 月 18 日，学校组织学生赴县消防中队观摩消防队员进行消防演习，了解各种消防设施的应用和保护，学习消防知识，增强消防意识。

2007 年 6 月 19 日，学校做出《瓮安中学严禁在校园内摆摊设点的规定》：自 2007 年 8 月 1 日起，取缔一切零散饮食摊点，不允许任何人以任何理由在校园内摆摊设点经销商品。学校食堂委托给四川弘学教育后勤管理服务中心统一管理。9 月 25 日，瓮安中学牵头编辑的《学生自护自救安全常识》发到全校 3000 多学生手中。12 月 21 日，省综治委秘书长、省法院副院长李健率领检查团到学校对创建平安校园工作进行检查。是年，黔南州交通安全漫画作品大赛，陈刚等师生的 13 幅作品入选瓮安道路交通安全漫画展出作品，并送州展出评比。

2008 年 1 月 15 日，瓮安中学制定《学生城市公共安全教育管理规定》。5 月 9 日，学校发出《关于参加全县中小学安全教育知识竞赛活动的通知》，教师按学科组、学生在本班进行笔试，成绩统计册在 6 月 2 日上报教育局办公室。

“六二八”事件发生后，学校加大安全保卫工作力度。保卫人员在片区民警的指导下，及时与县公安局治安大队、雍阳镇派出所联系，对校园周边的茶棋室、网吧等进行明察暗访，及时责令其关闭。对学校门口几家未经学校允许擅自给学生及社会闲杂人员办理过学生出入证的打印室业主给予警告。在片区民警的带领下，学校与周边租房房东联系，签订学生租房安全责任状，并对租住房学生进行登记，记录房东的姓名及电话，便于随时与房东联系，排查校园周边租房的社会闲杂人员，防止不法人员混进校园。同时，进行校园安全大检查，对学校安全隐患、火灾隐患进行排查。

10 月 10 日，瓮安中学成立食品卫生安全领导小组负责食品安全工作。分管领导实行定期检查，发现问题及时整改。层层落实管理责任，规范管理，特别强调日常监管责任。组织食品卫生安全的相关人员学习教育部、卫生部《关于加强学校卫生防疫与食品卫生安全工作意见》和《学校食堂与学生集体用餐卫生管理规定》及县教育局《关于进一步加强食品卫生工作的通知》，学习食品卫生安全方面的法律法规，增强法律意识。学校制定《食品卫生工作领导与管理人员职责》《厨师岗位职责》《保管员职责》《学校食品卫生安全管理制度》《食物中毒与疫情报告制度》《食品卫生责任制度》《食品卫生安全检查制度》《食品卫生安全检查监督制度》《食品验收制度》《食品采购、贮存及加工卫生要求》《餐饮用具消毒管理制度》等。学校与食品卫生安全相关人员签订目标责任书，杜绝安全事故的发生。包干负责的领导定期检查，对存在的问题及时提出整改意见并督促整改。炊事人员必须到县防疫站进行体检，执证上岗，统一着装，食堂实行戴证服务。学校伙食团设施齐全，力争达标。事务采购，做好“购物登记”，并由专人保管，以防止霉变和投毒。伙食团要坚持饭菜品尝采样制度和消毒制度，并做好记载。开展食品安全教育，普及食品安全知识，在校园网首页设站食品安全专栏。值周领导每天对学校食品卫生安全工作进行检查，每月一小结，期末总结。

2009 年，学校做出安全规定：班主任要加强安全教育，增强避险自救能力。上、下午，晚自习最后一节上课的教师，下课时要组织学生按该班疏散路线有序离开教学楼。学生要强化珍爱生命安全意识，不在教学楼内嬉戏、追逐、打跳。如发生踩踏、斗殴、停电等事件，现场教师要及时报告值周领导，尽己所能控制事态发展。值周领导、保卫要及时赶赴现场进行科学处置，当班老师要维护好该班学生秩序，有效防止安全事故的发生或事态的进一步恶化。保卫在放学时段要加强教学楼、校门等重点部位的巡逻，防止安全事故的发生和及时处理各种安全事故。电工要做好应急设施的定期检查、保养，确保安全无损。学生使用自行车、电动车等交通工具进出校门要推行，在校园内要慢行，避免学生流量大时使用交通工具。

2010年，学校开展“树立安全意识，营造平安校园”主题活动。要求每位宿管员和学生都要树立安全第一的意识，保证学生休息、生活场所的安静、安全。每月宿舍管理员、学校保安进行宿舍安全检查，检查内容包括床、床板、电线、消防栓、灭火器、进门户安全指示牌等设施、设备，包括学生个人有没有不该带的刀棍，不健康的读物等。组建护校巡逻队，配备服装、拟定职责与义务，制定校园护校队应急方案，巡查学生按时休息情况，检查学生纪律、卫生。同时，协助学校、政教处开展全校师生应急、疏散演练活动。是年，省食品安全卫生检查组到校检查食品外观，并对内部加工车间、储物间、食品柜、留样柜、销售柜等进行检查。11月，全校200余名教师参加“消防安全进家庭”知识讲座。12月，州政府秘书长带州消防支队专家及各方面人员组成消防工作检查团到学校检查。

2011年，学校安装使用校园监控，红外线防盗系统，并加强对门卫工作人员的职业道德教育，落实门卫工作责任制。对学校的消防、电器线路等公共设施进行经常性的全面检查。按照治安危险物品管理规定，加强对实验室化学药品的管理，接受公安局治安大队的检查验收。学校先自行招聘使用保卫人员，后又协调至保安公司管理。搬入新校区后，指导师生车辆停放，校园井然有序。勘查学校各楼及周边地形，确定学校的安全隐患重点，做出相应的应急措施。认真登记消防器材，熟悉学校消防设施的配置及安装情况。学校保卫队尽快熟悉校园监控系统配置点，请消防人员进行现场指导操作。11月，副校长周遗贵代表学校出席瓮安县冬季防火工作电话会议暨第四季度消防联席会议并作《筑牢消防安全防火墙，确保校园平安和谐》的经验交流。100余名参会领导到瓮安中学现场参观“防火墙”工程建设情况。12月，州政府消防支队专家到校检查工作。是年，学校被评为消防安全先进单位和消防资料完善及设施维护先进单位。

2013年3月，学校向县编委递交《关于增设工勤人员岗位及招考保安保卫人员、水电工的请示》，请县编委增设一定的工勤人员岗位，并准许向社会招考1名专业水电工、3~5名治安保卫人员。是月，学校会同相关单位，将学校周边流动摊点重新规划至校门100米外的地方。8月，省教育厅基教处吴玉松处长、省基教处苏联俊、何福远主任一行对瓮中消防、食品、交通、周边环境等安全工作进行仔细检查。是年，校园内无重特大安全事故发生。

二、劳技

民国时期，学校初高中都开设了劳作课程。男生初中一年级学木工，二年级学金工。三年级分组：甲组金木工，乙组藤竹工，丙组土木工，丁组农业。初中女生以家事为内容，使学生对于家庭事务获得正确的认识，对家庭中衣食住行及保健、护病、育儿、园艺、家庭管理等事获得必要的知识技能，以养成应有家庭日常工作之良好习惯。第一年学习家庭之组织、环境、经济、教育，衣服的原料、选购、简易裁缝、洗涤、修补、保存及编织、刺绣。第二年学习食物与健康、食物的营养、选购、烹调、保存、食具清洁管理等知识，学习住宅的环境卫生、选择、家园布置、蔬菜花卉栽种、畜禽饲养、人事工作管理等知识。第三年学习孕妇产褥卫生、婴儿健康、保育、教育、游戏，学习护病、急救常识及传染病之预防护理、饮食调制等知识。高中男女生劳作课扩宽加深。学生在实习中自制藤竹器具，用麦草稻草编制帽子扇子，用铜砂黏土制作陶器。

民国 20 年（1931 年），教师魏子修、李超凡等指导学生制作天平、脚规、直尺、三角板等教具数十件。

民国 28 年（1939 年），教师方宜德等指导学生制作教具百余件，并大量采集动物、植物标本，仅鸟类标本就达 40 多件。最好的教具和标本送到省里展览。

民国 30 年（1941 年），瓮安中学响应省教育厅号召，利用学校空地种植玉米，生产粮食支援抗战。

1954 年，瓮安中学开展劳动教育，清除轻视体力劳动、轻视劳动人民的思想影响，逐步养成热爱劳动的习惯，尊重劳动人民，树立正确的劳动观点和态度，提高劳动兴趣，增长劳动知识技能。

1957 年冬，瓮安中学组织师生参加修建新华大沟和梅花堰水库的劳动。

1958 年，省教育厅制发 1958—1959 学年度教学计划，规定高、初中各年级增加生产基础知识课。初中以讲授农业基础知识为内容，可以在初中二、三年级开设，讲授 2 年。还可以结合实际情况讲授木工、竹工、钳工、铸工、车工、电工、化工、缝纫等生产基础知识，使学生具备普通劳动者应有的知识和技能。除农业基础知识教材省教育厅编印外，其他各种生产知识的教材，由学校派老师到厂矿和手工业社联系，边学习边编教材边教授，或请厂矿技工到校兼课等办法解决。生产基础知识课的教学，要求课堂讲授与实习并重，讲授与实习的课时分配比例约为 1∶1。各年级增设劳动课，让学生经常参加体力劳动。劳动时间，公办普通中学每周以不超过 1 天为宜。假期劳动，城市普中全年 4~6 日。劳动中教师特别是班主任应对学生的劳动观点、劳动态度、群众观点、自觉纪律、集体主义精神、勤俭朴素、刻苦耐劳等方面加以经常的考核记录，作为评定学生操行成绩的一个重要方面，不单独作为 1 科计算成绩。

1958 年 4 月，县农场拨田土 20 亩给学校做试验地。在生物老师指导下学生种植大窝苕和稻谷，上山拾牛粪，割马桑苔作底肥。秋后水稻亩产达到千斤。是年，全校师生停课搞跃进。在南门坝搞深耕，在中学附近的漆树林一带日夜赶筑高炉炼钢铁。一个多月后完成任务返校时，每人带一挑木炭送到西门外官山坡钢铁厂。是年，由于办学经费紧张，有的资金需要学生勤工俭学来筹集。学生每星期六下午拿着自己编制的煤炭筐，到白水河、野猫洞、大洞口、稗子冲等地为学校食堂挑煤。每个假期，学生以挑煤炭卖为主业，或自由组合去砍柴火，或搞搬运，帮供销社、商业局、土产公司、粮食烟酒公司把日用百货、烟酒糖、盐送到未通公路的平定营等乡场，再将当地农副土特产品运回县城。每个参与者除途中餐，一天可收入 3~5 毛钱。此外，有的学生为学校校舍建筑挖基础、运土方、抬砖石来筹集下学期的学杂书本灯油费用，有余时添买自身的鞋袜衣物。

1959 年，学校种蔬菜 20 余亩，养猪 24 头，家禽 200 余只，制作教具 410 件，开荒种苞谷黄豆 234 亩，支援公社 7917 个劳动日。

1960 年，师生们将学校周围的许多荒地开垦成菜地，收获的蔬菜被送到食堂改善师生生活。

1962 年 4 月，省教育厅通知，各年级均应在该学期教完农业基础知识全部教材内容。8 月，各校根据具体情况安排集中劳动或者分散劳动，结合学习一定的生产知识和技能，不再单独开设农业生产常识课。瓮安中学遵照执行。

1963 年 3 月，中共中央发布《全日制中学暂行工作条例（草案）》，规定学生参加生产劳动，主要目的是养成劳动习惯，培养劳动观点，向工农群众学习，克服轻视体力劳动和体力劳动者的观点。同时，在劳动过程中学习一定的生产知识和技能，扩大知识领域。不得把劳动作为惩罚学生的手段。瓮安中学遵照执行。

1964年秋，瓮安中学组织师生下乡同贫下中农“同吃、同住、同劳动”。学校安排初一年级新生，是农业户的回家参加集体生产劳动，非农业户学生和初二年级大部分班级学生，在学校周围附近生产队劳动，早出晚归，在校食宿。初三以上和初二5班共7个班连教师共250多人到平定营、茅坡、银盏3个公社28个生产队劳动，住在贫下中农家里（每户住2~3人），与贫下中农社员同吃、同住、同劳动。每班配有3~4名教师，每片都有学校领导。学校先与区、公社联系，征求意见，取得支持。

1965年8月，省教育厅在1965—1966学年教学计划中对劳动安排如下：分散劳动1周，集中劳动3周，高中毕业班上、下学期各1周。

1971年5月，瓮安中学“五七”指示，建立起“五七”教学仪器厂，以落实师生学工需要。

1972年起，学校陆续在梓木林空地上兴建厂房两幢，设立有铸造、金工、木工、电镀、油漆、砖瓦（仅办1年）6个车间，以生产教具为主。教职工领导管理，请师傅传艺，学生劳动学工学艺，年产值几万元作学校勤工俭学收入，新建厂房1000多平方米，添置车床多台及其他设备。

1973年，瓮安县召开劳动模范大会，瓮安中学“五七”教学仪器厂作为集体劳模参会。

1976年除夕，“五七”教学仪器厂铸造车间用了3小时完成近170箱砂型的浇注。县委常委莫让敏、教卫办主任蒋润生、副主任韩振廷和入驻瓮安中学工作组组长宋仕农、县教育局局长赵永庆等领导深入车间指导。

1977年3月9日—17日，西南地区云南、贵州、四川、西藏教学仪器生产、供应协作会议第二次会议在昆明召开。瓮安中学派出代表出席这次会议，作了题为《坚持党的基本路线，在斗争中办好校办工厂》的典型发言。瓮安中学生产的“工农12型手扶拖拉机主传动装置”和“手摇离心抽水机”列为大区协作的主要产品，与云南、四川签订了1977年度的供应合同。

1987年，国家教委颁布《全国普通中学劳动技术课大纲》，提出开设劳技课，使学生初步掌握一些通用的职业技术基础知识和基本技能，学会一些工农生产的基础知识，掌握某些使用、保养、维护生活和生产用具的基本技能，了解一些工农业生产科学管理常识。提出建立劳技课的考勤、考核制度，评定成绩，并作为升级、升学和评定三好生的依据。瓮安中学遵照执行。

1992年，省教育专门通知《贵州省普通高中劳动技术课本》为1992届高中毕业会考考查内容之一。各校根据实际情况，在高中阶段选教2项以上劳动技术课目参加考查。瓮安中学对1992届高中毕业会考劳动技术课确定考农作物病害和虫害及防治原理和方法，将概念、原理和具体内容（包括实际操作）结合起来考查，要求学生有重点地学习和掌握水稻、玉米、小麦、油菜、烟草等病虫害及防治方法。考查以实际识别、操作为主进行。再考土壤和肥料，土壤的概念、形成、分类、胶体和肥力的基础理论及改良方法，肥料的分类，无机与有机肥料配合技术、依据和原则。重点放在土壤的肥力、改良和肥料的配合、施用依据和原则等部分内容。

1992—2013年，瓮安中学劳动教育形成制度。每周星期二、星期五下午组织卫生大扫除，每天各班级都安排了值日打扫教室。学生基本具有自我服务、参加生产劳动、社会公益活动和搞家务劳动的习惯，生活能自理。毕业前，学生初步掌握农作物的栽培、保护、防病，服装的裁剪等技术。瓮安中学劳技课有教材，列入课表教学、有成绩考核记载。还把职业技术教育渗透到平时的教学活动中，使学生在接受文化教育的同时接受职业技术教育。学生热爱劳动，95%以上的学生养成参加社会公益劳动的习惯，劳技课高中毕业会考合格率多年达100%。100%的学生参加过1个月以上的劳动技能培训，合格率达98%以上，并获得劳动技术培训证书，达到劳动技术培训的目标要求。观察劳动课、劳技课均有场地。后山坡是学生绿化场地，供学生栽种树木。各班花池是学生美化园地，种植奇花异卉，四季飘香。教室、办公楼、操场、跑道、宿舍是卫生场地，时时打扫，保持干净清爽宜人。理、化、生实验室是学生劳技课场地。

第十三节 教学研究

一、教研组

民国时期，瓮安中学的教师在教法上主要采用讲演式和注入式。衡量教学主要看教师对教材的准备和言语的明晰程度。部分教师也用启发式教学。

民国14年（1925年），中华民国教育部检发《省市中学师范教育研究会办法大纲》，令各省教育厅、校设置教育研究会。

民国16年（1927年）以后，教育部制定中等学校教学研究讲习及讨论会等办法。

民国24年（1935年）起，学校各科教员开展教学方法的探索和研究。

民国26年（1937年），教育部抄发各省市中学教育研究会第二次研究问题举例1份，省教育厅转发这份举例，令省立瓮安初级中学分别进行研究并将结果填报汇转教育部。

民国27年（1938年），瓮安中学将《训育及教材问题研究》报告省教育厅。

训育实施全体训话次数不宜过多，时间不宜过长，内容应简明，以增强意识。个别谈话应与全体训话相辅而行以收个别指导实效，师生相对易使学生诚恳接受。学生集会组织应偏于战时工作指导，发挥确实效能，善为辅导，事后检讨。校长选定导师应考量导师品德、学识、训导能力而收因势利导之效。导师指导范围应详密规定，师生打成一片，尤贵以身作则，导师应重于家庭访问。学校居于乡村，学生年龄在15岁以上者约占80%，多来自农村，体格较强健，故实施军事（童军）管理适得其当。学校因地制宜，劳动服务注重土木方面，如扩展操场、修沟补路以补助学校建设，改变学校环境。教师与学生共同工作，多制实用器皿，利用废物，如麦秆稻草编制帽子、扇子等，就地取材用铜沙黏土制作陶器自用，提倡手工业，增加实用价值。在新生活原则下，师生衣食住行共同一致。在公民训练和新生活实践方面，教师以身作则尽量使学生能知能行，言行一致。

教材公民科1小时甚短，应增加。内容政治部分充分，经济部分过于简略，法律部分尤缺，似应充实。抗日战争期间应编补充教材培养应有常识及德操。校内生活实行知行合一，校外政治社会部分于教学时举例说明，指示学生将来立身处世应取途径。国文科在抗战期间应选有关抗战文艺教授学生以发扬抗战精神。阅读范围应符合下列五个原则：能引起学生抗战情绪培养民族意识；能充实学生对世界大势民族地位的认识；能促进学生身心修养；程度适合于中学生；历史地理课时不能减少，两科教材内容应尽量吻合，使教学时引证便利，相得益彰，引起兴趣。

授课时数六年一贯制中学教学科目时数审慎周密，契合时代与环境要求，惟六年制中学第一学年算术教学时数 3 小时觉少，盖算术为一切计算之基础，不可不多加练习，拟仍照现行标准规定每周授课 4 小时。又初中不学外语，学生可学习地方经济并要一并加入职业科以期求得切实技能，便于毕业后不能升学即可入世谋生。

民国 30 年（1941 年）5 月，教育部制定《中等学校各科教学研究会组织通则》，令各校组织各科教学研究会。各科教学研究会分为一般的与专业两种：一般的为国文、算学、外国语、社会学科（包括图画音乐）、劳作家事学科（包括看护）、体育学科（包括体育、童军、军事）教学研究会；专业地为教育学科（师范学校得分组设置）、技术学科（职业学校得分组设置）教学研究会。各科教学研究会开展下列工作：课程标准实施结果、教学方法研究、补充教材选择、乡土教材撰集、教学教参用书选定、每学期教学进度的预定、实验实习的规划指导、教学及实验实习设备规划、教员进修、学生课外读物及指导、学生课外作业规划指导等教学研究事项。应侧重各科教材与教法的改进以谋提高教学质量。

1950 年，省政府教育办公室规定，中学在教导处统一领导下成立各种教学研究小组探讨指导教学工作。瓮安中学以提高教学质量为中心开展教学研究工作。语文课着重研究如何发掘教材的思想性结合实际向学生进行政治思想教育的问题、语言教育和推广普通话的问题、词汇教学问题、阅读教学问题、作文问题、写字教学与课外阅读指导等问题；数学科着重研究算理和基本运算法则的教学问题，如何结合政治、结合生产以及如何培养学生逻辑思维、口算能力与熟练的技能技巧等问题；政治科着重研究选编教材、教学形式及如何结合学生实际进行教育的问题；生产劳动课着重研究生产内容、教学形式、时间安排及如何贯彻教学、科研和生产劳动三结合的问题。

1952 年，瓮安中学加强教学研究小组工作，实行半月 1 次的教学检查。要求教师作好教学计划，掌握好教学进度，避免“前松后紧”或“前紧后松”的现象。依据教材根据学生接受能力提出目的要求，拟定教学重点，规定教学进度，提出教学步骤及作业效果检查办法。要求教师以班为范围，以科为重点，每人先拟定出 1 科交教研组讨论修正实行，布置作业适当，照顾全面，不可偏轻偏重，并应到班辅导。由教研组决定进行观摩教学，各组以 1 科为单位，普遍推行，并及时做出总结。瓮安中学班级少，教师不多且授课科目多，主要靠个人钻研，只有带普遍性的问题才共同研讨。

1953 年，瓮安中学分 3 个教研组进行教学研究指导教学工作。语文教研组由教导主任、语文、外语、音乐、美术教师 7 人组成，自然科学教研组由数、理、化、生 7 位教师组成，社会学科组由政治常识中外史地教师 4 人组成，都实行集体备课。听课分小组观摩、公开教学和互相听课 3 种。每人每学期至少互相听课 5 节并做好记录。教研组对学生的知识能力和教师的工作进行检查评比，学生的作文、作业、半期、学期测验、朗读、答问及时记入成绩册。组织各班科代表、学习委员座谈对教学的意见要求，以改进教学。教研组对试卷、半期、学期成绩的评定要加以复审避免学生成绩评定偏松，不足以反映学生知识质量，偏紧有损于学习积极性。

1962 年，教研组提出教学改革要做到“思想积极、行动稳妥”，并用三基（基本知识、基本理论、基本技能技巧）、四性（科学性、系统性、量力性、直观性）搞好教学工作，做到四多（多想、多读、多讲、多做）、四好（预习好、听课好、复习好、练习好）搞好教学改革。在教学中采用“少而精”“启发式”教学。

1980 年，瓮安中学在教学工作中发挥教研组作用，每 3 周开展一次教研活动，每个教研组应有 2~3 个研究专题并搞出成果，用以指导各科教学。教研组长经常检查本学科教学情况，定期召开组会，讨论本组教学工作，制定计划，组织公开教学课，组织教师互相听课，总结工作。各教研组要切实落实中考、高考服务工作，召开毕业班教师会，讨论升学和交流模拟试题信息；召开理化生学科研讨会，观摩实验教学和复习课教学；召开语数研讨会，观摩作文教学和数学复习课教学，举行数理化生和高中作文和语文基础知识竞赛。

1987 年，瓮安中学确立教研组长是教研工作的组织和领导者，受学校委托负责组织领导教学研究活动，并规定其职责：制定教研工作计划，在总结前学期工作的基础上，根据本学期工作计划和学科特点制定切实可行的计划，计划中应包括本科教学大纲的学习，教材教法的研讨，如何开展第二课堂活动，教研组会的内容、时间安排等。组织该组教师制定教学进度计划，统一教学进度。检查教学计划的实施情况。教学进度计划要求标明周次、日期、内容、课时数、作业、实验，本期教材的基本内容与系统性的分析，明确提出要掌握的概念（法则、原理、理论、学说），学会哪些基本技能。分析前学期学生对该学科的学习情况，提出要达到的教学要求和措施。主持教研组会，有计划有目的地定期召开组会，并做好教师出、缺席教研会的记录。组会可学习教学大纲，进行典型教育教法的研究，讨论教学中的问题，专题讨论、训练教学基本功等。团结帮助全组教师完成教学任务，提高教学质量。提倡老带青，传帮带。同课头教师集体备课，组织好全组性的教学观摩或经验活动。组织好期中、期末考试和教学质量分析，期末教研组工作总结。通过深入课堂听课，查阅教案，检查作业批改，课外辅导，学科小组活动，听取学生对该学期的教学反映，了解该组教师的教学情况，业务水平，帮助其改进教学工作。管好用好实验室、教具和图书资料，对实验室、教具和图书资料要作定期检查，充分发挥作用。发动该组教师积极制作教具、积累资料，改善办学条件。积极开展第 2 课堂活动，结合该学科特点，有计划开展专题讲座，竞赛、参观访问、调查、采集制作、写小论文、文艺体育等活动，建立活动小组，要防止突击应付现象。教研组长组织教师学习有关教育教学文件、理论、教纲，落实教学科研课题，负责审查半期、学期考试试题。组织安排该组示范课、公开课、汇报课，并做好评课工作。教研组教师病事假，协助教导处安排代课。按时完成教导处布置的各项教学工作。

同时，要求年级学科组长，同年级同课头有教师 2 人以上的设备课组，每组设置组长 1 人，负责该年级该学科的教学工作，组织该备课组教师认真钻研教学大纲、教材，统一教学要求，制定教学计划，掌握教学进度、难度、容量以及作业量，安排每学期的“三课”（示范课、公开课、汇报课）时间。开展教学研究，进行教学改革，主持每周的集体备课活动，研究突破教材难点，落实教学重点及“双基”要求。组织备课组教师相互听课，检查备课和批改作业情况，了解教学质量和效果，听取学生意见，及时与任课教师沟通，协调教学关系。对新教师给予具体、细致、耐心的帮助。组织做好单元测验、期中、期末的命题工作，统考试卷的评阅和质量分析，试卷讲评，客观科学地检查教学质量。组织年级学生参加学科知识竞赛。

1992 学年，瓮安中学按科目设 8 个教研组：语文、数学、政治、物理、生化、史地、外语、音体美。

1996 年 9 月，瓮安中学实行教师聘任制。教研组长、年级组长由教导处任命，任期 1 年，履行岗位责任，享受任职补贴。

2000年后，瓮安中学教师在教学过程中，利用探究式学习方法。每节课讲授不超过30分钟，练习不少于15分钟。

2003年，瓮安中学取消学科教研组，强化年级学科组。全校按学科设立18个年级学科组和文理综合组。每个学科组配有公用电脑，每位教师将自己的备课资料、教学课件、课堂设计、教学反思等放到共享平台上，发挥团队互助、专业引领作用。学校领导联系学科组，处室主任督促学科组，行政领导参加学科组会，督促集体备课落到实处，保证教研活动取得实效。学校建立完善的集体备课制度，规范各学科组的活动，明确校长是校本教研第一责任人，分管校长是直接组织指导人，教务处是实施管理者，协调解决好各种矛盾。年级学科组充分发挥教师在校本教研中的主体作用，在同伴互助交流中扬长避短，博采众长，在凝聚集体智慧中得到升华，成为教研骨干和各学科带头人。年级学科组要开好每周1次的集体备课活动会。

2007年6月，瓮安中学成立学科教研员语、数、外、理、化、生、政、史、地研究小组。各研究小组主要职责：负责本学科备课组的教学常规工作资料的收集、归类，与学校相关部门负责人一起检查本学科备课组的教学常规工作完成情况；负责本学科备课组教学科研活动的计划、实施、落实，收集科研成果推荐给学校两刊发表，优秀的推荐给州级以上的期刊发表；负责学校各年级教学辅助资料的推荐、审查，每学科提供2个优秀版本供学校选用；负责各年级各学科月考，期中试题的命制、审查。

二、课题组

2008年7月，瓮安中学正式成为全国教育科学“十一五”教育部规划课题“提高课堂教学实效性的教学策略研究”总课题组成员，负责“运用多元智能构建素质教育新课堂”子课题组研究。陈友华、游鹏、杨友发、赵俊4位老师被聘为子课题负责人和核心人员，并于7月18日—25日参加总课题科研能力培训及2008年全国中学教育科研全体会议。瓮安中学负责的子课题研究在2010年7月20日顺利结题。“运用多元智能构建素质教育新课堂”研究成果经教育部总课题专家评审为优秀教学科研课题。瓮安中学被评为“教育部课题研究先进单位”并获课题研究二等奖，陈友华等20人获课题研究先进工作者称号。这是瓮安中学独立承担国家级教育科研课题并独立完成研究任务的第一次尝试和第一份科研成果。

2008年8月，瓮安中学语文教研组申报的州级课题“高中语文教学与作文教学的链接”经州教育局审批同意立项，并于2011年经州教研课题评审结题。邬培祥老师负责的这一课题获集体一等奖。

2008年8月22日，中国教育学会“十一五”科研规划重点课题“用电影进行学校艾滋病教育和性健康教育的运用研究”总课题组将瓮安中学申报的课题“课堂电影教学在艾滋病防治教育中的运用研究”，列为总课题的子课题项目，赵俊老师为课题负责人。

12月，中国教育学会重点课题“名师教学思想与教法研究”总课题组审核批准，英语组申报的课题“在英语课堂进行快乐教学的研究”作为中国教育学会“十一五”科研规划重点课题的子课题立项。

2009年1月，瓮安中学英语组在“名师教学思想与教法研究”子课题“在英语课堂进行快乐教学研究”开题进展顺利，效果显著。学校被总课题组授予“中国教育学会‘十一五’科研规划重点课题实验学校”并挂匾牌。1月2日—7日，教务处副主任洪庆平、化学骨干教师赵慕琦参加全国教育科学“十一五”规划教育部课题“提高课堂教学实效性教学策略研究”中期检查交流汇报会暨全国教育科研联合体2009年北京年会，提交瓮安中学2008年课题研究情况汇报和2009年课题研究计划并参与课堂交流活动。2009年10月，瓮安中学申报课题“中学生养成教育研究与实验”被中央教育科学研究所管理处、中国伦理学会德育专业委员会批准为全国教育科学“十一五”规划课题“和谐德育研究与实验”子课题，周洪老师为课题组负责人。全国教育科学“十一五”规划课题“和谐德育研究与实验”课题组副秘书长、中国伦理学会德育专业委员会副主任刘华先生代表贵州指导中心向瓮安中学授牌。2010年8月，德育课题“和谐德育研究与实验”子课题“中学生养成教育研究与实验”评选结果揭晓，刘仁奎等5人被评为先进实验工作者，蔡毅等10人被评为先进实验教师。

2012年，瓮安中学结合全国教育科学“十二五”规划德育课题“整体构建学校、家庭、社会和谐德育体系研究与实验”课题，提出子课题“中学生班级文化建设研究与实验”。

2013年，石世学老师主持申报的省级课题“农村高中实施新课程的难点及其突破”经省教育厅批准立项，为期2年。课题同时被立为贵州省基础教育科学研究、教育教学实验一般课题。8月，课题组编写的课题实验教材《高考英语原题听力集训》出版。

表6-4　　1986—2013年瓮安中学教研成果一览表

时间	姓名	论文名称	出版社名	备注
1986	黄明高	《地理教学中比较法的应用》《我爱家乡，我爱祖国》	《瓮安教研》第5期、《瓮安教研》第13期	省学术论文三等奖、优秀奖
1987	陶义奎	《论物理的浮沉》《补充、丰富、完善》《新教材教学更需要教师创造性劳动》	《初中生数理化》《中学政治教学参考》	
	黄明高	《瓮安乡土地理教材》（初稿）	省地理学会年会简讯	省地理学会论文三等奖
1990	陶义奎	《开拓前进的职工技术教育》	经验交流发言稿	
	孙仲时	《中学物理自学指导》	武汉大学出版社	
	王顺德	《高中历史复习之我见》	贵州历史教学研究会通讯第4期	
	李景辉	《生理卫生的审美教育》《都匀毛尖茶》《追求光明与进步的爱国人士罗宗华》	黔南教院学报第11期、《中国土特产》第6期、《彪炳史册的黔南人》	
1991	周承欢	《怎样列方程解应用题》	贵州人民出版社	共102篇，其中3篇获一等和优秀论文奖
	李凤奇	《从宏观和整体上把握教材》《因材施教 化难为易》《信仰来自对伟大祖国的爱》《用德育导向，靠拼搏立足，努力打好我校文科高考翻身仗》	《州教研会发言稿》、《政治课教学》4期、《政治课教学》、《工作总结》91—92. 1	省二等奖
	黄明高	《改革课堂教学优化复习迎考》	省地理学会1991年简讯第10期	
	黄栋贵	《初中政治的训练与辅导》	《中学生学习报》（初中版）	

续表

时间	姓名	论文名称	出版社名	备注
1993	黄明高	《加强地理课中的德育教育》	省地理学会简讯 92 年第 9 期	
	李景辉	《谈恐龙灭绝的原因》	初中生辅导 92 年第 1 期	
		《有趣的生物气象哨兵》	《贵州教育报》	
	孙仲时	《物理教学中的列表比较法》	物理教学交流会材料	三等奖
	顾大忠	《常见的一种病句型“介宾…使…”》	天津《课内外辅导》	
	李凤奇	《初三政治新教材学习与辅导》	《政治课教学》	
	肖必禄	《数学解题规律 办法 技巧》	北京海洋出版社	
		《高考应试指南》	中国环境出版社	
	黄栋贵	《最新能力培养》	山西经济出版社	
	周承欢	《学习辅导》上下册	州教委教研室	
	黄栋贵	《政治考前指要》	电科大出版社	
	肖必禄	《高考热点、难点分析与训练》	中国地震出版社	
	蒋丹英	《浅谈物理教学中的“三个要”》	《创新教育理论与实践研究》	全国二等奖
	李凤奇	《调整和完善农业生产结构》	黔南教育 1993 年第 2 期	
		《从十四大精神看政治课教学》	《贵州教育报》	州优质课一等奖
		《转化差生“五要”“五不要”》	《思想政治课教学》第 12 期	
		《走向大学之路——高中政治总复习训练》	北京师大出版社	
		《政治课教学要“三为主”“三同步”》	《贵州教育报》	
		《引火烧身好》	《贵州教育报》	
		《谈复习中的战略问题》	《贵州教院报》	
		《努力把德育首位落到实处》	《贵州教育报》	
	刘忠信	《游记有别于其他散文》	贵州《导读报》	
		语文助读系列丛书（1、2、3 集）	贵州人民出版社	任副主编
		《“诸子百家”与“诸子十家”》	《中国语文教学新成果全书》	任副主编
	田景材	《关于立体几何中的一个公式》	扬州师范大学第 10 期	
	顾大忠	《说明方法解说的误区》	贵州《导读报》	
	张安元	《诗一样的语言　诗一样的意境》	贵州《导读报》	
		《要注意动词在文章中的恰当运用》	贵州《导读报》	

续表

时间	姓名	论文名称	出版社名	备注
1993	孙仲时	《重视必修课本例题的功能》	1992 年学术会材料	三等奖
		《运用信息反馈原理控制物理教学活动》	省教研会材料	
		《讲授物理课的几种技巧》		全国物理教改研究会二等奖
	蒋丹英	《浅谈初三物理的复习教学》	山西《教育教学论文集》	三等奖
	王顺德	《科学复习、提高效率》	《中学历史教学参考》三期	
	黄明高	《开展乡土地理教学促进地区经济文化发展》	《地理基础教育研究》丛书	
	李景辉	《浅谈中学生的家务劳动》	《贵州教育报》	
1995	黄栋贵	《公民的权利和义务》		二等奖
	李凤奇	《唱好三部曲、功到自然成》	《黔南教育》	
	顾大忠	《文言文中“动+代+名”结构分析》	《语文天地》	
	邓前轲	《实验》	《中国统计出版社》	
1996	王顺德	《高考历史模拟试题》	《黔南教育》	
	顾晓福	《中学英语学用指南》	《中山大学出版社》	
	陶义奎	《怎样对物体进行正确的受力分析》	省物理教学论文	三等奖
	顾大忠	《浅谈中学古汉语“动+名+名”结构》	《语文天地》	
	邓前轲	《金属与硝酸反应的一条重要规律》	《贵州招生报》	
	李凤奇	《怎样解答论述题》	《黔南教育》	
	邓前轲	《高三化学总复习模式的设计和实施》	《中国化学教学参考》第 8、9 期	
	刘忠信 丁家友	《“3+2”高考必考项知识点诠释·语文》	高考复习用书	任编著
1997	陶义奎	《中学物理教学与分析》	省物理教学论文	
	郑 义	《通情方能达理》	《黔南师专学报》	
1998	蒋丹英	《浅谈初三物理复习》	山西高校联合出版社	
2000	邓前轲	《例法推断限制条件的同分异构结构的思维程序》	《数理化学习（高中版）》第 12 期	
2002	刘忠信	《中国古诗名句、名篇》	高考复习用书	
	刘明林	《巧妙运用叠字增强艺术效果》		州二等奖
	余家品	《构建数学思维解决化学问题》	《黔南师范学院学报》	
	孙仲时	《气体压缩时温度升高演示实验改进》	中国教育论文	一等奖
	邓前轲	《钠与水反应实验的改进》	省化实研讨会	二等奖

续表

时间	姓名	论文名称	出版社名	备注
2003	邬培祥	《班集体中的嫉妒现象透视及矫正》	中华教育论文	
	刘乾坤	《中学生心理素质“六不”》		
	蒋丹英	《情感领域与发展非智力因素》	《创新教育理论与实践研究》	
	陈友华	《用“分离参数法”解释成立问题》	《创新教育理论与实践研究》	
	张元忠	《洋流的成因、分布与判别复习课设计》	2003 年《贵州师范大学学报》	二等奖
	刘忠信	《中学名师指路·高三语文》	山西春秋出版社	任副主编
2004	陈友华	《浅谈数学教学中观摩能力的培养》	第五次全国中学生优秀论文	二等奖
	郑　义	《培养学生健全的人格魅力》	中华教育论坛	全国一等奖
	徐　华	《用几何方法求解一类圆锥曲线的最值问题》	州教学论文	二等奖
	曹植铭	《清朝晚期中国开始沦为半殖民地半封建社会》	省历史学科优秀论文	二等奖
2005	曹植铭	《把课堂还给学生》	全国新概念教育教学论文赛	一等奖
	李凤奇	《浅谈新课教学行为的原则和方法》	全国新概念教育教学论文赛	一等奖
	周遗贵	《对生物高考实验内容复习的思考》	全国新概念教育教学论文赛	一等奖
	陈友华	《高三数学教学复习中存在的问题及对策》	全国新概念教育教学论文赛	二等奖
	游　鹏	《浅谈背景知识的教学》	全国新概念教育教学论文赛	二等奖
	张　琼	《浅谈社会与家庭对实施素质教育的影响》	全国新概念教育教学论文赛	二等奖
	宋志飞	《浅谈如何提高学生的英语学习迁移能力》	全国新概念教育教学论文赛	二等奖
	王成举	《加强化学实验教学开展研究性学习》	全国新概念教育教学论文赛	二等奖
	李　琴	《中学生物教学中“问题教学”以应用和体会》	全国新概念教育教学论文赛	二等奖
	曾　山	《浅谈如何搞好高三高考体育学科训练》	全国新概念教育教学论文赛	二等奖
	毛红艳	《一个“女巫”的追求》	全国新概念教育教学论文赛	二等奖
	祁连州	《强调的方法》	全国新概念教育教学论文赛	二等奖
	蔡志武	《新课程理念下农村中学的化学教学》	全国新概念教育教学论文赛	二等奖
	鄢小梅	《科学管理、自主参与》	全国新概念教育教学论文赛	二等奖
	夏忠富	《叶绿素提取和分离实验的探究性改进》	全国新概念教育教学论文赛	二等奖

续表

时间	姓名	论文名称	出版社名	备注
2005	吴忠琪	《高中体育教育改革后教学质量管理的现代化》	全国新概念教育教学论文赛	二等奖
	刘忠信	《开拓作文新思维，向满分作文冲刺》	全国新概念教育教学论文赛	二等奖
	石世学	《备战高考的几点思路探微》	全国新概念教育教学论文赛	二等奖
	蒋忠利	《农村高级中学信息技术分层教学模式探究》	全国新概念教育教学论文赛	二等奖
	张应龙	《“三主五步”地理教学法初探》	全国新概念教育教学论文赛	二等奖
	张明光	《类比法在电场教学中的应用》	全国新概念教育教学论文赛	三等奖
	孙仲时	《高考复习中应抓好“点”的复习》	全国新概念教育教学论文赛	三等奖
	陶义奎	《信任在素质教育和班级管事中的作用》	全国新概念教育教学论文赛	三等奖
	胡朝志	《多媒体在诗歌教学中的作用》	全国新概念教育教学论文赛	三等奖
	徐孝红	《浅谈竞赛辅导与素质教育中的地位》	全国新概念教育教学论文赛	三等奖
	李景辉	《美是思想政治课课堂教学的生命》	全国新概念教育教学论文赛	三等奖
	周 洪 曾 山	《谈动作示范在体育教学中的作用》	全国新概念教育教学论文赛	三等奖
	王建华	《念好“四字经”，功到自然成》	全国新概念教育教学论文赛	三等奖
	陈 刚	《学慎始习，功在初化》	全国新概念教育教学论文赛	三等奖
	吴礼坤	《浅谈体育器材对体育教学的影响》	全国新概念教育教学论文赛	三等奖
	付殿萍	《浅谈系统论信息论对提高中学化学教学质量的关系》	全国新概念教育教学论文赛	三等奖
	吴定祥	《高三体育考生的训练与管理》	全国新概念教育教学论文赛	三等奖
	杨应平	《有机燃烧的几个应用》	全国新概念教育教学论文赛	三等奖
	郑 义	《对学校教学科研的认识》	中华教育论坛	二等奖
	王支全	《更新观念，凸现主体》	全国新概念教育教学论文赛	三等奖
	梁 艳	《简析高中英语短文改错》	全国新概念教育教学论文赛	三等奖
	赵泽钦	《美术教学中学生非智力因素的培养》	全国新概念教育教学论文赛	三等奖
	万 军	《关于正午太阳高度变化教学思路》	全国新概念教育教学论文赛	三等奖
	张润琴	《一次探究性教学的尝试与思考》	全国新概念教育教学论文赛	三等奖
	何平章	《浅谈高中物理学习方法》	全国新概念教育教学论文赛	三等奖
	陈永勤 石 顺	《走出农村中学教学听课说课的必要性》	全国新概念教育教学论文赛	三等奖

续表

时间	姓名	论文名称	出版社名	备注
2005	石　顺	《中学物理实验课开设的必要性》	全国新概念教育教学论文赛	三等奖
	汤兴明	《信息技术与其他学科整合》	全国新概念教育教学论文赛	三等奖
	涂　刚	《试论政治教学中学生主体地位的实现》	全国新概念教育教学论文赛	三等奖
	何俭霞	《浅谈李清照词所表现的女人心理特征》	全国新概念教育教学论文赛	三等奖
	倪祖芳	《掌握一种英语快速解题法——还原法》	全国新概念教育教学论文赛	三等奖
	席德杰	《选准“对象”——快速配平三类氧化还原方程式》	全国新概念教育教学论文赛	三等奖
	刘昌荣	《美学与中学语文教学结合之我见》	全国新概念教育教学论文赛	三等奖
	童　江	《关于中国宏观调控理论与实践的思考》	全国新概念教育教学论文赛	三等奖
	何远红	《教学基础与数学创新思维》	全国新概念教育教学论文赛	三等奖
	胡　荣	《火车转变的动力学问题》	全国新概念教育教学论文赛	三等奖
	汪举芳	《如何激活历史课堂》	全国新概念教育教学论文赛	三等奖
	陈清玲	《浅谈中学后进生转化教育》	全国新概念教育教学论文赛	三等奖
	郑　义	《语文教学要保证熟读背诵》	全国新概念教育教学论文赛	优秀奖
	罗晓安	《改进演示实验、培养学生能力》	全国新概念教育教学论文赛	优秀奖
	刘仁奎	《浅谈新课程理念下教师的素质要素》	全国新概念教育教学论文赛	优秀奖
	谢　曼	《听说训练对阅读教师的素质要求》	全国新概念教育教学论文赛	优秀奖
	蔡　毅	《如何实施好课改理念下的化学教学》	全国新概念教育教学论文赛	优秀奖
	卢怀芳	《浅谈从习题展开的探索联想》	全国新概念教育教学论文赛	优秀奖
	肖连均	《关于定理的探索式教学》	全国新概念教育教学论文赛	优秀奖
	洪庆平	《对物理高教与教学关系的几点看法》	国家级刊物《科学大众》出版	
2006	徐国生	《班级管理也应两手抓》	中国当代教育于科研	
	游　鹏	《话“方言”——普通话》	全国求是杯论文	一等奖
	卢怀芳	《补集法在集合中的应用》	国家级刊《学习周报》发表	

续表

时间	姓名	论文名称	出版社名	备注
2007	刘忠信	《从高考作文等级评分标准谈高考作文指导》	《中国教育教研与实践》	一等奖
		《意象意境和形象》	《中国教育教研与实践》	二等奖
	陈　刚	《开展课外艺术活动与培养学生能力的作用》	省教育科学论文	三等奖
	赵泽钦	《美术教学中学生非智力因素的培养》	省教育科学论文	三等奖
	邬培祥	《素质教育为何总是换汤不换药》	《中国教育教研与实践》	二等奖
	何远红	《向量在解题中的应用》	国家《数学周报》	
	吴定祥	《高三体育考生的训练与管理 》	西南地区教研论文	一等奖
	吴定祥	《浅析体育锻炼对老龄人身体健康的影响》	西南地区教研论文	一等奖
	曾　山	《浅谈如何搞好高考体育术科训练》	西南地区教研论文	一等奖
	曾　山	《浅谈如何搞好体艺特长生管理》	西南地区教研论文	一等奖
	蔡志武	《探究式农村中学化学教学》	《教学交流》	全国二等奖
	余家品	《化学反应及能量变化》	《高中化学导学教程》	
	余家品	《书写离子方程式五要五不要》	《考试报》综合信息 365 期	
	吴礼坤	《浅谈高中体育课改》	西南地区教研论文	一等奖
	倪祖芳	《巧做英语完形填空题》	省教育教学研究论文	三等奖
	游　鹏	《对联趣话》	全国敬业杯教育教学论文	一等奖
	倪祖芳	《抓外语早读的点滴体会》	中国教育改革与创新	一等奖
2008	徐国生	《中国化学实验教学存在的问题及实施对策》	《科学教育杂志》	一等奖
	王建华	《班班建立福银行》	《德育报》	
	谢　曼	《素质教育与中学英语教学改革》	《中国教育科研与实践》	一等奖
	李凤奇	《走出新课改的误区》	省《当代教育》	一等奖
	王建华	《新理念、创辉煌——记瓮安中学首届网络班管理》	省《当代教育》	
	李　琴	《论中学生物教学中学生想象力的培养》	国家教育理论征文	二等奖
	张明光	《类比法在电场教学中的应用》	《新教育时代》	一等奖
	赵慕琦	《中学生化学教学中学生记忆问题初探》	教学交流	三等奖
	李　琴	《论高中生物课堂教学与综合实践活动课的整合》	教学交流	三等奖
	顾大忠	《春雨》诗作	首届鑫音杯中华美才大赛	特等奖

续表

时间	姓名	论文名称	出版社名	备注
2008	杨贤材	《春梦》诗作	中华诗词“金鹰杯”	优秀奖
		《一道例题引发的思考》	国家级《数学周报》	
	石世学	《破解全国高教英语试题设计之秘》	省科研论文	一等奖
	商正达	《怎样做好高中英语第一轮教学》	省科研论文	一等奖
	李叶梅	《母语阅读与英语阅读的差异性》	省科研论文	二等奖
	倪祖芳	《新课程背景下英语课堂合作学习策略》	省科研论文	三等奖
	谢　曼	《高一英语课堂教学设计案例》	省科研论文	三等奖
	张元忠	《2008 年高考地理热点复习》	《黔南教育》	一等奖
	徐国生	《班级管理也应两手抓》	《中国当代教育科研与实践》	一等奖
	卢国勇	《关于离子共存一类题的思路分析》	全国良师杯论文大赛	二等奖
		《论科学探究与物理教学的本质特征》	省教研论文	一等奖
	汪举芳	《如何让历史课堂“活”起来》	省教研论文	一等奖
	黄仁江	《新教改如何搞好历史教学》	省教研论文	二等奖
	鄢小梅	《良好的开端是成功的一半》	省教研论文	二等奖
	夏忠富	《在高中生物教学中使用课件所存在的问题与思考》	省教研论文	二等奖
	余映竹	《探究性学习在生物教学中的探索与实践》	省教研论文	二等奖
	赵　俊	《生物探究性教学中几种策略的运用》	省教研论文	二等奖
	童　江	《科学发展观指导以人为本的教学实践经验》	省教研论文	二等奖
	张　琼	《浅谈提问在探究性学习中的影响》	省教研论文	二等奖
	毛红艳	《双差生的品德教育》	省教研论文	二等奖
	朱前红	《教学学法探究》	省教研论文	二等奖
	蔡开华	《浅谈记笔记在数学学习中的作用与方法》	省教研论文	二等奖
	陈　敏	《高中数学分析和解决问题能力的组成及培养策略》	省教研论文	二等奖
	王瑞堂	《浅谈数学教学中实施探究性学习》	省教研论文	二等奖
	邓思源	《多媒体应用和生物教学优化》	省教研论文	二等奖
	王支全	《〈项脊轩志〉德育浅析》	省教研论文	三等奖

续表

时间	姓名	论文名称	出版社名	备注
2008	席德杰	《5S 在班级管理中的运用》	省教研论文	三等奖
	杨贤材	《贵州少数民族地区远程教育现状分析》	省教研论文	三等奖
	杨雨前	《政治教育中的德育渗透》	省教研论文	三等奖
	刘昌荣	《浅谈同义句式的修辞效果》	省教研论文	三等奖
	卢怀芳	《在数学教学中渗透德育教育》	省教研论文	三等奖
	付殿萍 余映竹	《浅谈戏剧教学走进课堂》	中国教育科研论文	一等奖
	林举华	《浅谈新教师专业化成长的主客观条件》	省教研论文	三等奖
	徐国生	《H_2O 在方程式书写配平中的砝码作用》	全国良师杯论文赛	二等奖
2009	付殿萍 余映竹	《关注身边环境问题，培养师生环境责任感》	省校本教材《参与式环境教育在农村学校的实践》	
	陶义奎	《论在德育中弘扬中华民族优良传统》	全国基础教育教研成果	一等奖
	付殿萍	《如何抓好高中化学复习》《面对日常教学的理性思考》	全国教科论文	一等奖
	赵慕琦	《中学化学教学中逻辑——数学智能的培养策略》	创新教育导报	一等奖
	周承欢	《高考中的分段函数》《函数中几对易混淆概念的区分》	教育管理与实践创新探索	一等奖
	付殿萍	《用心打开课堂的环保空间》	第四届中国创新成果	一等奖
	李凤奇	《让师爱走进心灵》	《魅力中国》	州级一等奖
	王建华	《优化提问模式，提高英语教学效果》	入编《现代教育教学改革呼唤创新》	
	周承欢	《巧改——高次不等式》	中国创新成果	一等奖
	周承欢	《一个有趣的应用题》	第四届中国创新成果	一等奖
	余家品	《反思课堂教学构建有效课堂》	教育部优秀科研《高中数理化》6 期	
	肖连均	《一题多解与多题一解》		省三等奖
	张立新	《正弦图像向量加法》		一等奖
	余映竹	《生态系统的结构》		一等奖
	严国艳	《电流表改装实验探究》		二等奖
	赵 俊	《生物探究性教学中几种策略的运用》《重现生物实验教育学、培养学生实验能力》		二等奖
	郑义	《通情方能达理》	全国性教研成果	一等奖

续表

时间	姓名	论文名称	出版社名	备注
2009	付殿萍	《浅谈戏剧教学在中小学教学中的应用》	中国教育教学研究会	一等奖
	罗显英	《浅谈高中地理案例实践中的运用》		二等奖
	张元忠	《谈高考选择题的命题置疑和答题与技巧》	贵州科技出版社	二等奖
	朱前红	《爱与严相伴，情与理协调》		三等奖
	王支全	《浅谈作文教学中学生主体作用的发挥》		三等奖
	宋锡立	《灵活运用转移法巧解物理题》		三等奖
	蔡　毅	《原子结构》		三等奖
	周承欢	《互为反函数的图像的交点问题》	全国优秀成果	特别奖
2010	周承欢	《用向量长表示点面距离的探讨》	教育与探索	一等奖
	李凤奇	《和谐新风育桃李——记贵州省瓮安中学》	编入《辉煌的九十年》	
	张元忠	《高中地理空间智能理论研究与教学策略》	吉林文史出版社	
	宋志飞	《The development of the face audience communication fear scale forchinese college students》	第27届国际应用心理学大会(IAAP)	
	周承欢	驳《再探一道错题的病因》	全国优秀论文大赛	二等奖
2011	朱模忠	《解排列组合综合问题的基本思想和方法》	远程教育优秀论文	优秀奖
	唐　倩	《让兴趣引领学生学习生物》	省教研论文	三等奖
	宋志飞	《大学生面众交流恐惧的心理测量学初探》	《心理科学》	
	宋志飞	《运用层面理论对青少年冲突风格结构探索》	《教育理论与实验》	
2012	陈全松	《浅谈高中生物实验分析的一般方法》		优秀奖
	赵　俊	《DNA 分子的结构》	中央电教馆	二等奖
	石世学	课题实验教材《高考英语原题听力集训》	吉林民族音像出版社出版	市场推广
	顾晓福	《代词考点总结》	英语周报总743期	
	唐　倩	《生态系统的结构》教学设计	省教研论文	二等奖
	唐　倩	《浅谈新课程生物教学中的德育教育》	省教研论文	一等奖

续表

时间	姓名	论文名称	出版社名	备注
2013	夏 云	课题实验教材《植物组织培养》	北师大生物实验教学交流出版	市场推广
	赵慕琦	《温水泡茶漫漫浓——后进生转化三道茶》	全国和谐德育年会	
	王支全	《学校活动——集体主义教育的重要平台》	《博览科技创新》	省三等奖
	李凤奇	《略谈教师在高考复习中的作用》	1999 年《教师教学研究论文丛》第二卷	
	李凤奇	《百年老校普华章》	《贵州教育报》	
	李凤奇 陈友华	《集群体智慧之力，走校本考研之路》	《贵州教工》第 12 期	
	邬培祥	《不应被冷落的两种修辞方法——刍议“析字”和“飞白”的妙用等》	《中国世纪英才论著精粹》	
	陶义奎 孙仲时	《论在丢弃中弘扬中华民族优良传统》	学苑出版社《创新教育理论与教学实践研究》	
	孙仲时	《高中物理章节调练与质量评估》	北京师范大学出版社	
	孙仲时	《中学物理自学指导》	武汉大学出版社	
	王光先	《搞好化学教学完善素质教育》	《中华素质教育理论与实践新探》	
	席德杰	《浅析中学常见氧化还原议程式配平技巧》	《国家学术理论周刊》	
	龙运琴	《培养学生英语阅读能力之我见》	《21 世纪教育》	
	谢 曼	《中学英语教学法科学基础》	《中华素质教育理论与实践新探》	
	王成举	《发挥化学实验在研究性学习中的作用》	《基础教育理论》	
	邬培祥	《一“笑”岂能掩百“丑”》	入编《中华教育论文撷英》	
	邬培祥	《对高中生辍学现状的剖析及对策》	《烛光——全国优秀教育论文选粹》	
	何远红	《向量在解题中的应用》	2007 年 9 月《教学周报》	
	程 立	《浅析刘兰芝与焦仲卿爱情悲剧的根源》	《新西部》	
	陈清玲	《中学作文评论的新尝试》	《中国教研交流》	
	王支全	《浅谈中学语文教材在作文教学中的材料性》	《中国发展与创新教育》	
	邬培祥	《教师职业道德缺失与对策之管见》	《教学刊》	
	王支全	《改变德育观念，促进德育发展》	《博览科教创新》	省三等奖
	王支全	《中学生养成良好的时间观念》	《中小学生创造》	全国三等奖
	邬培祥	《师生大爱素质的培养和评价刻不容缓》	《学习周报》	全国一等奖

续表

时间	姓名	论文名称	出版社名	备注
2013	何远红	《浅谈数形结合思想解题》	《数学周报》	
	刘怀喜	《怎样做好高中数学课堂的互动环节》	《数学周报》	
	龙光明	《思维——高中数学的灵魂》	《创新教育导刊》	全国一等奖
	龙光明	《高中数学德育教育之我见》	《创新教育导刊》	全国一等奖
	龙光明	《数形结合在解题中的应用》	《数学周报》	
	陈友华	《运用多元智能理论，构建素质教育新课堂》	吉林文史出版社	任主编
	吴兴凤	《高中数学十种排列组合方法》	《数学周报》	
	蔡开华	《高中数学中的分层次教学》	《学苑新报》	
	杨文艳	《矩阵核心逆的极限表示》	《数学的实践与认识》	
	杨文艳 刘长青	《22 分块矩阵 Drazin 逆的表示》	《广西民族大学学报》	
	石世学	《高考英语单项选择题和完形填空理论基础与设计规律剖析》	《英语考试研究》	
	石世学	《2008 年高考英语全国卷试题特色剖析》	《英语考试研究》	
	石世学	《2008 年高考交际用语试题展》	《中学生百科》	
	商正达	《语音教学中的重读闭音节》	《英语周报》	
	黄仁江	《新课改下如何搞好高中历史教学》	《创新导刊》	
	曹植铭	《历史与现实的结合》	《西部开发》	
	曹植铭	《高三古代民族关系史的复习》	《西部开发》	
	曹植铭	《瓮安县校本文化初探》	《西部开发》	
	罗显英	《浅谈正确认识和实践高中地理科的联系》	《科学教育前沿》	
	李景辉	《全面统筹、有效备考》	《贵州招生考试》	
	李景辉	《中学政治教师要善于讲道理、让学生明理》	《新课程》	
	孙仲时	《高考复习中应注意建立模块》	《物理教学探讨》	
	董　旭	《楞次定律——感应电流的方向教学设计》	《新课标》	
	孙仲时	《面对新课程树立新理念》	《中国基础教育研究》	
	刘凤七	《网络课程的研究与设计》	《贵州师范大学学报》	
	刘明林	《高中语文复习资料》	校本教材	任编著
	李凤奇	《继往开来》	校本教材	任主编
	李凤奇	《学会学习、学会做人》	天津人民出版社	任主编

续表

时间	姓名	论文名称	出版社名	备注
2013	李凤奇	《法制教育读本》	校本教材	任主编
	谢文剑	《心理健康读本》	校本教材	任主编
	李凤奇	《贵州省瓮安中学年鉴（2008—2011）》	校史著作	任主编
	张明光	《养成教育研究与实验》		任主编

表 6-5 1995—2013 年教研成果统计表

姓名	荣誉名称	授予单位	时间
周承欢	教学科研成果一等奖	黔南州委、州政府	1995
李凤奇	教学科研成果一等奖	黔南州委、州政府	
蒋丹英	教学科研成果二等奖	黔南州委、州政府	
黄栋贵	教学科研成果二等奖	黔南州委、州政府	
张世雄	教学科研成果二等奖	黔南州委、州政府	
杨友发	高考教学成绩优秀奖	瓮安县委、县政府	2002
唐　敏	高考教学成绩优秀奖	瓮安县委、县政府	
孙仲时	高考教学成绩优秀奖	瓮安县委、县政府	
潘家贵	中考教学成绩优秀奖	瓮安县委、县政府	
李　琴	中学生物优质课奖	黔南州教育局	
赵泽钦	贵州、黔南三县市（开阳、瓮安、福泉）首届移动杯农家乐画奖	贵州移动通信公司黔南分公司	2004
陈友华	第五次全国中学数学教学优秀论文奖	国家级	
付殿萍	《瓮安中学垃圾处理分类项目》	省教科所社科院环保局	
余映竹	《瓮安中学垃圾处理分类项目》	省教科所社科院环保局	
徐　华	中学数学教学论文奖《用几何方法求解一类圆锥曲线的最简单问题》	黔南州教育局	
曹植铭	中学历史学科优秀论文奖《把课堂还给学生》《清朝晚期中国开始沦为半殖民地和半封建社会》	黔南州教育局	
李凤奇	园丁奖	中国教育教学研究会	
陈友华	园丁奖	中国教育教学研究会	
游　鹏	园丁奖	中国教育教学研究会	
何远红	教育教学优秀园丁	国家级	2005
张立新	教育教学优秀园丁	国家级	
宋　勋	教育教学优秀园丁	国家级	
肖祥明	教育教学优秀园丁	国家级	

续表

姓名	荣誉名称	授予单位	时间
赵泽钦	《瓮安县2006“多彩贵州旅游商品设计大赛”》奖	瓮安县人民政府	2006
吴定祥	全州优秀教练	黔南州教育局、体委	
周　洪	全州优秀教练	黔南州教育局、体委	
游　鹏	全国“求是杯”优秀论文奖	国家级	
商正达	《图表法在英语教学中的运用》获省科研论文奖	贵州省教育学会	
商正达	《图解法在英语教学的运用》获州论文奖	黔南州教育局	
张　琼	黔南州高中政治优质课奖	黔南州教育局	
曾　山	州级体育骨干教师	黔南州教育局	
付殿萍	优秀科技教师	黔南州科协、教育、环保、体育、团委、妇联	2007
刘忠信	中华教育科研论文奖	中央教科所、北京三面向教育教学研究所	
邬培祥	中华教育科研论文奖	中央教科所、北京三面向教育教学研究所	
赵慕琦	黔南州首届中学化学教师技能赛奖	黔南州教育局、教育工会	
杨应平	黔南州首届中学化学教师技能赛奖	黔南州教育局、教育工会	
游　鹏	第二届全国“敬业杯”教育教学论文奖	中央教科所	
倪祖芳	中国教育改革与创新优秀论文奖 贵州省第六届中小学外语教育教学研究优秀论文奖	中国教育发展研究会 教育学会 教育科学研究所	
张明光	全国师德标兵	中国师德建设总课题组中国教苑教育咨询中心	
赵泽钦	《校园生活》获第二届校刊最佳版面奖	中央教育科研所教育杂志社	
赵慕琦	全国师德标兵	中国师德建设总课题组中国教苑教育咨询中心	
石世学	《试题快递—45分钟强化攻略（英语）》任主编	西藏人民出版社	
罗晓安	全国师德标兵	中国师德建设总课题组中国教苑教育咨询中心	
徐国生	全国师德标兵	中国师德建设总课题组中国教苑教育咨询中心	
倪祖芳	和谐中国、知荣知耻时代先锋人物	中国时代先锋人物组委会	
徐国生	优秀论文奖	中国国际教育学会	2008
徐国生	《中国当代教育与科研》奖	中央教科所	
倪祖芳	《中国当代教育与科研》奖	中央教科所	
谢　曼	《中国当代教育与科研》奖	中央教科所	
何远红	优秀教学课堂设计、教育教学论文奖	黔南州教育局	
刘怀喜	优秀教学课堂设计、教育教学论文奖	黔南州教育局	

续表

姓名	荣誉名称	授予单位	时间
朱克红	优秀教学课堂设计、教育教学论文奖	黔南州教育局	2008
蔡开华	优秀教学课堂设计、教育教学论文奖	黔南州教育局	
杨贤才	优秀教学课堂设计、教育教学论文奖	黔南州教育局	
李志鸿	优秀教学课堂设计、教育教学论文奖	黔南州教育局	
潘家贵	优秀教学课堂设计、教育教学论文奖	黔南州教育局	
陈　敏	优秀教学课堂设计、教育教学论文奖	黔南州教育局	
龙光明	优秀教学课堂设计、教育教学论文奖	黔南州教育局	
王永奇	优秀教学课堂设计、教育教学论文奖	黔南州教育局	
王瑞堂	优秀教学课堂设计、教育教学论文奖	黔南州教育局	
张世忠	黔南州书法美术作品奖	黔南州教育局、教工会	
顾大忠	第二届“金鹰杯”中华诗词大赛优秀奖	国家级	
赵慕琦	全国教学成果奖	中国教育学会	
李　琴	全国教学成果奖	中国教育学会	
李凤奇	教育论文奖	贵州省当代教育研究中心	
肖连均	教育教学优秀论文《一题多解与多题一解》、教学设计《正弦图像向量加法》	贵州省教科所	
张立新	教育教学优秀论文《一题多解与多题一解》、教学设计《正弦图像向量加法》	贵州省教科所	
余映竹	教学设计《生态系统的结构》	贵州省教科所	
严国艳	教数学设《电流表改装实验探究》	贵州省教科所	
赵慕琦	教学设计《铁的化合物 Fe^{3+} 的检验》	贵州省教科所	
赵　俊	教育教学优秀论文《重视生物实验教学培养学生实验能力》多媒体教学课件奖	贵州省教科所	
黄仁江	教育教学优秀论文《新课改下如何搞好高中历史教学》多媒体教学课件奖	贵州省教科所	
罗显英	教育教学优秀论文《浅谈高中地理案例在实践中的运用》多媒体教学课件奖	贵州省教科所	
朱前红	教育教学优秀论文《爱与严相伴 请与理协调》	贵州省教科所	
王支全	教育教学优秀论文《浅谈作文教学中学生主体作用的发挥》多媒体教学课件奖	贵州省教科所	
宋锡立	教学设计《灵活运用转移法巧解物理题》多媒体教学课件奖	贵州省教科所	
蔡　毅	教学设计《原子结构》多媒体教学课件奖	贵州省教科所	
石世学	外语优秀科研论文、教学案例奖	贵州省教育学会	

续表

姓名	荣誉名称	授予单位	时间
商正达	外语优秀科研论文、教学案例奖	贵州省教育学会	2008
李叶梅	外语优秀科研论文、教学案例奖	贵州省教育学会	
倪祖芳	外语优秀科研论文、教学案例奖	贵州省教育学会	
程　曼	外语优秀科研论文、教学案例奖	贵州省教育学会	
付殿萍	教科论文奖	中国教育学术委员会	
余映竹	教科论文奖	中国教育学术委员会	
徐国生	第四届全国良师杯教育教学论文奖	国家级	
卢国勇	贵州省教育科研论文奖	贵州省教育研究所、教育学会	
汪举芳	贵州省教育科研论文奖	贵州省教育研究所、教育学会	
黄仁江	贵州省教育科研论文奖	贵州省教育研究所、教育学会	
鄢小梅	贵州省教育科研论文奖	贵州省教育研究所、教育学会	
夏忠富	贵州省教育科研论文奖	贵州省教育研究所、教育学会	
余映竹	贵州省教育科研论文奖	贵州省教育研究所、教育学会	
赵　俊	贵州省教育科研论文奖	贵州省教育研究所、教育学会	
童　江	贵州省教育科研论文奖	贵州省教育研究所、教育学会	
张　琼	贵州省教育科研论文奖	贵州省教育研究所、教育学会	
毛红艳	贵州省教育科研论文奖	贵州省教育研究所、教育学会	
龙光明	贵州省教育科研论文奖	贵州省教育研究所、教育学会	
朱前红	贵州省教育科研论文奖	贵州省教育研究所、教育学会	
蔡开华	贵州省教育科研论文奖	贵州省教育研究所、教育学会	
陈　敏	贵州省教育科研论文奖	贵州省教育研究所、教育学会	
王瑞堂	贵州省教育科研论文奖	贵州省教育研究所、教育学会	
邓思源	贵州省教育科研论文奖	贵州省教育研究所、教育学会	
王支全	贵州省教育科研论文奖	贵州省教育研究所、教育学会	2009
席德杰	贵州省教育科研论文奖	贵州省教育研究所、教育学会	
杨贤才	贵州省教育科研论文奖	贵州省教育研究所、教育学会	
杨雨前	贵州省教育科研论文奖	贵州省教育研究所、教育学会	
刘昌荣	贵州省教育科研论文奖	贵州省教育研究所、教育学会	
卢怀芳	贵州省教育科研论文奖	贵州省教育研究所、教育学会	
付殿萍	贵州省教育科研论文奖	贵州省教育研究所、教育学会	
林举华	贵州省教育科研论文奖	贵州省教育研究所、教育学会	

续表

姓名	荣誉名称	授予单位	时间
张明光	全国基础教育教研成果先进个人	中国基础教育研究所	2009
吴礼坤	《第一套全国中小学校园集体舞》录像比赛优秀辅导员	黔南州教育局	
钟星云	《第一套全国中小学校园集体舞》录像比赛优秀辅导员	黔南州教育局	
罗定欣	“贵州省首届美术专业比赛”优秀奖	贵州省文化厅	
李渊霞	“贵州省大学生女子足球锦标赛”二等奖	贵州省教育厅	
宋　勋	黔南州高中数学教学技能大赛一等奖	黔南州教育局	
程　曼	黔南州外语教学 2008 学术会论文奖	黔南州教育局	
谢　曼	黔南州外语教学 2009 学术会论文奖	黔南州教育局	
石世学	黔南州外语教学 2010 学术会论文奖	黔南州教育局	
商正达	黔南州外语教学 2011 学术会论文奖	黔南州教育局	
李叶梅	黔南州外语教学 2012 学术会论文奖	黔南州教育局	
赵　俊	生物教学案例奖《性别决定和伴性遗传》	黔南州教育局	
夏忠富	生物教学案例奖《生态系统的能量流动和物质循环》	黔南州教育局	
余映竹	生物教学案例奖《细胞的分化癌变和衰老》	黔南州教育局	
邓思源	生物教学案例奖《揭秘艾滋病的神秘面纱》	黔南州教育局	
徐国生	第五届全国良师杯教育教学论文奖《H2O 在方程式书写配平中的砝码作用》	国家级	
郑　义	全国基础教育先进工作者、全国性教科成果奖	中国基础教育研究所	
顾大忠	星光杯第四届全国中华诗歌大赛奖	国际中华诗词协会	
王永奎	《电路连接方式判断浅谈》获州一等奖	黔南州教育局	
石世学	《高中英语单词随身记》（主编）	中国水利水电出版社	
石世学	《高考英语全品高分小练习》（副主编）	黄河出版传媒集团、阳光出版社	
陶义奎	全国性教育成果奖、全国基础教育先进者	中国基础教育研究所	
李凤奇	“关爱青少年成长”征文奖	州教育局、教育学会	
肖春花	“科学发展在身边、我为发展做贡献”演讲赛奖	县委宣传部	
周承欢	“关爱青少年成长”征文奖	黔南州教育局、教育学会	
付殿萍	全国教科优秀论文奖	中国教育学术委员会	
李渊霞	“贵州省大学生女子足球锦标赛”二等奖	贵州省教育厅	
赵慕琦	全国性教科成果、全国基础教育先进工作者	中国基础教育研究所	
刘怀喜	《怎样做好高中数学课堂的互动环节》	黔南州教育学会	
李志鸿	《高中数学课堂教学实践总结》	黔南州教育学会	
王瑞堂	《向量法求空间的问题的研究》	黔南州教育学会	

续表

姓名	荣誉名称	授予单位	时间
周承欢	“全国教育管理与实践论坛”征文奖	中国教学专家委员会	2009
付殿萍	第四届中国教育教学创新成果奖	中国教育工作者协会	
周承欢	第四届中国教育教学创新成果奖	中国教育工作者协会	
杨友发	数学竞赛优秀教练	“希望杯”全国数学邀请赛组委会	
石世学	优秀辅导教师一等奖	中国教育学会外语教学专业委员会	
王支全	第七届“叶圣陶杯”全国中学生新作文大赛复赛指导教师二等奖	叶圣陶杯全国中学生新作文大赛组委会	
王支全	第七届“叶圣陶杯”全国中学生新作文大赛决赛指导教师一等奖	叶圣陶杯全国中学生新作文大赛组委会	
刘忠信	第七届“叶圣陶杯”全国中学生新作文大赛复赛指导教师二等奖	叶圣陶杯全国中学生新作文大赛组委会	
刘忠信	第七届“叶圣陶杯”全国中学生新作文大赛决赛指导教师一等奖	叶圣陶杯全国中学生新作文大赛组委会	
程　立	第七届“叶圣陶杯”全国中学生新作文大赛复赛指导教师二等奖	叶圣陶杯全国中学生新作文大赛组委会	
何俭霞	第七届“叶圣陶杯”全国中学生新作文大赛复赛指导教师三等奖	叶圣陶杯全国中学生新作文大赛组委会	
祝亚峰	第七届“叶圣陶杯”全国中学生新作文大赛复赛指导教师三等奖	叶圣陶杯全国中学生新作文大赛组委会	
毛红艳	第七届“叶圣陶杯”全国中学生新作文大赛复赛指导教师三等奖	叶圣陶杯全国中学生新作文大赛组委会	
孙典英	第七届“叶圣陶杯”全国中学生新作文大赛复赛指导教师三等奖	叶圣陶杯全国中学生新作文大赛组委会	
周承欢	共和国建国六十周年优秀成果金奖 共和国突出贡献华人奖	世界华人文化研究中心 世界华人名人协会	
周承欢	第五届中国教育教学创新成果一等奖	世界学术成果研究院	
卢怀芳	十佳教师	县委、县政府	2010
李渊霞	“贵州省大学生女子足球锦标赛”二等奖	贵州省教育厅	
游　鹏	教育部课题研究先进个人	全国教育科学“十一五”教育部规划课题《提高课堂教学实效性的教学策略研究》总课题组	
杨友发	教育部课题研究先进工作者	全国教育科学“十一五”教育部规划课题《提高课堂教学实效性的教学策略研究》总课题组	
陈友华	教育部课题研究先进工作者	全国教育科学“十一五”教育部规划课题《提高课堂教学实效性的教学策略研究》总课题组	
石世学	教育部课题研究先进工作者	全国教育科学“十一五”教育部规划课题《提高课堂教学实效性的教学策略研究》总课题组	

续表

姓名	荣誉名称	授予单位	时间
石世学	说课一等奖	中国教育电视协会 中国教育电视台	2010
刘宜菊	课题研究优秀成果三等奖	全国和谐德育研究与实验总课题组	
石世学	第五届全国中学英语教师教学技能大赛高中组二等奖	国家基础教育实验中心外语教育研究中心	
王永奎	《浅谈摩擦力认识上的一些误区》获省教研论文奖	贵州省教育科学研究所、贵州省教育学会	
祁连州	第五届全国中学英语教师教学技能大赛高中组一等奖	国家基础教育实验中心外语教育研究中心	
李景辉	教育部课题研究先进工作者	全国教育科学“十一五”教育部规划课题《提高课堂教学实效性的教学策略研究》总课题组	
张元忠	教育部课题研究先进工作者	全国教育科学“十一五”教育部规划课题《提高课堂教学实效性的教学策略研究》总课题组	
唐　倩	教育部课题研究先进工作者	全国教育科学“十一五”教育部规划课题《提高课堂教学实效性的教	
刘乾坤	教育部课题研究先进工作者	全国教育科学“十一五”教育部规划课题《提高课堂教学实效性的教学策略研究》总课题组	
卢国勇	教育部课题研究先进工作者	全国教育科学“十一五”教育部规划课题《提高课堂教学实效性的教学策略研究》总课题组	
董　旭	教育部课题研究先进工作者	全国教育科学“十一五”教育部规划课题《提高课堂教学实效性的教学策略研究》总课题组	
龙杏霞	教育部课题研究先进工作者	全国教育科学“十一五”教育部规划课题《提高课堂教学实效性的教学策略研究》总课题组	
李凤奇	第二届全国中小学公开课电视展示活动优秀校长奖	中国教育电视台	
王支全	第三届“学习周报杯”全国中学生语文知识能力竞赛优秀辅导教师一等奖	中国教师发展基金会	
王支全	第三届“文心雕龙杯”全国新课标写作才艺大赛复评指导教师一等奖	“文心雕龙杯”全国新课标写作才艺大赛组委会	
王支全	先进实验教师	全国和谐德育研究与实验总课题组	
王支全	第八届“叶圣陶杯”全国中学生新作文大赛指导教师三等奖	中圣陶杯全国中学生新作文大赛组委会	
刘忠信	第八届“叶圣陶杯”全国中学生新作文大赛指导教师二等奖	中圣陶杯全国中学生新作文大赛组委会	
刘忠信	第三届“文心雕龙杯”全国新课标写作才艺大赛复评指导教师一等奖	“文心雕龙杯”全国新课标写作才艺大赛组委会	

续表

姓名	荣誉名称	授予单位	时间
文　雯	第三届“文心雕龙杯”全国新课标写作才艺大赛复评指导教师二等奖	“文心雕龙杯”全国新课标写作才艺大赛组委会	2010
程　立	第三届“文心雕龙杯”全国新课标写作才艺大赛复评指导教师二等奖	“文心雕龙杯”全国新课标写作才艺大赛组委会	
孙典英	第三届“文心雕龙杯”全国新课标写作才艺大赛复评指导教师二等奖	“文心雕龙杯”全国新课标写作才艺大赛组委会	
毛红艳	第三届“文心雕龙杯”全国新课标写作才艺大赛复评指导教师二等奖	“文心雕龙杯”全国新课标写作才艺大赛组委会	
何俭霞	第三届“文心雕龙杯”全国新课标写作才艺大赛复评指导教师二等奖	“文心雕龙杯”全国新课标写作才艺大赛组委会	
何俭霞	第八届“叶圣陶杯”全国中学生新作文大赛指导教师三等奖	中圣陶杯全国中学生新作文大赛组委会	
刘昌荣	第八届“叶圣陶杯”全国中学生新作文大赛指导教师三等奖	中圣陶杯全国中学生新作文大赛组委会	
程　立	第八届“叶圣陶杯”全国中学生新作文大赛指导教师二等奖	中圣陶杯全国中学生新作文大赛组委会	
陈清玲	第八届“叶圣陶杯”全国中学生新作文大赛指导教师三等奖	中圣陶杯全国中学生新作文大赛组委会	
鄢小梅	第八届“叶圣陶杯”全国中学生新作文大赛指导教师二等奖	中圣陶杯全国中学生新作文大赛组委会	
肖　捷	第八届“叶圣陶杯”全国中学生新作文大赛指导教师二等奖	中圣陶杯全国中学生新作文大赛组委会	
肖　捷	第八届“叶圣陶杯”全国中学生新作文大赛指导教师一等奖	中圣陶杯全国中学生新作文大赛组委会	
汪举芳	课件《戊戌变法》获教学设计奖	贵州省教育学会、历史教学研究会	
汪举芳	《感恩父母》获课题研究成果奖	全国和谐德育研究与实验总课题组	
谢文剑	《中小学生心理健康教育中常用的咨询方法与技巧》论文奖	贵州省心理健康教育协会、心理学会	
赵　俊	《运用多元智能构建素质教育新课堂》（副主编	吉林出版集团、吉林文史出版社	
祝亚峰	第八届“叶圣陶杯”全国中学生新作文大赛指导教师三等奖	中圣陶杯全国中学生新作文大赛组委会	
刘乾坤	第八届“叶圣陶杯”全国中学生新作文大赛指导教师三等奖	中圣陶杯全国中学生新作文大赛组委会	
孙典英	第八届“叶圣陶杯”全国中学生新作文大赛指导教师三等奖	中圣陶杯全国中学生新作文大赛组委会	
毛红艳	第八届“叶圣陶杯”全国中学生新作文大赛指导教师三等奖	中圣陶杯全国中学生新作文大赛组委会	
肖春花	第八届“叶圣陶杯”全国中学生新作文大赛指导教师三等奖	中圣陶杯全国中学生新作文大赛组委会	
杨友发	优秀科技人才、黔南州高级中学骨干教师	黔南州政府	

续表

姓名	荣誉名称	授予单位	时间
杨友发	十佳班主任	瓮安县委政府	2010
刘昌荣	第十一届“新世纪”杯全国中学生作文大赛作文指导三等奖	华中师范大学《语文教学与研究》杂志社	
刘昌荣	第十一届“新世纪”杯全国中学生作文大赛作文指导二等奖	华中师范大学《语文教学与研究》杂志社	
刘长青	数学竞赛优秀辅导员	“希望杯”全国数学邀请赛组委会	2011
杨友发	数学竞赛优秀辅导员	“希望杯”全国数学邀请赛组委会	
李志鸿	数学竞赛优秀辅导员	“希望杯”全国数学邀请赛组委会	
徐　频	数学竞赛优秀辅导员	“希望杯”全国数学邀请赛组委会	
石世学	第四届全国中小学优秀外语教师	中国教育学会外语教学专业委员会	
王支全	先进实验教师	全国和谐德育研究与实验总课题组	
席德杰	先进实验教师	全国和谐德育研究与实验总课题组	
赵慕琦	先进实验教师	全国和谐德育研究与实验总课题组	
卢国勇	先进实验教师	全国和谐德育研究与实验总课题组	
刘怀喜	先进实验教师	全国和谐德育研究与实验总课题组	
何俭霞	先进实验教师	全国和谐德育研究与实验总课题组	
龙　俊	先进实验教师	全国和谐德育研究与实验总课题组	
宋　健	先进实验教师	全国和谐德育研究与实验总课题组	
王永奇	先进实验教师	全国和谐德育研究与实验总课题组	
周　洪	先进实验教师	全国和谐德育研究与实验总课题组	
邓　超	先进实验工作者	全国和谐德育研究与实验总课题组	
周　洪	先进实验工作者	全国和谐德育研究与实验总课题组	
刘仁奎	先进实验工作者	全国和谐德育研究与实验总课题组	
王永奇	先进实验工作者	全国和谐德育研究与实验总课题组	

续表

姓名	荣誉名称	授予单位	时间
刘秋红	全国中学生信息学联赛 优秀辅导员	瓮安县科协 教育局	2011
王支全	第四届“文心雕龙杯”全国新课标写作才艺大赛“全国写作教学名师”	文心雕龙杯全国新课标写作才艺大赛组委会	
王支全	第四届“文心雕龙杯”全国新课标写作才艺大赛全国写作教学一等奖	文心雕龙杯全国新课标写作才艺大赛组委会	
朱前红	第四届“文心雕龙杯”全国新课标写作才艺大赛全国写作教学一等奖	文心雕龙杯全国新课标写作才艺大赛组委会	
顾大忠	第四届“文心雕龙杯”全国新课标写作才艺大赛全国写作教学一等奖	文心雕龙杯全国新课标写作才艺大赛组委会	
文　雯	第四届“文心雕龙杯”全国新课标写作才艺大赛全国写作教学二等奖	文心雕龙杯全国新课标写作才艺大赛组委会	
陈立燕	第四届“文心雕龙杯”全国新课标写作才艺大赛全国写作教学一等奖	文心雕龙杯全国新课标写作才艺大赛组委会	
何俭霞	第四届“文心雕龙杯”全国新课标写作才艺大赛全国写作教学一等奖	文心雕龙杯全国新课标写作才艺大赛组委会	
程　立	第四届“文心雕龙杯”全国新课标写作才艺大赛全国写作教学二等奖	文心雕龙杯全国新课标写作才艺大赛组委会	
鄢小梅	第四届“文心雕龙杯”全国新课标写作才艺大赛全国写作教学一等奖	文心雕龙杯全国新课标写作才艺大赛组委会	
肖　捷	第四届“文心雕龙杯”全国新课标写作才艺大赛全国写作教学二等奖	文心雕龙杯全国新课标写作才艺大赛组委会	
邬培祥	第四届“文心雕龙杯”全国新课标写作才艺大赛全国写作教学特等奖	文心雕龙杯全国新课标写作才艺大赛组委会	
祝亚峰	第四届“文心雕龙杯”全国新课标写作才艺大赛全国写作教学一等奖	文心雕龙杯全国新课标写作才艺大赛组委会	
孙典英	第四届“文心雕龙杯”全国新课标写作才艺大赛全国写作教学二等奖	文心雕龙杯全国新课标写作才艺大赛组委会	
肖春花	第四届“文心雕龙杯”全国新课标写作才艺大赛全国写作教学一等奖	文心雕龙杯全国新课标写作才艺大赛组委会	
王支全	第九届“叶圣陶杯”全国中学生新作文大赛指导教师二等奖	叶圣陶杯全国中学生新作文大赛组委会	
何俭霞	第九届“叶圣陶杯”全国中学生新作文大赛指导教师二等奖	叶圣陶杯全国中学生新作文大赛组委会	
程　立	第九届“叶圣陶杯”全国中学生新作文大赛指导教师二等奖	叶圣陶杯全国中学生新作文大赛组委会	
肖　捷	第九届“叶圣陶杯”全国中学生新作文大赛指导教师三等奖	叶圣陶杯全国中学生新作文大赛组委会	
祝亚峰	第九届“叶圣陶杯”全国中学生新作文大赛指导教师二等奖	叶圣陶杯全国中学生新作文大赛组委会	
孙典英	第九届“叶圣陶杯”全国中学生新作文大赛指导教师二等奖	叶圣陶杯全国中学生新作文大赛组委会	
毛红艳	第九届“叶圣陶杯”全国中学生新作文大赛指导教师三等奖	叶圣陶杯全国中学生新作文大赛组委会	

续表

姓名	荣誉名称	授予单位	时间
王支全	第十三届“语文报杯”全国中学生作文大赛写作指导一等奖	《语文教学通讯·高中部》编辑部	2011
朱前红	第十三届“语文报杯”全国中学生作文大赛写作指导特等奖	《语文教学通讯·高中部》编辑部	
王支全	“高中课文教学与作文教学的链接”课题实验一等奖	黔南州教育局	
邬培祥	“高中课文教学与作文教学的链接”课题实验一等奖	黔南州教育局	
吴定明	“高中课文教学与作文教学的链接”课题实验一等奖	黔南州教育局	
何俭霞	“高中课文教学与作文教学的链接”课题实验一等奖	黔南州教育局	
朱前红	“高中课文教学与作文教学的链接”课题实验一等奖	黔南州教育局	
邓正富	“高中课文教学与作文教学的链接”课题实验一等奖	黔南州教育局	
肖春花	“高中课文教学与作文教学的链接”课题实验一等奖	黔南州教育局	
杨友发	“高中课文教学与作文教学的链接”课题实验一等奖	黔南州教育局	
何平章	“高中课文教学与作文教学的链接”课题实验一等奖	黔南州教育局	
何远红	数学竞赛优秀教练	“希望杯”全国数学邀请赛组委会	
石世学	现代远程教育优秀论文、课件奖	黔南州教育局	
王成举	黔南州第五届优秀探索实验教学方案成果	黔南州教育局	
汪举芳	《用爱心、耐心铸就学生快乐成长》获教研论文设计奖	贵州省教育科研所、教育学会	
谢文剑	《别再错把友情当爱情——中学生早恋心理浅析》教研论述设计奖	贵州省教育科研所、教育学会	
龙运琴	《教师要正确对待中学生的逆反心理》	贵州省教育科研所、教育学会	
龙运琴	《英语教学中培养学生良好学习习惯随想》	《中国教育新思路文革》编委会	
邹　强	“和谐德育”优秀论文奖	贵州省教育学会德育专业委员会	
刘仁奎	“和谐德育”优秀论文奖	贵州省教育学会德育专业委员会	
杨应平	“和谐德育”优秀论文奖	贵州省教育学会德育专业委员会	
赵慕琦	“和谐德育”优秀论文奖	贵州省教育学会德育专业委员会	
龙运琴	“和谐德育”优秀论文奖	贵州省教育学会德育专业委员会	
刘　晶	“和谐德育”优秀论文奖	贵州省教育学会德育专业委员会	
王光先	“和谐德育”优秀论文奖	贵州省教育学会德育专业委员会	
王建华	“和谐德育”优秀论文奖	贵州省教育学会德育专业委员会	
王支全	“和谐德育”优秀论文奖	贵州省教育学会德育专业委员会	
周　洪	“一线教育家讲坛第六届中小学班级管理创新”论文奖	国家级	
张明光	“一线教育家讲坛第六届中小学班级管理创新”论文奖	国家级	

续表

姓名	荣誉名称	授予单位	时间
刘仁奎	"一线教育家讲坛第六届中小学班级管理创新"论文奖	国家级	2011
张友军	"一线教育家讲坛第六届中小学班级管理创新"论文奖	国家级	
卢怀芳	"一线教育家讲坛第六届中小学班级管理创新"论文奖	国家级	
赵慕琦	"一线教育家讲坛第六届中小学班级管理创新"论文奖	国家级	
朱前红	"一线教育家讲坛第六届中小学班级管理创新"论文奖	国家级	
王支全	"一线教育家讲坛第六届中小学班级管理创新"论文奖	国家级	
蔡　毅	"一线教育家讲坛第六届中小学班级管理创新"论文奖	国家级	
宋　建	"一线教育家讲坛第六届中小学班级管理创新"论文奖	国家级	
崔丽娟	贵州省第四届中小学综合实践优质课 二等奖	省教育厅	
邬培祥	《高中语文课文教学与作文教学的链接》（教研课题）一等奖	黔南州教育局	
邓正富	《高中语文课文教学与作文教学的链接》（教研课题）一等奖	黔南州教育局	
吴定明	《高中语文课文教学与作文教学的链接》（教研课题）一等奖	黔南州教育局	
何俭霞	《高中语文课文教学与作文教学的链接》（教研课题）一等奖	黔南州教育局	
朱前红	《高中语文课文教学与作文教学的链接》（教研课题）一等奖	黔南州教育局	
王支全	《高中语文课文教学与作文教学的链接》（教研课题）一等奖	黔南州教育局	
肖春花	《高中语文课文教学与作文教学的链接》（教研课题）一等奖	黔南州教育局	
杨友发	《高中语文课文教学与作文教学的链接》（教研课题）一等奖	黔南州教育局	
何平章	《高中语文课文教学与作文教学的链接》（教研课题）一等奖	黔南州教育局	2012
吴喜艳	黔南州地理优质课奖	黔南州教育局	
李凤奇	全国科研优秀教师	国家教育科协办公室	
石世学	《农村高中实施新课程的难点及突破》	贵州省教育教学实验课题	
肖春花	全国教育科研优秀教师	教育部中国教师发展基金会	
陈友华	全国科研优秀教师、全国教育创新杰出人物	国家教育科协办公室、教育部	
龙运琴	《新课标下如何培养高中生的英语阅读能力》	国家基础教育实验中心、中国教育学会	
游　鹏	全国科研优秀教师	国家教育科协办公室	
杨友发	全国科研优秀教师	国家教育科协办公室	
潘光会	《浅谈数学在高中教学中学生素质的培养》 《浅谈高中数学课如何实施研究性学习》	中国教育论文荟萃编委会 中国基础教育研究所	

续表

姓名	荣誉名称	授予单位	时间
刘仁奎	全国百位师德名师	全国和谐德育年会	2012
陈全松	黔南州2011年度中小学远程教育优秀论文奖	黔南州教育学会	
朱模忠	黔南州2012年度中小学远程教育优秀论文奖	黔南州教育学会	
姚中奎	贵州省信息技术优质课评比三等奖	省教育厅	
姚中奎	黔南州信息技术优质课评比一等奖	黔南州教育局	
廖朝勇	黔南州2013年数学优质课奖	黔南州教育局	2013
贺光明	黔南州2013年政治优质课奖	黔南州教育局	
王祥群	黔南州2013年政治优质课奖	黔南州教育局	
黄丹丹	黔南州2013年政治优质课奖	黔南州教育局	
唐　倩	黔南州高中生物优质录像课二等奖	黔南州教育局	
石世学	《英语宝典、高一英语听力考点全突破》任主编	黄河出版传媒集团、宁夏人民出版社	
赵泽钦	《美术高考生在考前必备的心理素质》入编《现代阅读》 《多媒体让美术课程更添异彩》获教学论文奖	现代阅读、杂志社编辑部 《快乐阅读》编辑部	
谢文剑	《用心理咨询技术有效避免德育工作中的三个误区》获奖 《设计我生》获远程教育论文课件奖	贵州省教育科学院、教育学会 黔南州教育局	
谢文剑	《浅谈如何培养学生积极向上的心理品质》	贵州省心理学会、心理健康教育协会	2014
石世学	《高考英语原题听力集训》（主编）	“基础教育研究、教育教学实验”课堂（NO. 2012B236）成果	
赵泽钦	获《我的课堂我为主》摄影三等奖	州县教育局摄影协会	
吴兴凤	《如何重视高中女生数学能力的培养》获一等奖	贵州省教育科学院	
石世学	《贵州省农村地区普通高中英语新课程教材案例研究分析报告》一等奖	贵州省教育科学院	
陈堂煜	《调动学生的多元智能构建高效的英语课堂》一等奖	贵州省教育科学院	
秦　飞	《高中学困生学好英语的影响因素及对策》一等奖	贵州省教育科学院	
宋锡琴	《黔南地区普通高中英语新教材使用趋向性的课题调查报告》一等奖	贵州省教育科学院	
周遗贵	《高中生物新课程实施面临的困难和对策分析》一等奖	贵州省教育科学院	
宋　健	《走出困境—构建高中历史高效课堂》一等奖	贵州省教育科学院	
何俭霞	记班级管理之实践与感悟 二等奖	贵州省教育科学院	
陈立燕	山区高中学生课外阅读现状之我见 二等奖	贵州省教育科学院	
毛红艳	《试谈语言表达的准确鲜明生动》二等奖	贵州省教育科学院	

续表

姓名	荣誉名称	授予单位	时间
刘长青	《新课程理念下高中数学教学中自主学习的探究》二等奖	贵州省教育科学院	2014
刘兴旭	《浅议高中数学教学中哲学思想的渗透》二等奖	贵州省教育科学院	
廖朝勇	《立体几何教学中学生易犯错误的分析》二等奖	贵州省教育科学院	
王永奇	《浅谈高中数学教育中的创新教育 》二等奖	贵州省教育科学院	
杨文艳	《新课程理念下高中数学教学中自主学习的探究》二等奖	贵州省教育科学院	
杨贤材	《浅议计算机辅助数学教学 》二等奖	贵州省教育科学院	
冯泽会	《函数定义域的考题类型和解法 》二等奖	贵州省教育科学院	
肖连均	《教学中使用多媒体的利与弊》二等奖	贵州省教育科学院	
商婷婷	《浅谈中学英语词汇快乐教学》二等奖	贵州省教育科学院	
刘　琴	《民族地区英语课程资源的开发和利用》二等奖	贵州省教育科学院	
祁连州	《A Re—evaluation of Translation in Teaching Vocabulary at Senior Middle Schools in China 》二等奖	贵州省教育科学院	
谢　曼	《在英语新课程改革中英语教师的角色变化 》二等奖	贵州省教育科学院	
邹　强	《论化学实验在山区教学中的作用》二等奖	贵州省教育科学院	
唐　倩	《种群是进化的基本单位》教学设计 二等奖	贵州省教育科学院	
夏　云	《植物的组织培养》教学设计 二等奖	贵州省教育科学院	
陶竹英	《生物催化剂——酶》教学设计 二等奖	贵州省教育科学院	
汪天华	《新课程下的生物科学前沿问题的教学探究》二等奖	贵州省教育科学院	
赵　俊	《新课标下高中生物教学的几点理性思考》二等奖	贵州省教育科学院	
涂　刚	《让校训、班训融入学生心灵》二等奖	贵州省教育科学院	
李景辉	《文化在交流中传播》教学设计 二等奖	贵州省教育科学院	
张　琼	《求真务实 与时俱进》教学设计二等奖	贵州省教育科学院	
王　炯	《高中一年级历史课堂有效教学之我见》二等奖	贵州省教育科学院	
汪举芳	《如何激起学生认识历史的冲动和思维的活跃性 》二等奖	贵州省教育科学院	
黄仁江	《谈谈怎样做好落后地区高中班主任管理工作 》二等奖	贵州省教育科学院	
张元忠	《新课标下贵州省高考地理复习的思考及教材简析 》二等奖	贵州省教育科学院	
龚　雪	《贵州省信息技术基础学业水平考试创新的探讨》二等奖	贵州省教育科学院	
刘凤七	《基于校园网的高中信息技术学科校本资源库建设》二等奖	贵州省教育科学院	
吴定祥	《高三体育特长生考前策略》二等奖	贵州省教育科学院	

续表

姓名	荣誉名称	授予单位	时间
陈芳芳	《减轻中学生课业负担之我见》三等奖	贵州省教育科学院	2014
王支全	《大纲版高中语文教材经典人物形象刻画举隅》三等奖	贵州省教育科学院	
游　鹏	《语言智能与对联》三等奖	贵州省教育科学院	
李志鸿	《谈在新课标下如何教好高中数学》三等奖	贵州省教育科学院	
徐　华	《利用多媒体培养学生学习兴趣，搞好数学教学》三等奖	贵州省教育科学院	
蔡开华	《小议计算机辅助高中数学课堂的研究现状》三等奖	贵州省教育科学院	
陈　敏	《浅谈高中数学多媒体课件制作》三等奖	贵州省教育科学院	
宋　勋	《计算机辅助数学课堂教学的探究》三等奖	贵州省教育科学院	
王瑞堂	《教师信息素养的初探》三等奖	贵州省教育科学院	
肖祥明	《高中数学“发现问题与提出问题”方法初探》三等奖	贵州省教育科学院	
黄雪瑶	《怎样避免译文的望文生义 》三等奖	贵州省教育科学院	
李　盼	《探索高中英语课堂教学中学法指导的有效方法》三等奖	贵州省教育科学院	
刘宜菊	《初探快乐教学法在高中英语教学中的应用》三等奖	贵州省教育科学院	
袁家明	《农村地区英语学习的困难与对策探究 》三等奖	贵州省教育科学院	
谭阳辉	《如何构建家校和谐教育 》三等奖	贵州省教育科学院	
洪庆平	《浅析少数民族地区高中物理教育存在的问题及对策》三等奖	贵州省教育科学院	
杨通银	《“手机的利与弊”班级舆论在辩论中形成》三等奖	贵州省教育科学院	
董　旭	《如何提高高中物理课堂听课效率 》三等奖	贵州省教育科学院	
胡　蓉	《两招配平高中氧化还原反应 》三等奖	贵州省教育科学院	
贾小燕	《新课改下高中化学高效课堂的构建 》三等奖	贵州省教育科学院	
王光先	《浅谈“十字交叉法”在化学计算题中的应用 》三等奖	贵州省教育科学院	
蔡　毅	《新课改实施后的教学思考》三等奖	贵州省教育科学院	
商小燕	《光合作用与农业》教学设计 三等奖	贵州省教育科学院	
邓思源	《班级的凝聚力——班级“文化”的建设》三等奖	贵州省教育科学院	
贺光明	《浅谈高中政治新课程的教材处理技巧》三等奖	贵州省教育科学院	
黄丹丹	《处理民族关系的原则：平等、团结、共同繁荣》教学设计三等奖	贵州省教育科学院	
罗　鑫	《高中历史教学的世界整体性》三等奖	贵州省教育科学院	
张　澧	《中国军民维护国家主权的斗争》教学案例 三等奖	贵州省教育科学院	
唐书军	《浅谈校园景观“日晷”的配置与作用》三等奖	贵州省教育科学院	
罗显英	《多媒体在地理教学中的运用》三等奖	贵州省教育科学院	

续表

姓名	荣誉名称	授予单位	时间
顾晓福	《中学生英语能力竞赛智力测试题设计与破译》一等奖	贵州省教育科学院	2014
石世学	《农村高中实施新课程的难点及其突破》	省级课题论著	
石世学	黔南州首届课题科研二等奖	黔南州教育局	
唐　倩	瓮安县优质录像课一等奖	瓮安县教育局	
唐　倩	黔南州高中生物优质课二等奖	黔南州教育局	
唐　倩	全国中学生生物奥赛（贵州赛区）辅导教师三等奖	瓮安县教育局 瓮安县科协	
唐　倩	黔南州 2014 年高考优秀模拟试卷评比（生物学科）三等奖	黔南州教育局	
刘秋红	《如何应对农村中学信息技术教学的尴尬》三等奖	贵州省教育科学院	
刘　毅	《浅议自主学习在高中信息技术教学中的运用》三等奖	贵州省教育科学院	
王小冀	《体育教学中共性与个性的探讨》三等奖	贵州省教育科学院	
曾　山	州级体育骨干教师	黔南州教育局	
田　春	《浅谈县级高中班主任的班级管理 》三等奖	贵州省教育科学院	

第十四节　成绩考查　毕（肄）业

一、成绩考查

民国 24 年（1935 年），瓮安中学实行毕业会考，科目有公民、代数、几何、三角、物理、化学、动物、植物、地理和历史。

民国 25 年（1936 年），废除学分制，实行全省会考。省教育厅规定中学生毕业会考科目（初、高中）为国文、算学、理化、史地、外语五科。初中公民、动植物，高中公民、生物科免考。瓮安初级中学要先向省厅呈报应届毕业生履历及历年各项成绩表获核准后参加毕业会考，造具补考学生姓名及补考科目表呈省厅审核后参加补考。毕业考试或补考由省教育厅派人或令县长莅临监考。11 月 16 日，省府派主任科员严敬彝充任主考委员携带密封试卷到瓮安中学监督毕业会考及上期 1、2 科不及格学生的补考。会考及格或补考及格学生由学校呈送省教育厅鉴核验印发放毕业证书。省教育厅规定学生操行及体育成绩不及格者不得晋级或毕业。

民国 30 年（1941 年）1 月，省教育厅为考核各中等学校教学成绩及学生的平时学业成绩，借以促进教学效能而提高学生程度，拟具抽考中等学校学生学业成绩办法及调阅学生练习本、试卷办法，对学生进行抽考和作业试卷调阅以提高教学质量。7 月，省教育厅制定《中等学校推进校务暂行办法》，规定教师对各科作业的批改次数，规定成绩考查要进行月考、半期考、期末考和毕业班的毕业考试。

民国 34 年（1945 年）1 月，瓮安中学初中部第 21 期应届毕业考试，省教育厅令县长杨仲皋亲临监考。6 月，应届毕业生毕业考试，省教育厅令县长曾慎明监试。

民国36年（1947年）1月，省教育厅令县长傅啟运莅临瓮安中学对当届毕业生监考。

民国37年（1948年）7月，瓮安初高中毕业考试，省教育厅令县长苟中一临场监考。

1954年1月，省教育厅修订《贵州省中等学校成绩考查办法》，考查办法含学业成绩、操行成绩两个方面。

1955年7月，省教育厅规定，不再举行半期考试，学期成绩以平时成绩占50%，学期考试成绩占50%合并计算。

1959年，瓮安中学应届毕业班语文、数学学科统考及格人数比1958届毕业班提高20.08%。

1960年年初，1959—1960学年度第一学期黔南初中二年级语文进行统一考试。参加统考的7个县（缺望漠）42所公民办中学学生361人，全州总平均分数为68.2。瓮安四中以总平均分81.8列居全州第四位。在同学年第一学期全州高中三年级数学科统一考试中，瓮安四中以总平均63.7分，及格率64%居全州第一名。

1962年秋，瓮安中学初中应届毕业生40人，农业生33人，非农生7人，团员5人。语文最高分76，最低分44分，平均分64.4分，及格30人；数学最高分98分，最低分43分，平均74.2分，及格33人；政治最高分86分，最低50分，平均70分，及格33人，物理最高分99分，最低分36分，平均73.9分，及格31人，化学最高58.2分，最低53.4分，平均59分，及格17人。

1964年1月，瓮安中学初中毕业参加中考34人，成绩平均70.5分，为全州第一名，其中1人保送入黔南师范，录取33人。高中毕业生34人，报考大专院校的32名，录取12名，占报考的37.5%，名列全州第三名。

1964—1965学年，瓮安中学603名学生的学年成绩及格率为89.4%，总平均为72.63分，其中贫下中农学生积极求学，及格率达91.2%，总平均达73.08分，及格率和平均分都高于全校的总成绩。

1981年，瓮安中学对成绩考核规定，每学期都要按教学计划规定的课程举行。成绩考核，每学期都要按教学计划规定的课程举行半期、学期及平时考试，毕业年级举行毕业考试。考试成绩按百分制评定。学生学期及学年成绩通知家长。学期、学年、毕业成绩均记入学生档案。学期成绩按半期30%、平时20%、期考50%计算；学年及毕业成绩按上期30%、半期20%、期末（及毕业）50%计算。全学年体育缺课1/3者，不评定体育成绩。

1990年12月28日，黔南州教育工会会议规定：

初中毕业生升入高一级学校，要进行德育考核。实验课要开齐，使用好教学仪器，实验开出率应达到85%以上，开展两操、两活动，体育不合格不能参加中等升学考试。要克服“重复教育”。从1991年起，应届初中毕业生和往届初中毕业生考中专、中师按7：3的比例进行录取，以后逐年增大应届生的录取比例。初三不得留级，成绩不合格者发给结业证书或肄业证书。其余年级留级率不得超过5%。实行初中会考制度，会考科目：1991年历史、地理（初二年级），1992年生物（动、植物、生理卫生，初三年级）。会考不合格者不得参加全州中等升学考试。初中实行保送德智体全面发展的优秀毕业生免试进入普通高中，要特别保送优秀的学生干部和品学兼优的少数民族学生（区中学前3名、县中学前5名）。从1992年起，中考实行全省统一。瓮安中学遵照执行。

1992年6月5日，省教委规定普通高中毕业会考科目：高一年级地理；高二物理、化学、生物、历史及理、化、生三科的实验操作考查；高三政治、语文、数学、外语及劳动技术课的考查。会考由省教委统一命题、制卷，统一考试，考点设在县（市、区）所在地的中学，要选择环境安静、条件较好，便于管理，具备保密、保卫、监考等条件。评卷委托地（州、市）教委组织进行。评卷登分后，将会考成绩报省。因故未能参加当年毕业会考或参考未合格者，可参与当年省统一组织的补考，补考不及格高三毕业前可再参加一次补考。高三会考科目不及格可于次年（学生离校后）参加下届学生的补考。瓮安中学遵照执行。

2001年，省教育厅下发《关于改革和完善普通高中毕业会考制度的意见》规定，“从2001年起，省级及省级以上示范性普通高中经申请批准，可免予参加全省统一的毕业会考，毕业考试可由学校自行命题、施考和评定成绩。学生成绩与全省会考成绩具有同等效力。”

2004年，瓮安中学成立会考领导机构，拟定实施方案，报黔南州基教处并转省教育厅基教处审批，根据会考命题有关规定对2004年秋季招生自行组织会考命题考试。

2006年4月，瓮安中学制定《自行组织高中毕业会考的暂行规定》。规定：瓮安中学在获得自行组织毕业会考权后，要维护会考质量和信度，不改变性质，不降低标准，不放宽要求。建立会考领导小组，根据全州会考标准组织会考命题、施考及评卷工作。公布会考成绩，划分学生会考等第，认定学生会考合格和毕业资格，调查和处理会考过程中的各种违纪舞弊事件。高中会考文化科目和实践科目两类，前类为考试科目，含语文、数学、外语、物理、化学、生物、思想政治、历史、地理9科；后类为实践科目，含物理、化学、生物、实验操作、信息技术和社会实践5科。每年1月和7月开考2次，每次9科全部开考。1月份主要针对高三学生，7月份针对高一、高二学生。对会考不合格学生可于毕业前（原则上为3月份）组织补考1次。高一会考地理、历史，高二会考物理、化学、生物、政治，高三会考语文、英语（含听力）、数学。考查科目原则上放在高二进行。会考标准，试卷结构，考试形式、时间，考场设置，成绩评定等，按州局规定执行。试题命制由会考领导小组聘任教师拟定，试卷印刷、保密分发、考试过程的监督管理由会考办负责。考卷评卷、登分完毕，由会考办保存，随时接受主管部门检查。得分用百分制，报告学生成绩以等第形式呈现。考查科目只记合格、不合格两种。每轮考试结束，由会考办具体落实学生会考等第，并记入学生成绩档案。搞好会考复习，提高教学质量，确保会考一次性合格率不低于省级示范性高中规定的合格率标准。鼓励学生在全面发展的基础上发展个性特长。学生凡在高中阶段参加奥赛或全国联赛复、决赛获三等奖以上的学科免考，成绩按A等记入档案；参加地级以上的体育或艺术竞赛获得奖励证书的学生，各科成绩可加10分划定等第；参加地级以上的科技活动、小论文竞赛及作文竞赛中获三等奖以上的学生，相关学科可加10分划定等第。

2010年，省教育厅下发的黔教基发〔2010〕32号文件规定，2010年起由省对2007—2009级普通高中学生统一组织实施普通高中毕业会考。2010年秋季入学的学生实施普通高中学业水平考试。考试科目为语文、数学、外语、思想政治、历史、地理、物理、化学、生物等9科；考查科目为信息技术以及物理、化学、生物的实验操作，由学校组织实施，考查结果报省级教育行政部门。

2013年，贵州省普通高中课程改革后实施新一届高考，高考科目的设置为3+文科综合/理科综合。报考体育类和艺术类的考生应参加全省统一组织的专业考试。报考外语、外贸类院校及英语专业的考生应参加全省统一组织的英语口语考试。高考总分750分。语文考试时间150分钟、分值150分；数学（文、理）考试时间120分钟，分值150分；文科综合和理科综合考试时间150分钟，分值各300分；2013、2014英语笔试时间100分钟，分值135分，使用教育部统一命制的分值为120分试卷（折合成135分），听力考试时间20分钟，分值15分，使用教育部统一命制的分值为30分试卷（折合成15分）。

二、毕业肄业

民国18年（1929年）后，省立瓮安中学初中学生修业期满，参加毕业考试（学校自考或省厅会考）成绩及格，准予毕业。因正式毕业证书须呈省政府教育厅验印，在尚未颁发前，为便于学生升学，学校发给临时证明书，在正式毕业证书验印签发到校后再换取。未达毕业标准者发给肄业证明书。

民国37年（1948年）5月，瓮安中学设“应届毕业生就业指导委员会”，指导毕业生升学及介绍学生求业。

1958年，省教育厅规定：学生各科毕业成绩和操行成绩均及格，学籍业经核准者，准予毕业。学生毕业成绩最后一次补考仍不及格者，不予毕业，但如未达留级标准，由学校发给修业期满证明书以作学生升学或就业的证明（证明书上注明不及格的学科分数）。学校应在每学年结束后两个月内造具毕业成绩册（包括发给修业期满证明书的学生）连同填妥的毕业证书（不包括修业期满的学生），报县、市人民委员会验印，州县市已设教育（文教）局者，由教育（文教）局验印。发给修业期满证明的学生，可以在次学年回校补考一次，补考及格者，发给毕业证明书，如不参加补考或补考后仍有不及格学科者，不再换发毕业证书。瓮安中学遵照执行。

1960年秋，省决定在设有高中部而又没有高三毕业生的中学提前招生。瓮安中学选送刘支举、曹俐俐、陈世屏、王洪儒等18名高二年级提前结业生参与毕业考试合格毕业，然后参加全国统一高考，全部被录取。初中二年级选送16名学生提前结业参与初三毕业生毕业、升学考试，分别被高中、中师、畜牧等校录取。

1986年，瓮安中学毕业、肄业规定：高三应届生，预考成绩达预选分数的80%以上，准予毕业，以下者作肄业。肄业生在下一学年参加高考预选，达毕业标准者，可改发毕业证书。初三应届生，毕业考试学科加体育，有5科以上不及格者作肄业处理，4科以下不及格，可予毕业。肄业生可于第二年参加学校初三毕业考试，考后达毕业标准，可改发毕业证书。

1991年4月，省教委对普通高中毕业证书（包括肄业证书），规定由省教委统一印制，各地、州（市）教育局（委）验印，学校颁发。具有普通高中学籍、修满3年，达到《贵州省普通高中学生毕业标准（试行办法）》的学生，方能发给毕业证书。思想品德表现、学科成绩、社会实践、体育成绩4个方面中有一方面达不到标准者，发给肄业证书。省教委统一为地、州（市）制定高中毕业证书专用章（钢印）和高中学籍管理专用章，从1992届毕业生开始使用。

1995年，瓮安中学规定：在学校就读的初中学生，修业期满，德、智、体合格，参加职业技术教育合格均发给毕业证书。初中毕业证书的颁发由学校统一报县教育局审核州教委备案方能颁发。初中毕业证书必须加盖县教育行政部门的钢印方能有效。就读的高中学生经全省统一会考，修业期满，德、智、体合格发给会考合格证书和高中毕业证书。会考合格证书和高中毕业证书的颁发由学校统一报县教育局、州教委审核、省教委备案加盖州教委钢印方能颁发。

1997 年，瓮安中学高中毕业标准及证书颁发规定：高中毕业生只有思想品德表现合格，体育达到合格标准，会考成绩（等第）合格才能取得普通高中毕业证书。毕业会考全部学科（含实验考查）全部合格才能获得会考合格证。地理、物理、化学、生物、历史、外语、政治、语文、数学九科中前 6 科有两科不及格（含补考仍不及格）不发高中毕业证书，只发结业证明。后 3 科中有 1 科不合格（含补考仍不及格）不发高中毕业证书，只发高中结业证明。高等学校在录取新生时，参考考生的高中毕业会考成绩。

2012 年 12 月，省教育厅制定《贵州省普通高中学生毕业标准（试行）》，2013 年开始贯彻执行。贵州省普通高中在籍学生，符合下列相关标准的，准予毕业、结业或肄业，发给相应证书：

毕业标准在普通高中学校修业满 3 年，且同时达到下列标准的，准予毕业，发给高中毕业证书：综合素质评价合格，其中道德品质、公民素养、交流与合作三方面的评定等第均达到合格以上；学习能力、运动与健康、审美与表现三方面的评定均达到 C 级及以上；修满 144 个学分（其中必修学分 116 个，选修学分 28 个）；学分由学校认定，允许补考合格后获得学分；参加省统一组织的学生学业水平测试，共计 11 科考试、8 科考查科目。要求：学业水平考试（含补考）成绩有至少 8 科在 C 等及以上；考查科目成绩有至少 5 科在合格及以上。

结业标准有下列情况之一的，发给结业证书：修业满 3 年，但未修满规定学分的；高中学业水平考试（含补考）或考查科目成绩未达到毕业标准的；综合素质评价不合格的。结业后 3 年内，凡原未达到毕业标准项目，按照有关规定达到毕业标准的，可换发毕业证书；3 年之后不再换发。

肄业标准修业 1 年以上（含 1 年）但不满 3 年，经学校批准，因故中途退学的，可发给高中肄业证书；未经学校批准，无故自动退学的，不发给高中肄业证书。全省普通高中毕业证书、结业证书、肄业证书由省厅统一式样，市（州）教育行政部门统一印制、组织发放、审核和验印，学校颁发。

表 6-6　　1981—2014 年瓮安中学高考第一名名录

届数	姓　名	性别	出生年月	类别（文、理科）	录取院校、专业	考分
1981	杨　东	男	1961. 12	文	西南政法学校	369. 7
	杨兴贵	男	1964. 9	理	南京航空学院	411. 5
1982	朱琪琦	男	1965. 3	文	贵州大学	416. 6
	高育林	男	1964. 10	理		509. 63
1983	王朝科	男	1963. 4	文	山西财经大学	391
	刘自春	男	1967	理	云南大学	445
1985	李中华	男	1968. 5	理	西北工业大学	516
1986	曹文婷	女	1968. 11	理	西北电讯通讯学院	506. 55
1987	毛　红			文	北京矿业学院	469

续表

届数	姓 名	性别	出生年月	类别（文、理科）	录取院校、专业	考分
1989	蒋静姝	女	1973. 3	文	贵州大学	431
	李恩波	男	1972. 1	理	天津大学	568
1990	王 琰	女	1972. 11	文	汉中理工大学	428
	毛 颖	女	1972. 10	理	北京交大	525
1992	向 昕	女	1975. 2	文	湖南财经大学	437
	左 琴	女	1975. 1	理	北京农业大学	515
1993	谢治春	女	1977. 6	文	广州金融	520
	罗 颖	女	1976. 1	理	华中理工大学	585
1995	刘明量	男		文		349
1998	杨 波	男		文	中央民族大学	507
	朱成安	男		理	北方交大	591
1999	吴家颖	男		文	公安大学	571
2000	宋国强	男		文	中国政法大学	563
	唐 钷	男		理	清华大学	648
2001	刘玉娇	女		文	上海财经大学	579
	朱海维	男		理	同济大学	624
2003	刘成乾	男		文	南京大学	575
	李成前	男		理	南京大学	619
2004	王晶晶	女		文	武汉大学	619
	谢文杰	男		理	上海交通大学	624
2006	李 莉	女		文	上海财经大学	604
	敖 扬	男		理	上海交通大学	672
2007	黄 梅	女		文	中山大学	629
	李成果	男		理	北京大学	674
2009	蒲 江	男		文	上海财经大学	608
	石仁刚	男		理	清华大学	645
2010	赵多俊	男		文	复旦大学	610
	任永欢	女		理	北京大学	657
2011	卢成宪	男		文	上海外国语大学	580
	申 灵	女		理	香港城市大学	

续表

届数	姓　名	性别	出生年月	类别（文、理科）	录取院校、专业	考分
2012	罗　飞	男		文	北京大学	654
	周昌杰	男		理	北京航空航天大学	650
2013	游　雅	女		文	北京大学	664
	张玉娇	女		理	同济大学	639
2014	彭玉恒	女		理	北京大学	669
	罗　源	男		文	上海金融学院	615

第十五节　督导评估

一、督导

民国 25 年（1936 年）3 月，省教育厅通知瓮安中学：“按校历规定，各中学应于 2 月 25 日开始上课，而省立瓮安初级中学呈送开学上课日期是 3 月 8 日，责成缺授课程应设法补授以重学生学业。”4 月，省政府、省教育厅派省督学胡国泰视察贵定、庐山、黄平、施秉、镇远、瓮安、平越等七县教育情形，指出：“省立瓮安初级中学，年来风潮迭起，暮气沉沉，学校当局用人行政，均未公开，拟请令饬加意整饬，力图振刷。”

9 月，省政府为整改学校工作令各中等学校：“兹值学年开始，特将亟须改进各要点，条示各校遵照办理：各中小学行政组织，应遵照规定办理。不得因人设事，多所靡费，尤须注意各部之间互相联络，以收合作之效；各科教学时数，应完全遵照规定办理，科目不得任意变更，时数尤不得自行增加以致加重学生负担；对于学生学期成绩考查应遵照《修正中学规程》第 62 条无学期成绩之学科或成绩不及格之学科在三科以上之学生，或仅两科无学期成绩或不及格，但其科目在初中为国文、英语、算学、劳作四科之任何 2 科之学生，应予留级一学期；应切实实施军事管理、童军训练，应切实遵照《特种教育纲要》之各项规定办理，尤应注重‘人格感化’‘训教合一’二要点；严格考查各科教学进度，并制定教学进度预计表及考查表，详加记载考核；班级学生人数，不得超过规定 50 名，以免妨碍教学；遵照规定，按期呈报各项表册以便审核；学校专任教员在校时间，应切实遵照办理，使有充分时间预习及指导学生课外作业；校长或教务主任教导主任每月至少应调阅各级各科练习本一次，注意各科级任教员判改练习之勤惰。”瓮安中学严格执行整改学校工作要点。

民国 26 年（1937 年）4 月，瓮安中学按省政府指示填报各种表册送省政府教育厅备核。9 月，全面抗战开始。教育部拟具《总动员时督导教育工作办法纲要》要求，“全国各地各级学校及其他文化机关，务力持镇静，以就地维持课务为原则，”学校训练“力求切合国防需要，但课程之变更，仍须遵照部定范围”“各级学校之教职员及中等以上学校之学生，得就其本地成立战时后方服务团体，但须严格遵照部定办法，不得以任何名义妨害学校之秩序。”“为安定全国教育工作起见，中央及各省市教育经费在战时仍应照常发给。”瓮安中学处抗战大后方，教学秩序正常，教育教学未受任何影响。

民国36年（1947年）2月，瓮安中学执行省教育厅改进事项：校舍增建计划分期进行，使其全部完成；图书仪器所缺，即设法充实，教授理化博物各科尽量利用教具，史地课程悬挂地图教学，方法采用设计式、启发式使学生易于领悟；各班功课未授完，即设法补授，并照规定进度教授完竣；招收学生照规定办理，对于学生管理务须严格，军训童训均遵照法令实施，军事教官、童军教员多尽责任；课余领导作有益身心之活动，指导学生阅读课外读物，陶冶其品德，养成读书风气；空地甚多，广植树木花卉以美化校景；增辟农场，遵照部颁各级学校实习农业增产办法计划；改善学生宿舍空气光线不佳，窗户糊纸；冬季禁止学生自带火笼，学校环境随时保持整洁；各种表报章则照规置备，校产校具清理登记，妥为保管；未经检定教员从速依法申请检定。11月5日，省督学卢光义视察瓮安中学。

民国37年（1948年）1月，省教育厅转发教育部督学呈賫民国36年（1947）上期视察贵州省教育报表，令瓮安中学做出应行改进各点：学校均缺少理化仪器、生物标本模型以及体童器具、图书杂志等，应予设法充实；每期不能教完应教之课程，尤以英理数为甚，应予改善；数理练习多采抽改方法，致偷懒学生均互相抄录，流弊甚大，应予改良；国文作文篇数甚少，能达到部颁规定最高者未超过七篇（高初中相同），少者仅3篇，改正亦多草率，甚有仅书一“阅”字于卷尾者，应督饬改善；因聘请教师不易，致降格相求，师资水准因之降低，今后聘用教员应尽量聘用合格人员。4月、6月，省教育厅派省督学易炎白两次视导瓮安中学。

1998年，省委下发普通高级中学督导评估方案。随后，县督导室督促政府及教育行政部门履行职责、转变职能、加强领导、创设条件、办好高级中学；督促指导高级中学贯彻执行有关教育法律、方针、政策，遵循教育规律，深化教育改革，优化学校管理，实施素质教育，全面提高教育质量和办学效益，培养社会主义事业的建设者和接班人；引导社会、家长用正确的标准评价学校的办学水平，关心和支持学校工作。

2004年1月17日，瓮安中学成为贵州省第三批省级（三类）示范高级中学。

2013年8月30日，瓮安中学决定成立教学督导室，并拟订实施方案，就指导思想、督导目的、内容及形式、督导工作职责及管理措施、教学督导员聘任条件及待遇等方面作明确规定。9月13日，《中小学校责任督学挂牌督导办法》规定：责任督学由教育督导部门聘任，颁发督学证，实行注册登记，直接管理。责任督学的基本职责：对学校依法依规办学进行监督；对学校管理和教育教学进行指导；受理、核实相关举报和投诉；发现问题督促学校整改；向督导部门报告情况，向政府有关部门提出意见。并对以下主要事项实施经常性督导：校务管理和制度执行情况；招生、收费、择校情况；课程开设和课堂教学情况；学生学习、体育锻炼和课业负担情况；教师师德和专业发展情况；校园及周边安全、交通安全清理；食堂、食品、饮水机宿舍卫生情况；校风、教风、学风建设情况。依法督导，客观公正，廉洁自律，对有可能影响公正督导的情形要实行回避。进校督导要出示督学证。张世德任瓮安中学第一届责任督学。

二、评估

20世纪90年代初，瓮安中学成立学校评估工作领导小组，从查阅资料、课堂考核、师生和家长问卷、测试座谈等全面进行自查自评，县、州、省检查验收学校评估工作。

1991年6月上旬至1992年10月，学校评估工作领导小组根据评估方案，把采集到的信息按定量、定性标准进行分析、论证，入等给分，评估结果为优等。

1994年后，学校初中部普及九年义务教育得到落实。学校成立办学水平自查自评工作领导小组。学校"普九"领导小组落实岗位责任，召开不同类型的"普九"工作会议，全校教职工都参与"普九"达标工作。

1999年2月，瓮安中学通过学校自查自评和省、州、县教育部门督导评估，办学水平达优秀。

2000年初，学校根据省教委〔1998〕22号《关于颁发〈贵州省省级示范性普通高中办学标准〉的通知》和省人民政府教育督导室、省教委〔1998〕405号《关于下发〈贵州省普通高级中学督导评估方案（试行）〉的通知》精神，停止初中招生，扩大高中办学规模。

2001年12月，学校成立以校长为组长，党支部、处室、工会、团委负责人以及教研组、年级组参加的评估领导小组，对评估的各项指标，按工作属性和范围分解到各个处室，按评估要求收集3年的资料，进行整理、归类、编目、装订入盒。自查自评量化得分：总分为968.9分。是月，黔南州人民政府教育督导室、州教育局、普通高（完）中办学水平督导评估团按照《关于印发"对瓮安中学、都匀民族中学高（完）中办学水平督导评估报告"》，特邀省兼职督学对瓮安中学高中办学方向、学校管理、教学质量、办学条件等方面进行全面的督导评估。评估总分572.6分，为优秀学校。

2003年12月，省教育厅组织专家对瓮安中学申报省级示范性高中进行全方位评估。

2004年1月，瓮安中学成为贵州省第三批省级（三类）示范高中。11月，省教育厅要求瓮安中学就教师数量严重不足、教师负担过重、教研教改有待加强、会考各科一次性合格率尚未达到标准等问题进行整改。

2005年11月22日，省教育厅组织专家对省级示范高中瓮安中学进行复查。

2011年秋，瓮安中学整体搬迁到河西半月山新校园。县委、县政府成立升类工作领导小组，组织领导瓮安中学"升类"工作。12月6日，学校向州教育局提出申创二类示范性普通高级中学报告。

2013年11月26日—28日，省教育厅组织专家对瓮安中学进行省级示范高中升类评估。瓮安中学升格为省级示范二类高中。

表6-7　　1987—2013年瓮安中学荣誉一览表

时间	荣誉名称	授誉单位
1978	贵州省全省教育先进单位	贵州省教育厅
1979	（"五七"厂制造的35型四轮拖拉机传动装置获）物理中学组三等奖	全国青少年科技作品展
1980	贵州省教育战线先进集体	贵州省人民政府
1985	瓮安县精神文明先进集体　先进党支部	瓮安县委、县政府
1987	"贵州省中学实验建设先进集体""实验室管理开放一等奖"	贵州省教委

续表

时间	荣誉名称	授誉单位
1988	黔南州十五所大型完全中学 “体育卫生一等奖”	黔南州政府、体委
	贵州省体育传统项目学校 贵州省实验建设先进单位	贵州省教委
	黔南州实验建设先进单位	黔南州教育局
	两个文明建设先进单位	瓮安县政府
1989	瓮安县 1988 年度教育系统先进单位	瓮安县政府
	瓮安县 1989 年度两个文明建设先进单位	瓮安县委、县政府
	1989 年度教学仪器管理使用先进单位	瓮安县委、县政府
	优秀党支部	瓮安县委
1990	卫生工作全州第二名、学校卫生工作先进单位、图书阅览室工作全州第二名	黔南州委、教育局
	省级一等体育传统项目学校	贵州省体委、教委
	瓮安县民族团结先进集体	瓮安县委、县政府
	瓮安县 1990 年度两个文明建设先进单位	瓮安县委、县政府
	瓮安县先进党支部	瓮安县委、县直机关党委
1991	招生考试先进单位	黔南州教委、招委
	1990 年度招生先进单位	瓮安县委
	瓮安县教育系统 1990 年度文明学校	瓮安县委、县政府
	瓮安县 1991 年度两个文明建设先进单位	瓮安县委、县政府
1992	高中（文科）全州特等奖	黔南州教育局
	黔南州高三教学质量特等奖	黔南州教育局
	(历史教研组获）黔南州高考成果三等奖	黔南州教育局
	黔南州招生考试先进单位	黔南州教育局
	(数学、政治组分别获）黔南州高三教学成果（理科）优秀奖	黔南州教育局
1993	瓮安县社会治安综合治理达标先进单位	黔南州教育局
	黔南州中学生语文知识竞赛优胜奖	黔南州教育局
1994	(高中数学、外语毕业会考分别获）全州平均分第一名	黔南州教育局
	高考录取先进单位	黔南州教育局
	学校卫生先进单位	黔南州教育局
	黔南州实验室建设先进集体	黔南州教育局
	贵州省体育传统项目学校	贵州省教委、省体委
1995	黔南州先进集体	黔南州教育局

续表

时间	荣誉名称	授誉单位
1996	毕业会考全州第一名、数学全州第二名	黔南州教育局
	物理全州第二名、生物全州第二名	黔南州教育局
	迎接香港回归祖国知识竞赛第一名	瓮安县委、县政府
	迎接香港回归祖国读书活动组织奖	瓮安县委、县政府
1997	毕业会考地理全州第二名	黔南州教育局
	体育道德风尚奖	黔南州体委、教育局
	体育工作全州第一名	黔南州体委、教育局
	全州先进团委	黔南州团委
1998	招生工作先进集体	黔南州教育局
	体育传统项目学校	贵州省体委、教委
1999	“三风三化”校园文化建设先进单位	瓮安县委、县政府
	文明学校	瓮安县委、县政府
	社会治安综合治理先进单位、平安工程模范单位	瓮安县委、县政府
2000	全州绿化先进单位	黔南州委
2001	入编《中国名校六百家》	
	全国中小学信息技术创新与实践活动先进单位	国家教委
	黔南州中学体育的两面旗帜（另为都匀一中）之一	黔南州教育局
	普通高中办学水平优秀学校	黔南州教育局
	贵州省实验教学示范校	贵州省教育厅
	贵州省首批中小学现代教育技术实验学校	贵州省教育厅
	绿化示范单位	黔南州政府
	全民健身先进单位	黔南州政府
	文明学校 绿色学校	黔南州政府
	全省红色团委创建单位	黔南州政府
	中学与大学合作教育基地	贵州省团委
	国家级教育观察基地	教育部教育管理中心
2002	贵州省体育传统项目学校	教育部
	省级实验教学示范学校	贵州省教育厅、省体委
	优秀学校 文明学校	黔南州政府
	文明学校 先进党支部	瓮安县委、县政府
	贵州省五四红旗团委	贵州省教育厅

续表

时间	荣誉名称	授誉单位
2003	省级示范性普通高中（三类）	贵州省教育厅
	黔南州绿色学校	黔南州教育局
2004	第二届全国中小学信息技术创新与实践活动先进单位	教育部关工委 中国科协
	2004 年度普通高中教育教学质量奖	黔南州教育局
	2004 年度文明单位	瓮安县委、县政府
	北大附中远程教育示范学校	
	绿色学校	黔南州教育局、环保局
2005	全国教育科研先进单位、2015 年度艺术教育特色单位、2005 年度艺术教育集体组织奖	教育部、中国教育学会和中国教育报
	先进党支部	瓮安县委
	先进基层党组织	瓮安县委
	黔南州 2005 年普通高中教育教学三等奖	黔南州教育局
	2005 年度文明单位　2005 年度全县社会治安综合治理先进单位	瓮安县委、县政府
2006	全国教育科学“十一五”教育部规划课题组成员校	全国中学教育科研联合体
	国际志愿者外籍教师合作教学实验学校	全国外籍教师英语教学管理委员会
	瓮安县“四五”普法依法治理工作示范单位	瓮安县普法依法治县领导组
	先进基层党组织	黔南州委
	国家教育质量管理示范基地	中国教育决策中心教育质量管理委员会
	中国—加拿大参与式农村环境教育示范项目奖	黔南州教育局、教育工会
	瓮安县 2006 年度文明单位	瓮安县委、县政府
2007	推进党的基层组织先进性建设工程示范党总支	瓮安县委
	《教书育人》《校园生活》获最佳校刊奖	中央教育杂志社
	黔南州 2007 年度教育教学质量奖	黔南州教育局、教育工会
	中国师德建设示范单位	“中国师德建设研究”总课题组
	黔南州文明学校	黔南州政府
	全国教育科学“十一五”规划课题“和谐德育研究实验学校”	中央教育科学研究所和谐德育总课题组、中国伦理学会德育专业委员会

续表

时间	荣誉名称	授誉单位
2008	全国教育科研“十一五”规划重点项目中国师德建设示范单位	中国师德建设研究总课题组、中国教苑教育咨询中心
	瓮安县社会治安综合治理先进单位	瓮安县委
	全国百所最具成长力学校	全国关工委、教育专家委员会、教科联合体
	贵州省体育传统项目学校	省体育局、省教育厅
	支持新农村建设先进单位 十佳先进基层党组织	瓮安县委、县政府
	黔南州文明单位、黔南州绿化先进单位	黔南州委、州政府
	先进基层党组织	黔南州委、州政府
	黔南州教育系统2008年抗冻救灾先进集体	黔南州委、州政府
	中国教育学会“十一五”科研规划重点课题实验学校	中国教育学会
2009	德育工作创新先进集体	黔南州委、州政府
	帮教工作先进集体 整脏治乱专项行动先进单位	瓮安县委、县政府
	2009年体育工作先进单位	贵州省教育厅、省体委
	2009年贵州省校园文化建设先进学校	贵州省教育厅
2010	黔南州2010年普通高中教学质量提高进步先进单位	黔南州委州政府
	黔南州2010届教学质量巩固提高先进单位	黔南州委州政府
	黔南州德育工作创新先进集体	黔南州委州政府
	瓮安县师德师风专项教育活动先进单位	瓮安县委
	瓮安县学习实践科学发展观先进集体	瓮安县委
	2010年度课堂教学管理先进学校	全国关协、教科联合体
	2010年度整脏治乱红旗单位	瓮安县委
	2010年度消防安全教育示范学校先进单位	黔南州人民政府
	德育科研先进实验学校	全国和谐德育研究总课题组中国伦理学会德育专业委员会
2011	全国德育创新基地学校并授铜牌	国家教委
	全国教育科学“十一五”规划课题和谐德育研究与实验获先进实验校	国家教委
	2011年度全省精神文明建设工作先进单位	贵州省教育厅
	黔南州2011年普通高中教育质量一等奖	黔南州教育局
	学科教育学科教学渗透法制教育示范校	贵州省教育厅

续表

时间	荣誉名称	授誉单位
2012	“五四”红旗团委	瓮安团县委
	全国教育科研先进单位、艺术教育特色单位	教育部
	全国百所德育示范校	中央文明办教育部、妇联
	全国百项优秀校园文化建设成果奖	中央文明办教育部、妇联
	“五好”基层党组织	中共黔南州委
	全国示范家长学校	中央文明办、教育部、妇联
	全国特色教育示范单位 全州餐饮服务食品安全示范单位	国家教育科研基金管理办公室 黔南州餐饮服务餐饮食品安全委员会
2013	省级示范性高中（二类）	贵州省教育厅
	贵州省中小学学科教学渗透法制教育省级示范学校	贵州省教育厅
	国家教育质量管理示范基地	教育部
	“五四”红旗团委	团县委
	抗旱救灾先进基层党组织和“五好”基层党组织	瓮安县委

第七章　交流　支教

第一节　校际交流

2000 年，瓮安中学办成完全高中，先后组织教师分期分批赴广西南宁、广东深圳、广州，湖北黄冈、武汉、湖南岳阳、长沙及全省都匀、荔波、福泉、贵定、龙里、赤水等地学习参观或听取专题讲座，同时也邀请湄潭中学、余庆中学、荔波、龙里、福泉等中学到学校进行办学经验交流。

2003 年，瓮安中学申报省级示范性高中成功后，先后与周边兄弟学校交流学习，取长补短。

2004 年起，都匀二中、惠水二中、惠水民中、荔波民中、长顺民中、平塘中学、罗甸民中、贵阳白云区兴农中学、独山中学、独山民中、黄平民中、遵义四中、遵义南白中学、中山中学、赤水一中、三都恒中民族学校、湄潭求是中学、三都鹏程希望中学、石阡中学、思南中学、修文中学、扎佐中学、六桶中学、宏福子校、余庆中学等校和独山、石阡、贵定等县教育系统代表团队先后到瓮安中学参观学校校容校貌、办学条件，学习教育教学管理、资料收集归档、后勤等方面的经验。瓮安中学先后赴贵阳市白云区兴农中学、贵阳八中、遵义南白中学、思南中学、思南师范、余庆中学、独山民族中学、惠水民族中学等校参观学习交流。是年，瓮安中学对县属中学进行帮扶，先后向珠藏中学、玉山中学、永和中学、平定营中学捐赠锦旗、《魏书生教育思想》光盘、篮球、校刊《校园生活》等物资，并在高考前，赴珠藏等中学针对复习中存在的问题进行诊断把脉，提出复习策略和方法。

2006 年 1 月，李凤奇副校长带领林长青主任、何平章老师及电教中心组长汤兴明老师赴都匀二中共建资源库达成合作协议。

2007 年 1 月，黔南州 5 所县（市）省级示范性高中组建教育联谊会，就 5 校携手合作、同伴互助、专业引领、资源共享、示范带动、增进友谊、推进教育教学改革，全面提高教育质量等具体活动进行磋商，决定由福泉中学完成 2007 年学年高一、高二年级“五校”联考命题，分阶段在 5 校举办语、数、外、文综、理综教学研讨会。4 月，瓮安中学 5 位物理教师赴龙里中学参加“五校”物理教学研讨会，陶义奎、卢国勇老师分别作《优等法测电阻的实际教学》《如何搞好课堂互动教学》的经验交流发言。随后相继在瓮安中学、贵定一中、荔波民中举行“五校”英语、语文、数学教学研讨会和联谊会。

2009 年，“五校”赴平塘中学参加“六校”联考教学研讨分析会。

2012 年 11 月，瓮安中学庆祝建校 180 周年。北京大学、清华大学、浙江大学、南京大学、华中科技大学、武汉大学、西南大学、山东、重庆、广西等大学，贵州师范大学、贵阳、毕节、安顺等学院，贵阳第九中学、白云区第二中学、实验中学、安顺一中、安顺民族中学、仁怀一中、黄平、罗甸民中等校寄贺信或亲临祝贺。

2013 年 11 月，黔南州高中新课程课堂教学改革（理化生同课异构）推进会在瓮安中学召开。22 所兄弟学校及瓮中的 200 多位教师参加。16 日，惠水县教育局、惠水民中一行 26 人到瓮安中学进行校际交流。12 月 25—26 日，瓮安中学李琴副校长一行 20 人到惠水民中参加民中第五届教学年会。瓮安中学副校长杨友发作了题为《如何构建高效课堂》的专题讲座。

第二节　支　教

2003 年 10 月 30 日，爱尔兰的约翰·麦卡錫为组长的联合国教育考察小组一行 3 人到瓮安中学考查英语教学，探讨农村高中英语教学方法。

2006 年 4 月 28 日—5 月 4 日，曾佐藩副校长代表学校参加了由全国中小学外籍老师英语教学管理研究会专业委员会举办的“全国中小学外籍老师聘请和教学管理及外籍教师免费英语口语教学项目申请研讨会”。瓮安中学被确定为“国际志愿者外籍老师合作教学实验学校”。9 月 15 日，国际志愿者美籍英语口语教学教师琼·斯古尼女士和南希·斯古尼女士到瓮安中学支教，开展口语教学工作，并对瓮安县中坪中学、白沙中学、玉山中学、鱼河中学、平定营中学、银盏中学、岚关中学、永和中学、希望中学、松坪中学、木老坪中学、天文中学、龙塘中学、铜锣中学、瓮安四中、职业中学、城关一小、二小开展英语口语支教活动。12 月 7 日，国际志愿者菲律宾籍英语口语老师莉莎女士和简丽丝小姐到校支教。

2007 年 9 月 3 日，国际志愿者加纳籍 Agytmankwabeng 和 A chianjoshua 到瓮安中学担任中学生生活化英语口语实验项目教师，开展英语口语教学工作。

第八章 后勤保障

第一节 财 务

一、经费

民国 14 年（1925 年），遵义成立十县联中，瓮安派代表戎仲华、宋毕霖参会，归述经费由 10 县税契附加项下开支，瓮安得筹款 4000 元缴纳。省督学黄齐生（祖籍瓮安）到县视察，倡议政府和地方人士，“与其派学生远道求学，增加财政和学生家庭负担，不如以此经费自办中学，即省解款手续，又可就地培育人才，收事半功倍之效。”经四处奔走，各方呼吁，促其实现。适值国民党中央代表商文立到贵州，黄齐生即与其商议，向教育厅反映，当得首肯。不久，经各界人士联名请省长周西成批准，把所筹之款 4000 元，不解遵义而自己留办县立中学。第二年暑假，省立师范学监张克襄返家，县教育局当即截解遵义中学之款 2000 余元托他赴重庆购置图书和理化仪器及实验药品。同时，聘请武昌大学毕业生商文翰（中坪艾州人）任校长，待暑期归来即可就职，并汇去旅费 300 元。商文翰在武昌病故，改聘巴县中学学监胡国泰（遵义人，武昌高师毕业）任校长。

民国 17 年（1928 年）1 月，学校因财力不济，省长周西成即令平越（今福泉）、余庆、黄平 3 县协助瓮安办中学。瓮安县立中学改为“瓮黄余平”四县联中，经费由 4 县负担，划拨税契附加作为学校专款。6 月，四县联中改为省立第六中学，除收 4 县税契附加外，新增屠宰附加捐，每头猪 5 角，由学校派人直接到各县代收处征收。教育厅则按班数，每班津贴 200 元。

民国 20 年（1931 年），学校修建校井，工程除石匠工资外，余无支销。

民国 23 年（1934 年），学校总预算数为 8300 余元，除办公、杂支按规定实支外，其余职教薪俸则系八成开支。计校长 1 人月支 48 元，主任 2 人各支 24 元，以下则支 10 余元不等。教薪每点钟支 0.56 元，收支大概不敷 200 余元。是年底，红军过瓮安，校中门窗、户壁、图书、仪器被当地贼人破坏，损失毁坏过半，学校呈报省府请款补修。县屠宰附加税拨给瓮安中学部分，用投标认包办法将各区包数加上本年份屠宰税保证金收入项下。

民国 24 年（1935 年）11 月，省教育厅下发“派省督学复勘，估计具报，准予照办，并陆续发给经费修建各在案，为日已久，所有修建购置各项，应于完毕时，呈报教育厅派员验收，以昭覆实”训令。12 月 5 日，瓮安中学呈报省教育厅修理校舍工程情形，“原拨修理费 1979.21 元，校长两次到厅共领获 1000 元。现工程业已过半，希厅鉴将余下之尾数补清，以便工程早日竣工。”30日，省教育厅回复瓮安中学校长彭建平：呈报修理校舍情形并请将尾数核发一案由：呈悉，查省立各校修理费业经教育厅先后核定汇呈省政府核发在案，所请应俟省府核发到厅再为补发。省财政厅令省立第六中学校长彭建平“呈请转令黄平税务局对代收契税附加款须照旧案按月清缴。”由县财政局征收按月摊解。

民国25年（1936年）1月，遵照部颁《修正中学规程》，学校成立经费稽查委员会。按照省中等学校推行校务暂行办法，经费稽查委员会由专任教员公推3~5人组成，任期1学期，主要负责稽核该学期收支账目及单据或生产品销售情形，以促进学校经费公开支配适当。6月，按照省政府训令，瓮安中学经费全由省款开支。7月起，省拨款岁入经费1.3885万元，其中公款1.3166万元，学费719元。岁出经费1.3904万元，其中教职员薪额1.1344万元，办公费981.20元，建筑费904.51元，其他（校役）74.40元。教职员工资，各主任除薪资外，每月增加法币10元。专任教员每月支法币112元，兼任初中及其同等程度每小时课薪0.90元；训育员薪支给法币42元，文牍、会计、庶务、教务各员月薪法币35~42元。是年，节约经费117.46元。

民国26年（1937年），瓮安中学将1936年8—12月及1937年1—6月的计算书（开支报表）呈报省主席顾祝同省教育厅长张志韩。学校岁入经费1.725万元，付出1.3188万元。其中俸薪1.2132万元，办公费834元，设备费222元，临时费4069.55元。设备费、标本、动植物挂图等费均由教育厅照预算发给。是年3月，因校舍有坍塌、倾斜，学校解学费及时培修。7月，省政府训令，实行公费学额。抗日战争爆发后，财政困难，10月8日，省财政厅下发2914号训令，令各学校按非常时期财政计划办理，“饬拟具各校紧缩经费办法鉴呈，奉主席提交第369次常务会议通过，并摘抄财政计划第五条原文，限制支应”。同时，教育厅长张志韩抄发原鉴呈给薛岳主席的函共6条，饬遵照办理并饬拟具各学校紧缩经费办法，“每月预算数紧缩2%，但师范生伙食补贴不加入紧缩计算，经费一律从9月份起实施”。18日，省政府为机关职工薪饷支付办法经会议决定发出训令：“对于各机关经费结余5%，拟于发放经费时，由财政厅照九五折扣发，以省报解手续。至发给职员俸薪拟一律照原额6折发放，所有所得税，飞机捐及公债等款，即照6折俸额计算扣缴。”省府委员会371次常务会议决：“自9月份起，各机关职员俸薪一律照额支数定支6成，个人公费及特别办公费实支五成五，各机关职员无原定支数者，仍照实支数按95折签发办理等”。10月24日，学校认购9月和10月份救国公债共382元，并将教职员认购清册上报省教育厅。

民国27年（1938年），瓮安中学岁入经费1.3994万元，岁出经费1.3994万元。2月19日，学校发出缴费注册通告规定：每生学费3元、图书费5角、体育费5角、卫生设备费4角。

民国28年（1939年）3月，省教育厅令瓮安中学“示计算书类应送审计处审核”。4月20日，省政府审计处成立屠税专款，财政厅同意将此款改解省库。嗣后，学校每月应领经费由“财政厅依照教育文化经费岁出预算并照核发经费程序按月拨交本教育厅转发。”同时，对新聘教员任教不满2年以上者发放70.00元，其经常费仍为1078.92元。是年，经常费收入1.3188万元，每月支出1099元。临时收入384.65元，先收入1.7028万元。薪俸月支1011元，年支1.213万元。办公室月支69.50元，年支834元。购置费月支18.50元，年支222元。临时支出3840.65元。

民国29年（1940年）10月，按省政府训令，自9月份起提高教员雇工薪资。每月增资，校长28元，教导主任26元，校务员、文牍兼会计、庶务兼图书员、雇员各1人，增资20.00元，初中专任教师5人各增资26元，校役8人各增资8元，每月共增337元。师范生每人增伙食费6元。

民国30年（1941年）2月，征收各级学生学费432元，上缴贵州省金库，并造具学费名册呈送省教育厅。5月，瓮安中学师范生补助费每人提高到15元，29人实领435元，并设15%以上免费学额。9月20日，按省政府训令，伙食费增为25.00元。瓮安中学师范生学生21人，共增525元。据10月统计：支出1720元，实领临时费1720元。新增班添置校具临时费：学生桌800元，讲桌50元、黑板70元、讲台60元、木床30元、方桌40元、短凳120元、功课牌20元。年底，节余经费35.40元。是年，瓮安中学执行《决算法施行细则》《省县机关财务管理规程》和《修正支出凭证单据证明规程》。

民国31年（1942年）7月，县战时公债建设基金劝募委员会拨款2500元，以资修理瓮安中学在城内尚公小学校舍（即武圣宫）。8月2日，县政府发出公函，就5月27日被匪抢劫员生受损情形，补助3000元，作为救济补助费。是年，瓮安中学校长杨藻章移交第二学期学费687元。

民国32年（1943年），因1942年教职员被朱家山匪劫，省教育厅拨款救济费5000元，增加设备费3000元。

民国33年（1944年）1月，教职员生活费由240元增至350元。到6月份又增至700元，薪俸加成由10成增为二五成。增班设备费1万元。据统计，2至12月份生活补助费10.5318万元，员役生活补助费1.56万元，校舍修建费1万元。9月，学校将前两年征收各年级学生学费5391元上缴国库贵阳支库，并将征收学费名册、收入计算书、缴库收据一并呈报省教育厅。12月3日，因师资缺乏，不易延聘齐备，权由其他教职员兼任教课，以资补救。教育厅下发训令："请按兼课钟点费计，给加成以示优遇等情，前来查核，尚属可行。""教职员兼课钟点费依照专科以上学校及中等学校导师制实施办法规定，自35年10月份起施行，依照核定各区生活补助费薪俸加成标准支给。……唯为提高教学效率起见，各校仍应按规定员额，尽量延聘专任教员，不可因此养成兼课习惯。始有各专科以上教员兼课钟点，每至多不得超过4个小时，各国立中等学校教员兼课钟点时数不得超过原有专任教员钟点1/2。教员缺课并不得超过原规定教师员额1/4，并须报部备核。"

民国34年（1945年），省政府给瓮安中学下拨1—2月经常费1.8万元，3—8月，36.221万元，9月为1.539万元。同时，下拨员役生活补助费1.208万元，实付1.404万元。增加拨1944年增班设备费1万元。生活补助费3777.00元，薪俸加成1977元、生活费1800元。10月1日，省政府增拨学校经费1.692万元。12日，省政府会计处指令瓮安中学，"33年1月—34年2月止，各项会计报表当未送达应即查明，补足以凭办理。"11月3日，核发9、10月每月食米37石，生活补助费1.205万元（内加成数7250元），工友生活补助费4.4万元，食米66斗，补助加成数3.3万元。简师班月支经常费2.795万元，生活补助费7455元。12月5日，黄齐寿移下原分配稻谷45.99石，折合价款199.06元。13日，省审计处核准通知瓮安中学："一、查二十三年度经费结余应专案缴库，以符规定。二、查各月份会计报告依此不能割裂，编报兹送3月份上半月会计报告核此规定不符，所列支出计算数4326元，支出凭证应予暂存，请即此三月份下半月支出数合并汇编，合计报告一份送处以审核。"是年，省政府教育厅发给瓮安中学增班设备费7万元。

民国35年（1946年）1月，因征收费用过去无一定标准，省教育厅下发35年度征收费用种类及数额的训令，3月又颁发2月份教职员生活补助清册《征收学生费用最高限额表及附则》。7月，按新增标准，核发员役生活补助费2.5012万元（内加倍数1.2762万元）。是年，教育厅派张人伦前往瓮安中学筹设会计室。

民国36年（1947年）2月，省教育厅下发（0089号）训令，公教人员“仍照原支薪俸额课征，不应包括带有救济性质之薪水加成及生活基本补助费计算。4月16日以后，各级公教党军人员依其薪俸额及生活补助费基本数加成数等全部所得税者令别之日起应即分别办理退税，以符功令。”“薪给报酬所得税，自令到之日起亦暂为缓征。”7月7日，省教育厅训令：“各校教职员生活异常清苦，不得不略予核减平均底薪197元。以上较诸规定标准高出尚多，经多方设法弥补，以四月薪俸加成标准计，每月添之数在800万元以上，5月调整提高员工待遇，添资日益加大，如不亟待补救，势将无法维持。”8月，经省府常委会议通过的《实核暂行办法》规定：高中教育服务8年以上者，支底薪240元；5年以上者220元，初中专任教员10年以上者220元，5年以上者190元；高初中有课程之专任教员10年以上者220元，5年以上者200元。凡各级5年以下按资历支薪。校长、会计按原办法核定之。9月8日，又下发行政院调整公教人员生活补助费，因未有具体规定，按《各机关学校节约俸薪及生活补助费移充员工福利用途实施办法》执行。除上述教育经费处，学校征收学生图书费4000元、体育费4000元、卫生费1000元、杂费2000元、代收膳食费9000元，书籍费初中4000元，高中5000元，学生自治会费1000元。同时下发《贵州省教育厅所属文化教育机关工作人员底薪调整办法》，规定：主任一律支取260元，组长120元，组员80元，雇员260元，会计主任160元，会计兼任课100元；校长260~340元，以20元为一级；高中级任教员180~240元，以10元为一级，初中继任教员150~200元，以10元为一级。高初中均有课程之专任教员170~220元，以10元为一级，但全校总平均底薪不得超过175元。

民国37年（1948年）2月，省教育厅训令：“查近来物质不断上涨，全省各校教职员生活异常清苦，兹为减轻各该校教职员负担起见，特规定自卅六年度第二学期起，凡该校现任教职员子女肄业该校者，应免缴学杂各费，除分令外合行令仰遵照”。3月25日，教育厅因学校图书、仪器、体育设备未充实，要求学校节约开支，宽筹经费，广为购置设备，所收学生图书、体育、仪器设备费用不得挪移他用。4月15日，县田赋粮食管理处发出公函，要求瓮安中学对1月13日征收赋粮核算征契、捐献公粮各5石5斗8升，共16石7斗4升，赋税27.9角缴纳完清。是年，薪俸及生活补助及教育经费仍按规定执行。

民国38年（1949年）10月以前，学校经费一切照旧。

1950年，按照贵阳市军管会教育接管部，省人民政府教育办公室提出的，“在精简节约的原则下预算应尽量缩减。可少的临时开支，按程序先造预算应尽量缩减。不可少的临时开支，按程序先造预算，呈经核定，发款动支，支用完后即造决算报销，决不容许打埋没或先斩后奏无组织、无纪律、无政府的混乱状态。”的指示。瓮安中学经费开支（未定新办法之前）由校长管理，标准经批准后公布施行，教师工资均以大米计算。是年，瓮安中学付出修建费共计525.7万元（旧币下同）。

1951年，瓮安中学全年经费12222.69万元，按省财政厅“兹奉西南财政部、文教部联合函，在办理1951年文教事业费支出预算中，必须详附文教事业成效报告表，否则不予核销。”的指示，学校共支出款7785.36万元，米5201斤。其中工资5547.03万元，；公杂费399.96万元，旅差费15.79万元，人助金164.99万元，图书费58.56万元，医药卫生费

123.19 万元，；体育设备费 168.84 万元，器具设备费 847.81 万元，修缮费 357.28 万元，其他 64.90 万元。另拨修建款 7048.14 万元，其中电灯装置费用 648.14 万元。

1952 年 1 月，为加强稽核制度，会计与出纳分开，对物资领发按用途需要核发，已免浪费。3 月 31 日，经省文教厅批复，共拨给瓮安中学器具设备购置费 500 万元，修缮费 300 万元。同时，省文教育厅在批复中指示“应尽旧床修理使用，不够再添置双层木床。科学仪器购置由厅统筹办理，将来分配各校领用。图书购置费、医药卫生费两项正统筹编列入本年度预算，核定后发给你校照编制数执行”。8 月 16 日，省文教厅又拨给瓮安中学修缮费 1811.53 万元，其中修宿舍 961.53 万元，修厨房费 800 万元，购置费 50 万元。10 月 30 日，因超出 283.94 万元，又追补 290 万元。是年，划拨教育事业费 3525.05 万元，其中宿舍、厨房修缮费 2195.03 万元，器具设备购置费 1000 万元、图书购置费 110 万元、仪器及医疗器械购置费 70 万元、医疗卫生费 100 万元、实验用品及资料费 50 万元。

1953 年，下拨教育事业费 4240 万元，其中添置木床 200 间 3000 万元，购置书橱、实验桌、办公桌等 1240 万元。另拨修缮费 4030 万元，其中工料费 3530 万元，修理教室门窗 500 万元。每月支出工资 676.00 万元、公杂费 5 万元、旅差费 10.35 万元、器具购置费 7 万元、修缮费 45 万元、文教补助费 7.5 万元。是年，瓮安中学经费收入 8634.74 万元，支出 8114.28 万元，余 520.47 万元。

1954 年 1 月，省教育厅制发的《贵州省直属各校 1954 年教育事业费开支标准》规定，工资仍按 1953 年现行标准执行，供给生活费按行政人员标准执行，职工福利费、工会会费按全校工资及供给生活费之 2%开支，福利补助费按 1953 年标准执行。公务费、公杂费，3 班以上 15 万元。旅差费、基本船费、宿费、行李费等实报实销，途中伙食补助费每人每天 1 万元。实验用品资料费，以每生每月计 2000 元。房屋修缮费，临行造预算报厅批准开支。医疗卫生费以每生每月为 1500 元。固定资产设备购置费：器具设备购置费临时预造预算报厅批准开支；科学仪器购置费由本厅统一购发；图书购置费每班每期 20 万元。新招 1 班增 30 万元。人民助学金（1954 年 3 月执行，元月、2 月份仍照 1953 年批准），汉族学生按 20%计，每人每月 7 万元，民族学生按 80%计，每人每月 6.8 万元。业务费、基本建设基金由本厅掌握。其他费用除临时性的杂项开支，由教育厅掌握。

3 月下旬，遵照省教育厅《制定教员支给代课费办法》，对学校“教员编制未足额或由教员请假时间较长经核准时，其所缺教员讲授之课程，原则上可先在本校教员中请人代课。代课教员所代之课程与原所担任之课程合并计算后，如已超过服务条例授课之最高时数，可将超过时数报请发给代课费”。同时规定“校内职员代课不发代课费，学校应设法调整工作，减轻其工作负担，但如学校编制已合乎规定没有多出的人员，不能再减轻其工作负担时，可发给代课费”。4 月 26 日，遵照省人民政府教育厅《关于订阅报纸杂志增发一部分公杂费》的通知精神，为配合报纸杂志发行的推行，使教学参考资料不致中途断绝，决定专拨一次公杂费，准列 5 月份公杂费包干报销，由校掌握专作报纸杂志的周转金使用。凡 3 班以上学校，3 班每班按 8 万元，4 班每班按 6 万元拨给。

8 月 3 日，为减少资金积压，能正确及时地造送会计报表，自 8 月份起，每月经费一律在当月拨付。5 日前拨公款部分经费及人助金，18 日起汇拨工资及福利费、公杂费等。

是年，瓮安中学清查财产，账面数额总计 31762.53 万元，实有数额 31896.23 万元。出台学校审核及收支制度：凡现金制度，必须经领导批准方行支付。收入必须存入银行，并凭存款单做传票交校长查阅后入账。支付时凭单据，经过经手人收入证明审核，校长签章后入账。报销时经审核人员及校长核阅盖章后送出。每月公杂费在月初按支出情况分配数目，然后按分配数使用，不发生超支现象。是年，学校对土地房屋、仪器及机械设备、化学用品等进行清查。

1955年，上级拨入经费1.53万元，人助金包干结存收入是全年预算支出报销数计1898元，合计1.17万元。支出：工资8661.06元，工资补助费13.92元，取暖补贴费15.48元、工会会费171.31元，经费补助费192.38元，临时补助费47.75元，公杂费727.22元，差旅费52.21元，实验用品资料费418.39元，学生医药费312.90元，房屋修缮费1311.14元，器具设备费785.68元，图书购置费240.32元，汉族人助金1723元，民族人助金175元，冬季烤火费50.73元，共1.49万元。

1956年5月，按照《贵州省1956年教育事业费开支标准》的规定，在新工资方案未下达前，教职工工资按教育厅1955年11月20日教计财〔1955〕戌字第0324号通知的规定办理。

1959年10月，瓮安四中建立后，经县文教党组研究决定瓮安中学原所用图书、仪器教学设备等随搬迁返学校时一同运回瓮安，运费共计人民币697.77元。

1963年，拨教育经费6.3万余元，平均每个学生国家负担130元。是年，学习苏联《会计法》，建立审核和收支制度，支取凭单据，经手人点收，证明人审核，校长签章，核阅后入账。每月按经费分配数使用，不得超支，减少浪费。

1963年后，学校建立财务管理制度，所有行政拨款妥为分配，作好预算，按计划开支。各种费用应本着节约原则，在不影响教学的原则下，尽量做到少开支或不开支。每月或每期的用款，必须按时按计划报销公布。加强对学校购物清理和登记工作，严格领物和储物手续及购物制度，随时发现问题，解决问题或向领导反映。积极组织力量对学校的一切用具进行修缮和修补，并适当增加一些教学用具，生活用具为下学期发展打下基础。作为基建计划和有关准备工作，充分利用现有校内房屋和用具合理分配使用。

1966年10月28日—11月8日，学生进行革命大串联，每人借支6.50元（含宣传费3.00元，医疗费1.50元，杂项开支2.00元），粮食每人每天补贴4两。11月9日—12月12日，每人借支13.50元，除杂项开支多1.00元外，在校不享受助学金而生活困难补贴6.00元，粮食每月补足40斤。12月31日后，每人每月借支8.00元。1967年2月4日统计，耗费雨伞费1035.60元，伙食费61.30元，串联费4.19万元，共4.30万元，粮食补贴4.49万斤，发放棉衣9件、绒衣3件、绒裤9件。

1971年，瓮安中学收到州革委、州财政局、州教育局追加的教育事业费1万元。

1972年10月，省革委、教育局、财政局？追加教育事业费13万元，维修校舍。11月，州教育局、州财政局追加“五七”展览经费4000元。其中办公费用580.59元，水电费286.22元，器具修理费74.57元，电话月租费27.81元，取暖费285.31元，旅差费97.23元，医药费351.59元，大宗印刷费70.40元。

1974年4月，黔南州下发《关于追加教育修缮费的通知》，分配瓮安中学3万元。

1979年2月，省教育局、省财政厅下发《关于追加中小学房屋修缮费的通知》。瓮安中学得款2.1万元。

1980年后，学校加强经费的管理工作，对行政费、学杂费、勤工俭学费的收支管理，都需作好计划，严格控制。同时，健全记账验收等制度，做到收有凭、支有据，账目清楚，按月公布，如期上报主管部门，审查备案。组织力量对校舍、储存物体进行安全检查，提出改进措施。

1988 年，州教育局拨款 6.5 万元，购置实验室设备、学生宿舍床铺。

1995 年，后勤职工实行聘任制，财务管理建立健全财务管理制度，财务账目做到日清两报（月报、年报）、两符合（出纳账与主办账符合、现金与账符合）。3 月 6 日，总务处制发《瓮安中学财务管理制度》。学校教职工一律不准借公款，更不准挪用公款。每月、每学期、年终收支情况，由总务处与财会室核实账目后再给校长汇报，做到日清月结，账与现金稳合。学校购物，由学校开出采购单，采购员采购的物资交有关人员验收签字，然后再由总务处主任一支笔签字报销。添置教学设备和校内基本建设壹仟元以上的均需通过办公室或支书、校长同意才能开支，否则不能报销。每学期，每学年学校的收支情况均要向职代会和全校的教职工公布。学校收费没经学校同意的一律不准乱收费，学校收的各种经费必须经财会室入账。坚决不准搞小金库。

1998 年，学校收学杂费 95.80 万元，其中插复费 6120 元。共支付 57.82 万元，其中课时津贴 30.41 万元，节假日教职工慰问金（含离退休教职工）7.71 万元，教学成果奖 7.88 万元，修学生生活区 11.82 万元。余 38.60 万元。

2000 年初，学校实行聘任制度，学校所需的后勤管理人员由总务处负责聘请。是年，学校经费收支一律由一支笔签字报销。采购物资、添置办公用品、教学用品、教学设备、教学仪器以及基建维修等，由办公会研究决定，各处室通气，经办人和分管人或使用人签字再由总务处签字报销。是年，经县预算处资金局、财政局、物价局、审计局以及地税局对学校经费审查，账目清楚，账与账符合，现金与账目稳合，单据手续齐全，符合财会要求。

2001 年，总务处及时将学校每年经费收支情况向校长汇报，让校长做到心中有数，随时掌握学校的经费作全面安排。月底，年底核对入账，做到月报年清。每月召开一次后勤职工会，汇报工作情况，坚持岗位、出满勤，按时上下班，认真为教学服务，搞好本职工作。同时，根据《中小学财务制度》规定，进一步明确公务费及其他区费用开支范围。

是年，贯彻执行教育局下发的《会计》《中小学会计制度》。原始凭证需按“核算制”制度签字后生效。记账凭证有收款、付款、转账 3 种凭证，经主管会计审核签字后会计才能记账。加强银行账户的管理，由会计部门统一在银行开户，一个单位只能开设一个账户。学校各种收费，含代收代付款的收取一律使用财政部门统一印刷的中小学收费收据、行政事业收费收据和内部结算票据。财务报销一律取消“一支笔”签字核销方式，全面实行“联签制”。严格收支两条线，坚决制止各种违纪行为。执行《贵州省教育厅关于加强中小学财务管理的几点意见》，不得自立收费项目和标准，不得代外单位向学生收取任何费用，不得收取任何性质的集资建校费等。严格固定资产管理，严肃纪律，明确职责、加大监督力度。履行各自职责，层层防范，谁出事，谁负责。

2002 年 8 月，学校根据“西部计算机实用培训计划”精神，给每名在岗教职工补贴 1000 元购置电脑，所购置电脑归个人所有。是年 12 月 24 日，成立财经领导小组。贯彻《事业单位财务规则》《会计》《中小学财务制度》等上级有关文件，财会人员参加教育局、财政局组织的财务人员培训班，学习文件和电脑实行“联签字”报销制度，账目月报年清。实行定人、定物、定制度、定工作量，责任明确，责任到人，做到每学期清点一次。实行奖惩制度。

2004 年 7 月，学校一切收入支出纳入县会计结算中心结算。

2005—2006 年，学校颁发高考质量奖、补助，学校收费保障正常运转。教职工还参与建设新农村捐资每人 100 元，共 1.6 万元；进行校内自来水改通每户 790 元，共 11.4 万元。

2006 年 12 月，学校成立“国有资产清查领导小组”。

2007 年 4 月，根据国家和县财政局资产清查办公室工作方案，聘请黔南黔城会计师事务所直接介入，进行清产核资专项审计。经清查全校总计实有资产 1560.70 万元，账面资产 1560.70 万元，盘盈固定资产 17.89 万元，其中办公文柜 7.89 万元，南街门面房 10 万元，其余账物相符。货币资金中，现金无，银行存款账相符。其他应收款 1560.70 万元，应付款 82.25 万元。固定资产合计 164.35 万元，其中盘盈资产 17.89 万元。净资产为 1382.24 万元。未发现盘亏现象。由于 2005 年 6 月，校财务处理工作交县会计管理中心负责，南街门面资产没有上报，盘盈资产 17.89 万元，约占总资产的 10%。经此次资产清查专项审计，学校净资产将为 1497.35 万元，其中固定基金 1382.24 万元，事业结余 115.10 万元。黔南黔城会计师事务所认为，“申报的报表及相关资料真实可信，符合有关规定，各报表数据间钩稽关系正确，可以作由财政部门审批的依照”。

2008 年 3 月，周遗贵副校长出席荔波研讨会，作了《创新后勤管理提高服务质量》的“托管”方式经验介绍。是年，总务处按学校安排办理货款 1200 万元，筹措建设资金 325 万元。“六二八”事件后，总务处、财务室严格按照政府收支两条线管理经费，不设小金库，严格联签字，严格审查经费开支，专款专用，把好账目关、用钱观，压缩开支，降低支出标准。账目清楚明了。接待方面除省、州、县领导和兄弟学校相互交流学习外，一般不接待。必须接待的，各处室对口降低接待标准。减少节假日全校教职工集体会餐次数，召开各种校内会议不用烟，接待室大部分用自制泡酒。是年，政府对两个在建工程贷款 500 万元据实贴息。在基本建设两个最大项目中，严格执行按施工合同，质量认证的有关标准。

2009 年 4 月，学校将教学楼、科技馆、办公楼和第二教学楼、环境卫生承包给 5 人管理。次年，因无工作失职或失误，应付承包管理费 3.98 万元。

学校严格按照政府收支两条线，专款专用的规定管理经费。6 月，实行非税收入改革后，总务处有计划、有步骤地把学校的收入和支出纳入全省联网的财务票据管理中的国库集中收费中心。鉴于住校生没有一个区域相对独立、设备完善的食堂和学生宿舍，以致租赁房学生居住的落后现状，总务处协助学校领导争取政府贴息贷款，着手修建学生食堂为主的综合楼和学生宿舍。是年，收入学费、择校费、教材、教辅费、住校费、门面租金共 656 万元。付出 181 万元，其中办公费 10 万元、交通费 10 万元。差旅费 12 万元，招待费 10 万元，报纸、杂志、教参费 6 万元，图书添置 10 万元，教师培训 10 万元，学生奖学金、助学金 10 万元，教学成果奖 28 万元，邮寄、印刷费 12 万元，教学设备购置 30 万元，各种加班及特岗补贴 12 万元，招生、学籍、考试费 8 万元，通讯补贴 13 万元。基本建设及还贷 148 万元。

2010 年，学校严格执行政府采购法。各处室拿出采购计划，报学校批准后，再报政府采购办审批后，统一采购。批准自行采购的、组织各学科相关教师询资询价采购，形成大家来把关的采购机制。未出现一例违法违规行为。是年 5 月，县人民政府把新校区确定给瓮安中学后，建设工作全部交给学校负责。三期工程的招标、岩石治理工程的竞争性谈判至施工，边坡治理工程，设施的计划采购、学生食堂的招商引资、教工宿舍的设计、招标、建设资金的贷款、筹措教学设施款项的落实等，总务主任都要参与。是年，学校开展“小金库”专项治理“回头看”工作，做到主要领导对重要工作亲自部署、重大问题亲自过问、重要环节亲自协调、重要案件亲自查办，把“小金库”治理工作落到实处。校长为第一责任人。严格财经纪律，坚持国库集中收支和“收支两条线”原则，把应纳入单位账户的收入纳入单位账户，决不允许留“死角”。取消学校统一的代收代付的行为，推行校务、财务公开，发挥教职工的主人翁作用和民主监督作用。坚持决策民主化、公开化，坚持收支报表的公开、透明。在校工会设立财务监督小组，以监督财务工作规范、有序，确保治理“小金库”工作的落实。

2011 年，严格执行省、州、县的各项收费政策，无乱收费现象。报账员积极做好报销凭证工作、各类费用收支和期末学生代办费结算工作。食堂会计除确保视频卡系统正常运转外，协助做好食堂的经营和监督工作。坚持为教育教学服务，为师生服务的宗旨，做好后勤保障服务工作。还侧重服务于高三学生，尽可能帮助解决生活上的后顾之忧。高考期间全体后勤人员高度重视，一丝不苟，确保高考顺利完成。9 月学校搬迁到河西半月山新校区。由于政府的大力投入，学校领导的倾力参与，新校区办学条件跻身省内一流。

2013 年，严格按照县财政要求，将所收经费及时上缴财政，执行“收支”两条线。对学校的开支严格执行有计划报财政批复、拨款，实行联签字报销制度。财产管理严格按照责任制落实到各班、各处室，层层有人管，损坏、遗失有人负责赔偿。完成班级财产，学生宿舍财产的清点。各类物质严格按政府采购法采购，及时按入库、登账、领出规定执行。完成学生宿舍、教师宿舍，食堂施工单位的用水、用电、查表、登记、造册收费工作。全校水、电及木工维修及时，没有影响学校的正常教学。假期做好一切开学前的工作准备，做到“兵马未到，粮草先行。”学校因迁新区建设繁多，特申请贷款 6300 万元，得以批准实施。10 月 1 日，学校根据《瓮安县教育局关于加强局机关财务管理的相关规定》的精神，结合学校实际特制定《规定》，对公务招待、公务用车、因公出国、经费收支、办公设备用品采购、教学用房、学生宿舍的维修和设备的添置、固定资产的领取和保管，差旅费的报销、各类发票的报销、各类大额备用金的支取、监督与责任追究均作了详细的说明。

二、学杂费

1950 年，全校学杂费收支基本上缴省财政。是年，全校 9 个班，学生 293 人，其中高中 3 个班 69 人，初中 6 个班 224 人。

1951—1952 年学年度第一学期，学费收入 82. 6 万元，交费人数占全校学生数的 70%；杂费收入 93. 8 万元，交费人数占全校学生数的 83%。学费全部缴库。杂费支用，图书费 26. 89 万元，占全校学生数的 28. 8%；体育费 5. 3 万元，卫生费 28. 11 万元，文艺费 32. 8 万元。共支出 93. 1 万元，余 7000 元。

1953 年 3 月，学校遵照省教育厅、财政厅《关于 1952 年度第二学期各级中小学征收学杂费之规定》，确定收费标准：

初中每人每学期学杂费各 8000 元，高中各 1 万元。为照顾贫苦烈军属子弟，贫苦学生及少数民族子弟入学，免费名额为 20% ~ 40%。学杂费处理，凡所收学费上缴省级金库，作省级财政收入，杂费一律留校自行使用。4 月 12 日，全校 186 人，缴纳学费人数 156 人，收入学费 124. 8 万元；杂费 165 人，132 万元。6 月 5 日，共收入学费 150. 1 万元，上解 149. 3 万元，未上解 8000 元；杂费 137. 2 万元，支出 80. 04 万元，结存 52. 16 万元。9 月，收学生学杂费 202 人，符合免费条件的 16 人，实收 186 人，计人民币 148. 8 万元（学费除外)。10 月 11 日，省教育厅发出“关于学杂费之处理问题，再做补充说明的通知。”明确规定，中学学费，一律上缴省级金库，作省级财政收入，“杂费之收据，存根等不必送省，专案存校备查即可。但各中学之学费，应将上缴款书之一联及收费、免费之人数、比例、全额等报厅核备”。学校一一遵照办理。

1954 年 2 月，省教育厅，财政厅联合通知，从是年起，“学校学杂费收入及零星杂项收入，可不上缴作财政收入，由主管机关拟定办法统一处理”。“每学期编造使用计划及收支预算一次，专案报教育厅批准后方得开支。开支时另设专账处理，不与经费账混在一起。”一切凭证“均应专案存校备查，不必送厅”，但每月须作一次决算报告，将使用情况简报教育厅备案。支出范围包括贫苦烈军属子女入学补助（由本人申请、区乡政府证明，学校领导批准，另有教育、财政、民政三厅联合通知在案）、图书购置（包括杂志报纸）、房屋修缮、器具设备购置、学生医药补助（标准以外，不够时可以此补助）、灯油费、讲义费、洗澡水饮水烧煤开支、学校证章、文娱活动用品等。同时，规定学校自己生产的收入，如养猪、种菜等，一律作改善学生伙食之用。3 月，收入学杂费（175 人，每人 1600 元），共计 280. 8 万元（其中免学费学生 1 人 8000 元），上学期学杂费结存 1802 元，合计 280. 98 万元。支出购煤费 34 万元、图书购置费 65. 73 万元、学生实物奖品费 17. 77 万元、文娱活动费 49. 6 万元、房屋修缮费 81. 9 万元、环境布置费 12. 79 万元、杂项 18. 71 万元，合计 280. 49 万元。余额 4902 元。

1956 年 2 月，贵州省人民委员会制发《贵州省中学、小学、幼儿园（班）学杂费收支管理暂行办法》。该办法根据国务院编制 1956 年教育的指示精神及教育部，财政部《关于中小学学杂费收支管理办法的几点意见》，本着“乡村低于城市，小学低于中学，而初小又低于高小”的原则，规定原已进行收费地区，继续征收，由学校会同财政部门具体管理。收支标准以每生每学年计，高中 3. 20 元、初中 2. 60 元。减免比例为 15%~25%。

1967 年 3 月，按州教育局指示，上学期上课不足 6 周的不收学杂费，已收的以冲抵本期学杂费。如已退回学生，则由学校按去年标准收取。招收的初、高中一年级新生固已回原校参加“文化大革命”，上期所收学杂费上课不足 6 周的一律退回。

1985 年 9 月，学校初中 12 个班 172 人共收费 1. 29 万元，高中 12 个班 642 人共收费 1. 38 万元。同时，插班生交学费 6830 元，住校费 4 人 8 元，书费 37 人 333 元，讲义费 5 人 2. 5 元，水电费 32 人 42 元。

1989 年 9 月，省人民政府办公厅转发省教委、物价局、财政厅《关于整顿我省中小学学杂费收费标准意见的通知》。10 月，省州下达的《关于清理整顿中小收费项目有关问题的通知》明确规定初中学生杂费是在校学习生活所必需的公共性的杂项费用，高中学费是学生在校期间所需的培养费用。凡借读生达不到一学年及以内者，不收借读费，可酌收适当的宿费和水电费，每生每学期不超过 10 元。假期举办的美术、音乐、舞蹈、书法班或类似兴趣小组等在经费不足的情况下，和学生家长协商后方可收取费用。经物价部门的批准收取的费用，学校必须开具省财政统一印制的“贵州省行政事业性收费收据”。

1991 年 3 月，学校执行省教委转发“八五”期间教育财务工作要点的通知精神，克服“重钱轻物”的思想，杜绝乱收费、乱罚款。

1995 年，学校进一步贯彻治理整顿和深化改革的方针，确立和完善以国家财政拨款为主、多渠道筹措教育经费的体制，坚持勤俭办学，大力加强财务管理，提高资金使用效率，发挥教育财政的监督和服务作用，努力使教育财务工作更好地为教育事业改革与发展服务。

1997年3月，学校执行国家教委、省教委《关于治理中小学乱收费工作的意见》《关于规范当前义务教育阶段办学行为的若干原则意见》等法令规定，坚决制止以各种名义乱收费包括以勤工俭学名义向学生摊派钱物行为，加强学校的收费管理，公布收费项目及收费标准，挂牌亮出“收费许可证”收费。严格控制代收费项目。学生订购课外书刊必须坚持自愿，不得强迫。坚决抵制搭车收费行为并将实情向上级教育、物价、纪检、监督部门报告。分步解决“择校生”问题，纠正一次收缴一年以上择校费的做法。同县纠风办、物价、财政等部门组织联合检查组、对春、秋两季开学初学校收费工作进行监督检查。出台“五不准”：不准义务教育阶段招收“择校生”，坚持就近入学原则；不准举办以各种名目收取费用的补习班、超常班等；不准以行政手段强制学生购买复习资料和其他商品等；不准把社会上对学校的乱摊派转嫁到学生头上，严格控制代收费项目；不准未经政府批准擅自出台新收费项目或自行提高收费标准。

1999年3月，学校为解决高中扩招必需的基础设施和办学条件，确保高中质量，增加高中办学经费（属非义务教育），通过扩招，全面规范、理顺、改革高中学费的收费标准，体现非义务教育阶段培养成本中的合理比例，增强收费的透明度，收取住校学生住宿费、学费，纳入学校财务统一管理。建立贫困学生和优秀学生的助（奖）学金制度，用减免（学费）、补（补助贫困生）、助（助学金）、奖（奖学金）基金，作为高中扩招和收费改革的重要配套措施。

8月17日，县物价局、教育局、财政局下发的《关于我县普通高中收费改革实施意见》规定，瓮安中学每生每学期学费300元（秋季350元），2001年春季为380元。住宿费每生每学期80元（含水、电、住宿设备费）。根据“优质优价”原则和群众需求自愿，普高捐资学生可按各校当年招生计划的5%左右招收，捐资学生每生1800元（不含应交费及其他代收费）。捐资学生收费按20%比例上交州教育局，按10%比例上交县教育局。另外，计拨一定比例的经费用于减免学费、补助贫困学生。19日，县人民政府批准的县财政局、预算外资金管理局、教育局、监督局、物价局《关于全县中小学学费收入实行“收支两条线”管理的意见》规定，统一使用“贵州省中小学杂费收费票据”进行收费，收取的学杂费必须全额及时缴存财政预算外资金专用，由县预算外资金管理局及时足额拨付。代付的书费、资料费等要在收费票据上单独注明，期末时与学生结算清楚。

2000年1月，按照省教委《贵州省中小学收费行为规范》要求，瓮安中学执行每生每学期学费380元，住宿费80元的标准。代收费严格限定，须由学校统一购买学习用品，限除课本以及确需统一购买的作业本外，学生个人学习、生活、娱乐用品，学校和老师不准统一收费代购。收取军训、会考等代收费，应遵循随时发生，随时收取，不得盈利，及时结账的原则。学生有关的社会保障，均应由学生及学生家长自愿办理。凡户口不在本县的借读生，每生每学期缴纳借读费300~500元。班费、各类杂志费、设备费、素质教育手续费、单元测试费、财物押金费以及选班费、留级费、转学调档费、学生学籍档案管理费等，一律取消。

2001年5月，学习《国务院关于基础教育改革和发展的决定》，进一步明确，大力发展高中阶段教育，实行完全中学的高、初中分离，扩大高中规模，要采取有力措施。坚决刹住学校乱收费，控制学校收费标准，实行学杂费“一费制”收费制度。杂费收入应全部用于补充学校公用经费的不足，不得用于教师工资、津贴、福利、基建等开支。地方各级人民政府和任何单位不得截留、平调和挪用。对违反规定乱收费和挪用挤占收费资金的行为，要及时严肃查处。明确教师工资发放是地方各级政府的责任，严格实行教师资格制度，规定教师编制和工资总额。6月，执行国家纠查办《关于进一步做好治理教育乱收费工作的意见》，严格规范公办高中“择校生”收费行为，不违背“三限”政策。“三限”即限分数（不准违反规定录取低于最低录取分数线的新生）、限人数（不准超越国家规定的班额、不得挤压招生计划指标，变相扩大择校生人数）、限钱数（择校生交费标准，由教育部门提出，经省级人民政府批准向社会公布）。学校不超过规定标准收费，不向择校生收取赞助或建校费。是年，省级物价局、教育厅、财政厅《关于我省普通高中收费改革意见的通知》规定，学费每学期每生380元，高中住校生住宿费每生每学期50~150元。普通高中捐资生的收费标准最低限为2000元，每生每学期不另交学费。同时，学校划出不低于收费总额的20%的经费，用于减免学费，补助贫困学生，奖励优秀学生。课外活动收费标准，文艺体育课外活动指导为30人以上每生每课时1.5元，30人以下每生每课时2元，计算机课外活动30人以上每生每课时2元，30人以下每人每课时3元。

2005—2006年学年度，全校高一14个班，高二16个班，高三21个班，第一学期收入34.07万元，支出33.48万元，余额5870元。第二学期收入32.47万元，支出32.07万元，余额3998元。

2008年3月，瓮安中学根据省教育厅、财政厅、物价局黔教电发〔2007〕330号文规定，从2008年春季入学开始，提高收费标准。

2009年7月，县物价局下发《关于调整瓮安中学学费标准的通知》，同意将瓮安中学学费标准由每生每学期700元调整为800元，于2009年秋季开学起执行。

2009年4月到8月，收取学费、计划外招生费、学生住宿费721.33万元。划拨459.59万元，尚有261.74万元。付超课时津贴60万元，高中升类各种开支30万元，水电差旅等40万元。教师公租房进度自筹部分50万元，新建体育器材保管金10万元，艺体综合馆修建启动资金50万元。学期结束资料等费10万元、其他10万元。共260万元，余1.74万元。

表8-1　　1985—2013年瓮安中学书学费收入情况统计表　　单位：万元

年份	书学费	年份	书学费	年份	书学费
1985	3.86	1994		2004	103.11
1986	1.72	1995	5.47	2005	354.69
1987	1.26	1996	3.69	2006	425.67
1988	2.43	1997	5.03	2007	522.91
1989	4.14	1998	7.033	2008	556.44
1990	5.52	1999		2009	560.81
1991		2000	157.75	2010	593.69
1992		2001	163.39	2011	578.79
1993		2002	331.63	2012	561.93
		2003	125.09	2013	656.57

第二节 校 产

一、学田

瓮安中学学田，源于清朝，分布县内各地。至民国初，尚有雍阳飞练的泉桔、毛塔、花金沟、泉桂、龙口、王家寨共 10.6 亩，岩坑枧田的下坝田、小沟田、路边田、大田共 45.5 亩（代管罗秋霜），珠藏芭蕉坑的大湾田、学田共 10 亩，永和的杯子岩、朵雷、上坝、水月冲、小冲、提香寨共 8.1 亩，永和龙头田共 4 亩（代管曹仕希），平兴的下寨河、团田共 2.2 亩（代管曾春如），飞练的长路、大落塘，龙井，共 4.8 亩（代管曾显文），玉山的洞口河 30 亩。

民国 4 年（1915 年）学校学馆田，年收租米约 30 石，还提作官产。袁月廷当省议员，建议力争发还，后罚没收之田作学田，又得学田 1000 多挑，年租入租米一二百石。

民国 13 年（1924 年）至 14 年（1925），天大旱，粮价昂贵，县教育局变卖学田租米，收入银圆达 100 元。不少人主张私分，而局长曾春如（字昭淦）为人公正不阿，主张用此钱开办中学。

民国 24 年（1935 年），学校学田大减，仅有提香寨，全贵田、洞口河各 1 处。佃户分别认毛谷 13 石、11.5 石和白米 12 石。

民国 25 年（1936 年）3 月，瓮安中学为扩大学校面积，将杨金臣等人的熟土以 40 元洋价收归校有。

民国 27 年（1938 年）3 月，全贵田·洞口河，提香寨学田分别由佃户代管，每年认谷 12.5 石、白米 6.32 石和 7 石。是月，袁张氏向中学提交《请求书》请求佃户先夫袁沙宾佃耕中学全贵学田耕种，认缴租谷 12.5 亩，因“岁值荒旱，秋收欠薄，夫又亡故，以致租谷未交，唯有请求减让。”事后学校报经省厅同意，减免 10.5 石。6 月 11 日，省教育厅批准瓮安中学卖洞口河学租 13 石标价，要求学校对全贵田，提香寨二处租谷从速办理。7 月 27 日，省主席吴鼎昌、教育厅张志韩下发“将全贵田学租评价拍卖，令县长安伯英临场监视”的训令。

民国 28 年（1939 年）4 月，学校接省政府训令，将洞口河、全贵田、提香寨三处学田学租按民国 26 年（1937 年）租谷标卖并呈报省教育厅，其中洞口河米 13 石，标价 5 元，标卖 65 元；全贵田谷 8 石，标价 3 元，标卖 24 元；提香寨谷 7 石，标价 3 元，标卖 21 元。共计标卖 110 元。8 月 9 日学校将民国 25 年（1936 年）学租标卖款 95.23 元和民国 28 年（1939 年）学租谷标卖款 513.20 元一并上缴省金库。是日，学校冉隆堃会同县长饶燮乾，将所卖米价款 110 元及 27 年学租谷米价款 223.60 元，上缴金库。1940 年 1 月 5 日夜，玉山洞口河当年学产所收稻谷被盗 6 石。中学派人与当地保长进行勘查追寻，无果，即向省政府，教育厅呈报。

民国 29 年（1940 年）4 月，学校在县政府的监督下，将代管省学田租谷标卖，白米 13 石，每石标卖 85 元，毛谷 19 石 5 斗，每石标卖 32 元，共获款 1729 元，上缴省金库。

民国 30 年（1941 年），省有学产实出谷约 29 挑，按半数计算，得 14.5 挑，分得数 25.8 石。

民国31年（1942年）2月，省政府 就瓮安中学代管省有学产应如何办理，联合财政厅、教育厅令省立瓮安初级中学，“查学产可以申请免赋，惟申请免赋手续应照土地赋税减免规程修正清单之规定，由主管机关或典办事人造具清册二份送请该管县田赋受理处，会同该管县政府勘查属实，呈核办。”5月，各佃户因旱歉收，请求减租。

民国33年（1944年）6月，瓮安中学学产仍由佃户承包，要求保人、被保人、对保人同时到场由县长签字认可。

民国34年（1945年）4月，玉山洞口河学田由康泰臣佃种，立有佃约，秋收交学校白米13石；永和提香寨学田尚处于佃户夏正雍、宋成隆争佃之中。是年11月，洞口河学田佃户康金山将学田数量上报瓮安中学：熟田70坵，河对门23坵，座宅面47坵，内有陈达常摩黑田一坵，蒲直田一坵、熟土20坵等。学田大小合计162坵。

民国35年（1946年）1月，省教育厅通知，奉行政院令民国35年（1946年）度省县各级公粮自元月份起一律停发。原带征县级公粮3成，改为带征田赋3成，由各县市价折合法币列为税课收入（田赋每元附增县级公粮一市斗），不得再有任何筹集粮米情事。3月，瓮安中学发公函给县政府，说玉山乡岩坑民妇芦红楞，呈称该氏夫罗宗华于民国15年（1926年）外出，被诸昆普、张大纲2人将洞口河底新寨3处田捐为公有，创办中学，请求交还。因田已划归省有，学校系代管性质。要求县政府妥善解决。

民国36年（1947年）8月，县政府审复提香寨学田纠纷情形结果如下：据夏正雍称佃种中学校提香寨学田耕种已二三年，立有佃约为凭。每年认纳租谷七石，并未少欠。4月24日，经校长条谕仍由该民耕种，现已栽插完毕，即令今年加为租谷十三石亦愿照纳。今中学校商事务员要另佃与宋元福耕种，饬民交田，民因已栽种完毕，不能照交，即谓民故为阻挠妨害公产等语。查耕作地之出租人终止契约，应以收益季节后次期作业开始前之时日为契约之终止期，民法第四百六十条有明文规定。本件原佃人夏正雍对于租佃之田，既经播种完竣又经贵校长于四月二十四日谕令仍由该佃耕种。似不能于本期作业开始后另行改租他人，仍应由该夏正雍佃种为宜。是年，征收赋粮赋139.50元，征实39石6升，公粮22石1斗2升，积谷5石6斗8升，捐献5石5斗8升，滞纳10石另4升4合，总共88石1斗6升4合。

民国37年（1948年）1月，学校收到县政府关于将33年至36年各年度赋税粮缴纳清楚的通知。要求“各年度赋粮久未缴纳者应即送请司法机关强制执行，标卖产业抵还历年欠赋至36年度新赋”。17日，县田赋粮食管理处给学校发函，速将应纳赋粮完清。3月20日，学校通知各佃户于3月底以前将新旧欠粮一次缴纳清楚。并通知佃户邱泰康（玉山乡十五保）、夏正雍（永和乡二保）、康金山（玉山乡二保）、魏定群（永和乡一保）前来纳粮。28日，县长傅啟运、田赋粮食管理处长张泽南发函，要求“各佃户务于4月底以前将新旧赋粮完纳清楚。”4月，瓮安中学代管雍阳、永和、玉山所有学田，全部缴纳完毕。

二、设施

民国初期，学校校产简陋，包括校舍、桌椅、黑板、体育器材和图书等。

民国19年（1930年），学校收到南京军政部冷少农寄给学校的一批图书和本人画像。

民国23年（1934年）至民国24年（1935年），红六军团和中央红军长征经瓮安，瓮安中学先后遭地方恶劣分子捣乱破坏，门窗、户壁拆毁，藏书实验仪器、药品任意取走，学校损失严重。

民国 24 年（1935 年）9 月，瓮安初级中学图书馆存 709 本（部）、中等学校用各种教科书 66 本。

民国 25 年（1936 年）2 月，瓮安中学向省政府汇报损失情形。3 月 28 日，省教育厅指令瓮安中学校长任永熙，速将该校经费卷宗图书仪器校具等件，造具清册，呈报，以凭审核备案。至请发修理费 1 节，请领款时并需按照请领临时费手续，先行估计修理工程经费，清单造具预算书各 3 份、请款凭单 1 份，呈送来厅，再凭核夺是年，省立瓮安中学将损失公款、案卷、校舍、校具、仪器、药品、图书等校产具体情况列出清单上报省政府。

民国 25 年（1936 年）5 月，卸任校长彭建平与新任校长任永熙交接校产，除任内经管文卷、册籍、图书、章记及校具等项被匪损失业经呈报有案外，将学校校产逐项列出移交清单交接。

民国 26 年（1937 年），校长任永熙向省教育厅呈送《培修预算请拨学费修理》，截留部分学费对花竹书院老校舍进行维修。

民国 28 年（1939 年）至 29 年（1940 年），翁安中学请款修建教室 1 栋，平整操场、新建篮球场和网球场，体育设施位列全省第一。

民国 29 年（1940 年）4 月中旬，省教育厅长傅啟学给瓮安中学的公函称："窃以抗战以来全省中等教育日益发展，唯各校图书设备大部亟待补充。而尤以战事发生后由外省内移及新进派办者或因迁徙散失或因甫经成立急需充实。敝馆有鉴于此，特请历年出版之优良著作及 3 年来在陪都出版有关抗战与国际新形势之新书中，精选最适于中学程度而为中学校所当备中学生所必读者，凡 400 册汇为中学文库内容。分 10 大类，包括 50 余学科材料，精审切合现实，兹于 4 月 21 日起至 6 月 20 日止，发售特价按各书分售价共值 10 万余元，仅售书价 5. 5 万元外，加运费三成，均合七折弱，可称极廉事关。充实学校图书设备，有裨导师参考学生进修。谨检附该文库目录及发售办法各一份，敬请鉴阅并恳通令全省公私立初高级中学校、师范学校、职业学校一体采购。倘荷联合各校一次合购 10 部或 20 部。敝馆当按书价部分再打九五折或九折优待，以轻学校负担。查此项文库取材新颖，内容丰富，切合中等学校教师参考及学生进修之用。"接该函后，瓮安中学从速办理。

民国 30 年（1941 年）4 月，省立瓮安初级中学根据省政府 3 月 27 日训令设置书报阅览室将规定每日开放时间或民众阅览时间通告通知，宣传劝导并举办民众读书会、读书竞赛等以提高民众读书兴趣。

民国 34 年（1945 年）7 月—10 月止，省政府教育厅拨给瓮安中学设备费增加课桌 20 张、讲桌 1 张、黑板 1 块、讲台 1 座、木床 10 张、方桌 2 张、长凳 100 张、油漆文柜 2 个、办公桌 2 张。同时配发物理仪器一套。是年，学生献金 649. 37 万元。

民国 35 年（1946 年）9 月底，学校因图书缺乏，向学生发出捐款购书的建议，受到广大学生的热烈响应。各级学生献金购买图书共计 51 万元。

民国 37 年（1948 年），校长李宗彝移交理化仪器。

解放初期，县人民政府接管瓮安中学，有教学用房（如教师房、实验室等）、辅助用房（如图书馆、阅览室等）、办公房（如行政办公室、教师工作室等）以及学生生活用房（如宿舍、厨房等）。

1953 年 9 月，学校对校舍和印章进行二次移交。

1958 年 12 月，学校搬迁到福泉，与福泉中学合并为瓮安一中。

1959 年 8 月，在瓮安中学原址，开办"瓮安四中"。

1961年8月，瓮安、福泉两县分开，瓮安中学撤回，取消四中，恢复瓮安中学名称。遗留在福泉的瓮安中学1960年前的档案，部分仍存在福泉档案馆。

20世纪60年代初，学校贯彻为教育服务的精神，厉行节约，对校产进行清理登记，对电灯线路进行安装、维修。压缩一切非教育性开支，做好教学教具的检修及保管使用工作。组织力量在开学初期、半期及期终进行校舍、储存物件等的安全检查，并提出改进措施。

1971年，学校办起“五七”工厂，生产教学仪器，又在桐木开荒50多亩，创办农场，建立学农基地。

1978年后，学校管理逐步走向正规。严格控制学校的行政费、学杂费、勤工俭学等费用。同时，总务处制定校产管理制度。规定班级、学生宿舍、各室校产包干，责任落实到人。暂用校产实行造册登记。因工作调动，办清各种手续，校产收归学校。

1998年，学校对服务教学主体的后勤管理，进行全面的、深层次的改革。改革采取行政监控和企业化管理相结合的办法，从减征、改制入手，使学校后勤管理逐步从事务型、福利型、消费型向产业化、社会化迈进。成为具有独立法人资格的经济实体。后勤工作围绕学校中心工作，以育人、服务为主要任务，按市场规律运转。在简政改制的基础上，管理开始由过去行政管理为主向企业化管理过渡。学校将人权、财权、经营权通通下放，促使后勤管理减人增效，实行全员聘任。

2007年，坚持厉行节约，勤俭办校的原则，管好、用好有限的办学经费。加大学校政务、财务的透明度。师生对领导班子的满意度大为提高。

2008年3月27日，学校成立后勤服务部，聘请李德学为后勤服务部经理，独立承担学校委托的后勤服务管理工作。28日，对后勤服务部的性质、管理范围、权利、义务等做出明确规定。

是年，加强校产管理，修订校产管理制度。全校校产分类登记造册，各班各室实行承包，签订承包合同书，责任明确、落实到人。每学期结束进行一次核对清点，每年进行一次评比，教室财产完好无缺的班级，学校奖励100元。管好水电，保证师生和教学用电用水。新修学生生活区，修配电房，进行线路更新，添置学生课桌凳等。

2009年，学校进一步加强校产管理，杜绝学校财产流失。继续完善采购—验收入账—入库—领用的手续。配合各专用室做好财产的保管工作，完善财物的登记、借用、报废手续。积极配合会计室做好学校的财务工作。经常检查校舍安全使用情况，发现危险点或危房及时维修。暑期中对厕所下水道进行维修，对教学楼进行修葺。

2010年，学校成立国有资产清查管理领导小组，建立资产管理软件、书面台账，做好固定资产登记，各处室、班级财物进出、签领、注销制度化。实行分层分类的责任制管理，责任落实到人。达到物尽其用，责任到人，账目清楚，档案有序的管理目的。

2011年，安排专人对固定资产进行清理核对，做到财物相符。加强对校产管理，总务处以保养为主，修缮为辅，少花钱，多办事的原则，积极配合政教处加强学生爱护公物的教育，尽量延长校产使用寿命，减少维修费用。同时增强维修人员的服务意识，做到急师生之所急，维修及时到位，使学校的各种设备设施保持完好使用状态，保障学校教育教学的正常运转。搬入新校区后，校产管理日臻完善，并按责任落实到各班，各处室，层层有人管，校产损坏有人负责赔修。各类物资采购严格按照政府采购法采购制度执行。

2012年9月，为了图书馆的合理、规范管理，为省级示范高中升类做好准备，邀请江苏世纪方略有限公司免费图书馆图书编目，录入系统，规范上架，旧书委托宿迁九州文化发展有限公司有偿编目、录入、贴条形码、上架，使馆藏图书更加规范、科学合理。同时，图书馆购买报警防盗仪、扫描仪、借书证，完善图书馆管理。同年，福明公司捐赠学校价值40多万元的图书、约2.3万余册。此外，学校召开新校区教师集资房管理的专题校长办公扩大会议。

第三节　食堂宿舍

民国4年（1915年），学生在校搭伙不交伙食费。之后每个学生搭伙交200文、400文、800文小钱不等。每星期打1次“牙祭”，一桌“九大碗”。

民国15年（1926年）11月，学校在小学的基础上开办了中学。由于缺厨房及水井，住校学生伙食不得不在校外搭伙，由商人承包解决。学生住宿不收费。1938年后，学校修建厨房、饭厅各1间，饮水由离校3里许黄龙屯山泉经渠沟引入校内蓄水池。成立学生食堂，由事务处安排工人负责食堂炊事工作，由训育委员会指导学生组织食事会管理，并由值日导师轮流视察。负食事之责1人，负膳厅清洁秩序责任1人，负监督采买蔬菜责任并每日由教员中轮值一员监督管理。食品种类有：米、白菜、青菜、豌豆、蚕豆、番薯、猪鱼肉等。学生食堂人数由30余人逐年增多，后发展到100余人。账目由会计掌握，事务主任进行安排。

民国30年（1941年）2月，学校根据省政府训令，办起了简师班，招收一年级学生30名，免缴学费，每月津贴伙食费5元。5月15日，按省政府训令，简师学生伙食经核定每月每名月支15元。18日，学校向省府和教育厅呈送《简师学生姓名暨伙食补助清册》，说职校实有人数为29人，每名补足15元，共计435元，除原预算分配每月二、三百元外，尚不敷135元。谨造就简师学生实有人数、姓名暨伙食补助费清册，呈文呈请。

民国31年（1942年）6月，发放非常时期简师学生伙食补助费，每人每月在原基础上增加10元，22人共计550元。

民国27年（1938年）初，学校选举产生膳食委员会第一届负责人。4月，瓮安中学颁发布告：“查各级在校膳食学生新增菜金，多数未遵规定时限缴纳，殊有未合。兹再展限3日，各生务在时限内缴纳清楚，勿得观望致碍膳食进行干议为要。”

民国38年（1949年）5月，卢光义校长和17位教师参加临时校务行政会议，商讨食米发放事宜。

1950年1月，学校高初中学生100余人，在校膳食者80余人。4月初，驻扎在城内的国民党起义部队343师师部辎重营和特务营叛变，并与土匪里应外合，向新生的人民政府发动猖狂进攻，学校被迫停课。4月中旬，叛乱平息，学生入校，在校膳食人数达50余人。5月因抗美援朝，参军、参干的多，高中学生所剩无几，高中停办。学校改为瓮安初级中学。住宿仍不收费。

1951年，全校用膳人数为104人，占学生总数的70%。月膳食标准每人食米48斤，菜金2.4万元（旧币，下同）。菜有豆类（豆腐、豆芽、四季豆等）、胡萝卜、白萝卜、白菜以及葱蒜等。早晨，油炒黄豆下稀饭。

1952年，学校加强管理，成立员生各一代表的3人委员会，经常吸收各方面的改进意见，改善学生伙食。用膳人数达135人。月膳食4万元。2月份起调整为4.5万元。是年膳食费收入140.76万元，支出67.61万元，结存73.16万元。

1953年，膳食委员会适当地加强营养。同时，在清洁方面做到清洗桌子和柜子。每人每天以二两肉为标准，经常以蛋为菜，凉拌菜用开水洗。膳食账目每日做账，经学生代表检查，凡500元以上的购物以单据做账，月底结账。是年6月起，还公布收支日记账及收支报告表。据1—9月报告：收入129.2万元，支出71.66万元，结存57.56万元。

1954年，膳食学生160人左右，每人每月膳食费4.5万元。实行通盘打算、计划采购、成批购买。学习配菜知识、根据本地产菜情况，按周配出食谱。组织膳委会，每月伙食开支，在下月5日内进行审查公布，配合班主任组织学生课余生产蔬菜，自磨豆腐，发豆芽，做咸菜和喂猪等，满足伙食需要。是年，发动学生挑煤2万斤，节省50万元；收白菜1500斤，节省20万元。

1955年，膳食委员会组织学生抬煤、挑米，节省开支，利用校园生产蔬菜补充食堂，取得很好效果。6月17日，学校转发省工会、省卫生厅联合发出的“为办理炊事人员训练加强对食堂管理以防止在学校中发生肠胃传染病及食物中毒的联合通知”。在春季爱国卫生运动的基础上，进一步检查食堂、厨房卫生，并根据《食堂卫生管理办法》，进行定期监督检查。修订厨房公约，制定了《瓮安中学食堂卫生管理措施》。

1956年，学校要求学生自动办好户口粮食转移手续，否则不办理入学手续。

1957年，县人民政府供应学生每人每月猪肉1斤。是年，学校加强厨房管理，搞好师生生活，严格粮油保管制度。

1959年，学校给县教育局去信，要求加派炊事员1人。是年，高初中在校膳食的学生，将粮食供应量26.5斤降到21~23斤，受到县委、县人民委员会的表扬。学校自种蔬菜5100斤，养猪53头，做到猪肉、蔬菜自给。

1960年，国家处于暂时困难时期，副食品供应短缺。3月，受浮夸风的影响，学校推广提高出饭率的“双蒸煮饭法”，实行32天，称节约粮食2700多斤，受到县委和粮食部门的表扬。4月初，学校出纳员邓木森因经营学生伙食，账目不清，经教育帮助改进不大，借回家探望父母之机私自潜逃。在物质匮乏的情况下，学校党支部书记秦绍品亲自操刀宰杀学校喂养的一百多斤的肥猪，亲自下厨掌勺，将猪肉和内脏宰成肉末，熬成汤，与厨房工人一道一一分送到师生碗中。是年，学校对食堂工作提出六条治理措施。

1961—1966年，学生在校膳食人数600余人，占学校学生人数的70%左右，伙食费每人每月6元。学校在改善伙食方面推行一套“价格政策”（比自由市场的标准略低），借此来刺激各班生产蔬菜的积极性。

“文化大革命”初期，学校停课，学校师生串联全国各地，学生食堂停办。

20世纪80年代初，恢复食堂。学校加强对学生食堂的管理，改善伙食。采取先缴后吃的膳食制度。适当地注意营养，主食与副食的比例为1∶2。在校伙食，每人每月伙食费7元左右，粮食自理。同时，开始收取住校生费。

20世纪90年代，学校进一步加强食堂管理。同时，对校园周边的饮食摊点加强管理，按照《中华人民共和国食品卫生法》对饮食从业人员提出严格要求。

2003年8月，学生公寓改造完毕，入住学生1200余名，每生交纳寝室管理费90~120元，另交押金30元。学校将3个学生食堂分别承包给3位社会饮食从业人员，并按照《瓮安县2003年学生卫生工作安排意见》，邀请县防疫站对学校从事饮食业人员进行培训，确保学生饮食卫生安全。

2008年，学校切实加强对食堂的管理。管理措施为：选择好准入单位对食堂进行托管，签订好协议。加强食堂卫生管理，积极配合区卫生监督所，办理食堂卫生许可证。加强对食堂的监控，安排专职人员对学校食堂食品数量质量、餐具消毒进行监管。严格执行《中华人民共和国食品卫生法》，督促做好食堂的清洁、卫生工作，注重饮食安全，杜绝食物中毒事例和传染病的传播。

2009年，总务处、政教处通力合作，定期到学校食堂提取购物台账，销售账目，对食品质量、价格跟踪调查。同时，成立学生食宿部，每星期两次对学生宿舍纪律、卫生、管理人员工作态度进行监督、检查、打分、公示，向学校反馈信息。对食品质量，价格及时反馈意见，力求让学生满意。学生宿舍、食堂通过师生共同监督，量化考核管理，未出现一例安全事故。政府组织多家职能部门检查、称瓮安中学食堂硬件、软件建设均已到位，可直接申报国家A级食堂。

2010年，学校加强对食堂的饮食卫生和饭菜质量的督查管理，定期对食堂职工进行卫生知识培训，使其明确岗位职责，落实卫生措施。特别是第二学期加强饮食卫生的督查力度，总务主任每天不定时地深入食堂第一线，抽查卫生工作、饭菜质量、花样品种以及服务态度等。学校食堂受到县卫生监督部门的表扬。此外，为减轻在建项目急需资金，将学生食堂、宿舍项目向社会融资，通过招商引资方式解决学生食堂和学生宿舍的资金短缺问题。四川营山弘学教育后勤服务有限公司中标，垫资1000万元用于建设，与学校签订协议，交纳协议书中承认投资的全部资金，取得相应的经营管理权利。

2011年3月，学校向县采购办公室提出《关于学生食堂采购设备的申请报告》，决定学生食堂设备采用竞争性谈判竞标采购。9月开始，因地制宜地开展食品安全宣传教育。每学期举办1次食品安全知识讲座；安排1节食品安全教育课；每班出1期食品安全黑板报；每个学生阅读1本食品安全科普读物《食品安全知识读本》，组织1次“食品安全知识带回家”活动；每个学生就食品安全给亲友写1封信；每学年组织1次食品安全征文活动；学校食堂设立1块食品安全温馨提示牌活动。

2012年9月17—18日，总务副主任李景辉参加黔南州餐饮服务食品安全会议，瓮安中学被评为“全州餐饮服务食品生产安全示范单位”。是年，成立瓮安中中学食堂食品卫生安全工作领导小组。严格执行《学校食堂达标检查评估》标准，建立完善食品安检制度，严禁校内食堂、小卖部出售变质食品、三无食品、过期食品和有害食品。并确定事故报告制度和追究制度及善后处理工作。同时，开展“三查三抓”食品安全整治工作。“三查”即查制度（食堂是否制定各项规章制度，是否建立台账，食品采购是否索证索票等）、查完善（各方面工作是否还有遗漏或不够完善的地方）、查落实（各项制度是否真正落到实处）。“三抓”即抓培训（要组织全体后勤人员准备宣传月开情况和食品安全工作自查表，逐项对照开展自查）、抓整改（对检查发现的问题和隐患一定要及早予清除，把事故消灭在萌芽状态），抓落实（真正做到领导重视、责任到人、任务落实、措施到位、确保安全）。

2013年，学校就餐学生2165人，教职工就餐60人。学校成立食品安全领导小组。制定并完善《食堂管理制度》《食堂卫生安全制度》《食堂职工个人卫生制度》等。同时，对采购、加工、消毒严格管理。学校食堂采购的米、油、蔬菜、干货等大宗购买，实行定点，并要其提供相关的营业证明的复印件。小额购物严守当天买当天用完原则，并建立购物台账，仓库实行定期清仓，杜绝过期和腐败的食品库存。加工间分设肉类和蔬菜专用操作台及刀具、砧板，并分区标志。在加工过程中，动物性食品和植物性食品分开操作，成品与半成品，生食与熟食分开，杜绝交叉污染。生食与熟食存放符合卫生要求。对餐饮具、容器彻底清洗，消毒一天一次。每月全校用 84 消毒液喷洒室内一次，阻断传染病流行传染。同时，先后制订《瓮安中学学生宿舍管理》《瓮安中学文明寝室评比办法》《瓮安中学进出校门管理规定》等规章管理条例，从学校层面加强住校生的管理。

第四节　校务公开

2001 年，瓮安中学成为高级中学。学校为加强民主监督，依法行政，遏制以权谋私，从源头制止腐败，推行校务公开。

8 月 9 日，根据县行政机关政务公开会议精神和县人民政府推行政务公开实施意见的通知，学校成立"瓮安中学校务公开领导小组"。校长任组长，副校长任副组长，相关部门负责人为成员。领导小组具体职责为：监督检查校务公开承办部门，责任人员是否尽职尽责，公开的内容是否按规定公开，是否真实全面，公开的形式、程序、时间是否符合规范要求，学校有关部门对教职工群众的意见是否及时整理和认真反馈。校务公开内容为：校内经费使用，学生缴费。首先公示学生学杂书本费缴收情况。坚持学校安排教师开票，聘请县农行派员收取，一周后按规定上报缴收费局。校内经费使用，由总务处事先拟定拨款计划，报各级领导审批拨款，使用后严格报销手续。班费（双休加课时费和早晚辅导费）实行班收，学校考勤，每 4 周一次补助。学期结束，由分管年级领导批准，在班级上课教师中公示开支情况。学生会考、中考考收费以文件通知为准，不准任何人以任何借口向学生收费。

评先评优：根据"三好学生""优秀学生干部"评选条件，召开年级班主任会民主推荐，然后张榜公示；对年度考核的优秀教师，由考评组民主推荐，然后在教师中公示；教师职务评审，公示评聘指标；对自荐教师进行述职，考评组召集教师民主考核评聘，公示考核结果和推荐评聘人员。

教师课时津贴和职工岗位津贴发放公开。教师课时以听课学生记载为准，公示课时津贴标准和每四周一次发放金额。学期结束或开学第一周，校长在全校教职工会上公开一学期内经费的开支情况。

教师教学成果奖励公开。依据学校教代会通过的奖励方案，公开奖励表彰教师教学成果，真正实现优质优酬的待遇分配。

2011 年 9 月，瓮安中学整体搬迁新校区，办学条件跃居黔南第一。学校在人事管理及工作安排、教师职称评聘、评优推优及班主任的选聘等工作方面，以正确的政策为导向采取择优推荐的办法，坚持"公开、公平、公正"的民主原则，严格按照省、州、县有关条件和标准进行推荐，做到先公示、后上报。在涉及教师、学生切身利益，物资采购、财务管理、学校重大决策等方面，严格按照法律法规和政策规定的程序召开专题会议或以下发文件的形式进行公示。每月将收支情况总表张贴在公示栏内并如期在教职工会上进行汇报，让全校教职工了解学校收支情况。

2012 年，成立了专门的自查工作领导小组。组长李凤奇，副组长陈友华、周遗贵、邓超，成员各处室负责人。邓超兼任办公室主任。校务办公室、总务处、财务室负责自查工作，对收支及人权事权等校务公开情况进行了自查。

第五节　基建工程

清·道光十三年（1833 年），修玉华书院。书院，占地广袤各 20 余丈，建有讲堂、厅宇、斋厨、学舍等。“书院前眺诸山，后依城郭，东障黄龙岭，西带瓮安江，往来者称善地。”咸丰年间毁于战火。

清·光绪十八年（1892 年），陶懋恭出任瓮安县令时，用城南袁氏捐献木料，修建讲堂三间。二十四年（1898 年），修花竹书院。其占地面积已达 3500 平方米左右。斋房（即书房）有东西对称的两栋，每栋两层 18 间，共 36 间。与礼堂遥遥相对的是一长排平房，书报室、宿舍、餐厅、憩息室等。这一群建筑正好构成标准的四合院。与之相距不远是厨房，另有号房、字窟塔、厕所等。在书院大门口树有牌坊一座，上书有醒目的“花竹钟灵”“含英咀华、花秾桃李”等字样，书院门联：“花杂五色已成文，想多士天才藻丽，竹历四时而挺秀，见硕彦风节坚贞”。

民国 7 年（1918 年），设于花竹书院的瓮安县立高等小学仿贵阳师范学校教学楼式样建造教学楼 1 栋，楼上楼下各 2 间，共 4 间教室。

民国 12 年（1923 年），在校园 4200 平方米空地上，县政府拨款兴建 4 间教室的楼房，占地 192 平方米。

民国 15 年（1926 年）秋，瓮安县立中学成立，教室、课桌、黑板等一应所需教学设备与高等小学校共用。

民国 16 年（1927 年），在学校西面增修木结构楼房，1 栋，作教室和教师宿舍。

民国 18 年（1929 年）1 月，原花竹高等小学堂所有设施全归贵州省立第六中学。为解决学校饮水困难，从距校 2000 米外的黄龙屯开沟引泉水入校内，新挖水井蓄水。新井落成时，教师魏子修、曾春如分别作序、书写，勒碑纪念。

民国 24 年（1935 年）8 月，省教育厅长叶元龙接到瓮安中学维修损坏教室 4 间、学生宿舍 16 间、浴室、厨房、厕所和用砖修围墙 5 丈、土筑围墙 23 丈等工程的报告后，令省立瓮安中学校长彭建平，“案查前据该校长呈请修理该校校舍一案，当经本厅令派省督学胡国泰驰赴该校，会同复勘，估计详细清单县报在案。兹据该督学及该校长会呈到厅，计已修复礼堂各部，需修理费 584. 08 元，又拟修复围墙校舍各部，修理费洋 1395. 13 元，共计修理费洋 1979. 21 元，应准照办。”12 月 30 日后，省教育厅厅长叶元龙将该款 1979. 21 元补发。

民国 25 年（1936 年），省教育厅继续增拨修缮费 875 元，修复礼堂、教职员宿舍、游艺室、号房、围墙各部。因前任修土筑围墙，妨害学校观瞻影响校容，乃用火砖重新修建。并添设号房。

民国 26 年（1937 年）4 月，校长任永熙报告省政府教育厅，说瓮安中学自前清光绪二十四年修建以来，已有 40 年。因经费艰难，从未修整。故校舍有坍塌倾斜。再不修治，恐难于补救。故拟具瓮安中学油漆费建正校舍支付预算书一份：油漆费 145. 5 元，工资费 45 元，建正费 55 元，合计 245. 50 元。要求支用所收学生学费维修校舍。7 月 13 日，任永熙校长晋省，将维修学校业已动工详情面呈张志韩厅长，要求省厅鉴核拨款。24日，省厅张志韩厅长回复："瓮安中学修理费，业经教育厅会同财政厅签字呈报省政府主席顾祝同核发在案，待省政府指令后 ，即行拨款。至该校学费收入，应即迅速造册呈缴，勿稍宕延为要。"12月25日，任永熙校长呈报，学校维修油漆工程即将完竣，但前造预算书未将油漆所需铅粉材料费列入。至于建正校舍工程，因在上课期间不能动工，所以将建正费移作铅粉费用，所有油漆工程支付账目业已遵决算格式造就书表，具文呈送。

民国27年（1938年）1月，省主席吴鼎昌，教育厅长张志韩令省立瓮安初级中学校长任永熙，将学校维修决算书类检发，派县长会同勘验具报后，再行核办。冉隆堃任校长后，省教育厅共拨修缮费4400元，修教室1栋，楼下隔作教室及教员室，楼上全作学生宿舍。下年，修教室1幢于西园，并撤出南墙字窟，改建向南大门。门外平整操场，供给学生锻炼身体，并于操场周围植上梓木树。

民国28年（1939年），建筑学生宿舍1栋，隔成可容学生90人的寝室22间。新建宿舍连同旧宿舍可容纳学生220人。新建了容纳学生80人的教室1间，另建浴室1栋6间，厕所5间。修理了图书阅览室。这时的学校，有教室6间，礼堂1栋，图书室1栋，劳作室1间，师生新旧宿舍66间，办公室8间，厨房1间，饭厅1间，厕所5间，浴室1栋6间，校工宿舍2间，大操场34.9公亩，篮球场5公亩，网球场3.8公亩，器械场6.2公亩，花园13.1公亩，空地22.8公亩。

民国29年（1940年）8月，学校先后支付修建费3838.80元，经教育厅督学杨胜辉、省审计处办事员颜亨训先后驰赴该校勘验属实，还卷归档结存1.85元，合币3840.65元。

民国30年（1941年）3月，冉隆堃校长因增办初中，简易师范班需增加校舍校具，呈送购置预算表给省教育厅。是年8月，杨藻章接任，继续办理。增加学生桌50张，讲桌2张，黑板2块，讲台2座，木床30架，方桌30张，短凳60条，总功课牌1块。建宿舍1幢实际支付经费2969.50元，预算为2713.60元，增加255.91元。建浴室5间，共用103.60元，预算所立320.30元减少216.70元。建厕所1间支付68.80元，预算所立73.35元，减少14.55元。修理图书室28.10元，预算为31.60元，减少3.50元。

民国31年（1942年），瓮安中学5月27日被土匪劫掠后，省政府电饬县长裘胜嘉于城内觅适当屋宇暂作师生宿舍。7月8日，县战时公债建设基金劝募委员会召开临时会议决定由建设基金项下拨助2000元修理城内原尚公小学校舍（武圣宫）作为瓮安中学师生宿舍。后因匪患已平，地方安谧如常，学校城外校舍自可应用而搁置。是年，王道暄校长暂将校内储藏室改修为女生宿舍用。因1938年修建的教室因基础不牢向西倾斜，又向省政府请款建正修复。

民国32年（1943年），学校邀集地方官绅筹商，勘定校西荒地作建高中部校舍之基地，指拨款项，由县饬令各乡镇分担建筑材料运校。是年拨款修女生宿舍3.86万元，教室1幢10.99万元。

民国33年（1944年）1—2月，学校拟订修建预算分配表。修理校舍费1万元，其中木料600元（木料1团400元、柱料3根200元），砖瓦石2200元（瓦1500块，每1000块价400元，计600元；砖500块。每100块价200元，计1000元；石脚2丈，每丈300元，计600元），工资6000元（木工30日、石工15日、泥工55日，共计工100日，每日工资60元）。

民国34年（1945年）秋，李宗彝任校长，竭力扩充校舍。尤其对高中部校舍的兴建抓得较紧，指派犹泮香采购木材砖瓦魁日兴工。为充实学校图书，老教师张克襄发起募捐，地方父老踊跃认捐，新建图书馆一幢。

民国35年（1946年）10月，省教育厅、财政厅、田粮处，就瓮安中学修建高中教室暨女生宿舍设计图表及经费预算做出指令："原将颁布具报备核，又借用地方积谷交价增修。高中教室将来如何筹措归还，照应具报并即遵照。"

民国36年（1947年）2月，省政府教育厅令瓮安中学增建计划，应分期进行，使其全部完成。

民国38年（1949年），瓮安中学校舍建筑面积1291平方米，空地1800平方米。

1950年3月，瓮安中学建校委员会将基建部分财产交与学校临时负责人。12月9日，校长贺永年、总务主任戎绍华向贵阳行政督察专员公署去函："因学校食堂全部屋梁倾斜，屋面薄板已毁坏，雨季，危险堪虞，特修建学生膳食堂。屋舍全长20米（连檐口共22米）全宽8米（连檐口共10米）。"并付《修建加固膳食堂房屋及另换屋面工程经费决算表》。维修校门校舍教室诸多损坏漏雨处。

1951年1月，国有财产投保。当时统计的瓮安中学校园校舍有：楼房木柱瓦面砖壁教室6间，楼房木柱瓦面木壁及两侧砖壁教室7间，图书室、办公室、宿舍、楼房瓦面木柱木壁10间，学生宿舍楼房木柱瓦面木壁16间，平房木柱瓦面木壁寝室5间，楼房木柱瓦面木壁女生宿舍4间，平房木柱砖柱灰壁木屋面膳堂1栋，平房瓦面砖壁号房1间，楼房瓦面砖壁碉堡1间，平房木柱木壁瓦面厨房1栋。是年，膳食堂建正修理完竣，改建男厕所1栋3间24个蹲位，新建女厕所1栋12个蹲位，修男、女宿舍顶棚天花板7间，修砖围墙2段15丈长，修公桌18张，书柜2个，药橱1个，修黑板9张，安置电灯78盏，电表2个。6月，学校按照省人民政府贵阳区专员公署通知将整个校产向当地保险公司进行投保。保险金额1.4亿元。10月5日，省厅拨款购置电表、安装电灯材料经费648.14万元。结果修理费203万元、器具设备费60万元，电器材料费385.14万元，超出原预算数40.2万元。

1952年2月，省厅下拨修缮费433.5万元，其中男生寝室229.4万元、女生寝室104.1万元，翻检屋面100万元。4月，县降冰雹2次，大如鸡蛋，直接破瓦而入教室。为整修教室屋面，学校木工用去材料费90.65万元。修女生寝室3间138.82万元，修米仓130.4万元。至7月，修建厨房及开水房1891.23万元。8月，修宿舍961.53万元，厨房8 00万元、购置费50万元，共1811.53万元。9月，省教厅拨款800万元外，不敷数为1091.23万元，10月30日，省人民政府教育厅追加修缮费290万元。是年，学校为解决大部分外籍、携有眷属的教职工的住宿，以便利工作，倡导这部分教职工个人捐资100万元，不足部分，向省教育厅请求补助修建。省教育厅拨款861.53万元。年底，建瓦屋房员工宿舍一栋10间约300平方米。

1953年2月，收到省厅拨款1.2亿元。修教室1幢（含教室8个、实验室1个、办公室2个）8000万元，修宿舍二栋4000万元。

1954年，学校修水井200万元，翻修礼堂，阅览室10万元。省划拨房修缮费176.945万元。是年，瓮安中学"土地房屋及建筑物进行清理的报告"中显示：学校房屋有教室两幢共6间，面积547.5平方米，计币7583.5万元；膳厅1幢164平方米，共5间，计币621.45万元；员生宿舍6栋，共5间，725平方米，计币7453万元，办公室1栋共12间（含实验室、休息室、校长室），346.5平方米，计币1485万元；礼堂1幢共5间（包括图书室、阅览室）240 平方米，币 1250 万元；厨房、烧水房各 1 栋 7 间，162.25 平方米，币 3073.5 万元；号房、仓库 2 间 70 平方米，币 129 万元；厕所 2 个 4 间，35 平方米，币 2.05 万元；洗澡间二小间，8 平方米，币 42 万元；员工厨房 2 小间，12.6 平方米，币 108 万元；水井 2 口 85.52 平方米，币 420 万元（包括井台在内）；土墙 231.5 米，币 240 万元；砖墙 183 米币 700 万元；猪圈 1 个，币 20 万元。合计 23330.45 万元。运动场 3737 平方米、山 8436.25 平方米、园地林地 28985.13 平方米，合计 41158.38 平方米。

1955 年，省教育厅拨款：房屋修缮费 131.114 万元。10 月，修建小型洗澡塘 1 个 3 小间。

1956 年 2 月，教育厅下发《关于 1956 年教育事业基础建设管理工作若干问题的暂行规定》的通知，要求基本建设工程总概算金额在 20 万以上 50 万以下者（新币），初步设计及总概算、技术设计及总预算，由省人民委员会审核批准

1957 年，在后山坡前修建一楼一底的砖木结构办公楼，建第一教学楼 8 个教室、第二教学楼 6 个教室。

1959 年 12 月，学校修建完工的教学楼、学生宿舍、职工宿舍、饭厅、厨房各 1 栋及厕所 1 个，占地面积 1200 平方米，合币 6 万元。至此，有教学楼 3 幢，能供 17 个教学班用。有学生宿舍 1 幢，400 平方米，计币 1.8 万元；职工宿舍 200 平方米，计币 9000 元；学生饭厅（兼礼堂）160 平方米，计币 6400 元；厕所 1 栋，计币 1580 元。

1960 年 9 月 23 日，瓮安中学向县计委、财政局、文教局汇报，新建教学用房投资共 9 万元，面积 2083.61 平方米二楼一底，教学用房大小 30 间。从 7 月中旬开工到 9 月，基础全部完工，计 444.72 立方米，付款 6912.72 元。因基建工程暂时下马，将余款全部上缴。

1965 年，瓮安中学有房屋面积 2806 平方米。其中属于新中国成立前原有的 1291 平方米，新中国成立后新建或改建的教室、寝室、办公室等有 1515 平方米，全为砖木结构。改修了 109 平方米的厨房和 266 平方米的饭厅。扩建运动场地 2700 平方米。

1978 年，在后山坡修建教师宿舍 3 幢，998.34 平方米。是年 7 月，将原教学楼接配一楼一底二个教师宿舍，面积 168 平方米，造价 9800 元。

1979 年 9 月，投资 10.40 万元，扩建学生宿舍 320 平方米。

1980 年，投资 4.7 万元，扩建实验楼 600 平方米。

1981 年，扩建学生餐厅 300 平方米，投资 1.2 万元。扩建学生宿舍 14 间，458 平方米，投资 4.4 万元。安装电压器提升电压，解决照明。修锅炉房及浴室 130 平方米，1.1 万元，解决师生饮水、用水洗澡。

1987 年 6 月 15 日，学校制定校舍基本情况调查表，向县教育局、州建设银行提交《关于请求迅速拨款修建学生宿舍的报告》。是年，先后得到 3000 元和 13 万元拨款，收到企业局赔偿款 7.7755 万元。修建学生宿舍 1 幢，2630 平方米，可容 500 学生居住，建浴室 400 平方米。

1988 年，根据黔府《关于 3 年内基本完成中小学现有危房改造和维修的通知》，学校危房投资拨款，州财政 4.17 万元、县财政 2.67 万元。危房改造 318 平方米。12 月 29 日，学校向县政府再次申请拨款修建学生宿舍。

1990 年，州县拨款 11.9 万元维修校舍。

1991—1994 年，自筹资金 86.6 余万元，建实验大楼 1 幢。对老教室加层修建 630 平方米，增加 10 个教室。修水泥路 4500 平方米。修教师宿舍 1 栋 1200 平方米，25.5 万元。修

建保坎、围墙和水沟。

1994年8月，自筹资金50万元，购买州运输管理处瓮安交管站南街楼房及零星附设建筑631平方米，职工宿舍16套1600余平方米。

1995年，建教师宿舍12套，建厨房254.7平方米、厕所147平方米，围墙685平方米。

1996年3月，贯彻执行县人民政府批转县房改办《关于进一步深化城镇住房制度改革的意见》精神。规定："学校的公用住房，除在校园内的不宜出售外，其余的一律实行房改。"是年，集资修建职工宿舍1栋36套，42.5万元（其中教师集资18.8万元），修煤棚8个，9600元。改造教学楼走廊等6万元。将后山坡居住教师的饮水管道改道接环城路落马塘水管道。修筑后山坡曲径道路368米，植树千余株。

1997年2月，州教育局、州计划局、州建设局、州财政局、州地方税务局、州国土局联合下发《关于解决教师住宅问题意见的通知》，指出：今明两年以"解危、解困为主"，重点解决无房户和家庭人均居住面4平方米以下的困难户，力争2000年基本解决城镇教职工的住房问题。是年，副校长曾佐藩在州十届人大二次会议上，提出拨款修建瓮安中学宿舍的建议。其内容为：学校"有教师170人（包括退休离休），35个教学班，2000多学生，但至今只有1栋学生宿舍（只能住400人），大量的学生在街上租房，不仅大大增加了学生的经济负担，而且很不便于管理。学生住在校外，屡遭偷盗、抢劫和欺侮，尤其是女生，人身安全得不到保障。所以，急需修一栋能容纳1000学生的宿舍，需要耗资40万元。学校集资10万元，请县政府拨款10万元，请州政府拨款20万元"。

5月，学校执行县人民政府批转的《瓮安县职工购租建住房规定》，"职工在本人工作地有私房的，不得参加集资建房和购买公有住房。已参加房改的不得再在学校参加集资或其他形式的集体建房。"是年，按黔南州人民政府转发州教育局等部门《关于加快解决教师住房的意见》，学校坚持"财政拨一点，个人集资一点，银行贷一点，鼓励社会支持一点"的多渠道筹措资金的办法筹措建设资金。在教师集资、学校办证、施工建设、交付使用等过程中，各有关部门给予大力支持。县城建局免费提供施工图纸，优惠质量监督费，县财政局免收城市建设配套费，县地税局免征固定资产投资方向调节税，县计委优惠办理施工许可证。是年修建教师宿舍3栋，4068平方米，支付121.22万元。

1998年1月，新建教师宿舍4栋，厕所2栋，保卫室1个，建水泥球场4个，羽毛球场3个，建水泥路3000余平方米，修文化区、生活区、煤棚等，使用资金32.89万元。7月，执行国务院《关于进一步深化城镇住房制度改革加快住房修建的通知》精神，停止住房实施分配，逐步实行住房分配货币化出售现有公房，原则上实行成本价。但校园内不能分割及封闭管理的住房不能出售，教师公寓等周转用房不得出售。

1999年，修建学生宿舍816平方米，图书室116平方米，实验室648平方米，体育器材室142平方米。贴息贷150万元，自筹匹配资金50万元，共200万元。

2000年，修建教师宿舍4栋，4761平方米，计200万元；修建图书馆432平方米，计105万元。

2001年4月，"师道楼"1栋落成，建筑面积2696平方米，计100万元。7月，修建学生宿舍1栋2671平方米，计100万元。

2002年5月—2003年5月，瓮安中学利用国债资金312万元、单位职工融资168万元，多方筹资320万元，共800万元，修建教学楼6208平方米，修建科技楼4489.04平方米，修建学生公寓3340平方米。7月，根据黔开办〔2002〕50号《关于2002年款贷扶贫项目立项的通知》，瓮安中学修建学生公寓2栋9600平方米，计563.6万元，其中资本金113.6万元，贷款450万元。

2003年10月，学校向县人民政府、县教育局上报《瓮安中学关于融资改善办学条件的决定》，融资总额为160万元。按月息1%计息。计息时间自2003年11月1日起至2004年10月31日止。融资利息由学校支付。

2005年，改造运动场4581平方米，新建篮球场2个，新建运动防护栏780平方米，修建环形跑道400米，改造输水管道1000余米，增蓄水池1个，改造学生宿舍屋面防水工程490平方米。

2006年，改造学生宿舍3000余平方米，学生食堂3个。教师融资170余万元，修建教师宿舍。

2007年，修建师生食堂6700平方米的综合楼（可容纳1500余名师生的演艺厅，可供3000余名师生就餐的食堂），2008年8月竣工。动工修建6635平方米（住1400名学生）的学生公寓，资金800万元。

2009年5月，修建天桥大门工程，计20.85万元。其中直接费16.87万元（部分直接工程费16.51万元，超高增加费、措施费3629.54元），间接费1.63万元（工程排污费185.23元、定额测定费5559.47元、住房公积金808.51元、意外伤害保险费102.63元，企业管理费9635.91元）；利润4960.10元，工程定额人工费1.16万元。

2010年6月，学校印发《关于新校区教师集资建房的有关规定》。8月，学校根据县委专题会议纪要和学校行政办公会、学校南街旧城改造拆迁协调小组会议精神，做出补充规定：凡年龄在45周岁以下的教职工，原则上选择在新校区集资建房。否则按“就近安置，就近工作”的规定处理。学校一次性补贴拆迁户2400元。总额享受退房款额，即当年集资款为1.2万元补偿12.2万元；1.4万元补偿12.4万元；1.6万元补偿12.6万元；1.8万元补偿12.8万元。可选择三种方式安置：由学校按规定补偿拆迁户房款，本人自由买房或自行安置，学校不再安排任何住房。选择安置在“侯爵豪苑”的，房权归瓮安中学，按新校区集资建房规定管理，退房时由学校退还集资款（含利息），住房交学校处理。选择在新校区集资建房的，按〔2010〕25号文件的规定执行。同时还规定：未选择集资建房，工作6年以上的教职工学校不安排任何福利性住房，也不得安排居住青年单身教职工周转房。

2011年9月，瓮安中学整体搬迁到河西半月山新校园。新校园占地242.7亩（约16.16万平方米），生均36.6平方米；校舍建筑面积8.04万平方米，生均18.2平方米；绿化面积8万平方米，生均18.16平方米。教学楼3栋（5层），面积2.24万平方米，有普通教师80间；实验楼2栋（4层），实验室24间；图书馆1栋（3层），面积4054平方米；学生食堂1栋3层，面积6243平方米，学生餐厅2套，演艺大厅1个；学生公寓4栋（6层），面积2.80万平方米，学生床位4000张；创造性地将自修室、阅览室设在学生宿舍1楼，其中自休室2间，座位约500个，阅览室2间，座位约500个；体育馆3个（面积1.80万平方米），标准化田径运动场1个，篮球场8个，乒乓球台15张；办公用房（2696.2平方米）39间；教师宿舍6栋（6层），面积1.97万平方米；医务室2间。总共投入资金2.3亿元。

2013年，动工修建教师公租房1栋（6层），100套面积6000平方米，投资531.59万元。完成小区围墙、堡坎工程及教师宿舍、学生宿舍、食堂、图书馆后墙80%的施工，完成综合楼、后山园林绿化、山塘改造的设计方案和预算；完成教师宿舍、图书馆区域道路、沥青铺设工程；修建了垃圾运转站、医务室、保管室、田径运动场体育器材室；装修会议室、学生舞蹈室；完成了体艺馆、后山建设的前期论证工作。

第六节　税　捐

一、所得税

民国25年（1936年）7月，《所得税暂行条例》公布。该条例规定凡公务人员薪给报酬所得，“一、每月平均所得自30~60元者，每10元课税5分。二、每月平均所得超过60元至160元者，其超额每10元课税1角。”8月，《所得暂行条例施行细则》公布。该细则细化了所得范围、所得申报、缴纳时间、缴纳方式、纳税期限等，自25年10月1日起征，其余各项，均自26年1月1日起征。

民国26年（1937年）2月起，瓮安初级中学职教员缴纳所得税有11人，每月共缴纳所得税法币5.85元。

民国28年（1939年），省立瓮安初级中学职教员缴纳所得税之月额，因每学年甚至每学期学校职教员人数的多寡，个人薪给报酬的多少而相应变化。是年2月份学校扣缴所得税总数3.45元。3—7月，学校扣缴所得税每月总数5.75元。

民国29年（1940年）8月，学校扣缴所得税总数5.00元。9—12月，学校扣缴所得税每月总数8.60元。

至1949年，所得税扣缴有增无减。

1950年7月，政务院公布《税政实施要则》，列举有个人所得课税的税种，定名为“薪给报酬所得税”。虽然设立了税种，却因生产力和人均收入水平低，一直没有开征。1980年9月10日，第五届全国人民代表大会第三次会议通过了《中华人民共和国个人所得税法》。1993年10月，八届全国人大常委会四次会议通过了《全国人大常委会关于修改〈中华人民共和国个人所得税法〉的决定》，是月，发布了新修改的《中华人民共和国个人所得税法》（简称税法），1994年1月28日，国务院配套发布了《中华人民共和国个人所得税法实施条例》。

1999年8月，第九届全国人民代表大会常务委员会第十一次会议决定第二次修正，并于当日公布生效。根据规定，个人税免征额为1600元。8月起，瓮安中学教职工开始缴纳个人收入所得税。

2005年10月，中华人民共和国第十届全国人民代表大会常务委员会第十八次会议通过《全国人民代表大会常务委员会关于修改〈中华人民共和国个人所得税法〉的决定》，自2006年1月1日起施行，个税免征额从1600元提高到2000元。

2011年6月，中华人民共和国第十一届全国人大常委会第二十一次会议表决通过了全国人大常委会关于修改个人所得税法的决定，个税免征额将从2000元提高到3500元，自2011年9月1日起施行。

二、救国公债

民国26年（1937年）9月，省政府下发财制支字3170号训令。因“查国难严重，需款孔亟。中央为筹备战时财政，发行救国公债5亿元。凡属国人，均应踊跃认购，以添国用，除关于各界之募款，已由救国公债劝募委员会设法劝募外，所有全省内各机关各级公务员，各公立学校教职员，自应首先认购，以资提倡。其认购办法，按照各员俸薪所得额每月摊购20%，以10个月为限，自9月起实施。”10月，省立瓮安初级中学将学校职教员摊募救国公债9、10两月清册具文呈送省政府主席薛岳、教育厅厅长张志韩、财政厅厅长王澂莹。学校职教员13人摊募救国公债。

救国公债，“原系26年（1937年）9月份起至27年（1938年）6月份止，共扣缴10个月，前经通令饬遵在案。现因全省救债分会奉财政部12月东江两电，饬将债款停止募收等因，所有全省内外各机关公务员救国公债，自应一律扣缴至26年11月份止；自12月份起，着即停收，以照划一。”瓮安中学教职员只扣缴了3个月的救国公债，共387.45元。

三、飞机捐

民国25年（1936年）7月，省教育厅《续征公务员飞机捐办法》规定，各公立学校教职员，实发薪额捐助政府作为建设航空之用，一年为限，由各学校校长负责征解。

8月，瓮安中学10名教职工扣缴飞机捐。

民国26年（1937年）2—4月，瓮安中学11人扣缴飞机捐。据6月30日省政府教育厅训字第433号训令通知：“准延期1年。”即以“自25年（1936年）7月起1年为限”变为“自25年7月起2年为限。”

民国28年（1939年）1—5月，瓮安中学职教员飞机捐为法币57.32元。

民国30年（1941年）5月，省教育厅训令，发起教师号飞机捐献运动。捐款方法：以校内自由捐献为原则，不向外界募捐；一切捐献事宜，由学校当局负责，主持款项应随时存入银行；学校于解缴款时，应造具表册，载列捐献者姓名上报。8月，县政府县长裘胜嘉兼劝募大队长，聘任校长冉隆堃为劝募分队长。8月18日，省政府教三厅字第1285号训令案准中国航空建设协会贵州省分会7月29日订定的《贵州省一元献机运动推行办法》，在全省公务员、教职员、学生及绅商民众中发起一元捐机活动。《贵州省一元献机运动推行办法》把300万捐款分解至全省78个县市，瓮安县承担一元飞机捐款两万元。瓮安县劝幕大会又在《贵州省一元献机运动推行办法》的基础上拟定了《瓮安县“一元献机运动”推行办法》，将全县两万元飞机捐款分解至全县18各单位（县党部、第一、二、三、四区分到、保警大队部、县商会、合水金库室、乡干所以及省立瓮中、城区男校、女校、三江男校、女校、草塘男校、女校、玉山小学、珠藏小学等）。省立瓮安初级中学承担一元飞机捐款二百元，于12月2日，上缴瓮安县劝募大队。

民国31年（1942年）12月，瓮安中学师生为滑翔运动及空军建设捐款，每人认捐：教职工2~5元；学生1.5~3元。

民国32年（1943年）1月，省政府教育厅对“公务员（原教师号）”滑翔机捐款作出规定：教职员工月薪70~100元者，扣缴捐款10元；100元以上满150元者，扣15元；150以上未满200元者，扣20元；200元以上未满300元者，扣30元。6月9日，瓮安中学21位教师办理“公务员号”捐款500元，168名学生办理“学生号”捐款254.50元。

两项共计754.50元。6月28日，为发动全省各级学校及社教机关捐献滑翔机以促进滑翔运动之开展，省政府教育厅下发0245号代电。是月校长王道暄将学校捐缴学校公务员号和与学生号造具清册呈报省政府教育厅。10月14日，瓮安县县长兼筹办主席杨仲臬发出聘书，聘校长王道暄为一县一机运动劝募委员会委员。

民国33年（1944年）3月，中国航空建设协会贵州省分会要求全省中等学校一律于是年5月以前，将全校学生造具会员名册并将应纳会费每人5元一并收齐 缴送当地县政府兼征求大队转解。8月14日，瓮安中学校长冉茂森到县府参加纪念空军节庆祝大会，并作了航空建设专题演讲，为实现一县一机运动作广泛宣传。

四、赈灾捐款

民国26年（1937年），贵州旱灾严重。省政府下发训字第414号训令，要求所有全省各级公务员自5月1日起照所得税率按月10倍捐助为标准，由政府催收汇交赈务会。7月，省政府再次下发教壹字第841号训令，“关于应缴赈款，准自5月份起，至10月份止，分6个月扣缴在案。”10月，省政府教育厅又下发训字第730号训令，要求“各校长迅即遵照前令办理。”11月，省立瓮安初级中学校长任永熙《呈送捐款清册敬祈查核饬遵》至教育厅。瓮安初级中学职教员11人每月捐赠灾款45.9元。

民国27年（1938年）1月，瓮安中学机关解缴上年5、6、7月份公务员捐助款合计175.50元。师生于课余时间练习排演抗战话剧，于公演中获币60余元，除支付10余元外，其余50余元上缴贵州省抗战后援会以资助前方战士寒衣。瓮安中学教员扣缴77元9角寒衣捐款同日上缴。

民国28年（1939年）3月，省政府下发《全省党政军公务人员捐薪救灾办法》，要求全省党政军公务人员按薪俸所得此例作一次性捐助。

民国29年（1940年）11月，省政府教育厅下发《贵州省伤兵之友社简章》，要求全省公务员参加“伤兵之友社”，为社友藉物质之捐助。

是年，瓮安中学向省教育厅交“征求伤兵之友”社会赞助捐款37元。

民国30年（1941年）7月，瓮安中学分期将学校职教员每月应缴纳救国慰劳捐款连同捐款清册呈送中央银行贵阳分行。5月，省政府教育厅下发〔训字第429号〕训令，明确规定“公务员救国捐。凡党政军警各机关公务人员及各级学校教职员，每月薪俸满31元者均照所得税税率，由主管机关查案扣缴汇解指定银行核收；其每月薪俸在30元以下者，捐款数目多少所便，但仍须由主管机关办理汇解。”该训令要求：“自即日起，即将自26年9月份起，补扣所获捐款连同捐款清册3份，从速经解指定之贵阳中央、农民两分行核收。勿得延误，是为至要！并将每月捐款清册呈送一份来厅。以便查考。”救国捐自1938年8月1日起改名为“公务人员慰劳捐”。

中华人民共和国成立后，学校赈灾捐款活动根据实际情况量力而行。

2008年5月，学校举行“瓮安中学师生向四川汶川地震灾区募捐”仪式，共募集爱心捐款3.9071万元。27日，学校全体党员响应省委号召，积极为四川灾区捐献“特殊党费”，共捐出7310元。

2010年3月，瓮安中学校长李凤奇、副校长张明光、校务办主任李琴，政教处副主任周洪代表全体师生到县政府参加抗旱救灾捐赠活动，向县民政局捐款2.38万元。是日下午，李凤奇校长亲率有关领导深入学校包保单位新华村，察看询问灾情，了解村支两委的抗灾措施，调研当时存在的主要困难和问题，向新华村捐助5000元帮助修复变压器，保证抗旱救灾正常用电，解决村民饮水困难。6月1日，政教处主任邓超、校务办主任李琴到县人民广场参加了由县扶贫办、邮政局主办，县民政局、经贸局、妇联、总工会等单位协办的“爱心包裹”捐购启动仪式。学校全体师生捐款1.7596万元。

2013年9月1日，瓮安县举行“人口福利生育关怀基金”捐赠发放仪式。瓮安中学李琴副校长代表学校捐赠。本次捐赠分单位捐赠和个人捐赠，瓮安中学共计捐赠2.46万元。

第九章 助学 捐资

第一节 助学 奖学

一、人民助学金

1949年以前，贵州经济发展滞后，大多数地县属于贫困地区，工农子女由于家庭经济困难，无力缴纳学杂费，80%以上不能上学。

1949年12月，召开的第一次全国教育工作会议进一步明确："学校要向工农子女和工农青年开门。"人民政府即执行教育"向工农开门"的办学方针。按照《贵阳市军管会教育接管部贵州省人民政府教育办公室关于整理中等学校暂行办法草案》规定，人民政府制定《贵州省小中大学生人民助学金暂行办法（草案）》和《关于优待贫苦烈士及贫苦军人子弟入学办法》，切实帮助工农及少数民族子弟完成学业。《贵州省小中大学校学生人民助学金暂行办法（草案）》第四条对人民助学金"申请条件"作出规定：人民助学金暂行办法草案划分一、二、三等人民助学金。在当时财政经济困难情况下，以大米发放（一等人民助学金，大米70市斤；二等人民助学金，大米50市斤；三等人民助学金，大米30市斤）。

1952年3月，教育部发布《中学暂行规程（草案）》，明确了人民助学金的享受对象："各学校对于青年工农、工农子女，少数民族学生，外国华侨学生及教师子女申请人民助学金时，应在可能条件下尽先给予照顾。"是月，省政府颁发《贵州省贫苦烈军属子女入学优待办法》。5月29日，省政府省转西南军政委员会颁发《优待贫苦烈、军属子弟入学办法》，希遵照执行的通报。要求"各地中小学对贫苦烈士、贫苦革命军人的子弟，应主动加以照顾，尽量给予就学机会，放宽投考年龄的尺度，免缴报名费；考试成绩不及录取标准者，可按其相当程度之班次，降级录取。对已经入学的文化较低、年龄较大的烈军属子女，应在课外帮助他们提高文化，达到应有的升级标准"。明示"各学校应在全校助学金名额总数内划出50%的名额，照顾烈军属子女；如因申请者太多，超过划出之名额以外，经学校审核，认为必须照顾者，应于开学前造册，经报文教厅会同民政厅予以解决。"

7月，县政府将"贫苦烈军属子弟入学调查统计表"抄发贵州省瓮安初级中学校，要求学校"即调查送府。"是月，瓮安初级中学校就调查情况报告县政府：学校无烈属子弟，仅有军属子弟12人；但均非直系亲属（都是弟兄叔侄关系），其中入学困难者6人，已请有人助金补助。兹填就调查统计表，随函送上。11月，瓮安中学将1952年度第一学期人民助学金初核清册及统计表呈送省政府教育厅祈核示："学校实到学生 205 人。根据省级指示 25%的比额，请领额应为 50 人；少数民族学生照 80%计，应有 6 人请领。合计请领额为 56 人。遵照贵州省调整初中每人每月 6. 8 万元计共应请领人民币 380. 8 万元。"根据瓮安生活，以每日三餐（两干一稀尽其吃饱），每人每日熟油 5 钱，盐四钱、每餐 3 个菜（稀饭吃油煎豆）并每周加菜（每人猪肉 4 两）一次计算，合计每人每月只需伙食费 4 万元；再依据学校实际情况，需要补助的学生较多，评委会研讨结果："在不影响学生健康及不另增开支的原则下，将名额增至 78 人，多解决一部分学生的困难问题，其请领金额不超过瓮安中学应请领额 380. 8 万元。谨将初核清册及统计表随文呈送。"

1953 年 4 月 28 日，瓮安中学瓮中〔1953〕总卯字第 102 号"呈送本期人民助学金祈核清册统计表祈核示"请示函显示："学校 1952 年学年度第二学期人民助学金，业已进行评议初核完竣。兹将初核清册及统计表，随文呈送（该学期学校人民助学金初评学生 67 人。其中工农子弟 30 人，少数民族子弟 4 人；人民助学金共计 329. 82 万元）。"7 月，省政府教育厅公文简复单教会〔1953〕字第 677 号意见为："所送人民助学金学生评定名册，因未超过规定比例金额，故准予备查。"

9 月，省政府教育厅教会〔1953〕申字第 0125 号《关于人民助学金办法之规定通知》，调整人助金的比例及金额。

12 月，省政府教育厅下发教会〔1953〕亥字第 0163 号《调整 1954 年中等学校人民助学金办法》，具体为：高、初中均按西南规定比例和金额发给学校，并规定分甲、乙、丙、丁四等评给。甲等 7. 5 万元，乙等 6. 5 万元，丙等 5 万元，丁等 4. 6 万元。与 1953 年比较，甲、乙等照原金额不变，丙、丁各减少 0. 5 万元，戊等取消。普通中学，各校应根据各地实际情况，生活水平，适当掌握评定人民助学金。评给面高中以学生总人数的 40%为原则，初中以 25%为原则，但享受少数民族补助费的学生，仍按 1953 年规定标准比例执行。

1954 年 9 月 7 日，省政府教育厅教计财〔1954〕申字第 0044 号通知《关于人民助学金办法之规定》将普通中学人民助学金之补助再次调整为高中 30%，初中 20%；开支标准高中每人每月 6 万元，初中每人每月 5. 6 万元。瓮安中学校 1954 年第一学期评定执行人助金人数及等级金额为：全校学生 182 人，可评人数 47. 55 人，可评金额 273. 96 万元；实评学生 47 人，其中汉族学生 39 人，少数民族学生 6 人；甲等人助金无，乙等人助金 10 人，丙等人助金 22 人，丁等人助金 15 人；人民助学金评给总额为 235 万元。已评人数和金额均低于"可评人数"和"可评金额"。省政府教育厅计划财务科意见："暂同意按此执行。"瓮安初级中学 1954 年度第二学期人助金评定报告表显示：全校人数 144 人，可评人数 37. 4 人，可评金额 214. 84 元；实评人数 37 人，等级为乙、丙、丁；实评金额 187 元。

1955 年 7 月 6 日，省教育厅教计财〔1955〕午字第 0138 号出台《关于逐年降低普通中学学生人民助学金享受比例，并逐步将助学金制度改为奖学金制度的通知》，助学金的享受比例：1955 年初中降为 18%，高中降为 28%；1956 年初中降为 14%，高中降为 24%；1957 年初中降为 10%，高中降为 20%。

贵州省执行由人助金制度改变的奖学金制度，原则上采取逐步调整的办法，在不降低学生现有的生活水平下，采取逐步收缩比例、增加奖励因素，并逐渐形成奖学金制度。1954 年以前，曾采取先控制金额，再由新招生作起，逐步收缩比例。1954 年年底，人助金的执行已基本上符合上级规定，故 1955 年仍维持 1954 年度第一学期的标准比例（即 1954 年度第一学期以后入学的学生高中补助面为 30%，每人每月 6 元；初中补助面为 20%，每人每月5元6角。其他旧生：高中补助面为40%，每人每月6元；初中补助面为25%，每人每月5元6角）分等评给（即，甲等7元5角，乙等6元5角，丙等5元，丁等4元）。从1956年2月份起，新旧生平均的比例高中降为25%，每人每月6元，初中降为15%，每人每月5元6角（新招生降为高中22%，初中为13%）；1957年2月起，高中补助比例降为20%，初中降为12%，金额标准不变。

1955年9月，瓮安中学瓮中〔1955〕总申字第223号造送1955—1956学年度第一学期人助金评定报告给省教育厅，报告显示：学校于9月，召开本学期人民助学金评审会，当经评定享受人助金的汉族学生28人，少数民族学生4人，共计32人，合计金额为151元。人数、金额均未超规定标准。全校学生人数216人，可评人数50.3人，可评金额287.93元。实评定人助金人数32人，实评金额151.00元。11月，瓮安中学瓮安〔1955〕总戌字第227号调整旧班人助金造表送教育厅报告显示：学校于10月15日召开第二次人助金审议会，根据逐步缩小比额增加奖励因素的精神，并结合学生实际经济情况与区乡意见，调整旧班学生人助金名额与等级。评审结果，名额比9月份（9月份32人）减少2人，金额比9月份（9月份151元）减少21.50元。调整人助金初评名额为30人，金额为129.50元。

1956年2月，省教育厅教计财丑字第0050号《关于中学、师范1956年人民助学金标准等问题的通知》下发。人民助学金标准就普通中学人助金标准明确规定如下：贵阳市高中汉族学生补助面为22%，平均每人每月6元计算，初中汉族学生补助面为13%，平均每人每月5元6角计算；少数民族学生人助金不分高、初中，补助面一律为70%，平均每人每月6元6角计算。其他地区高中汉族学生补助面为25%，平均每人每月6元计算，初中汉族学生补助面为15%，每人每月5元6角计算；少数民族学生人助金不分高、初中补助面一律为75%，平均每人每月6元6角计算。威宁、石门两校补助面为80%。

3月，瓮安中学召开人助金评审会，根据教厅指示精神及区乡意见，人助金进行适当的个别调整，大部分不动。汉族生28人，金额为132.50元，民族生2人，金额为9元，两共合计30人，金额合计141.50元。数金额均未超过规定标准。全校学生人数216人，可评人数35人，可评金额201元；实评人数30人，实评定金额141.50元。是月，学校召开人助金审议会。根据区乡意见及班主任了解，对个别学生确有困难者进行适当调整。4月起，调整和新评个别学生人助金等级。调整后全校享受人助金的汉族生30人，金额为145元；少数民族生2人，金额为9元，两共合计32人，金额合计154元。人数金额均未超出规定标准。

1957年7月，省安顺专员公署教计财〔1957〕午字第033号印发《关于追加教育事业新增学生经费及调整人助金指标的通知》追加中学调整人助金部分，“教育、财政两厅〔1957〕教计财字第87号通知规定的新标准，按照学生年初人数，以5个月计算应增加经费。”是年，瓮安中学学生人助金有所增加。

1959年12月17日，瓮安中学有高中部学生266人，初中部学生552人，人助金比例为高中40%，应评106人；初中30%，应评165人，合计1877元。

1965年4月9日，瓮安中学人助金向经济对贫下中农学生倾斜。全校有贫下中农学生226人（占学生总数的36.3%），享受人助金达124人（占贫下中农学生总数的58.3%，占享受人助金补助学生数的60.1%）。每月评发人助金421元（占全校计发金额的59.7%）。有10个班的贫下中农学生享受人助金补助面及补助金额均占该班总额的50%以上。寒冬，学校对少数单衣赤足的贫下中农学生发卫生衣5件、裤子4条、球鞋4双，另发给俄华词典6本，解决生活、学习上的困难。是年，初中应评人助金7302.40元，高中2648.00元，合计9950.40元，实际开支8141.84元，结余1808.56元。

1966年上半年人助金发放：初中1757.00元，高中3666.72元，合计5423.72元，实际开支3836.35元，节余1587.37元。

1966—1968年，学校人助金停发。1970年，复课闹革命后才逐渐恢复。

1974年，瓮安中学发放人助金2334元。

1977年，发放人助金454元，其中初中272元，高中182元。

1978年，教育部、财政部《实行人民助学金制度几个问题的答复》，瓮安中学享受人助金比例，规定按75%计算。

20世纪80年代，人民助学金仍在评定发放。1986年，人民助学金由奖学金所取代。

二、捐资助学

2002年9月15日，瓮安中学制定《思泉捐资助学金实施方案》，以实现捐资者意愿，管好、用好思泉捐资助学理事会每年向贵州省瓮安中学部分家庭困难、品学兼优学生提供的助学经费，并建立捐资助学金使用管理领导组，明确了“受资助对象及条件”并且制定了“管理措施”。瓮安中学的捐资助学步入常态化和正规化。8月26日，经学校行政会研究决定：给考入北京大学的朱世伟同学入学困难补助费1500元，给考入同济大学的李仕谷同学入学困难补助费1000元。

2003年2月28日，根据瓮安中学《思泉捐资助学金实施方案》，李坤等54名品学兼优且家庭困难的双农户学生享受人均650元思泉助学金，计3.638万元。

10月6日，经学校行政办公会研究决定：高一（1）班学生王超，成绩优异，家庭困难，给予免学费350元。11月1日，学校行政办公会研究决定，在发放瓮安中学在岗教职工工作餐票的同时，学校发给9名双农户学生每人每月用餐费90元，发给1名特困生每月用餐费60元。

2004年2月，瓮安中学举行2003—2004学年第一学期优秀学生表彰会，资助39名品学兼优的双农户特困生。是年，瓮安中学考取大学享受“西部助学工程”助学的学生有周景阳（天津大学，受助时间为2000—2004年）、李仕谷（同济大学，受助时间为2002—2006）、刘成前（南京大学，受助时间为2003—2007年）等3人。

2005年8月29日，瓮安中学举行2005—2006学年开学典礼，除表彰优秀学生、优秀学生干部外，学校对赵明超等8名双农户特困生进行帮扶，发给每名特困生补助费450元。

2006年2月8日，瓮安中学举行“瓮安中学2005年贫困大学生入学补助兑现会”，为102名2005年入学的贫困大学生发放补助金额9.78万元。其中，受补助的省外本科生82名，省内本科生13名，省内大专生3名。20日，根据《瓮安中学特困生帮扶措施》，学校对李宇等14名特困学生给予生活补助。其中高一、高二优秀贫困生，每人补助金额360元；高三优秀贫困生李宇、敖阳两人补助金额各480元，其余每人360元。6月16日，瓮安磷矿捐助瓮安中学高一（9）班杨昌兴和高一（11）班夏文书两名品学兼优的贫困学生每人1万元。8月27日，学校对任永欢等9名特困学生予以生活补助。是年，全校师生向严重受伤的高二年级邱德清同学献爱心捐款2.1万余元。香港慈善基金会、多彩贵州、黔南州常委、县总工会、瓮安磷矿、北京泰报集团、深圳市杨明俗先生及瓮安县知名企业家等单位和个人共捐资10万余元，受助学生达21人。

2007年2月2日，瓮安中学召开2006年高考119名贫困学生入学补助兑现大会，74名重点及省外本科生每人受助1000元，44名省内本科生和省外专科生每人受助800元，1名省内专科生受助600元。总金额10.98万元。28日，学校给予任永欢等9名优秀贫困学生生活补助，每人补助金额360元。7月1日，瓮安县前田房地产公司发起“赤子心——阳光助学行动”，前田房地产公司资助瓮安中学贫困学生5万元。8月6日，学校给予任永欢等6名优秀特困生生活补助，每人补助450元。

9月25日，县委组织部、县直属机关委员会、团县委共同研究决定，在县机关党组织中联合开展“春晖行动”——百名高中贫困学生一帮一助学活动。从9月起，县机关所有党支部对瓮安中学、瓮安二中品学兼优的100名贫困高中学生进行帮扶，助其完成高中学业。每个党支部（党员个人或集体）每年至少资助1名贫困高中学生，每年资助金额不低于400元。资助款用于受助对象在校就读的生活费及部分资料费用，每年新学年开学时发放。瓮安中学胡坤香等50名贫困学生受到资助。

10月9日，县总工会举行“金秋助学”助学款发放仪式，给瓮安中学2007年考取大连大学的聂江、长春理工大学的肖开琴，贵州师范大学的彭仟、向芯、王天智，贵阳医学院的张淋等6名学生发放每人500元的路费补助金。给瓮安中学在校生王华美、施必凯、冯光辉、雷小安发放每人500元的学杂费补助金。

10月16日，瓮安中学举行“赤子心”阳光助学捐款会，捐款9826元。

11月20日，黔南州贫困大学生（新生）入学补助款发放，瓮安中学2007年考取高等院校的尚国玺等41名贫困大学生每人获1000元补助金，李仕勇等30名贫困大学生每人获800元补助金，康国发、邓金明2名贫困大学生每人获600元补助金。

12月3—4日，广东广林助学基金会卢广林等3人到瓮安中学考察，决定从2008年1月起，每月资助8名贫困学生每人200元，直至完成高中学业，若受助贫困学生考上高等院校，将资助其完成大学学业。

2008年1月21日，学校召开“香港小平教育基金”资助兑现会，吕秋渝等50名贫困优秀学生获得资助。受资助的学生每学年可获得2000元（其中小平教育基金1000元，学校匹配1000元）助学金，直到高中毕业。

4月21日，学校举行香港慈恩基金会助学兑现仪式，向6名贫困生每人资助500元助学金。

8月15日，瓮安磷矿分别给考入北京航空航天大学和北京印刷学院的优秀贫困生杨昌兴、夏文书资助7600元。

27日，县总工会召开“金秋助学”兑现大会。瓮安中学3名2008年考入大学的贫困学生每人获得500元的资助。考入北京邮电大学的残疾学生邱德清获得2000元助学金。

9月12日，县民族事务委员会实施“少数民族大学生十优助学工程”，资助瓮安中学2008年5名考上大学的优秀贫困生每人1000元。

10月18日，广林助学基金会卢广林先生等4人到瓮安中学回访，决定再资助学校50名贫困学生。

11月21日，“2008年瓮安县农村计生户女孩‘爱心助学’兑现大会”为瓮安中学64名计生户女孩捐助资金7.68万元。

12月4日，瓮安中学50名学生在“春晖行动”贫困学生助学金兑现会上受助，共计2

万元。

23日，香港小平教育基金会资助瓮安中学2008—2009年第一学期高中贫困学生助学金发放仪式举行。向50名品学兼优的贫困学生共发放总计5万元的助学金。并匹配受助学生每人每学期住校生820元，非住校生700元，共计3.94万元的助学金。

是年，彩票公益金资助瓮安中学优秀贫困学生156人，每人1000元，资助金额共计15.6万元；前田房地产公司兑现捐赠瓮安中学优秀贫困学生助学金5万元；深圳—贵州助学金资助瓮安中学优秀贫困学生50人，资助金额共计5万元；中国石化春蕾高中生助学资助瓮安中学优秀贫困生50人，资助金额共6万元；省精神文明办资助瓮安中学贫困大学生张正丽5000元，省百优工程助学资助瓮安中学贫困学生周阳3000元，县长尹德俊资助181班学生雷桂花1400元；湖南商会资助瓮安中学4名学生每人300元，计1200元；浙江宁波“张宪俊”资助181班学生刘支勇1000元。是年，资助总金额为64.05万元。

2009年4月8日，陆莹佩、李丽莲、梁美莲，王协庄、周子琦5位受香港慈恩基金会委托，资助瓮安中学20名贫困学生1.44万元。

21日，县妇联申请的“中国石化春蕾高中助学项目”助学金发放仪式在瓮安中学举行，50名高一年级品学兼优、家庭困难、具有一定发展潜力的女学生每人每年获1200元的助学金，受助金额计6万元。

9月14日，瓮安中学高一、高二年级秦宇等60名家庭经济贫困学生享受“深圳—贵州助学基金”，每名学生1000元。

10月24日，香港爱心人士向瓮安中学10名贫困学生捐助4.10万元，并赠送衣帽、学习用品、糖果点心等。其中，刘佩惠承诺与杨秀霞结成点对点资助对象帮助其完成高中学业。

是年，中央彩票公益基金捐助瓮安中学受助学生160人，每人受助金额1000元，共计金额16万元。香港小平基金捐助瓮安中学受助学生50名，每人每学期受助金额1000元，学校匹配相应金额每人820元，共计18.2万元。广林助学，瓮安中学受助学生11人，每人受助金额2000元，受助金额共计2.2万元。“王老吉学子情”贫困学生助学，瓮安中学受助学生2人，每人受助金额5000元，共计金额1万元。“西部开发助学工程”助学，受助学生1人，每学年受助金额5000元，共计金额2万元。金秋助学，瓮安中学受助学生14人，其中2人每人受助1000元，12人每人受助金额500元，共计金额8000元。少数民族贫困大学生助学，瓮安中学受助学生6人，每人受助金额1000元，受助金额共计6000元。“习水·我的大学”贫困大学生助学，瓮安中学受助学生1人，受助金额5000元。东风集团柳州汽车制造厂李仕谷资助156班学生蒋普华1人，资助金额2000元。瓮安中学李凤奇资助203班学生刘成1人，每学期1500元，年资助金额3000元。浙江宁波张宪俊资助181班刘支勇1人，资助金额1000元。郑毅副县长资助157班李梅1人，资助金额600元。是年，瓮安中学家庭经济贫困学生共得到学校资助、社会捐资助学金共计59.5万元。

2010年3月25日，香港陈登基金会向瓮安中学23名贫困学生捐助，其中，20人每人一次性受助600元，其余3人获高中三年学费和生活费资助。

8月12日，香港慈恩基金陆莹佩、高志伦生、张伟雄、黄钟贤向瓮安中学6名贫困学生资助5100~9100元，共计3.9万元。

11月2日，“中央彩票”资助基金向瓮安中学183人，捐助每人1000元，共计18.3万元。

12月12日，香港慈善基金会陆莹佩与阮瑞萍代表陈登基金会向瓮安中学20名同学发放了每人600元的生活费，共计金额1.2万元；代表李凤卿资助2名学生共计2400元；代表张伟雄夫妇资助2名学生共计2400元；代表董钟贤资助1名学生1200元。

12月25日，瓮安中学制发〔2010〕61号《贵州省瓮安中学“阳光助学金”资助工作实施方案》，确定从学校行政事业性收费中足额提取3%的资金，用于家庭贫困学生的资助，划拨瓮安中学阳光助学专户。“阳光助学金”受助对象为瓮安中学具有正式在册学籍的在校生中的家庭经济困难学生。

是年，瓮安中学有1016名家庭经济贫困学生享受到普通高中国家助学金，受助金额共计76.2万元；有310名优秀学生享受政府奖学金，奖金额12.46万元，有40名贫困学生受到学校资助，资助金额共计8万元，30名优秀贫困生减免学费共计7.5万元，10名优秀贫困生获校内奖助学金5000元，有276名家庭经济困难学生受到社会捐资助学，受助金额总计32.32万元；有2名学生受县领导、学校领导资助，受助金额5000元。是年，瓮安中学家庭经济困难学生共享受普通高中国家助学金、政府奖学金、学校资助、社会捐资助学等共计金额129.48万元。

2011年1月20日，宏利源房开公司向瓮安中学贫困学生捐款50万元。

3月26日，瓮安中学研究出台《贵州省瓮安中学国家助学金管理与实施方案》，成立以校长为组长的助学金管理领导小组，下设办公室。规定，普通高中国家助学金资助对象为瓮安中学具有正式学籍的在校生中家庭经济困难学生。国家助学金按学年申请和评审，按学期发放，资助标准为每生每年1500元。

春季，瓮安中学有2317人享受普通高中国家助学金，共计受助金额173.78万元。

4月13日，瓮安中学递交了瓮中呈〔2011〕24号《关于划拨助学金资金的报告》，要求县财政局从瓮安中学所收交学费总数302.78万元中，按3%比例划拨9.08万元作为助学金的匹配资金，存入助学金专户。

4月24日，香港慈恩基金会由陆莹佩带队等7人为瓮安中学毛欢、田仁义、余有文同学捐资每人600元。

5月9日起，县教育局对瓮安中学、瓮安二中、草塘中学、珠藏中学、贵真中学的学生资助金及发放情况进行审核和检查。

11月22日，中央专项彩票公益金为瓮安中学214名同学，捐赠42.8万元。

是年，瓮安中学家庭经济困难学生共享受普通高中国家助学金，政府奖学金，学校资助，社会捐资助学等共计金额188.03万元。

2012年2月13日，瓮安中学向县财政局递交了〔2012〕8号《关于国家助学金匹配资金的报告》。报告恳请县财政局从学校2011—2012年全年学费总收入561.928万之中按3%提取16.86元作为贫困学生助学金匹配资金，划拨到瓮安县春晖助学协会基金存款账户上。

是日，瓮安中学还向县民政局和县民族宗权事务局发出瓮中号〔2012〕9号《关于申请划拨捐赠款的函》，申请民政和民政宗权事务局将学校新校区落成典礼上收到的捐赠款划入学校春晖助学金专户。

3月25日，香港慈恩基金会陆莹佩等4人到瓮安中学为冯子欢等42名学生捐资4.125万元。

3月25日，香港著名慈善家、香港何耀棣慈善公益事业有限公司董事长何耀棣博士携夫人张碧云，到瓮安中学参观并考察资助项目和资助学生。

7月4日，瓮安中学谢露欣等1301名家庭经济贫困学生享受2011—2012普通高中国家春季助学金，每人750元，共计金额97.58万元。

8月12日，瓮安中学田仁义等55位同学通过国家“雨露计划，圆梦行动”审批，每人获助学金4000元，助学金额总计22万元。

8月12—14日，香港慈恩基金陆莹佩等9人为罗飞等16位大学生及5名高一、高二学生捐资16.72万元。

11月23日，贵州双龙集团董事长安之忠为瓮安中学高二（253）班学生马钰林捐赠助学金3400元。

12月20日，瓮安中学宋江鸿等1301名家庭经济贫困学生足额领取2012—2013年普通高中国家助学金受助学生9—12月份生活补贴，每人600元，共计金额78.06万元。

是年，瓮安中学家庭经济困难学生共享受普通高中国家助学金，学校资助、社会捐资助学（不包括政府奖学金）等共计金额218.28万元。

2013年2月28日，赵星宇等19名学生得到每人3000元的春晖助学金资助，共计受助金额5.7万元。

3月29日，香港慈恩基金陆莹佩女士等5人为邓阳等33人发放捐资助学款4.1万元。

春季，瓮安中学魏秋菊等1431名家庭经济贫困学生获普通高中国家助学金，受助金额共计107.33万元。

9月1日，瓮安中学在县“人口福利生育关怀基金”捐赠仪式上，捐赠2.46万元。

秋季，瓮安中学魏秋菊等1431名家庭经济贫困学生获普通高中国家助学金，受助金额共计94.45万元。

12月21日，瓮安中学召开“苏州映山红助学联盟瓮安中学受助学生座谈会”。

是年，瓮安中学家庭经济困难学生共享普通高中国家助学金、学校资助，社会捐资助学（不包括政府奖学金）等共计259.24万元。

三、奖教奖学

书院从开办开始，就由“县正延聘山长主讲，考取生童入院肄业。每月山长窗课外，县正扃试一次，以为膏火多少之序”。另，书院学生除参加每月两次的考课外，还必须参加一年一次的岁考和几年一次（每届乡试前）的科考。岁考规定，凡府、州、县的生贡、增生、廪生皆须应岁考，以分别优劣，酌定赏罚。“一等前列者，视廪膳生有缺，依次充补，其次补增广生。一二等皆给赏，三等如常，四等挞责，五等则廪、增递降一等，附生降为青衣，六等黜革”（《明史·选举志一》）。科考结果亦“其充补廪、增给赏，悉如岁试”。

1895年9月，以翰林院编修出任贵州学政的严修、在平越州（今福泉）组织了历时将近1个月的岁试。这次考试，先文童，后武童，初试、复试、补考并举，最后是“晨题发落书面，选拔、陪拔、予《读书决》，举优、生、童古取岁科文童之前三名，予《书院记》。午初发落。散花红、书籍及观风奖赏（乙未十月初二已己）”。（《蟫香馆使黔日记》）

民国13年（1924年）冬季，滇军退出贵州，彭汉章为省长。省公署派巡税管员黄齐生到瓮安县视察，自言伊家五世居住瓮安干里细沙，伊父中年始迁安顺。伊对学生很热情，每班年最长、最幼，学习好和品行端正的学生各赠习字帖一本以资鼓励。

民国25年（1936年）5月，教育部公布实施《各级学校设置免费学额及公费学额规程》，以奖助家境清贫、体格健全、资禀颖异、成绩优良之学生。规定：小学以不收学费为原则。其因特殊情形，征收学费之小学，应设置全校儿童数40%以上之免费学额。初高级中学及初高级职业学校应设置全校学生数15%以上免费学额。初高级中学及初高级职业学校，1936年度至少应设置全校学生数3%公费学额，以后并应逐年酌量增设。

民国26年（1937年）7月，省政府教壹字第891号训令称：学生成绩优良，每学期考到前三名者，均给予免费待遇。各校设置公费学额，暂以2%为限，所需经费，仍在学校经常费内樽节开支。办理免费学额及公费学额手续，悉依照部颁规程办理。

民国27年（1938年）2月，学校对学习优秀的6名免费生张榜公示。是年，享受免费学生21人，每名每学期补助3元。此后，省立瓮安初级中学，每年都有优秀学生享受免费生或公费生待遇。

1956年2月，贵州省人民委员会出台《贵州省推选优秀中学、师范教师的办法》和《贵州省评选优秀小学教师的办法》。9月，省教育厅制发“优秀教师登记表”（式样），要求“如式复制，由学校填写，中等学校的优秀教师登记表（包括职工、干部）除贵阳市外均应先送专署（自治州）审核，再汇集报厅”。是年，省立瓮安初级中学曹文德老师被评为优秀教师，并出席12月8—10日全省优秀教师代表大会。

1960年5月，瓮安第四中学周乐忠出席全省文教群英会。6月，瓮安第一中学罗康衢出席全国文教群英会。

1986年4月，瓮安中学校务委员会通过对教师、学生的“奖励办法”，明确奖励对象、条件及标准、评奖程序。

1979—2001年，瓮安中学41名教师先后获县委、县政府及以上相关部门表彰。

1984—2000年，瓮安中学177名学生先后被评为黔南州三好学生和优秀学生干部。

1996年，瓮安中学制定《瓮安中学全面提高教育教学质量奖励办法》，奖项设有“集体奖”“单项奖”“高考特别奖”“管理指导奖”“和谐奖”等6项。

2001年，瓮安中学制定《瓮安中学奖学金试行条例》和《瓮安中学育才评价方案》等奖励方案。

2002年3月20日，瓮安中学召开2001—2002学年度第一学期优秀学生表彰大会，对罗恒等89名优秀学生进行表彰。其中，罗恒等32名获特等奖学生免书学费，舒甫超等57名获一、二等奖学生，分别获100元、50元奖学金。同时，学校对获奖学生班级还颁发了对等奖，初三至高三共有30个班级获对应奖；对高一至高三8个班级发了卫生先进班级奖。9月2日，瓮安中学对2001—2002学年度第二学期刘登英等48名优秀学生进行表彰。其中，刘登英等12名获特等奖学生免书学费，张仁远等36名获一、二等奖学生分别获100元、50元奖学金。张明坤等20名优秀学生干部受到奖励。2002年高、中考22名获奖教师利用国庆假期到北京旅游、学习考察。

2003年2月28日，瓮安中学召开2002—2003学年度第一学期优秀学生表彰大会，对石芯瑜等12名获特等奖学生每人免书学费600元，张仁远等51名获特等奖学生每人免书学费550元；其余51名获一等奖、二等奖学生分别获奖学金100元、50元。同时，高一至高三共有28个班级获对等奖。4月7日，学校为顾大忠等12名教师颁发了2002届语、数、政会考（合格率、A等个数）奖，为张明光等51名教师颁发了2003届各学科会考（合格率、A等个数）奖。28日，为邓前轲等19名教师颁发了学科竞赛辅导奖。

9月1日，学校对2002—2003学年度第二学期李成果等107名优秀学生进行表彰。其中，李成果等24名特等奖学生每人免书学费660元，严文涛等17名特等奖学生每人免书学费550元，黄中鲔等29名优秀学生每人免书学费250元，宋杰等37名一等奖、二等奖学生分别获100元、50元奖学金。高二（1）班等14个班级获对等奖。25日，为高三年级15个班及音、体、美老师颁发2003年高考录取奖，为游鹏等40位老师颁发2003年高考单科成绩奖，为田景材等3位老师颁发“希望杯”全国数学竞赛辅导奖，为戎筑君等5位老师颁发实验室人员高考成果奖。

2004年2月13日，学校举行2003—2004学年度第一学期优秀学生表彰大会。刘文峰等66名优秀学生受表彰。其中，刘文峰等4名特等奖学生免书学费；宋星旺等21名一等奖学生、娄金荣等44名二等奖学生，分别获100元、50元奖学金。高一（1）班等31个获对等奖。4月2日，瓮安中学9名同学被评为州级三好学生，9名同学被评为州级优秀学生干部。

8月23日，瓮安中学对张波等64名获2003—2004学年度第二学期奖学金的同学进行表彰。其中，张波等17名学生获特等奖，免书学费；黎松等17名学生获一等奖、刘银燕等30名学生获二等奖，分别获100元、50元奖学金。杨明艳等37名优秀学生干部受到表彰。高一（1）班等19个班获对等奖。何家林等18名优秀班主任获奖励。

9月8日，学校为高三年级15个班及音、体、美老师颁发高考录取奖，为邬培祥等48位老师颁发高考单科成绩奖，为戎筑君等7位老师颁发高考成果奖（实验室工作人员奖），为孙仲时等14为老师颁发2003—2004学年度学科竞赛辅导奖，为游鹏等14名教师颁发2003届语文、数学、政治会考（合格率、A等个数）奖，为何平章等72名教师颁发2004届各学科高中毕业会考（合格率、A等个数）奖。

2005年1月24—27日，瓮安中学曾佐藩、李凤奇赴荔波县参加荔波县教育基地落成庆典和黔南州2005年教育工作会议。瓮安中学荣获2004年度普通高中教育教学质量奖、获奖金7000元和奖牌。

3月10日，瓮安中学举行2004—2005学年度第一学期优秀学生表彰大会。蒋昭等69名学生获特等奖，免交书学费600~700元，肖开琴等59名学生获一等奖、二等奖，分别获奖学金100元、50元。

5月10日，瓮安中学10名同学被评为州级优秀学生干部，10名同学被评为州级优秀学生。

8月29日，瓮安中学对袁寿昆等126名获2004—2005学年度第二学期优秀学生进行表彰，为黎庆玺等8名团委、学生会优秀学生干部、卢永苇等37名优秀学生干部，杨昌兴等39名2005—2006学年度高一年级优秀学生颁发奖学金。

9月8日，为高三年级18个班和音、体、美5位老师颁发高考录取奖，为61名教师颁发高考单科成绩奖，为26名教师颁发2005届语文、数学、政治会考（合格率、A等个数）奖，为6名教师颁发学科竞赛辅导奖，为7名实验室工作人员颁发高考成果奖。10日，瓮安中学23名教师、13名学生受到县委、县政府的表彰。

2006年2月20日，学校对石仁刚等284名优秀学生进行表彰。其中，特等奖24名，每名奖学金800元；一等奖23名，每名奖学金400元，二等奖44名，每名奖学金100元；三等奖46名，每名奖学金50元；优秀奖47名，发荣誉证书。高三年级优秀贫困生一等奖69名，每名奖学金600元；二等奖20名，每名奖学金400元；三等奖14名，每名奖学金200元。

7月8—15日，瓮安中学举行2006年班主任、学科组长培训会，并表彰12名优秀班主任和5名优秀学科组长。

8月27日，瓮安中学对2005—2006学年第二学期邱德清等124名优秀学生、刘杰等33名优秀学生干部，2006—2007年度任永欢等20名高一优秀学生及保送生予以表彰和颁发奖学金。

10月16日，瓮安中学27名教师荣获高考教学成绩优秀教师奖。

10月26日，中国邮政“邮政储蓄成立二十周年为中考学子加油”组委会奖励2006年以中考优异成绩录取瓮安中学3名学生，每人500元。

2007年2月28日，学校对2006—2007学年第一学期任永欢等167名优秀学生、邬培祥等106名教学评价获奖教师、李先富等18名获优秀教案奖教师予以表彰。学生获特等奖、一等奖、二等奖、三等奖奖金按970元、400元、100元、50元颁发。

8月6日，学校对2006—2007学年第二学期邓楚涵等114名优秀学生、139班等12个教学成绩优秀班级、李先富等71名教学成绩优秀教师予以表彰。

2008年3月，学校对2007—2008学年度第一学期高三年级语文组等6个优秀学科组、160班等21个获教学成绩奖班级、刘忠信等8名优秀学科组长、王建华等15名优秀班主任、朱前红等15名优秀教案获奖教师、刘明林等34名教学成绩获奖教师、吕秋瑜等130名获奖学金优秀学生、谢曼丹等42名获优秀奖学生、王嫔玥等60名优秀学生干部予以表彰并颁发奖金和奖学金。学生获特等奖、一等奖、二等奖、三等奖的，学校分别按每人1000元、400元、100元、50元颁发奖学金。

4月17日，瓮安中学吕秋瑜等50名学生被县教育局评为“优秀学生”，王嫔玥等15名学生被评为“优秀学生干部”，受到表彰。

8月31日，学校对2007—2008学年第二学期高三数学组等9个优秀学科组、罗晓安等10位优秀学科组长、张友军等10位优秀班主任、160班等6个优秀班集体、张立新等10位“十佳青年教学能手”、袁子进等10位“结对帮扶”优秀指导教师、肖春花等10位优秀青年教师、杨友发等46位2008年高考“双超”教师、洪庆平等53位非毕业班教学成果获奖教师、何平章等8位奥赛指导教师、陈朝胜等18名优秀学生会干部、冯福明等30名优秀班干部、王镜淋等40名获高一年级文化成绩优秀奖学生、任永欢等37名获高二年级文化成绩优秀奖学生予以表彰并奖励。其中，学生获文化成绩特等奖、一等奖、二等奖、三等奖的，学校分别按每人800元、400元、100元、50元颁发奖学金。

2009年2月23日，学校对2008年度周洪等10名优秀共产党员、2008—2009学年第一学期朱前红等58位教学成绩优秀奖教师、徐国生等10位优秀班主任、肖春花等14名获优秀教案奖教师、李长芳等19名获说课大赛奖教师、刘怡君等111名“学科之星”、杨秀洳等19名“综合成绩之星”予以表彰并奖励。

3月3日，瓮安中学王瑸玥等65名学生荣获“瓮安县2008年度优秀学生干部”荣誉称号。

7月26日，瓮安中学168班石人刚同学和170班蒲江同学分别为瓮安县2009年高考理科、文科状元，获2万元奖学金。

8月28日，对高二语文组等8个优秀学科组、153班等10个优秀班集体、180班等13个获总成绩优秀奖班级、王支全等9名优秀学科组长、徐国生等10名优秀班主任、优秀家访教师刘乾坤、游鹏等43名获教学成绩优秀奖教师、何宣柱等18名获优秀教案奖教师、陈友华等42名高考“双超”教师、李金芹等38名校园之星、唐煦惠等10名进步之星予以表彰并奖励。

9月9日，瓮安中学被州教育局授予“黔南州德育工作创新先进集体”称号，获瓮安县2009年高考奖金14.05万元。李凤奇获“十佳校长”、游鹏获“十佳主任”、罗晓安获“十佳班主任”、李景辉获“十佳优秀教师”称号。朱前红等13名教师受到县教育局表彰。

2010年3月，学校对2009年度李凤奇等10名优秀共产党员、朱前红等10位优秀班主任、刘昌荣等12位“组内大练兵”竞赛获奖教师、刘乾坤等76位获教学成绩优秀奖教师、201班等10个优秀班集体、197班等10个先进团支部、刘文汇等9名优秀团支部书记、何致缘等100名“学科之星”、朱莹等21名“综合成绩之星”、203班等11个获成绩优秀班级予以表彰并奖励。

8月29日，瓮安中学对周学东等10位优秀学科组长、朱前红等18位获优秀教案奖教师、陈立燕等9位新教师教学能力培训优秀学员、蔡开华等3位优秀家访工作者、徐国生等16位优秀教学奖教师、何俭霞等10位优秀班主任、徐国生等16位获班级宿舍管理奖教师、杨贤材等12位德育活动课评比获奖教师、高一语文组等11个优秀学科组、何致力等71名学科之星、朱莹等14名综合成绩之星、肖桐等45名校园之星、203班等13个综合成绩优秀班级、201班等10个优秀班级、204班等12个德育活动课评比获奖班级予以表彰并奖励。

9月8日，瓮安中学29名教师，2名学生受到县教育局表彰。

2011年3月18日，对张明光等9名优秀共产党员、陈立燕等11位优秀班主任、鄢小梅等18为获优秀教案奖教师、杨贤材等18位获班级宿舍管理奖教师、刘昌荣等80位获教学成绩优秀奖教师、231班等11个优秀班集体、陈思静等118名“学科之星”、张玉娇等21名“综合之星”、22班等21个获综合成绩优秀奖班级予以表彰并奖励。

11月8日，对陈清玲等8位优秀学科组组长、鄢小梅等19位获优秀教案奖教师、卢国勇等11位优秀班主任、高一语文组等8位优秀学科组、冉光琴等67名学科之星、李太坤等7名综合成绩之星、骆帝燕等120名校园之星、231班等11个优秀班级、王支全等8位先进实验教师、邓超等4位先进工作者予以表彰并奖励。

是年，瓮安中学普通高中高考一本上线235人，二本上线752人，获黔南州普通高中教学质量一等奖。

2012年3月21日，257班等11个优秀班集体、258班等22个综合成绩优秀班集体、冯子欢等21名“综合之星”、郭洋妍等11名“学科之星”获表彰和奖励。

6月13日，瓮安中学223班获“黔南州先进班级”称号，受州教育局表彰。15日，学生5人获黔南州“优秀学生”称号，2人获黔南州“优秀学生干部”称号。

8月20日，学校对徐国生等11位优秀班主任、朱前红等18位班级宿舍管理优秀班主任、朱前红等8位优秀学科组长、袁家明等18位获优秀教案奖教师、高三语文组等9个优秀学科组、257班等11个优秀班集体、249班等6个德育活动课评比优秀班级、258班等14个综合成绩优秀班集体、冯子欢等14位综合成绩之星、何军等64位学科之星、宋正巧等80位“校园之星”、刘乾坤等59位获教学奖教师予以表彰并奖励。

9月7日，在全县第28个教师节表彰大会上，瓮安中学朱前红获县“十佳班主任”，陈刚获县“十佳主任”，洪庆平获县“十佳教师”，陈友华获等31位教师获高考教学成绩优秀奖，赵慕琦、王支全、蔡开华、何远红、杨贤材等获“优秀班主任”，赵俊获“优秀团支部书记”。罗飞同学被北京大学录取获特别成绩奖，罗飞、周昌杰分别获县文科、理科总分第一名奖，兰杨、牟辉浪、张礼娜获单科全州第一名奖。

2013 年 3 月 8 日，对鄢小梅等 73 位获教学育才奖的教师、杨贤材等 12 位优秀班主任、徐国生等 18 位班级宿舍管理优秀班主任、285 班等 12 个优秀班级集体、288 班等 27 个综合成绩优秀班集体、刘洋男等 21 名“综合之星”、王蕾等 103 名“学科之星”予以表彰并奖励。

8 月 26 日，对朱前红等 10 位优秀班主任、杨贤材等 18 位班级宿舍管理优秀班主任、陈清玲等 6 位优秀学科组长、潘忠武等 19 位获优秀教案奖教师、高三语文组等 6 个优秀学科组、290 班等 10 个优秀班集体、270 班等 3 个德育活动课评比优秀班级、288 班等 17 个教学成绩优秀班集体、276 班等 12 个教学环境文化评比优秀班级、罗来智等 14 个综合成绩之星、黄荣钰等 64 位学科之星、胡雪梅等 10 位进步之星、时明春等 80 位“校园之星”、鄢小梅等 55 位获教学奖教师予以表彰并奖励。

9 月 8 日，瓮安中学 9 人获优秀个人奖，34 人获高考教学成绩优秀奖，受县教育局表彰。

2002—2013 年优秀班主任名录：

2002 年（县评）：何远红

2004 年（县评）：张玉胜　王建华

2005 年（县）十佳班主任：顾晓福。优秀班主任：陈清玲　何平章　刘昌荣　徐德智　李景辉

2006 年：宋志飞　何俭霞　倪祖芳　洪庆平　王建华　陈清玲　徐德智　徐国生　吴定祥　罗晓安　夏忠富

2007 年：何远红　朱前红　邓正富　王支全　黄富春　徐国生　蔡毅　吴定祥　张立新　邓超　夏忠富　胡容　刘乾坤　王顺德　王建华　何平章

2008 年：张友军　王建华　卢怀芳　朱前红　何远红　赵慕琦　夏忠富　张元忠　蔡毅　徐国生

2009 年：徐国生　朱前红　刘宜菊　蔡毅　张友军　卢怀芳　严国艳　吴定明　何远红　何平章　王建华　王光先　夏忠富（省级）

2010 年：（十佳）杨友发　洪庆平　刘怀喜　徐国生　龙光明　赵俊　祝亚峰　王光先　张友军　何俭霞　朱前红　杨贤材　何远红　蔡毅

2011 年：陈立燕　卢国勇　王建华　谭阳辉　朱前红　杨贤材　蔡开华　蔡毅　徐国生　赵俊　祝亚峰　刘怀喜　王瑞堂　何宣柱　夏忠富

2012 年：（十佳）朱前红　何远红　蔡开华　王支全　杨贤材　黄丹丹　王建华　卢国勇　顾晓福　赵俊　徐国生　蔡毅

2013 年：卢国勇　刘怀喜　王建华　廖朝勇　何宣柱　赵俊　蔡毅　徐国生　何俭霞　邹强　朱前红　杨贤材　曹植铭　卢怀芳　黄丹丹

表 9-1　　1984—2012 年瓮安中学州级三好（优秀）学生和学生干部名录

时间	三好（优秀）学生	优秀学生干部
1984	唐连开　顾德贵	李文华
1985	田　英　张　洁　李中华　陈　东　王　毅	苏　钟　谭志全　戎　怡　黄　黎　张　扬
1986	程　华　吴　军　胡齐芳　罗　维　吴传俭	杨兴华　蔡　兵　王　彬　王小旻
1988	（初中）曾　兵　陈定华　吴昌祥（高中）何崇科　任　俊　付文忠　石玉海　游建华	（初中）杨富祥　黄国敏　（高中）陈雪梅
1991	陈德敏　张　颖　袁仁全　左　兵	肖　云　刘维琴
1992	陈　宇　宋荣彩　李远坤　郑文平　袁仁会　左　琴　王　维　兰　娟　李　翼　曾祥远　何　俊	向　昕　张　颖　陈化荣　田景平　雷建华　李明伦
1994	（初中）罗秀丽　王　韬　李春梅　卢　锋　沈松林　胡先贤　宋泽丽　张大平　刘　彪　王自友　李鸿蛟　杨　洪　杨　莉　张文宇　（高中）陈隽松　陈吉龙　张　军　王兴国　兰安军　蔡文斌　刘　军　刘元高	（初中）龚　晗　冯明华　方春艳　邵　义　闵　丽　张玉兴　唐书军　敖小丽　（高中）周仕刚　胡天琴　刘　波　徐林刚　冷继均
1995	（初中）阮小飞　（高中）向洪建　陈　然　卢　燕　任正军	（初中）晏定坤　（高中）刘雪飞　李　忻　杨　欣
1996	吴昌鸿　刘雪飞　朱　洪　王　滨　蔡秀伟　王秋月　向洪建　陈　然　杨　毅	王维薇　任松　朱海燕　李　忻　杨　欣　卢　燕　黄海飞
1997	唐　娟　姚正晴　吴升伟　王春燕　李　玲　胡正松　何　玲　蔡正洪　王秋月　向洪建　丁访涛　冯明友　何忠平　王　滨　余祥兴　王　兆	王　铀　王　锟　龚国栋　陈静梅　徐元莉
1999	唐洪波　胡银祥　汪海波　熊兴奎　曾　鸣　李守军　刘荣茂　章玉丹　阮惠君　张晓凤　吴家颖　邓　芸　陈　凤	王道邦　高显梅　袁挠文　霍永春　王维薇　胡　珊　王　成　赵　俊　朱海燕
2000	曹植莹　张　晋　徐元莉　唐　钷　李　恒　毛国会　李开伦　肖　金　张文静　李　玲　吴　松	张天盛　郎开松　帅本平　何长江　杨　姣　文久江　游家豪　曾　维　罗　军　阮小明　饶小松　谢　缅　庹金鑫　罗　蛟　章玉玲
2004	尚荣江　张钦虹　陈盼建　胡荣林　舒兴智　谢文杰　曹龙海　童方艳　严文涛	张　涛　谢盛松　唐旭东　雷兆海　夏洪凯　张志学　谢　涛　刘江建　胡　静
2005	王　月　吴学峰　夏　菌　刘　莲　姚启萍　袁贵涛　张仕娟　王文渊　罗　琳　李　恒	杨明艳　程立江　胡中菊　马家军　邱朝群　宋　杰　敖　阳　倪　浩　王文菁　华　桦
2006	陈元树　徐　亚　张铃昀　李成果　王大芸　丁泳葳　严文倩　陈　青　朱　练　刘文峰　张　波　杨桂英	刘　剑　宋星旺　赵显莉　李　珊　潘　龙　黎庆玺　陈周荣　陈应杰
2010	朱　莹　施家滨　杨秀洳　张尧硕　方荣靖	邓菊星
2012	赵　菊　犹和椿　周昌杰　王　俊　冯子欢	余斌鑫　王徐飞

表 9-2　　1988—2013 年瓮安中学学科竞赛获奖名录

序号	获奖名称	获奖个人	获奖等次	获奖时间	备注
1	全国高中学生奥林匹克数学竞赛	李恩波	三等奖	1988	
2	全国高中学生奥林匹克数学竞赛	李远军	三等奖	1988	
3	全国高中学生奥林匹克数学竞赛	宋晓恒	三等奖	1988	
4	全国高中数学竞赛	赵文俊	一等奖	1989	
5	全国高中数学竞赛	聂有福	一等奖	1989	
6	全国高中数学竞赛	梁玉林	二等奖	1989	
7	全国高中数学竞赛	郑舟俊	二等奖	1989	
8	全国高中数学竞赛	王　俊	三等奖	1989	
9	全国高中数学竞赛	曾孝辉	三等奖	1989	
10	全国高中化学竞赛	赵文俊	二等奖	1989	
11	全国高中数学竞赛（贵州区）	李　轲	三等奖	1990	
12	全国高中数学竞赛（贵州区）	何俭华	三等奖	1990	
13	全国高中数学竞赛（贵州区）	陈德敏	三等奖	1990	
14	全国高中数学联赛（贵州赛区）	罗　颖	二等奖	1992	
15	全国高中数学联赛（贵州赛区）	宋娇艳	二等奖	1992	
16	全国高中数学联赛（贵州赛区）	张　强	二等奖	1992	
17	全国高中化学竞赛	贺川菊	二等奖	1992	
18	全国高中化学竞赛	胡建荣	二等奖	1992	
19	全国物理奥林匹克竞赛	肖兴会	三等奖	1992	
20	全国物理奥林匹克竞赛	戊成礼	三等奖	1992	
21	全国物理奥林匹克竞赛	王　兆	二等奖	1994	
22	全国初中化学联赛	麻继坤	二等奖	1995	
23	全国高中数学竞赛	麻继坤	三等奖	1996	
24	全国高中化学竞赛	冯祥辉	三等奖	1996	
25	全国高中物理竞赛	张　晋	三等奖	1996	
26	全国高中物理竞赛	徐贵平	三等奖	1996	
27	全国英语能力竞赛	肖　金	二等奖	1996	
28	全国英语能力竞赛	李　玲	二等奖	1996	
29	全国英语能力竞赛	谢仲勇	二等奖	1996	

续表

序号	获奖名称	获奖个人	获奖等次	获奖时间	备注
30	全国英语能力竞赛	王 倩	优秀奖	1996	
31	全国英语能力竞赛	李袁园	优秀奖	1996	
32	全国中学生英语竞赛	唐 钜	省级奖	1997	
33	全国中学生英语竞赛	谢 缅	省级奖	1997	
34	全国中学生英语竞赛	安斯锡	省级奖	1997	
35	全国中学生英语竞赛	李恩花	省级奖	1997	
36	全国中学生英语竞赛	安斯耀	省级奖	1997	
37	全国中学生英语竞赛	徐元莉	省级奖	1997	
38	全国中学生英语竞赛	王维薇	省级奖	1997	
39	全国中学生英语竞赛	陈 会	省级奖	1997	
40	全国中学生英语竞赛	高显梅	省级奖	1997	
41	全国中学生化学竞赛	朱成安	省级奖	1997	
42	全国中学生化学竞赛	罗永刚	省级奖	1997	
43	全国中学生化学竞赛	聂 敏	省级奖	1997	
44	全国中学生物理竞赛	张 晋	省级奖	1997	
45	全国中学生物理竞赛	唐 钜	省级奖	1997	
46	全国中学生物理竞赛	朱成安	省级奖	1997	
47	全国中学生物理竞赛	罗成刚	省级奖	1997	
48	全国中学生数学竞赛	聂 敏	省级奖	1997	
49	全国中学生数学竞赛	杨顺飞	省级奖	1997	
50	全国中学生数学竞赛	张卯林	省级奖	1997	
51	全国中学生数学竞赛	吴德辉	省级奖	1997	
52	全国中学生数学竞赛	唐 钜	一等奖	2000	
53	全国中学生数学竞赛	李 玲	二等奖	2000	
54	全国中学生数学竞赛	罗远程	三等奖	2000	
55	全国中学生数学竞赛	熊德辉	三等奖	2000	
56	全国中学生数学竞赛	周景阳	三等奖	2000	
57	全国中学生数学竞赛	徐元丽	三等奖	2000	
58	全国中学生数学竞赛	张天盛	三等奖	2000	
59	全国高中化学竞赛	游家豪	三等奖	2000	

续表

序号	获奖名称	获奖个人	获奖等次	获奖时间	备注
60	全国高中化学竞赛	黎　芳	二等奖	2000	
61	全国高中化学竞赛	袁名敏	二等奖	2000	
62	2001 年高中化学竞赛	朱世伟	省一等奖	2001. 10	
63	2001 年高中化学竞赛	柏年福	省二等奖	2001. 10	
64	2001 年高中化学竞赛	张银松	省二等奖	2001. 10	
65	2001 年高中化学竞赛	舒甫超	省二等奖	2001. 10	
66	2001 年高中化学竞赛	杨　健	省二等奖	2001. 10	
67	2001 年高中化学竞赛	张禄松	省二等奖	2001. 10	
68	2001 年高中化学竞赛	邓孔刚	省二等奖	2001. 10	
69	2001 年高中化学竞赛	郑　婷	省二等奖	2001. 10	
70	2001 年高中化学竞赛	孔言言	省三等奖	2001. 10	
71	2001 年全国高中数学联合竞赛	柏年福	省三等奖	2001. 12	
72	2001 年全国高中数学联合竞赛	朱正军	省三等奖	2001. 12	
73	2002 年全国中学生物学联赛	刘登英	三等奖	2002. 12	
74	2002 年全国中学生物学联赛	张仁远	三等奖	2002. 12	
75	2002 年全国高中数学联合竞赛	陈　宇	省二等奖	2002. 12	
76	2002 年高中化学竞赛	秦正宇	省二等奖	2002. 10	
77	2002 年高中化学竞赛	陈　宇	省三等奖	2002. 10	
78	2002 年高中化学竞赛	舒甫超	省三等奖	2002. 10	
79	2002 年高中化学竞赛	王　博	省三等奖	2002. 10	
80	2002 年高中化学竞赛	刘成前	省三等奖	2002. 10	
81	2002 年全国中学生物理竞赛	王　博	省二等奖	2002. 10	
82	2003 年全国中学生物理竞赛	舒甫超	省二等奖	2002. 10	
83	2003 年“希望杯”全国数学竞赛	谢文杰	三等奖	2003. 12	
84	2003 年“希望杯”全国数学竞赛	陈　安	三等奖	2003. 12	
85	2003 年“希望杯”全国数学竞赛	李　恒	三等奖	2003. 12	
86	2003 年“希望杯”全国数学竞赛	宋　杰	三等奖	2003. 12	
87	2003 年“希望杯”全国数学竞赛	何　淳	三等奖	2003. 12	
88	2003 年全国中学生物理竞赛	舒兴智	省二等奖	2003. 10	
89	2003 年全国中学生物理竞赛	曹龙梅	省三等奖	2003. 10	

续表

序号	获奖名称	获奖个人	获奖等次	获奖时间	备注
90	2003年全国〈中学生数理化〉三解函数知识竞赛	宋　杰	一等奖	2003. 7	
91	2003年高中化学竞赛	谢文杰	省二等奖	2003. 7	
92	2003年高中数学联合竞赛	谭才兴	省二等奖	2003. 12	
93	2003年高中化学竞赛	陈　江	省二等奖	2003. 10	
94	2003年高中化学竞赛	秦正宇	省二等奖	2003. 10	
95	2003年高中化学竞赛	舒兴智	省二等奖	2003. 10	
96	2003年高中化学竞赛	殷　琴	省二等奖	2003. 10	
97	2004年高中化学竞赛	胡　静	省二等奖	2003. 10	
98	2003年高中化学竞赛	曹龙海	省二等奖	2003. 10	
99	2003年高中化学竞赛	罗亚宽	省二等奖	2003. 10	
100	2003年高中化学竞赛	吴方秀	省二等奖	2003. 10	
101	2003年高中化学竞赛	谢盛松	省二等奖	2003. 10	
102	2003年高中化学竞赛	陈　安	省三等奖	2003. 10	
103	2003年高中化学竞赛	唐旭东	省三等奖	2003. 10	
104	2003年高中化学竞赛	赵明波	省三等奖	2003. 10	
105	2003年高中化学竞赛	谭才兴	省三等奖	2003. 10	
106	2003年全国中学生英语能力竞赛	谢兴国	三等奖	2003. 12	
107	2003年全国中学生英语能力竞赛	李　莉	三等奖	2003. 12	
108	2004年全国中学生英语能力竞赛	彭　敏	三等奖	2003. 12	
109	2003年全国中学生英语能力竞赛	李　恒	三等奖	2003. 12	
110	2003年全国中学生英语能力竞赛	杨明艳	三等奖	2003. 12	
111	2003年全国中学生英语能力竞赛	舒兴智	三等奖	2003. 12	
112	2003年全国中学生英语能力竞赛	张　芸	二等奖	2003. 12	
113	2004年全国中学生英语能力竞赛	石芯瑜	二等奖	2003. 12	
114	2004年全国“希望杯”数学竞赛	李成果	三等奖	2004. 10	
115	2004年全国“希望杯”数学竞赛	宋　杰	三等奖	2004. 10	
116	2004年全国“希望杯”数学竞赛	王　超	三等奖	2004. 10	
117	2004年全国中学生物理竞赛	宋　杰	省二等奖	2004. 10	
118	2004年全国中学生物理竞赛	陈　安	省二等奖	2004. 10	

续表

序号	获奖名称	获奖个人	获奖等次	获奖时间	备注
119	2004 年全国中学生物理竞赛	舒兴智	省二等奖	2004. 10	
120	2004 年全国中学生物理竞赛	敖　阳	省二等奖	2004. 10	
121	2004 年全国中学生物理竞赛	张　杰	省二等奖	2004. 10	
122	2004 年全国中学生物理竞赛	刘　杰	省二等奖	2004. 10	
123	2004 年全国青少年信息学奥林匹克联赛	温光武	三等奖	2004. 12	
124	2004 年高中化学竞赛	夏秦林	省三等奖	2004. 12	
125	2004 年高中化学竞赛	姚启萍	省二等奖	2004. 12	
126	2004 年高中化学竞赛	马家军	省二等奖	2004. 12	
127	2004 年高中化学竞赛	宋　杰	省二等奖	2004. 12	
128	2004 年高中化学竞赛	舒兴智	省二等奖	2004. 12	
129	2004 年高中化学竞赛	夏　俊	省二等奖	2004. 12	
130	2004 年高中化学竞赛	李志云	省二等奖	2004. 12	
131	2004 年高中化学竞赛	敖　阳	省二等奖	2004. 12	
132	2004 年高中化学竞赛	陈　安	省一等奖	2004. 12	
133	2004 年高中化学竞赛	陈　安	全国三等奖	2004. 12	
134	2004 年全国高中数学联赛	杨　超	省二等奖	2004. 12	
135	2004 年全国高中数学联赛	李　恒	省三等奖	2004. 12	
136	2004 年全国高中数学联赛	代　林	省三等奖	2004. 12	
137	2004 年全国高中数学联赛	蒋　迪	省三等奖	2004. 12	
138	2004 年全国高中数学联赛	刘　涛	省三等奖	2004. 12	
139	2005 年全国“希望杯”数学竞赛	刘明超	三等奖	2005. 10	
140	2005 年全国“希望杯”数学竞赛	冯春娥	三等奖	2005. 10	
141	2005 年全国“希望杯”数学竞赛	黄　微	三等奖	2005. 10	
142	2005 年全国“希望杯”数学竞赛	马兴海	三等奖	2005. 10	
143	2005 年全国“希望杯”数学竞赛	王　超	三等奖	2005. 10	
144	2005 年全国“希望杯”数学竞赛	蒋　迪	三等奖	2005. 10	
145	2005 年全国“希望杯”数学竞赛	欧银光	三等奖	2005. 10	
146	2005 年高中化学竞赛	刘文锋	省二等奖	2005. 10	
147	2006 年高中化学竞赛	彭忠发	省二等奖	2005. 10	
148	2007 年高中化学竞赛	敖　阳	省二等奖	2005. 10	

续表

序号	获奖名称	获奖个人	获奖等次	获奖时间	备注
149	2008 年高中化学竞赛	李成果	省二等奖	2005. 10	
150	2009 年高中化学竞赛	尹鹤祥	省二等奖	2005. 10	
151	2005 年高中化学竞赛	周　阳	省三等奖	2005. 10	
152	2005 年高中化学竞赛	万云江	省三等奖	2005. 10	
153	2005 年高中化学竞赛	龚福海	省三等奖	2005. 10	
154	2005 年高中化学竞赛	张华玉	省三等奖	2005. 10	
155	2005 年高中化学竞赛	宋仁杰	省三等奖	2005. 10	
156	2005 年高中化学竞赛	徐远海	省三等奖	2005. 10	
157	2005 年高中化学竞赛	黄　微	省三等奖	2005. 10	
158	2005 年全国中学生物理竞赛	敖　阳	省二等奖	2005. 10	
159	2005 年全国中学生物理竞赛	宋仁杰	省二等奖	2005. 10	
160	2005 年全国中学生物理竞赛	张　波	省三等奖	2005. 10	
161	2005 年全国中学生物理竞赛	毛　鑫	省三等奖	2005. 10	
162	2005 年全国中学生物理竞赛	刘文波	省三等奖	2005. 10	
163	2005 年全国中学生物理竞赛	廖天超	省三等奖	2005. 10	
164	2005 年全国中学生物理竞赛	李成果	省三等奖	2005. 10	
165	2005 年全国中学生物理竞赛	龚福海	省三等奖	2005. 10	
166	2005 年全国中学生物理竞赛	徐远海	省三等奖	2005. 10	
167	2005 年全国高中数学联合竞赛	宋仁杰	省二等奖	2005. 12	
168	2005 年全国高中数学联合竞赛	蒋　迪	省二等奖	2005. 12	
169	2005 年全国高中数学联合竞赛	潘　龙	省三等奖	2005. 12	
170	2006 年全国“希望杯”数学竞赛	秦铭翼	三等奖	2006. 10	
171	2006 年全国“希望杯”数学竞赛	赵明超	三等奖	2006. 10	
172	2007 年全国“希望杯”数学竞赛	蒋　迪	二等奖	2006. 10	
173	2008 年全国“希望杯”数学竞赛	王　超	三等奖	2006. 10	
174	2009 年全国“希望杯”数学竞赛	马兴海	三等奖	2006. 10	
175	2010 年全国“希望杯”数学竞赛	黄　微	三等奖	2006. 10	
176	2011 年全国“希望杯”数学竞赛	敖　阳	三等奖	2006. 10	
177	2012 年全国“希望杯”数学竞赛	宗仁杰	三等奖	2006. 10	
178	2013 年全国“希望杯”数学竞赛	冯成贵	三等奖	2006. 10	

续表

序号	获奖名称	获奖个人	获奖等次	获奖时间	备注
179	2006 年全国中学生物理竞赛	刘信涛	省二等奖	2006. 10	
180	2006 年全国中学生物理竞赛	徐　辉	省二等奖	2006. 10	
181	2006 年全国中学生物理竞赛	龚福涛	省二等奖	2006. 10	
182	2006 年全国中学生物理竞赛	蒋　昭	省三等奖	2006. 10	
183	2006 年全国中学生物理竞赛	杜洪伟	省三等奖	2006. 10	
184	2007 年全国中学生物理竞赛	刘文峰	省三等奖	2006. 10	
185	2008 年全国中学生物理竞赛	毛　鑫	省三等奖	2006. 10	
186	2009 年全国中学生物理竞赛	廖天超	省三等奖	2006. 10	
187	2010 年全国中学生物理竞赛	李成果	省三等奖	2006. 10	
188	2006 年全国中学生物理竞赛	黄选贵	省三等奖	2006. 10	
189	2007 年全国中学生物理竞赛	徐远海	省三等奖	2006. 11	
190	2006 年高中化学竞赛	龚福海	省三等奖	2006. 10	
191	2006 年高中化学竞赛	周　阳	省二等奖	2006. 10	
192	2006 年高中化学竞赛	黄　俊	省三等奖	2006. 10	
193	2007 年全国青少年儿童优秀艺术人才选拔活动总决赛	伍廷伟	金奖	2007	
194	2007 年全国“希望杯”数学竞赛	任永欢	三等奖	2007. 10	
195	2007 年全国“希望杯”数学竞赛	张元键	三等奖	2007. 10	
196	2007 年全国“希望杯”数学竞赛	陈　佳	三等奖	2007. 10	
197	2007 年全国“希望杯”数学竞赛	黄　旭	三等奖	2007. 10	
198	2007 年全国“希望杯”数学竞赛	苏　印	三等奖	2007. 10	
199	2007 年全国“希望杯”数学竞赛	李定权	三等奖	2007. 10	
200	2007 年全国“希望杯”数学竞赛	石人刚	三等奖	2007. 10	
201	2008 年全国“希望杯”数学竞赛	任永欢	三等奖	2007. 10	
202	2009 年全国“希望杯”数学竞赛	陈　佳	三等奖	2007. 10	
203	2010 年全国“希望杯”数学竞赛	张远健	三等奖	2007. 10	
204	2011 年全国“希望杯”数学竞赛	黄　旭	三等奖	2007. 10	
205	2012 年全国“希望杯”数学竞赛	苏　印	三等奖	2007. 10	
206	2013 年全国“希望杯”数学竞赛	李定权	三等奖	2007. 10	
207	2007 年全国“希望杯”数学竞赛	肖　芸	三等奖	2007. 10	

续表

序号	获奖名称	获奖个人	获奖等次	获奖时间	备注
208	2007 年全国高中化学竞赛	石人刚	省一等奖	2007. 10	
209	2007 年全国高中化学竞赛	王理霖	省一等奖	2007. 10	
210	2007 年全国高中化学竞赛	安　立	省二等奖	2007. 10	
211	2007 年全国高中化学竞赛	肖　宇	省二等奖	2007. 10	
212	2007 年全国高中化学竞赛	李进刚	省二等奖	2007. 10	
213	2007 年全国高中化学竞赛	金仕毅	省二等奖	2007. 10	
214	2007 年全国中学生物理竞赛	刘信涛	二等奖		
215	2008 年全国中学生物理竞赛	龚福海	二等奖		
216	2009 年全国中学生物理竞赛	徐　辉	二等奖		
217	2010 年全国中学生物理竞赛	黄选贵	三等奖		
218	2011 年全国中学生物理竞赛	蒋　昭	三等奖		
219	2012 年全国中学生物理竞赛	施　超	三等奖		
220	2013 年全国中学生物理竞赛	杜洪伟	三等奖		
221	第 19 届“希望杯”全国数学邀请赛	任永欢	三等奖	2008. 8	
222	第 19 届“希望杯”全国数学邀请赛	冯向坤	三等奖	2008. 8	
223	第 19 届“希望杯”全国数学邀请赛	冉应茚	三等奖	2008. 8	
224	贵州省高中化学竞赛	陈　佳	一等奖	2008. 11	
225	贵州省高中化学竞赛	邓楚涵	一等奖	2008. 11	
226	贵州省高中化学竞赛	黄　茂	二等奖	2008. 11	
227	贵州省高中化学竞赛	任永欢	二等奖	2008. 11	
228	贵州省高中化学竞赛	吴昆泓	二等奖	2008. 11	
229	贵州省高中化学竞赛	任　丹	三等奖	2008. 11	
230	贵州省高中化学竞赛	周续源	三等奖	2008. 11	
231	贵州省高中化学竞赛	欧　巍	三等奖	2008. 11	
232	全国高中数学联合竞赛	冉隆飞	二等奖	2008. 12	数学奥林匹克
233	全国高中数学联合竞赛	陈运佳	二等奖	2008. 12	数学奥林匹克
234	全国高中数学联合竞赛	熊高鸿	二等奖	2008. 12	数学奥林匹克
235	全国高中数学联合竞赛	何　海	二等奖	2008. 12	数学奥林匹克
236	全国高中数学联合竞赛	谢志华	二等奖	2008. 12	数学奥林匹克
237	全国高中数学联合竞赛	张　婷	三等奖	2008. 12	数学奥林匹克

续表

序号	获奖名称	获奖个人	获奖等次	获奖时间	备注
238	全国高中数学联合竞赛	田小金	三等奖	2008.12	数学奥林匹克
239	全国高中数学联合竞赛	龚贵龙	三等奖	2008.12	数学奥林匹克
240	全国高中数学联合竞赛	王　松	三等奖	2008.12	数学奥林匹克
241	全国高中数学联合竞赛	邓楚涵	三等奖	2008.12	数学奥林匹克
242	全国高中数学联合竞赛	钮小东	三等奖	2008.12	数学奥林匹克
243	全国高中数学联合竞赛	张元键	三等奖	2008.12	数学奥林匹克
244	全国高中数学联合竞赛	任永欢	三等奖	2008.12	数学奥林匹克
245	全国高中数学联合竞赛	谭尤江	三等奖	2008.12	数学奥林匹克
246	第 20 届“希望杯”全国数学邀请赛	李秀志	二等奖	2009.9	
247	第 20 届“希望杯”全国数学邀请赛	代荣乾	三等奖	2009.9	
248	第 20 届“希望杯”全国数学邀请赛	罗　轶	三等奖	2009.9	
249	第 20 届“希望杯”全国数学邀请赛	张尧硕	三等奖	2009.9	
250	第 20 届“希望杯”全国数学邀请赛	王政杰	三等奖	2009.9	
251	第 20 届“希望杯”全国数学邀请赛	王贵松	三等奖	2009.9	
252	2009 年全国中学生英语能力竞赛	邓菊星	一等奖	2010.5	英语奥林匹克
253	2009 年全国中学生英语能力竞赛	苏传琦	一等奖	2010.5	英语奥林匹克
254	2010 年全国中学生英语能力竞赛	邓菊星	一等奖	2010.5	英语奥林匹克
255	2009 年全国中学生英语能力竞赛	李禹虹	一等奖	2010.5	英语奥林匹克
256	2009 年全国中学生英语能力竞赛	潘　睿	二等奖	2010.5	英语奥林匹克
257	2009 年全国中学生英语能力竞赛	朱　莹	二等奖	2010.5	英语奥林匹克
258	2009 年全国中学生英语能力竞赛	张扬鸿翼	二等奖	2010.5	英语奥林匹克
259	2009 年全国中学生英语能力竞赛	罗　珊	二等奖	2010.5	英语奥林匹克
260	2009 年全国中学生英语能力竞赛	王　卿	二等奖	2010.5	英语奥林匹克
261	2009 年全国中学生英语能力竞赛	黄　鑫	二等奖	2010.5	英语奥林匹克
262	2009 年全国中学生英语能力竞赛	王　堑	三等奖	2010.5	英语奥林匹克
263	2009 年全国中学生英语能力竞赛	贺　誉	三等奖	2010.5	英语奥林匹克
264	2009 年全国中学生英语能力竞赛	王　芬	三等奖	2010.5	英语奥林匹克
265	2009 年全国中学生英语能力竞赛	刘文睿	三等奖	2010.5	英语奥林匹克
266	2009 年全国中学生英语能力竞赛	潘缘逸	三等奖	2010.5	英语奥林匹克
267	2009 年全国中学生英语能力竞赛	张　丹	三等奖	2010.5	英语奥林匹克

续表

序号	获奖名称	获奖个人	获奖等次	获奖时间	备注
268	2009 年全国中学生英语能力竞赛	籍元雪	三等奖	2010. 5	英语奥林匹克
269	2009 年全国中学生英语能力竞赛	张　亚	三等奖	2010. 5	英语奥林匹克
270	2009 年全国中学生英语能力竞赛	申　灵	三等奖	2010. 5	英语奥林匹克
271	2009 年全国中学生英语能力竞赛	蔡　晴	三等奖	2010. 5	英语奥林匹克
272	2009 年全国中学生英语能力竞赛	周洪春	三等奖	2010. 5	英语奥林匹克
273	2009 年全国中学生英语能力竞赛	岑忠击	三等奖	2010. 5	英语奥林匹克
274	2010 年全国生物学竞赛	杨秀洳	二等奖	2010. 6	
275	2010 年全国生物学竞赛	李琪荣	二等奖	2010. 6	
276	2010 年全国生物学竞赛	张宏宽	三等奖	2010. 6	
277	2010 年全国生物学竞赛	吴　洪	三等奖	2010. 6	
278	2010 年全国生物学竞赛	徐　潺	三等奖	2010. 6	
279	2010 年全国生物学竞赛	周　易	三等奖	2010. 6	
280	2010 年全国生物学竞赛	李　扬	三等奖	2010. 6	
281	2010 年全国生物学竞赛	彭　隆	三等奖	2010. 6	
282	第 27 届全国中学生物理竞赛	张宏宽	二等奖	2010. 12	
283	第 27 届全国中学生物理竞赛	杨秀洳	二等奖	2010. 12	
284	第 27 届全国中学生物理竞赛	方荣靖	二等奖	2010. 12	
285	第 27 届全国中学生物理竞赛	余　瀚	三等奖	2010. 12	
286	第 27 届全国中学生物理竞赛	罗永松	三等奖	2010. 12	
287	第 27 届全国中学生物理竞赛	谢从雪	三等奖	2010. 12	
288	第 27 届全国中学生物理竞赛	王贵伦	三等奖	2010. 12	
289	第 27 届全国中学生物理竞赛	项　宇	三等奖	2010. 12	
290	第 27 届全国中学生物理竞赛	韦车良	三等奖	2010. 12	
291	第 27 届全国中学生物理竞赛	周　易	三等奖	2010. 12	
292	第 27 届全国中学生物理竞赛	李　扬	三等奖	2010. 12	
293	第 27 届全国中学生物理竞赛	吴　洪	三等奖	2010. 12	
294	2010 年全国高中数学联赛	张宏宽	二等奖	2010. 12	
295	2010 年全国高中数学联赛	向龙俊	二等奖	2010. 12	
296	2010 年全国高中数学联赛	杨　潇	二等奖	2010. 12	
297	2010 年全国高中数学联赛	张尧硕	二等奖	2010. 12	

续表

序号	获奖名称	获奖个人	获奖等次	获奖时间	备注
298	2010年全国高中数学联赛	周　易	二等奖	2010.12	
299	2010年全国高中数学联赛	方荣靖	二等奖	2010.12	
300	2010年全国高中数学联赛	杨秀洳	三等奖	2010.12	
301	2010年全国高中数学联赛	韦车良	三等奖	2010.12	
302	2010年全国高中数学联赛	王贵松	三等奖	2010.12	
303	2010年全国高中数学联赛	余　瀚	三等奖	2010.12	
304	2010年全国高中数学联赛	李　琪	三等奖	2010.12	
305	2010年全国高中数学联赛	李　扬	三等奖	2010.12	
306	2011年贵州省中学生生物联赛	张文峰	二等奖	2010.12	
307	2011年贵州省中学生生物联赛	刘仕铭	二等奖	2010.12	
308	2011年贵州省中学生生物联赛	杨明远	二等奖	2010.12	
309	2011年贵州省中学生生物联赛	陈　林	三等奖	2010.12	
310	2011年贵州省中学生生物联赛	曾华东	三等奖	2010.12	
311	2011年贵州省中学生生物联赛	蒲正清	三等奖	2010.12	
312	2011年贵州省中学生生物联赛	朱　莹	三等奖	2010.12	
313	2011年贵州省中学生生物联赛	罗　珊	三等奖	2010.12	
314	2011年全国高中数学联赛	王　东	二等奖	2011.1	
315	2011年全国高中数学联赛	任庭松	二等奖	2011.1	
316	2011年全国高中数学联赛	宋　超	二等奖	2011.1	
317	2011年全国高中数学联赛	张挽澜	二等奖	2011.1	
318	2011年全国高中数学联赛	夏　露	三等奖	2011.1	
319	2011年全国高中数学联赛	龚春澜	三等奖	2011.1	
320	2011年全国高中数学联赛	施家浜	三等奖	2011.1	
321	2011年全国高中数学联赛	杨　洋	三等奖	2011.1	
322	2012年全国生物联赛	李太坤	一等奖	2012.5	贵州赛区
323	2012年全国生物联赛	唐郅非	二等奖	2012.5	贵州赛区
324	2012年全国生物联赛	张　进	二等奖	2012.5	贵州赛区
325	2012年全国生物联赛	赵　菊	二等奖	2012.5	贵州赛区
326	2012年全国生物联赛	徐　卫	二等奖	2012.5	贵州赛区
327	2012年全国生物联赛	包天杰	三等奖	2012.5	贵州赛区

续表

序号	获奖名称	获奖个人	获奖等次	获奖时间	备注
328	2012 年全国生物联赛	张玉娇	三等奖	2012. 5	贵州赛区
329	2013 年全国生物奥赛	严 成	一等奖	2013. 9	瓮安赛区
330	2013 年全国生物奥赛	王 俊	二等奖	2013. 9	瓮安赛区
331	2013 年全国生物奥赛	董策伟	二等奖	2013. 9	瓮安赛区
332	2013 年全国生物奥赛	安 伐	二等奖	2013. 9	瓮安赛区
333	2014 年全部数学联赛	李岫杭	一等奖		
334	2014 年全部数学联赛	赵少卿	二等奖		
335	2014 年全部数学联赛	帅茂航	二等奖		
336	2014 年全部数学联赛	万 勇	二等奖		
337	2014 年全部数学联赛	王 蕾	二等奖		
338	2014 年全部数学联赛	饶秋实	二等奖		
339	2014 年全部数学联赛	刘源敏	二等奖		
340	2014 年全部数学联赛	敖 爽	三等奖		
341	2014 年全部数学联赛	何柏霖	三等奖		
342	2014 年全部数学联赛	黎 旋	三等奖		
343	2014 年全部数学联赛	罗来智	三等奖		
344	2014 年全部数学联赛	杨顺飞	三等奖		
345	2014 年全部数学联赛	石黎万	三等奖		
346	2014 年全部数学联赛	黎甚延	三等奖		
347	2014 年全部数学联赛	刘 毅	三等奖		
348	2014 年贵州省高中化学竞赛	尹纪超	一等奖		
349	2014 年贵州省高中化学竞赛	罗来智	一等奖		
350	2014 年贵州省高中化学竞赛	李岫杭	二等奖		
351	2014 年贵州省高中化学竞赛	杨 顺	二等奖		
352	2014 年贵州省高中化学竞赛	刘盛钰	二等奖		
353	2014 年贵州省高中化学竞赛	何柳青	三等奖		
354	2014 年全国中学生物理竞赛	何 进	二等奖		
355	2014 年全国中学生物理竞赛	杨 云	三等奖		
356	2014 年全国中学生物理竞赛	何柳青	三等奖		
357	2014 年全国中学生物理竞赛	何 溪	三等奖		

第二节 捐 资

瓮安人民历来尚礼崇文，耕读传家，尊师重教。“穷不离猪，富不离书”，便是其生动诠释。无论是兴办学校，还是改善办学条件，瓮安人都会慷慨解囊，倾力相助。

《桑梓述闻》载：“旗山书院在县西北。知县韩公瑛，教谕金公琦、训导吴公天椿，倡绅士捐资于文昌阁”。这应该是瓮安建县以来，有文史资料可考的瓮安人捐资建校的发端。之后，“余先倡捐百金，一时慨捐署名者，计银将及二千，其未至复集县署，先后得银三千金，谓盛事之成可立而带也。”（王存成《玉华书院》）“爰集同寓诸公，暨城乡绅耆老以修复书院为请，随捐廉兴工，为之提倡。佥乃踊跃输将，襄成斯美”（王敦成《修花竹书院记》），瓮安人捐资兴建、复修瓮安中学的前身——玉华书院。

民国 28 年（1939 年），施裕初病危，其子施汝舟准备用兄弟施汝德（抗日英烈）抚恤金 2000 元作丧事开支。后延医诊治转危为安，施裕初将该款捐赠给瓮安中学设“施氏奖学金”，存入交通银行，年息 1%，用于奖励品学兼优的前四名学生，每人各 5 元。

民国 34 年（1945 年）秋，李宗彝接任省立瓮安中学校长。学校竭力扩充校舍，尤其对高中部校舍之兴建抓得较紧，指派犹泮香采购木料砖瓦尅日兴工。张克襄还发起募捐新建图书馆一幢的活动，地方父老踊跃认捐。为充实学校图书起见，省立瓮安中学在校各级学生中发起“献金购置图书”活动。学校用学生献金款，分两次购进各类图书，购买图书总价 49. 37 万元。

民国 37 年（1948 年），城南人袁经仲捐助贵州省瓮安中学校田地二份，共值国币 500 万元，受国民政府行政院表彰，由省政府奉行政院 37 年 4 月 21 日（37）四防字第 19023 号指令，铸授银质奖章一座。

1985 年第一个教师节前，县科协干部、原瓮安中学后勤主任周乐忠，捐 1 万元给贵州省瓮安中学。

2009 年 7 月，瓮安民营企业家、黔南州政协委员刘知华捐款 10 万元给瓮安中学修建知华亭一座。

2009 年 12 月 26 日，贵阳印象雕塑工程有限公司向瓮安中学赠送一尊中国古代杰出思想家、教育家孔子的雕像。是年，省劳改局瓮安磷矿捐赠铁架床 1500 架给瓮安中学，价值 15 万余元。

2011 年 1 月 20 日，瓮安宏利源房开公司向瓮安中学捐款 50 万元。

2012 年 11 月 10—11 日，瓮安中学 180 年校庆，共收到校友及社会各界 70 万元（礼金 55 万元，转账 15 万元）。石狮、名贵树木、书画等礼品价值数万元。

第十章　艺　文

第一节　韵　文

● 赋

○ 肖开茂

春风赋

煦煦爽身，徐徐扑面。或高或低，忽紧忽慢。瞻青冥而无影；觇漪纹而若现。前仆后继，不休不止；日奔夜忙，逐雾逐岚。

扫残云于九宇，察积弊于八荒。山阿之霾，一扫而尽；峦壑之雪，几掠而降。西原冻土，点之则软；北国坚冰，触之则亡。卷龌龊而百折不弃，驱污秽而一怒刮光。欣欣而漾，染广袤之娇翠；轻轻而抖，披峥嵘以彩绸。沿村袅袅，送万户以阳和；顺山款款，张千林之锦绣。临窗以入，案头书翻新页；撩帘而进，深闺媛眄暖眸。携润物之雨，潜夜而行；推拉朽之潮，沿江而走。滋野草以繁茂，扶冻雀而欢讴。醇若琼浆，著老树之青芽；酷似神剪，裁细叶于垂柳。与旭日漫步，共青帝遨游。牵碧桃灼灼于院外；抚红杏枝枝于墙头。于是蓬蓬勃勃，新浮万象；葳葳蕤蕤，绿漫九州。燕衔芹泥；蝶舞芳丘。蝌蚪摇曳浅藻；菜花黄覆平畴。晴空朗朗，沟流春水；布谷声声，田走耕牛。无戈无矛，专歼寒冷；有情有义，不分富贫。悉布温馨，效燧氏之钻火；泽被黎庶，弘舜帝之垂仁。不违节令，冬尽即赴；力助丰稔，广惠蒸民。是以江山有千秋之秀；社稷有万古之春。

草　赋

不卑不亢，代代以“草”为名；有心有志，岁岁争“早”而荣。踏踏实实，依大地为慈母；诚诚恳恳，视孔柏为长兄。簇簇丛丛，比邻牡丹玫瑰；朴朴素素，托举姹紫嫣红。铭记初心，保土保水；遍布天涯，顶雨顶风。无求无索，无畏贫瘠之苦；不卑不亢，不改谦逊之恭。春光乍临，则欣欣冒芽，催蜂蝶展翅，奋一生之葳蕤；夏雨骤至，则萧萧有声，衬松柏耸翠，染千岭之葱茏。秋霜将莅，则穆穆若叟，送征雁之远行，唱黍稷之丰稔；冬雪始降，则嘻嘻如童，乐絮被之轻暖，享美梦之和融。报恩则疗杨靖宇之饥肠辘辘；助力则引农家灶之柴焰熊熊。牵乡愁则萋萋于南楼吟鹤之崔子；仰大节则念念于北海牧羊之苏公。鼓志气，则助足球破门之铿锵豪迈；爱家国，则秣战马驱敌之腾达骁勇。喜玉塞之浩渺；乐珠峰之峥嵘。敬戈壁之胡杨；尊兰考之焦桐。着土而根；循序而萌。脉脉倾情，出污泥而凝秀；生生继志，面燎原而从容。任星移斗转，三春圣晖恒存胸臆；纵陵迁谷变，万仞碧绿常浮穹隆。

默默固长堤；耿耿守初衷。令诗家慨叹，词客鞠躬。桃源洞外，靖节称其鲜美；敕勒川下，民谣夸其丰秾。萧子晖奋笔，歌冰途紫茎之挺挺；白居易展纸，赞莽原晴翠之蓊蓊。芳草美人，屈大夫咏《离骚》之绚烂；投枪匕首，周树人誉《野草》之沉雄。山原锦绣，不矜其美；牛羊肥壮，不伐其功。

注：南朝萧子晖曾作《冬草赋》赞冬草之志节；唐白居易曾以“春风吹又生”歌小草之顽强。

（肖开茂，瓮安赋学会顾问，瓮安中学辞赋创作基地指导教师）

○ 童德莹

映山红赋

壬辰之秋，建酉之月，携友乘辇，游于映山[①]之麓。穿笔松之林莽，清风溥畅；步曲径而通幽，林茂荫芾。攀蛇路而登巅兮，桂椒吐芳，众艳收藏而心肃；看林涛之滚浪兮，氧巴吐爽，天伦颐养以酬梦。

嗟夫，遨游峰崒，望昊天之飞云，积山海之壮伟，长图大念，壮阔心路，含景饮霞，轻烟云杼。有筹觥而豪饮者，或举杯听涛而长啸，或翰砚泼墨以笔走。客有歌诗者，诗曰：“山不压高，水不压深，周公吐甫，天下归心”。友云：“岂非曹阿瞒[②]之诗乎？”对云：“唯贤是举，求贤若渴，用贤兴邦，愚吏误国，经世之道矣；君何怨伯乐之眼浊，杨意之不遇，岂非野老乡樵之可及乎？”友人曰：“盛世清平，弃昔怨而风浣，乐天伦以福聚，颐养何不乐乎？”

午后小憩，踽踽东行，树张龙爪，虬柏森森，古拙流韵，得天地山川之灵气，享雷电风泽之洗礼。忽见一洞，名曰大丰。进洞十米，摩崖赫赫：“山何以名，显以神明，神何以灵，感以至诚。岩岩之石，赫赫厥声。兴云至雨，福我苍生”。此王公[③]之诗也。昔长跪三日，祈雨济民，诚感天地，终洒甘霖，肃然仰敬。亦有呰其痴愚，戏言：“长跪可雨，长跪可贵富成名？”友曰：汝言乃三龄童子之语，焉可以今而绳先人，何不以古人之心而鉴今人之行。敩成[④]治邑，值清政衢尚梗，陵池难救，是年灾荒饥民，冻馁交侵。其与之毕命同力，死伤相枕；收兆黎之心，与之同忧，奉三无私，祈雨长跪，撼天地以降甘霖；慕义强仁，六载知事，不蓄聚敛，卒穷裔于案牍，灵柩扶归，众募集以捐助。瓮邑史传千载，其贤何敢比乎？痛矣！今生吏治，汉文却马，晋武焚裘，增儆励诫，斥远贪饕者鲜；然，饰巧求媚，诱奸聚怨，以奉而荡心侈华，伤风乱邦，贪墨落马年近上千，辱庙堂之才，污法失人，则屡见也。

呜呼，尧天舜日，犬亦可吠；海晏河清，忠奸仍能并存；乐不思蜀，世事更迭而常有；兰芷之芳，众之所好，仍有逐臭之夫。惟映山之松涛，励志振奋；天然之氧巴，清肺养身；友争掌故，谈经论道而纵横。不觉日薄虞渊，噪鸟归林，车回饭局，恨有限之杯而忘旧事，乐金樽对月以盼长庚。

注：①映山红，瓮安风景区。映山红森林公园，离县城仅四公里。

②曹阿瞒，即汉末政治家、军事家曹操。

③④王公、敩成，即清瓮安知县王敩成，广西人，进士出身。

玉华山赋

单阏[①]季春，三月既望，郊游玉华[②]，结伴踏青。沿羊肠而徒步，穷险岭峻，路途趑趄。逾岗跳涧，执斧披荆，凌跨长陇，沐汗衣湿。推推拥拥，穿缠山之云翳；拽蔓牵藤，出山岚而至峰极。忽愕然开朗，平旷百亩。自高瞰之，众峰拱揖，万岩叠峨，山峦诡异。若百兽以群聚，似龙腾而虎奔。涧壑深处，龟蛇锁水，虎象捍门；川陛岩岩，屯峰卓笔，如倚天悬剑，削天斩云；山梁峻峭，壁立千仞，争气负高，似万马腾踏，奇秀异形。俯视则千山吐绿，翠蔓云抒，魂牵梦怡。

突见石泉，暴凸仰喷，积池半亩，清澈透明，形似半月，影天照人。清风徐来，涟漪骤起，陶阳气而荡春心；水光山岚，如玉之华，故青螺欣然，题"玉华捧月"而驰名[③]，之臣[④]靖叛而建刹，高阁深堂，飞翚拱峙，晨钟暮鼓，贝叶声声，祈佛音而慈布斯民。而今思之，佛刹毁于兵燹，唯瞻旷野之萧条，悲麦秀而雉飞，独垂睫而泪频。

亭午野炊，平瓦砾而拔草，席地小憩以进餐。有持收音机者，曲马头琴之独奏，其声雄浑，如铁骑马嘶；旋律苍凉，似荒漠风啸。尤瞻旷野酣战之征夫，顿感边塞白骨之悲怆。劲风越过，荆棘伴茅霏而沙沙，如嫠妇之呜咽，似弥难之诉泣。遥想咸同[⑤]政梗，蠹政贪墨，志士嚣怨，华夏嗟毒。德胜[⑥]揭竿，率厉义勇。于此立哨高棚，筑寨自固，举黄号[⑦]之旗，帐分虎符，且战且耕，驱反清之众，甲盾山立，夺县抢州，三袭省府；集饿殍穷黎，戮富斩豪，称王六千日月。震清廷而拥兵，血涤玉华，城空野溃，刈两万首节而重惩[⑧]。燹古刹而火焚，血沃土而棘生，断戟沉沙，孤魂夜泣。

嗟夫，江山依旧，物是人非。思我华夏百年，夷侵倭辱，千疮国危。志士抛头颅以求索，仁人洒热血而寻路。而今熙日阳光，四海同归。神十携嫦娥而仙舞，蛟龙潜深洋以扬眉。万国瞩目，仰首是瞻，自立于民族之林，复兴指日可期。喜桑梓五十万巨擘，不负江山之娇，先人所望，看昆鹏展翅，垂天翱翔，宏图远志。

注：①单阏：即太岁流年逢卯、即兔之年。

②玉华：即玉华山，县城西三十里，为瓮安风景名胜之一。

③青螺：即明万历巡抚郭子章，万历28年（1601年）平杨应龙乱后，游玉华山见此美景，起名玉华捧月。

④之臣：即明靖杨应龙叛变的总兵王之臣。

⑤咸同：即清末的咸丰，同治帝。

⑥德胜：即何德胜，咸同农民起义领袖，其势力威震黔中，北至遵义，东至凯里，南及都匀，西至安顺。曾三次攻省城而未果。

⑦黄号：何德胜义军称黄号军。

⑧刈两万首节：据史记载，义军与官军于玉华激战，各斩首万余。

（童德莹，瓮安诗词楹联协会主席，瓮安中学辞赋创作基地指导老师）

○ 张世德

江界河赋

癸巳仲夏，与友偕游。沿途天高云淡，林茂草荣，南风扑面，神欣气爽。及至江边，登高俯视，碧峰作岸，细浪兴波；游人如织，画舫穿梭；笑声叠起，长空蔚蓝；临风披襟，身心超然。遵嘱援翰，乃作赋曰：

身居磊磊，目极千里，钟灵造化。清凌凌一川碧水，香渺渺两岸百花。悬崖挂飞瀑，绝壁举奇葩。岚尽树滴翠，藤绿挂野瓜；群猴清啼惊山峻，野雉狂唳报朝霞。望江流浩浩，敞容川之怀；清波粼粼，显烁金之彩。聆野鸭唤朋，乃生思远之情，念友之心，独拥牵挂。江风踏浪而来，云朵漫游飞翔高峡；客船渐行靠岸，茂林修竹人家。

若夫朝来暮往，一江之景尽徜徉。日出而山披霞丽，雾飞而风带花香；群山鸟语，相约翱翔；崖畔丛花，江染芬芳。日中天而树笼荫，蟪蛄鸣而草遮凉；江水漫漫而白云飘絮，船行缓缓而水点波亮。日西倾而浪翻金币，鹤长鸣而天漏夕光；渔夫踏歌而炊烟如缕，月临峰巅而岭洒清霜。江幽客心远，忆兹思梦长。

至若三五朋侣，会心期许，欢笑而颜开，追逐而狷狂，野花羞而风潜树，蝴蝶慕而云依山。童子稚声，一问一答，家人和睦，携手踏岸。或有青春少年，衣袂飘飘，明眸善睐，意气勃发，鱼抱影而潜深底，鸟翩然而入云端。草无忧，花嫣然，山绿水清，惠风习习，细语轻言，歌响沸天。

若逢钓者幸然，三五斤花鲢，三五堆野餐，佐料齐而炭火旺，香味浓而野猫馋。相识皆分享，偶遇亦猜拳。树枝为筷，芭叶作碗；炭红鱼香，举箸而餐。意犹未尽，流连忘返。归鸟鸣而宿远树，前呼后应；牧笛吹尽醉斜阳，左扶右搀。人生之乐，夫复何言？

乃有远客问源，欣然而答：滥觞乌蒙山脉，浩荡东向，滔滔而入长江。航运快捷，富庶两岸；千里长浪逶迤，万家农商云集；旧友新朋八方至，俊彦豪杰共欢怡。且等秋来，参差坡岭，柚黄桔香，再约朋宾；山间平坝，菊散清芳；大块平畴，稻翻金浪。清风爽于万木，流水响于千岗。客闻而喜，拊掌而歌：美景盈盈，永志难忘。

仙桥山赋

万仞丛岭，一洞亮巅。世谓仙桥，黔中首景。伫立桥上，延望远目，闲云翔空，天低可抚；山峻路绝，风高树急。临风披襟，野凉入怀。倚苍昊以流思，心昭昭而洞达。

俯视东北，禾畴连绵，绿涌连云。小道逶迤，人影绰绰，恍而不见；暗自沉吟，何谓渺小，何谓伟岸。驰目西南，群山蜿蜒，飞鸟如豆，寄身茂林，巢于一枝，快乐翩翩，安于其所，逍遥云间。

仰睇仙路，云山万重。迂回阶梯，若隐若现；仙袂飘飘，若滞若前。愿攀云汉以晤面，忽隐而不见；心有千言以俱告，已随云去远。峭崖峥嵘，纤草萋萋。貌恭而意慊，举手以捶天。惆怅盘桓，踟蹰山巅。

临川感流，登山怀远。遥想当年，三丰挥拳击山，始有仙桥。忿时耶，接仙耶。悟时之多舛，道成而飞仙。四时代序，唯桥上之草木，沐仙露，畅仙风，摇影有佛音，微笑若佛语。

若夫皓月临空，云带轻绕，仙班以弦歌，婉约而优游，七仙徐徐，翩然下凡。玉颜扬华，朱唇微启。绰约风姿，妩媚妙态。飞花从容，微风杳芳。俄而陟降灯火人间。观者雀跃，莫不欣然。

乐也哉！人生驹隙，百忙一暇。仰远山之云霞，羡花木之荣曜；慕众仙之容与，心无虑而皓然。

（张世德，瓮安赋学会会长，瓮安中学辞赋创作基地指导教师）

○ 刘忠信

半月山赋

千年古邑，红色瓮安，有半月山焉。

山不甚高，新月半规，朗润清辉照学府；水不甚阔，雍江沉璧，行政中心揽胸怀。争辉七星，石巩仙桥，白沙泉井，晶莹飞练。播南神韵，钟灵于是；地方首脑，迁徙斯焉。

若夫瓮安中学，庠序百年；曾经书院学堂，如今省级示范。青山环抱，锦绣其间；讲师三百，学子五千；老校新址，孕育俊彦。济济英才出是邦，巍巍学府誉黔南。问何能尔？渊源久远。

遥想牂牁名士，盛览当年；负笈千里，抵城锦官；黧黑憔悴，衣履敝坏；困顿疲惫，有礼彬然，束脩相如，稽首叩拜；辞赋问对，释疑解惑；綦组为文，锦绣成章；包括总揽、物类翩幡。悠悠心会，妙处不可语传。

神宗熙宁，瓮水道明，殿试赐姓，巍科发端。

竹庄学杜，酉樵效韩，两大师宗，皆生瓮安。

人杰方显地灵，地灵孕育人杰；千古黔中腹地，文人雅士绵延。

诗曰：长江为砚笔生烟，空际云霞是锦笺；

日月光华凭摹写，文章湖海浩天边。

至若行政中心，服务机关，便民惠民，引领发展。同步奔小康，复兴欲梦圆。风气清正，鱼水和谐；践行宗旨，民生如天。众口铄金，积毁销骨，偶然必然，凤凰涅槃。弘扬长征精神，牢固人民江山。

翻开“猴场会议”，一会两年；傅家祠堂，马灯明灿。争论终归一统，强渡乌江，智取遵义，曙光洞霾。

震古烁今，喋血沙场，前仆后继，黔中好儿男。冷少农，舒葆初，红色特工，威震破敌胆；施汝德，王伯才，马革裹尸，拼死保家园；《金沙江畔》、《万水千山》，书剑风云，铸就传世篇。黎明前夕，铁壁合围，即使摧枯拉朽，不少血迹斑斑。青山有幸埋忠骨，黄土无辜伴孽顽。

千年古邑，红色瓮安；新月荟萃，古往今来。

歌曰：山光物态兮半山月，向上升腾兮永不圆；

千古旋机兮君自悟，青山不老兮月常然。

瓮安中学铭

育人沃土，知识圣殿，瓮安中学，历史久远。玉华毓秀，半月泽芳，书院学堂，高中示范。日月光辉三甲，培育栋梁颀秀报华夏；春秋更替百载，催生桃李芬芳冠黔南。

育人沃土，知识圣殿，瓮安中学，星空灿烂。冷少农、施汝德、王道元，喋血沙场，马革裹尸；蔡远利，朱建贵，刘作易，厚德大智，时代英才。数以万计建设者，百业千行做贡献。

育人沃土，知识圣殿，瓮安中学，九层高台。师者三百，学子五千。老校新址，孕育俊彦。教育与人类共存亡，庠序同社会齐发展。

（刘忠信，见《人物简介》）

○ 顾大忠

瓮中赋

千年古邑，红色瓮安；百年老校，厚重瓮中[①]。含蕴百首，秉承授业为本，坚持传道为先。百年志士披肝胆，几代人杰铸校魂。历尽千辛风雨路，征尘未浣又百年。

辛卯秋，谋求发展，广扩文苑，革故鼎新，瓮中伴紫气祥云，携优带秀，整体北迁。半月山下新庠序，政府楼旁丽老园。舒眸瓮水彩霞红，极目青山春意暖。新址新楼新气象，新颜旧貌两重天。瓮中走进新纪元。

若夫校园前眺，瓮水波光粼粼，一路欢歌，源远流长，令人不尽遐想；校园后看，林木繁茂，清风徐来，松涛阵阵，让人心驰神往。

至于楼前文华广场，旗杆高耸，红旗飘扬，银屏闪烁，乐曲欢畅；地刻文字，校历简畅。广场内侧，清水一弯，波光闪亮，五颜六色，锦鳞徜徉。楼后，玉华书院，图书之府，气伟而势雄，静穆矗立，几净敞亮；典籍如邱，阡陌成巷；万千学子，浸润于图籍，修身养性；历届良贤，埋首于高阁，寻理求真；万千师生，沉吟于书院，感润醇心；无数健儿，雀跃于斯府，养才育能。孔孟之学，庄老之术，修己治人，兼善德行。传统美德，高科新知，感润化育，教范之则；勤学苦读，力致钻研，勤问于师，谦问于人，成才之魂。

斯之静美，岂可言语概之。

若乃俯而视之，则见跑道周环，红翠表里。晨练，你前我后，你追我赶；体育课，学子身影矫健；课间操，跑操队形，整齐划一，纵横一线。

壮硕之躯，云集于斯。

若乃环视校园，则周驰环抱，青山环绕，山花艳艳；林木翠秀，笼聚贤材，桃李盎然。群楼竞耸，名花锦簇，蜂舞蝶欢；芳草佳木，竹林幽幽，柔风潺潺。杏林教坛之堂，森列而相辅，并列其间；廊井回环，风格别具，井间花灿。食堂公寓，纵列山间；师之宿舍，矗立井然。诗曰："校园漫步醉朦胧，玉宇琼楼丽瓮中。"

窗明几净之室，林荫通幽之曲，不绝于耳，有古诗新章；或浅吟低诵，或顿挫抑扬；或耳赤辩雄，或冥思妙想；或顿坐静悟；或英语声昂。其雄也，学子之理想。万千精英，云集学府，含章犹芳。百年老校展新枝，姹紫嫣红春满堂。

睹群楼竞耸，丽园巍巍，于是忆往虑今，溯源肇初。瓮中回首路迢迢，有志先贤力灌浇。其始也，道光癸巳，瓮安县令，王公存成，带头募捐，建玉华书院于城南袁家湾。于是瓮安有了"庠序之教"。联曰："玉石藏山，须得琢磨成器；华光射斗，始知学问本谪仙。"[②]继而，玉华书院毁于咸丰末年。光绪戊戌，书院复兴，易名"花竹书院。"联曰："竹篱四时而挺秀，花朵五色已成云"[③]"花竹玉华传薪火，学子才人满神州"。[④]其后，民国癸亥，花竹书院改为高等小学堂，而后经历了县立中学、四县联中、省立六中、贵州省瓮安中学。借国运昌盛之大气，沐改革强劲之东风，凭科学办学之理念，集历代师生之心智，一流质量，远近认同。一路高歌，日渐辉煌。办学评审，一战而成功。瓮中升为贵州省省级示范高中。群贤万聚而校盛，师生龙腾而虎跃。低进高出才辈现，黔南榜首慰先贤。历尽沧桑成示范，蓝天碧水展笑颜。历年高考，连战告捷。办学理念，科学先进；教育教学成绩，稳步提升。瓮中之名于省内外炳嫣而兴。于是学子欣往，青衿咸来；桃李之花，繁茂灿然。

歌曰："播南胜地，物阜民康。嵯峨花竹钟灵秀，晶莹飞练焕文章。莘莘学子，弦歌一堂。巍巍学府，名扬四方。济济英才出四方，忠勤孝勇，校训皇皇。但愿同学齐努力，发扬校誉增国光。"⑤

诗曰："变迁发展满园春，二百风光仗北辰。今日辉煌诚起点，竿头百尺展经纶。"

厚哉，瓮中深厚的教育文化底蕴；重哉，瓮中科学的先进办学理念。

注：①贵州省瓮安中学简称。

②1832 年，瓮安邑令王存成为玉华书院大门所撰楹联。

③1898 年，瓮安知县王敩成为花竹书院礼堂所撰楹联。

④退休教师张世忠为瓮中校园内"知华亭"所撰楹联。

⑤省立六中校歌歌词。

参考文献：瓮安中学《教书育人（校庆专刊）》。2012 年 11 月

（顾大忠，贵州省瓮安中学语文高级教师，瓮安中学辞赋创作基地指导教师）

○ 宋浒

草塘赋

牂牁旧治，建安古邑，连岗叠翠，清泉绿醉；瀑挂素练，霞飞银盏；玉峰吐华，月池舒光；都凹山舞阳河源，曲水溢清；后岩观洞蟠龙迹，壁峭金城。

《黔史》有载，《述闻》所详：古塘数里，弥望平芜，萑蒲菱藕，水草丰茂。黄甲紫鳞，嬉游繁藻；青凫白雁，浮沉绿水。

三山九座庙，无水一洞桥。十二塘星罗棋布，上千年诗文弦诵：龙马为名，神驹天纵；马踏露泉，秧鸡佑宋；洪波龙现，水浪排空；茶树荫塘，叶家名重；奢香普安，灌溉惠农；赎珠有声，安边建功；阿金贞烈，天心传颂；金竹开花，何二势穷；珍珠玉溅，水上花浓；莲花初绽，佛陀铭碑；遗韵建安，地杰人雄。

遥望且兰狼烟，庄硚浮船，王封滇国；且看夜郎烽火，唐蒙出使，帝力黔疆。问赋相如，盛览归乡讲学，文教始兴；贬官县丞，牛腾初设禅院，教化方开。

军屯林立，披荆戍守；长官安抚，斩棘镇边。宋阿重大义灭亲，擒献隆济，同知偏域；宋阳举仗剑归诚，御赐名钦，宣慰水东。

奢香受辱，群雄怒集，云暗天色；赎珠走马，千里陛见，止戈无形。巾帼双杰，何异须眉。自此驿道流星，军屯林立，关梁雄峙，邮传太平。交融汉唐文明，接纳巴渝风情，商贾频来，茶马常往，布织锦绣，戏唱历史，不愧名镇。

万历大征，播州划地，五司改流，隶郡平越，瓮安建县。郭子章凌风仙桥，题壁摩崖，

引领风骚。张别山寓居松坪，钱大错逃禅后衙，尊孔孟之声教，重诗书之雅歌，乃有傅玉书曲谱《鸳鸯》，犹法贤弦诵旗山。人文蔚起，荟萃一方。

黄隆有幸，通志竟有名录；韦保无辜，偏崖镌刻姓氏。蓝二王起事干溪，何德胜围城贵阳，胡林翼挥戈乾平堡，沈鸿富定名平定营，又使回禄祝融，肆虐焦土。

唯伟大转折，会议猴场，润之激昂，恩来从容，上接黎平，下达遵义，乌江渡夺险天堑，桐梓坡创立农会，而红旗铺满战地，黄花怒绽芬芳。陈靖随军，课本收录文墨；定仪从戎，史册记载篇章。

俱往矣！看今日市容，游客往来如织，居民雍乐虞唐。鳞次栉比，画栋雕梁，楼宇接天，龙狮同唱。

（宋浒，瓮安中学校友，瓮安中学辞赋创作基地指导教师）

○ 陈龙

桂花赋

惟天地之灵树，嘉自然之奇观。流芳华于四野，携清韵乎满天。显灵慧之品质，映高贵之玉斑。干直挺拔，铮铮而似铁骨；叶繁殷郁，葱葱而如茂伞。俯仰不因风诱，沉浮不为云翻。脱俗超凡，绝妖艳之媚媚；清新贤淑，葆翠色而翩翩。金辉灿灿，沐日月而异彩；碧绿叠叠，润风雨而焕颜。葱茏而染黄点，华贵而溢芳馨。明澈飘逸，若嫦娥之柔舞；静谧素雅，若文君之抚琴。举桂酒而邀月，寻花子而醉影。频添妙笔诗画，尽惹骚人赋吟。谁言秋声之惆怅？有桂堪折而欢欣。

（陈龙，瓮安赋学会副会长，瓮安中学辞赋创作基地指导教师）

○ 刘兴旭

瓮水赋

黔山绵延，瓮水兴焉。都凹源分楚蜀，花竹笼吐天泉，扼乌江画开百里，揽仙桥霞飘飞练。承载牂牁千古事，流淌古邑万年风，浩浩乎生生不息，滔滔兮流光滟滟。

瓮水上善，万物不争。功垂古邑，孕育黔人两诗宗；福满播南，黔山进士耀星辰。沃野千里，梭椤贡米进皇城；绿染九州，青山香茗似佳人。涓涓兮汇成千秋之文盛，盈盈兮长歌万世之太平。

瓮者，实则盛物之大器，容四海兮纳百川；水者，乃为生命之本源，育众生兮苏万物；瓮水者，能容可生，二者兼怀，以瓮载道，以水寄情。溯追之，史迹若星空般灿烂，故事若乌江也不绝。名肇于唐，初为瓮水寨，后曰瓮水长官司，古为县府，今乃镇辖，历经皇朝五代，饱览千载沧桑。

时在壬辰，和美瓮安，并镇撤乡，二分雍阳，置街道办事处，北以河滨、文峰 、城北、仙桥、云星仍曰雍阳，南以金龙、鼓楼、广场、花竹、中心、新庄、花桥、茅坡新置瓮水，遂有瓮水名镇矣！

瓮水名镇，得苍天之恩宠，受造化之神功，集山川之灵气，汇人文之大成。得天时，占地利，政通人和；逢盛世，谋发展，百业正兴。交通与物流比翼，经济和社会相谐；生态与民生同上，教育和科技先行。旗山宝地，二中为杏林添春色；花竹山麓，五中施庠序化邑人。麒龙广场，依山傍水尽享天然氧吧；锦美琼楼，秉大手笔只为上最高层。煌煌兮增辉古邑，鼎鼎兮蒸蒸日盛。

瓮水名镇，冬无严寒，夏无酷暑，天净山明，气清云开。九峰叠翠千畴绿，满目碧黛心自在；一池莲香惹人醉，万亩云腴引客来。五谷丰而养生，美食绿而无害。贵州一怪，泡椒乃菜；松花皮蛋，令人青睐；黄粑不分年节，凉粉四季人爱。因记乡愁而馈赠亲朋，身处异国而乡音不改。

嗟夫！水滴石穿贵恒，民安业乐归政；雍江覆舟乃逆，瓮水载舟以顺。今日瓮水，党政乐山之厚，人民喜水之清，不沾一滴为私润，敢向九霄借月明。高举"守底线、走新路、奔小康"之大旗，坚持"红色瓮安，生态瓮水"之理念，以万亩生态茶园、清涟湖湿地公园、绿色食品园、建材汽贸园为龙头，问渠黔山有几许？为有瓮水踏歌来。

赞曰：南筑营定锁烟雨，北接雍阳和谐生；
雍江车水流富韵，文峰清气满乾坤；
三丰穿洞说不尽，子章崖书传美名；
少农故居人文盛，瓮水长歌岁月新。

（刘兴旭，瓮安中学教师，瓮安中学辞赋创作基地指导教师）

● 诗 词

○ 犹法贤

犹法贤，字心鲁，一字酉樵，贵州瓮安人。乾隆二十七年（1762 年）副榜，考取八旗教习，出为镇远教谕，瓮安旗山书院、玉华书院讲席等职。酉樵与傅竹庄友善，以诗古文相砥砺。有《黔史》四卷。

江 上

对面山青青，潭影空相照。闲鸥上下飞，物理有微妙。未尝得一鱼，终日持竿钓。问君何所乐，不言但自笑。

武昌送乡人

果是归期促，其如逆水风。片云孤棹远，落日大江空。短榻竟难卧，湘灵不可通。频将黄鹤句，洒涕到园菘。

山居即事

僻地春风满，山居事事幽。林花随岸转，渔火射江流。就石安棋局，摊书上竹楼。向来飞动意，不觉气横秋。

岳阳楼秋望

湖山自雄放，风露落高枝。水涧苍龙窟，天空列宿垂。巴陵一夜酒，万古不须悲。帝子灵何在，萧条几处碑。

道明公

一经殿试近天颜，大宋巍科首发端。学富五车新甲第，侯封万户旧衣冠。黔南自此开文运，播北从今化野蛮。赐姓为犹成贵族，岂惟瓮水世封官。

○ 傅玉书

傅玉书，字素余，号竹庄，清代贵州瓮安草塘下司人，贵州著名诗人。傅玉书创造了贵州文化史上四个第一：辑贵州第一套诗歌集，撰贵州第一个剧作，写贵州第一部私家方志，为贵州第一个诗文兼擅者。在他的影响下，瓮安人文蔚起，人才辈出，成为黔中腹地的一丛奇葩。

与西樵法贤论文五首

予懒放性成，即题咏亦乘兴间作，况帖括又衰所不喜。而西樵特勤对于此道，然亦谓时文不足为也。所寓相距不数里辄十余日不一见，偶作五篇寄之，非以为诗，聊当对床一话云尔。

文虽道之余，实以载夫道。况乃秉遗经，浮说安敢到。皇皇文恪公，宅中辟堂奥。气象远牢笼，严重追训诰。继起得荆川，变化从心造。古味良独得，经心更倾倒。鹤滩于守溪，规矩固允蹈。方山视昆湖，风力更排奡。卓尔鹿门子，生面又开导。气服史汉逸，光润典籍膏。吾家锦泉翁，坚栗持风操。最后数敬庵，淘洗致精凿。大都正始音，百年未凋耗。阿谁倡浮伪，此道荒除埽。畴能振韶钧，一奏洗蝉噪。

昔在嘉靖末，斯文患中窳。昆山有化人，伟然启天户。披发下大荒，真气逼太古。不控骑神龙，鳞甲生风雨。乃令东海波，浩浩流肺腑。德清起同时，代作宗盟主。百觚鼎独扛，铁壁森如堵。譬犹汾阳军，临淮变旗鼓。部署固加严，指挥亦稍苦。又如汉中兴，精密称建武。若论廓达姿，要当逊高祖。二公盖代才，所争仅铢缕。眇眇未小子，蜉蝣敢撼树。但为知者言，圣域较尧禹。九京其可作，此语良不在。

日中与月盈，盛衰理云谛。同时得归胡，极盛自难继。伊谁持其终，邓黄功克媲。联翩掇巍科，风流冠一世。定宇操雅音，德骥无奔踶。葵阳才不羁，霜隼下秋晏。才力老益神，末路共精诣。高邑峻风骨，玉茗出天慧。各当成一家，松柏与兰蕙。此后尚圆机，大雅渐凋敝。石蒉及孟旋，庶云掇其泥。每于芜秽中，杰然发清丽。风轨殊不苟，起衰则未逮。咄哉甘言疾，此习久根蒂。安得起六一，红勒满墨艺。

曩与子言诗，共推陶靖节。水流花开时，山空春光悦。往论茅与归，此妙未尽说。董邹亦近之，风力似稍劣。末季得徐罗，直与王韦颉。独领静者趣，心品遂双绝。大士大白豪，纵横倏变灭。余事溯退之，蕴生得雄烈。章如嘉州参，艾如道州结。非必矜名论，铢两细差别。拟诸其形容，近似要等埒。杜陵老诗人，天谴长鲸掣。气象远函盖，单微溱孤孑。天风吹海涛，寒月照积雪。此语谁近之，嘉鱼洵人杰。

礼乐兴百年，文章气蒸煽。要当开创初，廓清象先见。次侯浑雄人，山谷龙虎变。稚川力横绝，长风掣奔电。气俱跨一切，群流仰冠弁。京江庙堂器，冠裳镇清晏。长洲鱼稚姿，风流亦自擅。迈古得安溪，汉魏不足羡。典重高鼎彝，粹精入经传。朴山嵌空虚，晓楼深奥衍。三储东洛才，二方西京彦。百川溯龙门，高健不可先。望溪茂且醇，贾董竟合撰。王氏几先生，墙东善之善。高深不动色，平淡乃极绚。

春日读书山中四首

柴门对春山，茂树青绕屋。既奉高堂欢，复课稚子渎。山妻具黎羹，谓我晨炊熟。更须尽一篇，不为晚当肉。

入春不数日，山中花半开。春风吹晴光，葱葱远山来。偶读列仙传，寄兴良优哉。悟此自然乐，何必希蓬莱。

春朝雨初晴，山泉流活活。树间望平畴，处处醅新泼。清溪增微波，绿坡净如抹。恍然识图书，生理无所阏。

林间有时鸟，交交鸣好音。而我深山居，故人亦相寻。读我箧中书，听我床上琴。此外无一言，子良知我心。

○ 赵本敖

赵本敖（生卒年月不祥），号禹门，清代瓮安人，道光丁酉科（1837年）举人。其兄赵本骎为嘉庆己卯科（1819年）举人，赵本敷为道光乙未恩科（1835年）举人。赵氏三兄弟均为一代宗师犹法贤的弟子。对赵氏三兄弟，瓮安有“一门三举人，一门三知县，一门三诗人”的称誉。赵本敖的诗，“截体时出新意，五律遒练，七律精心，结撰字字苍坚，知寝馈于唐宋诸家深矣。”“足以与吾乡先哲宋瑞吾先生之《吟我集》先后辉映，同为不朽者”。

山居漫兴（四首）

其 一

俗简风留古，熙熙景物清。群俦无暇侣，万里少长征。水或防人盗（此田水道经过彼岸，常恐被彼漏泄），山时以姓名（人居山下，即以姓名山）。

夏耕金鼓动，忙里寓闲情。（除草数十人为耦，用两人鸣金击鼓，歌唱纾劳）。

其 二

一饭须佳节（非节不敢吃米饭），百为趁岁时（凡有兴作诗必待冬时，恐妨农也）。山深陵号老（人迹罕到之地，名为老菁陵），村曲路名之（路多曲折，名曰之字路）。笑市不生草（见城市无草，笑为异事），祈神可代医。老翁多暇日，却被牛羊羁（农忙时牧童供，奔走老翁代之）。

其 三

三十糟糠妇，亦知时势妆。裁衣贪袖大，课佛恨蚕忙。稻割鸡啄放，麦登饼饵香。每逢婚嫁宴，蓄酿胜琼浆。

其 四

岸柳轻飞絮，园桃乱着花。临轩山肃客，觅树鸟还家。富有盈仓庆，贫无卒岁嗟。观乡王道易，翻恨设官衙。

苦 雨

朝雨未休暮雨过，新愁那奈旧愁何。直将雨境比愁境，愁境恰如雨境多。

早 起

早起学为父，驱儿读四书。一家推我老，万事对人疏。扰扰风尘幻，孳孳舜跖初。群生各有托，岂敢废居诸。

游石氏山庄

白日连空动，春山傍客游。鸡鸣村际午，麦割陇头秋。得句能消暑，无才不惹忧。柴门鸦数点，归路绕溪流。

闻 蝉

苦忆花明莺语后，斋头剩有独蝉吟。一生清洁留天地，满目炎凉任古今。
耻乞春风嘘雅奏，幽益秋日伴疏碪（zhēn）。困人长夏若非汝，烈烈谁回酷暑心。

游朵园王氏山庄

扰扰浮生牵世事，竟于此地往来稀。多年阔别惊初见，满院欢呼叹久违。
野鹭江凫时款款，山桃岸柳共依依。殷勤更有西邻叟，拦道遮留未忍归。

喜 雨

老农徒作咨嗟态，恼煞恩光竟久藏。天意岂能无恻忍，人心本自有炎凉。
千村忧释忘餐苦，百忙欢如得句狂。耕耨从兹万事足，浮生饮啄不须忙。

感 怀

捧檄承恩愿已违，脱然天地任高飞。何期更是三春鸟，巢有群雏望母归。
（古诗云：劝君莫打三春鸟，子在巢中望母归。）

五 十

人生学业少如春耕，壮如夏耕，中年学成如秋收，晚年盖棺如冬藏。孔子四十、五十而无闻焉，斯亦不足畏也。已慨然赋此自励。

郊原闲看陇头耕，春种夏耘悟我程。少壮果能勤作苦，人生五十是秋成。

咏 梅

落寞阳和三月辰，却从物后见天真。高标岁月休云暮，独立乾坤自有春。清瘦曾为松竹友，幽香未许蝶蜂亲。趋炎久已无佳士，差幸林间有美人。

秋 夜

独立倚秋夜，悠然客思深。云垂千树锦，月挂万家砧。短褐甘生世，长宵足苦吟。何当招酒伴，更醉菊花荫。

感 怀

别我八旬母，苦贪杏一枝。倚门肠断处，游子知不知。

汤阴谒岳忠武祠

天伦汩没久忘亲，百战何须报国身。乃父既伤无肖子，厥躬安得有忠臣。十年功积千秋恨，三字狱成万古仁。俎豆故国瞻拜处，翻使来人恨更新。

过洞庭湖

远瞻一杯水，到来万象空。人烟沙鸟外，天地镜花中。境险收心静，身危得句工。停桡黄鹤下，舟子贺神功。

学 书

四十始学书，结束仍潦草。群儿怯我尊，为隐糊称好。忆昔诸父存，苦贪剥梨枣。失学从我懒，日惹比邻恼。又维诸兄时，赋诗各写抱。呼捉至窗前，朦胧欲睡倒。父兄去何速，群儿来何早。悠悠瞬息间，岁月流我老。

生 日

朋辈欢高会，儿童拜老亲。如何生我日，不见生我人。

红 梅

烂漫夺丹枫，繁开不厌红。一生豪华景，独向霜雪中。

蜀 道

人怯蜀山险，我矜我足长。山高终有极，我足进无疆。

出都赴海澄任

去家日以远，去路日以新。劳劳天地间，何人是闲生？韶年走贵阳，行装资爷娘。所行必有方，况复是故乡。继此来燕京，苦贪一第名。计程十万里，七试无一成。无成何足嗔，绰然有余情。维时北堂上，尚有倚门人。此行复之闽，一官分浊清。贪吏荣妻子，循吏福民生。贪吏何敢为，循吏岂易臻。贪循两无着，胡为劳其身。

广 厦

天地即广厦，万间何须捐。此来彼复往，各住数十年。

赞 菊

大器从来重晚成，秋深始出傲霜名。最怜开放能弥月，不似群芳朝暮荣。

老 树

老树多黄叶，萧然秋已深。干霄无积翠，绕屋有余阴。时序殊非昔，星霜直今至。疾风不吹动，怜汝久空心。

咏 菊

西风飒飒众芳愁，陶令篱边景自幽。傲色直从霜里艳，人间何事独悲秋。

晓 月

（时防堵巡夜常天明，即境自慰。）
山头半吐四更交，渡海行天路正遥。不与繁星同夜尽，长留清影挂晴霄。

咏白梅赠王子符同年

其 一

淡泊一生此志明，雪光相映见孤春。千红万紫归何处，皎皎乾坤景自清。

其 二

迟暮才邀冷眼看，皓然群奉百花冠。羞将春意枝头闹，留得清光到岁寒。

其 三

月下丰神雪里胎，横斜疑是玉人来。群芳亦有谁清质，却向春风暖处开。

其 四

冰霜满眼一相逢，白贲犹多太古风。淡处须知为绚地，清辉遥应百花红。

○ 王敩成

王敩成（？—1901），字少之，原籍广西藤县。清光绪进士，以翰林院庶吉士选任县知事，光绪二十年（1894）任瓮安县知县，二十六年（1900）死于任上。瓮安花竹书院是他一手兴建。

中秋感怀

其 一

三年两度草塘秋（甲午秋奉调入闱），明月今宵又满楼。风景频惊梧叶落，天香遥挹桂花浮。一官政拙匏同系，四野歌清稻下收。宰割便持仙斧去，广寒万户倩谁修。

其 二

曾记霓裳咏众仙，墨花浓比露华鲜。大罗天上夸同日，小队风流乐少年。旧梦已随秋渐冷，故人难得月常圆。长安万里清辉满，来照乌江瓮水边。

铭功刻石

山何以名？显以神明；神何以灵？感以至诚。岩岩之古，赫赫廞声；兴云致雨，福我苍生。

（按：此摩崖石刻是为纪念求雨成功，王敩成在大丰洞（映山红景区）洞口题写的一首诗）

○ 柴屏山

柴屏山，瓮安平定营人，清末廪生。

高真观

杖藜曲折上青菘，四面烟村一望中。万木无声疑待雨，长风有韵半因风。山含落日鸟斜渡，楼势平霄蟾窟通。俯仰回环多自深，置身浑在广寒宫。

○ 柴克猷

柴克猷，瓮安平定营人，清末拔贡。

高真观

平田突兀起高峰，丰林翠树景不同。人上石门通幽寺，桥横木末落彩虹。楼阁缥渺云影里，钟声悠扬市井中。闻讯何年遭浩劫，残碑断碣处处同。

（按：清同治七年，黄号军首领赵款与清军提督沈鸿富激战于此，兵败，怒焚高真观而去）

○ 商肇文

商肇文，瓮安人，清末光绪拔贡。

高真观

此地果谁是谪仙，敢将笔倒画长天。墨翻碧海千层浪，纸揭流霞五色笺。横劈鹏程书斗宿，针探鸿路起云烟。文章写到光盼处，是否人间第一篇。

○ 钟国珍

钟国珍，瓮安人，清末恩贡。此诗题于光绪年间，镌刻于瓮安平定营高真观井边石壁上。

高真观井边石壁诗

万木萧萧下，乾坤一片秋。江山徒忆旧，裘屦此来游。石鼓凌空立，琼浆万古流。岩泉钟正气，相对思悠悠。

○ 佚名

佚名，不知何许人，民国《瓮安县志·水道》录此诗，刻于瓮安县平艾（原属瓮里，今珠藏镇境内）清廉井上，此井四时不涸，澄之愈清。

清廉井

一勺清如此，吾人藉养廉，好因云洒润，到处饮苍黔。

○ 朱勋

朱勋（1861—1912），字琴轩，号一清，瓮安县梭罗堡人。清光绪十一年（1885 年）乙酉科拔员，十五年（1889 年）乙丑恩科举人。曾任曲靖府南宁知县，云南景东直隶同知，民国初年任贵州省民政司司长。辞官归里后，总纂民国《瓮安县志》。

邬大嫂歌

邬大嫂，不惜死，誓报夫仇雪国耻。呜呼！匹马陷阵兮猛无前，壮士见之汗如雨。
邬大嫂，性何烈，急报夫仇探虎穴。呜呼！白衣相送兮祝生还，江山冷静鬼神泣。
望玉华兮悲以凄，临时奋斗兮无人随。呜呼！天不助顺兮忠义尽，失我大嫂兮将安归?

○ 王邵溪

王晋（1887—1949），又名大洺，字邵溪，瓮安县永和岚关大路边人，清末廪生。

甲辰（1904 年）年，王邵溪岁试平越，经姜维翰维藩两先生介绍加入中国国民革命党。民国六年（1917 年）窃母银百两赴天津，应姜先生维翰函召刺袁之役，后从第十军转战湘、鄂、宁、鲁。1932 年，以一等咨议供职本省政府。

1941 年，王邵溪出版诗文集《潜室诗文钞》。另还著有《蓼皋酬唱》《大坡吟草》《新新草庐杂俎》等诗文集。其诗“琴韵铿锵，词旨新颖，比于晚唐人为近。”其诗歌创作贯穿于整个民国时期。

游双岑山

凌云古寺翠微中，似隔桃源无路通。百鸟间栖林树里，双岑拱秀菊花丛。金钟几动禅心老，玉笛横吹壮志雄。欲问蓬莱何处是，须从河上访仙翁。

（按：此诗写于乙巳年（1905年），作者时年18岁）

秋 晴

云帘一卷霁光开，坐对青峰仰古槐。柏松临秋横老气，竹枝高唱喜诗才。忧时欲上贾生策，得志先登汉将台。此后行臧孰主宰，何须去问君平来。

（按：此诗写于丙午年（1906年），作者时年19岁）

寄怀锡之从兄

独坐南窗酒数升，思君一醉欲昏腾。云程迢递飞秋隼，海势苍茫运大鹏。得志须为天下雨，论诗不让社中朋。槐堂近日评唐宋，我亦争称杜少陵。

（按：王诗亦学杜）

与朱一清表兄游花竹山并次原韵

合似蓬莱海外峰，万山环绕翠华浓。飞舄直到大千界，携手同登最上重。古寺伴随丹桂老，残碑早倩白云封。此间毕竟称灵刹，道士曾来访旧踪。

拾级人来乐未央。万千气象尽包荒。岩中古井承甘露，天外“仙桥”挂夕阳。庾信登高犹有赋，冯唐易老只为郎。何年得遂风云志，四百峰头一一详。

山山半落青天外，玉宇琼楼面面开。横槊赋诗人已往，高歌拔剑鸟飞来。千秋事绩留余火，旷代文章列上台。才尽江淹惭和寡，几回林下自低回。

（按：此诗写于乙卯年（1927年），作者时年40岁）

送惠霑宗侄之蜀

班生此别竟如何，戎马奔驰夜枕戈。几度欲寻坊外去，何堪儿女太情长。

——作者按：时在癸亥（1923年），家遭匪焚，莫知所往。

潜室感作

归来重拟旧山庄，竹菊兰梅幸未荒。最喜绿槐高且盛，枝枝挺秀出围墙。

杂 咏

独倚南窗一卷开，聊评元旦费心裁。诗人小李今何在，不得仙才重鬼才。

一代儒宗传“播雅”，国中无二有颜回。“巢经巢集”遗文在，如此先生景仰哉。

退之文字本天才，唐代迄今岂妄哉。无奈自转争道统。腐儒习气未除开。

——作者按：时在乙亥（1935）正月初四，无事与树锋检阅古今人诗文集、西厢记及余所著虫吟甫稿成八绝云。

（按：这里选其三首。作者时年48岁）

示伯元

才叙天伦父子情，又乘风浪上江轮。临行何故依依泪，各自服官莫怨贫。

——作者按：余由汉赴宁，伯儿送至江岸，依依含泪。余叱之曰“何故乃尔?”，竟解览而行，赋此以示。

（按：此诗写于1935年，作者流离失所于汉口，作者与王伯才都可能没想到，这一别便成了永诀。令读者读罢不禁潸然泪下）

笕桥小住

来从筑国三千里，经过长江十八滩。今遇故人重把袂，一天风雨卸征鞍。

——作者按：笕桥距省城三十里，为全国航空总校，面积广大。平严眷属寄居其间。

思　家

去年今日与阿田，检点诗篇论古贤。回首乡关心万里，相思两地情谁怜。

——作者按：时在丙子（1936年）正月初四作于西湖丁氏山庄。

西湖纪游

雪后新晴正午天，来游婉娈笑嫣嫣。无边风景凭人贵，独傍“孤云草舍”前。

堤边小小何如人，墓老千秋不朽身。休谓红颜多命薄，忠臣名士与为邻。

西子欲从何处去，红梅几树“孤山”村。嫣然一笑拈花去，芳草王孙欲断魂。

呈平严先生

十载欣逢一粲然，膝前男女儿时添。先生福在尊翁上，忠厚相传感应篇。

本是庐山面目真，文章德行可传人。圣门毕竟称颜闵，犹有贤名在事亲。

——作者按：先生笃于人伦，事尊翁尤谨。

君诚漂母我淮阴，衣解食推又馈金。更有隆情难报处，湿桑三叠感中心。

（按：邓平严少时，“家贫苦学，曾荷邵溪之助”。王邵溪流离于杭州，受之款待。投桃报李情深也）

秋日有感

人情过去等秋风，骨瘦先知老气横。每忆江南成别恨，不堪戎马负良弓。五音端值到商宫，金气消沉弃落红。江宋六朝犹有赋，岂同寒蝉效张公。

（按：此诗写于丙子（1936年），作者时年49岁。寄居贵阳）

壬年烈士祠成感赋

烈士英名冠古今，祠堂高敞出云岑。国家正气留歌韵，山水钟灵有嗣音。一战服从班定远，万年俎豆岳汤阴。放牛归马知何月，潦倒闲飞不作霖。

（按：抗日英烈王伯才专祠，于壬午年（1942 年）落成。作者时年 55 岁）

读长吉诗歌题后

读罢诗歌口齿香，果然才调异寻常。千秋犹有先生在，神鬼皆惊独擅长。

癸未新年回溯过去口号六绝

竹马翩翩又过年，儿童门外笑声暄。阳春烟景依然是，喜见阿孙绕膝前。
革命当年第一杠①，天津冒险走淞江。何时再嚼鲈鱼味，醉倒邻家大酒缸。
秦灰荆竹旧山房，坟典索坵付大荒。考据今凭边氏腹，蓝青时代鬼文章。
老莱当思我母亲，斑衣不着已成尘。够劳惟有终身慕，血泪难干念六春②。
谁说王敦是可儿，少年血性耐人思。汪锜若到前方去，记取江南马革尸③。
吴姬酒市想非非，尔与仙娥竟不归。有福自知先去好，岁时乐得脑肠肥。④

——作者按：①指倒袁（世凯）之役；②先慈见背二十六纪；③大儿伯才抗战阵亡首都，时年二十二岁；④副室吴氏与满女前后物故。

农村乐

农家烟火互相因，昧爽围炉拾甑尘。红稗先将爹满碗，苦荞再与母平均。弟兄怡怡前程远，妯娌亲亲女教新。应视钱财如粪土，天伦若尔不忧贫。

（按：此诗写于甲申（1944 年），作者时年 57 岁）

○ 刘崇傑（教师）

临别寄语

讴歌一曲占分离，相对无言泪欲垂。砥砺切磋成往事，殷勤话剧别临歧。河梁自古招人怨，清水难淘去雁悲。寄语诸君多努力，莫云聚首在何时。

○ 谭光明（校友）

赠别一首

同学聚处已三秋，日日磋磨志未酬。漫道离襟君去也，万般心绪总悠悠。

○ 袁朝光（校友）

赠别诗一首

攻书聚首在瓮中，佳景年年共享同。别后阳光歌壹叠，浮云无定几相逢。

○ 甘晓容（校友）

赠同学

同学三载，切磋勤勤。文德日茂，情感日深。初中毕业，学历一程。从今别后，各图其程。云山万里，鸿鹄之心。极溺救亡，唯君使命。勉矣吾辈，莫负师亲。敬赠数望，籍表我诚。

○ 丁章

丁章，见《人物简介》。

长歌话旧

耄耋梦游寻故地，童稚旧事最难忘。卢沟烽火狼烟起，慈母携雏返故乡。转学来到桑梓里，书院旧址中学堂。“花竹钟灵”景色秀，“草塘翘楚”镌牌坊。学而不厌校风正，诲人不倦师道彰。勃勃雄心树大志，琅琅书声好儿郎。居校园，怀祖国，民族恨，永难忘。日寇嚣张何所惧，国难当头斗志昂。《放下鞭子》街头剧，战歌高亢“大刀向”。梓苗育成参天树，挖山垦土扩操场。曾忆当年罹匪乱，深山露宿苦难当。负笈他乡谋深造，渝州金陵学专长。我与母校缘分厚，再登讲坛酬乡邦，百年古槐见证人，培桃育李九州香，呕心沥血我尽力，红烛燃烧我发光。欣逢校庆百年寿，喜看新容与日昌，质量一流冠黔中，省级示范美名扬。愿我师生齐奋力，更上高楼写华章。

回母校

2005年三月春返校探望，情满胸怀，抚今追昔，感慨良多，七言为记。

春风染绿千山树，心情激荡回家园。校园处处展新容，人情浓浓暖心田。教育硕果丰收曲，后山美景桃花源。新朋把酒歌今日，老友促膝话当年。万千人才放飞处，百年春秋新起点。 老槐树前留影照，再翻历史又一页。

○ 张世忠

张世忠，见《人物简介》。

瓮邑文峰塔（新声韵）

巍巍一古塔，雄峻矗东山。路绕红霞上，人依碧树间。晴叠诗海浪，雨卷画屏烟。未负登临意，怡然近舜天。

赠农家学子（新声韵）

寒窗历尽苦和甜，大比鏖兵见后先。才俊风流农舍子，山登绝顶可凌天。

登泰山玉皇顶（新声韵）

雄拨万古鲁齐间，五岳独尊此岱山。漫旅苍冥何许路，玉皇顶上一方天。

长江举酒黄河颂

——为新中国六十年华诞而歌

旭日喷薄江山红，庆典六旬唱大风。改革花开九域富，和谐邦交四海同。港澳回归成一统，台海双赢庆三通。嫦娥奔月非神话，神七飞天遨苍穹。雪域高原通天路，举世翘首仰珠峰。汶川地震天无情，华夏子孙情更浓。北京奥运壮国魂，笑纳普天贵宾朋。普九教育暖万家，皇粮免税惠三农。国施善政民为本，十亿神州乐融融。九州名族五十六，祈福华诞荣祖宗。巍巍长城千秋业，长江举酒黄河颂。

老校长回老家

2005 年 4 月 9 日，老校长应哲返校看望老教师，参观校容校貌，目睹学校日新月异的变化，感慨万千，以诗为记。

暮春三月艳阳天，瓮安中学迎贵客。五十年代老校长，兴致勃勃回家园。一往情深话校史，更喜今日换新颜。后山园林万木荣，放飞桃李化三千。留言薄上写心语，笔底流淌见真言。传道授业好传统，承前启后谢新篇。两代共祝育才志，喜看五洲桃李艳。举杯祝福老校长，健康长寿情相连。

○ 周承欢

周承欢，见《人物简介》。

粉 笔

一身洁白纯净，圆满正直可钦。生为奉献育人，何惧磨灭粉身。

教 鞭

形若电器天线，传导知识无边。恰似路标箭头，指引攀登向前。

余热献尽才甘心

平生笃学勤笔耕，著书立说酬殷勤。舞文弄墨生平愿，老骥仍思千里程。离岗奋蹄更识途，退而不休笔不停。夕阳无限昭天地，余热献尽才甘心。

○ 周乐忠（曾任学校总务主任）

爱咏瓮中

愚职瓮中廿七年，感恩戴德履翩翩。今朝返顾翻覆没，锦上添花别洞天。

○ 肖开茂

旅岚关岩底

峰回恼无路，溪转忽见村。飞泉冲草埂，茂竹布岩根。曲径通幽岭，梯田斜对门。居人乐丰岁，耕作任子孙。

红梅梯田

春睹红梅寨，依山万埂田。青秧铺紫霞，野壑挽青岚。溪水绕村舍，白鹅自往还。菜花趁晴绽，金蕊浮碧天。

落　叶

流火熏陶乍得休，青颜却逝染金秋。依枝附干焉生怨，浪迹随风岂带愁。天地苍黄循律变，凤凰涅槃化曾忧。愿为碧叶扬花再，燃作乌灰入土留。

吟　笋

顶土磨尖志不颓，金蝉脱壳始高飞。敢将封闭均撕碎，不信春天唤不回。低调难于同鸟唱，高标势欲与天垂。终于能得掀岩出，挺起腰身大作为。

春　雨

雨渡春江雨色新，几番情调洒凡尘。偕同紫燕裁杨柳，尚与东风剪锦云。檐上拨弦飘夜趣，枕边敲梦笑天真。烦愁怨恨随涤去，留下童心伴绿伸。

○ 童德莹

震天洞感怀

风霆挟浪涌波峰，淫雨纷飞掩麓嵩。仰望巉崖奔眼底，俯观涛泻舞虬龙。贤达何咏惊天赋，巨匠问鼎亚洲雄。茫茫水天千帆竞，泱泱华夏独峥嵘。

大丰洞怀古

邑治清明教成廉，德政仰止已云烟。饥寒尤记施粥饭，贫病为民沥胆肝。心志殷殷兴庠院，胸襟耿耿效先贤。任中瘁卒捐埋骨，司牧百年谁比肩。

谒成都武侯祠

苍松翠柏忆托孤，殿宇宏辉芳草芾。两表鞠躬匡社稷，五原星殒神鬼哭。千秋睿智忠魂舞，一统竭诚青史书。造物高皇仍馈报，崩颓天地庙如初。

注：汶川地震殿宇丝毫无损

谒杜甫草堂感怀

柴扉舍陋栖诗圣，目睹花溪几怆凄。一曲声声期广厦，三别句句痛群黎。北思冀豫别乡土，南徙巴蜀可寄寓。何叹生前时运舛，高瞻觐谒九天齐。

咏幽兰

清香冷艳喜深山，峭壁芳馨几许寒。一叶挂云成图画，东风长与逐颜欢。何需褒奖称旎异，宁静玄英怀古贤。乘化澹贻笑五柳，两荒三径弃争妍。

○ 黎星湖

飞龙湖

巍巍大坝矗云天，锁定黔中万顷烟。七彩山光垂碧鉴，重霞倒影渡晴岚。屏抒画卷凝龙韵，峡震雪涛涌电源。且看津关兴巨港，乘风济海挂征帆。

咏火棘

不厌此山脊，凌风显劲仪。铁枝执锐舞，虬干抱石攲。四季碧依旧，三冬籽未稀。萧萧霜叶下，漫岭举红旗。

傅玉书故居

石蹊烟染绿荫凉，竹影摇帘漾墨香。数代家学万里路，五车宏著几楹房。司马神来留《桑梓》，京门笔梦写《鸳鸯》。尔后邑中多俊彦，诗坛盛世赋华章。

采茶女

新绿尖尖绽嫩柯，风滋雨润吐芳泽。云中飘下苗家女，笑挽竹篮采春歌。

○ 王绍龙（校友）

盛世情

曲径独行竹丛生，纷飞细雨喜围城。路绕峰顶悠闲去，莺藏花丛自在鸣。

咏 竹

草木已衰色更青，青青子衿我独吟。松柏纵有三分骨，偏爱雾竹一段情。

○ 王维刚（校友）

七十抒怀

2013 年癸巳 4 月 13 日，吾将步入古稀之年。杜甫诗曰：旧债寻常行处有，人生七十古来稀。然而在今天，人均寿命和期望寿命远远超过七十，所以活到七十不足为稀，但毕竟已步入古稀之年，昔日生龙活虎一小子，如今步履蹒跚白头翁。回首往事，真是思绪万千，不胜感慨，故学赋诗一首以记之。

甲申四月鼓楼生，瓮水雍阳故乡情。花竹书院习文理，贵溪河畔受业勤。玉水金盘春风暖，剑江桥成秋雨绵。悠悠岁月逝东流，飞鸿印雪七十年。一支粉笔画春秋，崇德敬业壮志酬。栉风沐雨四十载，三千弟子神州游。昌明盛世中华秀，家庭和谐亲情睦。喜看夕阳彩虹美，颐养天年安然度。

（癸巳四月初九日于都匀陋室书斋）

○ 李报德（校友）

忆母校

农家子弟尚稚童，一身补丁进瓮中。小径幽幽走学子，庭院深深昂古松。师道尊严才情扬，生品谦恭风华茂。西门河里曾击浪，后山坡上常吟诵。球场对阵齐呐喊，课堂比赛共争锋。文史哲经载梦想，数理生化觅道通。犹记严师教谆谆，传道释惑解懵懂。更忆美姝同桌坐，花季少年春心动。桌面刻痕划界线，志存高远装痴聋。箭射东风第一枝，马纵南山气如虹。文革动乱起横祸，长安梦碎心迷蒙。上山下乡一号令，历尽艰辛命不同。随波逐流任沉浮，大浪淘沙闯西东。踏遍青山人未老，又来故地赏花红。回首当日成长路，执手师严泪朦胧。唯期莘莘后来者，奋发有为志远宏。一腔热血励学子，茂林沧海期虎龙。姚黄魏紫相竞妍，镆铘太阿各争雄。俊彦怀剑走天下，不负恩师情浓浓。龙游万里常回头，根在母校血脉中。复盼大江浪千重，母校桃李结成蓬。天下英才齐施教，庠序树人建新功。他日校园重相聚，痛饮千杯醉春风。

○ 顾大忠（教师）

瓮安中学一百八十年校庆剪影（六首）

回　首

瓮中回首路迢迢，有志先贤力灌胶。历尽沧桑成示范，满园桃李乐陶陶。

新　园

新园亮丽厦巍巍，学长归来不识门。西望东张搔首叹，脑中记忆未言存。

新　篇

学谐教顺谱新篇，桃李殷丰丽老园。低进高出才辈见，黔南榜首慰先贤。

宾客行

山重水复历年艰，历代精英母校还。瓮水门前迎宾客，桃涛殿后乐声欢。

祝 福

欢歌笑语荡云间，老友新朋母校园。历代精英同祝福，瓮中阔步迈明天。

庄 典

欢声雷动重霄九，锣鼓喧天伴新球。视炮轰鸣成大典，百八校庆百年讴。

瓮中西迁（外一首）

东南西北脉相牵，瑞气祥云伴紫薇。老校西迁鹏展翅，新园桃李更芳菲。

瓮中新园

龙腾驾瑞渡河西，浩气薪传鼓满帆。瓮水门前传笑语，松涛殿后颂歌欢。

○ 蒙祖富（教师）

炎热间雨 映山红打靶

长龙车作马，晨照映山花。夏至[①]增炎意，春风变卷麻。林深难觅处，雾浅不惊鸹[②]。曩日多尘碌，今朝略豫暇[③]。群情纷振臂，士气骤喧哗。授术惟行伍，虚怀有师家[④]。杏坛[⑤]飘翰墨，校场[⑥]逞豪侠。晻晻[⑦]云蒸动，淋淋[⑧]雨降达。孰能输勇武，讵肯受浮夸？水净消燂烁[⑨]，天清蕴谽谺[⑩]。逢泉甘若醴，触面淡如茶。吐哺言[⑪]萦耳，穿杨箭在靫[⑫]。峦间悬十靶，指际执千发。飞将击石虎，巾帼洞壁崖[⑬]。弓弦飞鹗鸹[⑭]，弹矢走骝騧[⑮]。象势凝寰宇，音声遍海涯。舆回[⑯]樽俎设，日落酒旗[⑰]斜。娱戏尤须乐，人生何必嗟。相携育桃李，对饮忘年华[⑱]。盛矣鳣庭子[⑲]，流吟寄月霞。

注释：①中打靶活动日在六月二十三日，恰为今岁夏至后二日

②鸹，音 guā，即，乌鸦之俗称，此泛指栖林之鸟。

③豫暇，犹闲暇，与“尘碌”相对。

④此二句言武装部教官传技之谨及瓮中教师授业之谦。

⑤相传为孔子聚徒授业讲学之处，后泛指授徒讲学之所，此指瓮安中学。

⑥旧时操练或比武的场地，此指瓮安映山红靶场。

⑦音 yǎn，目无光而昏暗貌。

⑧雨水倾泻貌。

⑨燂烁，音 tán shuò，炽热貌。

⑩谽谺，音 hān xiā，空旷貌。

⑪吐哺，作“吐铺”，古时极高殷勤待士，此指教师育人谆谆教诲之言。

⑫古有“百步穿杨”之典；靫，音，箭袋。

⑬前句典出《史记·李将军列传》，西汉武帝时将军李广因抗击匈奴而号为“飞将军”，出猎时曾以巨石为虎，张弓发矢中之。巾帼，此指瓮中女教师。此二句言瓮中男女教师各显神通，勇武善射。

⑭鹗鸽，二鸟名，此泛指山间之鸟。

⑮骝騧，指骏马。骝，黑鬃黑尾巴的红马；騧，音 guā，黑嘴的黄马。

⑯犹回舆，指驾车返回。

⑰酒旗，即酒帘，古时酒店的标帜。此指打靶后休闲饮食之处。

⑱此二句言瓮中教师教书育人兢兢业业，教师间相互合作，交往密切。

⑲鳣庭．犹鳣堂。古叫称讲学之所为“鳣堂”，此指瓮安中学。此句赞瓮中名师荟萃，人才济济。鳣，音 zhān。

○ 殷谦（教师）

谒谭嗣同墓

江流至此转沉吟，燕赵悲歌动地阴。书剑壮游三万里，层罗冲破九千寻。苍天难挽嗟无力，颈血甘抛叹赤心。凝望从容留去处，月光如雪满胸襟。

○ 毛金艳（199 班学生）

瓮中抒怀（藏头诗）

瓮中群生桃李芳，安贫乐教百年长。中天悬剑待磨砺，学海无涯泛舟忙。勇孝忠勤校训立，往来学子顶栋梁。直向鲲鹏展高翅，前路携手共远航。读书黔地光荣史，谱就玉华锦绣章。新人辈出荣母校，歌透云霄意气杨。

○ 廖国霖（教师）

填　曲

［北新水令］韶光易逝催人老，最堪擎毕业临门，三载劳苦读，一亘离情渺，师友稠谬，惆怅着斜阳道。

［驻马聪］憧憬难描，美梦年年多半憔！谆谆教道，眼巴巴桃李夭娆。吾侪辜负总难消！对不起，良师启导，应记好：发扬力量求深造。

［折桂令］看风烟万里超超，国难当头，红浪翻潮，目断血烧。吾人今日何处逍遥？赴戎行，笑看吴刀，出校门，为国操劳。凄风萧萧，绿水滔滔，生命之花似血红，生命之光比日骄。

［离亭宴带显拍煞］频回首，花竹书院莺啼晓，雍阳文教花开早。谁敢道容易水消？想当年入学时，眼看着一个个，到而今又散了。青葱葱的槐树，也曾攀捉棲鸦鸟。三年来得失尽潦草，年年风物似旧时，门墙桃李芬芳，都付梦魂依绕！师情友谊真，别后抛难掉。发扬蹈厉光我校，填一曲哀江南，唱几声离情调。

○ 李贵权（校友）

沁园春·怀念母校

仙桥山奇，西门河秀，南书院逝、看晨雾蒙蒙。塔山隐现，朝露点点，花桥柳绿。校舍古朴，茂林修竹，庭院花香润心肺。换新天，是春风送暖，大地复苏。莘莘学子功读，为国家富强民丰足。恰同学少年，踌躇满志，厚德树人，智体美誉。师慈生进，人才辈出。汗洒崎岖建设路。逢盛世，有一介书生，畅咏心曲。

○ 张明权（校友）

欣闻母校荣膺示范高中美称有感

调寄满江红

花竹含英，瓮水畔，书生竞起。迎门外，忠勤爱勇。励志神立。桂苑芬芳歌翻浪，槐荫纵论情更激，坐春风，出墙桃李娇，恩化雨。兴校史，换新叶，红楼崛，莺飞逸。驾长舟，扬帆学海奋斗。蓝图攻关今人手，山河新绘后贤笔。揽星辰，扶摇碧云天，强振翼。

○ 肖开茂

行香子·乡愁

雁系乡愁，月酿乡愁。乡愁在，千里村头。柳枝袅袅，河水悠悠。忆那只鸡，那条狗，那匹牛。

灯光暗淡，慈母温柔。谷场上，童趣无忧。年华不返，往事长留。在梦中见，心中老，血中流。

○ 童德莹

临江仙·松

冻雨肃杀何畏，凌风尤挺风姿，寿如泰岱胜名驰，弄寒心欲笑，傲骨谱新诗。

翠碧枝枝青绿，浴风沐雨妍媸，电闪雷暴喜滋滋。风云无我奈，凌雪待君识。

○ 黎星湖

三莫子·咏猴场古镇

侯山顶上，尽览牂州。古韵在，人文悠。烟中牛令迹，村里宋钦楼。英雄地，诗骚鼎，贾商稠。

《秦娥》雅调，会址芳游。花烂漫，史风流。古贤当梦醒，盛世共觞讴。开少旷，吟我逸，竹庄遒。

● 新　诗

○ 龚炜（校友）

春晨（二首）

初　恋

我和你初次约会，
正是午夜的零点；
八〇年，我初恋的姑娘，
我心中的情潮在滚翻……

你叫人痴痴地思恋，
又叫我充满了疑团；
你那滚烫的心海里，
何处深啊何处浅？

你还会不会乱使性子，
叫人左右为难？
我们爱情的果实，
是空壳，还是粒粒饱满？

想着想着，我失声笑了：
何必这样多疑不安！
我们都不是小孩子啦，
已懂得爱护纯真的情感。
我不再是过去的糊涂虫，
你也不是1966年！

只要我倾出心血爱你，
你就不会使我悔恨、长叹。
别害怕我们会吵嘴，
那是爱情的浪花在激溅。
青春的长河奔流不息，
永远不会是死水一潭。

听秒针“嗒嗒”地响，
好像是你在轻叩我的心坎。
第一声鸡啼了，打开门窗，

我知道，你正在把我偷看，
亲爱的，我真想悄悄地告诉你：
“我们……时间定在2000年!”

晨 雾

曙色中，路灯睡眼迷离，
草坪上，浮动团团雾气；
看不清那椭圆的跑道，
只听得脚步声像鼓点一样急……

那团团雾啊，团团雾，
是年轻人呼出的腾腾热气；
那轻轻鼓点哟，轻轻鼓点，
是迎接朝霞的前奏曲……

（原发表于《山花》1980年第3期，《新华月报》文摘版1980年第6期全文转载，获贵州省1981年首届文学创作奖诗歌二等奖）

○ **刘前琨（教师）**

李清照（外二首）

由北到南
你挂着不灭的信念
丈量这般征途
怀里的《漱口词》《金石录》
被你温热的母体焐成婉约的酒
一开瓶就醉倒许多铁骨

那支双溪舴艋舟
载着憔悴的黄花
在相思这条河里
争渡争渡
西楼的月光下
江东的人杰
定会寄来爱的尺素
易安啊
你永不凋零的泪花
濡湿了一本又一本
教科书

白居易

在一座叫东坡的山上
你挥汗荷锄
从京城骑来的那匹渡马
在浔阳江边踯躅
居易
陪伴你的
只是绕宅的黄芦和苦竹
你总牵挂着
那个卖炭翁的牛车
那个琵琶女的空船
你全然不顾自己
多舛的命运
因为乐天
你能把苦涩的日子
酵成幸福

岳　飞

在汤阴
一个农妇
用质朴和简单
铸成一颗忠诚的针
一狠心
便镌刻下精忠报国
此后的风雨
再也阻挡不住你澎湃的心门
朱仙镇上
你弹指间
金兵化为烟尘
而直捣黄龙府的梦想
只留在仰天长啸
三十年精忠
八千里云雨
都在风波亭皈依佛门
从此
西湖边无穷碧的莲叶
永远映照那亘古不变的
民族魂

○ 张世德

空椅子

在院中，我坐过
太阳坐过，月亮坐过，落叶坐过
有时云影坐过，雨水坐过

它是清静的，也是孤独的，风来了
听着树叶的笑声
更多时候，它坐在自己的影子里

空椅子并不空
我不坐的时候，它的怀里
坐着天空

野　蜂

它有一片自己的江山，和城池
如何稳稳地，站在一朵花的香气之上
它一生都在练习。只要飞翔
它就有嗡嗡的欢乐。我只在内心里
有片原野，并且
需要一再辽阔下去
在我想飞时，才够我驰骋，俯视

林荫道上

爷孙俩走过来，一个慈祥和蔼
一个活泼可爱。微凉的秋
在他们的笑容里，有了绒绒的温暖。一片秋叶
悬在空中，爷孙俩走远了，才落下来

朱家山

山中多竹，天空便那么笔直
被撑得老高，只有小溪喜欢拐弯
绕来绕去，把清澈留在了后面

随时伸出手，都可以接着一掌鸟鸣
如果喜欢，就抱一抱树隙间

一柱饱满的阳光，摸一摸温暖

风都是很懒的，不带一粒尘埃
那些过路的云洒下雨滴来
也一清二白，保持内心的光芒

乌 江

上有八百里，下有八百里
站在千仞的崖岸，他想把乌江缠在身上

黑夜关上天空的门了
他把乌江摆放在比高原还辽阔的梦乡

他一侧身，抱着乌江睡着了
眼角的一滴江水，闪着远方大海的喧响

高原上的月光很香。有时他从梦中醒来
就把乌江挂在天上

致盛览

当年赴成都求学，每颗星都是望眼，你怀揣家乡的月亮
路上的烈日用来翻山越岭，风雨用来把自己洗干净

我到成都街头找你，还真有人知道你两千年前就离开
文君送了一壶酒，你回乡就请亲朋喝完了，只留下酒香

乌江送给你的浪花堆满了天空，你又送给了两岸青山
现在乘飞机坐高铁了，不知你还有多少脚印挂在山梁上

熟悉你的夕阳已经老了，不知道草塘边哪一个身影是你
读书声里有点川味的，我才敢一巴掌拍在肩上

注：盛览，牂牁人（《遵义府志》）。《汉书》司马相如入西南夷，土人盛览从学，归以授其乡人，文教始开。

致傅玉书

写完一篇文章，你就临窗拈须，不知拈断了多少根月光
院中的梨子熟了，哪些酸，哪些甜，只有风替你说出

乌江的水响了，草塘的荷花红了，风便吹动你行游的身影

走过的河流都在掌心，却没有钓起一轮山月照亮自己

有几亩肥田，有几块好土，生长庄稼，也生长文字
一部鸳鸯镜传奇，一部桑梓述闻，让窗外的天空更高更亮

不知你当年的那些布鞋扔在哪儿了，可否借来跋山涉水
只有你那根楞杖，有时还把月亮敲响

注：傅玉书，清代贵州著名的戏曲家、学者和诗人。他所著的《鸳鸯镜传奇》，开创了贵州传奇戏曲创作的先河，称为“贵州传奇之父”；他编撰的《桑梓述闻》10卷，是全国第一部私家志书。

草塘大戏楼

一方小镜，可以装下整个戏楼
但必须站得足够远，才可以装下戏楼里的声音

雨一直努力，也没能洗净戏台前的泪痕
一些脚印，跺下时用力好重，幸好没有蹬向天空

在这里，可以吹着汉代的风，听着唐代的蹄声
但请不要打搅蝴蝶，它们陪着梁山伯飞了很多年

会忘了戏里很多情节，唯有泪水的味道忘不了
当然，有笑声落在你的肩上或手中，可以不归还

江界河

江水此时沉默，奔涌的只有我们的目光
我已买下这江里的天空，送给两岸青山和飞鸟

野鸭的爱是这一江的水，它们喜欢从浪尖救下江风
岸的日子只有动荡，依然找出一条路随江前行

多么羡慕这江水，不用回头把走过的路再走一次
而我不能，我必须转身去找到我自己

终于下定决心，今生无论如何倔强一次，任性一次
像眼前这条大江，谁也拦不住，只浩浩东去

仙桥山

天空的快乐是蓝色的，把夕阳也送给了山上的花朵
只有飞鸟，喜欢把一座山的寂静搬到另一座山

已经没有天涯了，星星把所有的路都铺向了山上
这桥也是牛郎织女的，银河只好从桥洞里穿过

云雾在脚下，可以踩着去往天上，摘一朵雪花
回到人间，有阳光搭好的梯子，或者骑上一颗流星

在桥上不能站得太久，被神仙搂住也很难为情
月亮是一个吻，闪耀而且发出回响

（上述作品发表在《诗刊》、《星星》诗刊、《绿风诗刊》等刊物）

○ 周雁翔（校友）

童　心

母亲说：我是在一次涨大水的时候
捡到的。可我发现
我是从母亲的眼睛里走出来的
也许母亲的眼睛就涨过一次大水
我便在涨大水的时候分娩问世
从此常常在母亲的眼睛里，看到我的影子
如在清泉、小溪、大海里看到我一样
不然我一听见涛声，心儿就往外跳
一看见早潮晚汐，便引起许许多多
关于日月升起的联想

葫　芦

其实是两瓣爱唇吻在一起
当分开它们的时候
都一个劲地舀水喝
莫非被爱的离别烧得太焦渴

风一直在跑
风想超越自己
只有我知道它的遭遇

白杨树伫立在沿途
像一排排观众在眼前闪现
风开始怀疑
那些被抛弃于身后的事物
是否被真真切切地遗忘

风想停下来
像我一样人模狗样地生活
而细雨先一步藏入大地
标出了细碎楚楚的桃花
一群鸟穿上银白的鞋子
赶着云彩的马车
走在迁徙的途中

风一直在跑
松涛和水波起身试了试速度
日月几次想摁下秒表
然而冥冥中无法修改的程序
像飞旋的齿轮
安装在风的脚下

风两手空空
我看见它的身后
却搁着春的跑道

春天怎么就记起了一切
浓缩的冬季是一粒雪
不偏不斜撞伤了记忆

树林竟然忘记了所有叶子
草的小脑，也是一片空白
花朵干脆省略了身体
只留下芳名

不知怎么就走过了大寒小寒
立春亮出妙龄女子的身形
她一声只咳嗽一次
只为唤醒残雪下
活在昆虫里的蝴蝶

春天怎么就记起了一切
用草叶絮絮叨叨
用花朵制作了一个谜

白羽衣
雾遮住的悬念
让爱情往自己的炉灶里
添加了许多枉冤的烧料
雾散处只有层峦叠嶂
转换了一下站立的姿态

月光落入水中
一直落出深不可及
让爱情至今没弄明白
既然落下去了
为何又出现在记忆的身后

总是在夜里猝然而至的凄冷
在皮肤犹豫片刻
便找到了被爱情锁在冷宫的血肉
实在冷得不行
一场弥天遍野的大雪
穿在大地的身上

我要在镜子里写本书
线装所有的镜子，我要
在上面写下一些文字，就像
往上面铺开一层薄如虚无的微笑

我要让这些文字不是诗歌，只是
一些正面和反面的声音，全由
每个人的脸打开书页，让背影又把它覆盖

这些文字自由地游出手的巢穴
它享有鱼的进化，却从鸟的路径抵达
它把水像皮肤一样穿在身上，让她深不可及

我能给出的并非镜子的本意，而我
已写出结尾，虽说不能确认
文字和书，像我不能确认种子和鲜花

树 语

你确定，我把脊梁给你
你也不做我的婴孩，或者梦影
但你得感谢我和你在一起
在一起支起阳光的帐篷，储存
你的翠绿，我的熟睡
你只需对我说：这个人我曾经痛恨！
我就和你一起微笑，像两座微型影剧院
同时上映同一主题

你确定，你抓住我，像抓住
快乐和风像枝条抓住风霜雨雪
我只想明白你伫立的黄昏，云霓未动
却在歌唱中获得了自由
你掩藏泥土的赤脚，是否为我的夜晚
丢掉了跑鞋。你确定
你的痛恨像温度计里的水银，还是
像我已逼近你的娇吻的蚂蚁

你确定？我带着枯叶的车轮，轰隆驶出季节
那些留在春绿里的羽毛不会回头，不会
让你异常孤独，你还坚持对我说：这个人我曾经痛恨！
你确定，我如果背叛你，朝着
相反的方向，离得有多远
就能把你看得有多清楚，直到我的脊梁
像一根遥远的拐杖
迫使你走到，才能
从中证实一些纯粹的花朵

与你约会

我要以蜗牛的名义，与你约会
背着世俗重重的壳，让时间慢下来
慢到说出爱，吻能遮风挡雨

我要把花朵作手机，拨通你
春天的林荫道，雨水的马蹄滴答
你能听清我的来世，是最好的效果

至于约会的亭台湖堤，我想到过纯银的月亮
你来自西厢或者红楼，一身古装透着悲凉和遥远
你留在竹简上的脚印，一卷象形文字的信
道出了爱的真谛：走到对方找回自己

未眠的窗

黑夜撒一把细碎的蛾子
挡住我洞开的一窗灯光
照不见藏在山里的小村
又如何叩请慈母手中的丝线

也许我的一生都需要缝补
过去是身上的衣衫
现在是亲情的漏洞

许久没回过老家
梦里总睁开思念
窗口像一块补丁
为何如此地扎眼

偏　方

对着春天
诗只能搁在心里
写出来它就变成了花朵

对着聋者
诗只能写在纸上
读出来它就变成了声音

对着大海
诗只能永远铭记
一旦遗忘它就变成了灯塔

对着寂寞
诗只能露出忧伤
如果微笑它就变成了一炉旺火

（上述作品发表于《山花》《挑战者》《星星诗刊》等刊物）

○ 李俊（校友）

庠序芳华

——献给瓮安中学180华诞

在黔中腹地
在乌江流域
瓮水河畔　雍阳坝上
这一方水土滋养了这一方人
这一方水土孕育出了这一处人文精华

玉华肇基　花竹毓秀
雍阳沃土　瓮水泽芳
百年庠序　八秩中学
180年岁月如歌
长歌豪迈　生生不息
180年风雨沧桑
沧桑砥砺　光彩风华

180年前
这里开始传承圣贤的声音
一年之计　莫如树谷
十年之计　莫如树木
百年之计　莫如树人
这个厚重的声音
从玉华山传到花竹山
从花竹山传到瓮水河
再传遍这一方水土的每一个角落
筚路蓝缕　艰难坎坷
凄风苦雨　灿烂辉煌
都在这个声音里激荡　沉浮

一会儿是龙庭倒塌　科举废除 癸卯肇兴
一会儿是北伐风暴　兄弟阋墙
一会儿是抗战风云　教育救国
一会儿是红色革命　大风起兮
一会儿是大步跃进　共产之风
一会儿是停课闹革命 学潮风涌
直到吹来了改革开放的　暖人春风
直到立足本土 胸怀祖国 放眼全球
直到面向世界

面向未来
面向现代化

省级示范性高中
全省普通教育教学质量奖
黔南州高考龙头学校
省级文化建设先进学校
全国教育科研先进单位
全国艺术教育特色单位
中国师德建设示范单位
一串串闪光的名字
犹如一颗颗璀璨的明星
闪耀在黔中大地
闪耀在中国南方
一项项光荣的称呼
恰似一个个坚实的脚印
记录了昨天的历程
也昭示着未来的新路

一年年春风化雨
一年年春华秋实
从这里走出去的人
或科甲竞秀　光耀门庭
或为民请命　以身殉国
或英才厚德　书生报效
或默默耕耘　泽润乡梓
或云淡风轻　平凡一生
从这里走出去的人
不管身居何位
无论身处何方
都是这片桃李园中的
繁花一枝　绿叶一片
都可以自豪地说
我来过　我看过
我在这里成长过

天增岁月　万物增寿
在历史的长河中
180 年弹指一挥间
在未来的岁月里

百年名校　薪火相传
弦歌不辍　文脉永昌
在瓮中的门楣上
镌刻着精神的标识
忠 勤 孝 勇
在瓮中的旗帜上
飘扬着芬芳的誓言
是人民所建
为人民所用
让人民满意

第二节　散　文

玉华书院记

王存成

盖闻奏循良之绩者，必重教化以维风。尽师儒之责者，必勤训迪以善俗。故阳明建龙冈于敷勇；尔瞻设南皋于都云。席书捷举，以延师为首务；冠南出首，以兴学为先图。斯皆化起边陲，功昭前代，黔之文教有自来矣。以余所历，贵定则有兰皋，婺川则有古务，其他邑则莫不设书院，而瓮安则阙如焉，僻陋无志乘可考。文昌阁碑记，仅存旗山书院之名，其兴废基址，胥无徒稽也。壬辰岁杪，予承乏兹土，见其风俗之醇，士无故不登公堂，妇女白昼不游城市，各乡弦诵之声不辍。载询其人文之盛，则自明辛酉科朱应徵叶应甲始领乡荐，至我朝掇科登仕者，代不乏人。及观风试士，其文辞多斐然成章，使加以讲习观摩，皆彬彬有造，民风其亦日底于醇乎。癸巳仲春上丁日，绅士咸集，予语以书院之不可不设，诸人慨然曰："使君诚有意于斯乎，我同侪之歉怀蓄志固已久矣。"余先倡捐百金，一时慨捐署名者，计银将及二千，其未至者复集县署，先后得银三千金，谓盛事之成可立而待也。爰始相地，得于城南先农坛前大路之左。有土一区，营度稍狭，券邻地以益之，广袤各二十余丈，地势平敞，土脉红腴。因公举诚悫首士贡生赵君本忠，乡耆胡君国梁董其事，于端阳后鸠工庀材，卜中秋日申时吉，乃建讲堂，树门宇，斋厨、学舍。经始营之，前眺诸山，后倚城郭，东障黄龙领，西带瓮安江，往来者啧啧称善地，咸计日观成以为快。无何秋收稍歉，捐输者未及半，势且不继，首士忧之。余曰："计今所入，以图久远则不足，以济目前则有余。今甲午秋闱在即，宜延师训课，以示人以不可终辍之势，则乐成善事，必有同心耳。"佥曰："善。"乃示期二月朔，考试甄别，各工亦刻期蒇事，而规模略具焉。夫善行莫发于半途，功业勿亏于一篑，自今果前言共践。尽置沃田，更以善引人，弥垂永久。则人文蔚起，沐盛朝之累洽重熙，礼教昌明，畅休风而保醇完美，世弥绩而功宣，名愈远而报重。何至有掘井不及泉之讥乎？佥谓旗山故址无考，今创造，毋庸袭旧名。城西廿里有玉华山，峰极秀耸，为瓮安名胜之最。因名曰"玉华书院"，为之记。

（王存成，1832 年瓮安县令。本文载民国《瓮安县志》）

修花竹书院记

王敩成

国家崇儒重道，于京师建大学，于直省各府州县设儒学。凡以作育人材者，有专官以司之，典至隆、制至备也。而又建金台书院，延院长考月课，以陶淑天下之英才，自是而直省各府州县亦皆有书院焉。稽古唐虞三代之隆，以迄于今，我朝文教昌明，远迈前古，教化所及，不限方隅。瓮安距京城七千七百里，为苗疆旧地。自隶圣世版图后，涵濡教化二百余年，固已户有铉歌，家传诗礼矣。虽经苗顽蹂躏，而安谧日久，丰熟岁登，井里烟屯，日臻富庶。学之不讲，其何以教我子弟乎？敩成不才，出宰是邦，已周六稔，每从公暇多与士沦茗论文，极多款洽，质美而力学者，自不乏人。惟惜下帷无地，盖书院毁而未修，将届四十春秋，时之不可缓也。爰集同寓诸公，暨城乡绅耆老以修复书院为请，随捐廉兴工，为之提倡。佥乃踊跃输将，襄成斯美。经始于戊戌之夏，越已亥初秋，鸠工以落成告。于是请诸父老谋，以讲堂北坐祠阳明先生为后学师范，余即斯 意为多士勖焉。方今海疆启禁，万国来同，士生斯世，识时务者为俊杰，而时务之识，在多读古人之书，以穷天地民物之变，探古今治乱之源，备兵农礼乐之用。如阳明先生具文武才，处则龙场讲学，出则剪除逋寇，平定猺蛮。擒宸濠以靖邦国，勋业盖环宇，声施烂然，蔚为三代下人杰。是则书院为培材地，他日必有学成致用，上副圣天子侧席旁求，庶不负我国家建金台书院之意，而大慰诸父老祠阳明之心也。宰斯邑者，不与有荣施欤。

（王敩成，1895—1901 任瓮安县知事。本文载民国《瓮安县志》）

关于排斥异端（外一篇）

杨藻章

“古已有之，于今尤烈”，中国的统治阶级，同属于这阶级的绅士们，对于认为与他们的“江山”有妨碍，或有违他们的传统的“道”的思想家，照例是视之为“异端”而要加以排斥的。排斥的方法，便是将异端们先“捉将官里去”；次施以毒刑，逼出“危害国家”的口供；再次“嚓”或“砰”的弄死；那一时捉不到的呢，至少也要将他们追捕得鸡飞狗跳，断绝了他们在社会上求生的机会。这几年来，国内无数的具有革新文化，改造社会，挽救国家的思想的好青年或学者们之死于“官里”者，便都是犯了这“异端罪”之故。

直到今日，倭寇虽已来争“我主爷”们的“江山”，而“我主爷”们的“无道”虽已昭著于“天下”了，但他们凭借着统治大权在国内排斥异端——据说这叫作“攘外必先安内”——的功烈，还是足以同侵华的倭寇的功烈一样地煊赫于我们的眼前的。这足见异端之可恶甚于外寇，其排斥之也宜了！

但也有他们所不必一定要排斥，甚或反加以相当优待的异端，这便是异端之属于死人或外国人者。

记得当孙中山先生还未死时，无论北洋系军阀安福系或交通系官僚，以及各地方的绅士们都恨他入骨，一说起孙文谁都要直觉地感到他是一个造反作乱的异端，而想排斥他一下的。但待到他一死，人们的恨似乎马上消了；各省都为他开过追悼会，地方军政长官及绅士们，或主持其事，或躬与其盛，又忽然都赞扬起他的伟大来了，虽然那时他首创的党的势力尚未统一全国。到现在，孙先生这位已故的异端，已被他的忠实信徒们追尊为承继孔子的道统的圣人，而忠实信徒们，也因党的“走运”而变成统治国家的“正端”了。惜乎不幸这些正端们治国的成绩不甚可观，于是又另有许多反现状的异端应运而生。这些异端中最可恶者，莫如社会主义者了，然而以社会主义者著名的英国文学家萧伯纳来华，又颇有“正端”们欢迎他，有自称与他“私交甚笃”，电约他去南京观光的，有自称仰慕他车迎他进上海游玩的。他到了北平即便是极端封建主义者“张不抗”将军也设宴为他洗尘。这“不抗将军”，因不抗倭寇而下野后，还引萧向他说过的一句什么话以自解其不抗之嘲。牛阑虽犯了“危害民国”的罪，但“正端”们并不一致都主张拿他去“嚓”或“砰”了。所以牛先生终于得安坐在牢里的优待室吃巧克力糖，并无像其他的中国异端们之被抓到牢外的屠杀场去吃黑色丸的危险。

这是什么缘故呢？

史官曰：此中国人二千多年来待遇异端的老法也。春秋之世，各国诸侯暴政虐民，孔子惧民之因积怨而爆发为革命，致将封建制度破坏也，于是苦心孤诣的替诸侯们想好一个假仁义的愚民主义名曰“王道”。先以贡献于其祖国鲁之“主子”，但当时诸侯们都正在主张以“霸道”治天下，仿佛也视提倡“王道”的孔子为异端。因此孔子虽曾一度小得志于鲁国，而将他个人所认为的异端少正卯害死了。但不久自己仍被排斥出国，惶惶然如丧家之犬，周游列国去宣传“王道”主义。赵，卫，齐各国的诸侯，因为他是外国的异端，虽不信他的主义，然大都很客气地同他敷衍，请他吃过饭，送他走了。这一来便使孔子终于气闷而死。但这一死就好了，后来从汉朝起，一直到清朝的统治阶级，都尊他为圣人，代有追封，什么“文宣王”之类年年祭祀。便是今日的“正端”们也还是以孔子之道为最高的政治理想的。孔子的忠实信徒孟子也遭了这同样的命运。从这历史的事实的昭示，所以我们知道排斥本国的异端，敷衍外国的异端，虚敬死了的异端，乃“从来如此”的事。

并且近世圣人不作，人心欠古，所谓异端者，不仅空谈主义而已，他们着实具了些推动时代的巨轮，促进社会的变迁的力量；他们的背后隐藏着了一种新局面，其生者固应排斥之，以阻止那种新局面的显现与开展，其死者已无能为，何妨虚敬他一下，一则可见“咱们并不守旧”，二则可预先安下向将来万一成功的新势力投机的地步。至于外国的异端则其为害是在外国，与我们无干，敬而远之可也。然若待“危害民国”之外国异端也从宽者，是又似乎本于“官怕洋人”的心理，非“先王”之遗法焉。

据说，当代阔人吴老头子，是一位无政府主义者，在这种有政府时代，照理也是属于异端一类，而在排斥之列的。但他不但没有被排斥，而且还曾经站在指挥刀的背后，向着别的异端们大喊过“杀！杀！……”大概因为他自称那无政府主义要“五百年”之后才能实现吧？所以他在现代还算得是一个“正端”：这也是一种例外。

见了中国的大人先生们欢迎英国的萧伯纳后，有人很不平地说，鲁迅是中国的萧伯纳，但英国人都知道有萧伯纳，而中国人却不知道有鲁迅。这所谓“中国”人，大概是指那些大人先生们吧？但我觉得这是不必引为不平的，只要鲁迅死后，他们就会对他表示惋惜或敬慕之意了。今年三月上海不是有大人先生们开马克思逝世百年的纪念会吗？

（此文原载《现代》一九三三年七月一日第三卷第三期）

腌肉与不朽之作

中国旧文人的思想，一向是被儒教所统治着，儒教中人以立功，立德，立言为人生三不朽之盛事。著作是属于立言一类的。所以自来从事著作者，都以“垂不朽”为目的，无论作一文一诗，都希望能保存永久，给千秋万世的人读，像腌肉一样，经久而可吃。

可是，腌肉之所以会不朽者，因为是浸透了盐质之故，所以著作要不朽，也须浸透了儒教的思想。一文一诗，都须不背乎儒教的教义——古圣先王之道，然后始能久传，否则如杨墨之流，虽有著作，而因不合儒教教义，被孟子指为“邪说异端”，大骂了一通，便不得传世，或虽传也如无盐之生肉，不能与腌肉争久的。汉武帝崇儒术，黜百家，便是因百家立言不合儒教，自取速朽，活该!

所以“最高学府”中国文学系的老教授（其实应该称为国学或国粹大师）们，常常训诸生，不可将作品在报纸或杂志上发表，因为这些刊物上的文字，大都是邪说异端，浅薄鄙俗，如春花秋叶，随生随落，毫无价值的东西。他们主张文学不可染胡适之的时髦病，(因为他们仅知道胡适之是提倡新文学的)。须以古人的“经，史，子，集”为模范。人必闭户读史，皓首穷经，得到学邃功深，然后发为文章，形诸吟咏；文以载道，诗以言志，典雅纯正，有物有则，虽千金不能易一字，然后“藏之以名山，传之其人”才算得是“经国之大业不朽之盛事”云；这真是制造腌肉文学的古传秘法，没有程度考进最高学府的青年们，是无亲聆这种雅教的福气的。

不过，经验告诉我们，能经久藏的腌肉固然可吃，不能经久的生肉也是可吃的。新鲜的生肉烹制起来，往往比腌肉来的甘美而有滋养身体之功；奸商将死牛烂马的肉加盐制成腌肉出卖，到反有害人的卫生。况且腌肉的不朽，仅是在一定时间内的事，陈年的“道地云南火腿”也会生蛆发臭的。同样，古人的不朽之著作也不会永远不朽。譬如两千多年来儒家的“圣经贤传”，到今日便已不合时代的需要，使人读之思想腐化，像吃了蛆臭的腌肉要生病一样了。

由此可见著作之有价值与否，须视其是否合于时代的需要，朽不朽倒没有什么关系。报纸杂志上的一切文字，人们每每随看随弃，自是一种速朽之作了。但他们能使人们认识时代，汲取新知（自然，那些“谨遵功令”，借新文体以宣传旧思想的刊物不在此例）。虽然不能传世不朽，而其对于人类社会仍是有价值的。所以这些刊物，被视为现代社会一种启迪民智，传播文化，推进时代的利器，虽然速朽，功用却大。设使现代的作家，尽要以著作垂不朽，那便没有谁肯干这种文化工作了。时代是不停的转变，文化是不断地进化的，今年所谓新的理论，也许明年便旧了，如果一切刊物上的文字都能不朽，万古长新，那么人类的发展岂不就停滞了吗？因为中国的文化老是落伍在时代的后面，遂使儒家的著作能不朽两千多年，这便是一个明证。

古人不轻易发表著作，我想是与印刷术的不发达，出版困难这件事有关系的。在印刷术日趋于简捷的现代，欧美各文明国家的学者文人，都尽量的发表作品，每一国中，每天都有很多的新书出版，但每书再版一次，往往都有修改，在本月万人传诵的新书，也许到次月便成了旧书了。因为各种学术思想，日新月异，一本书也不过是代表一人一时的研究所得，以贡献于社会，供大众的讨论，聊尽推进文化的力而已，朽与不朽，全由时代文化的行程去决定作品的命运，作者本身是无主权的。若果一个人，希望他的著作一出，便成“千古定论”，那无异是希望社会永无进步，人类都永远愚蠢，只有他一人永远聪明，这是“汪二麻子起下不良之心”，该打屁股!

十八世纪牛顿发明三大定律，他的《物理学》可谓不朽之作了，但至现代爱因斯坦发明《相对论》后，牛顿的书便有点朽了。卢梭的《民约论》曾经激起法国人的革命思想，可谓不朽之作了，但至现代的政治学，社会科学发达后，《民约论》也渐渐地朽起来。达尔文《物种起源》中有一部分的理论，已被现代的生物学所摇动了。这些原被称为不朽的著作，在现代我们固然还能见其原书，但恐怕在以后的某世纪，人们只能从历史书上见其“存目”了，也许有个“存目”都被人忘却了的时代。

我记得曾在欧阳修的文集里见着一段关于宋朝皇家藏书的记载，大意说，他有一次检秘阁的藏书，见有几万卷霉烂的书籍，其书名与作者的名字都是不经闻见的，伸手去翻看，纸页触指而坏。这些都能藏在秘阁的书，可知原是不朽之作，但竟然连博学的欧公都不曾读过，可见世界上原不朽之作，不过朽的时间有早迟罢了。古来名山中，正不知朽了多少著作！

然而时至今日，中国的文化已到了一个新的阶段，而盘踞最高学府的“皋比”的冬烘大师们，还在教青年们为不朽之古典文学，做几篇骈体文，凑几首“选体诗”，还要自视如鸿宝，不屑于发表（其实便是发表出来也没有人要领教），而要留下来同古人的“经，史，子，集”永垂不朽。不知所谓古的“经，史，子，集”也者，早已成了生蛆的腌肉，将要完全被抛在新时代的潮流中卷去了。儒教已变成一口“老古板棺材”，连冬烘大师们本身都已被装进去一同腐朽了。至于腐化青年们作的“假古董”文学，则是死牛烂马肚里的心肝五脏，还没有拿出来便已朽成一团，还希望什么不朽？

（杨藻章，见《人物传略》，此文原载《现代》一九三三年八月一日第三卷第四期）

受教三年　受益终生

李万华

承蒙母校寄来《贵州省瓮安中学年鉴》（2008—2011），捧读再三，非常惊喜。我离开家乡六十多年，家乡的巨大变化，尤其是母校空前崭新的发展，没有身临其境，真是难以想象。回想在母校三年受到的教育，对我后来几十年的学习、工作、生活都有深刻的影响。我年老笔拙，记述了深存记忆中的几个片段，谨以此感谢母校对我的教育。

我家住草塘，1936年春小学毕业。当时已经参加地下革命组织（民主抗日救国先锋队）的表兄王齐芳（他在贵阳师范高中就读），带我到贵阳私立达德中学读书。由于日寇嚣张侵华，战争形势日益紧张，我转回瓮安。1937年我在瓮安中学（当时为省立第六中学）重读初中一年级。我是母校第十四期学生。当时的省立六中，是周边平越、黄平、余庆几个邻县里唯一的一所中学，生源主要来自这几个县，也有自较远的思南、印江和德江县来瓮安求学的。

1937年“七七事变”抗日战争爆发，沿海城市敌占区受难同胞，避战乱纷纷内迁，不少大专院校迁入贵州。在我的记忆中，当时省立六中的教师多来自外省或外县，真是人才荟萃，盛极一时。先后教过我的老师有十几位，何灿章、曾训武老师教国文，邵光奎老师教英文，肖之亮老师教历史，褚桂林老师教数学、物理、化学，方宜德老师教动植物及图画，李奇谋老师教音乐，谢运高、庞尧勋老师教体育，校长冉隆堃老师兼教地理。贵州省立第六中学在当时欣欣向荣，在校史上可属最好的时期之一。

一、校园

学校建在原瓮安“花竹书院”旧址，花木繁茂，校园环境美好。实行男、女生合校，在当时是开明进步的举措。外地和住家离县城较远的学生均住校。男生集中住校内，女生在附近的袁家湾民房集中居住。带家眷的外地教师也住在附近。男生宿舍沿“花竹书院”旧例，称“斋”，每斋四张床、一个书桌、四个凳子，自由组合四人一室，自备油灯照明，伙食由商人外包，食堂附近有水井。当时这样的设施算是较完备的。

学校的管理较严，用现在的话说就算半军事化管理，离校要请假。学校规定一年级学生着“童子军”服，上童子军课。二、三年级学生着制服，腰系皮带（叫精神带），腿上系“绑腿”。作息时间有一位专职的“号兵”司号。早上升旗，上、下课，就寝，均以号音为准。

学校四周有围墙，抗日时期，墙体外面由肖之亮老师用艺术体大字书写的抗日爱国标语如：“抗战必胜，建国必成”等，体现出一种蓬勃坚强爱国抗日的精神。

二、课堂教育

学习以课堂讲授为主。由于物资条件限制，没有各种实验室，有点生物标本也都放在行政办公室里。教师教学都很认真，对学生的道德思想教育多结合在教学之中。如教我们地理课的冉隆堃校长，就把祖国的疆域比作片美丽的秋海棠叶子，讲述日本侵占我东北三省，又大举进犯全中国等内容，激发学生们的爱国热情。考试时十分严格，考题看似简单，但很难考得满分。记得学期考试有个题：“某某省”，就要求写出这省的地理位置、山脉河流、物产资源、较大的城市、主要的交通概况等，凡是他在课堂上讲过的都应一一答出。这样的课给我极深的印象，有了这样的基础，对我后来的学习和工作都有很多帮助。

老师帮我克服“磕巴”的毛病。有一次英文课，上课时邵光奎老师未到，同学们坐等，管教务的老师叫我和一个同学去袁家湾邵老师住处请，我们小跑到邵老师住处，我张嘴叫邵老师开门，因我有磕巴的毛病，越紧张越口吃的厉害。这位同学见我张嘴喊不出声音，急得满头大汗，赶紧敲门，邵老师随我们到课堂。他知道我的“磕巴嘴”的毛病，给我讲外文书上的个故事，古希腊一位著名的演说家，幼年有严重的语言障碍，他每天都在空旷地方练习讲话，长期坚持，后来成为著名的演说家。邵老师让我坚持反复朗读课文，不急不缓的念，经过一段时间训练，磕巴逐渐得到纠正。

学习上偏科的由来。抗日战争期间，国家建设急需工科人才，政府奖励凡读大学工科的学生一律同师范生一样，给以“公费”待遇（相当于饭费和少许零用）。受这种影响学校多偏重数、理、化课程的教学，社会上也流行有“学好数理化，走遍天下都不怕”的说法。母校教数、理、化的是褚桂林老师，他是江苏人，大学毕业。日寇侵华，他和母亲、妹妹逃难到贵州，在母校任教，他妹妹褚宝林也在母校上学。他教学认真负责，学生们也多受偏重学习好数、理、化课的影响，对文科学习不够重视。同学们也有学英文用处不大的片面想法。这些情况直接影响我后来读高中上贵州大学工学院的志向。与我同班的同学米屏书，后来考入迁校到福泉县的唐山交通大学，也可能与当时那种学风有关。“文化大革命”以后褚老师任河北师大物理系教授，他曾到南开大学物理系参加学术活动，我们偶然相遇高兴万分。他回校后还与我有书信往来。

三、体育锻炼

抗日时期物资欠缺，学校在校长和教体育的庞尧勋老师努力下体育设施可称齐全，田径运动方面有沙坑、木马、标枪、铅球、铁饼，另设有秋千，球类有篮球、排球、乒乓球。难得的是还有当时被称为贵族运动的网球场，尽管场地要求高，球拍、网球都较贵，学校还是提供网球，公用球拍供学生借用。冉校长也是网球爱好者。抗战时期，我后来读过的高中及贵州大学，其体育设施都不如瓮安六中那么齐全。

四、课外活动

抗日高潮，学校师生成为宣传抗日的先锋，排演话剧搞抗日爱国宣传活动。记得老师编了一个抗日话剧，内容是一个因日寇入侵，家庭离散的悲惨遭遇。让一位高班的何姓同学扮演母亲，让我扮演小孩。为县城里的父老乡亲们演出，宣传抗日爱国思想。

五、思想教育

记得初中有“公民课”，但印象已不深。实际上，我出生的时代，就是国家贫弱、政治腐败、帝国主义侵略、割地赔款、丧权辱国，中国人被称为“东亚病夫”的时代，也是面临“卢沟桥事变”日军大举入侵，全国人民奋起抗战，激发起青年人的爱国心，“天下兴亡，匹夫有责”，把对凶残的日本帝国的愤恨深埋心里的时代。

初中阶段当时对学生的要求，发奋读书，报效祖国。课里课外老师教育学生珍惜光阴、努力学习、奋发向上。还记得教音乐的李奇谋老师教过的首歌，歌词的内容是“少壮不努力，老大徒伤悲”，其目的是提醒学生“黄金的年华不要虚度”，为了国家，必须抓紧时机读书，这很有深意，难以忘怀。

回想在母校受业三年，正是给我打基础的黄金年代。年纪小，记忆力好，犹如海绵似的吸收知识，为以后的学习打下良好基础。饮水思源不忘母校教育之恩。祝母校日益发展，为国家的社会主义建设做更大贡献。

（李万华，男，瓮安中学第十四期学生，1947 年入南开大学经济系学习，1948 年加入中共南开大学地下组织，1949 年天津解放后，历任校务委员会人事秘书、人事室主任，南开大学党总支副书记等职。1984 年任南开大学经济学院党委书记兼第一副院长。本文写于 2012 年 9 月，作者已是 90 岁的耄耋老人）

忆母校

丁 章

1939 年夏秋之交，我从贵阳师院附小毕业后，随同家人从贵阳出发，经牛场来到家乡瓮安。

到了瓮安县城南门外的袁家湾，袁恩波姑父和姑母热情地接我们进家，说估计你们这几天会来到。姑父说：“中学办了一个女生班，就在隔壁的袁家祠堂上课，没有宿舍，草塘来的女生便占去我家的一半。”姑母是个古道热肠的人，马上说：“你们不要担心，我已在隔壁袁家贤家租下了厢房的两间，门窗有点坏，我已经找木匠来安了两扇门，整修了窗子，还在正房子与厢房之间装出一间厨房，砌了灶头，煤炭、木炭、干柴都准备了一些，厕所也不远。还找附近的谭大爷下西门挑水来用，水缸可在我家拿大的来用，床和桌凳也都安好了，如果还差什么，说一声我马上补充。”想不到姑母这样周详和细心，我不禁想起在贵阳听人说过：“你们丁家的姑太和媳妇都能干，没有一个弱者。”

姑母马上回家，叫住在她家的几个女生，从她家把衣被、书籍等搬过来。不用指点，几个女生把床铺好，把衣物、书籍整齐地放进一个柜子里，简直出乎我们预料之外。她们大部分是草塘的亲戚，不过互不相识，喊不出名字，说不清关系。真有“宾至如归”的感慨！

女佣准备好饭菜，吃饭时母亲对姑父、姑母致以衷心的感谢。姑母说：“一家不说二家话。”我们几个小的，感动得说不出话来。晚上睡得十分舒服，用“宾至如归”还嫌不足。

第一天，姑父叫丁群修（我们大房十二公的女儿）带我去瓮安中学报名。经办的刘汝俊老师看了我贵师附小的毕业证书，并发了准考证，叮嘱我要按时参考。另外，表姐袁家毓带弟妹分别到男小、女小报名，不须考试。

考场在校门进口右手的网球场。考生约有100多个，连同监考老师，我一个都不认识。又过几天，按规定的时间和地点（教学楼的下过道），看到录取名单上我列第一，我暗自高兴。其他考生感到惊奇，纷纷打听是哪县哪校来的？有人问到我，为了减少“答问”，我只好自欺欺人地说：“我也不知道！”顺势溜之大吉。回到家里，姑妈问，我当然如实报告，她立即说：“祖宗有德。”她回家告诉了姑父。母亲和弟妹都感到高兴，我即将成为瓮安中学第17期学生，三年后我就成为初中毕业生了。

我入学时，是冉隆堃先生当校长。他是遵义人，上海复旦大学毕业，也在教育厅当过督学。那段时间，正是抗战时期，“孔雀西南飞”，人才都集中在川滇黔几省。有人说：“贵州也发了财”（请注意是人才，不是钱财）。记得上第一节语文课的是肖之亮老师，他是冉校长的妹夫（他爱人叫冉隆英，教过我们的史地），是多才多艺的人，除语文外，还教美术，也会木刻。贵阳当时有个沙陀话剧社大出风头，肖老师既是创始人，也是导演。在贵阳时不知是谁推荐，我去当了儿童演员，上台下台十来分钟，台词也不超过10句，但每天晚上都要去排练。所以我们早相识了。他问我“你怎么跑到这里来了?”我说：“这是我的家乡。你呢?”他开玩笑说：“想和你同学。”比较著名的教师还有曾章武老先生，系贵阳著名书法大师。教语文的还有褚桂林，庄传训教数理化；还有二庞（庞尧勋，庞回梁）教体育，陈佩琼、方宜德教图画，绝大部分是外省人，很受欢迎。课堂的秩序、纪律好。还有教英语的邵光奎，他教“oh，yes”（是的），一个同学用中文写“屙野屎”被他发现，他说：“这是教室，请你上厕所去。”全班大笑不已，那个同学更是抬不起头来。

每逢赶场天，要组织宣传队上街宣传抗日，一个队只要几个同学去，但全班同学都要去“凑人头”。有人说：“不许我去，以后作文就用不上。”星期天要组织同学去给军人家属代写家书。参加人不少，有人写成“跪禀者”，引起大家哄笑，他还振振有词的辩解说：“我看见人家写过。”虽然笑话不少，也可看出这些孩子的爱国热情。

也有一个好风气，大家劳动热情高。后山的山坡泥土，撮在簸箕里，每人有根童子军棍，大同学挑两撮，小同学两人抬一撮。前面平出一个篮球场，后面扩大成一个田径场，前后面都要植树。果树落下的果子要交到学生会去，积少成多，再分配给大家。如果私吞，轻则批评，重则写检讨，成了一条规矩。

生源充足，学生来自附近几个县，春秋季都招生。我入学到毕业，从13期到20期，后来13期（女生）与14期（男生）合并。18期有两个班，所以西墙外新修一座两层四室的教学楼。毕业时在礼堂的左边修了一幢女生宿舍。

学校还设了一个“施氏奖学金”，每年评发一次。那是在淞沪抗日战争中，珠藏的施汝德烈士的父亲将国家发的抚恤金捐给学校的。施汝德读过黄埔军校，在十九路军当过连长，1932年“1·28”事变后，在淞沪战役中牺牲的，临死时还书写了“抗战到底”四个大字。他父亲施裕初当过“劝学长”，国家发给抚恤金后，在县府后面修了一座忠烈祠外，余钱便捐给中学作奖学金。冉校长书法写得好，伏在碑上用颜字体写碑文，石碑工刻好，立在两座教学楼之间的墙下。我得两次奖学金，每次五元，当时是一个可观的数目。石碑在“文化大革命”期间被“破四旧”的造反派破坏了。我当时还被批斗中，我没有丝毫的畏惧，破口大骂：“这些捣乱的混蛋，要打短命的。”没人敢来干预。我也算出了一口气。

读到初三下，冉校长调走了。有天回学校看开学时间改变没有，在办公室看到罗家贤先生，是我三哥的同学，也是我的小学老师。我问他：“啥时来了，有何公干?”他说：“你姑父调瓮安中学任校长，我昨天陪他来校。”在他旁边一个中年人，说等搞完了再来看四舅妈，把我搞得莫名其妙。我说：“欢迎!”

我的头脑引起了连锁反应，想到我读小学三年级时，三哥和他的同学罗家贤正在研讨大作家鲁迅的《雨丝集》的文章，罗说，他是我家姑父。我虽然年纪小，心想鼎鼎有名的大作家，能与他有通讯往来，必是不同凡响。我接过文章一看，有的字还不认识，有些句子更是不懂，但作者杨藻章却牢记在脑。

我回家问母亲说：“我们新校长姓杨，喊你叫四舅妈，究竟是什么关系?”母亲说：“你们丁家，一大族人，我不知是谁。”

吃过饭我说：“去问问三姑父。”

袁姑父说：“丁氏家族有个姑父叫杨兴武，因无后，让他侄子继承财产，喊你叫四舅妈，是合理合法的。而他杨家一些无赖之徒，想取而代之，结果对簿公堂，因无人证物证而败诉。他在昨天见到我，要求介绍两个总务人员，我推荐了商足三和刘某某。明天我宴请杨、罗二贵宾。”三姑妈说：“也请你们家人，一个不能少。”母亲也说：“明天我做东，都请来我家，也是一个不能少。”三姑自告奋勇说：“我来帮帮厨，买菜。”

快毕业时杨校长问我对毕业有何打算？我说：“瓮安没高中，家里搬回贵阳再说。”他又说：“贵阳有一所从南京搬来的中大实验学校，校长由中大罗家伦校长兼任，常务副校长由中大教育学院的许珞士院长兼任，是全国四大名校之一（另三校是上海、扬州、南开），教学质量高，教师水平高，设备完整，发展全面，你就考中大实验学校。”我说：“听说要求高，不敢高攀。”他说：“何必先灭自己的志气。”还说，“我有一个贵州好友，他读哲学系，我读中文系，现写信打听一下招生计划。”大约一周后，他的好友余效仓老师回信说：“今年初中毕业两班，高中招生两班，秋季始业，七八月份考试，切勿误期。”

杨校长又说：“晚半年入学，你多了半年的复习时间。过了暑假，便可回校当图书管理员。图书不过几百册，借书的更少，搞不清的问题，还可请教老师们，又减少你哥的负担。”我认为言之有理，也表赞同。

假期里，我尽力复习，假期结束，又回到瓮安。不料祸从天降，土匪抢劫瓮安中学，杨校长、邵主任、余正清等老师、我和 30 多个同学都被掳，第二天释放 22 人，仍扣留 10 余人质。杨校长和我归刘明安匪部管押。虽生活极差，但没有受皮肉之苦已属万幸。匪透出消息，交点钱便可释放。但他们有误，杨校长因二老健在，尚无实权；丁家虽是大家庭，仍是穷光蛋，无油水可榨。这事引起极大轰动，女教师马仲楠（中共地下党员）天天带着学生去请愿，对县府施加压力，闹得县长裘胜嘉不得安宁。旧社会兵匪一家，保警队拿出一箱手榴弹，一箱子弹换回杨校长与我，还胡编乱造，说经过激烈战斗救回两人。只有林大兴、曾德福二人越监脱逃。其余的人要家属用现金赎取。“文化大革命”中，居然有人胡说我“十四岁在朱家山当土匪”，真是弥天笑话!

杨校长心灰意懒，决定辞职，后被贵阳师范学院图书馆聘为职员，我则如愿地考上中大实验学校高中部的章祖愈班。该校后来改为“国立第十四中学”，解放后成为“南京师范大学附属中学”。我在该校夯实了知识基础，考进了国立政治大学外交系，这是当时国立政治大学唯一的一个系。毕业后，因成绩好，由系主任提名，全体教授同意，我留校当了助教。国民党垮台，学校由 广东迁重庆，我途经贵阳时，在贵阳迎接了解放。

贵州解放后，我参加了革命。参加过剿匪、反霸，在党委、民政部门工作过。瓮安中学更是三进三出，当过教员、教导主任、校长，对瓮中有着深厚的情结。

（丁章，见《人物简介》）

我在瓮安中学的那些年

应　哲

1926 年我生于浙江省永康县可投应村。小学毕业后考入上海市君毅中学，后就读于永康师范学校。1947 年 7 月毕业后在永康任教半年，后进入浙赣铁路局当职员。1949 年 5 月考入中国人民解放军二野军政大学五分校，学习军事、政治。当年的 11 月向西南进军，12 月份到达贵阳。1952 年 8 月调入瓮安中学。在参加全省中学教师思想改造结束后，由教育厅任命为瓮安初级中学副校长，校长由县委书记吴近仁兼任。当年中学由省教育厅直接领导。1956 年 11 月安顺地委任命为瓮安初级中学校长，县级（瓮安那时隶属安顺地区）。1958 年秋瓮安中学开始招收高中生，同年被推选为瓮安县党委候补委员。1959 年任县文教卫生党组书记。1958 年 11 月，瓮安，福泉两县合并入瓮安县，瓮安中学与福泉中学合并为瓮安一中，地址位于福泉原县城。

1959 年 8 月，从福泉县搬回瓮安初中部，和福泉瓮安两县高中部，以此为基础，又成立了瓮安第四完全中学，我任校长。“文化大革命”期间的 1969 年被夺权后，任教师和会计。1971 年复出后任校长，1975 年 12 月离任后，调入贵阳运输中学任校长至 1989 年元月离休止。

回想当年解放初期，我们这些加入教育行业的新兵，党和政府的教育部门花了很大的力气来培养我们，使我们能努力提高工作能力和业务水平，以适应工作需要。那些年经常是每年利用寒暑假，集中组织开会培训学习。如 1953 年寒假，就是在贵阳一中学习当年先进的苏联教育经验，以及当时国家的教育方针政策。暑假又是在贵阳五中培训，其主要内容是培训、交流编制学校学期计划、教师编制各科教学计划、班主任计划、教研组计划等，以及每堂课编写课时计划。另外还组织贵阳市有经验的教师上示范课，并进行评议。在大会上交流各学校的办学经验等活动。另外，1954 年秋季开学后，在省里教育工作会议，研究如何贯彻党的教育方针，并开始全面贯彻德智体劳的教育方针。

1955 年秋，我作为瓮安中学校长，参加了省中学行政人员轮训班，学习时间长达半年。当时由省教育厅委派高水平的大学教师上课，主要课程包括凯洛夫教育学，辩证唯物主义和历史唯物主义以及学校各种政策法规等，还有学习语文，数学，物理，化学等科目的新教学大纲，并组织到贵阳四中，五中，二中等学校参观学习调研，写出学习调研报告。通过半年的培训，培养了我学会用唯物辩证的方法看问题，解决问题，学校工作的管理方面的工作能力得以提升，受益匪浅。

根据教学需要，我们还组织老师，自制一些电动机器及各种教具，在校内展出，组织全校师生及校外社会上的青年参观，得到社会一致的好评。学校最优秀的老师，应该是数学物理教师曹文德，就是由他带头组织自制电动教学仪器和教具。他毕业于贵州大学电机系，1950 年来瓮安中学任教，思想上要求进步，教学上认真负责，处处与学生打成一片，利用晚饭后与学生三五成群的散步机会，解决学生学习上的疑难问题，在经济上支援有困难的部分学生，师生关系融洽，教学效果好，并著有教学方面的教学研究论文，在贵州教育出版刊物上发表，被评为全省先进教师，并出席省先进教师代表会议，后来光荣地加入中国共产党，党和政府给予了他很高的荣誉。

当年每天的早读，晚自习，学校都安排有教师下班辅导，解决学生的疑难问题，还组织班主任老师与学生同吃，同住，与学生打成一片。学生学习空气浓厚，教学成果显著，学生成绩大有提高。

特别值得一提的是，1956年安顺地区，贵定地区，兴义地区，三个专区合并为安顺专区，初中升学统一考试，30多个县的中学统一集中评分，瓮安中学获第一，在专区教育会议上得到褒奖，在省里引起了很大的反响。这都是各级领导的帮助指导，全校师生员工共同努力换来的辉煌成果。

从1960年开始，因三年自然灾害，粮食产量减少，带来很多困难。工厂减员，学校规模缩小，师生中思想混乱，纪律松散。在这样的情况下，如何调动师生工作、学习积极性，我们召开10年以上教龄老教师和员工座谈会，由县委副书记刘庆立亲自主持召开座谈会，阐明了当前形势及任务。部分教师发言，进行解放前后的对比。“六腊之战”，“生来画板板，死去花板板”的凄惨生活，说的是解放前的六月，腊月教师求职艰难，写画黑板一辈子，到死也没有钱买棺材的悲惨遭遇；解放后，工作生活稳定，工资待遇也得到提高。过去这段时期，兢兢业业的工作，为提高教学质量做出了很大贡献。老师们都表示今后要更加加倍努力，做好工作，贡献自己的力量。刘庆立书记还与大家共进晚餐，对年轻教师也单独召开茶话会，调动大家对教育事业的责任心和积极性。在学生中也进行各方面的思想工作，学生的学习积极性，纪律性很快得到提高，校园面貌很快改观，在社会上引起了很大反响。于是龙里中学，贵定中学组织部分教师来校参观学习指导，又一次推动学校向前大发展。

1964年学校也组织部分教师到贵阳一中参观学习，取经，具体由王树勋副校长，丁章教导主任带领。学习一些领导管理理论和实践经验，以及各科教学经验，并在瓮安中学里开花结果，取得了卓越的成效。学校在历年高考中都有很多的学生进入高等院校，还有一部分学生考入省外高等名校，如许祖华考取武汉测绘学院，唐朝明考取成都某大学等等，不计其数。

特别是在1965年州教育局分配教学仪器时，都匀一中，瓮安中学，贵定中学等三所高考业绩较好的学校，都优先分配到数量有限的教学仪器。全校师生倍受鼓舞，士气高涨。

学校在贯彻教育与生产劳动相结合方面，一向都比较重视。在校园内开荒种地，由生物教师曹绍庸负责全面安排，师生齐动手，种出的浙江大白萝卜，一个就有10多斤重，还曾经拿到瓮安农产品展览会上展出，引起了不小的轰动。

“文化大革命”后期学校开办的五七校办工厂，一度达到了很大的规模。专门生产教学仪器，修建有翻砂车间，金工车间，有车床，刨床，钻床等。还有木工车间，喷漆车间等，生产圆规，三角板，化学支架等教学仪器。由丁章，王毓汉，王坚定老师负责上课及安排学生劳动，每年除开工资上税外，还修建厂房等。1975年12月省教育厅在瓮安中学召开现场会，由教育厅副厅长主持，参加会议的代表来自全省的几十个中学。瓮安中学教学与劳动生产相结合在全省是个典范。

时过几十年，仅作以上几点简单回忆。希望大家能对那几十年的瓮安中学的历史认识有点帮助，也希望能得到各位的批评指正。

（应哲，见《人物简介》）

怀念母校

张若仙

从小学到高中，我读过六所学校，瓮安玉山区的新牌卫小学、贵阳观水小学、玉山小学、瓮安中学、贵定中学、贵阳女中。这些学校都给我留下了深刻印象，只是我特别怀念瓮安中学。

领导水平高教师个个棒

1953 年至 1956 年我就读于瓮安中学。那时学校真是精兵简政，领导就是一个校长(应哲校长)、一个教导主任（王树勋主任，后来升为副校长和校长)。两个行政老师，一个兼排课、刻印、总务于一身的孙老师，一个管伙食的李老师。四个工人，其中三个炊事员，一个勤杂工。除了这些以外，教师基本上是一科一个，甚至一个老师兼两门课。语文是毛家俊和丁方强老师，数学（代数）是马德称老师，物理、几何是曹文德老师，外语颜定老师，生物、化学是曹绍庸老师，历史、地理黄德音老师，美术、音乐华天谷老师，体育熊德芬老师。凡是那些年从瓮安中学出来的同学都知道，这些老师个个棒，业务水平高，而且一心扑在工作上，对待学生就像对待自己的子女一样关怀备至。

校长和王主任每周都要结合当时的中心工作给全体学生作一次时事报告。如为什么要发布票，对工商业的限制、利用、改造是怎么回事等。校长是外地人，讲话不易听得懂，大家最喜欢王主任作报告。王主任总是带着慈祥的微笑，作报告时像谈心似的娓娓道来，从不摆领导架子，他的话句句人耳。领导水平高，其他老师上课怎样呢？那是没说的——棒！

教物理、几何的曹文德老师上课语言精练，说话风趣。在开几何课之前有个论调说：几何几何，旮旮角角，哪个西洋舅子，发明这些科学。似乎几何是很难学的。可是曹老师讲起来，一听就懂，还蛮有兴趣，也不难学。比如他讲到两点之间直线段最短这个定理时，说这是公理，不需要证明的，狗都知道。如果狗在对面站着，你用东西喂它，它绝不会绕一圈跑到你面前来，一定是跑直线。所以说两点之间直线段最短这个定理连狗都知道，难道你不知道？那就还不如狗喽。老师讲得这么风趣、生动，学生还有学不好的吗？

曹绍庸老师上课也是妙趣横生，他讲到喜光的植物为了争阳光都往高处长，这时他把自己比作植物的姿态，手往上一伸一伸的，说：“我要阳光，我要阳光。”所以喜光的植物长得高。而喜阴的植物正好在大树下乘凉，他做个乘凉的样子，说：“好舒服哟。”就不往上长了，所以喜阴的植物就长得矮。既生动又形象。讲到盐水选种的时候领我们看了他亲自种的两块实验田，用盐水选种的那块麦苗长得整齐茂盛，产量明显高于非盐水选种的那块。至于盐水浓到什么程度，用一个鸡蛋来测量，水里没放盐的时候鸡蛋是沉底的，放盐后，随着盐的增加，水的比重渐大，鸡蛋渐渐浮起来，浮到冒出一点头的时候就可以了，太浓不行，太淡不起作用，这些实验回忆起来还历历在目。

马德称老师上第一节课时，先给我们出了个思考题让全班同学思考。题目是这样的：有八个铁球外表完全一样，其中有一个重一克，其余都一样重，要你把重一克的那个铁球找出来，用手是试不出来的，看更看不出来，只能用天平称，只准秤两次。大家想啊，想啊，我终于想出来了，红着脸讲完我的做法后，老师肯定了我的答案。全班同学都对我刮目相看似的，我很不好意思。这第一节课师生间的距离就一下子拉近了。

黄德音老师教历史和地理都像讲故事一样，中外古今，纵横交错，我们听得不想下课。这些老师在备课时不知花了多少心血。

颜定老师本是学英语的，为了工作需要他自学俄语，边学边教。

我们的体育老师按现在的说法叫做“帅”。他平常走路都像是做示范似的，标准的美男子步伐，当然不是操正步，而是潇洒自如。课堂上更不消说，跑起来不亚于运动健将，体育课的每个项目都做得顶呱呱。可他说话轻言细语又文质彬彬，他看起来要比他的实际年龄年轻得多。五十多岁的时候还像三十多岁一样。

华天谷老师是个多面手，既教音乐又教美术，我们在初中学的乐理知识终身受用，喜欢哪首歌拿起歌谱来练一下就可以唱。高班的同学告诉我们，华老师有一幅画有一丈多长，他画了整整一个月，每班都要到毕业的时候才能得看。到我们毕业的那年终于得看了，画的是贵阳花溪的全景，真是大饱眼福。他教我们画速写的时候，他来做模特让我们画，有一个动作是飞越跳箱，他用讲桌当跳箱，自己扑卧在讲桌上，把手脚伸直成飞越的姿势。他那么魁梧那么胖，做起来是很费劲的。有些调皮的男生只顾笑，他也不生气，实在支持不住了才下来。

班主任毛家俊老师关心每一个同学，经常问寒问暖，同学有缺点都是找来个别谈话，循循善诱，从不一唬二吓，更没体罚。

我们在瓮安中学遇到了这么好的老师，真是我们的福气，在那里读书的三年处处都感到老师的关爱，就像生活在一个温暖和睦的大家庭里一样。晚上自习时，老师经常来教室走走看看，随时给我们解答难题。有同学生病老师都要亲自过问，冬天生冻疮的同学多，医务室甚至排起队看病。华老师临时充任医生给学生一个个地洗伤口、上药。女生的特殊生理情况马老师和黄老师都给予关照，专门给女生讲解生理卫生知识。这些连我们的生母都没有想到做到的事，我们的老师却想到做到了。

教过我们的老师如今还健在的只有应校长、王校长、马老师和曹文德老师，其余的老师和工人师傅都已作古，要不是十年浩劫这些老师不会走得这么早，他们都程度不同地受到了摧残和伤害。走得最早的是颜定老师，他没能看到四人帮的倒台。非常遗憾的是熊德芬老师据说去世前曾在贵医住过院，我们住在贵阳一点也不知道，没有去看望他，想起这事，就心里难过。还听说黄德音老师在瓮安去世时，送葬的人之多在瓮安是少见的。可见我们的老师是多么得人心。望健在的老师安康长寿，长眠的老师在另一个世界里获得新生。

学生会

我在瓮安中学读书期间，除了上课而外，学校的一切活动都由学生会主持，当然在老师的指导下，但出面的都是学生会的同学。比如每天的早锻炼、课间操，每周的大扫除、出墙报，节日的晚会，临时的义务劳动（给食堂运煤、植树等），开运动会，春游等。

那时全体学生住校，哪怕家就住在学校的隔壁都要求住校，没有一个例外。

每天早晨五点半钟起床，钟敲响后，没有人敢睡懒觉，穿衣洗脸上厕所，动作慢了还不行。十分钟以后集合钟就响起来了，早锻炼开始，学生会的文体委员边跑边吹哨子，大家都跟着他跑。一般是跑大操场，有时操场积水（泥土地面）就跑马路边。要是下雨就在划好的区域内做操，往往是走廊、过道，区域比较分散，就由各班文体委员负责。课间操也是一样，老师全部都站在学生的后面，由学生会的负责人领头，吹哨子指挥。晚上下了晚自习，有点时间洗脸洗脚。十点钟熄灯以后，学生会的生活委员就要各个宿舍查看，还有没熄灯的他就打招呼。学生会的威信很高，没有不听招呼的。各寝室有室长配合工作。如有出校未归的要向学生会报告，学生会根据具体情况酌情处理，这是为了同学自身的安全。

有一次周末，我和胡仁庄（他是我表弟，和我同班）去县政府看望祖父，祖父和我们摆谈了一阵，接着叫我们一起去馆子吃宵夜，不觉把时间耽误久了，回到学校已经熄灯。熄灯以后才回来也算违纪。第二天我写了个检查交到学生会去。由于我是主动检查，没有给我处分。我也吸取了教训。学校每周大扫除一次，全校的公共区域由学生会划分，打扫完后也由学生会组织各班生活委员检查评比，搞得好的班级可以得到流动红旗。由学生会敲锣打鼓地送上去。流动红旗到我们班来的时候，记得我们全班一起鼓掌，班长把红旗接过来，挂在黑板的上方。

校园内有很多李子树，李子熟了的时候，学生会组织人摘下来分到各班去。每个同学都能分到一小堆，大约有半斤左右。李子没有成熟的时候谁也不会去碰它，可见校风之不一般。

学校的墙报就由学生会的学习委员负责，每周都有新的内容。墙报就在过道墙壁上。看的人颇多，都由各班学习委员组稿。我也曾写过稿子。学习委员还要统计每天完成各科作业所需时间，向有关老师汇报。老师根据统计作布置作业的参考，避免过轻或过重。我当时在班上任学习委员，就干这项工作。

学生会的干部由各班选举产生，进了学生会再进行分工，选出来的干部都是品学兼优的。他们在同学中的威信高。他们的威信是靠工作认真负责，秉公办事，处处起带头作用换来的。比如给食堂抬煤，他们肯定是抬得最多，跑得最快的。他们要完成自己的学业，又要兼顾很多工作，因此他们也是很辛苦的。有个叫欧正华的同学是学生会主席，我至今还记得他的音容笑貌，当大家在饭厅里盛好饭后，他把口哨轻轻一吹，喊声：“开动”，大家才开始吃饭。我们班的何明礼同学也是学生会的，不知他们如今在哪里，有机会聚一聚多好。

三个炊事员和一个勤杂工

在瓮安中学最苦最累又默默无闻的，恐怕要算三个炊事员和打杂的那个杨师傅了。他们的名字我都不记得了，因为从来没叫过他们的名字，也没听见别人叫过，只记得一个姓陈，是个瘦高个子；一个姓丁，个子矮小，丁师傅的父亲也是瓮安中学的工人，我们进校那阵他已经很老了，没工作了。还有一个姓李，李师傅比陈师傅矮比丁师傅高，稍魁梧一点。这三个炊事员不仅要负责全体师生（约两百号人）的吃饭、喝水，上街挑菜，还要给学生烧洗澡水和冬天的洗脸水，而且水是从狮子山的井里挑来，那时还没安自来水。为了让师生吃得有营养，他们经常磨豆腐。早餐常吃稀饭下黄豆，黄豆煮得很烂。逢节假日还经常变换花样，如面条、包子，端午节吃粽子等。记得有一次春游，全校师生去一个几十里远的铁厂参观，他们炊事员早早地做好肉包子，挑起包子跟着我们走，到了中午再发给我们吃。为什么不发给师生自己带着去呢，是怕包子分散凉了吃着不卫生吗？看来是不让大家吃冷包子。可是他们挑着走有多累啊。我和同学们都从内心里尊敬这几位师傅，学校也很尊重他们，我们照毕业相的时候，学校照例把他们也请来一起照。写到这里，我翻出我们当年的毕业照，却只有陈师傅和杨师傅，丁师傅和李师傅大概正在厨房忙着吧，相片上没有他们必定是件遗憾的事，真可惜，不过他们的音容笑貌我还记得。

打钟的杨师傅当时我们叫他杨伯，瘦高的个子，我祖父在瓮安中学教书的时候，他就在那里工作了，所以我祖父认得他。祖父形容他的脸像菜刀背一样的窄，可能是生活太拮据又劳累的关系吧。他老伴身体不好又没工作，四个孩子一家六口，全靠他个人养活。他除了打钟而外还要兼做很多杂事，如油印试卷、歌篇（当时没有教材靠学校刻蜡纸油印），打扫办公室等，反正全校就他一个勤杂工，一切杂务都是他在做。他做事情非常麻利快捷，这事放下马上拿起另一件事，从没见他闲着。

我进校的时候眼睛的视力是1.5，毕业以后还是1.5。班上没有一个人戴眼镜。这三年当中吃住都在学校，没有生过一次病。除了学校领导和老师的关怀以外，就是这几位工人同志了。没有他们做出可口而又营养的饭菜，我们身体会好吗？后来我们升入贵定高中以后（瓮安还没办高中），那里的伙食就太差劲了，在贵定中学不到一年，我的眼睛就开始得夜盲症，黄昏时看东西就模糊。那时我们好想再回到瓮安中学去啊！

母校的钟声

我们从乡下来到这县城唯一的一所中学，心情非常激动，刚开始给我印象最深的是学校的钟声，和小学的摇铃上课就是不一样。

你听，“铛铛铛铛铛……”这是集合钟，就好像是“向前向前向前……”。

“铛铛，铛铛……”这是上课钟，就好像是“上课，上课……”。

“铛，铛……”这是下课钟，多么悠闲自得。“铛铛铛，铛铛铛……”你在钟声停了以后才进教室，就算迟到了。

有那么一次，我听到预备钟响了就赶紧上厕所，刚从厕所出来上课钟就响了，厕所离教室较远，只好用百米冲刺的速度飞跑，正跑着见我班上的一个男生也在跑，他大概午睡起来衣服还没扣好，因此跑起来他的衣服像对翅膀样的飘起来，快到挂钟那地方，他边跑边喊：“老杨哥，多敲两棒！”老杨哥多敲了两棒没有，我们两个迟到了没有都记不得了，只是至今回忆起这一幕还忍不住发笑。

钟声啊，钟声！它催人奋进，给人积极向上的力量。我以最后一名考进去，以优异的成绩毕业于这所学校，当年保送三名学生升高中，我是其中之一，没有辜负老师对我的希望。

（张若仙，1956届初中毕业校友，一直在贵阳市从事教育工作。本文选自张若仙随笔《酸甜苦辣》）

我在瓮安中学读书的六年

郑维锡

一九六二年七月，在瓮安中学高中毕业典礼大会上，四十八名瓮安中学恢复高中部后的第二届高中毕业生满怀激情，饱含热泪，高唱：“七月的熏风吹送着花香，祖国的大地充满着阳光。迈开大步走向生活，条条道路为我们开放。再见吧！亲爱的母校，再见吧！敬爱的老师，再见吧！再见吧！我将要走向祖国最需要的地方，让青春放射光芒”的毕业歌后，怀着依依惜别的心情，告别了学习和生活六年的母校，告别了给予我们知识和才干的师长，告别了与我们朝夕相处和结伴学习的同学，奔向各自的学习和工作岗位，至今已有四十三年。每当我想起在瓮安中学学习和生活的六年（1956. 9—1962. 7），往事历历如昨日，令我终生难忘。

一九五六年九月，我和来自雍阳、茅坡、花桥、银盏、飞练、玉华、营定、洗马、平定营、珠藏、玉山、中坪等小学的几百名高小毕业生，通过小学升初中的升学考试，择优录取250名品学兼优的学生进入瓮安县初级中学学习（当时只设初中部），共五个班。校长应哲，教导主任王树勋（后升任副校长），副教导主任徐明尧；毛家俊、华天谷、熊德芬、孙功绪、王大章、丁章等分任班主任：科任教师：马德称、徐乾麟、熊翼盛、黎师韩、杨再超、黄德音、袁绍喜、曹绍庸、黄长育、丁方强、颜定。开设汉语、文学、算术、代数、几何、物理、化学、植物、动物、中国历史、世界历史、自然、世界地理、中国地理、政治常识、农业基础知识、体育、音乐、图画以及自编的乡土教材。

一九五八年春，徐明尧老师赴北京参观学习，返校后向同学们报告了他在北京的所见所闻，详细介绍了北京作为祖国首都，作为中华人民共和国政治、经济、文化中心的伟大之处，以激励同学们努力学习，奋发向上的进取精神，他用范仲淹在《岳阳楼记》中的“心旷神怡”这句话表达他参观时的心境。同学们聆听了徐老师的见闻和祖国大好形势的报告，视野顿开，兴味盎然，精神为之一振，刻苦努力，积极向上之情，油然而生。

我们在学习农业基础知识时，注重理论联系实际，除种大窝苕外，还在瓮安中学对面农场要了两块田种植水稻，同学们上山拾牛粪，割马桑苔作底肥，从犁田、插秧、中耕到收割，全过程都由学生自己操作。后在扬再超老师的指导下，试图搞再生稻，虽然失败了，但在向科学进军的征途中迈出了可喜的一步。

一九五八年秋升入初三，这时正值“大跃进”，根据上级指示，瓮安中学恢复高中部，成为完全中学。王振东、曹俐俐、陈世屏，刘支举、邱跃松、刘进贵、王明书、刘开文、张蓉已等高我们一级的五十名同学升入高中，编为一个班，为瓮安中学恢复高中部后的第一期。

为了适应“大跃进”形势的需要，全校师生停课搞跃进。先是在南门坝（现邮政局、县经委宿舍一带）搞深耕，次是在中学附近的漆树林一带日夜赶筑高炉炼钢铁，经常挑灯夜战到深夜，后是出西门，翻吊钟坡，来到玉华（白岩）小学驻扎，每天清晨早餐后就从小学坎下过河上山伐薪烧炭，为大炼钢铁提供燃料。同学们大多是十五六岁的青少年，不识什么是烧炭之材，只要顺手便举刀斧伐之，砍了许多有用之材。加之当时年少体力不支，砍伐时不是从根部起，而是高出地面一两尺处下刀，浪费了不少木材，生产队长看到后痛心不已，登山纠正，指导我们哪些属可伐之木，那些属用材林为保存之树和怎样砍才能节约木材，对我们教育颇深。按照生产队长的指点，我们就专砍红白青杠、板栗和杨梅等杂木树，并将所伐之木截成一米长节节，入窑炼到半生半熟，不完全成木炭即可出窑。我们伐薪烧炭的地方均是人迹罕至的深山老林，野生八月瓜和板栗较多，且香甜可口。有这样一句民谣：“八月瓜，九月挖，十月讨来哐娃娃”当时已是八月瓜和板栗成熟的季节，由于纪律约束，我们都没有随便攀摘。一个多月后完成任务返校时，每人带一挑木炭送到西门外官山坡（今县幼儿园、瓮安二中一带）钢铁厂。

回校后，根据上级指示，瓮安、福泉两县合并为瓮安县。按照合县后新县委的安排部署，瓮安为工业区，福泉为文化区。于是瓮安中学、瓮安卫校，瓮安师范等学校全部搬迁到福泉县城去办。瓮安中学迁到福泉后，与福泉中学合并为瓮安一中，校长应哲；副校长邵如松、王树勋。原草塘中学改名为瓮安二中，校长吕庆松；原牛场中学改名为瓮安三中，校长梅宗圻，副校长周天仪。一九五九年秋又在原瓮安中学校址处开办瓮安四中，副校长王树勋（主持工作）。瓮安、福泉两中学合并后，校舍不够，就将福泉中学对面的原福泉县委、县政府办公处辟为教室、学生宿舍和教师住房。课桌椅不够，就由瓮安搬来，由于当时没有运力，全部由学生自行搬运。同学们各自抬着自己的课桌徒步二十三公里送到牛场中学，再由福泉中学的同学从牛场中学徒步二十七公里抬到福泉。没有床就打地铺，没有自来水，就出福泉的古城门，下到河边洗漱，条件十分艰苦。安排初步就绪后，即行开课。

合并后瓮安一中的高中部有高一（一）、高一（二）两个班，（瓮安、福泉各一个班），初三共七个班，瓮安中学来的编为初三（一）至初三（三）三个班，福泉中学的编为初三（四）至初三（七）四个班，加上两校的初一、初二若干班，计学生千余人。由于瓮安中学从初一到高一有四个年级学生在福泉求学，年龄大多在十二三岁至十六七岁之间，第一次走出家门远离父母，思家心切。为稳定学生情绪，邵如松副校长还在学生大会上专题介绍了福泉历来就是做学问的好地方，列举了国立交通大学唐山铁道工程学院抗日战争时期在福泉办学的情况和许多名胜古迹，如姜太公钓鱼犀牛滩、福泉山、仙人洞、张三丰所造的豆腐桥（葛镜桥）传说，以及惊险的洒金谷和飞架在峡谷两岸的洒金桥，加上班主任、团组织、学生会的思想工作，瓮安来的学子能安心学习，成绩稳步上升。

初三上学期终考后，同学们归心似箭，匆忙打点回家过年。由于当时班车很少，仅有一两班由都匀、贵定开来的过路客车，没有直达车，加之学生腰包无钱可掏，吃过晚饭，便成群结队沿公路徒步返瓮安度寒假。从下午六时起程，到第二天清晨六时到瓮安，历时12 小时，行程 100 华里。当行至冷水沟制高点处，从瓮安满载腊肉运往贵阳的一辆货车停放在路旁，驾驶员因腊肉掉落又怕狼来而担惊受怕，一筹莫展时，同学们见义勇为，帮他寻找丢失的腊肉，捆扎牢实，送他上路，驾驶员再三致谢。

春节后又返回福泉读初三下学期，一九五九年七月毕业考试后，接着在福泉又参加了全省中考，除少数升入中等专业学校学习外，我和多数同学升入高中。其间，瓮安、福泉两县分开，瓮安来的学生搬回瓮安四中。随后撤销瓮安四中，恢复瓮安中学名称，为完全中学。原福泉中学的高中部也随之合并到瓮安，高中教师苏继孟，刘瑞秋等也调过来。这次升入瓮安中学高中一年级的生源来自瓮安一中、二中和三中，共 200 名，分设四个班，这就是瓮安中学恢复高中部后的第二期。

一九五九年九月一日，我和被录取的学生按照通知书的要求，先后由瓮安、福泉两县的各个地方汇集到瓮安中学，开始了新的学习生活。高中部恢复不久，高中学生虽不是凤毛麟角，但当时并不多得，为了把学生培养成德、智、体、美全面发展的国家建设人才，县委、县政府十分重视，加强学校领导，投资修建校舍，增派任课教师，先后有朱文模、李贤福等大专师范院校毕业生分来学校，并将天文区区委书记秦绍品调来任学校党支部书记，校长应哲。一九六〇年三月应哲调贵州省铝业公司子校，邵如松接任校长，副校长王树勋，教导主任先缺，后将都匀一中教师郑书权老师调来任副教导主任，后升任教导主任。语文教师刘瑞秋（女，福泉县人，贵阳师范学院毕业）一九六〇年二月入党后升任副教导主任，主管教学。一九六〇年八月由福泉来的邵如松、刘瑞秋、苏继孟等回福泉中学，这时应哲又由贵阳调回瓮安中学任校长。

为了加强青年学生的思想政治工作，学校组建了团委。高中部和初中部各建一个团总支，每班为一个团支部，团委书记蔡世秋、后为雷忠香，委员除个别教师外，均由学生担任，本人也是其中一员。

担任高一年级四个班的班主任分别是刘瑞秋、徐乾麟、袁绍喜、颜定四位老师。开设政治（任课教师王树勋、郑书权）、语文（任课教师刘瑞秋、张世忠、袁绍喜、朱文模）、代数、几何、三角、立体几何（任课教师苏继孟、张炳芝、马德称、徐乾麟、孙功绪）；物理（任课教师熊翼胜），化学（任课教师黄长育、黎师韩）、英语（任课教师颜定）、俄语（任课教师郎士达）、世界历史（任课教师黄德音），世界地理（任课教师许琼昆、黄明高）、体育（任课教师熊德芬）、生物、农业基础知识（任课教师曹绍庸、杨再超）、图画、音乐（任课教师华天谷）、生理卫生（任课教师黄德音）、另外兼学动物学、植物学（任课教师曹绍庸）。

由于办学经费紧张，有的资金需要学生勤工俭学来筹集。每到星期六下午，同学们吃了中午饭后，立即拿着自己编制的煤炭筐夹，快步跑到白水河、野猫洞、大洞口、稗子冲等地为学校食堂挑煤。每个假期，我以挑煤炭卖为主业，附带砍过柴火，搞过搬运，将农村需要的百货日杂副食送到乡下，又将永和区供销社收购的鸡、鸭、鹅毛和皮张等农副土特产品运回县城，一天一个来回，为学校校舍建设挖基础，运土方、抬砖石来筹集下学期的学杂书本灯油费用，还加夜班在米厂打过米，扛过包，赚取苦力钱。艰苦的生活，磨炼了我的意志。

学校周围有许多荒地，经师生们的双手将其开垦成菜地。所种的大白菜、萝卜、辣椒、番茄、茄子都是曹绍庸老师由外省引进过来的，可说是当时的优良品种。丰收的果实都送到学校食堂，改善师生们的生活。我所管理的两块菜地，利用课余时间，勤种耕，多施肥，细管理，各种菜蔬长得冒扬扬一片，特别喜人，得到学校好评。

在课堂上学习了米丘林学说，懂得了嫁接植物的杂交优势，在靠近袁家湾方向的学校边缘地带，种植了一片桃树苗，这是同学们在冬春之交学习嫁接技术的实习场地，我曾多次冒着毛风细雨到实验地进行嫁接操作。接枝过去没有塑料薄膜捆扎，而是用蜡封，嫁接效果不够理想。

一九六〇年，国家处于暂时困难时期，副食品供应十分短缺，学校食堂喂有一头肥猪，不过百十来斤，为了保证所有猪肉都能吃到师生嘴里，党支部书记秦绍品亲自操刀宰杀，亲自下厨，亲自掌勺，将猪肉和内脏宰成肉沫，熬成浑汤，又亲自与厨房工人一道一一分送到师生碗中，当时师生达千人以上，每人一勺已经足矣。

为了保证教学质量，学校规定所有学生都要在教室上晚自习，时间为两个小时。六十年代初，瓮安电力供应不足，不像现在教室中灯火通明，而是每八人使用一盏煤油灯，同学们将课桌拼在一起，中间置煤油灯。在这样光照不足的困难条件下，同学们仍认真读书，悉心探讨，有的直至深夜，那种孜孜以求的学习精神的确值得称道。写到这里，不禁使我想起瓮安中学的钟声，它是古时候铸成的一口铁钟，敲打时发出洪亮声音，这声音是时间、是纪律、是信号、是命令，至今还在我耳畔回响。按照不同敲法所发出的声音，同学们便知道往下该干什么，如是“当！一当！一当！……”则是上课的预备钟声；如是“当当”！两棒钟，教师则站在教室门外等候学生全部进入教室，学生坐在座位上拿出课本等准备上课，二分钟后“当当！一当当！一当当！……”则是正式上课的钟声；如是“当！一当！一当！……”则是下课的钟声：如是“当当当当当当！……”则是集合钟声；有时学校或学校附近发生火警等险情时，也用“当当当!”这种急促紧迫的钟声，召唤同学们去战斗。就这样，这钟声日日夜夜、朝朝暮暮伴随着我们度过一生中最美好的六年。瓮安中学有一个老校工，名叫欧阳观先（广西人），负责敲上下课钟和其他杂活，他与我们住在雍阳镇街上的同学很要好，同学们戏称他为老阳哥。他很理解我们的进取心理，当时学校规定凡三年无缺无旷者有奖，并作为评定“三好”学生的主要标准，同学们都努力争取这一荣誉。我们家居街上的同学没有钟表，时间掌握不准，有时在家多做点家务才来校，当走到学校上面大操场边时，上课的钟声响了（当时瓮安中学有上下两个操场，铁钟置于上操场之上的教室前，视野开阔），距教室还有一段路程，就算阳师傅敲上课钟一般要持续两三分钟，也难于跑到教室。学校规定钟声一停进入教室就算迟到，他看到我们疾步向教室奔跑，我们又大声地高喊：“老阳哥多敲两棒!”他就延续一点敲钟的时间，直到目送我们进入教室后还再敲几下才停。

每到寒暑假，师生们都返家度假去了，校园又无围墙，显得十分空旷，保护学校财产的安全是我们学生应尽职责，于是学校就组织家居街上的同学护校。当时参加护校的同学有我和郑继德、彭振奇、华国庆，张若月、陈颖娟等，日夜值班，义务为学校服务。一九六一年暑假，学校收了许多小麦，打麦后余下的麦秆无处堆放而置于有楼板的教室中，其中还有许多麦粒。当时麻雀特别多，就从窗外飞来觅食，我们巡查时看到这一情景，于是计上心来，捕杀麻雀改善伙食，便把玻璃窗大多关上，仅开四五扇让麻雀进来，待一两个时辰后，我们突然从教室门外冲进，迅速关好门窗，麻雀吓得晕头转向，不知所措，毫无目标的乱飞，尽往玻璃窗上撞，逮住近百只，炒来食之，在当时的确是一餐美味佳肴。

随着经济困难的不断加剧，为了减轻财政负担，一九六〇年底国家下达了精简下放政策，凡农村来的学生绝大多数动员回家务农。到了高二年级，四个班缩编为两个班，到高三时为一个班，班主任徐乾麟。这里需要大书一笔的是，一九六〇年秋，贵州省决定各大专院校不再向外省招生。但生源又不足，为了保证生源，决定在设有高中部而又没有高三毕业生的中学提前招生。瓮安中学属于这一规定之列，在恢复高中部后的第一期（即一九五八年秋入学，已读完高二年级）学生中，择优选送了刘支举、曹俐俐、陈世屏、王洪儒等十八位同学参加了全国统一高考，全部录取于贵州大学、贵阳医学院、贵州工学院、贵阳师范学院学习。这是建国后由瓮安中学自已培养的学生第一次进入高等学府深造。一九六一年秋，瓮安中学高中部第一期毕业生邱跃松、刘进贵、雷支举、刘开文、刘永荣、张蓉已、王明书等同学考入贵州省各大院校学习。

第一期毕业生走后，第二期进入了高三年级。学校为了培养更多的学生升入高校，把重点放在第二期高三年级，加派了师资力量，经常进行小考，增强学生反应速度和应变能力，提高综合素质。假期还请瓮安籍返家的在校大学生许祖华等同学（他们多数是瓮安中学初中毕业后考入贵定中学，再由贵定中学高中毕业后考出去的瓮安籍大学生），给我们讲理想、谈志向、介绍学习方法，增强我们高考的信心和决心。到了一九六二年六月，四十八名学生通过了毕业考试后，于七月四日毕业（毕业证书签发时间）。接着学校又组织高考复习，并提前半个月由语文教师朱文模带队到都匀高考（班主任徐乾麟因事未能前往）。赴都匀高考的同学共三十七名，通过半月的紧张复习，按贵州省招生委员会安排的统一考场——都匀一中教室投入高考。来都匀高考的除都匀、瓮安考生外，还有来自在贵定、惠水、独山、罗甸、龙里等县的考生。经过高考录取，瓮安考取十二名，占参考数的百分之三十，在当时来说，不管是绝对数还是相对数，都名列黔南州前几名。这十二名同学是：李荣良（男、瓮安县草塘人），龚逸群（男、瓮安县雍阳人），张若月（女、瓮安县玉山人），分别考入贵阳师范学院化学系、数学系、体育系；郑继德（男、瓮安县雍阳人），考入贵阳医学院医疗系；华国庆（男、江苏省无锡市人），考入贵州工学院采矿系；郑维锡（男、瓮安县雍阳人），李君莉（女、瓮安县雍阳人），李炳志（男、福泉市牛场人），罗云仙（女、福泉市凤山人），彭振奇（男、河南省南乐县人），刘治帮（男、瓮安县玉山人），付继中（男、广东人）分别考入贵州农学院牧医系、林学系、农学系，植保园艺系。余下同学虽没能进入高等学府继续深造，但他们绝大多数都参加了工作，积极投身于瓮安县的经济、文化、卫生、教育等建设中，为瓮安的社会进步和经济振兴做出了自己的贡献。

考入高校的十二名同学，通过四年（师院、农院）或五年（医学院、工学院）的学习，除龚逸群同学因家庭经济困难中途辍学外，其余十一名同学于一九六六、六七两年先后毕业，分配到全省各地工作。李荣良曾任余庆县县长、黔南州烟草局（公司）党委书记，张若月曾任贵州省一监子校校长，郑维锡曾任黔东南州直机关工委副书记、调研员，郑继德曾任贵州省安宁医院副院长、副主任医师，汕头大学精神卫生中心主任、主任医师，华国庆曾任重庆钢铁公司綦江矿工程师、子校教师，李君莉曾任金华农场组干科长，李炳志曾任贵州省土产公司经理、党委书记，罗云仙曾任黔西南州政协副主席，彭振奇曾任三都县委副书记、黔南州农业局局长、黔南州人大常委，刘治帮曾任黔南州农校副校长，付继中曾任六盘水市钟山区区长、市蔬菜局党组书记。他们在各自的工作岗位上，为建设中国特色社会主义做出自己的贡献。

瓮安中学学习气氛浓烈。校长治校，教师治学，职员治事，各司其职，为人师表，教书育人；学生勤奋好学，自我加压，挑战自我，执着追求；求学中勤学多思，常看书、读名著、做笔记、写文章，做到不懂就问，不耻下问；通过办校刊，写黑板报，提高学生的写作能力，学生在求学中添智慧，在勤奋中增知识。

现在瓮安中学师道楼后的马驮子山顶上的花竹亭对联“愿乘风破万里浪，甘面壁读十年书”（孙文语）是我们在瓮安中学求学时的真实写照。我从雍阳小学（现城关一小）开始起跑，在瓮安中学得到加油充电，奠定了迅跑的坚实基础，使我学有所成，终成正果。在瓮安中学读书的六年，是我思想进步，学习刻苦，成绩上升，自我完善的六年。这些得益于我的校长和老师的孜孜教诲，是他们让我树立了远大的理想，确立了人生的坐标，明确了努力的方向，坚定了奋斗的目标；是他们的循循善诱，言传身教，点滴注入，交给了我打开知识宝库的金钥匙，我非常怀念我的母校。

我离开母校——瓮安中学已经四十三年了。每当返家路过她的大门时，总有一种说不出的眷恋之情，视线与头一道自然而然地向她转移，不禁肃然起敬，特别是她那重修的美丽大门，巍然屹立，使我有一种自豪感。

（郑维锡，瓮安中学 1962 届高中毕业生。1966 年 7 月毕业于贵州农学院，参加工作后，曾任中共黔东南州直机关工委副书记、调研员）

我的高中时代

犹永俊

一九六四年丹桂飘香时节，我怀揣瓮安中学高中录取通知书，走进了瓮安中学校园。

几个热情的青春男女，接过我的简单行李，把我领到一棵树荫下的新生接待处，帮我办好各种新生入学手续后，就带我到宿舍，铺好床铺，又陪我去学校食堂，向我介绍了学校生活概况、开饭时间、注意事项等。他们耐心热情，细致周到，我还以为他们是老师。后来才知道，他们是高三的师哥师姐李应群、何瑛、张若玉等。新环境的新鲜感，驱使我到处走看，历史悠久的老校名校，果然非同凡响：高大的古槐树，枝繁叶茂，两棵侧柏，苍翠笔立，食堂餐厅，宽敞空阔，兼作礼堂，餐厅后面是厨房和一丈见方的水井，一池碧水清澈见底，四合院的小礼堂，古朴凝重，小礼堂前的桂花树，发散幽香，四合院的小花园，草嫩花鲜，多年的石板小道，平坦光滑。走出围墙后门，眼前豁然开朗，宽阔的运动场里，有篮球场，排球场，单杠双杠，沙坑。远处的三幢建筑，座落后山坡脚，分别是教学楼、办公楼。我正在四处观看，从办公楼下来了一位三十多岁衣着整洁的老师，看见我就问："是刚来的高一新生吗?"我回答："是!"他细看我一眼，"你叫犹永俊吧?"我大吃一惊，心想我从未见过这位老师，他怎么知道我的名字？连忙回答："是！今天刚从珠藏过来。"他又问了些情况，随手指着小的教学楼，说你们班的教室在那里，我谢过他直奔教室。里面一位四十多岁的老师正指挥着一些学生在打扫教室，我估计他就是我们班的班主任毛家俊老师，忙向他作了自我介绍，随即加入到打扫教室的行列。其后三天，是新生入学教育。第一天，应哲校长、王树勋副校长作政治思想、道德品质、学校概况及学校优良传统方面的教育；第二天是教导处丁章主任、郑书权副主任作关于学习方法、学习态度、学校规章制度方面的教育；第三天是高三的任开荣和初三的刘静恰作学习经验介绍。王校长讲话，语重心长，他讲的瓮安中学悠久的办学历史和曾经的校训"忠勤爱勇"，给我留下深刻印象。丁主任讲话，生动有趣，引人入胜，我至今难忘，比起当今众多的演讲家，不知要优秀多少倍。据了解他的同学介绍，他是解放前国立中央政治大学外语系的高才生，学识渊博，记忆超强，见过照片就能记住其人。还擅长速记，别人几个小时的报告，他能一字不漏地记下来。看到这么美好的校园，又有这么多可敬可佩的师长，我不由心中涌起幸运的涟漪，铸起跳出农门的雄心和决心。

开学了，班主任毛家俊老师上我们的语文课，他略显稀疏的头发总是梳得整整齐齐的。他讲课不急不慢，左手平摊着课本，右手支着左手胳膊肘，除了偶尔在黑板上写几个字，很多时候从不站在讲台上，而是在教室的各处边走边讲。我深感自己在毛老师的文言文教学中获益匪浅。李贤福老师上数学课，已经贵州化了的四川腔，听起来颇有几分亲切。他的黑板字虽不如毛老师的老到，却也娟秀大方，他的"老子说：一尺之棰，日取其半，万世无绝!"对略有几分懂事的我们，隐约有被占便宜之嫌，大家也一笑受之，课堂活跃。郎士达老师的俄语课上得珠飞玉溅，坐在前排的同学如沐秋雨。郑书权主任上政治课，每句话尾"儿哇"不断，听久了也习以为常。物理课上，几个同学看着牛顿的画像，这个说是男的，那个说是女的，引得刘德声老师忍俊不禁，说："你们管他是男是女，只要记住他的三大定律就行。"同学们也都笑了起来。王忠华老师是当年才从贵阳师院（即今贵州师大）毕业的新老师，高度近视，瘦高身材。他的赤水口音说"阿佛伽德罗"，从音调到嘴唇变化，我们都觉得怪怪的，有些好笑。大概是刚出学校的缘故吧，他身上还有几分学生气，因而和我们似乎更亲近随和些。我家乡有位亲戚，当时正在贵州大学历史系读书，闪闪发光的"贵州大学"校徽，刺激着我的眼球，撩拨着我的心弦，使我对黄德音老师（后来是张汝森老师）的历史课格外上心，好像每一节课都有一个动人的故事，丝毫没有感到故纸堆的乏味。曹绍庸老师多年从事高中生物教学，经验丰富，虽来黔多年，却浙江乡音未改。我们初听他的课，有些费力，好在他的儿子曹老三和我们同班，我们亦真亦假地向他请教。他说对了，我们都说"果然遗传基因厉害"；他说错了，我们又都说"怎么就发生变异了"。对同学的打趣，他也不生气，大家其乐融融。这个曹老三，读书成绩不怎么样，却天赋绝佳。他将用完的牙膏铝皮收集起来，熔化后铸成子弹状的铝锭，掏空，填上火药，做成子弹，又精心设计制作出仿真手枪，我们随他到河边试射，对准柳树，击发扳机，五十米外，竟入木三分。我们佩服得五体投地！“文革”中，曹绍庸老师为此吃尽苦头，说他纵子造枪，图谋不轨。成人后，曹老三是我们班最有成就的商海骄子。体育课是我们那个好动年龄最开心的，熊德芬老师和蔼敬业，对我们的每个动作，都细心保护，让人感到安全，胆小也会变得胆大。每天的课外活动，体育组都安排得科学恰当，时间一到，大家就到体育组领取器材，直奔场地，开展安排的活动。很少有人赖在教室，也没有人早早回到宿舍。

一个星期，总有几场精彩的篮球比赛，我们最喜欢看老师们的比赛。熊德芬老师老当益壮，指挥若定；黄兆强老师飞跃腾挪，勇猛顽强；朱文模老师和姚永鉴老师球技娴熟，命中率高；王坚定老师身形灵活，穿插自如；王毓翰老师争强喜胜；黎师韩老师语言风趣；张汝森老师动作滑稽；汪宗淦和向义文老师投球落空后的一幅鬼脸，王忠华老师偶尔失利后的满脸认真，都叫我们难以忘怀。尤其是唯一的女篮一号刘德声老师，身着一袭鲜红色薄毛衣，飘然而至，婉若仙女下凡，格外引人注目。她球技一般，却屡屡得手，原来满场男子皆有绅士风度，没动真格！而学生中的谭敬昌、李报泽、王秀章等，球艺比老师还老师，长奔短袭，机智灵活，夺球勇猛，手到即得，带球巧妙，穿插无阻，腾身转体，投球上篮，干脆利落，十中八九，简直就是我们的偶像。

一九六四年，是新中国历史上意义重大的一年。十月十六日，我国第一颗原子弹爆炸成功，蘑菇红云冲天起，东方巨人国威彰。那天早上，几个年轻老师从收音机（那时还没有电视机）中率先知道这一消息，便狂奔出寝室，一路高喊：“同学们快起床！我国的原子弹爆炸成功啦！”瞬间，整个校园沸腾了。有的唱歌欢庆，有的鼓掌庆贺，有的高呼口号，大家的脸上都洋溢着兴奋、激动、自豪和骄傲。那时我们比较理性，没有谁敲盆砸碗，更没有谁砸水瓶、摔啤酒瓶。这年的“十一”，正逢新中国成立十五周年国庆大典，由周恩来总理亲自指导排演的《东方红》大型舞蹈史诗，充分表现了全国人民战胜天灾人祸后的一派盛世升平的欢乐景象。

就在这“大地微微暖气吹”，老百姓憧憬更加美好生活的时候，却已“高天滚滚寒流急”了，“千万不要忘记阶级斗争”的飓风席卷神州大地，主导了人们的政治生活。读书学习已不是我们的主要任务了，我们还要学工、学农，要批判资产阶级，要到阶级斗争的大风大浪中去锻炼成长，反修防修。于是，皮坡寨打谷，太阳山砍荒，牛湾塘抗旱，桐木冲插秧，丁耙寨扑火，杉树坳垦荒，北门新仓抬米，东门煤厂挑煤，茅坡砖厂运砖，到平定营访贫问苦，听米书记忆苦思甜，从学校挑粪经梅子树翻山越岭到杉树坳，下晚自习后到后山坡挖坟取石砌屋基，自带锄头撮箕平整学校操场，等等。各班还划有菜地，种蔬菜交学校食堂。我们班种的蔬菜，用现在的话讲，绝对绿色环保。没施农药，但无虫害，因为每天都有人在菜地转悠，偶有小虫，也难逃法眼，还未成虫就被捉掉。也没施化肥，全是人粪尿。我们有时为了得到发酵过的人粪尿，干脆下到厕所粪坑里去。尽管满脚满手都是人粪尿，但大家都表现出无所谓甚至了不起的样子。因为在当时强大的政治思想教育下，我们已经虔诚地认为，这样做，就是在无产阶级革命化的道路上迈出了第一步，受到了一次革命的洗礼，得到了一次灵魂的净化。以为家庭出身不好，或社会关系复杂的人，这样就能凤凰涅槃、脱胎换骨了。在去河里洗手洗脚的路上，还会豪气冲天地哼唱“革命熔炉火最红，毛泽东时代出英雄……”。和别人相向而过，没有谁掩鼻捂口，更没有谁嗤之以鼻。因为谁也不敢这么做！谁这样做了，就是怕脏怕臭，就是资产阶级思想严重的表现！那时，稍有不慎，一句话，一个表情，都会惹出麻烦，尤其是家庭出身不好，或社会关系复杂的，更是如此。我们班有个同学，他的生父是国民党军官，解放后被判劳改，刑满留厂就业，给他写了封信。因信中有“学校当局”几个字，他就浑身是嘴也说不清，被迫辍学。我有个哥当时也在劳改，我随时小心谨慎，如履薄冰。记得我哥给我写一封信，我都没敢单独拆，而是拿去当着老师的面拆开。

一九六五年，为支持越南人民的反帝爱国斗争，我们班排了一出活报剧，逢瓮安县城赶集的日子就到街上演出。我们把美帝国主义的凶残狡诈、美帝走狗的奴颜卑膝、越南人民的英勇顽强，表演得淋漓尽致，惟妙惟肖。高三的同学更厉害，他们自导自排的歌剧《江姐》在学校演出，在县里演出，引起极大轰动，一曲《红梅赞》也因此响彻校园，回荡山城。

那时的我们，正值花季，青春勃发，加上被调动起来的近乎狂热的革命激情，无论多么压抑，无论怎样扭曲，总是那么乐观，那么愉悦，那么精力充沛，那么干劲十足。一场紧接一场的政治运动，没能完全抑制住我们的求知欲望，也没能完全扼杀老师们的敬业精神，我们还能挤出时间，如饥似渴地学习，老师们也还能挤出时间，辛勤耕耘。以致我们在荒废学业十多年后，还能凭借当时打下的扎实基础，接受考验，圆梦大学。

过了一九六六年春节，随着批判“三家村”的深入，随着“五一六”通知的下发，学校教学秩序被打乱了，教学活动已无法正常开展了。尤其是关于“一九六六年高考推迟半年进行”的中央指示公布后，我们就基本停课了。老师和学生一起，上课时间就学两报一刊（即《人民日报》、《解放军报》、《红旗》杂志）的社论和重要文章，学习毛主席语录，学习毛主席最新指示，写心得体会，批判封、资、修。“我们国家又发生了什么事?”这是这段时间我和段君林谈得最多的问题。我们俩从进高中的第一天起，就由于共同的兴趣、爱好，加上班级工作的原因（他任班长我任学习委员，他任团支部书记我任宣传委员），共同的话题也就多一些。但我们单纯、缺乏政治敏感、消息闭塞，还以为就和往常一样，是思想战线的斗争，是对一些文人的资产阶级思想的批判，目的是教育群众，尤其是年轻一代，提高辨别香花与毒草的能力，提高阶级斗争觉悟，加强反修防修意识。后来才知道不是这样，完全不是这样！一场史无自前例的民族厄运降临了！一场荒谬绝伦的民族悲剧开幕了！紧接着运动转入针对本单位、本部门贴写大字报，矛头开始指向家庭出身不好，或社会关系复杂，或有旧社会生活经历的老师、领导、学生。断章取义、牵强附会、无中生有、无限上纲、乱打棍子、乱扣帽子、谩骂侮辱、造谣污蔑、颠倒黑白、混淆是非，是那段时间的大字报的特征（也是当时报刊的批判文章的特征）。这期间我很苦恼：写吧，我找不到别人的问题；像有的大字报那样乱写吧，我又不愿意！但不写吧，又会被指责对“文化大革命”缺乏认识。恰在这时县委“文化大革命”工作组进校，安排我和一些同学负责保管、张贴大字报，我们就可以不写大字报了。然而，仅过两个星期，有关我的大字报出来了，说我的社会关系如何如何，现又躲进了避风港，逃避“文化大革命”，等等。不过随着党的八届十一中全会的召开，随着《十六条》及毛泽东同志给清华附中红卫兵的信的公布，工作组被认定犯方向路线错误而被批判，“文化大革命”矛头转而直指党政各级领导，他们被诬为“走资本主义道路的当权派”（简称“走资派”）。紧接着中央发出通知，要各地派红卫兵代表去北京，接受毛主席检阅，我们班方远勤、杨惠碧、张伯友等六位同学十分幸运地被选为代表，去北京见毛主席。他们还没回来，中央又发出了关于“革命大串联”的通知：要全国各地切实做好接待工作，迎接红卫兵“革命大串联”，让红卫兵小将们经风雨，见世面，扇“革命之风”，点“革命之火”，把“无产阶级文化大革命进行到底”。并明确规定，红卫兵乘坐汽车、火车以及食宿都免费。红卫兵遇到困难，各地必须给予帮助解决。于是，我和段君林、田应吉、曾华一组，于十一月初踏上“革命大串联”之路。准备在都匀登“666”次红卫兵专列。由于该专列已拥挤不堪，下面的人拼命往上挤，上面的人使劲往下推，我们没能挤上去，反倒走散了。我和段君林去到贵阳同样没能挤上去北京的火车，只好去到昆明。

当年的春城昆明，仲冬时节还气候暖和，十分宜人。我们住在昆明师范学院的大礼堂，吃、住、行都舒适方便。我们每天早上吃过早餐，就去翠湖、五华山等地看大字报、抄大字报。许多来自北京的消息，令我们瞠目结舌，也十分兴奋。那么多曾经是我们十分崇拜的大人物，居然是叛徒、特务，居然反对毛主席，反对毛泽东思想！看来“文化大革命”确实非常重要，非常必要！在昆明的二十多天时间，我记了整整两大本。看够了，记够了，就坐上任一路公交车，从起始站一直坐到终点站，然后又坐回来。我们也先后去了滇池、大观楼、会殿、黑龙潭等处。五百里滇池，海天一色，极目难穷；西山龙门和金殿的不少厅室，一片狼藉，各种菩萨，有的粉身碎骨，有的东倒西歪，偶尔有座完好无损的，也失去往日的威武光鲜，蓬头垢面，黯然失神。大观楼长联这一中国楹联的代表作，要不是国务院的紧急通知下发及时，也将遭破坏。

由于随时想到去北京，所以在纪念昆明“一二·一”学生运动后，我急切返回贵阳（段君林已先期离开）。正准备设法北上时，中央关于停止“革命大串联”的文件下达了，说时近隆冬，北京及各地天气寒冷，极不利于“革命大串联”，为红卫兵小将的健康考虑，暂停“革命大串联”，待明年春暖花时再行安排。希望红卫兵小将们立即回到学校，就地闹革命，把本校、本地区的无产阶级文化大革命进行到底！

我回到学校，已是一九六六年十二月中旬了。才不到两个月时间，我感到学校变了，热闹非凡，涌动着真切的热烈，不再是两三个月前那种压抑状态下的轰轰烈烈；同学们变了，变得活泼大方，热情洋溢，活力四射，青春飞扬。大家热烈地交谈着“革命大串联”的所见所闻和亲身经历，有的去了井冈山，有的去了延安，有的去了上海，有的去了韶山。有的参观了“一大”会址，有的走进了毛主席住过的窑洞。谈到见着毛主席的幸福时刻，更是激动不已，眉飞色舞，喜形于色。同时纷纷拿出自己的毛主席像章，有红彤彤的，有金灿灿的，有的大如银圆，有的小如纽扣。谁去过的地方多，谁的毛主席像章多，谁就最受关注，最受羡慕。大家根据在外地学到的革命经验，组织起来，“踢开党委闹革命”。几个（或十几个，或几十个）志同道合者，成立一个红卫兵组织，取名“毛泽东思想红卫兵造反司令部”，或“大无畏战斗队”，或“8·18兵团”等。短短十多天，红卫兵组织如雨后春笋，遍布校园；其后不久，风起云涌的各种造反组织，也林立于机关、厂矿、城乡、街道。我们在串联中第一次知道了毛泽东同志的生日是一八九二年十二月二十六日，于是我们（段君林、唐朝林、谭维伦、杨惠碧、王复友、刘德富等十多人）成立了一个红卫兵组织，取名“毛泽东思想红卫兵12·26战斗队”，许多红卫兵组织的代表应邀参加了我们十二月二十六日的成立大会。接着，各组织争先恐后开展批斗本单位领导和县领导的活动。这些领导被统称为“当权派”，他们被认为犯有程度不等的“走资本主义道路”的错误。有的开批判大会，把被批对象“勒令”到场，大家揭发批判他的错误罪行；有的给他们脖子上挂黑牌（也有戴高帽子的），上写“反革命修正主义分子某某某”，或“走资派某某某”，或“蜕化变质分子某某某”，或“大流氓某某某”，带去游街。边游边高呼“打倒反革命修正主义分子某某某”之类的口号。这段时间，成天街上热闹无比，这支游行队伍才去，那支游行队伍又来，口号此起彼伏，战旗交相辉映，满街人如潮，全城旗如海。有的造反派为了表现自己革命坚决性、彻底性，对“当权派”人格侮辱、酷刑揪斗、拳打脚踢、绳索捆绑，等等。看到这些不符合《十六条》精神的做法，以及在昆明看见的和听见的有关红卫兵破“四旧”、揪叛徒中的过激行为，我不由掠过一丝疑虑。但一想到毛泽东同志在《湖南农民运动考察报告》中对各种非议农民运动的反驳，心中又释然了。不过自己在思想上和行动中始终不愿超越“要文斗，不要武斗”的原则，我们战斗队也坚持不做过激行动。随着瓮安“文化大革命”的深入发展，各组织对瓮安“文化大革命”形势的认识、对瓮安各级干部的认定等问题出现了严重的分歧，形成了两大派。大字报形式已逐渐被大辩论形式代替，各组织纷纷走上街头，批判别人观点，宣传自己看法。早上出门，遇到不同观点的，就与他辩论，一会工夫就围拢大堆人，同意你观点的为你呐喊，为你助威；不同意你观点的给你喝倒彩、说风凉话、泼脏水。有时一辩就是几个钟头，忘记吃饭、忘记睡觉，辩得声嘶力竭、嗓子沙哑。到后来，不同观点的斗争越加尖锐，以致父子对立、夫妻反目、兄妹翻脸，甚至有的组织之间发生了肢体冲突。一九六七年一月，上海市革命造反派在解放军驻沪部队的支持下，组成大联合，一举夺取了上海市委、市政府大权，建立了新的革命政权，先叫“上海公社”，后改叫“上海市革命委员会”。中央肯定了他们的做法，誉之为“一月风暴”，并向全国推广。贵州紧随其后，率先在西南地区夺了原贵州省委、省政府的权，建立了贵州省革命委员会，被中央称赞为“西南的春雷”。瓮安县武装部根据省军区、州军分区的指示，介入地方文化大毕革命，力图促成各造反派的大联合。但由于分歧太大，迟迟难于统一，影响到“联合—夺权—建立革命委员会”的目的，于是采取断然措施：一是向我们红卫兵组织通报，说有阶级敌人混入我们的群众组织中，要我们擦亮眼睛，提高警惕。这对于经过大批判大串联洗礼、革命热情高涨到近乎狂热、爱憎分明到极端偏颇的我们，哪能容忍丝毫，纷纷要求抓出坏人；二是在红卫兵的主动配合下，于三月十九日晚抓捕了一些群众组织的头头，并在第二天批斗这些“坏人”的大会上，取缔了这些组织，宣告了瓮安革命造反派大联合成功。在此基础上于三月二十二日晚夺取了瓮安的党政财文大权。经上级批准，于一九六七年四月九日成立了瓮安县革命委员会。没过多久，我们感到有些问题不对劲：为什么“坏人”全出在我们这派的造反组织中？为什么被取缔的反动组织全是我们这派的？为什么在县革命委员会及其办事机构中我们这派连个代表都没有？这是联合夺权吗？我们发觉上当了！受骗了！十八九岁是容易冲动的年龄，十八九岁是容易热血沸腾的年龄，也是血气方刚不甘上当受骗的年龄！于是，我们通过对当时的主流媒体（即两报一刊）的重要文章的学习，认定瓮安的大联合，是刺刀下的吞并！瓮安武装部在“支左”中“支一派压一派”！“3・19”是对革命群众的残酷镇压，是资产阶级反动路线的反扑，是对毛主常革命路线的践踏！我们七八个人贴出了一张爆炸性的大字报，要求释放被抓捕的同志，并就抓人、取缔革命群众组织等公开承认错误，要求改组县革委。后果可想而知，我们遭到围攻，口诛笔伐，说我们“矛头指向解放军”、是“反对新生的红色政权”、是“为被推翻的原县委及走资派招魂”、是“为牛鬼蛇神鸣冤叫屈”，等等。好心的朋友、熟人劝我们算了，免得吃亏；对立派的人也找我们谈话，要我们认清形势，不要和红色政权作对。面对高压和险恶处境，我们一起大声诵读毛主席有关语录，互相鼓励，坚定革命意志；齐唱《红军战士想念毛泽东》，表达我们忠于毛主席、忠于毛主席革命路线、受压不屈的决心。并坚持我们的观点，认为不把颠倒过去的历史颠倒过来，我们将“吃二遍苦”、“受一茬罪”！还发誓：“头可断，血可流，毛主席革命路线不可丢!”为了求得上级支持，我们又步行到贵阳，去反映瓮安的问题。结果贵阳之行无功而返，因为瓮安的一切作法都是省里同意的。我们心里明白了，瓮安问题只有去北京才有希望解决。但大串联已经停止，我们都是穷学生，无钱买火车票，怎么去得了北京？虽然心里不服，也只好作罢，时不时写几张大字报贴出去，表明我们毫不动摇的立场和观点。

七月，中央下令解放军派军代表进入大专院校，掌控已有些失控的“文化大革命”局面。瓮安武装部也派了十多个干部战士进驻瓮安中学，首先把分属各红卫兵组织的学生归回各班，进行军训、政治学习，改变半年多来的各自为阵状态。然后找我们谈话，对我们进行耐心的说服教育，要我们认清形势，改变观点，站到毛主席的革命路线上来，不要一错再错。同时对我们关怀备至，亲切有加，我们都很受感动。但就是觉得我们没有错，瓮安的“文化大革命”就是背离了毛主席的革命路线！镇压革命群众就是错的！慢慢地，军代表不再那么耐心那么客气了，大会小会，点名不点名地批评我们。组织全班同学开会，“帮助”我们提高认识，改正错误。其实就是对我们进行批判，抓住我们的一些问题，如家庭出身、社会关系等，牵强附会，横加指责。我们初三政治课学的是毛泽东的《中国革命和中国共产党》，段君林把听课笔记和老师布置的思考题都记在书上，这竟然成了他“篡改毛主席著作”的“铁证”，被无限上纲，大有把他打入十八层地狱而后快之状。我们的日子越来越不好过了。九月底，全校师生去木老坪搞“三秋”，我们差不多就处于被强制劳动状态。传达毛主席的最新指示不通知我们参加，宣传毛主席的最新指示不让我们参与，我们只能老实劳动。并且，白天劳动，晚上学习，接受批判教育。“三秋”结束回学校后，虽然不再抓住我们不放，但白天寒冷，黑夜漫长，日子同样不好过。熬到年底，没什么事可干，军代表也觉得没什么好安排，又临近春节，就让我们回家过年。一九六八年初，中央发出文件，要各地正确对待老造反派，段君林写信告诉我，处境有了明显改善，我们中已有人被补充到县革委的办事机构中去了。过完春节，我就立即赶回学校，一是想亲眼看看，我们的处境究竟有多大改善；二是高中一晃就三年多了，我们往后怎么办？三是我们的户口还在学校，哪怕待在家里也是“黑人”。同学们大多数回到了学校，只不过校园已不像一年前那样热闹了，有些冷清；学校虽然照常运转，但给人以惨淡经营的感觉。没有事干，就成天上街闲逛，不想看报，也懒得看书，百无聊赖中学会了抽烟，玩扑克。期间曾经有指示叫“复课闹革命”，但是经过一年多的折腾，谁还能静下心来读书？况且几个月的大批判，使大家都认定原来的教育制度、教育模式是修正主义的东西，原来的课本也有严重问题，谁还敢拾起再用？破旧立新，旧的已破，新的未立，怎么复课法？白天睡了觉，晚上夜深人静也迟迟难以入睡，一年多来的“文革”经历如特写镜头，在眼前徐徐展现：曾经十分要好的同学、朋友、亲戚，誓不两立，不共戴天；工厂停工，农民停产，学校停课；为建立新中国洒血流汗的老干部腿断身残；谆谆教诲、辛勤培育过我们的老师颜面扫地；外地如武汉市两派组织，为着毛主席革命路线，多少人死在对方的枪炮下？多少人从数层高楼纵身跳下，牺牲了年轻宝贵的生命？同时，不少问题也纠结脑海，百思不得其解：既然是革命，谁是革命者？谁是被革命者？为什么革命者和被革命者却有共同的领袖？我们视为经典的毛主席语录，为什么对同一问题，各种观点的人都可以拿它振振有词地说事？这就是“放之四海而皆准”吗？等等。三月的一天，接到有关通知：毛主席他老人家对我们贵州各族人民无比关怀，给我们送芒果来了，明天一早集合去迎接！第二天，我们和县城各单位的人们，集合到高家坳等候。一路上，大家激动万分，口号不断：“敬祝毛主席万寿无疆!”“誓死捍卫毛主席的革命路线!”“把无产阶级文化大革命进行到底!”

快到中午，远处茅坡传来汽车喇叭声。人们纷纷伸长脖子，屏声静气，等待那一激动人心的时刻。我踮起脚，只见一辆大汽车，披红挂绿，上竖一幅毛主席巨幅画像。我想，芒果肯定是装在车厢里的。到了体育场，一个人双手恭敬地擎着一张大照片，走下车来，照片上有一水果状的东西。我正在等待芒果的出现，“感谢毛主席对贵州各族人民的关心！”“毛主席万岁！万岁！万万岁！”的口号声已震耳欲聋了。我懵了一会儿恍然大悟，原来毛主席送来的芒果就是一张芒果照片！是关心？是愚弄？还是有坏人故意贬损毛主席在我们心中的伟人形象？我五味杂陈，不是滋味！五月，根据上级部署，运动进入“斗、批、改”阶段，就是继续斗“走资派”，批资产阶级反动路线，建立无产阶级自己的新制度、新秩序、新规则，开创无产阶级的新天地。我们随即投入其中。很快我们就发现，这谈何容易？有的地方“改”的如同儿戏，读书就读语录书，唱歌就唱语录歌，令人啼笑皆非！但这竟然得到肯定，实在令人难以理喻。随着董忠烈、于德明、廖明才、金邦奇等六位同学应征入伍，有的同学因家庭困难被工厂招工走掉，我们班的人越来越少了，感到更加无聊。慢慢地，我们曾经有过的“革命激情”渐渐消退，曾经有过的“革命信念”渐渐动摇，还有些厌倦无谓的争斗了！借口拿生活费，我回到了家里，和哥嫂一起参加生产队劳动。即使八月中旬，我们曾经为之奋斗并因之遭受屈辱的目标实现了，即第一个县革命委员会被解散，成立了新的县革命委员会，我也没回学校。直到毛主席“农村是广阔的天地，知识青年在那里大有作为”的最新指示发表，我才回到学校。通过学习文件，领会精神，按照县里统一安排，我们于 10 月 21 日，接过县里发给的一套《毛泽东选集》，一把锄头，告别了同学，告别了老师，告别了母校，乘坐汽车，回到了家乡。从此开始了我新的人生历程，日出而作，日落而歇。

三年高中，读了四年半，该学的课程，才学三分之二。青春流逝，岁月蹉跎，情何以堪！其实，何止我们个人？伟大祖国历尽劫难，濒临崩溃，可爱母校蒙难殊深，遍体鳞伤！

一九七〇年，我曾利用到县城的机会，一个人去到瓮安中学。是留念？是缅怀？还是朝觐？好像都是，又好像都不是！只见操场杂草丛生，牛踩马踏；教室门窗破损，桌凳尘封；围墙断垣残壁，出入无阻。满目荒凉，欲说无语，惟自叹息！好在一九七六年十月，党中央一举粉碎“四人帮”，邓小平同志拨乱反正，改革开放，伟大祖国，生机勃发，敬爱母校，得沐春风，春华秋实，硕果累累。我生有幸，圆梦大学，返回梓里，以尽绵帛。谨以此文，祭奠我辈逝去的青春！

（犹永俊，瓮安二中数学特级教师、原副校长）

我的好老师向义文

犹家仲

我的好老师向义文，他离开人世已近三十年了。

1979 年 9 月，我考进了瓮安中学高一（1）班，他是我们的数学老师和班主任。

矮小的身材，高度近视眼镜，讲话声音清脆、果断，对工作的极度热情、对学生比父亲还要父亲的爱……这些便是他教过的学生们在今天一再重温的话题。

他经常鼓励我们：我走在街上，人们都很羡慕我，说我这班学生很优秀，你们的一只脚已经踏在大学的门槛上呢。

我真的因此受到了不小的鼓励。

我们班同学绝大多数来自乡下，因此，我们都住校。学校有严格的作息制度，早上要早早起床，跑步、出操……

他每天早上都来跟我们一起跑步，一直强调我们要保持好的身体。一天早上，天气太寒冷了，大家都不想起床，便睡在床上一动不动，也不出声。他一清早来到我们宿舍，在宿舍里巡视了一圈。他的眼睛高度近视的缘故，没有看到我们任何人，便以为我们都已经起床锻炼去了。他很高兴。正当他快走出门的时候，不知是哪位同学出了声，这时他便转身，重新回到宿舍中央，很生气，并大声地说：你们这个方程，德尔塔小于零……同学们一方面被吓坏了，另一方面，也有自责的成分吧，都纷纷起床，跟他一起去跑步。我以为在跑步过程中，我们还会受到进一步的批评。结果是：那天早上跑步，我们跟平时一样，有说有笑地结束了早锻炼。

那时，我们班同学，通常一个月回家一次，为的是去拿生活费。平时，星期六半天的课，下午一般都要洗衣服，星期天上午，同学们都有空闲，他便把我们班同学组织起来，坐在教室里，一起解决几个数学难题。同学们往往给每一道难题多种解法。气氛非常轻松，完全不像今天的补课、应付高考的情况。我记得，后来，我们当时解过的难题还印一册，供复习时使用。现在早不知扔到哪里去了。今天想起来，他其实还教会了我们如何利用空余时间，如何爱惜时间。

他对我们，就像父亲对孩子一样。

七九年的冬天特别寒冷，还没有放假，便大雪纷飞，操场上积雪超过半尺厚。我们的教室是木楼板，没有取暖设施，我们大家又都衣服单薄，下午自习课的时候，实在难耐寒冷的折磨，便开始跺脚，木楼板乒乒乓乓的响起来。声音太大了，影响了楼下教室上课。当时楼下也正在上物理课。那位老师便上楼，进我们班教室来，要我们全班同学下楼，男女各站成一排，立正在那半尺厚的雪地里。大部分同学们都被吓得要命，不敢反抗，站在那里，接受那罪有应得的惩罚。脸冻得通红、手冻得通红，个个冻得瑟瑟发抖，心里还充满恐惧……焦虑着不知怎么向老师交代。这时，他刚好担着一担水从操场经过。远处，他抬起头，把我们瞅了好久。估计他不能断定是什么人大雪天站在那里。之后，他把水担回家去。又来就近观察，才发现是他的学生站在那里。他没有问为什么，便立即要我们回到教室。回到教室里，大家都不敢说话，因为我们不知道会受到什么样的批评。可是没有，他没有批评我们，反而安慰我们，怕我们被冻坏了身体。只是要求我们：今后不要再跺脚了。他很生那位惩罚我们的老师的气，还要去找他论理……我那时心里不知有多少感动，觉得他就像我们的父亲一样，甚至比父亲还要爱我们。

又有一次，我们班一位同学，半夜上厕所，因为慌不择路，从窗子跳下，受了严重的伤。几位同学先把他背回宿舍，之后便去给向老师报告。那时可能是凌晨四点多钟吧，他来到宿舍。由于疼痛难忍，受伤的那位同学开始呻吟。那时，向老师便一遍又一遍地呼唤那位同学的名字，问他哪个位置痛，给他许多的安慰，要他勇敢点，再坚持一下，天就要亮了，天一亮我们就去医院，一切便都好了……宿舍里黑洞洞的，只能听到说话和不断地寻问伤情、安慰的声音。我们这些在旁边的同学听起来，就像听到那林里的鸟儿痛失幼鸟的哀鸣，母亲感到无助时的呻叹。觉得那声音，把我们的心都撕碎了，觉得他比那位同学还要痛，还要难受。他痛到了心。我们都好张皇失措，不知道应该做什么才好。

我真真切切地感受到，他真的比父亲还要父亲。

直到天亮，他又和几位同学一起把那位同学送到医院……

他对工作的认真负责，使他在同学中获得了永久的尊敬。

记得我们高二那年，国家干部调工资了。好些老师都没有调到，包括向老师。那时我已经进入文科班准备高考课程。向老师上的是理科班的课程，但是，我们都知道，大部分没有调到工资的老师都不上课了。比如我们文科班的地理老师，进教室便哭诉，下课时哭诉便结束；而那位政治老师则是进教室便痛骂，下课时痛骂便结束……理科班也好不了多少。向老师从来没有因为这件事情而影响教学，虽然他也有怨气，但是，他没有牺牲学生的时间，没有辱没他自己的工作和身份。当时看起来，他好像很卑下，其实，他赢得了同学们对他的永久的尊敬。这一点特别地留在我的心里。后来，我从事的工作也是教学，我都一直都以他为榜样。如果有个人恩怨，绝不带进教室。在教室里都做一流的老师，一流的教学。

想到这些，我便对向义文老师有无限的感激。

就在我们毕业升入大学那年冬天，向老师突然中风，情况十分严重。不少同学得到这个消息后，都很自责，觉得是我们太调皮，给了他太多的折磨，使他长期辛苦工作，让他操劳过度，才得那么严重的病。放寒假后，同学们纷纷从各地去看他。那个冬天我没有去，我家在农村，当年天气太冷，交通不方便。又有人说他在贵阳，还没有回到瓮安。心里还是惦记着的。大学一年级结束的那个夏天，我去看过他一次，也是唯一的一次。那时，同学们说他的病情开始好转，但是，当时我个人觉得，他的病情还很严重：说话很吃力，且口齿不清。我心里总担心，怕他要离开我们了。

就在那次看他的时候，他反复提及，他最大的遗憾是没有入党。当时我不能明白他为什么要提这个话题，后来才听说，如果入了党，也许在医疗上会更方便些。他多么了不起，没有像一般人那样，埋怨社会不公平，而是遗憾自己没有积极争取更好的医疗平台。从那次他的谈话中，我更深切地感受到，一个重病患者对生的渴望，对死亡的预感和恐惧。他去世的时候，我可能已经大学毕业分配到外地工作去了。那次去看他，便成了跟他的最后一次见面和得到他的教诲。

向老师英年早逝。但是，他对学生的关怀，对工作的尽职尽责，一直留在我们每位受到过他的教诲的学生的心中。

我在西安读书的时候，遇到一位校友，他也受到过向老师的教诲。每当我们在一起，便要把能记得起来的，关于向老师的感人故事，回忆一遍。他给我们的关怀，给我们的爱，给我们的鼓励。最重要的还有他对我们的永不褪色的希望。

我们回忆向老师，一方面是缅怀他，另一方面，也是为我们自己感到骄傲：你看，在我们的人生中，曾经经历过这样一位好老师。

声明：其中写的都是真人真事，如是有出入，就怪记忆力，不要怪我。对那几位持批评态度的老师，本人表示遗憾，本人不敢歪曲事实，违背真理。亚里士多德说：吾爱吾师，吾爱真理。

（犹家仲，博士研究生，广西师范大学教授）

瓮水长歌忆母校

李 俊

花竹山麓，瓮水河畔，雍阳坝上，瓮安一中荟萃了乌江流域这一方水土的历史与人文精华，在筚路蓝缕中砥砺，在百年沧桑中辉煌，长歌迈进，生生不息。作为这所学校毕业的学子，我因母校而心生自豪，倍感荣光。

然而，在很长的一段时间里，我心里并不认同瓮安一中是我的母校，而只把自己看作是曾在那里参加过高考的一个“寄考生”。

我出生在瓮安乡下，并在当时的“玉山区龙塘公社尖坡大队”的尖坡小学发蒙，直到1980年7月小学毕业。那年9月，父亲把我带到了他工作的贵阳林东矿务局郭家冲煤矿子弟学校读书。因农村小学的教学质量差，父亲担心我的基础不好，让我重读了小学五年级，第二年才升初中。1984年7月我初中毕业，参加贵阳市的中考也取得了很好的成绩，9月就应顺理成章地进入矿务局的林东中学读高中。因户口在瓮安，怕给以后的高考带来麻烦，又听在瓮安县教育局工作的姑姑说瓮安一中的教学质量不错，便决定转到那里就读。于是，1984年9月我进入了瓮安一中高一（1）班。好像是按中考成绩来划分的一个重点班。

班主任是一个叫李惠超的教英语的女老师，约有40多岁，后来才知道她早与我那个当副县长的幺公认了“干亲”，按辈分得叫她“姑太”。语文老师叫余国民，给我的印象较深，因为他第一堂课空手进教室，口若悬河了45分钟，吹嘘他如何熟知古典文学，把“《诗经》都背了三分之二”（他的原话）。第二堂课他就打乱课文的目录顺序，先讲后面的古代诗文部分，从《诗经》里选出来的《硕鼠》和《伐檀》自然首当其冲。果然，余老师在示范朗读时不看书本，而是摇头晃脑地吟诵一遍，俨然一个古代的文人骚客。这多少让我佩服了一下，但又让我感到遗憾的是他没有用普通话朗诵，而是瓮安土话。小学五年级和初中三年，我的语文老师在课堂上都是用普通话教学的，只有在下课以后才说贵阳土话。多年以后，我在大学里做了教师，回想起余老师那种打乱语文目录顺序，从古代文学部分讲起的做法，是非常得法的，符合现今响彻云霄的“教学改革”和“科学发展观”。也许当年的余老师并没有意识到这一点，他只是出于一种很现实的考虑——他不是精于古典文学嘛，先讲最拿手的来吸引住学生。就《硕鼠》和《伐檀》这两首诗，余老师讲了好几堂课，折腾得同学们都有点烦了，然而还没完，他又让我们根据这两首诗和他的讲解来写一篇作文。我十分认真地写了交上去，却没有等到作文讲评的时候。因为国庆节之后，父亲又让我回到他身边就读。原因很简单，怕我在外地信马由缰“学坏了”，要把我置于其视线之内。

于是，我又进了课堂上用普通话教学下课以后才说贵阳土话的学校——贵阳林东中学。在这所学校里，我出尽了“风头”，可谓学生“明星”。我的处女作《校园中，那片幽静的树林》在贵阳市教委办的《学生报》上发表了，接着又在别的报刊上发表了一首诗和一篇短评；当上了校刊《文苑》的主编；1986年8月作为贵州的4个学生代表之一（每个矿务局一个名额）到北京参加“全国青少年煤炭科技夏令营”；被评为“贵阳市优秀学生干部”。然而，现实是残酷的，高三毕业时我却不能在贵阳参加高考，必须回到户口所在地瓮安。很自然地，通过在瓮安县教育局工作的那个姑姑，1987年4月底，我列入瓮安一中高三文科班的名册参加了当年的高考预选，并顺利通过了。

5月初的一天，怀揣着“预选录取通知书”，姑姑带我到瓮安一中去办理“入学”手续。我们在操场上见到了校长。校长姓黄，对我们很客气，亲切地询问我在林东中学的情况，又说我的预选成绩不是很好。沐浴着5月温煦的阳光与浩荡的春风，我自信满满地说，这次预选我没怎么用心，选上就行了，7月份高考增加50分不成问题。校长满意地笑了，还顺着我的意思鼓励了几句。然而他在收取学杂费的时候却是一幅公事公办的样子，两个月64元，一分也不能少，而不是之前姑姑料想的“同在教育系统工作，又是熟人”，顶多只交30元。为一项一项地算给我们看，校长亲自拿着算盘噼里啪啦拨弄了一番，那个熟练的样子让我想起了大地主刘文彩收租院里的账房先生。姑姑很生气，却一直忍着。交完费用之后，姑姑回单位去了，校长把我领给文科班的班主任王顺德。王老师是湖南人。听姑姑说瓮安一中那几年新进了一批很不错的湖南老师。王老师说话带着浓重的湘音，我一句也没听懂。他领着我来到二楼的一间教室门口，里面正在上课。王老师推开门示意我进去，自己却转身就走了。我尴尬地对着上课的老师咧嘴笑笑，怯生生地溜进教室去。教室里很空荡。据说这一届文科班原有60多人，预选刷掉一半，只剩30几个人有资格参加7月份的正式高考——这对于现今全员参加高考的高三学生来说，很难理解那种千军万马过独木桥的残酷竞争。至此，幸运的我就成了瓮安一中正式登记在册的一名学生了。

看得出来，一开始王顺德老师并不怎么待见我，一张苦瓜脸上从不见笑容，路上碰着叫他一声，也是爱理不理的。我想，我不是他的“嫡系”学生，说不定他心里还埋怨我这个外来考生占了他班上的一个预选名额呢。我当然也是瞧不上他的，与林东中学我那些西装革履风度翩翩操普通话讲课的老师们比起来，讲着一口湖南土话的他简直土得掉渣，要是在乡下遇见，说他是种地的谁都不会怀疑。然而，这个教历史的“湘军”，却渐渐使我从心眼里佩服起来。我们整天在题海里“遨游”，做模拟试题，听老师评讲，然后再做，再评，没完没了苦不堪言。王老师的分析讲解很透彻，启发式教学很精辟，我感觉历史课本上以往比较模糊的许多地方，经他一点拨便豁然开朗而记忆深刻，并且在回答分析类题目时“有话想说”。这就超越了死记硬背学历史的传统藩篱，使“背（贝）多分”变成了“答（达）分奇”。有一次做模拟题时，王老师给我的分析类题目答案打了满分，还在满分的旁边霍然写上一个“+1”分。这太让我感到意外了，以前从未遇到过这种事，给满分就不错了，还要奖励1分！并且，他在讲评时还专门拿我的试卷来做范本，说我的分析很深刻，有条理，且文笔流畅，卷面干净整洁，所以在给满分的同时又多加了一分。我当时除了意外、感动、惊喜之外，对王老师产生了一种由衷的感激之情，一个有着隔阂感的学生，能得到老师如此的赏识与厚爱，实属不易。从那以后，我就觉得王老师不“土”了，而是“朴实”，就像我那些生活在瓮安乡下的叔伯、舅舅们一样亲切。但王老师又和他们不一样，他们是朴实的农民，王老师是朴实的文化传播者，虽然穿着打扮朴实，但脸上的气质却很高贵，正所谓“腹有诗书气自华”！

两个月之后，我在瓮安一中顺利参加了为时三天的高考。王顺德老师寄予厚望的我也很争气，历史考了80多分，总分超过当年的文科二本线11分。那一届文科班仅有我和另一个同学考上本科。又过了两个月，我顺利进入了贵州师范大学。也许是王老师的赏识和历史高考的成功在潜意识里所起的作用，我学的专业虽然是中文和影视，但对历史始终保持着浓厚的兴趣，收藏、阅读了大量的历史书籍，对明史和中国革命史尤为熟悉，文艺创作也是以历史题材为主。1999年以来，我的历史剧作《杨虎城的最后岁月》、《夜郎王》、《王阳明》等陆续被搬上荧屏和舞台，跻身文艺界，被媒体封为“剧作家”，并夸张为“文化名人”。

细算起来，我在瓮安一中高中部读了个“一头一尾”，只有短短的三个月时间。然而，这却是我生命中的一段重要历程，是我人生之路的“伟大转折”。仅从这个意义上来说，对于母校，我就永怀感恩之心，永存感激之情！岁月流转不息，生命有时而尽，唯有文化与精神永葆。乌江流域的这一方水土，培育了母校深厚的历史与人文，这种历史与人文，与天地共寿，与日月同辉。

（李俊，1987年7月毕业于瓮安中学，现为贵州师范大学教授，处级干部。系中国作家协会会员，贵州省电影家协会主席，贵州省电视艺术家协会副主席）

春之韵

刘忠信

三月雪

3月9日，由于受冷空气的影响，寒潮来袭，气温骤降。同中国南方许多地区一样，瓮安也下起了鹅毛大雪。

是日前的一段时间里，艳阳高照，春风和煦，万物复苏。尽管远山还是那样斑驳杂色，近水还是那样清澈透底，但在春阳的照射下，不再有山寒水瘦的瑟缩。一两场夜雨过后，白菜苔疯长，油菜花泛黄，桃李的秃枝上绽满了花蕾。当然，也有花期早的茶花、樱花，此时已是血红、粉白了……

雪，应该是在3月8号的晚上开始下的，但具体时间，我不知道。早上起床，拉开窗帘，就看见远山白了，屋顶白了，路道边停放的轿车顶也铺满了一层白雪。

推开窗子细看，鹅毛般轻柔的雪花荡荡悠悠，下得正欢。

这如同蝉翼般透明的六角形雪花，又恰似暮春时节的杨花，无声息地飘舞。苏东坡在《水龙岭·次韵章质夫扬花词》里写道："似花还似非花，也无人惜从教坠。抛家傍路，思量却是，无情有思。萦损柔肠，困酣娇眼，欲开还闭。"——苏东坡用美女困倦时眼睛欲开还闭，来形容杨花的忽飘忽坠，时起时落，真是让人拍案叫绝。我想，借"困酣娇眼，欲开还闭"来比拟这三月雪花的轻柔，也不为过。两者还有一个共同点，那就是"似花还似非花"。

抑或是由水变成雾，由雾开成花，走过漫漫天路，又来到滚滚红尘，早已精疲力竭；抑或是"高天滚滚寒流急，大地微微暖气吹"，不可逆转的地热早已喷发出来。这些菲薄的雪花一碰触到地面，即刻委释成了水。所以，路道上没有积雪，新翻的泥土里没有积雪。积雪只留在山上，留在屋顶，留在树枝上，留在农作物的叶片上，留在与地热隔离的物体上。

这样最好。在白雪的装扮下，青山更青，绿水更绿，已开的，待开的花儿更加娇艳，人也倍感清爽。

走出房门，悠悠荡荡的雪花，一朵又一朵，落在我的头顶，落在我的两肩，落在我的睫毛上，落进我的嘴里。

落在睫毛上的雪花，很快化了，变成了我的泪水。美国作家奥珂德说："眼因流多泪水而愈益清明，心因饱经忧患而愈益温厚。"

落进嘴里的雪花，舌尖凉凉的，颇有点"农夫山泉，有点甜"的味道。

我还嗅到雪花那淡淡的香味，夹着新翻泥土气息的，白菜苔的，油菜花的，以及桃树李树花蕾的。这突然降临的漫天雪花，编织成一个偌大的罩，罩在这热切地酝酿着花事的大地上，能不香么？

俗话说："清明才断雪，谷雨才断霜。"但一个人的一生，难得碰上几回三月雪。我清楚地记得，1969年的清明节，也下了一场大雪。那时，我在青山农场当知青。那天，漫天的大雪纷纷扬扬地下个不停，很快就刷白了山岭、林稍、路道。在山垭的一间土墙茅屋里，四位弱冠之年的知识青年，望着满坡满岭的飞雪，齐声朗读着唐诗宋词。那真是，歌诗伴雪花飘舞，青春挟梦想飞扬！

青春的岁月一去不返，命运使我们四位知青各在一涯，但那场清明雪至今清晰地雕刻在我的记忆里。

千树万树桃花开

3月20日，笔者偕家人去猴场镇扒溪沟桃园，见到了两千多亩桃树，花蕾整齐划一地绽放的洋洋大观。

——那真是一副规格巨大，精妙绝伦，令人叹为观止的画图呀！

远远望去，在穹庐的笼罩下，在远山的映衬中，阳春三月惠风畅，千树万树桃花开。满坡满岭的桃林灿烂如流霞，大片大片的花海绚丽似红锦。

走进桃园。一棵两棵三棵，成百上千棵，数以万计棵间距适宜、高矮恰当、泛出淡青色的黑褐桃树，花枝争奇斗艳。一朵两朵三朵，成百上千朵，数以万亿朵花蒂嫩绿，花心殷红，花蕊浅黄，花瓣粉红的桃花笑逐颜开。这里，每一棵桃树都“既含睇兮又宜笑”。这里，每一朵桃花都“肌理细腻骨肉匀”。这里，鸟自鸣啼花自羞，花魂鸟魂一点通。

桃源的上空，氤氲着甜甜的花香。桃园的小径，游人如织。

徜徉在这桃园的花海里，每位游人都会，春心共与花争发，“寻芳不觉醉流霞”。不信？请看他（她）们手中的相机，正“嚓嚓嚓”地拍个不停。

爱美之心，人皆有之。一位熟知的女性游玩拍照回来，在微信中写道：“花非人，人非花，女人如花”。

是呀，在扒溪沟桃园这个典型环境中，哪会没有“人面桃花相映红”的意境呢？

在路旁一间农舍前，我看见两位手提高档相机的青年正与一位种植户交谈。我凑了过去，知道这两位青年来自都匀。

“在贵州，除了毕节的百里杜鹃，没有哪个地方的花能同这里的桃花相媲美”，一位长相清秀的青年啧啧称赞。

“我们去了对面的山上，不仅这里的桃花如是美丽，而且桃园的规模宏大”，另一位体格结实的青年急切补充。

提及百里杜鹃，那是我心仪已久，但至今没有去过的地方。她的美，只能在网页图片上，在我的想象中。但这流霞红锦般的大美，却真实地铺展在我们周围，让人尽情享用，流连忘返！

陶渊明记写的“忽逢桃花林，夹岸数百步，中无杂树，芳草鲜美，落英缤纷”，千百年来，给一代又一代人留下了鲜活美丽的画面。只是那画面不大气。

杜牧书写的“千里莺啼绿映红，水树山郭酒旗风”，画面繁丽广袤，令人心旌摇荡。只是那画面“不得专指一处”（何文焕《历代诗话考索》），不是专写一景一物。

而且，据那位种植户介绍，这片桃园，栽种的都是苹果桃（种植户原话），个头大，清脆爽甜。如果不受雪凝冰雹等自然灾害的影响，秋后，二十多户种植户，年收入共计上千万元。

嘻吁嚱，美哉扒溪沟桃园，千树万树桃花开！

（刘忠信，见《人物简介》）

泡桐花儿开

唐　娟

每到这个温暖的季节，就会想起瓮安中学的泡桐花。

泡桐花盛开的时候，校园的空气中会弥漫着一股甜香，但是好景不长，几场春雨一下，淡紫色的花瓣便会飘落在林荫道上，铺上软软的一层。

在瓮中，我度过了生命中最美好的少年时代。

90 年代的瓮中是一所完中，校园坐落在狮子山下，西门河畔。从初一到高三，我在这里学习了整整六年，那里的一草一木，一砖一瓦，我都是那么熟悉，它们早已成为我生命的一部分。

离开瓮中后的十八年，我一直在高校学习、工作和生活，没有什么轰轰烈烈的事迹，回想中学时代的踌躇满志，不免惭愧。但是从事管理工作之余，也时常教书育人，未尝有一日懈怠，总算是不负当年恩师们的教诲。

在瓮中求学的六年，给我上过课的老师有很多，印象最深的是班主任老师们。

六年间，共有三位老师做过我的班主任，分别是杨碧芳老师、孙智老师和刘忠信老师。

今年春节后，瓮安县城的父母家即将搬迁，清理旧物时我发现了几张成绩单，初中的班主任杨碧芳老师给我的期末评语是这样写的："聪明灵活，学习成绩较好，但是因此骄傲自大，自以为是，希望今后发扬优点，改正缺点，做一个品学兼优的好学生。"

想来那时的自己，风华正茂，却也是十分顽劣，没少让老师们头疼。

我从来不是一个踏实勤奋的好学生，只不过有一点点悟性和小聪明。因为成绩还不错，便不把老师们放在眼里，迟到、旷课、上课不守纪律，这些都是常事。

幸好老师们在包容我的个性时也没有纵容我，才使得我不至于荒废学业。多年后，自己站在三尺讲台上，才能真正体会到当年老师们的苦心和难处。

高中的班主任孙智老师很严厉，那时我们见了他，就跟老鼠见了猫似的，他的物理课没人敢缺。孙老师的课讲得很好，连我这样缺乏理科细胞的学生都能听懂。后来孙老师调去都匀一中工作，再也没有见到过。

最宽厚的一位班主任是高三文科班的刘忠信老师。刘老师亦是我初中的语文老师。刘老师对我总多几分偏爱，常常把我的作文当作范文在班上朗读。千里马遇上伯乐，无以为报，只好收起玩心，用功念书。

在瓮中，我还结识了诸多人生挚友。

那时候没有电脑，没有网络，没有 IPAD 和 IPHONE，我们最大的乐趣是阅读。

同窗好友们一起读郑渊洁童话、读金庸琼瑶，当然也读了不少如《红楼梦》《飘》等中外名著。

记得为买一本《撒哈拉的故事》，我存了两个星期早餐钱。因此，大多数的书都是去校门口的书店租来看的，特别是武侠小说和言情小说。

工作后，学校图书馆藏书丰富，在当当、亚马逊能够很方便地买到自己喜欢的书，但是却再也找不到当年阅读的乐趣。

当然，除了一起阅读，我们还一起上学，一起做题，一起回家，彼此分享快乐，分担忧伤。

特别是在高三那段难忘的日子里，我们互相帮助，彼此勉励，犹如兄弟姐妹。

席慕蓉说，人生中，走得最快的总是最美的时光。一场高考让我们各奔东西，匆匆十八年过去，如今他们有的在贵州的不同城市生活，也有的远在广州、成都、武汉等地打拼，都有了各自的事业和家庭。可贵的是，时间和距离没有冲淡我们的友谊，大家仍然时常联系。尽管联系的方式已经从写信、电话变成了 QQ 和微信，但每隔两三年我们总会见面聚会，仍如同少年时一般亲密无间。

前几日才听说泡桐的花语是“永恒的守候”，没想到这种名字如此俗气的花儿，花语却如此有意。

正如瓮安中学，不过是千百所普通中学中的一所，于我的一生，却有着不同寻常的意义和影响。

感谢瓮中，给我良师，予我益友，照亮我的路。

（唐娟，瓮安中学 1997 届毕业生，浙江大学新闻学博士，现为贵州大学党委宣传部副部长）

烛 光

——瓮安中学求学记

陈静梅

1991 年 9 月，12 岁的我顺利升入瓮安中学初中部。小镇长大的孩子，生活的世界单纯而美好，去报到注册的一路上欢呼雀跃。学校占地面积虽不大，但人行道旁一长排绿树使整个学校生机盎然。校园里面有一座小山，长满了树木、野草和一些我叫不出名字的野花。教室背后还有一大片农田，蔬菜、野花的香甜气息混在夏末的空气里，令人充满莫名的幸福感。

第一任班主任兼数学老师王建军老师那时还是帅气的高个未婚男，却被我们私下称作“王爸”，教语文的胡朝志老师则被叫为“胡妈”，“王爸胡妈”的组合恰如严父慈母。“王爸”很负责，不仅勤查早晚自习，而且也经常突袭其他老师的课堂，在逮到逃课或开小差的同学后，“王爸”会精确地说出他是几点几分到的教室，用数据让其毫无还口之力只得乖乖认罚。在那个没有手机的年代，我们会经常因为无法给逃课的同学通风报信而对其“不幸”命运扼腕叹息好久。相较于“王爸”，“胡妈”则显得柔和许多。语文课上，他有时会晃着脑袋念诗，就像古时候的老夫子。他给我们讲做人的道理，偶尔也现身说法，详述出身贫寒的他在中学勤学苦读的经历，例如上厕所都带着书去看，晚上 12 点仍挑灯夜读……我将他的这些故事写进日记本，也记录下许多影响我的人生“座右铭”：一分耕耘，一分收获；今日事，今日毕；天行健，君子以自强不息。

令人难忘的还有教授初中历史课的颜彤老师。那时的她应该年近不惑了吧？个子小小的她身材匀称，总喜欢穿颜色艳丽的裙子。在我们还不知道什么叫“时髦”的年纪，仅仅因为简单地觉得好看以及其知性的气质，心生了对知识分子女性这一身份的向往。其实她的身体似乎不太好，讲话的声音也不大，偶尔也有不听话的学生惹其生气的时候，她是不怒则已，一怒就轰轰烈烈，也能有让挨骂的学生“抱头鼠窜”的效果。

于我而言，影响最大的当属高中时期的语文老师刘忠信老师。同学聚会时偶有同学提及刘老师严厉，我总会纠正说他是严格不是严厉。是的，在我的回忆中，刘老师俨然如父亲一般，尽管严格，但不时透出的脉脉慈爱总能让人在改正缺点错误的同时重拾信心。记得高三时有一次语文考试，因为基础知识掌握不牢成绩不太理想。本来以为刘老师肯定会狠狠批评自己一顿，结果刘老师愣是从作文中找出几个长句子，夸奖我语言表达丰富，还说作文的立意也不错，说明我的观察力很强，让我对自己要有信心等等。17 岁的我对未来虽然无限憧憬，但往往会因一两次考试失利而垂头丧气，想东想西，刘老师对我的“不弃”无异于一颗定心丸，以无言的温暖引领我不放弃，欲穷千里目，更上一层楼。

爱人者，人恒爱之。当今天的我走上讲台，面对一张张或成熟或稚气未脱的脸，我时常会想我在若干年后的他们心目中会是什么模样？每念及此，我不由得觉得自己是幸运的，在我就读瓮安中学的六年间，碰到了这么多认真敬业负责的老师们。尽管岁月在不知不觉中改变了我们彼此的模样，这份情义或许也会因时空改变由浓转淡，但它犹如烛光一般，一直存在于那，陪伴着我，继续我的教学生涯。

（陈静梅，女，瓮安中学 1997 届高中毕业生。现任教于贵州财经大学，文学博士，教授）

匆匆那年

张　隽

“既然选择了远方，便只顾风雨兼程。”汪国真如是说。行走是我们不可避免地存在方式，因为期许，所以注定要孤独远航。一路在丢失，丢失了故乡，丢失了儿时的玩伴，丢失了曾经的恋人，也丢失了少年梦想，但，内心深处，留存着一缕温暖，那是一段挥之不去的柔软的情愫，像春天里氤氲的花香，像冬日皑皑白雪上的艳阳，也像一阵来自远方的熏风，伴着流水和鸣，这段人生剪影，无论何时何地，都能让我幸福地战栗。

很多年以后，在一片芳草斜阳的孤影里，我久久地伫立在中学旧址上，在为学弟学妹们欣喜更优质的学习生活环境的同时，我依然无限感伤。很想念那一地的梧桐落叶的金黄，后山蜿蜒奇趣的鹅卵石小径。暮春时节，缤纷多姿的樱花雨里，走过一群群不懂爱情的少男少女，伴着他们青春的序曲述说着青涩的华年。记忆中，最难抹去的，是操场上那个奔跑着踩影子的两个女孩甜美的笑靥，如今已为人母，随性、自由和张狂记载在那段永恒的岁月里，永不褪色。只是有一次，当她们带着两个顽皮的小男孩来追寻那刻骨铭心的眷念时，孩子说，这里没有公园好玩，看着孩子一脸天真和稚气，两个年轻的母亲笑了，她们知道，这段印着对方印迹的过往只属于她们……宿舍楼对面一排家属区是孩子们的食堂，每天一早可以看见成排淘米的孩子们和体育老师那和蔼可亲的女人，她热情地给孩子们准备好中午的饭菜，岁月在蒸笼雾气腾腾的图景里慢慢流淌，不知她的容颜是否光彩依然？特别难忘的是小卖部那一元钱的简易汽水，酸酸甜甜，依照现在的时尚的饮食观念，太多香精，太多色素，然而，这才是那个年代独有的，星巴克和哈根达斯里找寻不到那种简单的快乐……

翻开高中的日记本，里面那张写着“中国政法大学”的树叶标本滑落出来，看着上面稚嫩的笔迹，我嫣然一笑，这张树叶是在烈士陵园塔坡上捡的。塔坡，作为当时县城唯一的景点，是学生们春游固定的参观路线。阴雨霏霏的春季，到烈士陵园扫墓的记忆里，真切体会到了何为庄重，而春游时，更难忘的是一种叫“津威”的乳酸饮料，无论是吸管喝还是手动拨开锡箔包装纸，都是无比快乐的过程。在那个物资并不是特别充裕的年代，幸福的滋味总是那样地浓烈。抚摩着这张泛黄的树叶，思绪停留在那个夏日的午后，我郑重地许下了这个心愿，也是那个下午，我看到了天空挂着一段彩虹，我坚信这两者一定有关系，我相信那是一种神奇的预兆。直到遇见了他，我的语文老师，刘忠信老师，我看到了另一片天地。

不知从何时开始喜欢他，大概从他的名字开始吧，“言必忠信，行必笃敬”，这就是他，说不上处事原则，也不是说性格禀赋，就只是他给人的很综合的感觉吧。第一次看到他走进班级，提着一壶茶，慢悠悠踱着步子走进来时，我和同桌嘲笑过这个老学究的，这不禁让我想起许广平第一次上鲁迅先生的课时，一样的顽皮。当听到刘老师的发音，我有些许欣慰，那是富有磁性的男音，我徜徉在他的语文课，这里是一个诗意的天地，小溪潺潺，绿树成荫，朗朗的读书声伴着清风和流水，像蓝天白云下碧波的欢唱，像一首来自童年的歌谣，又像故乡的柳笛……刘老师带领我们整理古代文化常识，带领我们在文学艺术的殿堂游走，给我们打开了广阔的天地，让我们驰骋在广袤的原野，让我们的心灵在浩渺的上苍飞翔，更是他，为我们打开了一扇窗，在唐诗宋词醉人的芬芳里，我们不觉自失而流连忘返。听母亲说，刘老师曾经参加过上山下乡，水泥厂的尘埃洗礼、多校乡村校长的历练和刘老师一直坚持不懈的文学梦成就了今天的他，而同时也影响了今天的我。

1999年夏天，我填报高考志愿。2014年的冬天，我和爱人去电影院看《匆匆那年》。从《那些年我们一起追过的女孩》到《致青春》再到《同桌的你》等等一系列的校园题材影片，我没一部落下。喜欢在每个人不一样的青春往事里徜徉，因为那一刻，会让自己穿越到那个年轻而扬着春风的欢笑的年代，那在一中的校园里，忘却了时间在静静流淌的日子。我的故事里，只因为一种情感，一种从未有的炽烈，对文学，谢谢恩师，因为您的指导，我选择了中文系。至今还很清楚地记得刘老师告诉我，选择中文，你选择了心灵的自由，选择教师，也选择了淡泊，也就是这种至味淡泊的宁静里，我看到了生活的平实与祥和。孙绍振所说：“所谓生活，并不是你所见所闻的一切现象，而是被你的心灵同化了的、成为自己心灵的一部分，与最精彩的体验在一起的东西”。

什么叫故乡？所有的故乡原本都是异乡，故乡不过是祖先漂泊旅程中落脚的最后一站。远走他乡的我们，伴着往日历久弥新的温暖，伴着苍茫大地上那个灿烂的背影，伴着心中从没淡却的夙愿，我们坚持前行。人生的旅程里，我们会遇到很多人，有些人只是生命里的一个过客，或许更像梦幻岁月里的一阵烟霭，翩然而过，只偶尔存在于记忆的碎片里，有些人，会久久无法忘却，作为人生导师的他，在我的青春岁月里镌刻不灭的记忆，告诉我做人的准则，告诉我面对坎坷的姿态，他还告诉我，淡泊洒脱、超然旷达，这样很好。黑格尔在《美学》里说过，人是一种被限制的存在，人是被安放在缺乏不安痛苦的状态。我想，刘老师教给我的，可以抵御这种不安吧。

（张隽，1999年毕业于瓮安中学，考入华东师范大学，硕士研究生，现供职于上海市复旦大学第二附属中学）

百年名校 学府记忆

张铃昀

突然接到张元忠老师的电话，声音熟悉而亲切。他说明缘由，我自然是受宠若惊。但手上还有工作急着完成，所以并没有立即动笔。在周六出差回来的这一个晚上，终于有时间安静的回忆起这些旧时光。时间是可怕的，只有当细细去回想的时候，才发现，距离我初入瓮安一中，已近八年的光阴。人的一生有几个八年？

人面不知何处去　桃花依旧笑春风

2003年，我中考毕业，以全县第三，667分的成绩进入瓮安一中。然后在这里四年（补习一年）的高中生涯，我认识了我一辈子感恩的老师们和一辈子相伴的朋友们。

我记得我入校的第一任班主任徐华老师，进校之前他的大名就如雷贯耳，本以为会是一位严肃不苟言笑的老师，结果感谢他的可亲可敬，风趣幽默，让我一直那么热爱文科生一贯讨厌的数学。我至今愿意向人显摆的不是我擅长的英语，而是我付出得到回报的数学。小学，中学，高中，数学期末考都拿过满分，也算是圆满了，不是么？回忆徐华老师，还是那一张笑起来看不到眼睛的脸。感恩徐华老师，不只是让我保持了对数学的热爱，无形中也教会我很多人生的道理。我也记得我转入文科后，我的第二任班主任，游鹏老师，他的形象符合我对高中语文老师所有的想象。温文尔雅，学识满腹。写一手漂亮工整的黑板字，以及在那个年代的男老师当中为数不多普通话好的。记忆中，我无比感恩他对我多次的包容和指导，让我在高中关键的学习生涯中，一如既往的坚持和努力。另外，我想高中很多同窗也一定不会忘记的是，大家都亲切称呼的王伯伯。他是我的历史老师，王顺德老师。那是我第一次明确感受一个人有气场是怎么回事。王老师的教导，让我明白历史可以当故事来读，而不仅仅是考试任务那般死记硬背。印象最深刻是，我们私底下都称王伯伯是小型图书馆，因为，上课几乎不看书，让大家做笔记都是他飞快地说，大家飞快地写。那些时刻，都只能是无限的敬仰和崇拜。当然，现在仍然是。还有一位我非常感恩的老师就是我的地理老师，张元忠老师。张老师给我最大的感受除了他教授地理课能让复杂的知识变得简单易懂有趣以外，我最敬佩他的就是热情，对教育事业的热情。那种热情融入他的课堂上，刻在他与学生的情谊中，流淌在他教师使命的血液里。我想真诚是不会撒谎的。

篇幅有限，太多对其他老师的感谢不能一一举列，比如我的英语老师唐敏老师。只是多年之后，仍然念念不忘的高中生涯，有这一群亦师亦友的恩师。是他们，让我整个学生生涯里有更多值得回忆的故事与快乐；是他们，那些鼓励与赞许，至今还响彻耳畔，让我肯定自己，自信满满的度过整个高中生涯；也是他们，无私的奉献，不仅教会我知识，更教会一些做人的道理，至今受益无穷。除了无数的感恩，我想也找不到更好的辞藻来修饰这份情谊。

虽有再多的不舍，但天下无不散的宴席，从一中毕业后，我进入了对外经济贸易大学，在这里，偶尔很迷茫，偶尔很忙碌，但是我知道对于未来，我仍然有很多选择。大三的时候，我毅然选择出国攻读硕士学位。好在付出总有回报，我拿到了英国排名前十的华威大学的录取通知书，在英国的一年，我看到了中西教育的差异，在这里一年的学习任务很繁重，无数的课前预习，论文，课堂讨论及展示。这所在森林里的大学，督促我不能停止学习的同时，也让我学习了如何与孤独相处，锻炼了我坚毅的性格。这也是现在在工作中，领导认可我能安心地，不急不躁的做事的重要原因。我感谢自己有勇气选择出国学习。

雄关漫道真如铁　而今漫步从头越

从英国毕业回来，我阴差阳错回到了一家贵阳的企业工作。第一份工作，一开始有很多的困难。好在我没有放弃。进公司 3 个月，负责公司第一次大型名家讲坛活动，邀请了日本的管理大师远藤功先生和台湾的风险管理姚慧忠教授；进公司 4 个月，负责接下公司成立一家物流公司的方案；进公司 8 个月，开始参与公司最核心项目；进公司 11 个月，公司成立新部门，我成了该部门负责人，并成为公司中层干部，工资翻三倍。进入公司 12 个月，一个人独立完成一个大型项目方案，汇报得到对方领导认可，因此得到一笔还算丰厚的额外奖金。

这一年半，公司给了我很多机会，我去了中国好多城市以及欧洲好几个国家，见到好多很牛却比我更努力的人，成都、重庆、北海、深圳、南京、上海、巴黎、柏林、法兰克福、华沙、马拉舍维奇等等。但同时，这些机会，是一整年没有周末，没有假期的回报。但与此同时，我仍然无时不刻不在提醒自己，我会选择多体验，多经历。二十几岁的人生，有很多的可能性。我不会停止不前。我想这些，都是求学以来，学校和老师教会我的坚毅与不屈不挠。也许，不久的将来，当我有较丰富的工作经验以后，我也会选择成为一名光荣的老师，如同我的老师、母校一样，将自己的人生阅历讲述给更多的需要答疑解惑的学子。什么是成功，在我的心里，成功的定义就是渡己渡人。

最后，还是千万句感谢、感恩，以及一句不落俗套的话：祝我的母校瓮安一中，年年桃李，岁岁芬芳！百年树人，共创未来！

（张铃昀，2007 年毕业于瓮安中学，考取对外经济贸易大学。现供职于贵州省某大型国企）

情牵母校　感动岁月

——瓮安中学 180 年校庆拾萃

李凤奇

瓮安中学 180 年校庆在社会各界高度关注中启动，在全校师生艰难摸索中筹备，在广大校友齐声喝彩中落下帷幕。

欢歌笑语已成过去，但萦绕在我心头挥之不去的还是那些为瓮安中学校庆留下的一幕幕动人场景，一个个感人的故事，一幅幅刻骨铭心的画面……

百年等一回

“瓮安中学今年要搞校庆了！”“我们的母校要庆祝 180 年华诞了！”这是 2012 年八、九月间瓮安街头、公共场所议论比较多的一个话题。消息不胫而走，迅速传遍了贵州，传到了北京，传到了上海，传给了遍布大江南北的校友……

在瓮安中学工作、学习和生活过的老领导、老教师、老同志、老校友迅速做出回应，表达出几乎一致的声音和难得的热情、关心与向往。

“校庆是学校文化建设的重要组成部分，是宣传、展示百年母校辉煌业绩的重要载体，我们支持。”

“校庆是挖掘学校文化、弘扬优良传统，追踪校友信息，促进校友交流的良好平台，我们需要。”

“校庆是召唤校友感恩母校，回报家乡的重大举措，我们赞成。”

“校庆是瓮安中学数千名在校师生，数万名校友的共同夙愿，是若干代师生追求的梦想，我们期盼。”

久违了，这个不平凡的时刻，这是老一代教育工作者和老校友发出的声音！我们幸运，我们有机会与瓮安中学180年校庆的伟大时刻同步，这是全体在校生的声音！

太不容易了，百年等一回……

反应最敏捷的是两位年轻的校友。一位是在中纪委供职的倪祖友，一位是曾当过律师、后来创办了贵州樽筑酒业的胡昌辉。他们通过联络，于九月初同时到达瓮安。在恒源宾馆我会见了二位远道而来的校友。倪祖友的到来无疑从高层表达了对瓮安中学校庆的态度。他还表示瓮安中学在北京工作的校友信息由他搜集，部分媒体网站消息的发布由他安排。胡昌辉则表示，在《贵州教育报》和《金黔在线》发布瓮安中学校庆的消息由他负责，并当场表态，母校180年校庆的接待用酒由他独家赞助。后来经过反复酝酿和思考，促成了“瓮安中学校庆典藏酒”的产生。对此，作为校长，我高兴、感激之情由衷而生。因为，我接受的不仅仅是校友的物资捐赠，也不仅仅是校友对母校的深厚情结和良苦用心，而是因此造就了瓮安中学值得弘扬的一种美德和精神，造就了一种独具特色的校庆文化，造就了一种具有创新意义的瓮安中学校本文化！

当我再次向他们表达谢意时，他们说：“老师，千万别这样，借校庆之机为母校做点事，是我们的荣幸。这种机遇十年难逢，也许百年才等一回呢。”此时此刻，无法用语言表达我的心情。作为老师，作为校长，拥有这样的学生，我感到满足，感到自豪。

信心与力量

从某种意义上说，瓮安中学180年校庆可谓“生不逢时”。一方面大型庆典活动属于清理禁办之列，某些部门不支持；另一方面，校庆恰逢党的十八大期间，各地不宜举行大型集会。现在回想起来，仍然心有余悸。

“不管风吹浪打，胜似闲庭信步”。正常的工作秩序不怕有多大阻力，有意义、有价值的活动总会得到多数人的响应与支持，有益的文化活动总能获得领导的青睐、理解与支持。

2012年7月16日，我们将《瓮安中学关于举办180年校庆的请示》报告送到了县人民政府办公室，通过县政府办秘书、政府办负责人签审，7月17日报告呈送到县人民政府副县长夏吉友同志的办公桌上。根据县领导的协商结果，当天，夏吉友同志就签署了批示：“同拟。并请教育局抓好指导工作，特别是独具特色的校园文化如何打造并展示，在彰显百年老校的深厚文化底蕴上重下功夫研究，为把瓮安中学向区域性中心名校发展打下基础。”县领导对瓮安中学180年校庆表态之坚决，签批速度之快，是我们所有人事先没想到的。至此，瓮安中学校庆由县领导亲自拉开了序幕，吹响了号角。箭在弦上，不得不发……

更让人感到温暖和自信的是，2012年10月31日，县四家班子分管领导深入瓮安中学，在学校行政会议室召开有数十位教师代表参加的校庆座谈会。在认真听取汇报与座谈后，县领导做出了四点重要指示：

1. 瓮安中学180年，为国家和地方建设培养了大批优秀人才，做出了巨大贡献，可喜可贺。

2. 瓮安教育蓬勃发展，瓮安教育不仅服务于瓮安，而且服务于全省。

3. 对校庆的重视不能挂在嘴上，尊师重教要落实在行动上，瓮安中学建设体现了瓮安县委、县政府对民生工程的重视，届时凡在瓮安的四家班子领导都要参加瓮安中学的校庆。

4. 瓮安中学校庆准备已经很周到了。瓮安中学校庆不仅是瓮安中学的事，也是全县教育的大事。校庆的筹备工作由学校自己安排，其他部门要协助配合。

县领导的重要指示既提高了瓮安中学校庆的规格，又为校庆提供了坚实的组织保障和有力的政策支持。同时，也给各乡镇、各部门领导踊跃参加庆典带了一个好头。县委、县政府领导的重视和关怀，给了瓮安中学校庆无比的信心和力量。可以这么说，没有领导的坚定支持和无微不至的关心，就没有水准这么高、影响这么大，这么圆满，这么成功的瓮安中学 180 年校庆!

情难舍，意难忘

贵州省人民政府由副省长谢庆生亲自签名的贺信到了，黔南州人民政府的贺信到了，清华大学的贺信到了，北京大学的贺信到了，贵州省实验中学、贵阳实验三中等兄弟学校的贺信到了，老学长、老校友、南开大学经济学院党委书记李万华教授的贺词到了，贵州省公安厅副厅长张宜华偕夫人丁丽仙的贺信到了……

从 10 月中旬到校庆前的 20 多天里，各级政府及教育行政部门，各大高校、省内各兄弟学校，遍布大江南北的校友纷纷发来贺信、贺词，以表达他们对瓮安中学 180 年华诞的良好祝愿，表达他们对这所百年老校的款款深情。据校庆办统计，他们收到各种贺信、贺词、题字等 100 余封（条)，全国十大名校无一例外地发来了贺信，全国共有六十多所高校发来了贺信，按照各单位、各兄弟学校意愿制作的祝贺条幅达到 183 幅。瓮安中学 180 年校庆得到祝福之多，规格之高，人气之旺，堪称同级同类学校校庆之最。它为校庆庆典锦上添花，助推瓮安中学校庆庆典的规模、隆重程度和影响力到达新的高度。

历届校友送给母校的祝福形式多种多样。有些送来了自己书画作品，有些当场挥毫泼墨，把珍藏已久的心里话留给母校，有些在留言板上题字、签名纪念等。总之，想在母校 180 年华诞的不平凡时刻，留下自己难忘的回忆。

贵州省人民政府的贺信曾让我们激动和兴奋不已，一个中学的校庆，能得到省级人民政府的祝贺，实属难得。贺信里既有对学校的祝福，也有对全体师生和广大校友的问候，还有对学校风雨三甲，奋斗求索，春华秋实的褒奖，更有对学校未来发展的希望。我相信，省人民政府的贺信带给我们的不仅仅是荣耀和自豪，更重要的是给我们未来的前进与发展指明了方向，送来了难能可贵的鼓舞和鞭策。

在这里，我们还要记住一个特殊人物的祝贺。他曾经任贵州海关关长、黑龙江海关关长、现任浙江海关关长，他就是老校长王树勋的儿子王松同志。他不是瓮安中学的校友，当年由于“文化大革命”的影响，他没有机会到瓮安中学读书。但是，他对瓮安中学感情很深，把瓮安中学视为母校。他听父亲介绍了瓮安中学的发展变化和现在取得的辉煌成就、学校领导的办学理念和思路，感到十分高兴。于是，主动为学校写了一幅字：“瓮中百余年，沧海变桑田，沉舟千帆过，劲风谱新篇。”

天地悠悠，情义无价。和他通完电话后，当晚我兴奋得难以入眠。我在扪心自问，作为身在异乡工作的瓮安中学的后代，尚且对学校有这么深厚的情感，这么关心学校的发展，我们还有什么理由不为自己生存和发展的家园去努力工作，坚强奋斗呢？辛苦一点算什么，有点压力、受点委曲算什么，因为瓮安中学是我们的家呀!

相见时难别亦难

校庆绝不是为了搞一次庆祝活动，也绝不是一种宣传形式。校庆是对文化的一种挖掘，校庆是凝心聚力的一次机会，校庆是积累人力资源的一种举措，校庆是校友相约、老朋友聚会的一方平台。相约母校牵情愫，回归故里会同窗。

2012 年 11 月 10 日，是学校老领导、老教师、历届校友相聚的日子。92 岁高龄的老校长王树勋来了，88 岁的老校长应哲来了，86 岁的老校长丁章来了，82 岁的学校负责人雷忠香来了。从外地专程赶来、相继到达学校的老领导还有王忠华、马耀银、曾佐藩等。在瓮安的老领导吕庆松、谭敬昌、周乐忠、田景材等无一例外地参加了校庆。这些老领导有些为瓮安中学发展操劳了半辈子，如今已白发苍苍，大多告别了青春，有些甚至告别了健康，唯有对瓮安中学的爱心和情感依然那么强烈，那么挥之不去。

有些校友放下手头繁忙的工作专程参加校庆。如省公安厅副厅长张宜华、省农科院院长刘作易、省教育厅处长李洪久、省军区预备役师政治部主任张士进、贵州师范大学宣传部负责人李俊、优秀企业家罗翔等。有些校友来自北京、有些来自成都、重庆、长沙等。年轻校友李远航 11 月 10 日下午离开工作岗位，从长沙飞到贵阳、再从贵阳辗转到瓮安，当她到来时，已是晚上七点多钟，文艺演出即将开始。第二天参加完校庆庆典后又立即返回岗位，不辞旅途劳苦，纯粹是为了学校这次难忘的盛典。还有一位老教师我们不得不为他写上一笔。他当年从外省应聘到瓮安中学工作，后因故于 1992 年调回湖南老家工作，一别就是 20 年，听说瓮安中学举办 180 年校庆，携夫人专程从北京赶来，他的名字叫曹求真，如今已是 72 岁的老人。当年风趣倜傥，颇具才华的数学教师，已是满头银丝。我见到他时，感动不已。仅仅是为了校庆，仅仅是为了看一看 20 年后的瓮安中学，不惜跋涉数千里之行，其精神之可嘉，对母校感情之深厚，令我们后辈汗颜。我们怎么办？不得不扪心自问。

11 月 10 日的晚餐，我陪同几位老校长、老领导、老同志一起进行。我们回顾了历史，谈到了现在，也展望了未来。但千言万语离不开一个主题，我们的瓮安中学经历百年风雨洗礼，的确变好了、变强了，希望瓮安中学越办越红火，未来更美好。我衷心祝愿老校长、老领导、老教师身体健康，生活幸福，在瓮安中学下届校庆时，我们继续同在。

11 月 11 日上午，校庆庆典仪式结束了，又到了说再见的时刻。根据县领导的提议，我们几任校长合影留念。县领导分别与历任校长、现任领导班子合影。留影本身看似平凡，但随着时间的推移，我坚信它一定会成为珍贵的史料，甚至成为文物。

再见了，我的前辈！再见了，我的战友！再见了，我亲爱的校友！“说再见，再见不会太遥远。若有缘，有缘就能期待明天……”

相见时难别亦难，互道今生多保重！

千千情结，大爱无痕

校庆的筹备和实施过程，本身就是无私奉献的过程。而且我事先就说过，为校庆所做工作是不计报酬的。没有一批默默无闻的志愿者，没有一帮乐于奉献的身体力行者，就不可能有瓮安中学圆满的校庆。

刘忠信老师，一个原本可以安享天伦之乐的退休老教师，听说学校要打造特色文化，要举办校庆、编写校志，自告奋勇退而不休，领衔成立了瓮安中学校志编辑室，积极承担校庆的筹备工作。在很短时间内，学校的三年年鉴编写出来了，《教书育人》专刊——瓮安中学师生回忆录编写出来了，瓮安中学 180 年校庆方案及各种文字资料编辑出来了，瓮安中学迄今为止最大型文史资料——《百年庠序，瀚墨飘香》（180 年校庆精美史画册）也编辑出来了。他和几个退休同仁一道，为此呕心沥血，放弃了多少个双休日，熬了多少个不眠夜晚，付出了多少智慧和心血，然而学校给予他们的报酬却是微不足道的。当然，他既是瓮安中学的校友，又是瓮安中学的教师，双重身份决定了他对母校纯洁、深情的爱。不过这份爱的境界，这种甘愿奉献的美德，又有多少人能够达到。我曾经在心里问过自己，你能做到吗？

为了让我们的文艺演出更加精彩，为了让校庆庆典场面更加壮观，为数不少的老师自觉牺牲休息时间，任劳任怨工作。肖洁、钟兴云、周洪、肖春花、赵俊、杨贤材、李长芳、罗显英等一大批年轻教师不辞劳苦地奋斗了整整一个月。我们组建了近200人的教师和学生青年志愿者队伍。在排练中，在迎宾中，在所有需要他们的场所，他们用自己的实际行动展示了瓮安中学美好的形象，给广大校友和社会各界留下了深刻难忘的印象。他们代表着一种文化，一种精神，一种百多年来弦歌不断，并且日益发扬光大的瓮中文化，瓮中精神！说实话，到现在我也无法记住他们的名字，他们成了名副其实的无名英雄，我唯一能做的，就是借此机会向他们道一声谢谢！

贵州科林文化传播有限公司，是我们通过比选后确定为校庆作策划及执行的公司。公司负责人之一是一位风姿绰约的华姓女士，她是瓮安中学校友。在洽谈时，她慷慨表示，母校180年校庆，我们绝不以赚钱为目的，而是以办出一次让领导满意、母校满意、校友满意的庆典为目的。她从贵州电视台邀请到知名导演、灯光师、音响师、著名主持人张硕及知名演员雷艳、苗音组合、郭佩玲等为校庆服务和助阵。她曾多次到排练现场与导演、灯光师等一起指导编排，每晚工作到深夜，11月9日晚加班到凌晨四点。当晚寒气逼人，我们自己的老师因忍受不住寒冷陆续离开，可他们还在执着坚持。从他们的行动中我们领悟到了什么是一丝不苟的精神，什么是主人翁意识，什么是对工作负责的态度。可以这么说，我们高水准的文艺演出，高规格的庆典场面与他们的付出是分不开的。记住你，我们尊敬的合作伙伴！感谢你，我们亲爱的校友！

最近，我饶有兴趣的翻看了校庆贺礼簿，敬慕之情油然而生。张世忠、徐华、刘宜菊、何平章、孙仲时、徐德智等老师组织本班学生或利用个人关系为学校捐奇石、捐钢雕、捐石狮、捐树、捐其他纪念品。我很兴奋，作为校长，我代表学校收到的是一份别样的精神财富。我看到了我们的老师不仅在播撒爱的种子，而且用行动在传递和延续对母校的爱。尹德俊县长个人捐资1000元，礼轻情义重。他不是瓮安人，更不是我们的校友，他给我们带来的是领导对瓮安中学的关爱、器重和情义。学校退休老领导曾佐藩捐资1000元，周乐忠送来贺礼2000元、天麻拐枣酒100斤。这分明是老领导送给学校的一份祝福，一份体贴，一份温情。校友刘作易个人捐资5000元，代表省农科院捐资10000元。谁都明白，如果他不是我们的校友，就不可能有这样的表示，这难道不是校友对母校的千千情结，拳拳爱心吗？还有好多校友值得我敬重，值得我说谢谢，由于篇幅所限难以一一列举。好在校庆贺礼簿上永远记载了他们的名字，他们的义举将成为瓮安中学永远珍藏的历史。亲爱的校友，母校永远不会忘记你们！

二十年后再相会

花会逐渐凋谢，树会逐渐枯萎，人会慢慢变老……沧海桑田，物是人非，整个世界的万事万物都会发生演变，唯有人世间的情爱和由此形成的精神文化永存。

告别180年华诞，相约200年校庆，二十年后再相会。二十年后怎么样？学校变得怎么样？我们自身变得怎样？谁也不好预知。来不及感慨，来不及回味，让多彩的梦满载理想一路向着未来放飞……

我曾风趣地邀约历任老校长、老领导二十年后再次登上瓮安中学校庆的主席台，谁也不准离开。二十年啊，多么可贵的光阴，尤其对于年事已高的老校长来说。那时的你，那时的我，不知道还能不能来相会？尊天命，尽人意，坚信“革命自有后来人”，我们都会心安理得地坦然面对。

瓮安中学校庆在我们这代人手中变成了现实，虽不敢说精彩纷呈，荡气回肠，但至少称得上圆满成功。尽管有个别不同的声音，尽管有个别人在抱怨，我们不在乎。走自己的路，干自己的事，让阳光见证，让岁月体会，只要我们无怨无悔！

二十年后再相会，相约在我们共同的精神家园，相约在我们亲爱的母校。那时的山，那时的水，那时的风光一定更美。那时的春，那时的秋，那时的硕果令人心醉。那时的你，那时的我，那时我们再相会……

（李凤奇，见《人物简介》）

第十一章 人 物

人物传略

王存成（生卒年月不详） 清代山东历城人，清道光壬辰年（1832）任瓮安县令。在任期间，听断明敏，办案公正，处理果断，以致案无遗留之文牍。他善解民情，重视教化，了解到瓮邑旧有旗山书院，仅传其名，基址亦不可考。癸巳（1833）仲春，他召集地方绅士，将自己认为书院不可不设的想法告诉大家。到会者为之动容，慨然曰：“使君诚有意于斯乎？我同侪之歉怀蓄志，固已久矣。”大家为兴办书院之事无不交口称赞。据《瓮安县志》记载：他当即“先倡捐百金，一时慨捐署名者，计银将及二千，其未至者复集县署，先后得银三千金。谓盛事之成，可立而待也。”在士绅们热烈响应并踊跃捐赠的情势下，立即开始选择办学地址，“于城南先农坛前大路之左，有土一区，营度稍狭，券邻地以益之，广袤各二十余丈，地势平敞，土脉红腴”。由公众公举专人负责备料施工，建院工程快速顺利，“建讲堂，树门宇，斋厨学舍”。书院风水环境，也算一方宝地：“前眺诸山，后倚城郭，东幛黄龙岭，西带瓮安江，往来者啧啧称善地。”书院建成之后，是否沿用“旗山书院”旧名，地方士绅们一致认为，今建书院是创造，毋庸袭用旧名，“城西廿里有玉华山，峰亟秀耸，为瓮安名胜之最，因名曰玉华书院”，并勒石刻碑为记——《玉华书院记》，碑文由他亲自撰写。他还撰写几副楹联，其大门联为：“玉石藏山须得琢磨方成器；华光射斗始知学问本谪仙。”他为创建玉华书院，为造福瓮安子孙后代之善举，永远留在瓮安人民心中。

王敦成（？—1901） 字少之，原籍广西藤县，清光绪进士，以翰林院庶吉士选任县知事，光绪二十年（1895 年）任瓮安县知县，二十六年（1901 年）死于任上，是清朝地方官任职时间较长的一个县知事。史书记载他“宅心仁厚……”，是位比较清廉的县官。在任期间，在玉华书院基址上重修花竹书院（今瓮安中学），善待县城绅士，兴办乡村义学，办了许多惠民的好事。

清光绪二十五年（1899 年），时逢大旱，灾情严重，他带着多病之躯，翻山越岭到映山红大丰洞，在洞口亲跪三天三晚。不知是其真诚感动了天帝，或是气候起了变化，反正老天下起雨来了。是年六月，为纪念求雨成功，他在大丰洞洞口题诗一首，摩崖石刻，留下了勤政为民的遗迹。其内容：“山何以名？显以神明；神何以灵？感以至诚。岩岩之石，赫赫厥声。兴云致雨，福我苍生。”王敦成逝世后，由于为官清廉，身无分文，连办丧事都很困难，幸得瓮安百姓捐资捐物，礼送其灵柩回广西藤县安葬。大丰洞摩崖现为瓮安县重点文物保护单位，属朱家山国家森林公园映山红景区，是瓮安著名的人文景观。

杨恩培（1882—1927）　祖籍四川，生于贵州省瓮安县白秧坪。从小习武，就读于瓮安花竹书院，长大后投奔四川亲戚并从军，作战勇敢，官至管带四川安定后营练军总兵衔留川补用副将。1911年辛亥革命参与共和，推翻清王朝统治。1917年4月26日，中华民国北京政府授予陆军少将军衔。1920年6月11日，中华民国北京政府授予陆军中将军衔。1927年在北伐战争中阵亡。

宋毕霖（生卒年月不详）　又名宝铨，贵州瓮安人，瓮安20世纪20年代教育先驱。1923年担任花竹小学和附属简易师范科校长，培养了多届小学教师。倡办瓮安中学做了许多工作。因读中学的学生负笈外地，远道求学，诸多不便，于是他与地方人士提议：与其拿钱送学生远赴遵义读书，不如就地办一所中学。他积极向省教育厅反映，得以获准，推定他与县长陈泮香，劝学所长曾昭淦、教员张立三，戎作英、商梓才、黄尚之、何芳南、简易师范教员唐尧，知名人士张克襄，冷祥雯等筹建瓮安县立中学。适值省督学黄齐生（瓮安细沙人）莅瓮，欣闻乡帮人士兴办中学，竭力襄助，更蒙商文立出京莅筑，知筹建中学之议，鼎力相助，得教育厅长首肯，于民国15年（1926）11月11日成立县立瓮安中学。

胡国泰（1900—?）　贵州遵义人，武昌高师毕业。1926年10月，受聘至瓮安成立县立中学，成为瓮安中学首任校长。到校后，抓紧工作，筹划招收新生，于11月11日正式开学。学校附设于花竹书院高等小学校内。他血气方刚，思想激进，常在集训学生时慷慨陈词，宣传孙中山先生的新三民主义，提倡科学与民主，抨击封建残余并号召打倒帝国主义列强等。因瓮安地处边远，新闻闭塞，落后势力仍很强大。他的言行与之大相径庭，不愿苟合，仅任职一学期，慨然辞职，到省城工作。不久，任省教育厅督学。在任期间，对瓮安中学的发展尤为关注。

黄齐生（1879—1946）　原名禄祥，字齐生，瓮安县平定营细沙人。幼年随父迁居安顺么铺，15岁因家贫到“义兴恒”商店学徒后当店员。在其兄黄干夫的影响下，加上他自己的真实才干，蔡衡武聘他到贵阳为“群明社”经理。1904年，25岁的黄齐生辞去“群明社”经理职务，到贵阳达德学堂任教，并接其外甥王若飞入校学习。1905年倡议加办女校，提倡“天足”。1913年任达德学校校长。1915年护国运动爆发后，曾签名响应云南讨袁世凯通电。1917年，带贵州留学生东渡日本。1919年“五四运动”爆发，回国，年底率贵州学生赴欧洲勤工俭学。其间与徐特立等建立良好关系，并积极支持王若飞从事革命活动。1923年回国，1925年任贵州视学（督学），在他的奔走呼吁下，经省教育厅批准，瓮安终于办起了县立中学。1926年任遵义省立三中校长。是年3月31日，国民党在重庆大肆屠杀共产党人，他愤怒斥责国民党。1928年6月，黄齐生写作《新贵州真实现象》一文，在上海《黔首》杂志上登载，把贵州的有关情况报告给广大读者。1929年初，黄齐生举家迁往南京，在晓庄学校任教，与陶行知等一道，对在校学生参加中共地下活动非常支持。学生袁咨桐被谷正伦逮捕，他竭力营救未成，袁咨桐被害，他十分难过，更加痛恨国民党的暴行。1931年冬，他得知外甥王若飞在归绥被捕，即赶到归绥第一监狱探望，并在监狱附近租了一间小屋住下，陪伴狱中的王若飞，并多次设法营救。1934年秋，受黄炎培聘任中华职业教育社漕河径农学团总干事，又至广西任基础教育研究院实验部主任。1935年3月，红军长征在遵义期间，黄齐生听说毛泽东一直在找《三通》这套书的时候，就大方地请徐特立把《三通》这套书送给了毛泽东。他赠书毛泽东，不但让毛泽东了结了多年心愿，而且还救了遵义一位编写《遵义府志》的通硕大儒赵乃康先生。当时赵乃康被红军士兵当作土豪劣绅给关了起来，毛泽东等红军统帅知道情况后，当即请徐老前往看望，并立即放人，第二天又亲自前往赔礼道歉。

1936 年，红军长征经贵州北上抗日后，国民党造谣诬蔑，欺骗群众。他利用各种场合，举所见闻，宣传红军是爱国爱民的军队。同年，返筑协办达德学校。1937 年，他得知王若飞出狱后去了延安，前往探望。到延安后，受到了毛主席和党中央的热情欢迎，毛主席称赞他是共产党在最艰难的时候，党外人士同情、爱护共产党最早的一个人。

1938 年 4 月离开延安，先后到贵阳、昆明等地介绍延安情况。1945 年 1 月又去延安。1946 年 3 月，被延安各界推举为代表到重庆慰问“校场口事件”被打伤的李公朴、郭沫若等。4 月 8 日飞返延安途中时与王若飞、秦邦宪、叶挺夫妇不幸在山西省兴县东南的黑茶山同机遇难，时年 67 岁。黄齐生与“四八”诸烈士葬于延安清凉山。著有《黄齐生诗文选》等著作。

黄齐生不但是一位名副其实的教育家，同时又是一位同情、支持、拥护共产党并向反动派做斗争的革命斗士。

曾春如（1875—1949）　字昭淦，晚号聋叟、聋公，瓮安县城人，1909 年己酉科拔贡。民国时期，曾任瓮安县政府秘书、劝学所长。1925 年，省教育厅督学黄齐生到瓮安视察，倡办中学。他作为劝学所长首先响应，积极与地方人士筹措，多次拟文上报教育厅。次年，获准成立瓮安中学，他亲赴贵阳聘请现代学科教师，自己主讲国文、文牍，为创办中学历尽艰辛。晚年耳疾，弱音不闻，辞职疗治，常有老师登门请教，研讨治学之道。

他为人刚正不阿，爱憎分明，直言不讳，以理服人。一些新任县长登门咨询，能据实陈述，切中时弊，提供良策，为其所用。地方各派发生纠纷，请其调解裁决，能大公无私，晓之以理，妥善调处，各方共服。遇到恶霸、流氓、差役欺压敲诈勒索民众，他敢于挺身而出，严厉痛斥，及时制止。城中百姓无不称颂聋公之德。

抗日战争胜利后，地方各界人士集资修复城东文峰塔，更名“抗战胜利纪念塔”。他为之撰序，以简洁流畅的文字阐述建塔历史，鼓励青年努力学习科学文化，“如斯笔之耀日凌云，争光霄汉”。他擅长书法，楷、行、草书苍劲有力，独具一格，远近闻名。古稀之年，仍每日书写不止。

1949 年，曾春如病故，终年 74 岁。

冉隆堃（1897—1951）　字尧阶，贵州遵义县人，20 世纪 30 年代毕业于上海劳动大学，文才称优，治教严行。先在省教育厅任督学，1938 年调任瓮安中学校长。时值抗战方兴，华北、华中、华南相继沦陷，国民政府西迁重庆，浙江大学、大厦大学、湘雅医学院、陆军大学先后迁至贵州，西南几省人才荟萃。他延聘了当时教育界的一些知名人士，如肖之亮、曾训武、邵光奎等，组成学校强有力的教学班子，经过短暂整饬校纪，学风蔚起，瓮安中学一跃而进入贵州有名的中学。盛称之下，邻县福泉、余庆、开阳、黄平，远及思南，石阡诸县，均有学生纷纷负笈来学，瓮安中学一时名声大噪。

此时，学校师生爱国热情沸腾，抗日情绪高涨，充满激情的爱国抗日歌曲《黄河大合唱》《游击战之歌》《大刀进行曲》蜚声校园。学生之中的抗日宣传队，寒、暑假纷赴各乡镇揭露日寇罪行，演出抗日节目，激发群众的抗日情绪。同时，号召学生为抗战前线将士写慰问信发动全校师生去大洞口煤厂挑煤，开展勤工俭学活动，把得来的收入全部捐献抗日，深得社会各界赞许。他不仅注重学生知识培养，而且注重德、智、体全面发展。鼓励学生关心时势政治，要求学生写的周记，栏目内容设个人生活、国际、国内要闻三条。学生必须将一周所闻分条记述，老师专司批阅。他对体育教学也很重视，要求期末考试体育科不及格者不能升级。在校园内大书“国家至上”“民族至上”“抗战必胜”等标语。醒目的先贤格言、范语随处皆有。

他不仅人品文章堪为师表，而且写一手漂亮的毛笔字。时抗战英烈施汝德的父亲施裕初老先生，把政府发给他烈士抚恤金用于修建“烈士祠”，剩余部分用来设立“施氏奖学金”，奖励那些品学兼优的学生。学校勒石碑刻以志纪念。他不顾校务繁忙，也不管地冻天寒，在学校屋檐下伏案巨石，用苍劲有力的颜体字，书写碑文，后将此碑立于校园内之古槐树旁，每天不少师生驻足观看，赞叹不已。

由于学校发展较快，班级增多，教室、宿舍、操场不够用，他与师生自力更生，劈山取土，修建教室，填平操场等。当时学校规定，学生入学时须自带锄头一把、箩筐一对、扁担一根、挞钩一副，经检查验收后才能注册。每天课外活动，各班轮流参加劳动。此举不光建设了校园，也培养了学生的劳动情操。校园内栽植了大量的树木和花草。现瓮安中学校园内的高大树木，多为那段时期所植。

1941 年夏天，冉隆堃调离瓮安中学。

王道暄（1911—1951）　字孟白，瓮安岚关大路村人。瓮安中学初中第三期毕业后，到贵阳读高中，后在上海复旦大学新闻系毕业。1939 年，他耳闻目睹上海、南京沦陷后遭日军大屠杀的惨状，目睹蒋介石炸黄河大堤也挡不住日寇的进攻，激起民族义愤。嗣后日军投入 6 个师团加配属部队约 18 万人，侵占岳阳与长沙之间险要渡口和关隘，一步步打过新墙河、汨罗江、捞力河。在八路军平型关大捷的鼓舞启发下，薛岳兵团加修工事，抗击日寇，屡次给日寇以沉重打击。日军已成强弩之末，无力再战，不得已而撤退，又遭追击、偷袭，逃回岳阳不到一半的人员。在三次攻打长沙战役中，日军伤亡 56944 人，被俘 139 人，只有 4 万多人逃到岳阳。除了消耗弹药兵员外，没有什么进展收获。反之，中国虽损失不少官兵、弹药，却收复了失地、守住了阵地。捷报传来，道暄欣喜之余，写了《长沙三捷》，发表在昆明《中央日报》上。《长沙三捷》痛斥日军“釜底游魂”“天涯授首”、风声鹤唳、四面楚歌的战败惨状，振奋中国军民抗战斗志，抗战必胜的决心。其诗云：

一

河水涛声带雨闻，枕戈待旦雪纷纷；王师一怒昭天讨，战鼓连朝撼阵云；
三户亡秦雄楚国，万人倭塚说皇军；穷兵黩武徒劳甚，笑煞扶桑乌合群。

二

一战新墙万骨枯，猩红染地满荒芜；可怜征戍断肠女，罔哭天涯授首夫；
綮戟遥临惊贼胆，孤军溃窜泣穷途；王师自古平胡虏，卷土重来败壮呼。

三

瘖马残旗强渡关，可怜十万不生还；楚歌四面惊风鹤，俘馘三湘类草菅；
釜底游魂故国远，轴心逞欲前途艰；我师三报长沙捷，举世声腾博海欢。

1942 年秋，他回到母校瓮安，任瓮安中学校长。为提高瓮安文化教育，决心将中学办成完中。他和许多热心的地方人士磋商，竭力反映瓮安人民希望子女就地读高中的热情和要求。经他努力奔波，省教育厅答应瓮安开办高中班。次年秋，瓮安中学加收高一年级学生，成为完中。他关心学生学习，白天上课查教室，晚自习查寝室，工作非常认真，获得师生的好评。

1944年秋，他被选为瓮安县参议副参议长，按有关规定辞去校长职务，但仍为瓮安中学职员上国文课直至1949年。1946年11月17日，议长戎克铭因病辞职，他被选为参议长，自认为“才力绵薄，任恐弗胜，只以义不容辞，即席勉为就职。”他在瓮安中学建制扩编、学校管理、培育、选拔、输送人才等方面做了不少工作。

吴士俊（1869—1955） 字斗之，原籍河北大名，清光绪二十九年（1903年）癸卯科举人，任过晋州宰，抗日战争时期入黔。民国33年（1944年）到瓮安，曾任县司法官。1946年到瓮安中学工作，直到新中国成立。新中国成立后，任瓮安中学书法教师、图书管理员。

吴士俊对颜、柳、欧、赵、黄庭坚、王羲之等历代名家的墨迹以及魏碑颇有破空。其书法敦笃丰满，形神兼备，集各家所长，自成一体。擅长楷书和行书。初来瓮安时并不出名，有一士绅请人写寿匾，经人推荐，写下“林泉颐养”4字，字大如斗，工整大方，为行家一致公认，从此名声大振。墨迹流传民间不少，其代表作刻板《延陵书法》，民国35年（1946年）印刷发行遍布全县。其学生徐乾章、田景益、江奎等的书法在瓮安也颇有名气。他撰写的《随意笔录》《历代书法名人简介》《论书法骨肉》等作品，给后学者提供了宝贵资料和理论依据。新中国成立后，他饱蘸笔墨，在瓮安中学校门前的墙壁上用正楷书写了“爱祖国、爱人民、爱劳动、爱科学、爱护公共财物”标语，受到师生的赞扬。

吴士俊为人正直，平易近人，爱学习，好舞剑，善写诗作文，其学识、人品为人尊崇。

冯蜚声（1883—1958） 字永世，号翰丞，人称“小康熙”，原籍湖北省来凤县。其父早年经商来到瓮安县草塘居住。他先读私塾，后考入贵阳优级师范。1909年，优级师范毕业时，被推为师范科“举人”，前往北平应考。由于家道贫寒，只好带些咸菜干粮作盘缠。富家子弟笑他“一个盐蛋做菜，吃到北平还剩两个”。路途遥远，干粮不够，边赶路边筹集吃的耽误了时间，赶到京城时，考期已过，他不得不满腹心酸回转。

回到贵州后，到贵州政治公报编辑部任校理员，1914年，被派往朗岱（今六枝）任县长。当时地方贿赂成风，政治腐败，官场内钩心斗角，地头蛇横行霸道。虽为一县之长，但他势单力薄，无论如何都冲不破那张封建势力严密的关系网络，于是辞官回到瓮安，决心用自己所学之长，教书育人，为家乡做点贡献。后曾任瓮安县城高等小学堂校长，1923年宋德宝调任该校校长后，留他任国文、历史教员。1939年任草塘高等女校校长，后又到宋家寨任教。1943年回县城，任瓮安中学国文教员兼年级导师。两年后到雷山县中学任国文教员。1948年再次转归瓮安，到中坪教私塾。在倾心家乡教育事业的同时，还潜心钻研《康熙字典》。《康熙字典》成书于康熙五十五年（1716年），“所收字数多至四万余”，比较全面和丰富，但笨重，不便使用和携带，而且所收文字，“适于用者，不过十之二三”。在查阅使用中，他产生了缩编的念头，便利用教书的闲暇研读抄录，精心筛选，几十年如一日，最后终于将《康熙字典》十本缩编为四小本，类似民国初年出版的《新字典》。因受经济等因素制约，小《康熙字典》没有付印，留为憾事。由于长时间的翻、读、选、抄，他对《康熙字典》可以说是熟记于心，因此，他的字词教学在当时的瓮安首屈一指，深受师生敬佩，人们称他为“小康熙”。

张克襄（1893—1962） 又名廷赞，瓮安县玉山镇岩坑新牌卫人。自幼勤奋好学，成绩优异，毕业于贵阳师范学校和上海艺术专科学校，后任贵阳师范学校学监，1925年回县筹建中学。经省教育厅批准，瓮安县立中学于1926年秋创建。聘胡国泰任校长，张克襄任学监。又先后到重庆、上海购置图书、仪器，历尽旅途运输之苦，为学校发展奠定了坚实的基础。1927年春，他继任校长，1928年春，不计个人名位，退任教师。他在校断断续续工作20余年，均以身作则，兢兢业业。教学注重启发，循循诱导，有问必答。不少学生常聚其宿舍，浏览藏书名画，恭听指教。其诲人不倦的精神为师生称赞。

他擅长国画，喜绘竹、菊、梅、兰，尤偏爱竹、梅。赞誉竹、梅“高风亮节，傲霜斗雪”，为竹题诗：“一节复一节，千枝展万叶，我自不开花，免招蜂与蝶。”在家中庭院内遍种墨竹、罗汉竹、麻竹、斑竹、水竹、金竹、刺竹、凤尾竹等10余种。中学校园内竹、菊、梅、兰也随处可见。

他为人正直，平易近人、尊老敬贤。1943年中学成立校友会时，亲自向建校时的老工人丁洪兴献寿桃、发奖金。老农王大爷到其家中，他让之上坐进餐，命大学毕业之子酌酒添饭，被传为美谈。

新中国成立后，张克襄拥护共产党和人民政府。1951年参加革命工作，先后在县卫生科、县农场供职。

1960年，他在去江界河工作的途中，不幸中风跌倒，久治无效，于1962年秋逝世。

赖卫民（1919—1970）　原名自昌，又名映堂，四川内江人。1937年四川大学教育系毕业，1938年加入中国共产党，后任川大支部委员、川康特委青年工作员、自贡中心县委宣传部长。1942年7月，受中共中央南方局派遣，以中共省委负责人的身份到贵州开展工作。先在普定中学任教，次年到遵义尚稽大同中学任校长。1945年春，因工作需要到瓮安中学，接任原教导主任何炳章的职务。在校期间，治学严谨，平易近人，循循善诱，耐心教育。常告诫学生“教育人是艺术中的艺术”“教师是太阳底下没有再优越的职务”。在他的引导下，随他同来瓮安的初二学生罗世俊跳班读高一年级，除三角课太差外，其他功课都取得超优异成绩，并与同班同学吴安文（开阳人）、刘兴元、戎家琪、高二的赵顺芳、高三的武时春等成为好朋友。他们师生间传阅《新华日报》《民主周刊》等共产党办的进步刊物，发表挽救国家民主危亡、振兴祖国的议论，开展一系列的秘密革命活动。他提倡大唱抗日革命歌曲，如《义勇军进行曲》《游击队之歌》《到敌人后方去》《最后胜利是我们的》等，并通过学生逢场赶集进行宣传。还组织学生在县城武圣宫演出进步话剧《死角》，教唱《苦命的苗家》。为了进一步揭发刁校长等人贪污行为，他发动潘立龙老师拟出标语口号，让罗世俊书写：“打倒大斗进小斗出的贪污分子刁承坤”“打倒克扣学生的贪污分子黄奇兽（变寿为兽）”。由于革命活动过分显露，罗世俊转移到团溪。他自己放暑假当天离开瓮安，到明德中学任校长。1946年初，回到重庆《新华日报》和南方局工作。1948年任昆明市委组织部长、副书记。新中国成立后，任云南省委青委副书记，宜良地委书记，省冶金厅副厅长，党组副书记兼总工程师。“文化大革命”被“江青反革命集团”一伙迫害致死，享年51岁。

肖之亮（1901—1981）　原名汝富，遵义团溪人。1926年7月省立第三中学毕业后考入上海人陆大学攻读政治经济专科。其间与进步同学创办《夜怒波》刊物，抨击国民党黑暗腐败，揭露贵州军阀的倒行逆施。l930年冬回团溪任小学教员，曾编写话剧《出路》《衬衣》在当地演出。1932年又经上海辗转北平，进入国民大学学习，加入“世界反帝大同盟”分会，投入党领导下的抗日救亡工作，不久被统治当局逮捕。获释后，是年7月在北平加入中国共产党，与在北平的贵州进步学生主办《贵州青年》刊物，并寄回遵义，又寄回《唯物史观ABC》等文艺书籍，供一些知识青年传阅。期间曾任“北方左翼文化总同盟”常委、组织部长，兼“剧联”组织部长，将主要精力投入革命戏剧活动。l933年5

月，以进杭州艺专暑期绘画讲习班学习为掩护，组织“杭州左翼作家联盟小组”，创办刊物，进行革命宣传。后到上海与田汉联系，加入“上海剧联”党团，任组织部长。1934 年春夏之交，兼任“上海左翼作家联盟”宣传部部长和“上海左翼音乐家联盟”小组领导工作。1935 年，因上海白色恐怖严重，党组织批准他回贵阳隐蔽。1936 年 12 月，在省工委的支持下举办了贵阳现代史上影响极大的“沙陀话剧社”，任社长，演出《扬子江暴风雨》《“九一八”以来》独幕话剧，给观众留下深刻印象。1938 年 8 月，受党派遣到瓮安中学任教，担任物理、国文、劳作、历史课教学，任民众学校第一期督导员。在校期间，他牢记党的指导方针，在抗日民族统一战线的旗帜下，放手发动群众，组织群众，掀起抗日救亡运动。新中国成立以后，他一直在贵阳潜心于书画研究和创作，在艺术上有较高的造诣。1981 年 1 月 31 日，逝世于贵阳。

冉隆英（1910—　）　女，贵州遵义人。上海持志大学毕业，曾在《贵州教育杂志社》就职 6 年。抗日战争初期加入中国共产党，为中共贵州省工委负责的秦天真的交通员。在此期间，积极发展党员，代表党组织给他们一些文件和刊物，如《中国共产党章程》《组织生活》等，使他们进一步加深对共产党的认识，思想觉悟有很大提高。1938 年 3 月，中共贵州省工委派她和其他同志进入“沙陀话剧社”，建立党小组，后又成立党支部为组织干事。她以话剧、歌剧为武器，从舞台到街头，从城市到农村，努力开展抗日救亡宣传工作。是年 6 月，“沙陀”根据省工会指示与“筑光”会员一道，进行社会调查，演唱抗战歌曲，启发农民觉悟。1939 年 4 月，她受党的派遣到瓮安中学任教。同丈夫肖之亮一道开展地下工作。是年秋，“沙陀”社员参加“贵阳基督教青年会”发起的募捐活动，因门票收入缺少一角钱，被国民党当局以“账目事情”为借口，勒令“沙陀”停演半年。1940 年，“沙陀”利用“合群体育艺术部”开展抗日救亡运动，演出活剧和歌剧，如《流亡者之歌》《放下你的鞭子》《怒火中的吼声》和《黄河大合唱》，宣传中国共产党“坚持抗战，反对投降；坚持团结，反对分裂；坚持进步，反对倒退”和“三大政治”口号。在瓮安中学期间，她为学校国文、历史科教员，担任 15 期二年级，16 期一年级甲组，17 期年级乙组的课程。在师生中留下深刻的印象。

商文立（1897—1983）　瓮安县中坪艾州人。自幼资质聪敏，16 岁考入贵阳师范学校，后以特优成绩毕业，被选送到南京高等师范学校深造。1911 年，勤工俭学留法，先入里昂大学预习法文，后入里昂中央工业专科学校学习电机工程，获工程师称号；继入里昂大学法学院研究所攻读法律，获博士学位。1925 年加入中国国民党，任驻法总支部里昂支部执行委员。时原清政府与比利时订阅的不平等条约到期，他代表留法学生回国请愿，力争废除。1926 年，他与张道藩、黄宇人、李一之等奉国民党中央派遣为指导委员会委员，回贵州筹建国民党省党部。在此期间，与贵州督学黄齐生一起来到瓮安，为瓮安中学的创办起到不可替代的作用。时贵州为军阀周西成主政，对国民党中央阳奉阴违，向商、张、黄、李强索与中央进行电信联络的密码本。未获，即下令缉拿 4 人。除黄宇人逃脱外，其余均被周西成逮捕，李一之被杀害。商、张 2 人得国民党元老平刚先生营救，历尽艰辛逃离贵州，经广西返回广州。1928 年，任上海中国公学和暨南大学教授。1929 年起，历任监察院筹备处设计委员、监察院首席参事、审计部江苏审计处长、省临时参议会副议长、民国参政会参政员、立法委员等职。为振兴家乡经济，于 1930 年与贵州企业公司洽谈，获美烟（烤烟）种 1 斤带回瓮安，散发给亲友试种。1943 年，与乡人合资兴办三支岩美烟农场，雇工近百人，种烟百余亩，修建烤房 14 间，后因烧烤技术不佳，经营管理不善，经济效益不好而停办。并未灰心，又于1946年独资开办新土美烟农场，雇工30余人，种烟70余亩，修建烤房4间，年收干烟叶近万斤，经济效益显著，起到示范作用。为瓮安烤烟生产引种第一人，对发展烤烟生产做出了贡献。他担任立法委员30余年，“仗义执言，守正不阿……力主发展工业，必先建立大钢厂……鼓励出口，为经济发展之要务，于是首倡设立加工出口区，并办促其成”，足见其有专家独到之见。他的著述有《宪法讲义》《近代监察在宪法上之地位》等，有历年作品集百余件，曾于1984年在台北公展，得到各界人士赞誉。

1983年，商文立在台北病故，终年86岁。

朱学范（1891—1984）　字希仲，瓮安县梭罗堡人。9岁随母去云南父亲朱勋处读私塾，17岁中学毕业后赴日本稻田大学留学。一年后回国省亲，时值辛亥革命爆发，各省先后反正，其家迁回贵州。因家庭拮据，不能重返日本就读。1913年，又以优异成绩考入日本东京帝国大学化学工业系，同时补得国家助学公款。身居异国随时受日本人的无理轻视，心里异常愤怒，激发了他的求学欲望和救国志向。1922年回国后，在天津任教。1927年赴上海交通部电政总局任科员，次年调南京交通部任科员。1931年，受留日同学许君相约在青岛商品检验局检验技术室工作，第二年因该局与它局合并而失业，携眷返回贵州，到省立瓮安中学任教。不久，担任训育主任。工作中任劳任怨，所上数理化课程，深得学生喜爱。期间，父亲和爱妻的病故，使他救国救民的决心受到打击。1935年，他应原日本帝国大学同学的先辈陈秀云先生之约，到省建设厅供职任技术师，1937年担任化验室主任，为贵州发现地下宝藏整理大量资料做了不少工作。

新中国成立后，他与原省副省长徐采栋等8人被确认为组建贵州工学院的重要人物。他首任化学系主任，应首届招生，日夜编写教案、培养教师，为国家培养一大批科技优秀人才，为开发贵州资源做出了重大贡献。他撰写有价值的科技论文20余篇。组织和带领有关技术人员考察和鉴定息烽温泉，使其成为疗养胜地，疗养区内存有一块感谢他的碑文。1970年，朱学范退休时为国家二级教授。1984年因病逝世，享年93岁。

黄德音（1915—1986）　女，湖南长沙望城县人。由于向往教育工作，初中毕业考入湖南省立桃源女中高师部。1940年毕业后先后在湖南芷江、辰溪等小学教书。1942年9月进入贵阳师范学院史地科学习。毕业后曾在惠水示范小学任校长兼惠水中学教师。1950年9月到瓮安中学任史、地教员至退休。她从事人民教育事业后，参加中苏友好协会，努力学习，不断进步。她性格坦率，言行一致，有正义感，从不拉帮结派搞小圈子；劳动观念强，即使身患贫血、胃痛等病，也自觉参与各项劳动；时常反省与自我批评，也能接受别人的批评。她对教学严谨认真，因势利导地启发教育学生，上历史课犹如在讲述一个个故事，让历史人物鲜活起来；上地理课犹如导游在向游客讲解旅游线路、当地物产和人文地理知识，引人入胜，教学效果突出。她乐于助人，常给年轻教师以真诚的指导，作好传、帮、带工作。为瓮安中学和瓮安教育事业做出卓越的贡献。

杨藻章（1904—1990）　瓮安县草塘人。幼年丧父，家境贫寒，但天资聪颖，读书学习十分勤奋，20世纪30年代初考入南京中央大学中文系。由于中文系名师荟萃，有国学大师黄侃、古典文学专家王瀣、宋词元曲专家吴梅、文字训诂专家胡小石等，学业大有长进。他对思想家、文学家、新文化运动的先驱鲁迅先生十分敬仰，与鲁迅先生常有书信往来。鲁迅先生给他的复信，曾载于《语丝》杂志。鲁迅先生逝世后，《鲁迅全集》出版发行，虽然他经济不宽裕，仍千方百计购买了一套珍藏。中大毕业后，先在江苏镇江“江苏省审计处”工作，后因江苏沦陷，回到贵州，受聘于贵阳师范学校任国文教员。当时贵阳师范师资较多，人才济济，时称“国文帮”。他文化底蕴深厚，知识渊博，教学有方，深受学校师生爱戴，为“国文帮”的中坚。1941 年夏天，省教育厅任命杨藻章继任瓮安中学校长。

1942 年 5 月 22 日深夜，朱家山股匪抢劫瓮安中学，他与教导主任邵光奎、老师余正清、学员丁章等师生 30 余人被土匪绑票，关押在朱家山原始森林的匪巢。他对土匪头目刘明安说：“朱家山是打游击的好地方！”刘明安听后为之一动，追问究里。他告诉土匪，打游击是八路军、新四军克敌制胜的法宝，并向土匪们摆谈“平型关大捷”“奇袭阳明堡机场”的故事，众匪听得手舞足蹈。后土匪又要求讲“水浒”“三国”故事，他不愧学富五车，才高八斗，成竹在胸，讲得头头是道，众匪听得津津有味，逐渐放松了对被绑师生看管。土匪头目派出探子到瓮安、草塘了解情况，得知他一介书生，父早亡，母文盲，无油水榨取，后将师生们一一放回县城。是年夏，他被贵阳师院王克仁院长聘任为图书馆长。后因其叔父病逝，为继承祖业，回到瓮安。时国民党瓮安县政府为粉饰县国民参议会，因其道德文章众望所归，推选其为瓮安县临时参议会参议长。1949 年底至 1950 年上半年任瓮安中学副校长。先后调贵定中学、花溪中学、青岩中学任教。“文化大革命”中受到冲击，被安排在学校敲钟。

杨藻章晚年研究《红楼梦》，撰写《〈红楼梦批语汇录〉研究》一书（《红楼梦批语汇录》一书是原中央大学著名教授王伯沆所作）。终因他逝世未能出版，成为文艺批评界一憾事。

1990 年，他因病在贵阳花溪逝世，终年 86 岁。

贺永年（1896—1990）　原名贺果，又名贺培真，湖南邵阳县东乡马王塘村人。他是毛泽东在长沙师范学校的同学，其弟是著名音乐家贺绿汀。

1918 年 4 月，他参加毛泽东、蔡和森等人组建的新民学会，讨论国内外时局，研究十月革命的经验，寻求改造中国的道路和方法。组织和开展驱逐军阀张敬尧、反对军阀张恒惕、主张湖南自治、宣传马克思主义及组织会员去法国勤工俭学等活动。为抵抗军阀军队对学校的骚乱、激励学生的爱国思想、提倡尚武精神、研究军事技术、锻炼学生意志，学校组建了学生志愿军。他任二连连长。此外，他还爱好足球和田径运动，为当时长沙“八大球王”之一。1919 年，在“五四运动”的推动下，留法勤工俭学运动达到高潮，贺永年与李维汉、张昆弟等 58 人联袂赴法勤工俭学，在巴黎蒙达尼公学学习。3 个月后被分配到克鲁佐地区施乃德钢铁厂做工，和法国产业工人一起劳动和生活，并接触了法国共产党主办的《人道报》、马克思的《资本论》及俄国十月革命的一些书刊，世界观发生了深刻的变化。1924 年 7 月，国民党要员吴雅晖等人以照顾勤工俭学学生为名，用法国“庚子赔款”的一部分，办起了里昂中法大学，仅招收国内一批有钱有势的纨绔子弟。他和“工学世界社”的成员获悉这一情况后，组织施乃德工厂做工的 100 多名留学生率先发宣言、出通告，表明反对态度和斗争决心，并以静坐、绝食、示威等行动，抗议法国当局。北洋军阀驻法公使及里昂大学负责人勾结法国当局，出动大批武装警察，包围这群手无寸铁的学生，骗取他们的侨居证，将他们囚禁在一个兵营中。28 天后，他和蔡和森、陈毅、李立三等 104 人被扣上过激党的罪名，由法国武装押送回国。他到上海和党中央接上关系后，正式加入中国共产党。1924 年，被党组织派往莫斯科东方大学学习。1925 年回国后，他先后被派往安源煤矿、长沙共青团、湖南省军委工作。期间曾在邵阳县协助罗卓云组建了中共地下党支部。1926年5月，北伐战争拉开了序幕，叶挺独立团先遣队向湘挺进。他受湖南省委书记李维汉指派，组织工人武装，迎接北伐军入湘。7月，国民革命军正式誓师北伐，他被派往第四军任政治部组织科长。1927年，汪精卫在武汉发动“七一五”反革命政变，血腥镇压共产党人和爱国人士，武汉形势日益恶化。他随军到广州，到叶剑英任团长的教导团工作，并参加了广州起义。由于敌强我弱，起义部队被迫撤出广州，与彭湃率领的海陆丰工农武装会合，正式成立海陆丰红军第三师，他任师政治部秘书和海丰县委视察员。海陆丰起义武装遭国民党的8个团兵力的进剿，被迫撤至山区开展游击战争。他被派到烟台刘珍年部任军部秘书，后到大名府附近的根据地工作。1930年6月，李立三的“左倾”冒险主义在中共中央占了统治地位，“左倾”路线的执行者认为他是从广东游击队过来的，命令他临时搞一支武装去攻打大名府。他不畏权势，以“乌合之众的冒险行动不可取”而拒绝，竟遭到无情打击，残酷迫害，因当地组织未开介绍信而脱党。之后，他到达上海，工作无门，靠翻译法国小说所得的报酬维持生计。1931年夏，他突然被国民党特务以“共产党”嫌疑犯抓捕，关押在龙华警备司令部。在上海的三弟贺绿汀夫妇得知，四处奔走，通过关系，进行营救，被关押6个月后才得释放。此时“一·二八”淞沪抗战爆发，他到山西武功西北农学院任教，多次向党组织申诉受“立三”路线迫害的情况，未果。1945年，辗转来到瓮安，在珠藏结识了商人刘茂和，做起了小本生意，成为赶乡场的小商贩。定居瓮安珠藏，几年后搬到瓮安县城居住。

1949年11月，国民党瓮安县长李繁苍闻解放军进入县境，就带着武装队伍逃离县城。他和王贤忠、刘平衡等进步人士组织维持会，并出面说服三股武装头目合建县维持会民众自卫队，社会秩序才得以维持。12月11日，为迎接瓮安解放，他与其他进步人士组织瓮安人民群众上千人到高家坳，热烈欢迎人民政府工作人员进城接管建政。1950年3月，他被委任为瓮安县教育科科长，出席瓮安县第一届各族各界人民代表会议。8月，省人民政府委任贺永年为瓮安中学校长。1951年6月，他调贵阳专区工作，历任贵阳市教育局长、副市长、市政协副主席、省政协委员等职。1956年1月，应邀出席全国政协会议，见到了离别30多年的毛泽东，毛泽东风趣地说：“你是贺果，我以为你不在了，没有通信，我还不知道你还在呢?”在座的李维汉说：“培真是在立三路线下脱党的。”毛泽东说：“要不脱离立三路线，恐怕性命也没有了。”此后，调省政协工作，历任省政协常委、副主席，省政协第四、五届委员，省第二、三届人民代表。

“文化大革命”中，因致李维汉函中附言有“代候润之兄好”一语，个别愚昧无知的造反派质疑、追问。“江青反革命集团”在贵州的“爪牙”点名说他是邓小平安插在贵州的两颗钉子之一，抄了他的家，把他关押在豺狗湾看守所，后在抄家得来的文件中发现两封毛泽东给贺永年的亲笔信，关押近一个月后释放，派到三江农场“五七”干校劳动。1971年9月，才以高龄为由让他回家休息。几位知交鼓励他去北京找毛泽东反映贵州部分干部问题，他便于1972年底专程赴京，将书信和材料请王海容转呈毛泽东。毛泽东转交1000元给他作旅费，并转告他，所反映的情况已知道，并叫他到上海去看贺绿汀。

贺永年平易近人，不少干部和知识分子都愿与他谈心和反映情况。“文化大革命”结束后，他为某些知识分子的冤假错案四处奔走呼吁，在力所能及的范围内为他们出力献策，为巩固和发展党的爱国统一战线做出了一定的贡献。

1990年，贺永年病逝于贵阳，终年94岁。

毛家俊（1919—1990）　贵州省清镇县人。自幼好学，青年时品学兼优，1945年毕业于浙江大学中文系。1946 年在贵阳中央日报做编辑校对工作。1949 年贵州解放后在省民政接管部和清镇、息烽中学工作。1951 年在贵阳师范班学习，是年 9 月调入瓮安中学。1957 年 12 月—1959 年 8 月在珠藏劳动锻炼和烽岩中学教书，9 月至瓮安中学教书。1977 年退休后在电视大学执教。

毛家俊坚信马列主义，拥护中国共产党，热爱社会主义。在经济困难时期，他正视困难，向往光明；在“文化大革命”时期，他既不逆来顺受，也不怨天尤人；改革开放后，他对党的方针政策由衷拥护，对每项建设成就欢欣鼓舞，同时对前进道路上的某些曲折充满忧虑，显示出一位全心全意跟党走的知识分子质朴而可贵的性格。他尊重领导，团结同志，从不在人前背后说长道短，议论人非；他严于律己，宽以待人，坚持原则，实事求是；他生活上体谅国家困难，刻苦自励，从不苛求组织照顾；他教育子女发奋图强，坦荡为人。

毛家俊治学严谨，好学不辍，博览群书，在古代汉语和现代汉语知识领域功底坚实，造诣深厚，与教学同行们探索切磋，往往见解新颖，说理透彻。有时为佐证论点，他查遍典籍，偶有所得则欣喜若狂。在教学和班主任工作中兢兢业业，任劳任怨，教书育人，培养出一代代青年学子。在电视大学，克服年事高精力不足的困难，尽心竭力放射余晖，赢得学员爱戴。他对自己的身后事也早作安排，告诫家人不讲排场，不大操办，遗体火化，骨灰带回贵阳落叶归根。

毛家俊以丰富的学识、高尚的人格为瓮安中学的建设发展和瓮安的教育事业做出了贡献。

孙智忠（1914—1991）　瓮安县草塘人。1933 年 12 月省立瓮安中学毕业后，到余庆县龙溪小学教书。1934 年后为兴仁犹国才部留守处支书，贞丰县政府事务员，安顺吴剑平部上士文书，省保安处实习员、少尉科员。1941—1944 年为雍阳区中心联保处文书，松坪、天文乡公所文书及小学教员。之后，被拉兵送镇远师管区任连部支书，余庆县大平乡文书及教员。1949 年任草塘镇公所临时雇用文书。1950 年参加瓮安县小学教师训练班，1951 年分配到瓮安中学任教导员。在学校，他兢兢业业地工作，默默无私地奉献，亲手用工整端庄的毛笔字填写数以万计的学生学籍卡，亲手制作每一份计划报表，亲手刻写数不清的考试试卷，亲自整理一件件卷宗档案归类。几十年如一日。不计名利，不计得失，从童颜到老瘦，从青丝到白发，将毕生精力献给瓮安教育事业。无论是三年困难时期，还是十年浩劫的深重岁月，他始终立场坚定，拥护党的方针、政策。曾被评为县先进教育工作者和先进教师。退休后，仍然坚守岗位，奉献余晖。他顾全大局、与人为善的情怀，赢得领导的信任、老师的赞誉、同学的爱戴和家长的推崇。

1991 年 2 月 2 日，因患心脏病，不幸与世长辞，享年 77 岁。

王道源（1912—1992）　贵州省瓮安县岚关大路村人。瓮安中学第三期毕业生。他青少年时怀“求知之欲，振兴中华之志”，负笈远道求学。先考入原金陵大学学习，一年后，闻川大系美国加州大学所办，于是丢弃金陵大学一年学分，重考国立四川大学农学院农艺系学习。1941 年毕业后曾任农林部第二国营耕牛繁殖厂技术员及副技师。1943 年 2 月任贵州省立高级农业职业学校教导主任、教员。他热爱专业，亲授动植物课程，引导学生写生物论文，进行生物实验研究，亲手培育水稻、烤烟等，但囿于当时战乱缺乏资助而无成果。1944—1945 底任瓮安县政府建设科长、教育科长。1946 年初，返回母校瓮安中学执教 4 年并担任教务主任。他学的是自然科学、但文学功底深厚；书法独到，特别是魏碑体能出新意。在训育学生过程中，重视校风校纪、基础知识训导。当时纨绔子弟袁家璧弟兄嚣张无忌，无师敢管，王同样依规严训。每天早上学生操场集中升旗训话后，他总要考查学生对知识掌握的情况，依据各级学生所学知识、内容制成若干卡片装入囊中，令学生自抽，照卡片内容背书或回答问题。一有错讹，即打手心，使得学校教学秩序井然，学风大蔚。1946 年瓮中 23 期毕业生在贵阳升学考试，全省前 16 名都是瓮中学生，学生莫绍先考第一名。王道源在瓮安建设局工作至退休。1992 年逝世，终年 80 岁。

熊德芬（1922—1993）　贵州凯里县（今凯里市）人，1948 年毕业于贵阳师范学院（今贵州师范大学）体育科。毕业后曾先后执教于安顺工业学校及贵阳师范学校，1950 年调瓮安中学。

他学有专长，业有专攻。组织安排他长期担任体育教研组长，负责体育教学，训练运动队，开办业余体校，举办运动会等。夏练三伏，冬练三九，运动场上处处闪动着他的身影。由于在体育教学上成绩卓著，他在全省体育战线颇负盛名，20 世纪 50 年代被评为国家一级田径裁判。他辛勤耕耘，为西南师大、贵州师大、黔南师专等院校输送了一批又一批合格新生，为全省、全州造就了大批体育人才。20 世纪 60 年代中期，瓮安中学学生参加全省中学生运动会，成绩显赫。初中生陈家德、蒋碧英、曾顺筑等同学作为体育拔尖人才，被遴选进入省体委深造培养。瓮安中学被列入贵州省体育传统项目学校。

他是省裁判委员会委员，在全国、全省、全州、全县各级运动会中多次担任教练、裁判长、总裁判长等，不辞艰辛，任劳任怨，出色完成任务，多次被评为省、州、县体育先进工作者、教育先进工作者、优秀教研员。1987 年，被评为中学体育高级老师。

丁方强（1914—1993）　江苏省徐州铜山县人。中学毕业后曾回乡种地，当看护兵、文书、县庶务科员。1943 年辗转到贵州，任贵筑县庶务科员、惠水县农场管事。1945 年后从事教育工作，先后在惠水中学、松桃师范学校、修文县中学等校任国文教师、级任导师、教导主任。1950 年调任息烽中学教导主任，曾被选为息烽县人民代表和花溪专区人民代表。1952 年到瓮安中学任语文教师至退休。他为人正派，被选为工会主席。他工作认真，当生活辅导员和班主任，关心学生健康成长，多次被评为先进工作者。他在语文教学中，精心设计课堂教学，除语言力求简洁生动外，尽量运用直观教材教学以收最佳效果。如讲《蝉》找来蝉蜕；讲《天气陛下》利用自然地理科挂图和《科学画报》中的风、台风示意图；讲《一件小事》找来鲁迅照片、生平事迹，还请美术教员画出人力车图；讲《截肢和输血》找来白求恩照片；讲《突破乌江》时，组织学生亲临江界河观察乌江险景、当年红军作战堡垒；设计、创新转轴拼音箱用于汉语拼音教学；作文尽量出与学生相关的熟悉的题目引导学生习作。

张家骧（1930—1993）　湖北省黄冈仓子埠镇下八湾人。1936 年入镇读私塾，后到镇私立小学和第三小学学习，到恩施县“战时青年招收大队”补习功课。在宣恩县高罗镇“湖北省立联合初级中学”插班读一年级。抗战胜利后，随校到武昌“湖北省立第一中学”学习。1946 年毕业到河南许昌经考试被录取并受训于洛阳。1947 年 9 月分配到国民党青年军二 0 六师四团机枪连当兵。半月后，追随被人民解放军，到晋冀鲁豫军区四纵队青年大队学习，其间为班长、排长等职。1949 年 6 月在军政大学第四分校特种大队参谋训练队为学员，立功一次。1950 年 6 月调云南军区复员委员会组织科为见习参谋，后任司令部军训处参谋。1953 年 7 月，在军委军事师范学校学习，被评为模范学员。1954 年 9 月—1958 年 4 月，任师团干部轮训队参谋兼战术、射击教员，被通令嘉奖，其间加入中国共产党，获淮海战役、解放中南、西南纪念章和解放奖章各一枚。1958 年 4 月，调瓮安新华铁厂矿区工作。次年 3 月到福泉牛场光明大队劳动锻炼。1960 年后到瓮安县科学工作委员会、县人委卫生科任工作员。1960 年 8 月，调瓮安中学任总务主任。“文化大革命”中，受到不应有的批判，但他坚信“真金不怕火炼，总有出头的一天”。1970 年，学校实行“老中青”三结合，恢复他的总务主任职务，他根据“教育要革命”的精神，主持总务会议，支持“五七”工厂的建立，保证学校后勤工作的顺利开展。

1993 年 9 月，张家骧因病逝世，终年 63 岁。

余国民（1936—1994） 贵州省瓮安县人，1956 年瓮安中学初中毕业考入贵定中学读高中。1959 年高中毕业后在瓮安县粮食系统工作。1960 年秋考入贵阳师范学院，1964 年毕业后分配到瓮安中学工作。

1980 年后，他担任电大文科老师，把自己在古典文学、现代汉语语法、形式逻辑等方面的专长悉心传授给学生。还担任过多届班主任，培养班干部，训练学生自我管理能力，带出了一个又一个的优秀班级。

他担任瓮安中学工会主席期间，把教职工的冷暖记在心上。职工生病住院，他领着工会同志去医院慰问探望；职工家有红白喜事，他分派工会成员去持操办理。他主持的“职工之家”，别具风格，被评为全县教育系统先进集体。他平易近人，在工作中既有原则性，又有灵活性、兼以幽默风趣的言语，深受大家喜爱。1987 年 4 月，他担任瓮安中学的党支部书记，学校领导班子团结，教学工作大有起色，教学效果不断提高，校园建设日臻完善。是年，被聘为中学语文高级教师。

1994 年 6 月，他因病逝世，享年 58 岁。

罗洪祥（1933—1995） 男，福泉市牛场人。先读私塾、后在牛场小学读书，1953 年瓮安中学初中毕业后，在贵定读高中。1956 年考入云南大学中文系汉语言文学专业。曾受教于校长、中国著名诗人李广田先生门下，进修德业，品学兼优。毕业实习时到中泰边境采风，搜集创作少数民族题材的作品，有两篇在《民间文学》上发表。1960 年 7 月云大毕业后，成绩优异，被分配到北京师范大学中文系任助教。工作期间参与修改编写《中国现代文学史》。一年后，主动申请调回贵州。1961 年 9 月，回到母校瓮安中学，担任语文教学工作，教书育人，为人师表。他博览群书，才高学富，精于古典文学，长于文章写作。无数次“下水作文”以其深邃的思想、充沛的感情、严谨的谋篇布局、精湛的语言技巧为学生做出示范。他爱生如子，循循善诱，教人不倦，诲人不厌，桃李满天下。

他还曾担任黔南州语文教研会理事、瓮安创作协会会长等职务，推动学术研究。他创作不同形式和题材的文章，如《清清河水淌满沟》《鳌鱼山的事故》《秋游川洞河》《细菌的事故》等，分别在《贵州文艺》《采风》《江界河》《花竹科普》上发表。

在“文化大革命”停课期间，他利用精通古文的优势，潜心研究传统医学经典，掌握了肝炎、肺结核、心脏病、肾炎、妇科病、风湿等一些病症的独特治疗方法，效果显著。闪腰、肠痉挛等病可达到立竿见影的效果。20 世纪 80 年代后，每年治疗的各类病人达 500 ~600 人，大部分病人都在短时间内得到康复。县机械厂工人杨某腰生病，动弹不得，用板车拖去，他用“梅花针”给杨扎后，立刻能独立行走回家。杨某事后用特制钢材打一把挖药的小锄相赠。

1995 年 3 月，突发脑溢血逝世，终年 62 岁。

华天谷（1907—1995） 号钦达，江苏省无锡市梁溪乡人。1930 年，以优异成绩从艺大毕业后到上海、江苏、浙江等地从事音乐、美术教育工作。1937 年 7 月抗日战争爆发，背井离乡，辗转来到贵州，先后在贵阳女中和清华中学等处教美术。当时贵阳文人云集，他保持清高的节操，赤诚待人。

1945 年，为庆祝抗战胜利，他创作了一幅 10 余米长卷国画《花溪全景图》（现收藏于贵州省博物馆），展现花溪内在的质朴美，具备极高的艺术水平，得到社会各界好评。1949 年 12 月，他的画稿《贵阳风景写生画集》第一集出版发行。其用笔苍劲，形象清逸，一问世即被抢购一空，轰动贵阳山城。他说："写生画可以陶情自然界，可以回想古今事迹，可作学生图画补充教材，可作他乡客回家的纪念品，可以装饰你的环境美，增加你的思想美！"

1950 年 8 月，他由贵阳专区分配到瓮安中学，承担音乐、美术的教学任务，成为瓮安教育史上第一个具备系统专业知识的艺术教师。任教期间，以发现和培养艺术人才为己任，主张教学生学画山水从"芥子园"开始，临摹不能随便，要把一棵树、一块山石分作一笔一笔画，还手把手教学生调颜色、透视，用浅显的语言将抽象深奥的艺术原理讲解给学生。上课一丝不苟，风趣幽默。他常用"只有勤学苦练，才能熟能生巧"等格言和古今画家勤学苦练的生动例子激励学生。他还接受县长有关扩大瓮安中学面积的采地、测绘任务，与同事起草摸黑丈量、制图。

1962 年，他调任县文化馆馆长。工作之余，尤喜泼墨山水和花鸟。创作的《松柏常青》《震天动峡谷》《文峰塔》《观音堂》《山涧》《山高水长》《玉华山》《西门桥》《林区小景》等百余幅国画，可以说是他胸怀坦荡、旷达淡泊的精神再现。这一时期，他的作品不仅数量多，而且在艺术上达到了很高的境界。他先后当选为县、州政协委员和县人大常委，被吸收为中国美术家协会贵州分会会员。

"文化大革命 "中，"造反派"对他创作的宣传画《拿出你的良心来》横加指责，当"毒草"进行批判。他遭受了游街、揪斗，后送西坡林场"劳动改造"。这期间，他的许多作品被付之一炬，甚为可惜。

1970 年，他重新回到县文化馆工作。翌年，他利用州政协委员的身份多次申请建立县图书馆，得以批准，并被任命为馆长。

1979 年退休后，他退休不离岗，仍为图书馆无偿订报刊和清理杂志。他将自己几十年绘画的心得体会整理出来，编辑成《国画技巧——皴法》一书。同时，清理和装帧自己创作的国画，在县城举办了"华天谷美术作品展览"。

1995 年，他因病医治无效逝世，享年 88 岁。

李奇谋（1909—1996）　贵州福泉人，书法家。幼年就读于牛场小学。爱好书法，先学欧体"九成宫"，继学林则徐、外祖父胡肇元（当时贵州著名书法家）工笔，后又学习苏东坡《春帖子词》《天际乌云诗》等。在贵阳师范读书时，倍受书法家严寅亮老师的喜爱。他天生聪明机敏，每交作业，都在本子里夹一张与本子大小一致的宣纸，严老师也深解其意思，将批改内容全写在宣纸上。几年工夫下来，他得严寅亮一本厚厚的手迹。他的同学争相效法，以得老师的手迹为荣。一次严寅亮对他说："你们那里有个书家胡肇元，你回去后向他学习"。给他介绍和引见了当时在贵州的全国著名金石书画家姚茫父，还介绍了西南书家袁思、旦懋辛、王渔洋、吴道安、何辑五等。在这些书法家的指点下，李奇谋的字长进很快，逐渐开始小有名气。省、厅、局、学校内外的送匾、题对及至贵阳店铺的招牌，多位他题写。一次云南某药号的老板要写招牌，请到省政府的一位参议，这位参议苦思冥想，反复掂量，最后推荐了年仅 19 岁的李奇谋。李奇谋特别喜欢康有为在贵阳的"尹道真先生祠”“刘统一先生祠”题字，于是，他转学汉魏碑版，研究康有为的《广艺舟楫》。课余时间他将《龙门二十品》《张猛龙碑》《宝子》《龙颜》《孔子庙堂碑》以及怀素《圣教序》装裱后挂于壁上，经常研习。

他一生以教书育人为己任，桃李盈门。学校毕业后先后在贵阳师范学校、施秉师范出任校长。1939—1942 年到瓮安中学任教。1958—1959 年到瓮安中学上书法课。他说：“书学上有碑帖之方，北碑南帖，北书以骨胜，南书以肉胜。唐以后过于尚法，致有馆阁体的盛行，束缚学者的思想。北碑雄强，笔法跳跃，可以启发学者的神情意志，在学碑中取其优势，在学帖中取其法度，故而两者都有学的必要”。主张青年人学书法，“以柳字起步为宜因唐楷法度森严，尤以柳字更甚，既得骨又得法。”经 70 年艰苦磨砺，形成了独特的风格：基础扎实，功力深厚，结构严谨，用笔力透纸背，各种书体皆通，尤以行书见长，其书法沉雄奔放，形神兼备，厚重奇伟、自然活泼。加之他把中国古典诗歌歌赋融入书法创作中，更是锦上添花。

1986 年，他入选《中国当代书画家辞典》《中国现代书法界名人辞典》。其作品入选“四川合江诗书画院碑林”“黄果树碑林”，1989 年四川五县书展获一等奖，1989 年入选“炎黄子孙杯”。留在瓮安的碑刻作品有《文峰塔》《冷少农烈士故居》《猴场会议纪念碑记》等。

李奇谋是瓮安县加入省书协最早的会员，是黔南州书协理事、瓮安县书协首届主席。

1996 年 10 月，李奇谋病逝，享年 87 岁。

吴近仁（1920—1997）　河南省南乐县佛善村人，高小文化程度。先后任东进纵队第七支队连指导员，黄河支队副司令员兼参谋长，冀鲁豫支队营教导员，清丰县、卫河县武装委员会主任，濮阳县武装部长等职。

1949 年 5 月，奉命随军南下江西，任都昌县武装委员会主任。8 月随军西进贵州，12 月率队接管瓮安县，先后任县长、县委书记，兼任瓮安中学校长。在接管、建政中，非常重视统一战线工作，着力团结、教育各族各界代表人士，充分发挥他们的积极作用。在土匪最猖獗的时候，一些进步人士积极通过各种渠道了解匪情，及时向县委、县政府报告，从而迅速围歼土匪，取得一个又一个胜利，保证了建政初期的社会稳定。1950 年 4 月 3 日凌晨，驻县城原国民党起义部队 343 师输送营和警卫营一部叛变，勾结土匪百人里应外合，攻打县政府，他沉着指挥干部战士数十人，机动灵活地抗击数倍于己之敌，打退敌人多次冲锋。4 日、5 日，343 师驻平越（福泉）牛场的 1028 团、驻草塘的 1027 团相继叛变，数千人向县城进围。吴近仁与县委副书记郭平果断决策，于 5 日夜率县委、县政府人员撤离县城，绕道向平越县县城转移，有效地保存了实力。匪乱平定后，他致力于生产建设，坚持调查研究，制订切实可行工作计划，发动群众实干加巧干，使得生产建设大发展，人民生活大改善。1954 年 8 月，调离瓮安，先后任贵定地委宣传部长，省民族语言指导委员会副主任、党组书记，省政协副秘书长。

1961 年 7 月，他第二次调任瓮安县委书记。时值严重经济困难时期，当务之急是发展农业生产，恢复经济，重点解决人民吃饭问题。是时，在县看守所和各公社管训班还关押着“整风整社”运动中被抓的一些基层干部。吴近仁将这些干部一一放出，进行平反，使之回到原单位抓生产建设。为防止冤假错案的发生，他要求各级干部对人的处理必须慎重再慎重，万万不可草率行事，给党和政府带来不良影响。1964 年 8 月，他调离瓮安，先后任黔南自治州副州长、州革委计划委员会负责人、州委常委兼都匀市委第一书记。1978 年

8月，调贵州农学院，先后任副院长、院长、党委书记。

1985年1月，他离职休养后，积极撰写党史资料，先后完成《南乐第一个党支部——佛善村党支部》《卫河民兵》《回顾瓮安的解放》《瓮安解放初期统战工作的回顾》等回忆文章。审阅瓮安党史资料丛书《瓮安解放》《瓮安革命烈士》《中共瓮安县历史大事记》，还与瓮安县委党史领导小组负责人到安顺、兴义等地核对史实，为立准、立好党史资料做出了贡献。

丁俊书（1911—1999）　贵州省瓮安县人。祖籍四川省乐至县。1920年，9岁时随父住进花竹书院。成人后，父子两代，相继为花竹书院、瓮安中学工友，为瓮安中学的师生员工服务长达半个多世纪。

他忠于职守，数十年如一日。担任炊事班长，在厨房辛勤工作每天半夜起床熬稀饭，日落天黑收拾完厨房才回家。1960年前后粮食困难时期，他与总务人员一道，磨豆浆、熬稀饭，深夜时分亲自送往各教研室，使教师们免受饥饿之苦，渡过难关。他勤勤恳恳，任劳任怨，赤诚之心，天人共鉴。

他人品崇高，从不阿谀奉承领导，从不投井下石伤害无辜。“文化大革命”时期，批斗“当权派”、资产阶级学术权威和有成就的“臭知识分子”，他从不随波逐流，乘人之危，未贴过一张大字报，未批斗过任何教师。他以仅有的微薄收入供养七八口之家，负担重，生活拮据，但他奉公廉洁，从未占集体一丝一毫的便宜。

他烹饪技艺精良，红白两案皆能。主管学生食堂，同情贫困学子，兼管教师伙食，善调众人口味。丁俊书父子对瓮安中学的贡献是不可磨灭的。

曹绍庸（1914—2001）　浙江省诸暨市（原东阳县）人。1938年考入江苏大学，1940年随校西迁贵州省湄潭县，1942年毕业于江苏蚕桑专科学校养蚕系。毕业后曾先后在遵义丝织厂蚕种场任技术主任，在省立遵义师范学校、县立中学、国立贵阳师范附中等校教书，在省立湄潭职业学校任蚕科主任。1950年调贵州省瓮安中学，为瓮安教育竭忠尽智，奉献终身。曾于1958年获国务院全国科技成果奖。

他为人正直，胸怀坦荡，实话实说，不谄不阿。1957年整风反右运动中，他因实事求是地对领导提出批评，对人民公社农民留粮问题提出质疑而被划为右派并降工资。但他以国家利益和教学工作为重，以学生为重，不计个人得失，对教学工作一往情深，一丝不苟。他在教学中尽量利用生活中显而易见的例子，理论联系实际，用幽默的语言，辅以妙趣横生的肢体语言，生动形象地进行教学。曹绍庸所教动、植物和生理卫生课、教学效果良好，在黔南地区处于领先地位，被同仁和学生尊为良师益友。

赵永庆（1921.7—2009.3）　男，汉族，出生于河南省滑县一个贫苦的农民家庭。他从14岁起就给地主当雇工。1937年3月，为“当兵吃粮”，到29军当兵（冯玉祥部队）。“卢沟桥事变”后，又回到家乡，当雇工。1945—1946年，家乡闹饥荒，同家人一起逃荒到山西，靠讨饭、给地主放羊度日。1946年9月回到故乡，遇上工作组进村领导“减租减息”工作。为保卫胜利果实，是年10月参加中国人民解放军原晋冀鲁豫野战军第11纵队独立旅补充团，曾任副连长。在淮海战役中，他指挥重机枪阵地，担负正面阻击战斗任务，荣立三等功。1949年3月，淮海战役后部队进行整编，他被编入冀鲁豫军区独立3旅7团，任副连长。4月参加渡江战役。渡江战役后在东乡编入第二野战军5兵团第17军第51师152团，任一营副管理员，7月进入17军随军学校学习（二野军大五分校）。9月初，奉命向西南进军，11月初在黔南地区参加歼灭国民党军第149师的战斗。1950年1月军校学员提前分配，回到152团，任一营管理员。后因五大任务（清匪、反霸、减租、退押、征粮）工作需要，从152团抽调到惠水工作组，任组长。先后任都匀县七区区长、区委书记、黔南州城建局党总支书记、瓮安县茶园伐木场场长、瓮安师范学校校长、县教育局局长，瓮安中学党支部书记等职，1982年后离休，享受副地级待遇。

1958年12月，赵永庆受到不正确的处理，但是他没有怨言，相信问题是会解决的。1980年12月得以落实。他在工作中坚持原则，踏实的为人民办事，清正廉洁、奉公守法。1979年，他在瓮安中学任党支书时，学校“五七”工厂生产的“丰收”35型四轮拖拉机传导动装置模型和“工农12型”手扶拖拉机模型，参加全国青少年科技作品展览，分别获全国青少年科技作品三等奖和“我们爱科学”特别奖。

2009年3月，赵永庆因病逝世，享年89岁。

曹文德（1923.12—2012） 贵州平坝县人，贵州大学工学院机电工程系毕业。1948年10月—1949年7月在安顺贵大附设工业职校任教。l950年9月到瓮安中学当教员，曾担任基层工会小组长，中苏友好协会会员，中华全国科学技术普及协会会员。在校期间，帮助教师钻研代数、物理，做演示实验和写教学计划，使受助教师感到“虽是才到学校，就像是老朋友一样”。做班主任时，贯彻党的教育方针，激发学生热爱祖国，努力学习的热情，推动学生的学习。接受工作从不推卸，并能认真搞好。任少先队辅导员，经常帮助队委研究工作，开展队的活动，使原基础薄弱的校内少先队工作逐步改进。在校期间，积极组织指导学生作教具90多件，完善实验设备，提高教学质量。组织学生参观电厂、邮电局、收音站、抽水机站等部门。虚心向工人同志学习。为解决后座学生上物理演示课看不到的问题，在班上专设物理实验角，又经常开放物理实验室，使学生在课余时间能有机会练习操作，巩固所学知识，掌握实验操作技能。常组织较差的学生补课，不断提高成绩。教育学生联系生产实际，学以致用。利用暑假，带领学生下乡帮助二区新河高级农业社测算土地，既解决社里人力不足的困难，又使学生巩固所学知识。l956年12月，被评为全省优秀教师，出席在贵阳召开的贵州省优秀教师代表会。1958年9月调离瓮安中学，到兴义中学任教。

2012年因病逝世，终年89岁。

周乐忠（1933—2014） 贵州瓮安人，初中毕业后在岚关任小学教师。1957年9月调瓮安中学任出纳兼伙食管理。不遗余力地为师生做好后勤工作。1960年5月，他被评为先进生产者，出席省群英会，受省人委表彰。他在校内维护治安，抓小偷、保木料；熬更守夜，捉拿毒猪犯；狠抓粮、油、豆、菜食品供应，解决师生饥饿，制止浮肿；校园边界受亲朋蚕食，亲自到贵阳告状，终于保住校园环境。1966年6月，他保管的粮票、布票、棉花票被内贼偷去，后经公安和瓮安中学联合破案，终于还他清白。

1981年后，他被提升为总务处副主任、主任。1984年，他因总结出种植天麻的经验，被调入县科协工作。举办天麻种植班，培训省内外500余人。1985年5月，他资助瓮安中学1万元奖学金。他因农村科普工作成绩显著，两次被中国科协授予先进个人称号。1986年1月18日，时任省委书记胡锦涛得知他的情况后，亲自前往丁耙寨考察他家的庭院经济模式和天麻人工驯化。2012年11月11日，他参加瓮安中学180周年校庆。

2014年，周乐忠因病逝世，享年81岁。

冷少农（1900—1932） 原名肇隆，出生于瓮安城南大水沟村，后移住高庄（现烈士故居处）。自幼热爱劳动，聪敏好学，6岁入私塾，14岁考入县立高等小学校，1917年以优异成绩考入贵州公立法政专门学校第三期法律本科。在校期间，专备笔记本，题名《可则录》，及时摘抄报刊上的重要文章并加以分析研究。放假期间，进行社会调查，了解和关心人民疾苦。他曾在日记中写道："见民间痛苦或受军阀蹂躏之事，即欲力求改善。"通过博览报刊，调查社情，看清了军阀的本质，萌发了参加孙中山领导的民主革命的思想。常以坚定的口气对同学和亲友说："军阀之残暴必败，革命事业必成。"

"五四运动"暴发后，他参加贵州学生联合会和贵阳三千学生示威游行，声援北平学生的爱国行动。此后更加关心国家大事，经常阅读进步书刊，研讨马列主义，探寻救国救民之路，遂将名字"肇隆"改为"少农"，表示要为劳苦大众的翻身解放事业奋斗终生。

1923 年，他毕业后，先后任《民意日刊》编辑和省筹饷局紫江（今开阳）、紫云县印花税督催员。他感到这些工作对革命无益，毅然弃职回乡。时值广州革命形势如火如荼，于 1925 年秋离家去广州。途经贵阳时给母亲写信说："儿此去目的，完全尽忠革命，为国家为人民尽应尽之能力。"到达广州后，被录用在黄埔军校工作，从此踏上了革命征途。不久，经周恩来介绍，加入了中国共产党，东征胜利后任中共两广区委、周恩来办公室技术书记（秘书），与聂荣臻、王若飞、陈赓、周逸群、李侠公等朝夕相处，获益颇大。1926 年 7 月，国民革命军誓师北伐，随军转战至武汉。1927 年 4 月 7 日，蒋介石、汪精卫发动政变，第一次大革命失败。他遵照党的指示，转入地下，潜入南京，利用与国民政府训练总监部、军政部长何应钦是贵州同乡及师生的关系，打入训练总监部任何应钦的秘书，以此特殊身份作掩护，搜集传送重要军事情报。其中包括国民党第一、二、三次围剿中央苏区的重要情报；秘密参与组织反帝大同盟、革命互济会，开展学生运动。在国民党军队中发展共产党员，建立地下组织，策动兵变。他身居虎穴，将个人生死置之度外，全心全意、任劳任怨地为党工作，而家中亲人对他长时间不能返里探亲，误认为他贪图荣华富贵，"不忠不孝，忘恩负义"。对于亲人的误解，他写信耐心地解释，阐述了一个共产主义者的"忠孝""恩义"观。他说："我想使他们个个都有饭吃，都有衣穿，都有房子住……这样的事情是一件最大而又最复杂的事情。我要这样干，非得把全身的力量贯注着，非得把生命贡献，不然不会得以结果。我既然把我的力量和生命都交给这件事情，我怎么能够有工夫回家来，忍心丢着这样重大的事情，看着一般人受苦，而自己独享安逸呢?""我是把我的孝移去孝大多数痛苦的人类，忠实地去为他们努力"，"我受社会的恩惠很多，所以我也不敢对他们忘恩负义"。

1932 年 3 月，因叛徒的出卖，他不幸被捕，关进南京警备司令部监狱，受尽百般折磨。他坚贞不屈，大义凛然，痛斥国民党反动派的罪行。1932 年 6 月 9 日，冷少农和特委书记李耘生等 7 人壮烈牺牲于南京雨花台，时年 32 岁。

新中国成立后，人民政府追认冷少农为革命烈士，颁发了毛泽东主席签发的革命烈士证书。冷少农被编入《革命烈士英名录》，其革命事迹在南京雨花台革命烈士纪念馆、省博物馆等均有专版展出。瓮安县雍阳镇高庄故居于 1985 年列为"贵州省重点文物保护单位""爱国主义教育基地"。中央、贵州、湖南等电视台播放冷少农的事迹，人民网、中国共产党新闻网发布"纪念建党 90 周年最新党史研究成果"称赞冷少农是传递国民党围剿红军情报的第一贡献人，《当代贵州》专刊颂扬冷少农烈士是中共历史上最杰出的红色特工之一。中共省委党史研究室、贵州教育出版社编辑出版的《冷少农烈士传略》已在全国发行。

舒葆初（1906—1932）　又名舒忠元，生于瓮安县平定营高枧坡一个农民家庭。1923

年毕业于瓮安简易师范讲习班，先后任梭罗小学教员、岩坑小学校长。1925 年秋，参加黔军李燊部，后考入该部军官讲习所学生队。毕业后任国民党湖北省党部宣传队汉阳支队宣传员。因思想激进被清洗，回黔军。同年，考入陆军经理法规研究所。在南京学习半年后毕业，派任杭州警官学校总务科长。1930 年，调任武汉军政部第二被服厂会计。1931 年，考入南京军校补习班。在南京学习期间与同乡冷少农（中共地下党员）往来密切。经冷少农考核、培养，介绍加入了中国共产党。1932 年初毕业后，受党派遣，利用黔军中的人际关系，到湖北崇阳原李燊部 85 师教导大队 1 中队任上尉区队长，党内职务为长江局鄂南支部书记。

他为人谦虚和蔼，工作认真负责，学科术科基础扎实，博得官兵信任和尊敬，为开展地下工作创造了条件。经过一段工作，先后介绍黄克勤（遵义人）、宋应达（六枝人）、沈朴仲、莫德维（遵义人）、周廷贤（普定人）、张杰、李光庭、喻雷、毛毳等人加入中国共产党。接着，建立党的地下组织，加紧工作，策动教导大队官兵起义，配合附近红 16 军开展武装斗争。

当时，红军正处于第四次反围剿初期。1932 年 6 月初，蒋介石在庐山召开了豫鄂皖湖赣五省“清剿会议”，下旬在武汉成立了“剿匪总部”。蒋介石任总司令，调集 63 万兵力向各苏区发动第四次军事围剿，以图解除红军对武汉的包围态势。我党为了粉碎敌人的这一计划，决定在国民党尚未部署就绪前，在 85 师发动兵变，以解决 85 师 1 万多人与红 16 军配合进击武汉的问题。王觉夫是本次兵变行动武汉党组织派往 85 师与舒葆初直接联系的联络员。当一切部署就绪之际，原来培训的积极分子郭少凡（特务长）贪生怕死，叛变告密。9 名共产党员被捕，只有李光庭和和喻雷因事在外，闻讯逃至湖南洪江，免遭毒手。之后，敌人夜以继日，轮番审讯，软硬兼施。而这些共产党员不为高官厚禄所动，酷刑拷打所屈，大义凛然，视死如归。舒葆初还抓住审讯机会，与敌师长谢彬（贵州人）展开激烈辩论，宣传共产党的政策主张，揭露国民党反动派镇压革命、屠杀共产党人的罪行。谢彬理屈词穷，遂下令割下舒葆初舌头。当天深夜，敌人将 9 名共产党员押到崇阳城外河边杀害。这就是当时震惊全国的“崇阳惨案”。

施汝德（1912—1932）　瓮安县珠藏桐梓坡人，瓮安县高等学校毕业。1925 年，随父到贵阳学艺，并在街头书写“虎”字出售。其字刚劲有力，围观买字者甚多，受到商务印书馆赞赏，赠送《麻姑仙坛记》字帖予以鼓励。1926 年，考入省法政学校，受到进步思想的熏陶，萌发救国救民的思想。1927 年，考入黄埔军校六期，参加进步组织“青军会”。毕业后任第 19 路军 3 军 88 师排长、连长等。

1932 年，日本侵略军在上海发动“一・二八”事变，19 路军奋力抵抗。施汝德奉命率全连死守江湾庙，打退敌人多次攻击。后日军调集重兵强攻，施汝德身负重伤，被送进广济医院抢救，终因伤势过重，抢救无效牺牲，时年仅 20 岁。在生命垂危时，他曾用手指蘸血写出“抗战到底”4 字。

施汝德牺牲后，迁葬于南京紫金山国民革命烈士陵园。为彰其功，国民政府拨款于瓮安县政府侧修建“忠烈祠”，蒋介石、何应钦、于右任、孙科、林森、冯玉祥等人均送有联、匾。内容有“黄埔之光”“忠烈可风”等。施汝德是瓮安县最早的抗日英烈。

其父施裕初将政府抚恤金捐赠给瓮安中学，作为品学兼优学生的奖学金。

王道元（1915—1937）　号伯才，瓮安县岚关人。从小受家风影响，读书勤奋，粗通经史。16 岁小学毕业，“值九一八之变，感东南国土沦亡，立收复雪耻之志”。不久，就读省立第六中学一年级期满，去省城看望供职省政府的父亲，见到25军军长王家烈。王见他“猿臂鸢肩，与常人异”，即保送第25军军官政治训练团高级班工科学习，成绩甚优。毕业后奉委该军第8团3营5连特务长。1936年9月13日，他写给弟仲才的信中说：“中日事件，再不能和平了，战端早已开始，结果尚难预料。弟弟，你想立国5000余年的中华大国，雄镇亚东的民族，今日以受倭奴凌辱。想弟亦同抱痛心疾首感。是自知男儿生则担当宇宙，死则当为爱国英雄，抱定不成功便成仁的决心，乘此良好佳期，去赴前方，将我45年的耻辱洗清，杀尽倭奴，方畅我心。弟弟，我希望你，好好服侍老人，尽我们为人之道，并时刻准备杀敌的技能，来助我一臂之力，同灭国贼，方可快哉。”

1937年，卢沟桥事变爆发，平津沦陷。日寇肆毒，举国愤慨。不久，王道元调103师618团2营5连任中尉排长，后升1营3连上尉连长，驻扎江阴一带。师长何知重“请缨抗战，奉令率队增援淞沪。伯才歼倭夙愿得尝，喜形于色。再抵江阴，即与敌接触，于飞机大炮时时轰炸经旬。该军声誉突起，而伯才斯役勋劳特多。12月9日，厥后全师撤退固守南京，敌追旋至。尽力与之苦战，争夺中华门、水西门、莫愁湖一带，前仆后继，尸陈山积。因众寡悬殊，全师被敌各个击破。伯才率所部一连陷重围中，左冲右突，以至短兵相接。此时本不屈不挠之精神，以杀敌为快，竟手办倭寇下级军官及士兵数人，始成仁沙场。”光荣殉国。伯才“自入军营至成仁，8年来，每月所获薪俸，以八成寄父母，留二成自用。其节俭纯孝有如此”。据父回忆“此先是抵江阴将与敌战之前夕，封书其父母，请无念游子，并函其第仲才，须善待老亲，手翰尚存，可见其杀贼雪愤为国捐躯早具决心也”。之后，省府县府立案，修纪念专祠，时瓮安县长杨仲皋、劝学所长曾昭淦等名人均有题词、诗赋、匾额颂其为国捐躯伟大精神。专祠落成时，父绍溪题词咏云：

烈士英名冠古今，祠堂高敞出云岑。
国家正气留歌咏，山水钟灵有嗣音。
一战服从班定远，万年俎豆岳汤阴。
放牛归马知何日，潦倒闭飞不作霖。

商志章（1909—1951）　又名商国屏，瓮安县城人，1929年瓮安中学毕业。1930年新婚不久就 离开瓮安，到贵阳考上了黄埔军官学校陆军分校，后随校迁广东。1934年由黄埔军官学校第八期陆军系毕业，分配到粤汉铁路武装警察大队任负责人。1935年升任河南警察厅厅长。1937年抗战爆发后，参与抗日部队到前线抗日。战场上由于日本侵略者使用催泪毒气弹，商国屏受伤，双眼流泪不止，后被送到武汉陆军医院治疗。抗战胜利后商志章解甲归田，落户在湖南省津市，1951年6月因病逝世，终年42岁。

熊弼（1908—1958）　字俊义，又名绍诠，瓮安县城人。1922年瓮安简易师范毕业后，考入黔军第4师当兵，编入模范营。经6个月受训后，提升为班长，后又选入贵州讲武堂第6期学习。1925年后，历任排长、连长、参谋等职。1930至1933年先后就读于中央军校第8期和步兵学校。毕业后，历任21军教导团教官、新8师参谋主任、步兵团长、遵义步兵学校教官、93军副参谋长、44军参谋长、中央训练团监察官、贵州绥靖公署监察官、贵州省保安司令部少将高级参谋等职。1949年3月，在贵阳结识中共地下党员杨一平、张凤鸣，经与杨、张多次交谈，思想转变很快，愿为人民办事。不久，贵阳大中学校师生举行反饥饿示威游行，省主席谷正伦秘密部署镇压。他速告杨、张，采取必要措施，避免了流血牺牲。1949年11月上旬，他随保安部队在兴仁起义。1950年3月，作为人民解放军第17军联络员，带着军长兼政治委员赵健民的亲笔信，前往雷山争取原国民党黔东南绥靖区司令余辉庭部起义。1950 年 1 1 月，他奉命到西南军政大学高级研究班学习。1951 年 8 月任第 2 高级步兵学校战术教员。1952 年 5 月转业回瓮安，先后任雍阳小学教师、副校长、县第 2 届人民委员会委员。1957 年反右派斗争中受到错误批判。1958 年 2 月 2 日，熊弼不幸逝世，终年 50 岁。1980 年 10 月 3 日，中共瓮安县委宣传部给予恢复名誉。

何知元（1930—1959） 又名智远，瓮安珠藏鹤亭人，1949 年瓮安中学初中毕业。瓮安解放后，他积极拥护共产党和人民政府，以极大的热情投入到建设革命政权初期的工作中。他参加民兵，和解放军一起清剿土匪，在追剿土匪头子曾绍轩时，冲锋在前，棉衣被土匪子弹射穿了几个洞。

1951 年 1 月，他加入中国人民解放军，先在瓮安警备营任副班长、班长。1953 年被选入飞行学校培训，结束后当上了飞行员，在空军 2856 部队服役，实现了驾驶飞机翱翔蓝天的愿望。1956 年 9 月，加入中国共产党。1959 年 3 月 20 日，在飞行训练中飞机失事，不幸牺牲，时年 28 岁。遗体安葬在广东汕头市，人民解放军空军部队追认他为革命烈士。

何知元是解放初期瓮安县走出的第一位空军飞行员。

熊正诗（1903—1978） 瓮安县银盏乡宋家坝人，县简易师范班毕业。1927 年考入黄埔军校，先学步科，后学骑科，于 1929 年毕业后，历任国民革命军排长、连长等职。1932 年“一・二八”事变时，在吴淞一带与日军作战负伤。1935 年，任国民党军队三十六师营长，在苏州、无锡一带修筑江防工事以抵御日军。1937 年“七七”事件爆发后，曾参加上海保卫战，在战场上负伤后被送入英租界医院治疗，伤愈后归队。1938 年，升任团长，参加武汉保卫战。后调重庆修筑江防工事。1941 年，调西康警备乐西公路。

惠通桥在云南境内怒江之上，是当时滇缅公路上唯一江上通道。横断山脉峡谷中奔流的怒江，汹涌澎湃，两岸山高谷深，从无舟船往来。抗战时期，爱国华侨捐资建造此桥，以利军需。这是几千里怒江上第一座铜索吊桥。1942 年，他率团奉命增援滇西。5 月 5 日凌晨到达怒江东岸惠通桥头时，桥已被炸毁，日军装甲部队已到西岸山口桥头。他率部抢先占领阵地，与日军隔江对峙，阻止其继续前进。日军派出 300 人绕道鞋婆山妄图偷渡过江。他指挥部队隐蔽，引敌进入伏击圈全歼，把日军阻挡在怒江西岸，在万分危急之中固守惠通桥阵地，对保障云南腹地安全起到了重要作用。桥头立有关于这次保卫战的纪念碑。

1943 年他升任少将副师长，后率军在云南高黎贡山、腾冲、龙陵一带阻击日军，参加滇西大反攻，追击敌人直至缅甸密支那。1947 年，他考入国民党陆军大学乙级将官班，毕业后任宋希濂部高参。后任 122 军 36 师师长，不久调任 122 军参谋长。1949 年 9 月脱离部队。1951 年迁居遵义，曾任民革遵义市委候补委员，遵义市政协第二、三、四、五届委员会委员。1963 年 4 月起，任驻会委员。

1978 年 10 月，熊正诗在遵义病故，终年 75 岁。

朱学文（1924—1986） 瓮安县平定营梭罗人。1948 年瓮安中学高中毕业后考入清华大学土木工程系。在校期间，参加了马列主义读书会，多次参加北平学生反抗国民党反动统治的示威游行。1949 年 11 月加入中国共产党。1951 年毕业后，历任东北公路总局技术员、公路设计第 4 分院材料试验室副主任、交通部公路科学研究院工程师、副研究员和中国交通运输协会投资效果评价学组成员等职。

他 50 年代从事筑路材料、道路翻浆和石灰土的研究。首次在严寒的黑龙江地区进行石灰土筑路试验成功，被东北交通局评为工作模范。60 年代初期从事无砂石地区筑路材料和渣油路面研究推广工作，因成绩显著被评为交通部公路科学研究院先进工作者。

1973年，国家决策将青藏公路改建成2级公路，要在被藏胞称为“鬼门关”，外国探险家称为“生命的禁区”的高海拔、高严寒、多年冻土层地区铺设沥青路。交通部几经研究，决定将此科研任务交给他。当时他已年过半百，并患有胃溃疡、高血压、心脏病，“文化大革命 ”中又无端遭到批判。但他毫无畏缩和怨言，接到通知后，迅即率领科研人员赶到昆仑山口与唐古拉山口之间的五道梁安营扎寨，以此为点开展试验。五道梁海拔高达4700米，气候恶劣，地质复杂，是多年冻土层的腹地。恶劣的生活环境，艰苦的工作条件，对他的身体有着严重的威胁。领导叫其离开营地“遥控”指挥，被其拒绝，仍夜以继日坚持工作，顽强地往来于格尔木与拉萨之间，进行勘测、考察。与科研组一起，取得数以万计的数据，整理出20多万字的研究报告，提出带规律性的适合国情的“采取保护多年冻土层上限的原则，适当提高路基抵消路面吸热影响，加强侧向保护和路基排水”的方案，为指导青藏公路铺设沥青路面施工提供科学依据，使2680米试验路获得成功。时他胃溃疡大出血，经医院抢救脱险，在北京休养很短一段时间后，不顾领导与同志们的劝阻，又踏上青藏高原。周围的同志都说：“没有老朱这样的硬骨头顶着，科研组早就散伙了，至少铺筑黑色路面会延缓若干年。”他与其他同志的《青藏公路多年冻土层黑色路面的修筑技术》这一科研成果，使青藏公路改建工程节约工程费8257万元。改建后的青藏公路由于路面质量高，距离缩短，每年可为国家节约运输成本费5000万元。该成果被评为国科技进步一等奖，他受到国家计委、经委、科委和交通部的表彰。

1983年，朱学文向第4届世界冻土会议提交学术论文，引起国内外专家的关注和赞赏。之后，参与国家重要领域技术政策研究工作，出色地主持完成国家公路交通发展技术政策的研究，其成果获1986年国家科技一等奖。又参与公路建设投资的研究，为公路运输事业作出突出贡献，受到国务院、交通部表彰。

1986年4月，他带病赴黑龙江省讲学和进行专题调查，因积劳成疾，心脏病突发，抢救无效逝世。6月16日，交通部党委追认朱学文为优秀共产党员，并号召全体党员、职工学习他“严于律己，宽以待人，不计个人得失，将毕生精力献给中国公路交通事业的高尚品质”。

聂伟（1927—2002）　原名聂正武，1927年9月6日出生在瓮安县中坪镇上场口。中国农业科学院研究员、民盟中央委员、农业专家。聂伟自幼聪慧好学，1947年瓮安中学毕业后考入国立贵州大学农化系。1951年8月毕业后由中央人事部统一分配到北京，在华北事务部农业司工作。1956年调入中国农业科学院从事农业化学科研工作。

“文化大革命”浩劫，遭厄运，被下放到内蒙古大学生物系任教。1979年平反，重返中国农业科学院工作，1985年开始，受中央统战部、国家民委和民盟中央的委托，曾视察贵州安顺、毕节等县市。1986年，受中央统战部委托，在毕节地区参加科技扶贫工作，具体从事“生态建设试验区”的科研项目，工作整整10年。

贵州毕节是一个经济基础薄弱、文化落后、生态环境恶劣的地区，海拔高达1511米。受条件限制，在扶贫工作无法大规模开展的情况下，他以何官屯乡为试点，本着出主意、想办法、做好事 、做实事的指导思想，打破“贫穷—垦荒—生态恶化—更贫穷的恶性循环”老套路，出只要粮食产量提高了，农民才会停止垦荒的新思路。先后引进良种，改变耕作方法，还通过向农民传授科技、培训人才，提高劳动者素质，三年便使何官屯乡取得“五增一降”的显著成绩。何官屯乡粮食产量翻一番，人均收入翻两番。他写下了《贵州省贫困地区“九五”实现稳定脱贫应优先发展大农业》的建议，得到省委、省政府的肯定，并转发全省各地。他在毕节十年如一日，与当地干部群众跋山涉水，走遍田间地头，为积极推广“星火科技”做出了突出贡献。1996 年 10 月，出席了国家科委在京召开的全国星火计划工作会议，被授予“星火先进工作者”称号，受到党中央总书记、国家主席江泽民的亲切接见。

2002 年 8 月 31 日聂伟因病逝世，终年 75 岁。聂伟去世后，毕节地区的干部和老乡们到试验区沉痛地哀悼他，省政协的负责同志在 2002 年 11 月《贵州盟讯》发表了《缅怀聂伟老师》一文，对他表示深切的悼念。

张骏夫（1921—2007）　瓮安县城人，1937 年冬在瓮安中学十一期毕业。时值卢沟桥事变，全国掀起抗日高潮。17 岁的张君夫毅然报名参军，被编入国军十三预备师干训总队，随军赴湖南常德训练。后随部队到湖北襄樊、江西新余等地集训待命。十三预备师整编为 82 师后，移驻湖北阳新担任江防任务。部队奉调湘鄂山区游击日军，他曾在湖南岳阳、临湘、崇阳等地与日军作战，并参加了“长沙会战”，堵击日军突围。1940 年春，调广东税警总团，参加抗战，在惠阳、陆丰一带阻击日军登陆。1942 年 3 月，在广东梅县考入黄埔军校，在黄埔军校十九期一总队学习步科，于 1945 年 4 月 14 日毕业，被分配到一总队步兵队。为了对日大反攻的需要，一总队步兵队、二总队骑兵队全部转学炮兵、通讯兵，他被分配到陕西宝鸡特种兵联合分校去学炮兵。1945 年日本投降，张骏夫调往驻扎在洛阳的 90 军输送团，任少尉见习排长。1947 年调任 90 军警卫营机枪连连长。1949 年调任 90 军 53 师 159 团炮连连长。是年 10 月 28 日，随国民党部队在成都起义。因携带家属行动困难，请示解甲归田，得到批准后回到家乡瓮安。这期间，开始学习刊刻印章，广泛搜集有关资料书籍来进行学习。他治印，注重印面效果。看似无意，实则意无穷尽，达到出神入化之境。由于其后半生以金石为业，因而瓮安县众多人士有幸得到他的作品。

1993 年毛主席诞辰百周年，他的篆刻《长征诗》在湘潭黄埔校友会展出，以后又在湘潭博物馆、韶山烈士陵园分别展出，移赠韶山珍品馆留作永久纪念，主办单位赠给其《韶山毛主席诗词碑林画册》作为纪念。1995 年，《纪念抗日战争胜利五十周年篆刻书法作品展》在北京举办，他的作品参展，得到较高评价。中国人民抗日战争纪念馆发给了他《作品捐赠证书》和《中国人民抗日战争纪念馆》画册以资留念。

张骏夫历任政协瓮安县第三、四、五届委员。

唐文烬（1925—2012）　瓮安中坪刘家庄人，1939 年考入瓮安中学。1942 年初中毕业后与同学骆开德（草塘人）商议去贵阳考公费学校。1943 年经瓮安人熊正诗担保被录取到四川铜梁县旧寺坝空军入伍生总队六队接受训练，后被送到成都西门外太平寺空军士校，学习高中文化课程及航空常识。1945 年初，他被分配到印度边境达姆的小镇，后到“中国空军军官学校”学习。学习内容有机械、气象、通讯、动力学等课程。初级飞行结束后，乘火车至加尔各答，转乘美军用运输机，经印度洋、红海、苏伊士运河、地中海、大西洋，最后抵美。不久，到达亚拉巴马古德非空军基地，接受美式陆军训练，即飞行前的地面准备训练。三月后到德克萨斯州兰道夫基地（称空中西点）受训。一年后，回到祖国南京。1949 年年初，在武汉期间，偶遇在汉口某中学教书的原瓮安中学老师马仲楠，才知她是中共地下党员，便请她到驻地湖滨村座谈。谈话中，马老师对他的经历、思想进行了解后说：“大军即将逼近长江，你如果不走，我们以后设法给你找工作，去教书。”后经多次接触，马老师才放心，并叫他保护机场的设备及物质器材免遭破坏，为人民做点有益的事。他在敌军去机场的途中，悄悄抓了把泥沙装在车子的油箱里，车行至长沙的半路就抛锚了，敌人毁坏机场设备企图破产，机场设备全保护下来，使起义获得成功。

起义后，他即去汉口王家墩飞机场报到，参加中南军区空军处学习队学习政治。2个月后，便被分配到广州白云机场。不久，被任命为天河机场航行指挥台副台长。后苏联派空军来广州帮助训练，他便调回中南空军司令部学习大队。数月后，被安排转业。1952年，被分配在中南工业局所属湘潭铜线厂。因工作不适合，又返白云机场民航局联系，被重新分配到武昌一纱厂布场当劳动工资调配员，不久调劳资科。1957年反右中因历史问题被开除厂籍，到乡下去挖土方。两月后又回到武汉，办起武汉水电安装修理厂。1963年，又从武汉迁到贵阳街道服务站电机修理组。“文化大革命”中电机修理被赶下乡，乘下放之机来到瓮安，在七星桥建起机电修理站。1976年到县磷肥厂修电机。1978年后，他的老师马仲楠、余正清夫妇向统战部提供证明，证实他起义前，忠实执行地下党交给的任务。后由武汉市统战部来公函给瓮安县统战部、公安局、磷肥厂党委，文烬才转为正式工人。后来他继续向武汉市工业委员会、武汉市统战部诉求，恢复干部职称，恢复原工资，享受离休待遇。他先后被选为县人大代表、人大常委及黔南州政协委员，1989年离休。1994年，他被纳入中央办公厅、国务院、国家计委、人事部编辑的《全国从事经贸科技工作离退休干部通讯录》一书中。1996年去北京参加览桥航空学校23期国内外同学会，以加强同学友谊，促进文化交流，为台湾回归祖国尽一点微薄之力。1998年又被北京航空联谊会接收为会员。

2012年5月，唐文烬因病逝世，享年87岁。

人物简介

王树勋（1922. 11—　）　男，汉族，贵州修文人。1947年毕业于贵州大学历史社会学系，1948年8月—1950年7月先后在贵阳力行中学、修文县中学、安顺职业中学、贵阳女中、贵阳高级农业中学任教师、教务主任、校长。1950年8月—1956年8月任瓮安中学教导主任，1956年8月—1981年8月任瓮安中学副校长，1981年8月—1982年8月任瓮安中学校长。1980年4月—1993年4月任瓮安县第八、九、十、十一届人大常委会副主任，1987年2月—1989年3月兼任县人大常委会教科文卫工作委员会主任。

王树勋是省第五、六届人大代表，州第二、三、四、五届人大代表，县第一、二、三、四、五、六届人民委员会委员，县第一、二、三、四、五、六、八、九、十、十一届人大代表，政协瓮安县第一届常务委员会委员。

王树勋拥有系统扎实的理论基础知识，拥有丰富的教育教学管理实践经验，拥有平和、恭敬、俭朴、谦让，与人为善的人格魅力，深受全校师生的拥护和爱戴。作为瓮安中学的老教导主任、老校长，王树勋把整个青春和智慧奉献给了瓮安中学，把毕生精力和心血奉献给了瓮安的教育事业。

应哲（1926. 2—　）　男，汉族，浙江永康人，中共党员。1947年7月毕业于浙江永康师范学校，1949年5月考取中国人民解放军第二野战军军政大学五分校，同年11月随部队进军贵州，后转业到当时的贵定地区瓮安县贸易公司工作，先后任公司股长、副经理等职。

1952年初，应哲由省教育厅任命为瓮安初级中学副校长，当时的校长由县委书记吴近仁兼任；1956年11月提任瓮安中学校长，行政级别为县级。1975年12月调贵阳市运输中学任校长；1989年1月离休，后享受副厅级待遇。

应哲老校长1954年任瓮安县文教卫系统党支部书记，1958年被选举为中共瓮安县委候补委员，1960年担任瓮安县文教卫生系统党组书记。

应哲老校长为人坦荡正直，公正无私，关心爱护学校教职工，具有较强的亲和力和向心力。瓮安中学在应哲老校长、王树勋副校长、丁章教导主任的领导下，全面贯彻落实党的教育方针，政通人和，教育教学业绩显著。该时期是瓮安中学办学历史上的第二个黄金时期。

丁章（1927— ） 男，汉族，贵州瓮安人，中共党员。丁章幼年时代就读于贵阳正谊小学，1941年就读于瓮安中学，后考入国立第十四中（现南京师范大学附中）就读高中，1945年考入国立政治大学外交系。1949年贵州省解放后参加工作，先后担任草塘区副区长，瓮安县政府办公室副主任，县民政局民政科科长等职务。1962年任瓮安中学教导主任，1979年任瓮安中学校长，1981年调任黔南师专英语系主任，1985年任黔南师专学生科科长。1988年退休。

丁章对待工作具有高度的责任意识及主动意识。在担任瓮安中学教导主任、校长期间，组织全校教师认真教学、严格管理，使得瓮安中学在“文化大革命”前及1977年恢复高考后历届学生均有考上国内著名重点高校的，为国家培养了一大批有用之才，提高了瓮安中学在全省教育界的知名度。1980年瓮安中学获得贵州省全省教育工作先进单位，丁章同志也因他的突出贡献而获得先进个人称号。

丁章系瓮安中学第二个黄金时期（1961—1966）的老教导主任。凡是在这个时段，与丁章主任相处过的师生，无不交口称赞他的人品、学识才干尤其是他超强的记忆力。

张世忠（1928.6— ） 男，汉族，贵州龙里人，1958年调瓮安中学任语文教师，1996年离开讲坛。

张世忠教书育人，治学严谨；爱岗敬业，乐于奉献；关爱学生，严慈相济；为人师表，作风正派；终身学习，不断创新。他的书法艺术造诣精深，字如其人，影响了瓮安中学几代学生。

1979年，在学校和教育局的支持下，张世忠办了一个从初一到高三毕业陪同学生一起走完中等教育全过程的试点班，旨在探索育才之路，深入把握中学语文教学规律。1981年中考，试点班成绩在全县遥遥领先；1983年高考，试点班93.8%的学生升入各级各类高等学校。

张世忠由于教育功勋卓著，1983年被评为贵州省优秀班主任；1986年被评为贵州省教书育人为人师表优秀教师；1989年被评为全国教育系统劳动模范并荣膺“人民教师”奖章；1990年作为《贵州教工》封面人物入刊；1991年入编《中国当代教育大家辞典》。

张炳之（1935.2— ） 男，贵州省黄平县人，中共党员。1955年7月毕业于贵州省贵阳师范学院（贵州师范大学前身）数学系，同年8月参加教育工作。先后在都匀一中，瓮安中学任教。1979年8月—1981年8月调任县教育局教研室主任，1981年9月调回瓮安中学任教导主任，1985年1月提副校长，1996年10月退休。

张炳之从事教育教学和研究工作41年，热爱教书职业，兢兢业业，孜孜不倦，为人民的教育事业贡献了自己毕生的年化和智慧，多次被评为先进工作者。所带10余届高三毕业班学生参加高考，数学单科成绩年年超省平均分和及格率，名列校内同年级榜首。

张炳之的教学具有“求实、求新、求活”的风格，注重教书育人、传授知识与培养能力、课堂教学与课外指导三结合，注重寓教于乐，创设以学生自学为核心，以导思、析疑、练习、讲评为基本程序的教学方法，编著有教辅资料《中学高中数学疑难解题》一书，撰写有《坚持教书育人，在教学中渗透德育》《优化知识结构，提高课堂教学质量》《关于高三教学单元复习课教学的尝试》等多篇教研论文。先后被选为瓮安县教育学会理事、黔南州教育学会理事，还兼任县政协第三、第四届常委。张炳芝因教育教学成绩突出，教研成果显著，1987 年被评为中学数学高级教师，1989 年 7 月被评为贵州省首届中学数学特级教师。

张炳之的业绩被刊入《中国特级教师辞典》《中国专家大辞典》《中国世纪英才荟萃》等丛书。

周承欢（1935. 5— ）　男，汉族，贵州瓮安人，1960 年毕业班于贵阳师范学院数学系，先后在贵定师范、草塘中学、瓮安中学执教。

“一身洁白纯净，圆满正直可钦，生为奉献育人，何惧磨灭粉身！”周承欢的这首《粉笔》诗，就是他一生对教书育人事业不懈追求的写照。

周承欢教学业绩突出，教研成果显著。他独著《怎样列方程解应用问题》（贵州人民出版社出版全国发行），与人合编数学读物 8 本（正式出版），并在全国报刊发表专题文章近 300 篇。1993 年 5 月，周承欢被评为黔南州政府特殊津贴优秀人才，1994 年被评为贵州省中学数学特级教师。

曾佐藩（1946. 9— ）　男，汉族，湖南祁东人，1985 年应聘来瓮安草塘中学任教，先后担任草塘中学、瓮安中学副校长，2006 年退休。

曾佐藩担任草塘中学、瓮安中学副校长，主管教学工作 12 年。他忠于职守、将自己置于恰当的坐标上，正确处理红花与绿叶的关系，不越位，不居功，不抢镜头，兢兢业业，默默奉献。他身体力行，从严治学，从严治教，致力于师资队伍的建设和培养，狠抓教学管理，大力推行素质教育，全面提高教学质量，为草塘中学——乡镇完中、瓮安中学——省级示范性高中的建设做出了重要贡献。

曾佐藩潜心研究农村外语教学，在办学条件差、生源不足的乡镇中学实施外语复式教学，分层次教学，极大地调动了学生学习外语的积极性，取得了显著的教学业绩。1993 年被破格晋升为中学英语高级教师，并先后被评为全国优秀教师，黔南州优秀科技人才、瓮安县勤政模范人物、十佳校长，先后当选为黔南州人大代表、政协委员、瓮安县政协副主席。

邓前轲（1946. 12— ）　男，汉族，湖南祁东人，1985 年应聘来瓮安中学任教，2006 年离开讲坛。

邓前轲学识功底扎实，治学严谨，忘我工作，被同行誉为“拼命三郎”。所教学科在十余年高考中年年超省及格率和省平均分，其中 1998 年超省及格率 20%，2003 年超省及格率近 30%，2004 年超省及格率 37%，不仅在本县同行中遥遥领先，而且超过了城市重点中学。辅导学生参加化学奥赛，获奖学生 13 人，其中获贵州赛区一等奖 2 人、二等奖 7 人、三等奖 4 人。

邓前轲在繁忙的教学工作之余，挤出时间潜心教研，在《中学化学教学参考》《数理化学习》（高中版）等国家级和省级著名刊物发表教研论文 8 篇，参赛论文获奖 4 篇，参与编写教辅书 1 部。邓前轲老师系学校理科综合教研组组长、县中心学科化学组组长，学科带头人，黔南州化学学会理事，省化学学会会员。2001 年 3 月被授予“黔南州科教人才”称号，2003 年被评为贵州省中学化学特级教师。

王顺德（1948. 2— ） 男，汉族，湖南祁东人，中共党员。1985 年受聘至瓮安中学任教，2008 年退休。

王顺德具有系统的理论基础知识，在实践中积累了丰富的教学经验，深谙所教学科的教材和大纲，教学方法独特，教学水平高，效果显著。他每年所教班级高考成绩，平均分和及格率均超省平均分和及格率，在黔南州名列前茅，多次获州、县教学成果优秀奖。王顺德老师善于总结教学经验，多次在省级以上刊物发表教研文章。1990 年被聘为黔南教育局兼职教研员，1999 年被评为贵州省中学历史特级教师，2000 年被选为省历史教研会理事、省历史学术委员会副主任，是全省知名度很高中学历史教育专家。

刘忠信（1950. 2— ） 男，汉族，贵州瓮安人，中共党员。1976 年参加教育工作，先后在青山小学、茅坡小学、花桥小学、永和中学担任教师、中小学校长职务，1991 年调瓮安中学任教，2010 年退休。

刘忠信深知要给学生一碗水，自己必须有一桶时时更新的水。他坚持刻苦自学，在教学实践中努力提高自己，1984 年全省中学语文教师教材过关，他以 93 分的优异成绩名列全州第一。1985 年在黔南教育学院中文系进修，奠定了系统、扎实的中学语文教学理论基础，通过进一步的教学实践，形成了丰富的教学经验，教学效果显著。自 1997 年送第一届高三学生毕业后，基本上年年担任高三毕业班的语文教学，所教班级会考成绩突出，高考成绩年年超省及格率 20%。

刘忠信积极主动参与教研活动。1994 年被贵州人民出版社、贵州教育学会、导读报编辑部聘为语文助读系列丛书副主编，1996 年与同仁丁家友老师合著《“3+2”高考必考项知识点诠释 · 语文》（全书 235 千字），2002 年独立辑录《中国古诗名句名篇》（250 千字），2003 年作为第一副主编参与编著《中学名师指路 · 高三语文》（全书 800 千字，山西春秋出版社出版全国发行）。刘忠信老师独立和参编出版此类论著六部，发表论文和专业讲座数十篇。

刘忠信 2004 年被评为“黔南州优秀科技人才”，2007 年被聘为黔南州中学中心教研组成员，2008 年被聘为黔南州高中语文优质课评审教师。

黄栋贵（1950. 11— ） 男，汉族，贵州瓮安人，中共党员。1987 年 2 月任瓮安中学校长，至 2007 年卸职，是瓮安中学历史上任职时间最长的校长。

任校长期间，忠诚党的教育事业，全面贯彻党的教育方针，开拓进取，锐意创新，使瓮安中学不断发展，日益壮大，跨入“省级示范高中”的行列。在教育思想上继承而不守旧，在教学管理上开拓又不乏理性，1994 年起先后出台《瓮安中学内部结构工资》等管理制度，在全州树起了学校管理体制改革的一面旗帜。

20 年来，他千方百计筹措经费，开源节流，在没有上级拨款的情况下，筹措资金改善办学条件，并把底蕴厚重的校本文化与校园生态环境建设有机结合，构建校本文化生态，营造良好育人环境。他知人善用，善解人意，礼贤下士，关心每个教职工的疾苦和切身利益，是“法治与德治”治校卓有成效的践行者。

李凤奇（1954. 5— ） 男，汉族，湖南祁东人，中共党员。1985 年应聘来瓮安中学任教，先后任瓮安中学教导处副主任、主任、副校长、校长，2013 年 4 月卸职。

李凤奇十分重视教给学生求知的方法，创新的能力、做人的道理，既做“经师”，又为“人师”。他潜心研究教育教学规律，在省内外各种报纸杂志上发表数十篇教研论文，并参加了三本教辅资料的编写工作。走上校领导岗位，尤其是担任校长后，李凤奇进一步转变办学理念，提升办学思想水平，用先进的教学思想引领先进的学校，从“做瓮安中学优秀的领路人，作全体师生称职的代言人”的角度“把校长职业当成事业来做，力求做成功，做精彩”。李凤奇1996年获国务院特殊津贴，2001年被评为贵州省中学政治特级教师，2009年被评为贵州省教育名师。

袁子进（1954.6— ） 男，汉族，贵州瓮安人，瓮安中学历史高级教师。1966年7月毕业于瓮安雍阳小学，1977年3月参加工作，安排于瓮安中学“五七”工厂，1978年调瓮安中学后勤处，1985年考取贵州省广播电视大学，毕业后步入教书育人殿堂，1995年进入贵州省教育学院进修、获本科文凭。

袁子进长期担任班主任工作，把品学兼优、能力发展作为培养学生的目标，使学生的文化素质、思想素质、能力素质得到全面发展，在转变差生方面进行了深入研究并付诸实践，1995年被评为瓮安县优秀班主任。袁子进先后担任13届高三毕业班的历史教学工作，每一届高考成绩都大幅度超省及格率和省平均分。在长期的教学研究活动中，有《转化后进生工作初探》《利用乡土历史内容进行研究性学习》《唐代的庸和宋代募役法的区别》等论文在省级以上刊物发表、获奖。袁子进1998年被教育部授予“全国优秀教师”称号，2001年被中国教育工会全国委员会评为“全国师德先进个人”。

邬培祥（1957.6— ） 男，汉族，瓮安永和人，中共党员，中学语文高级教师，贵州省特级教师，全国模范教师，全国中小学优秀班主任，瓮安县首届县管专家。

邬培祥于1977年毕业于瓮安中学高中部，系全省首届中文本科自考毕业生。1980年参加教育工作，1996年调进瓮安中学，2002年获全省高考语文单科第一名教学奖。申报的课题《中学语文课文教学与作文教学的链接》，2011年获州级一等奖。任省级课题《农村中学新课程标准教学难点突破》副主编，该课题2014年获省级二等奖。现正主持省级课题《增强高中古诗词复习课堂教学活力的有效方法探究》一书的编写。

孙仲时（1960.9— ） 男，贵州瓮安人。1980年大学毕业参加教育工作，多年任物理教研组长，现为瓮安中学高级物理教师。

孙仲时所教学科多年获全县高考单科第一名，多次获县高考奖，所教学生就读北京大学的有赵远波（博士）、朱世伟、李成果，辅导学生获“全国高中物理奥赛”奖近30人。所带2001届高三（3）班被评为“贵州省先进班集体”。

孙仲时被《高中数理化》《中学物理》《新高考》《考试报》等报刊聘为特约编辑、高考命题与研究专家，编写教学参考书《高中物理章节训练与质量评估》（北师大出版、任副主编），《中等物理程序自学指导》（武汉大学出版、任编委）。获全国论文一等奖6篇、二等奖5篇，发表于《物理教学探讨》《理科考试研究》等杂志。改进演示实验获中央教科所二等奖。孙仲时1996年被评为“黔南州优秀科技人才”，1999年被评为首批“黔南州高中骨干教师”。其简历被编入《贵州省优秀教师名人辞典》、《时代先锋》（中央新闻版）。

邓超（1964.9— ） 男，汉族，瓮安县木引槽人，中共党员，中学体育高级教师，邓超1988年7月毕业于黔南民族师专体育系，同年7月分配到瓮安县珠藏中学工作，1989年8月调入瓮安中学任教。1992至2005年担任学校音体美综合学科组组长。1994年至1997年在贵州省教育学院在职进修行政管理本科，1998年4月加入中国共产党。2000至

2007 年间担任两届特长班班主任。2006 年任学校政教处副主任，2007 年起任学校政教处主任、行政党支部书记、党总支宣传委员，2010 年任党总支副书记兼校工会主席，2014 年任党总支副书记。邓超曾获瓮安县教育教学成果优秀奖，先后被评为体育先进工作者，优秀共产党员、优秀党务工作者、党风廉政建设优秀监督员、帮教先进个人、全县十佳主任。曾为黔南州第十届党代表、“五五”普法先进个人、首届基础教育教学科研成果二等奖获得者，全国体育先进工作者。

陈友华（1965. 6— ） 男，汉族，贵州瓮安人，研究生学历，中共党员。陈友华 1985 年 7 月黔南民族师范专科学校毕业后，先后在瓮安县玉山中学、茅坡学校、瓮安中学工作。其间先后完成本科学历和研究生学历。

陈友华为家乡立校，为社稷育人，先后获得黔南州推动科教进步先进个人奖、黔南州优秀科教人才奖、瓮安县首届“县管专家”称号，曾获得教育部课题研究先进工作者、全国教育科研优秀教师、全国教育创新杰出人物奖。陈友华先后担任黔南州第五届数学理事会常务理事、贵州省首届数学研究会常务理事、贵州省第十届数学学会理事，2013 年 9 月被聘任为黔南师院研究生院数学教育硕士专业学位研究生指导老师。曾担任瓮安中学教务处副主任、教务处主任、校长助理、副校长、党总支副书记，瓮安县教育局党组成员、副局长。2014 年 8 月被评为贵州省中学数学特级教师。

陈刚（1965. 12— ） 男，瓮安高枧人，中共党员，1986 年 8 月参加工作，瓮安中学美术高级教师。

陈刚参加工作以来一直从事美术教学工作。近十余年来，他辅导美术科高考参考学生共 500 余人次，参考学生术科合格率均在 95%以上，给爱好美术的学生搭建了到高校继续深造的平台。陈刚 2009 年 9 月—2011 年 8 月任瓮安中学校务办公室副主任；2011 年 9 月—2014 年 4 月任瓮安中学校务办公室主任；现任瓮安中学工会主席。陈刚个人撰写论文《开展课外艺术活动与培养学生能力的作用》于 2009 年 11 月在《中国教师》刊发，《学慎始习 功在初化》于 2011 年在《教育教学论坛》第 5 期刊发，并获中国教育教学研究会第六届全国新概念教育教学论文三等奖，《略谈中国古代人物画欣赏》于 2013 年 3 月在《基础教育与教学》总第 150 期刊发，《民间绘画艺术在民族地区中小学美术教学中的探究》于 2014 年 10 月在《无线音乐·教育前沿》2014 年第 10 期总第 202 期刊发，《浅谈中国古代花鸟画欣赏》于 2014 年 7 月在《中国教师》刊发。陈刚 2001 年 9 月被省教育厅评为贵州省优秀教师，2005 年 4 月被评选为黔南州骨干教师，2011 年 12 月在“全省加强创新社会管理做好新形势下群众工作经验交流现场会”活动中被县委、县政府评为先进个人，2011—2012 年度被县人民政府评为“十佳主任”。

余家品（1966. 11— ） 男，汉族，贵州瓮安人，中共党员，1990 年 7 月毕业于贵州师范大学化学系，理学学士学位，1990 年 8 月参加工作。1990 年 8 月—2008 年 8 月，在瓮安二中工作（其间：2003 年 5 月任瓮安二中副校长，2007 年 8 月任瓮安二中党总支书记、副校长）。2008 年 8 月—2013 年 4 月，任瓮安四中校长兼党支部书记。2013 年 4 月，任瓮安中学校长。

余家品 1999 年被评为黔南州首批青年骨干教师，被选为黔南州中学化学教学研究会副理事长，黔南州化学中心学科组成员，省科学技术协会会员。2001 年评为贵州省优秀教师，2003 年被评为中学化学高级教师，2006 年获黔南州第一届青年科技奖。2005、2006 年两次评为黔南州优秀共产党员，2010 年评为贵州省省级骨干教师，2012 年评为贵州省特级教师。2009、2011、2012 年 3 次评为瓮安县十佳校长。2013 年被评为瓮安县十佳科技人才，2014 年评为瓮安县首批县管专家，2014 年被评为贵州省名校长培养计划人选，两次赴华东师范大学教育部校长培训中心学习。2015 年获贵州省第一批名校长工作室主持人，成为瓮安名师名校长工作室主持人第一人。他任校长期间，全校教职工心往一处想，劲往一处使，以优异的教育教学成绩和学校各种硬、软件考核指标于 2013 年 12 月底顺利通过省教育厅专家组的考核评估，瓮安中学“升类”成功，成为贵州省二类示范高中。

张元忠（1967. 8—　）　男，汉族，贵州瓮安人，中共党员，大学本科学历，中学地理特级教师。现为中国地理学会会员、贵州省级骨干教师、贵州省教师资格面试官、黔南州首批教育名师、州教育局兼职教研员、瓮安县首批县管专家、瓮安县中心学科高中文综组长、瓮安中学教科处主任。获第五届全国优秀中学地理教育工作者、教育部课题研究先进个人、州级德育先进个人、优秀班主任等光荣称号，连续 12 届获高考优秀奖。

作为全州地理学科带头人，他严谨笃学，理论深厚，基本功扎实，学科教学特色鲜明，积极开展学科教学科研活动，主要成果如下：恢复高考以来，他所带学生分别夺得 2002—2013 年 12 届全县文科中 9 届文科状元，21 人获取全州文科前 10 名。著有《高考文综地理出题方向与灵魂》《我国湖泊的重新分区》《把握有效时间，提高复习效益》《谈高考地理选择题命题质疑与答题技巧》等教研论文 30 余篇。完成了“十一五”教育部规划重点课题《提高课堂教学实效性的教学策略研究》之子课题《运用多元智能构建素质教育新课题——地理部分研究与实践》《新课标下贵州省高考地理复习的思考教材简析》，现有州级立项课题 2 项。受教育厅和州教育局指派在安顺地区、黔南地区（三都、平塘、罗甸、惠水）进行教学推广和帮扶工作，使这些地区文科教学成绩逐渐提升。

王建华（1971. 2—　）　男，湖南邵阳人，中共党员，1992 年 8 月参加工作，瓮安中学英语高级教师。

王建华长期担任高中英语教学工作，有丰富的课堂教学方法和教育教学经验，在教学活动中注意与学生建立融洽的师生关系，关爱、尊重、了解和严格要求学生，所带班级成绩突出。2010 年任教 160 班学生，全部考上二本以上院校，其中 58 人考上重点。2011 年任教 213 班，卢成宪高考成绩为全县文科状元，另有 4 人名列全县前 10 名。2013 年所带班级学生，也是全部考上二本以上高等院校，其中 91%的学生考上重点。他辅导的学生参加全国奥林匹克英语能力知识竞赛，曾多次荣获全国一、二、三等奖，其中 2009 年辅导的学生有 3 人获全国一等奖，名列黔南州前三名。王建华总结教育教学经验，独立编辑的《贵州省瓮安县高三英语复习资料》在全县作为首选资料推广使用，2008、2009 年应华中师大《中学英语》杂志社特聘参与编写的《2013 年高考英语核按钮考点各个击破》和《高考英语一本通》，在全国 30 多所示范高中学校使用。撰写有 20 篇教育、教学论文在相关核心刊物上发表并获奖。王建华多次荣获县高考成果一等奖，先后被评为“瓮安县十佳班主任”“瓮安县教学能手”“瓮安县优秀共产党员”，2009 年 3 月，被评为“黔南州优秀科技人才。”2014 年，被列入贵州省骨干教师。

杨友发（1971. 3—　）　男，贵州瓮安人，1995 年 8 月毕业于贵州师范大学数学系，分配到瓮安中学任教，中学数学高级教师，瓮安中学副校长，瓮安县知识分子联谊会副会长，黔南州高级中学骨干教师，州教育局兼职教研员。

杨友发在教学中既注重落实常规，又注重开拓创新，教育教学成绩一流。所带班级在历届高考中，成绩均名列前茅。2006 年所带班级高考，全班 74 人，有 64 人上本科线，其中有40人上重点线，敖扬同学以672分获全州高考总分第一名。2009年所教学生高考，有3人进入全州理科前十名，五人进入全县理科前十名。2010年所教学生任永欢获全州高考理科总分第一名、数学单科成绩全州第一名。2013年高考，所带班级学生72人，一本上线66人，二本以上上线100%。杨友发老师辅导学生参加奥赛，成绩突出，有4人获省二等奖、7人获省三等奖。杨友发老师本人也多次荣获“希望杯”奥赛“数学竞赛优秀辅导员”奖。杨友发老师的教研论文《等量代换》《浅谈高三数学复习中的几个问题》发表于国家刊物《大众科学》上，担任的教育部“十一五”规划课题《提高课堂实效性》子课题《运用多元智能，构建素质教育新课堂》获全国二等奖，杨友发获“教育部课题研究先进个人”。杨友发老师多次荣获“县十佳教师”“县十佳班主任”称号，2011年荣获黔南州首届“优秀青年人才”奖，2012年7月被教育部中国教师发展基金会评为“全国科研优秀教师”。

夏忠富（1974.7—　）　男，汉族，贵州瓮安人，中共党员，现瓮安二中副校长。

夏忠富2000年毕业于贵州师范大学，执教于瓮安中学生物学科，高考成绩年年超省及格率和省平均分，多次获高考单科平均分、及格率全县第一名，其中3次获全州第一名，系瓮安中学高三把关教师，县学科带头人，州级骨干教师。夏忠富多年担任高三补习班班主任，他爱岗敬业，关爱学生，有良好的沟通能力和凝聚力，带领高三补习班学生打了一个又一个高考漂亮仗，2008年创造了一个班学生上二本线100人的奇迹，被评为黔南州、贵州省优秀班主任。

特（专）记

书　院

仨书院

书院是我国古代特有的一种教育机构，始建于唐代。

宋代书院讲学之风大盛，出现了白鹿洞书院、岳麓书院等著名书院。南宋时候贵州沿河也建立了鸾塘书院、竹溪胜院。

元代和明代初期，书院处于衰败状态。直到明朝的成化、弘治年间，书院才稍有发展。嘉靖以后，由于官学制度由盛而衰，书院大兴，出现了湛若水、王阳明等著名的大教育家。明朝中后期，曾先后四次禁毁书院，就全国看，书院制度再次处于衰退状态。

明代黔南创建的书院有：

中峰书院，始建于弘治年间，创建人知府汪藻，地址在今惠水（当时为程番府）。

凤山书院，始建于明代（具体时间不详），创建人无考，地址在今惠水（当时为程番府）。

石壁书院，始建于明嘉靖七年（1528）。创建人佥事朱佩，地址在今福泉市（当时为平越府）。

中峰书院，始建于嘉靖十三年（1534），创建人谪驿丞陈邦敷，地址在今福泉市（当时为平越府）。

鹤楼书院，始建于嘉靖年间，创建人张翀，地址在今都匀。

南皋书院，始建于万历年间，创建人邹元标，地址在今都匀。

魁山书院，始建于明代，创建人指挥使叶凤邕，地址在今贵定。

清代初期，对书院采取抑制政策，曾规定“不许别创书院，空谈废业”。一直到雍正十一年（公元1733年），才发出“上谕”，要求各省设立书院，书院由官府控制，书院经费由政府拨给，并明确各省封疆大臣“有化导士子之职，各宜殚心奉行……使书院之设，于士习之风，有裨益而无流弊”（《中国教育通史》第三卷426页）。从此以后，清朝政府对书院的政策从抑制转为提倡，书院逐渐由私人举办变为官办、半官办，纳书院于官学的轨道，完全变成了科举的附庸。

清代，黔南建的书院共计22个。瓮安周边的黄平、余庆、遵义、湄潭、开阳、福泉等邻县均建有书院，分别是龙渊书院、星山书院、凤仪书院、凤山书院（黄平），余庆书院

（余庆），培英书院、启秀书院、湘川书院、味经书院（遵义），湄水书院（湄潭），东皋书院（开阳），溥仁书院、墨香书院（福泉）。

瓮安最早的书院是旗山书院。

据民国《瓮安县志》载："今日学堂即昔日书院。瓮邑旧有旗山书院，不知始于何年，成于何手，毁于何时，父老相传止有其名，即基址亦不可考。"

道光壬辰年（1832 年）任瓮安邑令、玉华书院的创建人王存成也认为"以余所历，贵定则有兰皋，婺川则有古务，其他邑则莫不设书院，而瓮安则阙如焉。僻陋无志乘可考，文昌阁碑记，仅存旗山书院之名，其兴废基址，胥无从稽也。"（王存成《玉华书院记》）

其实，旗山书院，"其兴废基址"，并非"胥无从稽也"，旗山书院就建在文昌阁。据嘉庆三年完稿的傅玉书的《桑梓述闻》载："旗山书院在县西北。知县韩公瑛、教谕金公琈、训导吴公天椿，倡绅士捐资于文昌阁。前旧址建讲堂三间，肄业房六间、大门一座。今圮，以明伦堂及学庙廊庑为讲业地。"

韩瑛系顺天通州人，康熙五十九年至六十一年（1720—1722）以进士任瓮安知县。金琈系广顺人，康熙五十五年（1716 年）起以恩贡任瓮安教谕。吴天椿系大定人，康熙五十二年（1713）起以岁贡任瓮安训导。由是，旗山书院的创办时间就应该在康熙五十九至六十一年间。

傅玉书的这个记载是可信的，因为傅玉书所撰《桑梓述闻》是以《韩志》为底本。傅玉书在《桑梓述闻・序》里记述到："上稽前史、旁及通志、郡志、以韩志为底本，参以先人之论列，为方舆以下六志。"而《韩志》系韩瑛邀请辞官回瓮的举人商基镛以及贡生邱中灵同著。商基镛在《韩志》（原称《瓮安县志》）的序文里写道："迨庚子（康熙庚子年即康熙五十九年）邑侯韩公莅兹土，甫下车即议及此事。访遗轶于父老，采闻见于士林。余不敏亦赞末议焉。开馆编辑，捐资梨枣，而邑乘焕然一新。今而后，凡官于斯者，为因为革，考邑乘而慕韩公之贤；生于斯者，是法是惩，睹邑乘而沐韩公之泽。是公直与此书永垂不朽矣。"遗憾的是，《韩志》在傅玉书之后，便散失"无嗣响"了，难怪王存成会感叹瓮安"僻陋无志乘可考"。

旗山书院建起来后，"由县正延聘山长主讲，考取生童入院肄业。每月山长窗课外，县正扃试一次，以为膏火多少之序。"（《桑梓述闻》）

直到乾隆四十六年（1781 年），以庚子进士选任瓮安县事的江西崇仁人李红，还到旗山书院捐给膏火，"会课，辄为生徒具食，口讲指画"。

至于旗山书院"毁于何时"的具体时间，无考。大概是在乾隆四十六年李红任瓮安县事之后，嘉庆三年傅玉书完成《桑梓述闻》之前这段时间内。

其次是玉华书院。

道光壬辰年（1832 年），山东历城人（一说辽阳人）王存成以进士任瓮安邑令，第二年便着手筹建玉华书院。"癸巳（1833 年）仲春上丁日，绅士咸集。予语以书院之不可不设。诸人慨然曰：'使君诚有意于斯乎？我同侪之歉怀蓄志固已久矣。'余先倡捐百金，一时概捐署名者，计银将及二千。其未至者复集县署先后得银三千金，谓盛事之成可立而待也。爰始相地，得于城南先农坛前大路之左，有土一区，营度稍狭，券邻地以益之，广袤各二十余丈，地势平敞，土脉红腴。因公举成悫首士贡生赵君本忠，乡耆胡君国梁董其事，于端阳后鸠工庀材，卜中秋日申时吉，乃建讲堂，树门宇、斋厨学舍。"（王存成《玉华书院记》，下同）。

该书院“前眺诸山，后依城郭，东障黄龙领，西带瓮安江，往来者啧啧称善地，咸计日观成以为快”。但好事多磨，该年“秋收稍歉，捐输者未及半，势且不继，首士忧之”。王存成审时度势，鼓励大家道：“计今所入，以图久远则不足，以济目前则有余。今甲午（1834年）秋闱在即，宜延师训课，以示人以不可终辍之势，则乐成善事，必有同心耳。”大家都异口同声说“好”。于是“示期二月朔（二月初一），考试甄别，各工亦刻期蒇事，而规模略具焉”。

书院竣工后，大家都说“旗山故址无考，今创造毋庸袭旧名。城西二十里有玉华山，峰极秀耸，为瓮安名胜之最”，因名曰“玉华书院”。

为此，王存成还为玉华书院大门撰写了一副对联：“玉石藏山，须得琢磨方成器；华光射斗，始知学问本谪仙。”

上下两联的第一字，巧妙地标明书院之名。

玉华书院延师训课后，王存成一有闲暇，“辄至书院与诸生口讲指画，如师徒然。”“邑中人才之盛，于斯为极，实存成功也”。（民国《瓮安县志》）

咸丰末年，玉华书院毁于兵燹。

再次是花竹书院。

光绪丙辰年（1892年），邑令陶懋恭以城南袁姓捐木料，即（玉华书院）故址建讲堂三间，工未毕而卸事。

到光绪戊戌年（1898年），任瓮安县知县的王敩成，才又继承了陶令之举。王敩成在《修花竹书院记》中写道：“每以公暇，多与士沦茗论文，极多款洽，质美而力学者自不乏人。惟惜下帷无地，盖书院毁而未修，将届四十春秋，时之不可缓也。爰集同寓诸公暨城乡耆老，以修复书院为请。随捐廉兴工，为之提倡。佥乃踊跃输将，襄成斯美。经始于戊戌之夏，越己亥初秋，鸠工以落成告。”

从咸丰末年玉华书院被焚毁到光绪戊戌年王敩成大兴土木复建书院为止，近四十年，在瓮安地界内，没有听到书院琅琅讲习之声。光绪己亥（1899年）初秋，书院竣工后，未沿用“玉华”旧名，而易为“花竹书院”。此时的花竹书院，“逾旧观焉”，其占地面积已达三千五百平方米左右。斋房（即书房）有东西对称的两幢，每幢两层十八间，共三十六间，可供三十六人就学。

（北面）书院礼堂正中，除尊奉着孔子牌位外，两侧还分别立着王阳明和王存成的牌位。与礼堂遥遥相对的是一个排平房，书报室、宿舍、餐厅、憩息室等皆在其内。这群建筑正好构成标准的四合院。此外，与之相距不远的便是厨房，另还有号房、字窟塔、厕所等。

王敩成等人对修复书院之虑，可谓周详矣。

花竹书院“未开堂即有改设学堂之举。甲辰（1904年），罗令本操改为高等小学堂”（民国《瓮安县志》）。

是后，花竹书院为瓮安的初高等小学堂，县立高等小学校、民国时期的瓮安中学乃至解放后的瓮安中学都提供了不可或缺的办学条件。

学　额[①]

学额的确定，与一个地区的人口、政治经济状况和教育发展水平密切相关。

《桑梓述闻》载：

“明神宗二十八年设县，以人文尚少，入学暂附黄平。岁科二考[②]，俱另册合案。入学额数（未详），而廪额七名，照本县生员考察，顶补黄平生员。纵考居首等者多，不得占瓮安廪缺。天启辛酉（1621年），贵州乡试，县人中式者，有朱应征、叶应甲二名。丙子（1636年）中式者，林之平一名。本县以人文渐盛，详请开学抚按，题请设官颁印。癸未（1643年）命下，而连年兵乱不果行。明季设廪膳生员[③]，增广生员[④]各十四名。顺治十五年，王师克黔，仍照旧制。康熙十六年（1677年）赵学使焘申部，始与黄平分案。照小学例，每岁考取文武入学各八名，科考取文童生入学八名，额廪二十名，增广生二十名，仍归黄平学官约束。”

这段记载告诉人们：

瓮安建县之初，因教育文化水平低，只给了七名廪膳生名额，赴黄平学宫读书。二十年过后，在黄平学宫读书的瓮安人朱应征、叶应甲、林之平参加贵州乡试，考起了举人，瓮安的教育文化日渐昌盛起来，于是请求开设学校，设置教育官员。为此，崇祯年间任瓮安知县的曹昌期在《请设学议》里陈述到：“乃自建置之初，人士应试，附于黄平，尚无定额。廪缺只七名，数十年来，人文日起，天启辛酉，县人朱应征、叶应甲并领乡荐。今上庚午（1630年）丙子（1636年），宋世裕、犹登元、林之平等又相继获隽。境内现在家弦户诵，争相濯磨。仍令附于黄平，则师长既不能就近训课，而额少人多，亦未免有遗佚之明，窃维宪台以敷宣德教为任，陶育士类为心。若奏请设学，广其额数，则多更为鼓舞兴起，以副厚意矣。”

癸未（1643年），朝廷同意瓮安开设学校，设置教育官员的命令下达，却因大明王朝和农民起义军李自成以及后来的大清之间的连年不断的战争而搁浅。尽管如此，瓮安的学额在明季得以增加，廪膳生员、增广生员各十四名。

清·顺治十五年（1658年），大军占领贵州后，瓮安的廪增生员数仍然按照明季的规定。康熙十六年（1677年），赵焘来黔督学，将瓮安与黄平合案的情况申报礼部，礼部同意瓮安与黄平分案办学，并按照小学例，给瓮安“学额八名，廪增额各二十名”，仍旧由黄平的教育官员管理。

康熙二十六年（1687年），设瓮安县学。

“康熙二十七年，田抚军雯题请，始专设训导一员管理，而以余庆学附之。三十八年（1699年），王抚军燕题请设官，而余庆始有训导专管。四十三年（1704年）张学使预章题请，复设教谕一员。雍正三年（1725年），礼部遵旨题准贵州之贵阳、威宁二府学，向止取十五名，镇远府学向止取十六名。今均如各府学额各取进童生二十名。贵筑县照府学额取二十名，毕节县改照大学十五名，贵定、清镇、瓮安、安化五县，改为中学各十二名。

今额，（指傅玉书《桑梓述闻》定稿时，即嘉庆三年），岁考取文童生入学十二名，武童入学十二名。科考取文童生入学十二名，遇庆典广额。廪膳生员二十名，增广生员二十名，附学生员无缺，在学满三十年及实在老病者，准给衣顶。岁贡生二年一名，遇庆典加贡一名，为恩贡生。”（《桑梓述闻》）

这段文字所传递的信息主要有三点：

一、康熙二十七年，田抚军雯（民国《瓮安县志》认为是二十六年巡抚范承勋事）题请专设训导一员管理县学，而以余庆学府之。“始官者，贵阳窦岁贡之亮也”（民国《瓮安县志》）。康熙三十八年，巡抚王燕题请余庆设立训员一员管理县学，余庆县才开始由训导专管。

二、雍正三年后，贵定、清镇、普安、瓮安、安化五县改为中学，岁考取文童生入学十二名，武童入学十二名；科考取文童生入学十二名。遇上庆典，还要增加名额。另外，廪生、增生名额仍是各二十名。

三、该学额一直保持至嘉庆年间。又，岁贡生二年一名，遇庆典加贡一名为恩贡。

民国《瓮安县志》补充：

“又每十二年得考取选拔贡生一名。光绪二十年（1894年），奏请改设学堂，停止考试。岁贡截止至□□年止，拔贡截至己酉（1909年）科止。”

注释：

①学额，按百度网站上的解释：“科举时代每次考试录取的府县学生的名额。后指学校收录学生的一定名额。”瓮安中学退休老教师王开宇《县学·学额》认为：

“学额，即科举考试制度中给该县规定的岁试学额，科试学额、廪生额、增生额、岁贡生额的统称。”

②岁考，系明代提学官和清代学政，每年对所属府、州、县生员、廪生举行的考试。凡府、州、县的生贡、增生、廪生皆须应岁考，以分别优劣，酌定赏罚。“一等前列者，视廪膳生有缺，依次充补，其次补增广生。一二等皆给赏，三等如常，四等挞责，五等则廪、增递降一等，附生降为青衣，六等黜革”（《明史·选举志一》）

科考，系指清朝每届乡试前，各省学政巡回所属举行的考试。“其充补廪、增给赏，悉如岁试”。

③廪膳生员，亦称廪员，即生员中的一等前列者。明府、州、县学生员最初每月都给廪膳，补助生活。明初府学四十人，州学三十人，县学二十人，每人月给廪米六斗。清沿其制，每年发廪膳生员每人廪饩银四两。

④增广生员，亦称增生，即生员中的二等排列者。明初府学四十人、州学三十人、县学二十人，每人月给米六斗为廪食。清沿其制。增生地位次于廪生。

生员中的三等排列者称“附生”，即附学生员；未经院试录取者称为童生。

书院的教学

（一）书院的考课

《桑梓述闻·训课》载：“书院，由县正延聘山长主讲，考取生童入院肄业。每月山长窗课外，县正扃试一次，以为膏火多少之序。”

清代的书院，由于官学化的程度越来越高，书院的教学也逐渐由自由讲学为主变为以考课为主。清代中后期，书院实际上已取代了官学，书院的学生，实际就是官学的生员，如廪生、增生、附生、童生等。

考课月分两次，一次由官府，曰官课；一次由山长，曰堂课；全年16次（每年开课时间为8个月）

黎平府的黎阳书院规定：每年农历三月初二开学，十一月六日封课；上午背诵诗文和讲论“四书”、“五经”精义，下午讲解诗法；清明回乡扫墓、八月回家参加收割，各放假5-7日可以免课，其余月份的初二和十六日举行月课，每次课考作文一篇、诗一首；课考后按成绩排定名次，发榜公布。

光绪二十年（1894年）至二十三年（1897年），严修以翰林院编修出任贵州学政。严修写的《蟫香馆使黔日记》，详尽记录了他在贵州案临各属进行科举考试之事。如在平越州：

“辰正后谒庙讲学，午刻放告。与澄光拟明日经古题。申诫承差，勿递交夹带；申诫皂班，勿卖放；申诫稿房，亲供勿加平。（乙未九月初二日庚子）”。

“六钟起，随即点名，凡到三十七人。平越十五、瓮安六、湄潭十三、余庆三。辰初发题，午初盖戳起余。在堂上早饭，饭后一钟退堂。是日，不准断烛。不完卷者准其交草稿。凡交草稿者十三本，稍出色者皆在十三本中矣。晚写明日题纸，经古澄兄拟之，补考题式金拟之。子初童古卷送进盖坐号讫，子正睡。

试题：《刘韵让太常博士书赋》以辞刚义辩文移之首为韵。《赋得网罗旧闻》、《终风解》、《有实其猗解》、《汲黯论》、《以明希文自期待伦》、《诸葛铜鼓》七言不限韵。（乙未年九月初四日辛丑）”

“六钟三刻点名。童古到二十六人，平越六、瓮安一、余庆二、湄潭十七，补考到二十九名。午补盖戳讫退堂。午后检石印小本，拟明日童正场题……升堂发生古案。凡取十六人，但出坐号不书名亦不分甲乙，以坐号为次，如面试草榜例。盖古取为选拔之先声、恐有借端诳骗者也。日未昳扫场，晚又与澄兄议题，议讫书之。余牌示明日三更一点放三炮。

试题：《网罗旧闻赋》以述往事思来者为韵。《刘歆让太常博士书》、《有轶斯古解》（九月初五童古题）《万口来求解》、《论学便要明理论》、《第五轮自谓有私论》。补考：《举贤才》、《抑抑威仪二句》、《神仙排云出》。二次：《焉知贤才而举之》（乙未九月初五日壬寅）”。

“寅初点名，卯初二刻封门，卯正发题。是日文童到者，平越一百九十一名，内招考者十八名，瓮安九十名，余庆七十九名，湄潭二百二十三名，总共五百八十三名。

点名时州学廪保李献之攻出枪替一人，顶余焕文之名，交提调审办。

牌示：李献之岁考如系二三等，提一等末；科考如再三等提二等末。盖戳时酉月二号瓮安童生宋光煊喊攻西宿六号之伍思仁非本名，提堂罚跪。午后讯之，供称：系贵阳童生伍子真，扎交提调讯办。认保刘湘士斥革。派保王承革霈廪。其两人所保文武童生，饬学官逐名分别换保，参用叶任成例也。酉月二号之童生作佾生，以示鼓励。如岁考取入，别奖花红银四两，于发落日给领。细查西宿六之卷，文理清通，字亦秀润，虽仅完“起讲”，亦可略得大凡，心惜之而更恨之也。

是日搜捡更严。申初放头牌，酉正二刻净场。生童古案取七人。平三，湄四。

试题：《若此其未远也》平。《若是其甚欤》瓮。《不为不多矣》余。《如彼其久也》湄。《父母爱之，喜而不忘》。次题：《义分明于霜》。（乙未九月初六日癸卯）”

……

“午后覆武童，缺五人。补覆文章，缺六人。武生补考者二人。（乙未十月初一日戊辰）。”

“晨题发落书面，选拔、陪拔、予《读书决》；举优、生、童古取及岁科文童之前三名，予《书院记》皆题姓名。王化行、刘思明尤所赏也，予《读书决》。午初发落。散花红、书籍及观风奖赏（乙未十月初二己巳）。”

严修于1895年9月在平越州（今福泉市）组织的这次考试，历时将近一个月。这次考试，先文童，后武童，拟题、初试、复试、补考，录取、选拔、奖赏俱举。日记还记载了科场作弊的人和事以及处理情况。

上述事实说明，考课成了书院教学的主要形式。

（二）书院的讲学活动

考课是书院的主要形式，但仍有不少书院开展了不同程度的讲学活动。

如前所引《桑梓述闻》："旗山书院在县西北。知县韩公瑛、教谕金公琦、训导吴公天椿，倡绅士捐资于文昌阁。前旧址（指文昌阁）建讲堂三间、肄业房六间、大门一座。今圮，以明伦堂及学庙廊庑为讲业地。"

这段文字告诉人们：旗山书院建成后，讲学活动在旗山书院进行。旗山书院毁坏后，讲学活动在明伦堂及学庙进行。

又，据《瓮安历史人物·犹法贤》载："犹法贤（出卒年月不详），字心鲁，号西樵，清代贵州瓮水长官司（今瓮安珠藏）人。清乾隆二十七年（1762 年）中副榜，旋充镶黄旗教习。期满后先后任镇远县学训导、镇远府学教授、瓮安旗山书院讲席等职。"犹德贤在瓮安旗山书院讲席的这个时间段是可信的。因为旗山书院自开办至乾隆四十六年李红任瓮安县事时，李红还到旗山书院捐给膏火，"会课，辄为生徒具食，口讲指画。"这说明旗山书院在乾隆四十六年时还在兴办。另，旗山书院圮毁后，讲学活动仍在明伦堂及学庙进行，且一直延续至嘉庆末年。

犹法贤是当时贵州文坛的领军人物之一，声誉极大。他与傅玉书一道开创贵州乾隆年间诗文之风，人称贵州高原上的两大诗宗。犹法贤著有《西樵房山诗文集》六卷，《黔史》四卷，《乾隆镇远府志》廿八卷等。贵州黔北名士赵旭曾誉："竹庄诗学林，西樵诗学韩，黔人两大宗，皆生于瓮安。"

犹法贤在旗山书院的讲学活动，影响极大，因此被瓮安赵安义家高薪聘为塾师，赵氏子弟多人中举。

我们不会忘记，玉华书院于道光癸巳年（1833 年）仲春募集经费，"于端阳后鸠工庀材，卜中秋日申时吉，乃建讲堂，树门宇、斋厨、学舍。""无何秋收捐款，捐输者未及半，势且不继，首士优之。"王存成鼓励大家说："计今所入，以图久远则不足，以济目前则有余。今甲午秋围在即，宜延师训课，以示人以不可终辍之势，则乐成善事，必有同心耳。"大家都说：好！"乃示期二朔，考试甄别，各工亦刻期蒇事，而规模略具焉。"

"示"即牌示，相当于今天的告示，文中告示的内容是为了迎接甲午年（1834 年）的秋闱（乡试），决定在二月初一这一天在书院举行考试，选拔童生入书院肄业，聘请老师训课。

由此可见，玉华书院从一开始办学，就延聘有老师进行讲学。而这时候的县教育行政官员：教谕杨春荣（籍贯未详），训导王经邦（籍贯未详）。

玉华书院延师训课后，作为邑令的王存成，常"至书院与诸生口讲指画，如师徒然。"

课　程

明代"国子学"课程有"四书"（《大学》《中庸》《论语》《孟子》）、"五经"（《易》《诗》《书》《礼记》《春秋》），兼及《说苑》、律令、书、教、御制大诰等，成祖时加《性理大全》；另有习字，每日二百余字。

地方的府、州、县儒学课程规定，学生除专治一经外，礼、乐、射、御、书、数设科分教，后来裁乐、御两科，定为礼、射、书、数四科。

“礼”：由中央颁发的经、史、律、诏、礼仪各书。令熟读精通。

“射”：各儒学设置“射圃”。瓮安的射圃在城北，今北门粮仓与碗厂（即富丽半岛）之间，老百姓呼曰马道子。令生员学习跑马射箭。

“书”：令生员依名人书法字帖，每日习字五百。

“数”：须精通《九章》算法。

清代基本承袭明制。“国子监”学生所习学科有“四书”、“五经”、“性理”、“习字”等科。

地方府、州、县儒学课程设置主要为经、史、性理、时文等。“五经”《性理大全》、《四子书》、《大学衍义》、《朱子全书》、《钦定孝经衍义》、《御制性理精义》、《御制诗、书、春秋经三传说类纂》是经籍方面的教科书。此外还有《文章正宗》、《古文渊鉴》、《御制律学渊源》、《资治通鉴纲目》、《历代名臣奏议》、《钦定四书义》。

如同现在的高考一样，考什么老师就重点教什么；反过来，按照国家设置的课程，教有什么学科就要考什么学科的内容。

从严修的《蟫香馆使黔日记》来看，当时的文童除考诗、文外，还考了步射、马射和音乐。这与上述课程教材设置、教学内容是吻合的。

“看平越步射，凡百五十余人，卯正二刻点名，申初毕。晚分观风卷，请澄兄看；童卷请式金看；作策论者余自看。其仅作一文一诗者不阅（乙未九月二十二日己未）。”

“看瓮余步射，瓮安五十余人，午初二刻看毕，退堂。午正二刻升堂看余庆百余人，酉初毕（乙未九月二十三日庚申）。”

“看湄潭步射，百九十余人。晚补看平越十九人。托澄兄钞五童技射，晚复邀式金共写之（乙未九月二十四日辛酉）。”

“看马射二百三十余人，辰正往，午初回。同监射者五彩云游戎。”

午后，点内场名，到者二百零一人。与澄兄定武童案，名额。平越无佾生，瓮安四、余庆二、湄潭十有四。湄潭之佾生，胜于平越之案首也。七钟后发榜。晚看观风卷二本（乙未九月二十五日壬戌）。

“看武生步射百二十一人。已升堂。未初退。午初呈。定武生名次，发牌行提提调（乙未九月二十六日癸亥）。”

……

书院的管理

清代贵州书院多数为官办或官绅合办，除政府拨给经费外，主要由倡办的地方官捐资，并动员所在地的官绅捐资兴建。如：

“旗山书院在县西北。知县韩公瑛，教谕金公痗、训导吴公天椿，倡绅士捐资于文昌阁。”（《桑梓述闻》）

“余先倡捐百金，一时慨捐署名者，计银将及二千，其末至者复集县署，先后银三千金，谓盛事之成可立而待也。”（王存成《玉华书院记》）

“爰集同寓诸公，暨城乡绅耆老以修复书院为请，随捐廉兴工，为之提倡。佥乃踊跃输将，襄成斯美。”（王敩成《修花竹书院记》）

书院所需的日常经费，主要用以下几种办法解决：一是由官府拨给土地作为学田，或用捐赠的款项购置学田，出租收取地租；二是将捐赠的经费交给商人经商，收取利息。

据民国《瓮安县志》记载，瓮安书院的学田遍布全县6里（荆里、草里、瓮里、牛里、干里、附里），大小田型坵段497坵（不包括未计坵数的田型山地），每年出谷约1564挑。（见附一：《书院田型坵段》）

书院的管理主要包括经费的筹措及开支、山长及书院工作人员的聘任、生员的生活学习制度等。各书院都订有比较完整的规章制度，这些规章制度必须报官府批准，然后遵照执行。不少规章制度还是由当时的主管官员亲自制定的。

如民国《瓮安县志·经费》所载，清代的教育行政官员和各役的薪俸，学校生员每年的生活补助，均由政府明文规定：

“儒学教谕：俸薪银一十五两七钱六分；斋夫一名，工食银十二两；膳夫一名，工食银六两六钱六分六厘；门子一名，工食银六两。以上岁支工食银共二十四两六钱六分六厘（《桑梓述闻》按斋夫工食不应较各役加倍，或系二名，《韩志》误作一名）。

儒学训导：同《桑梓述闻》（即儒学训导俸薪银一十五两七钱六分。斋夫、膳夫、门子工食，并如教谕之数。又，教谕、训导，喂马草料银各六两）

廪生二十名，每名廪膳米四石，共米八十石（可以抵本人及亲族应纳秋粮）。

廪需银十两，每名五钱（此项岁中廪生，内有中式选拔出贡者，即以助之，若一岁有四五人亦均分之，亦前辈同人之义也）。”

又如天柱县凤山书院，是一所官民合办的书院，由知县倡导，当地官员捐资修建。书院竣工后，由知县余汝本亲自拟定《凤山书院条例章程》，逐级上报黎平府和贵州省的有关部门批准，然后才付诸实施。章程规定，书院的一切财产契据由县署掌握，账目分为两份，一份由县署执掌，一份由书院负责人掌握，以备查对，每年十月初一核算。书院设总理首士，每年由生童推举，非廉明公正、家道殷实者不举。总理即斋长，凡生童在斋事务，均由斋长管理。山长于每年中秋后，由各绅士预先推荐，由县禀明上级后敦请，非科甲名师、品学兼优者不举。章程还对每年教学活动、师生待遇等作了明确的规定。

这与瓮安的书院很相似。瓮安的书院，不管是旗山书院、玉华书院、还是花竹书院，都是由知县倡导，当地官员乡绅捐资修建。从《玉华书院记》中的“无何秋收稍歉，捐输者未及半，势且不继，首士忧之”一句来看，玉华书记在建修时就设有“总理首士”。

“书院，由县正（一县之长）延聘山长主讲，考取生童入院肄业。”

“月有月课，凡新进诸生，未更岁科试者，皆与。季有季考，凡廪增附生及新进生员，皆与。院司道府各宪，初履任皆有观风题发学，传集生童，扃（关门）门考试，汇卷，申送县正。履任则移学传集赴县考试，响以酒食，试艺佳者，皆给资奖励”（见《桑梓述闻·训课》）。这些成文的规定，应该说就是瓮安书院管理的章程。只不过没有冠以“某某书院条例章程”罢了。

科举考试

科举制度，是中国古代读书人参加人才选拔考试的制度。它是历代封建王朝通用考试选拔官吏的一种制度。由于采用分科取士的办法，所以叫做科举。科举制从隋代开始实行，到清光绪三十一年（1905年）举行最后一科进士考试为止，经历了一千三百多年。

科举考试是中国古代封建统治者为选拔人才资源，而设置的一种考试制度，让读书人参加的人才选拔考试，学而优则仕的一种制度。

科举考试的程序，分为童试、乡试和会试三级，在会试的基础上举行殿试。

（一）、童试：是取得生员（即秀才）资格的考试，先由府、州、县进行考试，分别由知府、知州、知县主持，考试完毕后由府造册报省学政参加院试。院试由中央任命的省提督学政主持，分为岁试和科试，分别在各府及与府平级的直隶州、直隶厅举行。经过州、府、县、院考试录取者，即取得“生员”资格，俗称秀才，分别进入府、州、县学学习。生员都有定额限制，按学校规模的大、中、小三类，清初规定大学（大县）为40名、中学（中县）30名、小学（小县）20名。以后改定为大府20名、大州县15名、小州县4-5名。后来陆续有所增加，到了清末录取的名额越来越多。

（二）、乡试：为取得举人资格的考试。由中央派出的考官主持，每三年举行一次，在子、午、卯、酉年的农历8月举行，有时遇庆典加科者称恩科。凡本省经过科考录科、录遗考试合格的生员与监生、荫生、贡生都可到省城贵阳应试。如同前面所涉“学额”一样，乡试名额由中央根据各省的政治经济状况和教育发展水平确定下达。顺治十七年，贵州省乡试名额仅20名，是各省乡试名额最少的，此后逐渐有所增加。

雍正七年（1729年）后，贵州文举人名额增至45名，武举人名额增至33名，但仍属全国各省中乡试名额最少的省份之一。

（三）、会试：为全国性的中央考试，由礼部主持，清代在北京举行，逢辰、戌、丑、未年考正科。若乡试有恩科，则于次年举行恩科会试。会试后还有殿试，是皇帝对会试取录的贡士在殿廷上亲自考试，录取的一甲3名，赐进士及第，第一名称“状元”，第二名为“榜眼”，第三名为“探花”；二甲若干名，称进士出身；三甲若干名，称同进士出身。

在清代，贵州的文举人共有3110名，武举人共有1704名；录取的文进士611名，武进士103名，其中有文状元2人（贵阳人赵以炯于光绪十二年丙戌科以一甲一名进士及第；麻哈人即今麻江人夏同和于光绪二十四年戊戌科以一甲一名进士及第）；武状元一人（贵阳人曹维城于康熙四十二年癸未科以武科一甲一名进士及第）。

地处西南边境的贵州省，向被中原人士视为蛮荒之地，逐臣之地，清代的乡试名额贵州在各省中是最少的，但却考出了较好的成绩，涌现了大批优秀人才，可见贵州清代的教育并不像人们想象的那么落后。

瓮安的教育亦然！

——《千年文明古邑——瓮安〈瓮水长歌〉》解说词道：

“……这里的人们历来尚礼崇文，耕读传家，尊师重教，文人雅士绵延辈出，如过江之鲤。”

“1072年，即北宋神宗熙宁五年，便有犹道明以乡贡考中乙科进士，为贵州进士第一人；乾隆年间出现了以进士出身的文史大家犹法贤，领黔一代诗文之风；以及康、雍时期以王世俊为代表的瓮邑王氏家族一朝三翰林享誉国朝，加上一代戏曲作家、诗人、教育家傅玉书等一大批历史文化名人。据不完全记载，在明清不到五百年的历史上，瓮安便有19人进士及第，110人高中举子。”

——作为一个地方的历史文化宣传片，《千年文明古邑——瓮安〈瓮水长歌〉》解说词的表述，无可厚非。但作为历史事实的考证，该解说词所涉数据有些是值得肯定，有些值得商榷的。

犹道明“为贵州进士第一人”，这不假。

《桑梓述闻》、《民国〈瓮安县志〉》都一字不差地记载了北宋时期犹道明的事迹：“犹道明，字行之，播州人。即长官之子，从父朝京师，遂入太学肄业，数年学成举进士。本姓尤，及奏对，神宗谓尤悔字不佳，赐姓犹氏，授校书，后仍袭世职，文采为播州称首。”

这个记载说的是，瓮邑人犹道明与其父一起进京朝贡（明神字二十九年建瓮安县之前，珠藏瓮水长官司隶播州宣慰司，故称“播州人”）随即到太学读书，几年后学业有成，于北宋神宗熙宁五年（1072 年）以乡贡考中乙科进士，这是历史上贵州人中进士的最早记载。

并且，在殿试时，皇帝认为犹道明原来的姓氏“尤”字不好，赐姓为“犹”氏，授予犹道明校书职务。道明后回乡继袭瓮水长官司职，大力传播中原先进文化，对黔北文化的发展有着巨大贡献。犹道明的文采被誉为播州第一。

然而《贵州教育史附录——〈宋元明清贵州历科文进士一览表〉》却把宋嘉熙二年（1238 年）的遵义人冉从周排到了第一位，并在附考栏引用《遵义府志》“举进士，时称破荒冉家。历官珍州守，有善状。”批语。

近据瓮安县政协副主席郑毅用大量的历史资料考证：犹道明是北宋人，冉从周是南宋人，两人举进士时间相距 166 年，犹道明才是“黔山第一进士”。

《千年文明古邑——瓮安〈瓮水长歌〉》解说词所涉的这个数据，是值得肯定的。

犹法贤，“领黔一代诗文之风”，此亦值得肯定。有些地方历史文化常识的人，都知晓黔北名士赵旭对乾隆年间瓮邑举人傅玉书，犹法贤两人的评价：“竹庄诗学社，西樵诗学韩，黔人两大宗，皆生于瓮安。”这是最好的佐证。但犹法贤不是进士。

“以及康·雍时期以王世俊为代表的瓮邑王氏家族一朝三翰林享誉国朝”之说，也是无庸置疑的。

王梦旭（生卒年月不详），字初升，清代瓮安牛里（今福泉谷汪乡）人，清朝名臣王士俊叔父。王梦旭清康熙五十年（1711 年）弱冠乡试，中辛卯科亚元，在当时闻名贵州全省，第二年联捷壬辰科三甲八十名进士，选庶吉士，入翰林院授检讨，首开当地王氏进士翰林长河。

王梦尧（生卒年月不详），字起唐，清代瓮安牛里（今福泉谷汪乡）人，翰林王梦旭之堂兄。王梦尧康熙五十六年（1717 年）中丁酉科举人，康熙五十七年（1718 年）中戊戌科进士，三甲四十五名，选庶吉士，授翰林院检讨。

王士俊（1683—1756），字犀川、野君，号灼三，清代瓮安牛里（今福泉谷汪乡）人。王士俊康熙五十八年（1719 年）中举人，五十九年（1720 年）举进士，选庶吉士，入翰林院任检讨从事，与其叔王梦旭、王梦尧称王门“一朝三翰林”。

《桑梓述闻》、《清史稿》《平越直隶志·人物志》《贵州通志·人物志》民国《瓮安县志》对王氏“一朝三翰林”的事迹均有记载。

另，“牛里”，即牛场里，又叫“三江镇”“牛场镇”，是瓮安建县后的一个行政区域。

《瓮安县军事志·境域范围》载：“清代瓮安县境域，东至黄平州老鲊河，东南至平越州杨义司界，南至平越州高坪司界，西南至平越州中坪司界，西至开州（今开阳）界，西北至湄潭县界，北至黄平州三岔水，东北至黄平州马鬃岭。”

“民国初年瓮安县境域，东至马鬃岭交黄平县界，东南至尖坡下堡交平越县界，南至牛场牛王庙与平越县嶰蓙桥分届，西南至高坪司交平越县界，西至界牌关交紫江（今开阳）县界，西北至羊岩河交遵义县界，北至流水溪交湄潭县界，东北至西堰交黄平县界。”

《瓮安县军事志·行政区划》载：

“（一）清末行政区划

清末，县辖6里、136团、786寨（街）。

……

牛场里，辖11团：牛场（今福泉市牛场）、瓮坝、上坝、张家榜、垛丁、水头、养马、猪场坝、哨上、垛郎坝、堵浒团。共135寨。

……

（二）民国时期行政区划

4年，撤里、团、寨（街），建区、保、甲、牌，全县建8个区。

20年4月，区以下撤保、甲、牌，建乡（镇）、闾、邻，全县为8区、22镇、84乡、436闾、2217邻：

第一区　区公所驻雍阳，辖5镇、17乡、86闾、430邻。

第二区　区公所驻平定营，辖1镇、13乡、28闾、160邻。

第三区　区公所驻三江（今牛场），，辖1镇、11乡、65闾、325邻。

第四区　区公所驻岚关，辖2镇、11乡、45闾、210邻。

第五区　区公所驻草塘，辖3镇、7乡、90闾、450邻。

第六区　区公所驻天文，辖3镇、8乡、90闾、163邻。

第七区　区公所驻思源（今岩坑），辖2镇、12乡、56闾、280邻。

第八区　区公所驻珠藏，辖5镇、5乡、40闾、199邻。

25年，区以下撤乡（镇）、闾、邻，建联保、保、甲。全县建28联保、129保、1538甲。26年，调整为26联保、132保、1272甲。28年，调整为4区、19联保、147保、163甲。

第一区　区公所驻雍阳，辖雍阳、飞练、太文、平定、中槽5联保。

第二区　区公所驻牛场，辖三江、水源、岚关、永和4联保。

第三区　区公所驻草塘，辖草塘、松坪、建安、天文、水帘5联保。

第四区　区公所驻珠藏，辖珠藏、铜锣、高毓、玉山、天池5联保。”

那么，牛里（三江镇、牛场镇）又是什么时候划归福泉县的呢？

据《福泉县志·大事记》载：

“民国3年（1914年）9月13日，贵州巡使龙建章批牛场划归平越；将平越插花至瓮安的十七堡划归瓮安。平越县知事喻希箴与瓮安县知事李退谷，因牛场归属争持不下，均被调 省。平、瓮两县新任知事李安鼎与窦全曾继续会商。省派姜汝圻赴牛场与两县会勘。”

“民国4年（1915年）2月，省巡按使龙建章饬令平越、瓮安两县以卡隆河为界，竖立界碑。为此，导致两县争端的延续与扩大。”

“民国30年（1941年）11月21日，省政府批准将平越县之中坪区与瓮安县之牛场区互换。县长杨伯举赴瓮安洽商划界事宜。至12月4日，牛场和三江，水源2联保及桅杆坪等处与中坪、建中2联保及深溪等处，互换管辖，勘拨完竣。”

上述史料说明，牛里自瓮安建县起，至1941年12月4日止，一直系瓮安县辖管的一个行政区域。将王梦旭、王梦尧、王士俊、王政恒、王原、王茂松、徐景等进士和王家鼎、王梦麟、王梦图等举人，列入瓮安进士举人榜，是理所当然，理直气壮、名正言顺的事。至于福泉县史的编修人员，会不会将上述牛里人编录福泉进士举人榜，那是他们的事，毋庸过问。

而“据不完全记载，在明清不到五百年的历史上，瓮安便有 19 人进士及第，110 人高中举子”，这句话所涉数字便值得商榷了。

笔者查阅了《黄平州志》（嘉庆六年）、《平越直隶州志》（光绪三十三年刻本）、《桑梓述闻》（嘉庆三年成书）、民国《瓮安县志》（民国四年成书），并逐一进行比对，所得进士自犹道明（宋神宗・癸丑科）始至任承纪（光绪戊戌科）止，共 16 人。

至于瓮安举人，《桑梓述闻》列 63 人（自明・天顺已卯科的杨遵开始至清・嘉庆辛酉副榜冷凤翔、宋衍畴止），《平越直隶州志》列 101 人（自明・天顺已卯科的杨遵开始至清光绪己丑恩科的朱勋止），民国《瓮安县志》列 105 人（自明・天顺已卯科的杨遵开始至清・己酉科的冯蜚声止）。

笔者在对比时，以《平越直隶州志》为底本，如果《桑梓述闻》民国《瓮安县志》录列有，而《平越直隶州志》没录列的，则补录列之。如明代，补录列林之平（荆里人）、冷思贤（平越学）；康熙朝，补录列张克惠（克宽弟）戎轩（附里人）副榜宋如嵩（草里人）、副榜方维振；乾隆朝，补录列许恕（荆里人）、附榜犹法贤；嘉庆朝，补录列萧廷芝（附里人）、胡秀模（牛里人）、赵本敫（本城人）、副榜冷凤翔、宋衍畴；咸丰朝，补录列徐之谷（干里人）、松有传；光绪朝，补录列李树勋（綦江人，入县籍）聂瑞麟（师范科举人）冯蜚声（师范科举人）。

这样，补录 18 人，加上《平越直隶州志》所录列 101 人，共计 119 人。如果再加上王开宇老师考证整理的 5 人（王玉铸、王洋、王士藻、王士霱、商泽珍），瓮安举人共计 124 人。（见附二《瓮安进士・举人名录》）

有清一代，贵州的文举人 3110 名，文进士 611 名，瓮安有文举人 115 人（减除明代 9 人），文进士 15 人（减除北宋 1 人），这个数字大大高于全省平均县市水平。

附件一：书院田型坵段

荆里二甲，大来观音阁，充入田一型，计伍拾陆蚯。

下坝观马硐田，大小共肆坵，约出谷叁拾挑。上抵笔架山脚，下抵小沟，左抵汤黄二姓田，右抵黄姓田。

下坝田共伍坵，约出谷叁拾挑。上抵帅姓田，下抵路兼抵汤姓小田，左抵小沟，右抵汤姓田。

湾田一坵，约出谷捌挑，上抵郑姓田，下抵郑姓田，左抵郑姓田，右抵大路。

小庄门口田一坵，约出谷贰挑。上抵小沟，下抵大沟，左抵黄姓田，右抵黄姓田。

大河边田贰坵，约出谷贰拾挑。上抵黄姓土，下抵大沟，左抵黄姓田，右抵黄姓田。

靛塘边田叁坵，约出谷贰挑。上抵路，下抵黄姓田，左抵黄姓靛塘，右抵黄姓田。

上坝路坎上田伍坵，约出谷伍挑。上抵沟，下抵路，左抵沟，右抵路。

水月冲田贰坵，约出谷贰挑。上抵黄姓田，下抵沟路，左抵山脚路，右抵沟。

斗山潮田大小拾玖坵，约出谷贰拾挑。上抵小坳，下抵张姓田，左抵山脚大堰沟. 右抵山脚路。

褃崽岩田壹型，大小共拾肆坵，约出谷贰拾余挑。上下左右均抵郑姓田。

瓮里六甲，小寨莲花寺充入田壹玢，大小共田壹百肆拾坵。分列于左：

窝荡田壹坵，麻园田贰坵，池子田壹坵，约出谷拾玖挑。上抵张姓田，下抵张姓田，左抵沟，右抵路。

枫香林田贰坵，约出谷伍挑。上抵路，下抵沟，左抵水井坎，右抵沟。

水井坝路坎下田玖坵，约出谷拾挑。上抵沟坎，下底大沟，左抵路，右抵沟。

枫林湾田肆坵，约出谷伍挑。上抵张姓田，左右下均抵沟。

槽田肆坵，约出谷伍拾挑。上右二方抵沟，下抵张姓田，左抵张姓田。

后坝田拾壹坵，约出谷贰拾挑。上抵坡脚，右抵张姓界，下左二方抵张姓田。

蒲水田一大型，共壹百零陆坵，约出谷陆拾挑。上抵黄姓四格田，横抵高坎，下抵大沟，左抵小沟，右抵路。

瓮里九甲硐底田壹玢，大小共贰拾玖坵。分列于左：河边大沙田贰坵，约出谷拾伍挑。上左二方抵傅姓田，下抵河沟，右抵吴姓田。

砍篱庄田肆坵，约出谷拾伍挑。上抵王姓田，下抵沟，左抵王姓田.右抵冷姓田。

又砍篱庄田壹坵，约出谷拾贰挑。上右抵冷姓田，下抵河.左抵王姓田。

任家门首田伍坵，约出谷拾伍挑。上抵任姓田，下抵王姓大田，左抵徐姓田，右抵沟路。

碾房边田拾坵，约出谷陆拾挑。上抵徐姓田，下抵大沟，左抵徐姓桥头小田，右抵小沟。

徐姓门首田柒坵，约出谷叁拾伍挑。上抵冉姓田，下抵徐姓田，下抵徐姓田，左抵路，右抵冉姓土。

瓮里褙崽塘田土、山林、基园共壹玢。上抵黄姓界，下抵毛、黄二姓界，左抵严、黄二姓界，右抵严、黄二姓之边界。又上抵宋姓界，斜上抵卓家坡。

咸池沟田捌坵，约出谷肆挑。上抵山脚，左右抵坡，下抵商姓田。

长路边田壹型，约出谷拾肆挑。上抵长路，下抵坡脚，左抵龙姓坡，右抵庙田。

龙井边田玖坵，约出谷伍挑。上抵龙姓沟坎，下抵沟，左抵沟，右抵杨姓田。

大荒塘田陆坵，约出谷伍挑。上抵沟，下抵熊姓田，左抵萧姓田，右抵崖。

青池田在黄平属之在成里一甲，计田玖坵，约出谷壹百零捌挑。分列于左：

孟家井田壹坵，约出谷贰拾挑。上抵王姓田，下抵路，左抵沟，右抵沟。

蒋家堡田壹坵，约出谷拾伍挑。上下抵陈姓田，左右均抵沟。

狮宝田壹坵，约出谷叁拾挑。上抵陈、杨二姓田，下抵路，左抵杨姓田，
右抵高坎。

白泥坎田陆坵，约出谷肆拾叁挑。上抵路，下抵陈姓田，左抵王姓田，右抵沟。

潘家寨田，在黄平属在成里四甲，大小共田柒拾肆坵、塘二口，约共出谷叁百玖拾余挑。分列于左：

梓木湾田伍坵，约出谷肆拾挑。上抵高坎小沟，下抵路，左上抵郑姓，左下抵邓姓田.左抵郑姓田。

使人湾嘴上田叁坵，约出谷伍挑。上抵任姓田，下平高坎，左抵任姓田，右抵张、邓二姓土。

新买沙包田贰坵，约出谷陆挑。上抵陈姓田，下抵潘姓田，左抵高坎，右抵小沟。

茶盘田、螬田一连捌坵，约出谷伍拾挑。上抵陈姓田，下抵任姓田，左抵路，右抵山

脚小沟。

三勦田叁坵，约出谷贰拾挑。上抵沟，下抵任姓田，左抵坡，右抵沟。

硚边田一连捌坵，约出谷肆拾挑。上抵任姓田，下抵潘姓田，左抵陈姓田，右抵沟。

长田壹坵，落荡田壹坵，约出谷贰拾挑。上右下三方抵任姓田，左抵李姓界。

土地老屋基壹个，园土壹幅。上抵任姓土坎，下抵路，左抵路，右抵任姓界。

史家大田一连捌坵，约出谷陆拾挑。上抵任姓界，下抵庙田，左抵任姓田，右抵土坎路。

落荡猪嘴田一连柒坵，约出谷贰拾肆挑。上抵任姓田，下抵任、李二姓田，左抵沟，右抵三坵田，直下抵庙田。

新买大鹅颈田壹坵，约出谷拾捌挑。上下均抵庙田，左抵坡，右抵高坎。

新买王家大田壹坵，约出谷拾挑。上抵秦姓田，左右下三方均抵胡姓田。

石阶田肆坵，约出谷拾贰挑。上抵潘姓田，下抵庙田，左抵庙田，右抵沟路。

石阶后坎田贰坵，约出谷陆挑。上下左右周围均抵潘姓田界。

牛地田捌坵，约出谷叁拾挑。上抵任姓田，右下二方均抵庙田. 左抵胡姓田。

菜溪沟塘一口，塘面坎田叁坵，约出谷贰挑。下抵胡姓田，左抵坡，右抵沟路。

新买菜溪沟接水田壹坵，约出谷肆挑。上抵胡姓方田，下抵庙上长田，左抵坡，右抵路。

杨柳湾塘壹口，田壹坵，约出谷贰挑。右抵坡，左抵路. 下抵庙田。

桐梓湾田壹坵，约出谷肆挑。上抵任姓田，下抵庙田，左抵沟，右抵坡。

拦坳田贰坵，约出谷叁拾挑。上抵高坎，下抵路，左抵山脚，右抵路。

任姓门首田肆坵，约出谷拾贰挑。上抵任姓田，下抵任、李二姓田，左抵沟，右抵路。

草里六甲，桃子冲田壹坋，计共伍拾肆坵。分列于左：

旧屋基门口田伍坵，约出谷贰拾挑。上抵高坎，下抵萧姓田，左抵路，
右抵萧姓田。

黄家园长田壹坵，约出谷叁挑。上抵高坎，下抵坎下路，左抵张姓田，右抵萧姓田。

捐鸠坡田贰坵，约出谷叁挑。上抵山脚路，右抵李姓田，下左二方抵沟。

小山浸秣湾田拾肆坵，约出谷捌挑。上抵山脚，下平高坎，左抵路，右抵陈姓土。

河佩湾田陆坵，约出谷陆挑。下抵路，左抵坡，右抵坡。路坎上田贰坵，约出谷陆挑。上抵李姓田，下抵河，左抵丁姓田，右抵高坎。

小山路坎下田陆坵，约出谷叁挑。四至原图未载。

过水田陆坵，约出谷伍挑。四至原图未载。

路坎下田肆坵挨口口

小山塝上田玖坵，约出谷陆挑。四至原图未载。

牛里七甲，下坪多田壹坋，计共叁拾壹坵。分列于左：

唐家院门口田贰坵，约出谷壹挑，上抵路，下抵张姓田，右抵黎姓半节田，左抵路。

葫芦田壹坵，约出谷拾贰挑。上抵唐姓田，下抵黎姓田，左抵葛姓田，右抵路。

云顶上田贰坵，约出谷叁挑。上抵唐姓高坎，下抵黎姓田。左抵韩姓田，右抵黎姓田。

斗山脚田捌坵，小三角田壹坵，约出谷叁挑。又基固壹幅。上抵唐姓田，下抵莫姓田，基上抵唐姓山，基右抵唐姓田。陡山门口田柒坵，约出谷伍挑。上抵韩姓田，下抵郑姓田，左抵唐姓田，右抵葛姓田。

慈姑田拾坵，约出谷捌挑。上抵罗姓田，下抵葛姓田，左抵莫姓田，右抵路。

牛里七甲，王家岩田拾壹坵，约出谷陆挑。上抵张姓田。下抵毛姓田，直过抵庙田，右抵坡，左上抵高坎，左下抵毛姓田。

牛里六甲，塘坝田叁坵，上贰坵合为壹坵，共改作贰坵，约出谷捌挑。上抵张姓田，下抵王姓田，左抵小沟，右抵庙田。

牛里六甲，杨柳田拾壹坵，约出谷贰拾挑。上抵曹姓田. 横过抵董姓田，下抵河，左抵小沟，右抵董姓田。

牛里六甲，后冲分纷田壹型，共柒坵，约出谷拾挑。上抵王姓田，下左右三方均抵王姓田。

荆里三甲，大樟阁田壹坋，计叁拾壹坵。分列于左：

大樟阁门首田肆坵，约出谷拾伍挑。上下抵沟，中杂庙田贰坵，左进水处抵李姓尖角田，右抵李姓田。

大樟阁干田壹坵，约出谷伍挑。上左右三方均抵坡，下抵路。

桂花树田贰坵，约出谷贰挑。上抵杨姓田，右抵王姓田，下左二方均抵冷姓田。

坡上尖角田壹坵，约出谷壹挑。上抵小沟，左抵庙田，右抵李姓田。

梨树田壹坵，出谷壹挑。上下左右均抵向姓田。

慈姑塘荒田壹坋，共伍坵，约出谷捌挑。上左右三方抵坡，下抵消洞。

龙塘团坡长田叁坵，约出谷捌挑。上抵坡，左抵小沟。右抵路。

龙塘长湾田叁坵，约出谷拾挑。上抵李姓田，下抵小沟，斜过抵周、袁二姓田，左抵徐姓田，右抵坡脚。

龙塘上手小田叁坵，约出谷叁挑。上下均抵沟，左抵唐姓田，右抵罗姓田。

苗坟坝田肆坵，约出谷拾挑。上右二方抵庙田，下抵蔡姓田. 左抵坎上路。

又苗坟坝田肆坵，约出谷贰拾挑。上抵沟，下抵蔡姓田，左右二方抵路。

附里一甲，屯上田叁坵，约出谷贰拾伍挑。其壹坵上下抵商姓田，左抵谢姓田，右抵路，其贰坵右抵坡脚高坎，左抵沟。

附里七甲，本城北门坝田共陆坵，约出谷陆拾挑。东角上抵万姓田，高坎横过抵高坎之路，南抵胡姓坟山高坎脚小沟，西抵路，北抵沟。.

北门外打石冲出口黄家潮台田陆坵，湾田壹坵，约出谷陆拾挑。上抵小沟，下抵任姓田，左下抵王姓坟山，上右斜由任姓曲下抵张姓田。

干里十甲，平定营场口左成芳充入田伍坵，全列于左：寨门口沟边田贰坵，约出谷肆挑。上抵路，下抵赵姓田，左下抵刘姓田，右抵沟路。

双坟边田叁坵，约出谷贰拾挑。上右抵黄姓田，上中抵柴姓田，上左抵赵姓田，下右抵庙田，下左抵黄姓田，左抵左姓田，右抵沟。

牛里九甲，三龙塘田贰坵，约出谷叁挑。上抵李姓田高坎，下抵胡姓田，左抵高姓田，右抵路。

附里外二甲，垭龙田壹坵，约出谷叁挑。上抵水沟下，田坎下系消洞，左抵土台，右抵路。

瓮里偏岩田壹型，共柒坵，约出谷捌拾挑.

瓮里九甲，胜土石家大螃田壹型，不计坵数，约出谷拾捌挑。上抵罗姓田，下抵河沟，左抵水沟，右抵罗姓田界。

石家小螃田壹型，约出谷拾贰挑。上抵罗姓田，下抵河沟. 左抵罗姓田，右抵水沟。

瓮里江外蜡林田壹型，不计坵数。此田通志已载。

瓮里江外芭蕉冲田壹型，坵数未详。

干里高枧龙滩口田壹型，不计坵数。

滚水塘田壹型，不计坵数。此田原系玉华山庙田，卢姓与山僧互争构讼。光绪三十三年，县令曹履中断入，有结在案。

附里酸草坪田壹型，不计坵数。

附里打窖冲田壹型，不计坵数。

附里麻池坝田壹型，不计坵数。

干里梭罗岩上田壹型，不计坵数。

新充入官岩田、土、山林、基园分列于左：

谢家嶆干田肆坵，约出谷伍挑。上抵张姓界，左抵李姓荒山，右抵山。又土壹幅，兴田连界。

官岩田贰型，大小共捌坵，约出谷拾挑。

官岩脚对门土壹幅，青岗冲石山土壹幅。

官岩脚对门干田壹型，共肆坵。

青岗冲嶆田壹型，伍坵约出谷玖挑。又土壹幅。

青岗冲又田叁坵，约出谷伍挑。

青岗马口边田伍坵。

棋子冲田壹型，共捌坵，约出谷拾伍挑。土壹幅，又山、土壹幅。

牛角田壹型陆坵，约出谷肆挑。

学堂门口田壹型，共贰拾陆坵，约出谷柒拾挑。

附件二：《瓮安进士·举人名录》

进士名录

序号	姓名	籍贯	学宫	职位	年号科名	资料出处
1	犹道明	瓮水司人		袭瓮水长官司	宋神宗，癸丑科	民国《瓮安县志》
2	杨　遵	乾平堡人		官参议	明、成化己丑科	《平越直隶州志》
3	王梦旭	牛里人	平越学	官户部郎中	清·康熙壬辰科	《平越直隶州志》
4	王梦尧	牛里人	平越学	官知府	康熙戊戌科	《平越直隶州志》
5	王士俊	牛里人	平越学	官河东总督	康熙辛丑科	《平越直隶州志》
6	王政恒	牛里人	平越学	官清远知县	雍正庚戌科	《平越直隶州志》
7	文　瑄	草里人		官中江知县	乾隆丙辰科	《平越直隶州志》
8	宋　梅	草里人		官中江知县	乾隆壬戌科	《平越直隶州志》
9	商景泰	附里人		官射洪知县	乾隆乙卯恩科	《平越直隶州志》
10	王　原	瓮安人	平越学	官知县	乾隆丙辰科	《平越直隶州志》

续表

11	徐　景	牛里人			乾隆壬戌科	《平越直隶州志》
12	宋廷芳	草里人		官内阁中书	嘉庆辛未科	《平越直隶州志》
13	王茂松	瓮安人		官河东道	嘉庆辛未科	《平越直隶州志》
14	宋衍镛	草里人		官上抗知县	道光庚子恩科	《平越直隶州志》
15	刘奎辰	附里人		官河南知县	光绪庚辰科	民国《瓮安县志》
16	任承纪	附里人		官舆山知县	光绪戊戌科	民国《瓮安县志》

举人名录

序号	姓名	籍贯	学宫	职位	年号科名	资料出处
1	杨　遵	乾平堡人	平越学	官参议	明·天顺己卯科	《平越直隶州志》
2	叶应甲	草里人	黄平学	官钟祥知县	明·天启辛酉科	《平越直隶州志》
3	朱应征	乾里人	黄平学	官知县	明·天启辛酉科	《平越直隶州志》
4	商朝仕	附里人	婺川学	官知府	明·天启甲子科	《平越直隶州志》
5	王家鼎	牛里人	平越学	官按察使	明·天启丁卯科	《平越直隶州志》
6	宋世裕	草里人	黄平学	官建水知州	明·崇祯庚午科	《平越直隶州志》
7	犹登元	瓮里人	黄平学	官双流知县	明·崇祯庚午科	《平越直隶州志》
8	林之平	荆里人	黄平学	官高安知县	明·崇祯丙子科	《桑梓述闻》
9	冷思齐		平越学	官知县	明·崇祯丙子科	《桑梓述闻》
10	王祚蕃	瓮安人	平越学	官教授	清·康熙癸卯科	《桑梓述闻》
11	王梦麟	牛里人	平越学	官丰润知县	康熙辛酉科	《平越直隶州志》
12	蒙　珍	附里人		官都匀教授	康熙甲子科	《平越直隶州志》
13	宋如嵩	草里人		官平溪卫教授	康熙甲子科副榜	《桑梓述闻》
14	戎　轩	附里人	平越学		康熙丁卯科	民国《瓮安县志》
15	商　琏	附里人		官定番州学正	康熙庚午科	《平越直隶州志》
16	商基镛	附里人（琏长子）		官德州知州	康熙癸酉科	《平越直隶州志》
17	商国奕	附里人	湄潭学	官麻哈学正	康熙己卯科	《平越直隶州志》
18	商基振	琏次子		官徐沸知县	康熙乙酉科	《平越直隶州志》
19	张克惠	瓮水里人		官西安知县	康熙乙酉科副榜	《平越直隶州志》
20	王心贞	瓮安人		官教授	康熙戊子科	《平越直隶州志》
21	商基中	附里人		官黟县知县	康熙戊子科	《平越直隶州志》
22	张　晁	瓮里人	湄潭学		康熙戊子科	《平越直隶州志》

续表

23	王梦旭	详进士			康熙辛卯科	《平越直隶州志》
24	商　傅	附里人		官普安教渝	康熙辛卯科	《平越直隶州志》
25	李　英	瓮安人		官学正	康熙辛卯科	《平越直隶州志》
26	张克宽	克惠兄		官获鹿知县	康熙辛卯科	《平越直隶州志》
27	朱　彩	梭罗堡人		官甘肃宁州知县	康熙辛卯科	《平越直隶州志》
28	王梦图	瓮安人	平越学	官学正	康熙甲午科	《平越直隶州志》
29	傅如璋	草里人	湄潭学	官达州州同	康熙甲午科	《平越直隶州志》
30	傅占爵	草里人		官候补中书	康熙甲午科	《平越直隶州志》
31	王士翔	牛里人	平越学	官知县	康熙丁酉科	《平越直隶州志》
32	王士俊	（梦麟子）详进士			康熙丁酉科	《平越直隶州志》
33	陈嘉惠	附里人		官六安州同	康熙丁酉科	《平越直隶州志》
34	宋毓琪	如嵩子）		官府哈学正	康熙丁酉科	《平越直隶州志》
35	王梦尧	详进士			康熙丁酉科	《平越直隶州志》
36	方维振	附里人			康熙丁酉科副榜	《桑梓述闻》
37	杨　淳	牛里人			康熙壬午科	《平越直隶州志》
38	王政恒	牛里人见进士			雍正丙午科	《平越直隶州志》
39	冷　仕	附里人			雍正丙午科	《平越直隶州志》
40	文　瑄	详进士			雍正壬子科	《平越直隶州志》
41	宋　梅	详进士			雍正壬子科	《平越直隶州志》
42	宋毓璋	草里人		官灌县知县	乾隆戊午科	《平越直隶州志》
43	许　恕	附里人			乾隆戊午科	《桑梓述闻》
44	宋　耀	草里人		官高县知县	乾隆辛酉科	《平越直隶州志》
45	王秉亮	瓮安人	平越学	官宁乡知县	乾隆辛酉科	《平越直隶州志》
46	王士仪	瓮安人		官教授	乾隆甲子科	《平越直隶州志》
47	王　崑	瓮安人	平越学	官盐大使	乾隆丁卯科	《平越直隶州志》
48	王　琰	荆里人			乾隆庚午科	《平越直隶州志》
49	吴廷学	草里人		官师宗知县	乾隆丙子科	《平越直隶州志》
50	商家琨	瓮安人		官教谕	乾隆丙子科	《平越直隶州志》
51	张纬明	草里人		官盐大使	乾隆壬午科	《平越直隶州志》
52	犹法贤	瓮里人		官镇远教授	乾隆壬午科副榜	《桑梓述闻》

续表

53	傅玉书	草里人		官安福知县	乾隆乙酉科	《平越直隶州志》
54	宋　荣	草里人		官延长知县	乾隆乙酉科	《平越直隶州志》
55	任　仪	荆里人			乾隆戊子科	《平越直隶州志》
56	商家轮	瓮安人		官教谕	乾隆戊子科	《平越直隶州志》
57	王秉极	瓮安人	平越学	官山东知县	乾隆戊子科	《平越直隶州志》
58	宋衍庆	草里人			乾隆庚寅恩科	《平越直隶州志》
59	周锡源	乾里人		官知县	乾隆甲午科	《平越直隶州志》
60	宋海涵	草里人		官嘉禾知县	乾隆己亥恩科	《平越直隶州志》
61	犹天贵	瓮里人			乾隆癸卯科	《平越直隶州志》
62	犹肇贤	瓮里人		官博野知县	乾隆癸卯科	《平越直隶州志》
63	周鸿英	（周锡源子）		官恩安知县	乾隆戊申恩科	《平越直隶州志》
64	商景泰	详进士			乾隆己酉科	《平越直隶州志》
65	商景咸	（景泰兄）		官都匀教授	乾隆己酉科	《平越直隶州志》
66	王　原	详进士			乾隆己酉科	《平越直隶州志》
67	王　崇	瓮安人		官教授	乾隆己酉科	《平越直隶州志》
68	刘金重	附里人			乾隆甲寅恩科	《平越直隶州志》
69	文思湛	（文瑄子）			乾隆乙卯科	《平越直隶州志》
70	郑如岩	荆里人	平越学		乾隆戊午科	《平越直隶州志》
71	宋衍畴	瓮安人			嘉庆辛酉科	《平越直隶州志》
72	宋培芳	瓮安人			嘉庆丁卯科	《平越直隶州志》
73	王　襌	瓮安人		官学正	嘉庆戊辰恩科	《平越直隶州志》
74	商景晰	附里人		官南笼知县	嘉庆庚午科	《平越直隶州志》
75	宋延芳	详进士			嘉庆庚午科	《平越直隶州志》
76	王茂松	详进士			嘉庆庚午科	《平越直隶州志》
77	萧延芝	附里人		官教授	嘉庆庚午科	民国《瓮安县志》
78	商肇修	附里人		官恩州教授	嘉庆癸酉科	《平越直隶州志》
79	冷凤翔	瓮里人			嘉庆辛酉科副榜	《桑梓述闻》
80	宋衍畴	草里人			嘉庆辛酉科副榜	《桑梓述闻》
81	王金绶	瓮安人		官知县调大理评事	嘉庆癸酉科	《平越直隶州志》
82	胡秀模	瓮安人			嘉庆己卯科	《平越直隶州志》

续表

83	赵本敭	附里人		官江宁知县	嘉庆己卯科	民国《瓮安县志》
84	王金华	瓮安人	平越学	官知县	嘉庆己卯科	《平越直隶州志》
85	柴荣芳	乾里人		官铜仁教授	嘉庆己卯科	《平越直隶州志》
86	犹自东	瓮安人		官同知	道光壬午科	《平越直隶州志》
87	胡学渊	瓮安人			道光壬午科	《平越直隶州志》
88	商肇纪	附里人			道光乙酉科	《平越直隶州志》
89	胡肇綸	附里人		官北流知县	道光戊子科	《平越直隶州志》
90	赵本敷	附里人		官青阳知县	道光乙未恩科	《平越直隶州志》
91	宋衍镛	详进士			道光丁酉科	《平越直隶州志》
92	赵本敖	附里人		官海澄县知县	道光丁酉科	《平越直隶州志》
93	张雨朋	瓮里人		官知县	道光丁酉科	《平越直隶州志》
94	宋秉芳	草里人		官贵定训导	道光丁酉科	《平越直隶州志》
95	王金铭	瓮安人		官知县	道光丁酉科	《平越直隶州志》
96	陈德昌	瓮安人			道光己亥科	《平越直隶州志》
97	王崇昆	荆里人			道光癸卯科	《平越直隶州志》
98	宋光煦	草里人			道光丙午科	《平越直隶州志》
99	宋衔芳	草里人		官黎平教授	道光丙午科	《平越直隶州志》
100	宋光发	（培芳子）解元			道光己酉科	《平越直隶州志》
101	宋钟芳	草里人			咸丰辛亥恩科	《平越直隶州志》
102	徐之瀫	乾里人		官宁化知县	咸丰壬子科	民国《瓮安县志》
103	宋杨芳	草里人		官桐梓训导	同治丁卯科	《平越直隶州志》
104	王家祯	瓮安人			同治丁卯科	《平越直隶州志》
105	王金镛	瓮安人			同治己巳科	《平越直隶州志》
106	杨信芳	附里人			同治己巳科	《平越直隶州志》
107	刘光荣	详进士（刘奎辰）			同治己巳科	《平越直隶州志》
108	熊盛明	瓮安人		官顺宁知县	同治己巳科	《平越直隶州志》
109	冷益清	附里人			同治庚午科	《平越直隶州志》
110	松有传				同治庚午科	民国《瓮安县志》
111	朱云光	梭罗堡人平越学			同治癸酉科	《平越直隶州志》

续表

112	江光宇	草里人			同治癸酉科	《平越直隶州志》
113	任崧基	附里人			光绪乙亥恩科	《平越直隶州志》
114	李树勋	綦江人入县籍			光绪丙子科	《平越直隶州志》
115	朱　勋	（雲光子）		官景东直隶同知（民国元年贵州民政司正长）	光绪己丑恩科	《平越直隶州志》
116	任承纪	详进士			光绪己丑恩科	《平越直隶州志》
117	朱学曾	（朱勋子）留学日本		官大理院推事	光绪己酉科	民国《瓮安县志》
118	聂瑞麟	瓮里人			光绪己酉科师范举人	民国《瓮安县志》
119	冯蜚声	湖北人入县籍			光绪己酉科师范举人	民国《瓮安县志》
120	王玉铸	荆里人		官贵筑教谕	乾隆举人	
127	王　洋	荆里人		官常德府同知	乾隆举人	
122	王士藻	荆里人		官江西南龙县知县	道光举人	
123	王士霭	荆里人		官桐梓县教谕	道光举人	
124	商泽珍	附里人		麻哈州学正	道光举人（以上5人，王开宇整理）	

资料出处：《桑梓述闻》《平越直隶州志》《民国瓮安县志》以及瓮安中学王开宇老师考证。

男女同校开先河

“男尊女卑”“只有男州，没有女县”“女子无才便是德”几千年的封建思想剥夺了女子接受文化教育的权利。孙中山先生领导革命成功后，提倡“男女平等”，但真正的平等是说起来容易做起来难。

民国24年（1935年）秋，瓮安初级中学校长彭建平根据瓮安两级女校毕业生及家长屡次向校方陈述殷切希望入中学读书的意愿，发出布告招收女生，未果。

一年转瞬过去，新的学年到来。民国25年（1936年）9月初，两级女校毕业生丁琴修等32人联名呈文瓮安初级中学校长任永熙并呈转贵州省政府、省教育厅“添招女生”。

当时，女校生毕业后，只能入瓮安仅有的女子简易师范班。但该班“未承教厅允准，即一切设备亦多简陋。此次省督学黄宝华来校视察曾面饬停办。女生等以宝贵之光阴及艰难之经济求学于此，既负初心，而远道升学又为家庭财力所不许。求学有志，升学无阶，怅望前途，同深扼腕。”恳请校方转呈教厅“添招女生以平待遇而倡学风。”

随后，瓮中初级中学校长任永熙呈文省主席顾祝同、教育厅长张志韩，言瓮安县两级女校毕业生丁琴修等“向学情殷而升进无路，未免阻其上进之雄心”，“可否仰邀钧厅俯赐鉴核，准予添招女生……呈请钧核指令。”

是年9月19日省政府、教育厅令：“……拟请添招女生一节，核与《修正中学规程》第22条‘中学学生以男女分校或分班为原则’之规定不合，碍难照准”。

任永熙校长没有因此而生退志，随即再呈文省政府、省教育厅据理力争：“招收女生系根据一般女生之要求及应环境之需要，并主张分班教授，不与男生混合，查与《修正中学规程》分班之规定尚相符合。”

9月26日省府、教育厅仍以“核与部章不符，碍难照准”回复。

任校长仍不甘心，三次呈文省政府、省教育厅，说女生因交通不便，家庭供给困难不易向外升学而请求就近就读，“成立女生1班以宏造就”；又以本期所招男生班因无秋季毕业生以致不能招足定额，拟请改招女生使之“得有升学机会，同时与本季度经费亦无抵触，理合再行佥呈钧核俯准。”

10月5日，省政府、教育厅终于允准回函：“查据报新招一年级男生未能招足定额，如属实情，照章应不开班，故准改招一年级女生一班。”

功夫不负有心人，瓮安女生入学愿望终于实现。从中可以看出，任何新生事物的成长都是要经过艰难曲折的，若非智者强者的坚持，大都有被扼杀在萌芽状态中的可能。任永熙校长为弘扬教育事业，为满足芸芸女生求学上进、平等教育的殷切衷心，用心良苦，敢于担当责任，一而再、再而三地据理力争，为瓮安求学上进女子争得读中学的权利，功莫大焉！

一波虽平，一波又起。对于女生读中学这件在瓮安破天荒的新事物，有人欢呼祝贺，但也有人嫉妒诋毁。

民国25年（1936年）11月18日，瓮安县长母伯平向省政府、省教育厅呈转城北女子小学校长兼师训班主任宋笔霖《请明瓮中饬还学生》，文称“瓮安女子教育甚属幼稚”，“任永熙谋办女中其用意如何固不得而知，唯查违章收受本校师训班肄业学生王道瑜等4名，经职几次函询均不答复，似属有意摧残。查学校定章，招收学生不能收受在校肄业者学生入校，苟非有特别大故，亦不能中途废弃，况属师范尤应严重遵行，若任其违章收受见异思迁，其何以维学风而重教育，殊失国家立教之旨，政府培养之意。”

省府、教育厅据“县长覆查属实”令“该校长查核分别饬回师训班肄业”。

11月25日，有胆有识有礼有节的校长任永熙再次呈文省政府、教育厅：“办理学校以遵守章程为前提，招女生并非本意，不过因该生等联名上呈，奉钧府令办理，既无一毫私意，亦无不正手续。今该校长既以摧残二字相加，不知反躬自问”。“校奉令招考女生，张贴广告，曾注明资格由小学毕业者，报名时呈验证书字样。王道瑜等四名呈验证书，试验及格，始于招受，广告至今尚有张贴，可以复视，此办理之遵守章程也。及送函谓王道瑜等系师训班学生，职校即饬回校。据王道瑜面称女生有志向学，当时因无女中，故向该校肄业。女中既开，即向该校退学。校长答复，俟得各家长同意再行饬知，现各家长一致赞同退学并在我校具有申明书，此办理手续之正当也。我校接函时恐彼此又生意见，力劝王道瑜等回校，据称该校所授课目多不合章，且设备空虚，学生将来如何升学，故宁牺牲成绩并花费一切来进女中。我校以该生等理由充分，不便拒绝。同处一城之内，该校长岂无所闻？何得以几次函询均不答复借口。总之中校既改省立，地方一切不能干涉，其不满之处早在钧鉴之中。”省政府、教育厅复文“呈悉。准予备查”。

县长母伯平支持小学校长兼师训班主任宋筆霖掀起的“招收在校肄业生”风波，又以任永熙校长秉持正义以顺民心的行为获胜而结案。

女生经过如上曲折入校上课，似乎一切归于正常。但却再遇刁狡者的险损之招。

民国26年（1937年）4月，第二学期开学上课月余，女生班仅16人到校，一再派丁传催迄无成效。任永熙校长向省府、厅呈送久不到校学生表册并陈困难情形，“详细调查皆由地方二三狡者因去夏控诉不遂，遇事煽惑，各学生遂徘徊观望”，致使该班学生“不足法定人数，且恐在校者相率效尤、鸿慈逾格或令饬瓮安县府按名传催抑或由钧府颁发布告催该生尅日到校上课。”

万事开头难，巩固发展亦难。

民国27年（1938年）2月初，省教育厅根据省督学杨仲谋视察报告内称该校二年级女生班现仅实到学生10名，又复时常缺课等情，女生班人数与规定名额相差甚巨发出指令：“本学期着即停办，另行添招男生一班，该班女生可降一学期并入男生二年级授课，如愿转学他校者发给转学证书。”新任校长冉隆堃到校接收后随即牌示该班女生迅即来校陈述志愿以便分别降班或转学插班授课。查名册有王道琼等7名女生，在往年亦不常到校，牌示多日亦未来校者，应视同休学。

为国家社会育才，为女生争取受教育平等权利，冉隆堃校长与前任校长是心有灵犀相通的。

下学期招生前，冉校长向省府、教育厅呈请本季招新生准予兼收女生，“本地各绅耆纷以瓮邑未经设立女中，高小卒业之女生家境较裕能赴省升学者绝鲜，余皆失学无归，咸抱向隅之叹。为补救地方女子中等教育计，佥恳职校转呈钧府准予兼收女生。校长当以所请确为地方实际情形，除允予专案呈请听候核示外，并暂准女生报名与考。现暂取6名随班上课。复查职校前所招十三期女生班曾因人数过少（9名）上季奉令合并14期男生班肄业。职校谨施严格管教尚无他虞。至本季新招16期学生与女生合班上课，仍采严格管教，亦不致有意外发生。”省府主席吴鼎昌、教育厅长张志韩批转“准如所请”。

是年冬，省政府、省教育厅主持召开教育行政会议。瓮安初级中学校长冉隆堃向大会提出“请于未设立女子初级中学各县，凡有男中者，准予兼收女生”的提案，当时的大厦大学副校长、随后升为省教育厅长的欧元怀的建议“外县（省城外各县）中等学校，设男女同校。”经交中等教育组合并审查，鉴附办法“1. 凡未设立女子中学各县之男中，应一律兼收女生；2. 增设女性训导员。”并经大会决议“照审查意见通过”。省政府、教育厅抄同原提案报教育部，部于1927年12月21日批示：“查《修正中学规程》第22条规定：中学学生，以男女分校或分班为原则。黔省既有特殊情形，可准如该厅所拟，凡未设立女子中学各县之男中，得暂准兼收女生，分班上课；如女生人数较多可专设一校时，仍须分校。”

彭建平校长拟招女生未果，任永熙校长报告一次、二次驳回，三次力争班获准招办，中途又遭受鲠阻几至垮台，冉隆堃校长招女生与男生同班，后在省教育工作会上提案得到欧元怀校长附议方获省政府认可报教育部批准施行。至此，女生获得与男生平等受中等教育之权利，方合理合法，名正言顺了。这受益的不仅是瓮安地区求学上进的女生，还惠及整个贵州省的众多县，以致影响全国其他类似省县。这其中倾注了忠于教育事业敢为人先教育先驱们的多少心血啊！

瓮安中学内部结构工资制

瓮安中学内部结构工资制是《中共中央关于教育体制改革的决定》《中国教育改革和发展纲要》先后公布后，瓮安中学管理体制改革的重要成果之一，是“纲要”23条“积极推进以人事制度和分配制度的改革为重点的学校内部管理体制改革”。在合理定编的基础上，对教职工实行岗位责任制和聘任制，在分配上按照工作实绩拉开差距。改革的核心在于运用正确的政策导向、思想教育和物质激励手段，打破平均主义，调动广大教职工积极性，转换学校内部运行机制，提高办学水平和效益。

实践证明：瓮安中学自1994年拟定执行的内部结构工资制，冲破了“不患寡而患不均”的中国传统文化中的“平均主义”思想的桎梏，把教职工校内收入的多少与工作的质和量挂起钩来，在校内分配上形成一个“能多能少、多劳多得、优质优酬”的机制，从而调动了学校教职工多干工作、干好工作的积极性，提高了办学水平和效益。

如今，瓮安中学内容结构工资制，经历了20年的实践、更趋完善和合理。它在“尊重个体和差异”“体现教师工作的特点”“推行以人事制度和分配制度改革为重点的学校内部管理体制改革”，开创教育事业的新局面等方面发挥了并将继续发挥强大的杠杆作用。

1994年的瓮安中学内部结构工资制主要包括校内退休制、岗位承包制、岗位责任制。

校内退休制　学校没有人事权，教学需要的人得不到，不要的人又被照顾进来。1977年以来，离、退休教职工子女顶替、落实知识分子政策子女安排、招聘人员家属或子女安排，学校进了一批具有照顾性质的人。学校采用校内退休的办法，将一些不能胜任教学工作，又不会搞或不愿做后勤服务工作的人员进行内部退休，让他们享受国家的全部待遇，名正言顺地休息，直到政策允许，批准退休为止，以此来减少外部政策给学校施加的内部负担和包袱，减少不正常的攀比和不必要的内耗。

岗位承包制　学校采用岗位承包的办法，将学校的浴室、医务室、厨房、学生宿舍管理等岗位工作进行承包。凡承包者不再享受内部津贴，靠自己的劳动和精心管理，来增加自己的收入。学校只作宏观要求，放手让职工发挥工作积极性和创造性，把学校管理重点摆在岗位责任制的实施上。

岗位责任制　学校的岗位责任制实行校内结构工资。

校内结构工资由“课时津贴、岗位工资、兼职工资、效益工资和其他工资”等五个部分组成。编内岗位教师在上岗期间都可以领取这五部工资的一部分或大部分。学校在每月5日前将上月的校内结构工资一次性地计发给教职工。校内结构工资也称为第二工资。

课时津贴由1989年开始执行的“超量工作”演变而成。

1989年3月4日，省国家机关单位的工资改革办公室、省人事局、省教育委员会、省财政厅下发黔工改办〔1989〕5号《关于印发〈贵州省提高中小学班主任津贴标准和建立中小学教师超课时酬金制度实施细则〉的通知》。瓮安中学按照该《实施细则》，实行了“超量工资”。由于每位教师每周、每月所超课时节数不定，所超正课课时与早晚辅导课时也不好对比，全校100多教师的超课时酬金计算，就给后勤相关人员带来相当的麻烦。于是，学校就将每月超量变化不定的“超量工资”改为全年课时相对稳定的“课时津贴”。而教师在每周五天之外的任课，即星期六、星期天的补课和早晚辅导，由学校决定额外课时津贴标准，由班级统一开支。

课时津贴的发放，清除了“干多干少一个样”的平均主义思想，调动了教师能干工作、多干工作的积极性，而教师“能多能少、多劳多得”的正确意识已逐渐形成。

岗位工资　岗位工资是编内上岗不享受“课时津贴”的教职工月津贴。凡是请假，按缺岗天数、节次扣发；不假旷工、旷课或不参加教研组会、年级组会、学校集会等规定性的活动，加倍扣发。岗位工资的发放、较好地克服和避免了教职工随意请假或旷工的现象，有力地保障了学校正常的教育教学秩序。

兼职工资兼职工资是指教师基本教学工作量之外，兼任其他校内服务工作的酬金，如教研组长、年级组长、班主任等学校安排担任的职务。至于学校党政和处室负责人则根据人事厅、省教委黔人资〔1994〕93 号文件规定，享受“领导职务津贴”，不享受此报酬。

效益工资效益工资是教师教学质量优劣和酬金多寡的体现。效益工资的范围主要是指高、初中毕业会考学科的合格率，高、中考的及格率和平均分，教学班录取大、中专的学生数和录取率，学期统考成绩的等第，省、州、县学科竞赛辅导学生获奖的名次等等。效益工资的发放大都在学期或学年结束时进行，其工资金额不等。效益工资是结构工资的重要组成部分。效益工资的发放，妥善理顺了教学质量与工资兑现的关系，较好地解决了“干好干坏一个样”的矛盾，从而稳定了骨干教师队伍，保证了教学质量的提高。

其他工资其他工资是指对担任学校领导职务、担任财务室、实验室、报时、保卫、水电等工作的相关人员的补贴，包括体育教师的年补贴。

省人事厅、省教委贯彻工资制度改革方案的实施细则要求：“津贴的发放，必须以考核结果为依据，与工作人员的岗位，实际工作量和质量紧密挂钩，拉开应有差距，真正体现按劳分配原则，多劳多得，少劳少得，不劳不得，不能平均发放。具体实施中既要强化津贴分配的激励作用，又要注意正确的政策导向，体现中小学工作的特点。”

1994 年瓮安中学内部结构工资制的施行，既是对《纲要》23 条的具体落实，又是对省人事厅、省教委《实事细则》要求的不折不扣的执行，更是通过后来的实践证明了的切实可行的学校管理体制改革的重要措施和重大成果之一。

附表 1　　1997 年 12 月瓮安中学校内结构工资册

序号	姓名	课时津贴	岗位津贴	兼职补贴							合计	扣发	实发津贴	领款人
				班主任	教研组长	实验财会室	报时保卫水电	体育教师（年）	听课	课外活动辅导				
1	丁家友	184											181	
2	胡朝志	308		18					17				343	
3	吴定明	374		18	10								402	
4	刘乾坤	214											214	
5	刘忠信	219		18									237	

续表

序号	姓名	课时津贴	岗位津贴	兼职补贴							合计	扣发	实发津贴	领款人
				班主任	教研组长	实验财会室	报时保卫水电	体育教师（年）	听课	课外活动辅导				
6	刘明林	469			10								479	
7	顾大忠	320											320	
8	李先富	322		18									340	
9	游　鹏	245		18	10								273	
10	邬培祥	174											174	
11	殷　谦	114											114	
12	盛邦论	220		18									238	
13	朱世宇	210											210	
14	陈清玲	188		18									206	
15	张应龙	297		18									315	
16	邓正富	220		18									238	
17	雷国志	210		18									228	
18	徐　华	195		18	10								223	
19	田景材	100	266		（课时津贴已经扣除 20 节）								366	
20	华和平	199		18									217	
21	陈友华	262		18									280	
22	肖正平	320											320	
23	谢承宇	335			10								345	
24	杨友发	353											353	
25	李阳刚	271		18									289	
26	徐德智	324											324	
27	陈　琴	372											372	
28	谢会军	114											114	
29	杨碧芳	345		18									363	
30	朱模忠	342		18	10								370	
31	潘家贵	232											232	
32	谭仁华	256		18	10								284	

续表

序号	姓名	课时津贴	岗位津贴	兼职补贴							合计	扣发	实发津贴	领款人
				班主任	教研组长	实验财会室	报时保卫水电	体育教师（年）	听课	课外活动辅导				
33	谢友容	99											99	
34	李树南	235											235	
35	毛　惠	184											184	
36	顾晓福	401		18									419	
37	曾佐藩	132	279	18	（课时津贴已经扣除 10 节）								429	
38	周玉明	197											197	
39	韩　梅	275											275	
40	李子忠	239											239	
41	唐　敏	350											350	
42	黄雪瑶	112											112	
43	祁连州	222	18										240	
44	管治雄	266											266	
45	张润琴	309											309	
46	王　静	266	18										284	
47	倪祖芳	323	18										341	
48	曹代陶	314											314	
49	李凤奇	210	266		（课时津贴中已扣除 20 节）								476	
50	杨雨前	206			10								216	
51	李景辉	303		18	10								331	
52	张　奎	184		18									202	
53	左业舟	232											242	
54	孙仲时	300		18									318	
55	蒋丹英	313		18									331	
56	张松林	352		18									370	
57	黄万成	90											90	
58	陶义奎	278		18									296	
59	洪庆平	309											309	

续表

序号	姓名	课时津贴	岗位津贴	兼职补贴							合计	扣发	实发津贴	领款人
				班主任	教研组长	实验财会室	报时保卫水电	体育教师（年）	听课	课外活动辅导				
60	张明光	265		18									283	
61	罗亚林	197											197	
62	杨　平	268											268	
63	徐孝红	259		18									277	
64	刘仁奎	159		18					2				179	
65	邓前轲	381		18	10				2				411	
66	罗小安	316							2				318	
67	谭敬昌	63	279		（课时津贴中已扣除 10 节）								342	
68	罗金元	231		18					2				251	
69	陈玲芳	221							2				223	
70	王成举	143											143	
71	周遗贵	94	266		（课时津贴中已扣除 10 节）								360	
72	黄黎峨	182											182	
73	余　竹	221											221	
74	王顺德	209		18	10								237	
75	曹植铭	344											344	
76	袁子进	242		18	10								270	
77	黄育雍	212											212	
78	王　碧	164											164	
79	万　军	372											373	
80	张元忠	363											363	
81	夏吉友	57	266		（课时津贴中已扣除 20 节）								323	
82	冷　静	112											112	
83	邓　超	250			10					75			335	
84	吴定祥	278								75			353	
85	曾　山	220								72			292	
86	田　春	183								42			225	

续表

序号	姓名	课时津贴	岗位津贴	兼职补贴							合计	扣发	实发津贴	领款人
				班主任	教研组长	实验财会室	报时保卫水电	体育教师（年）	听课	课外活动辅导				
87	黄栋贵	292											292	
88	王忠华	292											292	
89	刘文斌	266											266	
90	徐顺成	90				20							110	
91	付殿萍	90				20			2				112	
92	赵泽宇	90				20							110	
93	邓三益	90				20							110	
94	戎竹君	90				20							110	
95	曾黎明	90				20							110	
96	艾　明	90				20							110	
97	王群英		90			20							110	
98	苏永其		90										90	
99	张芳群		90										90	
100	王德田		90										90	
101	谢培庆		90										90	
102	谭元秀		90										90	
103	肖继惠		90										90	
104	林长青		90				40						130	
105	吴正权		90				40						130	
106	杨长生		90				40						130	
107	曾嫦娥		90				40						130	
108	曾昭映		90										90	
109	谢德丽		90										90	
110	曹维德		90										90	
111	王安云		90										90	
112	范华芝		90										90	
113	曹金秀		90										90	

续表

序号	姓名	课时津贴	岗位津贴	兼职补贴							合计	扣发	实发津贴	领款人
				班主任	教研组长	实验财会室	报时保卫水电	体育教师（年）	听课	课外活动辅导				
114	唐知林		90										90	
115	李子忠		59										59	
合计		22495	3206	576	130	160	160		29	264			27180	

鲜为人知的“工资分”

查阅解放初期贵州省瓮安中学校的历史档案，涉及教职员工待遇，最抢眼球的是“工资分”。如 1953 年 12 月 21 日《贵州省瓮安中学校教职员工经常补助费申请》材料显示：

赵华辅，教师，工薪 180 分。其爱人和三个子女均无工资或其他经济收入。按“生活计算标准”计算，其家庭每月生活开支为：54+36×4＝198（分）

瓮安中学行政审核意见：“经审核全家每月支出按生活标准计算为 198 分，而每月收入为 180 分。根据情况拟补助 14 分。”

华天谷，教师，工薪 210 分。其爱人和五个子女（其中华仁一人有助学金）均无工资或其他经济收入。按“生活计算标准”计算，其家庭每月生活开支为：54＋36×5＝234（分）

瓮安中学行政审核意见：“经审核除华仁仍给人助金外，其余 6 人，按生活计算标准计算，支出为 234 分，而与收入相比相差 24 分。根据情况拟补助 24 分。”

曹绍庸，教师，工薪 210 分。其爱人李廷英工薪 67.6 分。五个子女均无工资或其他经济收入。按“生活计算标准”计算，其家庭每月生活开支为：54×2+36×5＝288（分）

瓮安中学行政审核意见：“每月支出按生活计算标准计算为 288 分，而二人收入为 277 分，相差 11 分。为了工作雇了女工一人，每月支出增加，根据情况，予以 20 分补助。共计拟补助 31 分。”

阳光先，校工，工薪 100 分。其爱人和 3 个子女均无工资或其他经济收入。按“生活计算标准”计算，其家庭每月生活开支为：50+32×4＝178（分）

瓮安中学行政审核意见：“全家人口按生活计算标准计算为 178 分，而与收入比较每月尚差 78 分，但根据当地情况拟予补助 30 分。”

这组材料反映：1. 当时教职员工的工薪是以“工资分”以区级别和支付报酬的；2. 每位教职员工的家庭每月生活开支有统一规定的“生活计算标准”；3. 每位教职员工的家庭经济收入达不到统一规定的“生活计算标准”计算开支，则给予补助“工资分”。

而且，这组材料非常典型：一是“夫妇一方参加工作，另一方无社会职业，如其工资及其经济收入负担三个子女的教养费确有困难者”，二是“夫妇参加工作，如双方工资及其他经济收入，负担五个子女的教养费确有困难者”，三是教师、校工均有之。

针对这组材料中的焦点，我们首先来了解当时的“生活计算标准”是怎么回事。

1953 年 7 月 1 日，贵州省人民政府教育厅教人〔1953〕午字第 0026 号通知下发《贵州省教育厅所属学校教职员工福利暂行办法》。

其中第三条“生活计算标准”规定：“①工作人员每人每月暂按 54 分计算，其家属（系指工作人员未参加工作的妻或夫及因老弱绝对不能劳动生产，而且没有其他人供养，必须依靠该员自己养活的父母和不满十六岁的弟妹以及未参加工作或未享受助学金之子女）每人每月以 36 分计算。勤杂人员本身按 50 分计算，其家属按 32 分计算。按此标准计算支付，如夫妇一方参加工作，工资为 245 分，每工资分按 2350 元计，每月收入 57. 775 万元；家中有父母二人，妻子一人，子女三人（均未享受助学金或其他工作）共计每月支出 60 万元。依此例子，家庭生活确有困难者，可按申项第二条申请补助。②此项补助应随其工资之逐渐提高而降低或取消。”

“生活计算标准”规定的①项内容，显示前面所列瓮安中学校教职员工赵华辅、华天谷、曹绍庸和阳光先四个家庭每月生活开支计算方式的异同，知道了“工资分”本身不是货币，教职员工所得“工资分”要按分值（每工资分按 2350 元计）换成人民币（旧币）后，才能在市场上流通。

那么，“工资分”究竟是什么呢？或者说，怎样给“工资分”这个特定历史时期的概念定义呢？

百度网站对“工资分”的解释是：“1950 年 9 月全国工资改革准备会议后到 1956 年工资改革前，我国关内各地区计算工资的单位，依粮、布、油、煤等实物的当地价格计算。” 1952 年 1 月，国家统一规定每一“工资分”所含的实物种类和数量，即粮食 0. 8 斤，白布 0. 2 尺，植物油 0. 05 斤，食盐 0. 02 斤，煤 2 斤。

其实，“工资分”源于供给制。

1948 年 12 月，由于全国尚未普遍建立地方政权机构，由中央军委后勤部综合各解放区供给标准，制定了全国统一标准。后方机关人员伙食标准：每人每天菜 1 斤、油 3 钱、盐 5 钱、肉 3 钱、粮食（小米）1. 5 斤。服装标准：每人每年单衣 2 套、单帽 1 顶、棉衣 2/3 套，皮帽 1/2 顶，棉被 1/4 床、夹鞋 3 双、袜子 2 双、大衣 1/3 件。棉鞋 1 双。

中华人民共和国成立初，继续执行解放战争时期延续下来的供给制标准。如 1951 年 7 月，黑龙江省政府颁布《全省各级人民政府 1950 年度暂行供给制标准草案》执行办法。供给制人员每人每月包干伙食标准：大灶，每人每月 30 分；中灶，每人每月 60 分；小灶，每人每月 90 分。服装：每人每年单衣 1 套，单帽 1 顶，衬衣 1 套，棉衣 2/3 套、皮帽 1/2 顶，棉被 1/4 床，夹鞋 3 双，棉鞋 1 双，袜子 2 双，大衣 1/3 件。普通津贴：各级勤杂人员每人每月 12 分；一般干部每人每月 16 分；县长级干部每人每月 23 分；专员级以上干部每人每月 31 分。特别津贴：省主席以上干部每人每月 87 分。

根据每分所含实物，哈尔滨市薪金计算标准为：白解放布 0. 06 尺合 678 元，高粱米 1. 6 斤合 2320 元，油 0. 025 斤合 112. 5 元，盐 0. 025 斤合 70 元，煤 3. 4 斤合 272 元。每分值共 3452. 5 元，实际按 3452 元计算。

由于“工资分”所含的实物价格波动，故每月的分值也不同，各月的“工资分”值，均以报刊公布的分值计算。其计算方法是，职工的月“工资分”数乘以当月的“工资分”值，等于月工资额。

中国地域广阔，各地区的实物价格是不相同的，故“工资分”值也不相同。

如前所述，每个“工资分”值，在哈尔滨市合3452元，在贵州则合2350元。

工作调动的话，就以“工资分”按当地的“折实牌价”（工资分值）计算工资。这样，就使职工的工资收入随着物价的上落而变化。物价涨了，工资随之而涨；物价跌了，工资随之而跌，及时调整。结果很明显，人心稳定，没有人埋怨物价飞涨（解放初期，由于长期战争的破坏，生产尚未恢复，通货膨胀严重，物价波动剧烈）生活下降了。

《贵州教育史》称：“解放初期，在国家经济十分困难的情况下，按生活指数以大米发放工资；1952年7月起，实行以工资分配（以几种主要生活用品的综合物价指数折算工资）；1953年起，实行固定工资。从1953年至1956年，每年都不同程度增加工资。”

也就是说，贵州是从1952年7月起，开始实行“工资分”制的。

1952年7月23日，贵州省人民政府教育厅秘字第250号通知附发《全国各级学校教职员工工资标准表》，瓮安中学校教职员工从是月起开始实行“工资分”制。

《全国各级学校教职工工资标准表》把省辖市以上城市和一般地区的学校教职员工的工资级别订为24级。最高级别为12级，月工资分485分；最低级别为35级，月工资分75分；并界定了“高级中等学校（完中）校长”“初级中等学校校长，高级中等学校教务主任”“初级中等学校总务主任、教员，高初级中等学校一般职员”、“工友”的对应级别，按照职务大小，工作繁简、工作能力、学识经验及实际工作成绩进行评薪。

1954年11月12日，贵州人民政府教育厅教人〔1954〕戍字第0036号“关于执行中华人民共和国教育部修订全国中等学校教职员工工资标准及有关事项的通知”下发。“调整办法”指出：

（一）1954年调整原评级别一般不动，现改按新标准折合计算（如原为十九级，现改为八级计算），有下列情形之一者，可考虑升级：1. 对工作（特别是教学方面）有显著成绩者。2. 原工资级别评得较低与同级人员相比有显著不合理者。3. 本人目前职务与工资级别显然不相称者（过去工资级别较高，现在虽然提升职务，也不一定提高其工资级别）。但应注意按新标准调整与提升面须控制在分配的比额内，绝对不容许有丝毫超出的情况发生。

（二）评定新教职员工（即今年暑期前参加工作的人员）工资级别时，应根据其现在职务（高中教员改任初中教员或职员，职员改任工友等亦应结合具体情况按现任职务分别降低）、业务能力、思想品质、服务年限（原则上按参加革命工作时起算，但可适当结合革命前的教龄）以及现在文化水平等具体情况评定。

（三）各校校长评级（包括升级）由各专署提出初步意见报厅审查转报省政府批核。教职员工评级时一般采取领导与群众相结合的方式，即由学校行政提出方案，征询群众意见，再经学校领导确定，报送专署批核执行，再由专署汇总报厅备查。

（四）工农速中参照贵定专区中学控制数评定后报厅核办。

此次工资修订调整，贵州省瓮安中学校教职员工的工资级别为新订级别的8-22级，人均增加工资分10分（调整前平均工资167. 37分，调整后平均工资177. 37分，调整后较调整前增加5. 97%）

1955年，全国物价稳定，国家机关工作人员生活水平逐步提高，“工资分”所含粮、布、油、盐、煤五种实物，已不能包括大部分生活需要品。1955年8月31日，周恩来签发《国务院关于国家机关工作人员全部实行工资制和改行货币工资制的命令》，决定自1955年7月起，省一部工作人员所实行的包干制待遇一律改为工资制待遇。在国家机关及所属事业单位先行废除“工资分”计算办法，改行货币工资制。同年，进行了币制改革，以1万元旧币兑换1元新人民币。

1955年12月3日，贵州省贵定专署教行〔1955〕亥字第117号）《关于我区1955年中学、师范、小学、幼儿教育事业工资调整计划的通知》下发。该通知称：

“按省教育厅1955年11月23日教计财〔1955〕戌字第0323、0324号关于我省中等学校、中等师范及初等学校教职员工改行货币工资制及调整工资等有关事项的通知，经我署研究，遵照省教育厅精神，结合全区情况，兹将各县、校工资调整计划指标随文附发，希各县掌握，认真研究，抓紧时间进行，务于本年底前调整完毕，并将调整后情况及书面总结（随调整工资前后人员等级情况表）报我署及省厅备查。”

改行货币工资制及调整工资后贵州省瓮安中学校教职员工每人每月平均工资41.96元。详见《贵州省瓮安初级中学1956—1957年度第一学期教职员工名册表》。

这次改行货币工资制后，工作人员及其家属的一切生活费用，均由个人负担。原行的家庭双方一供（给制）一薪（金制）工作人员的子女教养费补助费、保姆费以及行政经费开支标准中有关工作人员子女入学学杂费、宿费等项规定，一律废除。“工资分”，这个计算工资单位的概念，也完成了它的历史使命，进入了档案的封册。

瓮安中学蒙匪记

民国以来，瓮安时有土匪活动。民国26年至31年（1937—1942），匪风顿炽，土匪活动从边远地区转向中心村寨、县城近郊，高庄、大水沟，中心槽先后被抢。城区人心惶惶，寝食难安。

民国28年（1939年）11月19日，瓮安中学（当时叫“省立瓮安初级中学”）校长冉隆堃在给省政府主席吴鼎昌、省教育厅厅长张志韩《呈请转咨绥靖公署派队驻防县城以维治安》一文中写道：

“窃查瓮安县城偏于县区南隅，接近瓮属都加山（又叫都凹山，即现朱家山）及黄平八轮山一带地区。该地区内，因山高林密，人烟荒寂，素为苗匪出没之所。因地方团队实力薄弱，县城附近过去常遭匪徒侵扰。职校又在城外，以此每临冬防之际，员生均惴惴不安。民国26年（1937年）冬季，曾有苗匪百余抢劫距校二里之新庄地方。当时全校员生恐慌万状，几被波及。去年冬季，幸财政部盐务缉私第一大队开瓮驻防，匪徒闻风远飏，人畜不惊。至于今日刻间财政部缉私第一大队奉令驻都匀地区，土匪遂乘机潜行窜入。如著名之六排长钟志达、罗矮子等，每股均有人枪数十……现缉私队业经开始移动，学生中稍有身家者，因摄于过去之事实，校址又居郊外，犹恐拉羊捉肥，致求学读书心亦不安，影响教育殊非浅显。……”

好一句“每临冬防之际，员生均惴惴不安”，“冬天防匪”，就成为“冬防”一词特殊的历史内涵。

幸甚的是，当时瓮安县的傅敞运县长接到瓮安中学函请派遣保安兵一班戍守南门城外日夜巡逻用资防守的要求后，令本县保警第三分队长陈镜明派队兵一班戍守，瓮安中学员生总算安全过冬。1940年也相安无事。

民国30年（1941年）8月，冉隆堃调他处，杨藻章接任瓮安中学校长。

是时，裘胜嘉任瓮安县长。

杨藻章和裘胜嘉都是一介书生，前者毕业于中央大学中文系，后者毕业于中央政治学院。前者治校，倒是轻车熟路，接任瓮安中学校长后，“力事整顿，前途发展可期”（省教育厅厅长欧元怀语）。后者治理一个地方，加上没有带兵之道，面对匪患难免捉襟见肘。

匪患问题一直是瓮安中学员生的一块心病。

杨藻章在就任的同年 9 月 25 日给裘胜嘉县长的信里写道：

“本校地处南郊，距城寫远，治安向乏确切保障。近临秋收，瞬届冬防，耳闻山岳地带时有伏莽潜滋。自驻军走后，校内员生鉴于已往情务，夙夜警惕，惶惶不安。去此不图，后患堪虞。

素仰贵县长治理有方，自必防匪患于未然。虽然军事秘密未便过问，然大体设施愿闻其详。所有本校治安问题，贵府作何处置？配备若何？可否保障万全之处？亟期求告，俾转员生教读……”

书生气十足的裘胜嘉县长回复说：“全县治安已有统筹计划，每夜均派有保警兵及民团在城郊外放哨。一有匪警，即行通知在校员生戒备，学校安全绝无问题。”

嗣后，瓮安县保警大队部又在给瓮安中学的信函里称：

“贵校函讯匪一节，查朱家山一带确有股匪（刘明安部）盘踞，自须随时戒备。今晚是否出山，此刻当未接到情报。一俟接到情报，自当即行奉达。”

学校安全究竟有没有问题，只有天晓得！而保警大队部的这份信函又把瓮安中学员生的惶恐不安之心提到了嗓眼上。可想而知，瓮安中学的员生是怎样在如此惶惶不可终日中挨过这个冬天的。

民国 31 年（1942 年）5 月 26 日（农历四月十二）夜晚，天气不阴不阳。据张明权老先生（瓮安中学第十七期学生）回忆，这天晚上既非月黑风高，又非星稀月明。朦胧的月色笼罩着瓮安中学这只郊外的鸟巢，鸟巢里的员生因长时期的身心疲惫，早早地进入梦乡，而鸟巢周边的水田里，传来此起彼伏的蛙声……27 日凌晨许，枪声惊破了宁静的夜空，紧接着一阵呯呯嘭嘭的砸门声，刘明安匪徒“数十人毁门入校，大肆劫掠，经历约二小时之久，当即绑去校长杨藻章、教导主任邵光奎，主任导师余正清，组员丁章、学生何国衡等计共三十六人，劫去公私财物约值十万之巨。”（《快邮代电》）

瓮安中学遭匪抢劫时的情景至今还清晰地留在张老先生的记忆里：子弹划过夜空的呼啸声，呯呯嘭嘭的砸门声，校门毁坏的坍塌声，员生闻匪入校时的惊叫声，跳楼逾墙，夺路而逃的纷沓声，被抓绑员生的呼救声和哭喊声，匪徒的狞笑声和吆喝声……充塞整个校园。

天亮后，瓮安中学一片狼藉。

事务主任商足三找来几位幸免教员商议，就瓮安中学被匪劫一事，即刻草拟并发出《告学生家长书》，电呈省府教育厅并函请瓮安县政府设法营救被拉羊捉肥之员生。

5 月 29 日，经匪认为寒士无可勒赎而释放的有教员主任邵光奎、主任导师余正清和学生 22 人。校长杨藻章、组员丁章及学生金家治等 12 人仍在蒙难。匪频勒索巨款，动以万计。

6 月 5 日，裘胜嘉县长给瓮安中学教员张克襄（瓮安中学创办人之一，曾被推为瓮安中学第二任校长）的信函称：

“昨日下午我保警队壮丁队继续入山进剿营救，当与匪激战，结果救出杨校长及丁章组员二位，于当晚安住岚关。特专函奉开，希於晨时升旗时转达全校师生。”

杨藻章与丁章是日脱险，并携回学校铃记一颗。仍有10名学生蒙难于匪巢。不久逃脱一人。

6月13日，瓮安保警大队常凤举给杨藻章的信函称：

“藻章兄鉴，来函敬悉。关于贵校被劫学生9人，弟在岚与各队长正在设法营救之中。初以善策，而匪迄今仍无释放之意。所以弟本日率队进山实行以武力压迫，一方另想他法营救。”

其实，瓮安中学被匪劫持去朱家山匪巢的员生，绝大多数为清寒之士。在“天无三日晴，地无三里平，人无三两银”的贫困贵州山区，即使个别稍有身家者，也不可能满足土匪巨款勒索之欲。如学生家长丁凡昌在6月14日给杨藻章的信函中说道：

“藻章校长均鉴：

来示已悉。此次小儿科发不幸被匪所掳，全仰我校长善设法营救是幸。至须来校共商一切要事，昌因残躯染疾，不能前来。如我校长及各先生与各同学之家长共商结果如何进行，除以钱取人外，其他一切办法，昌总之决端附和，别无他辞。所不能以钱取人，实因昌之家庭经济无从筹备，非常困难。我校长可问我县同学即知详情，亦别无他意。但对这次商讨结果如何，敬烦明白告知……”

土匪在县城脚下如此胆大妄为，肆意抢劫瓮安中学的动作，不仅惊动了省政府、省教育厅，还惊动了教育部。

6月19日教育部代电称：“悉杨校长及员生被掳，无任转念，经已电请省府迅令设法营救保障安全。”

杨藻章校长脱险回校后，一方面亲临县府，面呈学校被劫经过和损失，要求设法营救蒙难学生，拨款救济被劫员生，在城内觅找员生宿舍，派保警兵数人驻校内加强戒备；一方面将这些要求呈省政府教育厅，请求省政府督促瓮安县府早日落实学校要求。

7月3日夜半，学校又发生匪警，临时驻警兵开枪射击。“枪声响处，员生惊起奔逃，黑夜恐怖中踣跌颠顿、破皮受伤者数十人。”“事后查实确有土匪多人越境而过，企图不明，刻全校员生惊悸异常，实有朝不保夕之势。”

7月4日，瓮安中学50余名学生到瓮安县政府请愿，“久集不散”，“请求在本府住宿”。瓮安中学全体职教员以《快邮代电》向重庆国民政府中央党部、省政府、省党部、川滇黔监察使署、滇黔绥靖公署及全国各机关法团学校报告求救。省政府深感事态严重，经过多次磋商后决定，将瓮安县长裘胜嘉与思南县长杨仲皋对调。

据冷开晟写的《杨仲皋智治匪患》介绍：

杨仲皋，军人出身，曾任省保安司令部上校科长，后调任思南县长。在思南期间，由于善于剿匪治匪，闻名遐迩。他手下培植了一批枪法极准，胆识兼备敢打敢拼的亲信。如周光荣，皮绍轩，张朝海，刘驼子等。

杨仲皋果然不负众望，“到任以来，匝月之间已将境内的各股匪徒肃清，全县安堵，秩序井然。”

“最高学府”对瓮安师范教育的贡献

瓮安中学，历经“书院—高等小学堂—高等小学校—中学”的演变，一直系瓮安地方的“最高学府”。该“最高学府”无论是处花竹高等小学堂、县立高等小学校，还是处贵州省瓮安中学时段，都为瓮安及周边邻县地区的基础教育做出了卓越的贡献。同时，也为解决各个时期师资缺乏的问题，为地方师范教育做出了不可磨灭的贡献。

光绪二十八年（1902），颁布《钦定学堂章程》即壬寅学制。这个学制未及实施，又于次年颁布《奏定学堂章程》即癸卯学制，在全国施行。《奏定学堂章程》对学校体系、学制课程，学校管理等都作了规定，它的颁布和实施，标志着近代学制在中国的建立。按照这个学制，全部学校分为3段6级。初等教学段9年，分初等小学堂（5年）、高等小学堂（4年）两级；中等教学段5年，不分级；高等教育段7年，分高等学堂（即大学预科3年）、大学院（3—4年）、通儒院（5年相当于现在的研究生院）。

贵州建立最早的小学堂于光绪二十七年（1901）建于思南府。

据民国《贵州通志》的统计，至光绪二十九年（1903），贵州已有小学堂25所。

“癸卯学制”在全国推行后，花竹书院改为花竹高等小学堂。本城初等小学堂亦办在花竹书院内。

据《贵州教育史》称：

“清末兴办新式学堂，由于官府的重视，社会各界的支持，校舍可以利用原来的书院、义学的房屋以及祠堂、庙宇等，设备虽然简陋一些，还可由地方自行解决。当时碰到的最大困难，是师资奇缺。修身、讲经读经、历史等科，还可以利用原来的举贡生员和私塾先生，而‘西学’学科的师资却无法解决。为解决这个问题，各级政府和办学者采取了许多办法。”

办法之一就是“大力发展师范教育。清末贵州兴办的学堂中，师范性质的学堂在中等以上学堂中占的比例最大。其中，有高师性质的优级师范选科，中师性质的师范学堂和初师性质的简易师范学堂。有进行短期培训的师范传习所，总数占清末中等以上学堂的40%以上。其中，最值得称道的是各级政府兴办的师范传习所，它培训的时间虽短，却能解决教师奇缺的急需。……这一做法，一直延续到民国初期。”

据瓮安中学退休老教师王开余手稿载：

“（瓮安）高等小学堂为解决农村师资问题，于1912年附设简师一班，招收初等小学毕业生，学制2年。县令委任谭希杜为堂长，教员由堂长招聘，县劝学所负责指导学校工作。

1914年设预科一班，有学生200余人，教师8人，4个班。附设有2年制简易师范班。”

1922年教育部正式公布《新学制系统》即“壬戌学制”。该学制类似美国的“六、三、三”学制，规定全部学校教育时间为16—18年，分三段五级。初等教育6年，分初小4年和高小2年两级；中等教育6年，分初中3年和高中教育3年两级，高等教育4—6年，不分级。此后，学制虽几经修改，但对1922年公布的学制未作大的修改，民国时期一直沿用。“壬戌学制”在全国推行后，瓮安高等小学堂改为瓮安县立高等小学校。校内一直附设有简易师范班。

“1925 年周西城三师一部和彭汉章二师一部分打仗，在黄龙屯打了几十天。战前通知居民学校师生撤离危险区，是所谓文明之仗，这对学校影响很大，简师也停办了。简师先后办了十六班，学制二年的 2 期，学制一年的 14 期，培养学生 500 余人。”

当然，王开余老师的手稿所载，难免有错漏。我们姑且不去推断从 1912 年至 1925 年这十四年间如何办了 16 期简易师范班，单从民国时期的瓮安中学档案材料来看，傅应铨的两份毕业证书就说明王开余老师所记有谬：

毕业证书

学生傅应铨系贵州省瓮安人，现年十七岁，在本校修业期满，考查成绩及格，准予毕业。此证。

瓮安县立高等小学校校长宋宝德

中华民国十三年十二月三十一日

毕业证书

学生傅应铨系贵州省瓮安县人，现年十九岁，在本校师范科修业期满，考查成绩及格，准予毕业。此证。

校长 宋宝德（章）

中华民国十五年八月十日

两份毕业证书，一是说明学生傅应铨是县立高等小学校毕业后才去读的师范科，一是说明简师班（即师范科）在 1926 年仍在办。又，1926 年 11 月 11 日瓮安县立中学获准成立上课时，瓮安县高等小学校仍在花竹书院内，直到 1929 年县立高等小学校把花竹书院全盘让给瓮安中学，迁到文昌宫（雍阳小学）与本城初等小学合并。

民国 29 年（1940 年）4 月，省政府教育厅转发教育部二十九年二月十六日普贰 3 字第 4557 号训令称：

“查国民教育实施在即。各省所需大量师资，应依照各省呈经核准之师范教育设施方案，于各师范区内积极增设师范学校简易师范学校或特别师范科简易师范科等师资训练机关，以便造就大量师资，推行国民教育。唯各省师范区内之各县如以国民教育师资异常缺乏，而该地方又无正式师资训练机关，可以造就师资时，得由省教育行政机关暂行指定公立初级中学或县政府呈请核准于县立中学三年级增设师资训练科目，培养国民学校代用教员，以资补救在该地方师资足敷分配。如已设有正式师资训练机关，将应即停止办理。兹计定初级中学三年级增设师资训练科目办法一种，合行捡发令仰遵照。”

《初级中学三年级增设师资训练科目办法》规定：

一、凡初级中学三年级学生年龄在十七周岁以上，其前学年学业成绩总平均在十分以上，有志充任国民学校师资者，得送习师资训练科目。

二、初级中学三年级师资训练科目及每周教学时数如下表：

附表 2

科目 时数 学期	教育概论	教学法	学校行政	教学实习
第一学期	2	4 （包括儿童心理及教材）		
第二学期			2 （包括儿童保育法）	4

三、选习师资训练科目之学生，其初中必修科目教学时数不得减少。师资训练科目教学时数即训用三年级原有选习时数之三小时及另行增加三小时，合为六小时。其每周教学总时数比其他学生增三小时。

四、选习师资训练科目之学生毕业后得充任国民学校代用教员，须服务一年以上并在师资进修班受训六个月以上，或暑期讲习会讲习三期以上者，方能取得与简易师范学校或简易师范科毕业生之同等资格。此项毕业学生得投考简易师范科或师范学校。

五、行政院直辖市得比照本办法办理。

接省政府转发教育部该训令暨《初级中学三年级增设师资训练科目办法》后，省立瓮安初级中学立即做出回应，冉隆堃校长在《呈复本校三年级学生应行增设师资训练科目》一文中写道：

“……窃查职校所在地之瓮及邻近黄平、湄潭、开阳、余庆等县，国民教育师资异常缺乏。一般初级小学师资，以初中毕业生充任者，尚属比较进步；穷乡僻壤之学校，仍不免以旧式学究充任。以社会需要而论，职校三年级增设师资训练科目，实属必要。复查职校学生，多来自农村，毕业后有因家贫不能升学者，能于三年级给以简单之职业训练，亦极适合。”

于是，省立瓮安初级中学是年在本校初三年级开办了国民教育师资训练班一班。师资训练班所增课时费经教育厅同意后编入年度概算。

民国 30 年（1941 年）春，省立瓮安初级中学奉省政府教育厅令开办简易师范一班。请看民国三十年二月二十四日冉隆堃校长《呈送简师招生简章祈核示》一文：

“窃查职校本季奉钧厅令发概算总数，饬办初中五班、简易师范一班，当即遵令办理。除概算编定另文呈送外，职校原有旧生为初中三班，应另招初中新生二班、简易师范一班。除前月呈准招收初中一班外，刻应再招初中一班，简师一班。窃查初中招生简章业经呈准备案，兹特拟具简师招生简章呈祈鉴核示遵。谨呈省教育厅厅长欧。”

附简师招生简章一纸：

贵州省立瓮安初级中学添办简易师范班招生简章

1. 名额：一年制简易师范班新生三十名。
2. 待遇：免缴学费，每月津贴伙食费拾伍元。
3. 投考资格：初中毕业或具有同等学力者。
4. 报名日期：即日起至三月五日止。
5. 考试日期：三月六至七日。证件无问题者得免考入学。

中华民国三十年二月二十四日
校长 冉隆堃

为使该简易师范班能顺利招齐学生，冉隆堃校长又于是年三月四日向瓮及邻县政府发出《函请考送简师学生入学》公函：

“径敀者本校本年上学期奉令加办一年制简易师范科一班。为顾及邻近学生升学便利起见，业经呈准教育厅，由附近各县政府考送学生入学。为此函达贵府，请即考送三名，函送为荷。此致。

瓮安、余庆、黄平、平越、湄潭等县政府。

全衔

三十年三月四日

简易师范科招生结果 29 人（《贵州省立瓮安初级中学三十年三至七月份简易师范班学生伙食费清单》）。后因种种原因，坚持读至毕业的，有 22 人。请看民国三十年十二月二十八日省政府教育厅教壹厅指字第 2339 号指令：

“……呈悉。查高星云、刘崇德、吴明光、杨得仲等四名既因逾限，久不到校，被开除学籍，准予备查。仰并查明其家长及保证人姓名、所住，径函所在地之县政府，追缴各生之伙食补助费及其他学校用费，用示惩罚。至黄兰芬、时哲衡、王道宏等三名，姑准从宽免议。此令。”

又，从 1941 年 9 月起，按照省政府教壹字第 118 号训令，“所有肄业各省立师范学校及附设简师科之师范学生，每人每月再增给伙食补助费十元，连原有补助费共为二十五元。”

当时读简师科之师范学生的待遇，还是此较优厚的。

民国 31 年（1941 年）春，根据省政府教育〔教壹厅指字第 132 号〕指令，贵州省立瓮安初级中学“简师科停止招生”。

民国 34 年（1945 年）春，县立简易师范班招生一班，分两次报名，招收新生 41 名（45 年 3 月份学生实物补助清册）。“县立简易师范班附设贵校（贵州省立瓮安中学），所有该班一切事宜全权请托贵校长代为办理”（瓮安县政府 1945 年 3 月 23 日〔教西字第 1485 号〕请托书）。“简师班课程除萧显仁先生外，均多为敝校同仁分担”（刁成坤校长致瓮安县政府函）。

根据教育部民国 29 年（1940 年）3 月修正并公布《师范学校及简易师范学校教学科目及各学期每周各科教学时数表》，所开设教学科目有教育概论（改称教育通论）、教育心理、测验及统计、教材及教学法、教育行政、实习、国文、地理、历史、体育、军事救护、地方自治、农村经济及合作。

该班学生 39 人是年 12 月毕业后服务于瓮安的教育事业，相对知名的学生有石明信、杨大济、李隆瑞等人。

1949 年 11 月 25 日成立“贵阳市军事管制委员会”，设有文教接管部。根据“暂维现状，逐步改革”的方针，在保持原有教学系统不变，人员不变，课程基本不变的情况下，让原有教师安心教下去，使教学秩序很快稳定下来。当时师资队伍的基本情况：数量严重不足，思想状况和业务能力不能适应新民主主义教育的需要。为解决这些问题，1951 年初，中共中央发出救济失业，失学知识分子的指示，省政府结合贵州实际制定《贵州省中等学校教师训练班暂行办法》和《贵州省小学教师训练班暂行办法》，招收失学、失业知识分子进行培训。

于是，瓮安中学奉令开办小学教师训练班，招收社会上一些无职业的旧知识分子，以及少数已经参加教学工作，由于认识落后于形势，犯了错误或说了错话，调回来重新学习的。小学教师训练班，主要是帮助学员更新思想，提高认识。教材以学习“政治、时事”为主，间或也学一点业务课，如《心理学》、小学语算等学科。

学员的招收和毕业是不定时的，陆续收，陆续分配。因此学员在校学习时间，最长半个学期，最短一个月。在校学员保持30~40人，多时达80人。

1951—1953年毕业的学员，全部分配在本县。1954年一期学员，全部输送到罗甸、惠水、长顺等县。

1957年“整风”反“右”后，革命出现了新的高潮，人民办学积极性高涨，全县公办、民办学校星罗棋布，教师又感不足。

1958年春瓮安师范班开班时，又附设于瓮安中学。同年秋瓮安与福泉合并，师范随瓮安中学迁至福泉县城。

1959年7月24日，瓮安县人民委员会〔1959〕教字84号关于新成立第四中学及单独设立师范的通知称：

“……根据今年我县教育事业发展的需要和方便学生就地入学，减轻学生家庭负担，经研究决定在瓮安城内（校址：原瓮安中学内）新开办一所中学，内设高中部，名曰‘贵州省瓮安第四中学’。原一中附设师范班分开单独设立（校址：瓮安城西门外），名曰‘贵州省瓮安师范学校’。”由是，师范随瓮安中学迁至福泉县城的4个初中班迁回瓮安，独立办学。

1960年春，瓮安县中学师资培训班在瓮安四中开班。

据1960年2月20日《瓮安县中学师资培训方案》载：“根据省州分配指标，结合我县具体情况，计划今年共计发展公民办中学71班，招收新生3550名（其中包括公办高中5班，学生250人；初中36班，学生1800人；师范6班，学生300人；民办普中3班，学生150人；民办农中19班，学生950人；民办职中2班，学生100人）。招生后需增加教师109人。除州分配43人，尚缺教师66人。解决师资问题，是胜利完成教育事业发展的重要前提。除请求省州解决全部高中教师11人和初中教师32人外，尚缺初中教师66人，必须由县自行设法解决。”

“为了适应我县今年教育事业的继续发展，解决初中招生后教师不足的问题，经报送上级同意，决定成立‘瓮安县中学教师训练班’，负责培训中学招生后需要由县教决的全部教师，并研究决定，为了便于加强领导，班址设在瓮安城内‘贵州省瓮安第四中学’，一切行政、教务、总务工作全部委托瓮安四中代管。”

中学师资培训班“招收政治思想进步、历史清楚、身体健康、具有初中毕业文化程度，愿意服务人民教育事业年龄在35岁以下的青年。”

中学师资培训班学生学习共计五个半月（3月1日开学上课，8月15日学习结束）。“全班共配专职教师3人，抽调一中（福泉）王盛诚主任、二中（草塘）张庆龙老师、三中（牛场）梅宗圻校长。政治课程委托四中党支部分派教师担任。以上人员承担后所剩课程，须由四中包干。”

1961—1963年，中共中央先后颁布《教育部直属高等学校暂行工作条例（草案）》（简称《高教60条》）、《全日制中学暂行工作条例（草案）》（简称《中教50条》）和《全日制小学工作条例（草案）》（简称《小教40条》）。这三个条例总结了中华人民共和国新中国成立以来大、中、小学办学的经验教训，规定了今后办学方向和办法，为进一步贯彻党的教育方针，提高教育质量，创造了有利条件。

中、小学工作条例（草案）下达后，省委、省教育厅和各级学校多次组织学习、讨论。1963 年 6 月，省委发出《关于贯彻执行〈中央关于讨论试行全日制中小学工作条例（草案）和当前中小学教育工作几个问题的指示〉的安排意见》。1963 年 7 月，省委又批转省教育厅党组《关于全省教育工作会议情况的报告和有关几个问题的请示》。这两个文件，对分期分批实行两个条例作了具体规划，并对提高中小学教育质量问题提出了具体要求。这两个文件指出，贵州省当时面临中小学两面紧的情况：一面是普及的任务大，另一面是提高的任务大。不管是普及还是提高，都得首先解决师资缺乏的问题。

1965 年 8 月，中共瓮安县委，瓮安县教育科针对本县小学教师严重不足的情况，根据贵州省 1965 年 6 月“各县可办速师班自行解决教师不足问题”的会议精神，决定从瓮安中学、草塘中学、羊关农中、玉山农中、新华农中等学校中推荐初三年级学生 60 人组成速师 1 班，推荐二年级学生 58 人组成速师 2 班，初三年级学生（速师 1 班）学习一年，于 1966 年毕业；初二年级学生（速师 2 班）学习两年，于 1967 年 7 月毕业。因 1966 年 6 月后学校动乱，家庭成分偏“高”的速师 1 班有 8 人未分配，并于是年 10 月后返校“闹革命”参加大串联（有少部分已分配的学生也返校参与），结果与速师 2 班的学生于 1967 年 8 月一起分配工作。

速师班由教育科（科长傅文英）和瓮安中学（校长应哲）领导，调进张义芳老师担任速师 1 班班主任，上语文课；调进文光伟老师担任速师 2 班班主任，上数学课。政治课、教育学课由教导主任丁章担任，语文课由丁方强老师担任，书法课由张世忠老师担任，其他体育、音乐等课程均由瓮安中学的老师担任。

1967 年这批学生分配之后，学校受“文化大革命”影响，未能继续招生。

1970 年以后招收的瓮安师范班，就不再附设于瓮安中学了。

瓮中的抗日宣传活动

民国 20 年（1931 年）“9・18”事变后，日本帝国主义把侵略魔爪伸进了中国东北，全国掀起抗日怒潮。省立瓮安第六中学和瓮安人民一样，在全国抗日运动的推动下，也积极投入这场斗争。

民国 21 年（1932 年）3 月，省立瓮安第六中学校长王从周和教师李超凡、魏子修等为宣传抗日，组织初三学生连续三天演出话剧《朱万贯》，揭露、批判和讽刺置民族存亡而不顾，一意横行乡里，不顾广大人民死活的反动当局和反动士绅，教育人们树立有国才有家的思想。还演出快板剧《流浪儿》，揭露日寇滥杀我同胞的罪行，每夜观众达八百多人。

4 月，原瓮安六中毕业后在上海读书的学生袁祥璋、王开文回乡避难。中学全校师生请他二人回校组织两次报告会。他俩以耳闻目睹的事实，叙述了日本海军陆战队在 1 月 28 日深夜突然袭击上海，用飞机、大炮掩护陆战队登陆，轰炸、焚烧、枪杀人民的情况，以及上海人民如何配合军队抵抗日军的战斗场面。特别讲到闸北一带十九路军在蔡廷锴将军领导下奋起抵抗，展开激烈搏斗，军民合作，不顾生死，打击日本强盗的经过时，全校师生摩拳擦掌，群情激愤，不断高呼“誓死恢复祖国锦绣河山”的口号，并要求学校组织学生奔赴前线杀敌报国。场面十分动人，达到揭露日本暴行，宣传和鼓舞群众之目的。期间，瓮中宣传队收到岚关乡保国民学校教师写的三首小诗，虽不精湛，但反映了人民群众对日本侵略军的刻骨仇恨和抗日救国的爱国激情，同时也反映了寒假抗日宣传队较好的宣传效果。原诗为：

青年学生真心好，
爱国岂畏风雪暴；
哭听《流亡三部曲》，
恨杀日本狗强盗。

风雪交加天气寒，
不辞辛劳为哪般，
话绘鬼子虎狼相，
保家卫国凭容缓。

国家兴亡人有责，
输财仗义理当然；
先有国来后有家，
投笔请缨第一端。

9月，为进一步宣传抗日，唤醒民众，组织群众，教师魏子修绘制图案，指导学生用木、竹编制高一米左右，约八平方米的日本军舰和长3米，高2米的日本飞机，以实物进行直观宣传，扩大了宣传和教育效果。同时还编扎了写有“打倒日本帝国主义”等标语和画有日本强盗枪杀我人民的图画。

10月，组织一次声势较大的游行示威。师生们以整齐的步伐由城南门外进入城内，沿途军乐声、歌唱声、口号不绝于耳，表现了中华民族维护民族尊严，国家独立的正气和情操，消灭日本帝国主义的决心。又分别在西、南、北三大街和城市中心钟鼓楼开展了揭露日本强盗的滔天罪行宣传，要求大家团结起来，雪耻救国的集会活动。夜晚，还组织了提灯游行。全城灯火辉煌，到处是“我的家在东北松花江上，那里有我的同胞，还有那衰老的爹娘……流浪，流浪，哪年哪月才能够回到我哪可爱的故乡”的凄凉、哀婉、悲苦的歌声，不少人流下“亡国恨”的伤心泪。

寒假期间，中学的师生们发动和组织了寒假回乡宣传队，按学生住地分区组合，并指定专人负责，在各区演出抗日话剧和教唱抗日歌曲，使抗日宣传活动深入农村，扩大宣传和教育面，收到好的效果。

民国26年（1937年）7月7日，抗日战争爆发。7月15日，中共中央提出“国共合作”宣言发表，宣告统一战线的成立。10月—11月，瓮中毕业在贵阳读书的学生胡德一、戎绍虞、陈达民、杨敬书等回到家乡，与瓮中师生们配合深入到各区进行宣传，先后到玉山，珠藏、永和、草塘、牛场等区进行轮回的化妆宣传和教唱《流亡三部曲》《打东洋保家乡》《义勇军进行曲》等歌曲。12月，贵州省组织的抗日文工团来瓮安宣传演出，全校师生进行了观看。此时，正在瓮中读书的杜维华、陆文风毅然投笔从戎，取道马场坪，奔赴抗战的湖南前线。

民国27年（1938年），瓮安中学参与县国民党党部成立的抗日救国委员会，以领导全县的抗日救亡运动。

民国28年至33年（1939年—1944年），中共地下党员肖之亮、冉隆英、戴卓颖、余正清、马仲楠等人先后站上了宣传抗日的政治宣讲台，唱响了“起来，不愿做奴隶的人民，把我们的血肉，筑成我们新的长城……冒着敌人的炮火，前进，前进，前进进！”的歌声。肖之亮主演《放下你的鞭子》等戏剧，用那悲壮的呐喊申诉，辛辣的诅咒，含泪的微笑去激励人民起来雪耻，收复河山。

1944年11月，国民党军队湘桂大撤退，日本侵略军长驱直入，一直打到独山，史称“黔南事变”。大批难民颠沛流离，无家可归，到处流浪，惨不忍睹。瓮安中学在外读书的学生回到家乡，配合学校演出夏衍的《离离草》、冼星海的《黄河大合唱》等大型作品。1932年1月28日，在淞沪战役中英勇牺牲的在国民革命军十九路军任连长的被国民党当局誉为“黄埔之英”施汝德；1937年在江阴炮台阻击日军英勇牺牲的在103师连长王伯才其亲属为他们修建了专祠进行悼念。1939年，抗日英雄施汝德的父亲施裕初大病愈后，将准备为其办丧事所筹之款三千大洋捐献出来，存入银行，每年所获利息，作为发给瓮安中学优秀生之奖学金。

民国34年（1945年）1月，正在遵义尚稽大同中学任教导主任的中共中央南方局负责人赖卫民（又名赖映棠），筹备组织“遵（义）湄（潭）余（庆）瓮（安）”山区抗日游击根据地，组织四十余支枪的游击武装，积极开展抗日救亡活动。不久，受南方局派遣到瓮安中学接任何灿章任教导主任一职。瓮安中学抗日气氛特别活跃。课外活动分唱歌、戏剧、体育、文学四个组。全校八个班，每星期一个班主演，其他各班每班出一个节目。还教唱“工农商学兵，大家来救亡，拿起我们的铁锤刀枪，走出工厂、田庄、课堂，到前线去，走上民族解放的战场”这首歌。同学们扛起抗日宣传标语，搬上凳子，到街道上宣传抗日救国的道理。

是年8月15日后，瓮安中学的抗日救亡活动结束。

梓木林风波

贵州省瓮安中学梓木林，坐落在原瓮安中学南校门围墙外（现社队企业管理局职工宿舍处），系民国28年（1939年）冉隆堃任贵州省立瓮安初级中学校长时所栽种，40年来，师生倍加爱护，精心管理培育而成的瓮安中学的“风水林”。

1977年10月，瓮安中学为开设新校门（新校门朝东向），需用县城南街徐大生家房屋及自留地，共计面积128.51平方米。当时学校与社队企业管理局口头商定，将该局于徐家毗邻的房屋两间半给徐家作抵偿，由瓮安中学拨出学校南端梓木林前面水稻试验田487平方米给社队企业管理局作补偿。尽管学校以四倍面积的土地进行交换，但为了新开校门的长远利益，广大教职工并无异言。

1979年9月，社队企业管理局开始在水稻试验田上修建宿舍。意想不到的是，社队企业管理局除占用原双方协定好的稻田之外，沿田埂向东至公路边多占用了瓮安中学土地370多平方米。甚者，该局后来又扩大修建规模，得尺进丈地向学校的梓木林地延伸。10月9日，社队企业管理局竟然将部分梓木树砍伐，据为己有。后经学校派人前往索取，仅归还两根。接着社队企业管理局又强行在梓木林内挖基槽，下基石。

为此，瓮安中学多次前往交涉，望其停止施工，以维护原来的口头协议。但社队企业管理局一意孤行，仍继续施工，并加快施工速度，妄图造成既成事实。

另外，社队企业管理局又单方炮制了一份所谓《调换基地协议书》，妄图取得文字凭证。协议称：

“瓮安中学新建校门，需占用瓮安县社队企业局南街两间半房子和空地（价二千一百元）。经双方协商，社队企业局无偿将南街购买的房子地基给瓮安中学新建校门，瓮安中学将梓木林南段也无偿给瓮安社队企业局新建宿舍。地界：东至公路水沟为界，南至沙灌厂生产队田后坎为界，西至杨、谢两家自留地为界，北至中心大队厂房山头直过到社员自留地为界。

并经双方协商议定如下：

1. 梓木树林是风水林，所有权属瓮安中学，均应保护。

2. 在梓木林内进行基建，如必须砍伐梓木树，应经瓮安中学同意并报县批准后，才能砍伐占用，砍伐的梓木树归瓮安中学所有。

3. 从协议签订之日起，新种植的树木归瓮安社队企业局所有。

4. 社队企业局职工吴万暂住瓮安中学宿舍，待社队企业局宿舍建成后迁出，归还瓮安中学宿舍。

5. 本协议从双方签订之日起，各自进行管理。一式两份，双方各一份。”

从协议书的原件来看，除瓮安县社队企业管理局在上面盖有公章，盖有负责人印章外，瓮安中学负责人并未盖有任何印章。而且，协议书的落款时间是“一九七九年十月二十二日”。

对社队企业管理局擅自破坏“口头协议”单方炮制所谓《调换地基协议书》，肆意侵占瓮安中学土地和梓木林地的行径，瓮安中学全体师生员工十分愤慨，坚决反对。但为了慎重起见，瓮安中学当即将情况向县教育局等有关部门报告，县领导也曾邀集双方负责人沟通磋商，无果。

接下来社队企业管理局的新建宿舍基础的基槽又进一步向梓木林中心地带延伸，学校后操场成了预制板工地，梓木树变成了工棚架。在“是可忍，孰不可忍”的情况下，1979年11月10日，瓮安中学全体教职工橇掉了社队企业管理局新建宿舍延伸过来的基石，该基建工程搁浅。

1982年上半年，社队企业管理局乘瓮安中学忙于高考预选之机，便于4月抓紧圈修工地围墙，雇用外地工匠，强行施工。

全校师生反映强烈。学校领导又反复向县委、县政府反映。社队企业管理局却置若罔闻，继续削平梓木林中心地带，几月之间，一幢大楼拔地而起。

尽管学校一而再，再而三地向当地教育行政主管部门，向县委、县政府反映，县政府曾下令要社队企业管理局停工，但社队企业管理局就是冒天下之大不韪，强行施工从而导致事态发展到难于遏制的地步：

据初步丈量，社队企业管理局除用了双方原口头协商同意的稻田外，另侵占学校梓木林地1800平方米，并圈修围墙作界标。甚者，还严重损毁树木。全城皆知的大片风水林，除被砍伐的外，有的被当作起重架，有的搭上了十多米高的脚手架，有的被钢筋勒起了道道伤痕，有的变成工棚支柱，有的钉满了抓钉。施工人员还在一片密集的梓木树中间，刨掉了部分树根，挖了一个宽3.4米，长3.6米，深1.1米的大坑，浸泡灰浆，并把一大堆石灰渣垫在树下，导致这些参天大树慢性死亡。

鉴于社队企业管理局不顾劝阻，肆意侵占瓮安中学梓木林地，修建职工宿舍的已然事实和瓮安中学的全体师生员工强烈反对，1982 年 10 月 29 日，瓮安县人民政府瓮政〔1982〕94 号文下发《关于解决县社队企业管理局与瓮安中学修建用地遗留问题的决定》。该决定称：

"为了妥善解决前几年瓮安中学修建校门占用县社队企业管理局房地和县社队企业管理局修建职工宿舍占用瓮安中学梓木林地遗留下来的问题，在反复调查，多次工作的基础上，本着既参看过去双方负责人协商达成调换用地的协议，更立足于今天现实的情况的原则，顾全大局，有利安定团结，经县政府 1982 年 10 月 23 日县长办公会议研究并报请县委同意，决定县社队企业局修建的职工宿舍竣工后，楼房北端从底层到屋顶，每层划出两个套间给瓮安中学管理使用。

以上决定，望县社队企业管理局与瓮安中学共同遵守执行。"

瓮安中学接到瓮安县人民政府〔1982〕94 号文件后，提出下列不同意见：

一、文件中写的"瓮安中学修建校门，占用县社队企业管理局房地和县社队企业管理局修建职工宿舍占用瓮安中学梓木林地遗留下来的问题"这句话，把两个"占用"完全等同，并由此而带来"遗留问题"，学校不同意这个说法。瓮安中学用社队企业管理局的房地，完全是以口头协议为依据的，这明明是"调换"，怎么叫作"占用"呢？至于社队企业管理局方面，开始在学校调换的稻田上建房时，学校一直守口头协议，始终未提出过异议。社队企业管理局后来越过调换土地界限动土，大量侵占学校梓木林地，这怎么能与前面的"调换"的土地相提并论呢？

二、文件中写的"本着既参看过去双方负责人协商达成调换用地的协议，更立足于今天现实的情况的原则，顾全大局，有利安定团结"，这句话的双方达成的协议含义模糊。如果是指口头协议，学校一直都是没有自食其言；如果是指那份盖着社队企业管理局公章及该局负责人个人印章的所谓协议的话，学校坚决不承认！至今，学校负责人没在这份所谓协议书上盖有学校公章抑或负责任的个人印章。又云"更立足于今天现实的情况"。试问："今天现实的情况"是什么呢？社队企业管理局不管学校反对也罢，县长下令停工协商也罢，一意孤行，肆无忌惮地造成既存事实，这就是所谓"今天的现实情况"。不能严惩违纪者，如此迁就违纪者，还谈什么"顾全大局，有利于安定团结"呢？

三、文件对"遗留问题"做出决定："决定县社队企业管理局现正修建的职工宿舍竣工后，楼房北端从底层到屋顶，每层划出两个套间给瓮安中学管理使用"，学校认为如是决定不符合中央和省有关指示精神。

国务院国发〔1978〕166 号文件规定："任何单位占用学校的土地原则上都应无条件地退还给学校，不得以任何借口拖延抵制。""各单位退还，偿还学校土地……至迟不能超过 1979 年 8 月底，……凡占用学校的土地、运动场进行基本建设工程，应立即停止施工"，"今后各级各类学校的土地，任何单位都不能侵占……对少数无视党纪国法，继续抗拒中央关于退还校舍规定的单位和人员，以及今后再发生占用校舍的情况，建议予以严肃处理。"

省公安厅、教育厅 1982 年 6 月 20 日《公告》规定：

"不准侵占学校土地搭盖房屋、宿舍、圈修围墙，挖掘水沟，开辟园圃。"

学校认为，县社队企业管理局的问题发生在中央文件发布之后，恶化于省的文件下达之后，不能不说是无视党纪国法违法违纪的严重问题。

综上所述，瓮安中学提出五点要求：

一、瓮安社队企业管理局侵占瓮安中学土地，必须立即退还。

二、砍伐校园的梓木树，应全部追回，并送到瓮安中学。其中对出谋策划者，必须按《森林法》和国家有关规定追究责任，从严惩处。

三、瓮安中学开设新校门时，曾以四倍于社队企业管理局的土地交换，至今仍恪守协议。如果社队企业管理局反悔，学校可以立即封闭新校门，使之物还原主。

四、对侵占学校校园的主谋者，请按中央及省有关文件精神严肃处理。

五、在处理瓮安中学与社队企业管理局的土地一案时，应不折不扣地执行国务院有关规定。如果在处理过程中所作的决定于中央文件精神相抵触，要求仍按中央规定执行。

鉴于瓮安县社队企业管理局侵占瓮安中学梓木林地修建职工宿舍，损毁梓木树已是不征的事实，以及瓮安县人民政府瓮发〔1982〕94 号《关于解决县社队企业管理局与瓮安中学修建用地遗留问题的决定》不能让瓮安中学全体师生员工信服之情况，1982 年年底，瓮安中学将学校林地被侵占一事报告给省教育厅。省教育厅于 1983 年 1 月 22 日致函给州教育局：

“转去你州瓮安县瓮安中学关于县社队企业管理局侵占学校土地的控告信及图片一份，请你局派员深入调查了解，实事求是秉公解决处理，并将结果情况向厅汇报。”

1983 年 10 月 5 日，瓮安中学再次将学校林地被侵占一事报告给黔南州人民政府，强烈要求解决学校土地被侵占问题。

在省教育厅、州教育局，尤其是在黔南州人民政府的敦促下，瓮安县人民政府召集瓮安中学、瓮安县社队企业管理局的负责人坐在一起，最终磋定出新的解决方案，即由政府出面拿出二十万元给瓮安中学修建二十四套计 1800 平方米的教师宿舍，县社队企业管理局业已建好的职工宿舍全部归企业局所有，所砍伐的梓木树全部送还瓮安中学。

梓木林风波至此平息。

附　录

一、重要文献

贵州省公私立中等学校职教员服务暂行规程

（1936 年 7 月 27 日）

第一条　本规程遵照中央教育法令及参酌本省实际情形订定之。

第二条　本省公私立中等学校职教员之服务悉依本规程有关各条之规定办理。

第三条　本省公私立中等学校设校长一人总理全校行政事项。

第四条　本省公私立中等学校校长之任用须品格健全才学优长并合于下列规定资格之一者：

甲　初级中学

1. 国内外大学教育学院或师范大学高等师范学校教育学系毕业者。

2. 国内外大学学院高等师范学校或优级师范毕业曾任中等教育职务一年以上著有成绩者。

3. 国内外专门学校专科学校或大学专修科及高等师范学校专修科毕业曾任中等教育职务二年以上著有成绩者。

4. 具有前列二三两款学历之一曾任教育行政职务一年以上著有成绩者。

5. 曾任中等教育职务五年以上或任教育行政高级职务三年以上著有成绩者。

乙　高级中学

高级中学校长除具有前条一二三四各款规定资格之一外应再比照增加服务教育经验一年。

丙　师范学校

师范学校校长应先就具有国内外大学教育学院或师范大学高等师范学校教育科系毕业曾任教育职务二年以上著有成绩者之资格人员中递选任用如无此项资格相当人员时通用前条高级中学校长资格之规定办理。

丁　职业学校

高初级职业学校校长除须具有高初级中学校长资格之一外并以曾受该科专门训练或于职业教育业有研究者为合格。

第五条　省立中等学校校长由教育厅长提出合格人员于省府委员会决议通过后任用之。

县立联立中等学校校长由县政府或关系各县选荐合格人员取具证明文件呈请省政府核准委任之。

私立中等学校校长由校董会递选合格人员聘任之并取具证明文件呈请所在地县政府转呈省政府备案。

第六条　县立联立中等学校校长遇必要时由省政府直接委派合格人员充任之。

私立中等学校校董会选聘之校长如省政府认为不合格或不称职时得责令校董会另行改选如改选仍不合格或不称职及校长本身发生纠纷校董会无法解决时由省政府暂行递选合格人员代理之。

第七条　校长除具有修正中学规程第一百零九条修正师范学校规程第一百一十一条修正职业学校规程第九十一条所列各款情事之一不得任用外如在职期间发现下列情事之一经省县教育行政机关查明属实后应予以惩戒或免职处分。

一、违背中国国民党党意者。

二、违背教育方针及法令者。

三、治校不力改进无方者。

四、训育失宜学风恶劣者。

五、学生成绩不良不合规定标准者。

六、操守不谨侵蚀校款者。

第八条　校长之更调或免职均依照本规程第四条规定之任用手续办理。

第九条　校长应为专任职不得兼任其他职务。

第十条　校长每周应担任教课六小时至十小时不另支薪。

第十一条　省立中等学校校长应支薪金等级除依照下列规定外不得另支特别办公费

一、高初中合办达十班以上或单办高中达六班以上者支一级薪月薪法币一百七十八元。

二、高初中合办不满十班或单办高中不满六班者支二级薪月薪法币一百五十元。

三、单办初中者支三级薪月薪法币一百三十六元。

第十二条　县立联立私立中等学校校长薪额由县政府或校董会酌定之并呈报省政府备案但高级中学或同等程度学校校长薪额月薪不得少于八十元，初级中学或同等程度学校校长薪额月薪不得少于六十元其兼任教课得按钟点给薪但兼任教课每周不得超过十小时。

第十三条　本省公私立中等学校设教导主任一人协助校长处理教务训育事项六学级以上之中等学校经有县教育行政机关之核准得设教务训育主任各一人协助校长分别处理教务训育事项六学级以上之中等学校得设事务主任一人掌理教务及训育以外之事务。

第十四条　本省公私立中等学校设训育员若干人助理训育事项文牍会计庶务各一人，教务员若干人分别管理文书、会计、庶务、图书、仪器、标本统计注册编辑及助理其他校务事项校医一人办理全校医药卫生事项。

第十五条　本省公私立中等学校各主任均由专任教员兼任之。

省立中等学校各主任由校长选荐合格人员检阅详细履历毕业证书及服务证书或审查合格证书呈请省政府审核委任。

联立县立私立中等学校各主任由校长递选合格人员聘任并呈由所在地县政府转呈省政府审核备案。

各公私立中等学校各主任于必要时得由省政府直接选员委任。

第十六条 本省公私立中等学校训育员由校长就下列资格人员中遴选聘任并分别呈请省县教育行政机关审核备案。

一、具有本规程第二十二条所规定高初级中等学校教员资格之一者。

二、旧制中学及旧制师范或高级中学及师范学校毕业曾任教职一年以上者。

第十七条 本省公私立中等学校校医由校长呈请核准聘任之文牍会计庶务教务各员均由校长任用之并呈报省县教育行政机关审核备案。

第十八条 省立中等学校职员应支薪额规定如下：

1. 各主任除照支专任教员月薪外每月增给法币十元。

2. 训育员月薪支给法币四十二元。

3. 文牍会计庶务教务各员月薪支给法币三十五元至四十二元依各该校学级之多寡酌定之。

4. 校医月薪支给法币二十元。

第十九条 本省公私立中等学校专任教员兼任各主任者每周任课十小时至十四小时但由高中国文科专任教员兼任者每周任课时数得减为五小时至九小时由初中国文科专任教员兼任者得减为六小时至十二小时。

第二十条 训育员具有本规程第十六条第一款规定之资格者每周得兼课至八小时照兼任钟点计薪。

第二十一条 本省公私立中等学校教员以专任为原则但于必要时经省县教育行政机关之核准得酌聘兼任教员但不得超过全校教员总数四分之一其兼任各校教学时数每人每周合计不得超过十五小时。

第二十二条 本省公私立中等学校专任及兼任教员须品格健全其所任学科为其所专业之学科且合于下列规定资格之一者始得聘任之：

一、初级中学或同等程度学校

1. 具有高级中学或同等程度学校教员资格之一者。

2. 旧制中学及旧制师范学校或高级中学及师范学校毕业曾任初级中学教员三年以上著有成绩者。

3. 同前项各校程度相当学校毕业曾任初级中学教员四年以上著有成绩者。

二、高级中学或同等程度学校

4. 国内外大学或学院教育科系毕业者。

5. 国内外高等师范学校或师范专修科毕业者。

6. 国内外大学或学院各科系毕业者。

7. 国内外专科或专门学校本科毕业者。

8. 于某科确有专长曾任高级中学教员三年以上著有成绩者。

第二十三条 本省公私立中等学校专任及兼任教员应由校长开具合格人员详细履历及拟聘担任教学科目每周教学时数每月薪金数目连同毕业证书考试或检定合格证书服务证件呈经省县教育行政机关核准后由学校准备聘书于学年学期开始前一月聘任之。

第二十四条 专任及兼任教员除担任教学外并负责训导学生及指导学生课外作业自习并改卷（国文作文每两周应举行一次英语算术等科练习应依处教学进度随时练习）。

第二十五条 专任教员每日在校时间至少七小时。

第二十六条 专任教员及兼任教员初聘任期为一学年但在寒假起聘者应为一学期以后

经校长考察认为服务勤奋成绩优良者得继续聘任之其任期为二学年。

第二十七条　专任教员及兼任教员请假代课补课办法悉遵照贵州省中小学教员请假规则之规定办理但受省政府或学校之委托因公外出如缺课时数继续不满十小时者仍由本人补授如在十小时以上者应由学校请人代课其代课人薪金由校长呈请省县教育行政机关另行支给。

第二十八条　专任教员及兼任教员于每学期开学前应编制所授学科教学进度表送由校长汇呈省县政府查核。

第二十九条　省立高级中学及其同等程度学校专任教员及初级中学及其同等程度学校专任教员担任时数及应支薪额规定如下：

一、教学时数

1. 专任初级中学国文教员以三班为限每周任课十六小时至十八小时。

2. 专任高级中学国文教员以三班为限每周任课十五小时。

3. 专任师范学校国文教员以三班为限如三班教学时数合计每周不满十五小时者须酌配性质相近之其他课程。

4. 专任初级中学英语算学教员每周任课二十一小时至二十三小时。

5. 专任高级中学师范学校英语算学教员每周任课十九小时至二十一小时。

6. 专任初级中学其他各科教员每周任课二十四小时至二十六小时。

7. 专任高级中学师范学校其他各科教员每周任课二十二小时至二十四小时。

8. 兼任高中（或师范学校）初中课程之专任教员每周任课二十三小时至二十五小时（所任高中或师范课程时数至少须占总时数二分之一）其兼任高中（或师范学校）初中之国文或算学或英语之专任教员任课时数均比照上列一至五各款之规定酌量办理。

二、月支薪额

1. 初级中学各科专任教员月支法币一百一十二元。

2. 高级中学师范学校各科专任教员月支法币一百四十元。

3. 兼任高中（或师范学校）初中课程之专任教员月支法币一百二十六元。

第三十条　高初级职业学校各科专任教员任课时数及月支薪额通用前条各款之规定其兼任科主任者通用本规程第十八条第一款及第十九条之规定。

第三十一条　省立高级中学及其同等程度学校兼任教员每小时课薪为一元二角初级中学及其同等程度学校每小时课薪为九角。

第三十二条　联立县立私立中等学校职教员薪额及兼任教员每小时课薪由县政府或校董会酌定之并呈报省县教育行政机关备案。

第三十三条　职教员有修正中学规程第一百一十二条修正师范学校规程第一百一十三条修正职业学校规程第九十四条所列各款情事之一或妨害校务有显著事项经校长或省县教育行政机关查明属实者得随时解职外不得任意解职职教员亦不得中途辞职。

第三十四条　本省各公私立中等学校女职教员在生产期内予以六个星期之休息假其代理人之俸给得由学校校长呈请省县教育行政机关另行支给。

第三十五条　本省各公私立中等学校职教员养老金及恤金办法另定之。

第三十六条　本规程如有未尽事宜得由省政府随时修改之。

第三十七条　本规程由省政府公布施行并咨请教育部备案。

全日制中学暂行工作条例（草案）

（1963 年 3 月 23 日）

第一章 总则

一、全日制中学应该贯彻执行教育为无产阶级的政治服务、教育与生产劳动相结合的方针。

根据毛泽东同志提出的“我们的教育方针，应该使受教育者在德育、智育、体育几方面都得到发展，成为有社会主义觉悟的有文化的劳动者”，中学教育的任务，是为社会主义建设事业培养劳动后备力量，和为高一级学校培养合格的新生。

全日制中学学生的培养目标是：

使学生具有爱国主义和国际主义精神，具有共产主义道德品质，拥护共产党的领导，拥护社会主义，愿意为社会主义事业服务，为人民服务；逐步培养学生的工人阶级的阶级观点、劳动观点、群众观点、辩证唯物主义观点。

使学生在小学教育的基础上，进一步掌握语文、数学、外国语等课程的基础知识和基本技能，并且具有一定的生产知识。

使学生的身心得到正常的发展，具有健康的体质，培养良好的生活习惯和劳动习惯。

二、全日制中学必须根据中华人民共和国教育部（以下简称教育部）统一规定的教学计划、教学大纲和教科书进行教学。

全日制中学的教学计划、教学大纲和教科书要保持必要的稳定，以便教师积累经验，提高教学质量。

三、全日制中学必须以教学为主，加强基础知识的教学和基本技能的训练，为学生毕业后就业和升学打好必要的文化基础。

必须妥善地安排教学、劳动、放假和社会活动的时间，保持学校正常的教学秩序。

四、教师担负着培养祖国新生一代的光荣任务，必须不断地提高自己的政治、文化、业务水平，向着又红又专的方向努力。

必须贯彻执行党的知识分子政策，加强对知识分子的团结和教育工作。增进党员教师与非党员教师、老教师与青年教师的团结合作，热心帮助教师进行业务进修和思想改造，充分调动教师的积极性，为社会主义教育事业服务。

教师应该受到尊敬和爱护。必须注意提高教师的社会地位，逐步改善他们的生活待遇。

五、对中学生进行教育应该注意适合少年青年的特点，研究和改进教育方法，注意培养他们学习的自觉性和积极性。

学校要注意同学生家长保持联系，争取校外文化教育机关、群众团体和学校附近的公社、农场、厂矿、企业以及其他机关团体的配合和协助，共同教育学生。

六、认真贯彻执行勤俭办学的方针。教育行政部门应该积极地、有步骤地帮助学校改善校舍和教学、体育、卫生、生活等方面的设备。加强学校的总务工作。

学校的布局要力求合理。每个学校的规模不宜过大。

七、各级党委要加强对全日制中学的领导，注意在师生员工中进行政治工作和思想工作，发展党员和团员，建立和健全党的组织和团的组织。

第二章　教学工作

八、为了贯彻以教学为主的原则，全日制中学必须保证全年有九个月的教学时间，一个月的劳动，两个月的寒暑假。必须按期完成教学计划。

农村全日制中学的劳动时间和假期，可以根据当地农事季节放农忙假；寒暑假和农忙假每年不得超过三次。要保证学生每年至少有一个月的休息时间。

全日制中学不得任意停课。如果遇到特殊情况必须停课，要经专区、市教育行政部门报请上一级教育行政部门批准。

九、全日制初级中学设置语文、数学、外国语、政治、历史、地理、生物、物理、化学、生产知识、体育、音乐、图画、劳动等课程；在没有设置外国语课程的全日制初中，可增加生产知识课程的内容和教学时间。全日制高级中学设置语文、数学、外国语、政治、物理、化学、生物、历史、地理、体育、劳动等课程。

为了更好地适应各类高等学校的需要，发展学生的志趣和才能，高中阶段在保证学好必修课程的基础上，可以根据学校的师资、设备等条件，酌设农业科学技术知识、制图、历史文选、逻辑等选修课程。高中三年级学生，可以根据志愿和爱好，任选一门或者两门。选修课程不进行考试。

十、对教学计划、教学大纲和教科书，地方教育行政部门和学校不得任意修改；如果确有修改的必要，必须由省、市、自治区教育行政部门报教育部批准。

各地教育行政部门、学术研究机关、学者，也可以根据教育部颁布的教学计划、教学大纲，编写教科书。经过教育部审定，可以推荐全国采用。

各省、市、自治区除采用全国通用的教科书外，可以自编历史、地理、生物等课程的乡土教材，作为补充。教育部和各省、市、自治区以及有关部门应该编写和出版教学参考书和工具书，以利教学。

十一、全日制中学必须切实加强基础知识的教学和基本技能的训练。

语文和数学是学习和从事工作的基本工具，必须用最大的努力，保证提高这两门课程的教学质量。

语文课应该使学生具有现代语文的阅读能力和写作能力，具有初步阅读文言文的能力；作文要力求文理通顺，用词确切，正确地使用标点符号，字写得端正，不写错别字。

数学课应该使学生在初中学好代数和平面几何，在高中学好大代数、三角、立体几何和平面解析几何，正确地理解数学概念，巩固地掌握定理、公式，计算正确、熟练，能够进行综合运算。

外国语是学习科学文化知识的重要工具，应该大力加强外国语课的教学。应该根据师资条件，开设俄语课或者英语课。应该逐步做到高中毕业生具有初步阅读外文书籍的能力。

高级中学要注意改进物理、化学的教学。

十二、教学应该遵循理论与实际相结合的原则。必须重视书本知识的教学，也要适当地通过实验、实习、生产劳动、参观等活动，使学生得到一定的直接知识。

教师讲课，必须把课文内容讲解清楚。一般不要把语文、历史、地理等课程讲成政治课，也不要把语文课讲成文学课。

十三、教学必须根据学生的特点和接受能力，注意启发学生学习的自觉性和积极性。

不要把学生的接受能力估计得过低，不适当地放慢教学进度，降低教学要求；也不要把学生的接受能力估计得过高，使学生的学习负担过重。要注意使学生切实掌握所学的知识和技能。

学习知识要靠日积月累，坚持不懈。在学校中不得搞突击教学和学习竞赛运动。

十四、对学生的学习应该有统一的要求，又要承认差别，因材施教。在加强班级教学的同时，要认真加强个别辅导。要注意发挥有特长的学生的才能，要耐心帮助学习较差的学生。

自习和作业主要依靠个人的刻苦钻研。不要组织学习互助组。同学之间在学习上适当互助是可以的，但是应该出于自愿，不得勉强，以免影响个人的自学。

十五、课堂教学是教学的基本形式。教师必须钻研教材，了解学生的学习情况，认真备课，提高课堂教学的质量。

教师要注意督促和指导学生复习。各科的作业应该做统一安排。作业的分量应该适当，不使学生的学习负担过重。对作业的要求应该严格，学生应该独立做好作业，教师应该认真检查和批改作业。

教师要加强对学生课外阅读和其他课外学习活动的指导，扩大学生的知识领域。

教师要研究和指导学生的学习方法，教育学生养成良好的学习习惯。

十六、教育行政部门和学校应该加强对教学研究工作的具体领导，总结教学经验，帮助教师提高业务水平。

教师备课以个人钻研为主。除教学内容应该按照教科书统一要求外，教学方法不应该强求一律。

十七、考查和考试主要是了解学生的学习情况，督促学生复习功课，巩固所学的知识；同时便于研究和改进教学工作。必须注意平时考查，发现教学上有缺陷，要及时弥补。

学校应该严格执行升级、留级制度。

考试的次数不宜过多，不要因为考试而造成学生过分的紧张和劳累。

十八、教育行政部门和学校应该根据需要和可能，充实图书、仪器、标本、挂图等设备，加强实验室、图书馆和阅览室的管理工作。对教师教学上必需的工具书和参考书，要设法解决。对现有的图书、仪器、标本、挂图等设备应该充分利用和妥善保管。

第三章　思想政治教育

十九、必须对学生进行共产主义思想教育。

中学思想政治教育的根本任务，是培养学生具有爱国主义和国际主义精神，教育学生拥护共产党，拥护社会主义，愿意为社会主义事业服务，为人民服务；逐步对学生进行工人阶级的阶级观点、劳动观点、群众观点和辩证唯物主义观点的教育，培养学生的共产主义道德品质和革命意志，反对现代修正主义，反对资产阶级思想和其他反动思想的侵蚀，逐步树立工人阶级的世界观。

要对学生进行社会主义建设总路线、“大跃进”、人民公社三面红旗的教育，进行加强国防观念的教育。

要教育学生热爱劳动，以正确的态度对待升学和参加劳动，使他们懂得，在中学毕业以后，升学或者参加劳动同样是国家需要的，同样是光荣的。特别要加强对学生进行为农业服务的教育。要使他们懂得农业是国民经济的基础，进一步克服轻视农业劳动的错误观点，树立从事社会主义农业建设是光荣事业的思想，准备在需要的时候参加农业生产或者农村工作。

二十、中学学生的思想政治教育，在学校党组织领导下，主要通过班主任工作，共产主义青年团、少年先锋队的活动和政治课来进行。要加强对共产主义青年团和少年先锋队的领导。要努力提高政治课的教学质量。

学校行政、共产主义青年团、少年先锋队应该适当地组织学生参加必要的社会活动，使学生受到实际的教育和锻炼。

教师应该注意在日常学习、生活中，培养学生努力学习、热爱劳动、遵守纪律、团结友爱、艰苦朴素等思想品德，防止旧社会留下来的习惯势力的影响。

二十一、进行思想政治教育，要注意少年青年的特点。解决学生中的思想问题，要坚持说服教育的原则，采取循循善诱，启发自觉，以理服人的方法。要教育学生逐步学会正确地进行批评和自我批评。严格防止和纠正一切简单粗暴的做法。

要善于发扬学生的优点，鼓励他们不断上进。对品学兼优的学生应该给以适当的奖励。

对犯了过错的学生，教师应该深入了解情况，具体分析原因，耐心说服教育，热情地帮助他们改正；必要时可以进行适当的批评，但是不得采用粗暴压服的办法，不得开展群众性的批判，严禁体罚或者变相体罚。

对极少数确实犯有严重错误，或者犯有较大错误而又屡教不改的学生，可以给以必要的处分，作为教育的辅助手段。对受处分的学生不要歧视，要热情帮助。

二十二、班主任应该在其他教师的协助下，对本班学生进行思想政治教育，指导学生的课外生活，组织学生的生产劳动，指导共产主义青年团、少年先锋队和班委员会的活动，进行家访工作，评定学生的操行。学校应该加强对班主任工作的领导，选派政治觉悟较高和较有教学经验的教师担任班主任。教育行政部门和学校应该根据实际情况，适当减少班主任的任课时数。

二十三、学校应该采取家庭访问和家长会等方式，同家长取得联系，共同研究学生的思想行为和教育学生的方法，互相配合，教好学生。

学校应该同有关群众团体和校外文化教育机关协作，共同指导学生的课余活动和假期生活，适当开展为学生所喜爱的各种文化体育活动。学生参加这些活动，应该以自愿为原则，并且应该事先征得家长同意。

二十四、评定学生的操行，一学期或者一学年进行一次，只写评语，不评等级。评语主要是为了帮助家长了解学生的情况，帮助学生发扬优点，改正缺点，鼓励学生不断上进。评语应该肯定学生的优点和进步，适当地指出他们的缺点，提出改进的意见。班主任写评语时要征求有关教师的意见，但是不要组织学生进行评议。应该把评语通知家长和学生。

第四章　生产劳动

二十五、学生参加生产劳动，主要目的是养成劳动习惯，培养劳动观点，向工农群众学习，克服轻视体力劳动和体力劳动者的观点；同时在劳动过程中学习一定的生产知识和技能，扩大知识领域。

不得把劳动作为惩罚学生的手段。

二十六、组织学生参加生产劳动，可以采取校内劳动，同工厂、农村人民公社挂钩，回到生产队劳动等方式。教育行政部门、学校行政必须加强对生产劳动的领导，积极采取措施，妥善安排。

学校应该根据当地的可能条件，建立简单的车间或者农业实验园地。车间或者农业实验园地应该以师生参加劳动为主，少用或者不用工人。

组织城市学生到校外劳动，应该在劳动地点妥善安排师生的饮食、住宿和医疗，注意学生的健康。对学生的劳动强度不能要求过高。在劳动期间，应该尽可能使学生接近群众，可以请人给学生作一些报告，可以在工厂、人民公社进行参观，同时也可以适当组织学生进行一些宣传工作。

农村全日制中学主要采取放农忙假的办法，让学生回到生产队劳动，或者帮助家庭进行辅助劳动。

城市和农村的学校都要在规定的劳动时间之内，安排一定的社会公益劳动（包括校内清洁卫生等劳动）。

学校要教育学生参加家务劳动。

二十七、生产劳动应该有计划地进行。学校应该同有关方面协商，每学期或者每学年订出劳动计划，报请主管教育行政部门批准执行。校外任何机关都不得自行向学校布置劳动任务或者调用劳动力。

在劳动过程中必须加强思想教育和纪律教育，同时还应该注意进行生产知识教育，特别要加强操作规程教育和安全教育，建立和健全劳动保护和生产管理的制度。

二十八、学校安排生产劳动应该照顾学生的年龄、性别和身体条件等特点。不要组织初中学生到远地劳动。身体弱的和有病的学生不参加劳动或者只参加轻微劳动。女生在月经期中不要分配体力劳动。因病因事少参加了生产劳动的，事后不再补。不要组织学生参加过重的、夜班的、有危险性的和其他有损健康的体力劳动。不要组织劳动竞赛。

二十九、学校组织学生参加生产劳动的收益，主要用于学生的公共福利事业和补贴学生参加劳动的衣物消耗。学校要定期公布劳动收益分配账目。学校举办的车间或者农业实验园地，不以追求经济收益为主要目的。

第五章 体育卫生和生活管理

三十、中学阶段是少年青年身心发育成长的重要时期，必须加强体育卫生工作。

要坚持早操和课间操。体育课的要求应该适当，不要过高。要适当开展课外的体育、文化娱乐等活动，以增进学生身心的健康。

要经常对学生进行卫生常识教育，使他们养成卫生习惯。努力改善环境卫生，加强疾病防治工作。有条件的学校还应该建立定期检查体格的制度。

要特别注意保护学生的视力。训练学生端正看书、写字的姿势；积极改善教室和自习室的采光设备；尽可能使课堂桌椅适合学生身体的高低。教育、文化部门要努力改进教科书和少年儿童读物的纸张、印刷条件。

要指定女教师负责管理女生的生活，对女生进行妇女卫生常识教育。

三十一、必须认真执行中央关于劳逸结合的指示，合理安排作息时间，做到有劳有逸。教育学生按时作息，养成良好的生活习惯。

应该教育学生参加必要的集体活动，但是不要事事强调集体。中学生的社会活动时间，包括共产主义青年团、少年先锋队的组织生活，在通常情况下，每周不超过二小时，在共产主义青年团、少年先锋队、学生会中担任职务的学生，每周不超过三小时。学生参加各种课外活动应该出于自愿。学生个人的习惯和爱好，凡是不影响学习和健康的，不妨碍集体利益的，不要加以限制和干涉。中学生每天应该睡足八小时。

在通常情况下，晚上和星期日不要安排集体活动。

三十二、合理使用人民助学金。人民助学金应该按规定发给学校，用于补助生活确有困难的学生。学生申请人民助学金，由学校行政审查批准，不要组织学生进行评议。

三十三、凡有师生入伙的学校必须认真办好食堂。加强伙食管理工作。

管理人员和炊事人员的思想教育，改进食堂和伙食卫生，健全粮食和财务的管理制度，定期公布账目，杜绝贪污浪费。

三十四、要重视学生的安全，加强安全教育。定期进行安全检查，认真采取措施，预防房屋倒塌、失火、触电、溺水、食物中毒、煤气中毒等和在理化实验、劳动、体育活动中的事故。

要经常教育学生遵守公共秩序和交通规则。

第六章　教师

三十五、教师的根本任务是把学生教好。教师应该热爱教育事业，努力完成教育任务。

对教师的基本要求是：

教好功课。钻研教材，改进教学方法，提高教学质量。

爱护学生。对学生热情关怀，耐心教育，严格要求，指导和帮助他们发展智力和体力，提高思想觉悟。

以身作则。在思想、行为方面，力求成为学生的表率。

努力学习。关心政治，学习马克思列宁主义、毛泽东著作；刻苦钻研业务，力求精通所任课程的专业知识。不断提高政治、文化、业务水平。

三十六、加强党与非党教师的团结，加强新老教师的团结。教师之间，要互相尊重，互相帮助，取长补短，共同提高。要充分发挥老教师的业务专长，在工作上予以支持和照顾，鼓励他们做出更多的成绩，鼓励老教师把自己的业务专长和教学经验传授给青年教师，热心帮助青年教师提高教学业务水平。青年教师要尊敬老教师，虚心向老教师学习。

必须积极提倡和热心帮助教师进行思想改造。在具体处理教师的思想政治问题的时候，必须严格划分人民内部矛盾和敌我矛盾的界线。在人民内部又必须正确划分政治问题、世界观问题、学术问题和具体工作问题之间的界线。凡属于人民内部的问题，必须采用民主的、耐心说服的方法，不得采用简单粗暴的方法。

三十七、教育行政部门和学校必须加强对教师学习的领导。应该有计划地组织教师进修，建立和健全教师的进修制度，保证教师进修的时间。

教师政治学习的内容和时间，应该根据学校工作的特点来安排，不要和机关同样要求。

教师的文化、业务学习，应该根据不同的对象，来具体安排。对文化、业务水平较低的教师，要求他们注意钻研所任课程的教材和教学方法，使他们能够胜任教学工作。

三十八、教师的工作应该力求稳定。不要轻易调换他们所在的学校和所任的课程，以便他们积累教学经验，提高教学质量。未经主管教育行政部门批准，不得抽调教师参加校外工作。

教师兼任教学以外的工作不要过多。教师的业务工作时间必须切实保证，严格执行中央关于知识分子至少有六分之五的工作日用在业务工作上的规定。政治学习和党、团和工会的会议以及社会活动，在通常情况下，应该控制在六分之一的工作日以内。除学校统一规定的重大活动外，业余时间和假日都由教师自己支配。

三十九、教育行政部门应该注意鼓励教师树立长期为教育事业服务的思想，表扬和鼓励优秀教师，特别是长期从事教育工作、成绩优异的教师。

必须做好教师的工资级别的评定和调整工作。对长期从事教育工作的教师，应该实行教龄津贴制度；少数优秀教师可以越级提升；长期从事教育工作而又成绩优异的教师，是教育工作的专家，工资待遇应该较高。具体办法由教育部另行规定。必须关心教师的生活。妥善安排教师的宿舍和伙食。教师的副食品和日用品供应，应该与当地脱产干部同等待遇，这个规定，由省、市、自治区人民委员会负责解决。

对年老体弱的教师，应该适当减轻他们的工作负担。对女教师的特殊困难，应该予以照顾。对年老退休的教师的生活，应该妥善安排。

地方行政部门应该将教工福利费按上级规定，拨给学校，教工福利费不得挪作他用。学校和教育工会应该根据上级规定，合理使用教工福利费和工会会费，切实搞好教师的集体福利事业和生活补助工作。

四十、教师参加生产劳动，包括带领学生劳动的时间在内，平均每年半个月到一个月。男教师在四十五岁以上，女教师在四十岁以上，不参加体力劳动；体弱多病的教师和怀孕、喂奶的女教师不参加体力劳动。

第七章　行政工作

四十一、校长是学校行政负责人，在当地党委和主管的教育行政部门领导下，负责领导全校的工作，团结全体教职工完成教学计划。

校长的主要职责是：

贯彻执行党中央和国务院的教育方针，执行教育行政部门的指示；

领导教学工作和进行思想政治教育工作；

领导和组织师生参加生产劳动；

关心教师、学生、职工的生活，注意保护他们的健康；

管理学校的人事工作；

管理学校的校舍、设备和经费。

四十二、全日制中学建立校长领导下的校务会议。教育行政部门的指示，学校的工作计划、工作总结和其他重大问题，都应该提到校务会议上讨论。校务会议由校长主持，党支部书记、教导主任、总务主任、教育工会主席、共产主义青年团委员会书记、少年先锋队总辅导员和教师代表参加，必要时可以邀请班主任和有关的教职员参加。规模小的学校可以用全体教职员会议代替校务会议。

四十三、全日制中学一般设教导、总务两处，规模小的中学一般设教导主任和事务员，协助校长领导教学工作、思想政治教育、生产劳动和总务工作。

职工要树立为教学服务、为师生生活服务的思想，努力完成工作任务。学校要教育师生尊重职工的劳动。

力求精简组织机构和会议，提高学校行政工作的效率。

四十四、建立和健全学校的各项规章制度。教职工工作条例、学生守则、学生成绩考核办法、学生奖惩办法、学籍管理办法由教育部制定。

四十五、国家举办的全日制中学实行分级管理。全日制初级中学一般由县、市教育行政部门管理。全日制高级中学和完全中学一般由省、市、自治区教育厅、局管理，也可以委托所在专区（市）或县（市）教育行政部门管理。

中学校长、教导主任、总务主任和教师的任职、调职、解职、处分，初级中学由县（市）人民委员会负责处理；高级中学和完全中学由省、市、自治区人民委员会负责处理。

全日制中学的设置、停办或者迁移，由省、市、自治区人民委员会批准。

第八章　党的工作和其他组织工作

四十六、共产党的领导是办好学校的根本保证。各级党委必须加强对中学教育的领导。

中学党支部的主要任务：贯彻执行上级党委的决议，保证实现上级教育行政部门的指示；领导学校的思想政治工作，作好党的建设工作；领导学校共产主义青年团、学生会、教育工会和其他群众组织的工作；教育党员团结群众，正确执行党的方针政策。

学校党支部对学校行政工作负有保证和监督的责任。

在没有建立党支部的学校，党员除参加所属支部的组织生活外，应该在学校工作中起模范作用。

四十七、各级党委要有计划地调派适宜做学校工作的党员干部，充实学校的领导力量。

根据党章规定，在教职工中发展党员，特别注意在没有党员或者党组织力量薄弱的学校发展党员，建立支部。

四十八、共产主义青年团应该在党的领导下，积极发挥党的助手作用，协助学校行政做好工作。共产主义青年团的主要任务是教育团员起模范作用，带动青年教职工和学生努力完成工作任务和学习任务，遵守学校纪律和规章制度；协助党组织和学校行政进行思想政治工作；进行团的组织建设和思想建设工作；领导少年先锋队的工作。

少年先锋队应该在共产主义青年团的领导下，适当地开展活动，教育队员并且团结同学好好学习，天天向上。学生会应该团结全体同学，使他们努力做到身体好，学习好，工作好。

教育工会应该在党组织的领导下，协助行政，在教职工中切实做好团结工作和生活福利工作。

应该教育在共产主义青年团、少年先锋队、学生会担任职务的学生，要有民主的作风，以平等的态度对待同学，团结同学搞好学习。学校应该关心这些学生的学习和健康，不要使他们兼职过多，任期过长，负担过重。

四十九、各级党委和教育行政部门，要保证学校领导干部有足够的时间做好学校工作，不要随便抽调他们从事学校以外的工作，不要让他们参加与学校工作关系不大的会议。要积极帮助学校领导干部提高政治、业务水平，并且注意在学校中培养新的领导骨干。

五十、学校的领导干部必须认真执行“党政干部三大纪律、八项注意”。

三大纪律是：（一）认真执行党中央的政策和国家的法令，积极参加社会主义建设。（二）实行民主集中制。（三）如实反映情况。

八项注意是：（一）关心群众生活。（二）参加集体劳动。（三）以平等的态度对人。（四）工作要同群众商量，办事要公道。（五）同群众打成一片，不特殊化。（六）没有调查，没有发言权。（七）按照实际情况办事。（八）提高无产阶级的阶级觉悟，提高政治水平。

学校领导干部，必须努力学习马克思列宁主义、毛泽东著作，认真总结办学经验，团结教职工，依靠地方群众和当地干部，鼓足干劲，认真办好学校，更好地为祖国培养新生一代。

关于对瓮安中学高（完）中办学水平督导评估报告

根据省政府教育督导室、省教育厅的要求和2001年全省教育工作计划的安排，受州人民政府委托，州政府教育督导室、州教育局组织有州政府兼职督学、州教育督导和教育行政人员等参加的督导评估团，在特邀省兼职督学的指导下，于2001年12月11日—14日，对瓮安中学高中办学水平进行了督导评估。评估团以国家关于教育的法律、法规、方针、政策和《普通中小学督导评估工作指导纲要》为依据，按照《贵州省普通高级中学督导评估方案（试行）》的标准和要求，对瓮安中学的办学方向、学校管理、教育质量、办学条件等方面进行了全面的督导与评估。在评估过程中，评估团听取了黄栋贵校长代表学校所做的自查自评报告；对4位校级领导、24位教师、45名学生、25位家长进行了问卷调查；分别召开了校级领导干部、教师、学生、家长、教研组长座谈会5次，共106人参加座谈；个别访问学生、教师、领导27人次；随堂听课共13节；查看了各种档案资料、教案、听课记录、学生作业等；观看了学校陈列室、师生文艺演出、升国旗仪式、课间操、课外活动等；实际核查了学校财务账目、校舍面积、图书杂志、仪器和器材；实地察看了校内外环境，各种教室及辅助用房、行政教师办公室、学生宿舍、食堂、厕所、图书阅览室等。在听、查、看、访、谈、议并获得大量信息的基础上，对照《方案》规定了49个C级指标，逐一进行了定性分析和量化评估。现将督导评估结果报告如下：

一、学校基本情况

瓮安中学前身为贵州省立第六中学，解放后更名为瓮安中学，是一所具有78年历史的普通完全中学，2000年6月经州政府批准改制为普通高级中学。

学校现有教职工140人，校级领导4人，中层干部6人，专任教师110人，高级教师25人（其中特级教师2人），中级教师38人，初级教师47人。在专任教师中，高中教师100人，具有本科学历80人，占总数有80%；达任职要求的比例为100%。

学校现有39个教学班，在校学生3136人。其中高中有34个教学班，在校学生2828人。

学校占地面积51826平方米，校舍总面积23327平方米，体育用地18880平方米，绿化用地21564平方米，有300米环形跑道田径运动场1个，足球场1个，标准篮球场4个，350平方米室内体育室1个，有排球场3个，羽毛球场1个及乒乓球运动场地1处。学校有普通教室39间，理化生实验室（含保管、准备室）12间，多媒体教室1间、微机室2间95座、语音室1间64座、图书、阅览室4间。

近三年高考会考合格率97.9%以上，毕业班毕业率在99.2%以上，辍学率在2%以下。

二、主要成绩、经验及特点

1. 坚持社会主义办学方向，全面贯彻党的教育方针，认真执行国家关于教育的法律、法规和政策，立足于邓小平同志提出的“三个面向”，积极推进素质教育，坚持把培养“四有”新人放在第一位，重视对全体学生进行全面教育，目标明确，指导思想端正，制定了《瓮安中学改制为高级中学2001—2005年学校发展规划》，努力加快发展，力争办出特色。学校严格执行招生计划，连续三年完成高中扩招任务。学校领导和广大教职工对高中目标任务认识明确，双重任务并重，重视对学习有困难的学生采取各种有效的帮扶措施，因材施教，并实施了高二后分流教育。近几年来，学生整体素质逐年提高，学校为高一级学校输送了大批合格新生，同时也为当地培养了一批具有一定知识和技能的劳动者，在全州社会声誉较高。

2. 深化学校内部管理体制改革，不断完善“三制一管理”，依法办学，以德治教。学校实行“校长负责，党支部监督保证，教代会民主管理”的体制，领导班子健全，政治业务素质较高，知识结构合理，经验丰富又具有开拓创新精神。党政班子团结协作，作风民主，廉洁自律。学校党支部能发挥政治核心作用，加强党组织自身建设，充分发挥党员先锋模范作用，支持校长和行政领导工作，认真履行职责，并指导和支持共青团、工会、学生会等开展工作，保证了党和国家方针、政策的贯彻执行。三年来，学校党支部曾2次被上级党委评为“优秀党支部”。学校建立健全了教职工大会制度，定期召开教代会，实行校务公开制度，充分调动全体教职工的积极性，充分发挥民主监督、民主管理、民主决策的作用，并虚心听取和采纳党外人士、离退休教职工的意见和建议，增强教职工的凝聚力，提高其主人翁意识，学校工作进入了法制化轨道。

3. 重视和加强师资队伍建设。学校教师学科基本配套，学历达标，结构基本合理，师德师风良好。自94年以来学校开始实施职务等级工资改革方案，随后推行了教师聘任制、校内结构工资制和分层次目标管理的改革方案，并在实施过程中不断完善。今年2月制定出台的《瓮安中学“三制一管理”暂行办法》予以施行，并将考核结果与评职、晋级、评优、聘用、奖惩挂钩，增加了教职工的危机感和紧迫感，增强了责任感和使命感，充分调动了教职工的积极性，增加了办学活力，促进了教育质量和办学效益的提高。

学校制定了《瓮安中学校风、班风、教风、学风》《瓮安中学师德八条》《瓮安中学教师的五种精神》《瓮安中学教师的权利》《瓮安中学教师的义务》和《瓮安中学爱生制度》，组织教师深入学习、贯彻执行。全体教师爱岗敬业，遵守教师职业道德规范，为人师表，关心、爱护学生。

学校历来重视教师的培训与提高，特别是对中青年教师的培养培训。2000—2001学年有2名教师推荐进入全国中学骨干教师培训班，9名青年教师推荐进行州、县级中学骨干教师培训班学习。近三年来，有33位教师通过在职或离职进修学习提高了学历，目前仍有6位老师正在学习进修。目前，学校正启动“中继教”工作，已完成对50岁以下教师的计算机培训，全部取得初级合格证。学校采取“优质课评比”“优秀教案评比”“教育教学研讨会”等形式培养青年教师，并结班主任帮学对子，新老教师签订帮教合同，开展“传、帮、带”活动。另外，学校还经常采取走出去、请进来的方式进行校际经验交流。据统计，近三年来学校用于教师培训经费达20余万元，有力地促进了教师政治素质和业务水平的提高，一大批中青年教师已成为教学骨干。

4. 切实维护教职工合法权效益，重视教职工政治和生活待遇的改善。校党支部大力培养入党积极分子，三年来共发展新党员10名，选送12名入党积极分子到县直机关党委参加学习培训，三年内有11人被评为优秀共产党员。注重发挥参与民主管理与监督作用，每次教代会均按规定民主产生百分之三十的代表，参与学校重大问题的讨论与决策。努力改善办公条件，新建办公大楼，各处室、教研组、年级组都有专用办公室和办公桌椅，并配备有电脑、电话、电热水器和专用器材、服装、设备等，建立了教师专用图书资料库和阅览室。近三年来采取自筹和集资方式新建教师公寓，使单元住房增加到 8 幢 100 户，住房户达 136 户，且补助安装电话、管道液化气，补贴外出学习考察等，每年组织一次身体检查，逢年过节，慰问离退休教师，校工会负责料理逝去教师后事等等，激励教职工为学校尽心尽力，尽职尽责，以校为家，以校为荣。全校有 7 人获国家级表彰、6 人省级表彰、12 人州级表彰、48 人县级表彰，学校未发生过侵犯教师个人权益的事件。

5. 坚持把德育工作放在首位，以德治校，以德治教。学校成立有德育工作领导小组，聘请了法制副校长，政教处全面负责学校德育工作，拟定了德育总目标和学生思想品德考核方案。建立有一支精干的德育工作队伍，办有业余团校，形成了党政领导亲自抓，分管领导具体抓，工会、共青团、年级、班级、社会、家庭一起抓，齐抓共管的德育工作网络。制定有各方面切实可行的德育工作计划，有组织、有步骤地开展思想政治和品德行为教育，保证德育工作的顺利开展。

学校能依据《中学德育大纲》、《中小学德育工作规程》等党和国家关于德育的方针政策，结合实际，制定了《瓮安中学校风、班风、教风、学风》《文明班级公约》《中学生礼仪常规》《中学生“十不准”》《社会公德》《瓮安中学学生管理规定》《瓮安中学学生一日常规》等规章制度和各项措施，开展形式多样内容丰富的德育活动，从学生行为规范，到世界观、人生观的教育，始终贯彻以爱国主义、集体主义和社会主义为核心的政治思想教育和健康心理品德教育。学校制定了《关于不准辞退学生、开除和勒令学生退学的规定》和《关于转化后进生的要求和措施》，对品德有缺陷的学生进行帮教，建立转化档案，对违纪学生按校纪校规本着惩前毖后，治病救人的原则进行教育处理，转化率较高。

学校德育工作内容丰富，形式多样，实施途径切实有效，能充分发挥政治课的主渠道作用，并要求各科教学把德育渗透于教学过程中，措施有力，效果明显。学校还大力加强“三风”“三化”校园建设，优化育人环境，并通过校团委和学生会组织形式多样的德育活动，保证德育活动持续有效地进行。据统计 1998 年以来学校共投入德育经费达 48 万余元。

6. 坚持以教学为中心，切实加强学校常规管理，工作水平和效率较高。学校能按国家颁发的课程计划，基本开齐课程，开足课时，新课程计划已起动。能按教学大纲要求组织上好学科课和活动课，使用规定的教材。学校教学管理制度健全，教学日志，值周安排及记录等较好，做到有计划、有检查、有总结，常规检查规范，坚持听课制度，有听课记录“听课意见”记载，教学常规要求严格，并开展检查、评比、公示、记入档案，管理科学有序。学校是省传统体育项目学校，坚持开展“两操一课”，每年召开全校性的田径运动会和达标运动会，保证每天不少于 1 小时的体育锻炼时间，两操一活动出勤率达 98%以上，学生体育达标率在 93%以上，合格率在 99%以上。学校严格按照要求开设实验教学课，实验室管理规范，理化生实验开出率均达 100%，2001 年 6 月，经省“普实验收”，获“省实验教学示范学校”称号。学校考试考查严格、规范，重视信息反馈，学籍管理制度完备，程序规范。

学校教研组织健全，工作开展正常，教研活动制度化，形式多样，内容具体，有较强针对性。坚持每周一次教师集体备课制度，每次活动定有中心内容、主讲人、重、难点课。由骨干教师先上示范课或由新教师上汇报课或组织上研究性公开课，并做到“五个统一”，“三个发挥”，“五个落实”，效果显著。同时走出去，请进来，开展校际交流，并与荔波民中结对手拉手学校，共同进步，互为提高。学校还开展了帮扶农村学校活动，具有一定辐射作用。教研教改成效突出，有论著，优质课奖，学科竞赛奖等。

学科各种规章制度健全，岗位职责明确、具体，坚持考核，兑现奖惩。学校各种计划、总结完备，各类档案较完整、规范，信息资料收集较及时完整。财务管理和校产管理严格，账目基本清楚。安全保卫工作认真，无重大事故发生。勤工俭学有项目，其收入71.2%用于改善办学条件。学校按黔机编〔1993〕119号文件规定设置相应机构，未超编。

7. 积极筹措资金，努力改善办学条件。在县财政极度困难的情况下，学校领导班子不等不靠，积极进取，努力开拓，多方筹措资金，改善办学条件。一是近三年来预算外资金用于改善办学条件的比例1998年为76.6%，1999年为76.8%，2000年为77.8%；二是采取借贷集等方式，努力改善办学条件。

自1998年以来，学校投入160万元，新扩建校舍总面积达3740平方米，添置了近20万元电教设备，购置更新了理化生实验设备投入达到66.64万元，音体美有6万元器材，图书资料、广播器材等办学条件大大改观。

三、主要问题及整改建议

经检查评估，瓮安中学虽然在近几年取得了很大的成绩，发展较快，但是仍存在一些不足和问题需要认真研究，予以加强和改进。

1. 建议县政府要进一步加大对学校的投入，加快办学条件的改善步伐，以适应高级中学办学的需求，使硬件建设上一个新台阶。一是增加预算内拨款，使学校总支出中达到以国家财政拨款为主的规定要求。二是增加预算内生均公用经费，近三年虽逐年增长，但绝对数额太低；三是关心帮助学校，引资贷款改善办学条件。

2. 希望县政府关心和帮助学校千方百计想办法，新建校舍，切实解决当前和今后发展中教室严重不足，学生宿舍不够，造成超大班级的现象。

3. 按黔机编〔1993〕119号文件规定编制标准，目前学校教师缺编48.9人，按发展速度明年将又会增大缺编教师数。希望县政府及有关职能部门引起高度重视，调整充实，切实减轻教师和学校的沉重负担。

4. 希望学校认真学习和研究新课程计划，加快实施步伐，开设研究性学习课，调整充实信息技术教育的教师，创造条件尽快建立校园信息技术网络，进一步提高现代教育技术的应用和推广。

5. 建议学校进一步加强档案资料的收集、整理，使之进一步规范化，注重职业教育、劳技活动、德育活动、科技文化活动等原始资料的收集，提高工作信度。

6. 加大实施素质教育的力度，增大覆盖面，多开展各类丰富多彩的活动，特别是加强音美方面的活动，使学生得到全面发展，特长能得到及时发现培养，为高一级学校输送更多的各类合格新生。

四、评估结论

评估组一致认为：瓮安中学建校近80年，在改革开放以来，特别是近几年来，在县委、县政府的领导和关心下，在教育主管部门的直接领导和帮助下，学校领导班子振奋精神，开拓进取，求真务实，迎难而上，带领广大教职员工，深化教育改革，更新教育观念，大胆探索，积极推进素质教育，全面推进“三制一管理”，加快师资队伍建设步伐，大力改善办学条件，努力营造育人环境，全面贯彻教育方针，全面提高教育质量，学校办学水平和效益显著提高，为科教兴县做出了重要的贡献，特别是接到《贵州省普通高级中学督导评估方案（试行）》以后，认真组织自查、自评，在自查自评中，对照《方案》认真整改，力度较大，成效明显。

评估团指标小组按照《方案》的规定要求，本着“坚持标准，实事求是”的原则，严格、公正、客观的研究分析了瓮安中学的情况后做出了评价。经评估团全体成员集体研究评议，对瓮安中学的评估结论如下：

A1：办学方向　　47.5 分　　优等

A2：学校管理　　210.1 分　　优等

A3：教育质量　　126.4 分　　优等

A4：办学条件　　91.6 分　　优等

合计：475.6 分　　突出成绩加分 97 分

总分：572.61 分　　总体评价为：优秀学校

希望学校领导和全体教职工，进一步学习贯彻党和国家关于教育的方针、政策、法律、法规，深化学校内部管理体制改革，稳步推进“三制一管理”，全面推进素质教育，不断改进教育方法和手段，全面提高教育教学质量，努力为各高校输送更多的合格生源，为当地培养更多高素质的人才创造条件，力争早日进入省级示范性高中的行列。

黔南州政府教育督导室　黔南州教育局

普通高（完）中办学水平督导评估团

二〇〇一年十二月十四日

关于对瓮安中学申报省级示范性普通高中的评估意见

贵州省教育厅办公室黔教办基〔2004〕42 号

根据黔教基发〔2003〕411 号文件《省教育厅关于对贵州教育学院实验中学等 9 所学校进行省级示范性普通高中评估的通知》精神，省教育厅组织专家组，按照《贵州省省级示范性普通高中评估方案（试行修订稿）》，于 2003 年 12 月 15 日—18 日对瓮安中学进行省级示范性普通高中评估。评估情况如下：

一、评估的基本情况

遵照评估的工作程序，评估组听取了学校申报工作情况汇报，现场查看了学校校园及办学条件，查阅有关资料 130 盒，对 5 名校领导、20 名教师和 30 名学生进行问卷调查，召开了教师座谈会（20 人参加）、学生座谈会（30 人参加）、家长座谈会（10 人参加）及离退休教工座谈会（10 人参加）等四个座谈会，个别询问教工、学生 40 余人次，随堂听课 19 节（其中：优秀课 6 节，良好课 11 节，合格课 2 节），观看了学校的文艺演出。最后与政府、教育行政部门和学校反馈了意见。

二、学校的基本情况

学校始建于 1926 年，至今有 77 年历史。现为独立高中，有 54 个教学班，共 2954 人，有教职工 168 人，专任教师 143 人，其中具有中高级职称的教师 103 人。

学校占地面积 82986 平方米，生均 28.1 平方米；校舍建筑面积 29578.8 平方米，生均 10.0 平方米；绿化面积 40634 平方米．生均 13.8 平方米：图书 48814 册，生均 16.5 册；教师阅览室 2 间，座位 88 个，学生阅览室 2 间，座位 520 个。

学校现有理化生实验室 10 间（其中物理 4 间，化学 4 间，生物 2 间），基本按教育部

2000年“中学理科教学仪器配备目录》标准进行配置。有计算机196台（其中学生164台，教师32台），开通了校园局域网并接入宽带网；有天文馆1个，观测系统一套；多功能教学厅2间538个座位；语音室一间，音乐教室、美术教室各一间，体育运动场地基本满足需要。

学校总结的办学特色：1. 革命老区农村县级中学，一流教育质量，高中扩招典范；2. 独特的校本文化，可持续发展的校园建设，打造育人新景观。

三、主要成绩及经验

1. 领导班子团结合作，务实求真，有强烈的事业心、责任感和使命感；关心群众，坚持感情留人、事业留人，凝聚力较强。

2. 学校规划合理，办学条件大为改善。近几年来，学校在各级政府的支持下，多方筹集资金，努力改善办学条件，使学校面貌焕然一新。新建的教学楼彻底解决了困扰学校多年的大班额问题；现代教育技术设施和理化生实验室等，处于县级中学的一流水平。重视育人环境的营造，把校园文化建设提高到“生态”的高度来认识和实践，形成了较为鲜明的“体现自然美，展现和谐美，凸现人文美，追求精神美”的办学特色。

3. 面向全体学生，教学质量较高。面向以农民子女为主体的全体学生，对贫困学生和学习有困难的学生倍加关怀。以县城中学的条件在全州取得了名列前茅的质量水平，是当地有较高声誉的优质高中之一。

4. 教师队伍整体素质较高。绝大多数教师爱岗敬业，关怀学生，师德高尚，工作认真。年级学科组集体备课制度坚持好，充分发挥了“同伴互助”的作用。

5. 重视思想品德教育，德育措施落实。有让学生自评、自查、自我教育的具体措施，有从2000年9月开始坚持的学生收看《新闻联播》的制度，有每个班设立的班主任工作席。德育工作有明显实效。

6. 重视教研教改，接受了以校为本教研制度的新理念. 以积极主动的姿态参与课程改革。学校研究性学习和校本课程建设已初见成效，编写了《家庭庭院经济》《可爱的瓮安》等校本教材。

四、存在的主要问题

1. 教师严重不足，因此教师负担过重，进修、“充电”、科研均受影响。

2. 校级领导班子平均年龄偏大，人数偏多，且无女干部。

3. 应试教育的倾向在一些地方还有明显痕迹：把高三理科班的政治课提到高二上，结果使会考一次合格率明显下降。

4. 实验室数量不足；图书差额较大。

5. 学校对自身的办学特色还需进一步总结和提炼。

五、建议

1. 学校领导在端正办学思想上还要进一步努力，彻底扭转应试教育的倾向。

2. 进一步改善办学条件，按要求配备实验室和实验仪器、教学设备，增加图书数量，并充分发挥教学设备，图书的使用效益。

3. 地方政府要积极帮助学校解决师资不足的问题及校领导班子平均年龄偏大、结构不尽合理的问题，帮助学校落实修建运动场、体育馆的土地和资金。坚决纠正政府抽取学校学费用于补充财政收入不足的做法。

二、部分毕业学生名录

附表

瓮安中学部分毕业学生名录

序号	姓名	性别	族别	出生年	籍贯	毕业时间	职务职称	备注
1	李万华	男	汉	1923	瓮安	1940	南开大学经济学院党委书记、第一副院长	1989 年离休
2	丁　章	男	汉	1927	瓮安	1941	瓮中教师、主任、校长，黔南师院教授，学士	
3	萧文瀚	男	汉		瓮安	1946	海南师范学院教授、中文系主任、社科联合会委员	已退休
4	雷选隆	男	汉	1931	瓮安	1947	黄果树风景区开发元老	已退休
5	犹品素	女	汉	1939	瓮安	1954	昆明医学院党委委员、护校校长，护理系主任、教授、主任护师	2000 年退休
6	丁朝北	男	汉	1941	瓮安	1955	黔南州文化局，中国美术协会会员，正高	2001 年退休
7	颜　迈	男	汉	1943	瓮安	1957	贵州师范学院终身教授	2004 年退休
8	袁朝荣	男	汉	1941	瓮安	1958	省商务厅审计处长、计统、物价处长、企改办主任，副厅级	2001 年退休
9	刘支举	男	汉	1941	瓮安	1960	贵州财经大学纪委书记，副厅级	2003 年退休
10	宋锡林	男	汉	1941	瓮安	1961	工程系列高级工程师全国无损检测学会理事	已退休
11	孙文彩	男	汉	1940	福泉	1961	贵州电力中心调度局行政管理、工会副主席	2002 年退休
12	郑维锡	男	汉	1943	瓮安	1962	黔东南州直机关工委，正处级	2003 年退休
13	王化莹	男	汉	1942	瓮安	1963	县委书记、省农办扶贫办副主任，正处级	已退休
14	杨泽兴	男	汉	1948	瓮安	1963	瓮福集团公司党委委员、工会主席，正处级	2009 年退休
15	罗守文	男	汉	1943	瓮安	1963	贵阳市工商行政管理局长，副厅级	已退休
16	王维刚	男	汉	1944	瓮安	1963	黔南民族师范学校外语系党总支书记主任、教授	已退休

续表

序号	姓名	性别	族别	出生年	籍贯	毕业时间	职务职称	备注
17	辛守成	男	汉	1950	山东	1964	省社会主义学院党委书记，省六、八、九次党代会代表，正厅级	已退休
18	李吉才	男	汉	1944	瓮安	1964	黔南州人大常委教科文卫主任委员，正处级	2004年退休
19	李应群	男	汉	1946	瓮安	1965	教授、主任医生、硕士研究生导师	已退休
20	朱季历	男	汉	1949	瓮安	1965	安徽省政协常委、法制委员会主任，正厅级	2012年退休
21	王开余	男	汉	1944	瓮安	1965	瓮安县政府副县长、人大常委主任，正处级	
22	周辉菊	女	汉	1947	瓮安	1965	农业部先进工作者、安顺地区科协副主席，正处级	2007年退休
23	龚晓烈	男	汉	1948	瓮安	1966	省社科院主任、副书记、省纪委正厅级纪检员，正厅级	已退休
24	胡长生	男	汉	1948	瓮安	1966	云南省组织部副处长、玉溪市委组织部长，正厅级	2008年退休
25	钟才宁	男	汉	1950	瓮安	1967	黔南师范学院化学与化工系教授、常务理事	已退休
26	丁丽仙	女	汉	1949	瓮安	1967	中医学院教授、主任医师、硕士生导师	已退休
27	於抗美	男	汉	1952	湖北	1968	贵大化工厂工程师资产经营公司副总经理、工会主席，正处级	已退休
28	王木森	男	汉	1950	瓮安	1968	贵州工学院党总支书记、人事处长、贵大办主任、人事处长，教授	已退休
29	丁润生	男	汉	1953	瓮安	1968	黔南民院中文系教授、硕士生导师图书馆长、学术委员	已退休
30	高国富	男	汉	1948	瓮安	1968	高级工程师、省建设厅处长、总工程师教授，副厅级	已退休
31	张宜华	男	汉	1948	瓮安	1968	省公安厅党委委员、纪委书记，副厅级	已退休
32	蒙大德	男	汉	1949	瓮安	1968	黔南州统战部副部长兼工商联书记，正处级	已退休
33	邱耀东	男	汉	1950	瓮安	1968	民进贵州省第五届委员会常委、九十次全国代表，副厅级	已退休
34	李报德	男	汉	1951	瓮安	1968	省政府副秘书长兼法制办主任、教科文卫主任，正厅级	

续表

序号	姓名	性别	族别	出生年	籍贯	毕业时间	职务职称	备注
35	况志华	男	汉	1951	瓮安	1968	黔南州供销联合社主任、书记，正处级	
36	王利平	男	汉	1951	瓮安	1968	贵州省交通厅党办主任、人事处长、巡视员，副厅级	2012 年退休
37	朱建贵	男	汉	1952	瓮安	1969	中医学硕士、大学教授、评审专家、学会理事	已退休
38	刘仕刚	男	汉	1950	瓮安	1972	黔南州纪委常委、常委副书记，副厅级	2011 年退休
39	邓功成	男	汉	1955	瓮安	1972	黔南民院教授，中国微生物学会会员、理事，硕士	
40	杜定全	男	汉	1955	瓮安	1973	贵大教授资源工程系副主任资环学院院长，博士	
41	曹玉珍	女	汉	1955	河北	1973	贵阳市统计局书记、局长、政协常委、教文卫体主任	
42	杨选华	男	汉	1953	瓮安	1974	黔南州交通局党组书记、局长，正处级	2013 年退休
43	胡先明	男	汉	1958	瓮安	1974	黔南州人口计生委主任、书记，正处级	
44	周双林	男	汉	1956	瓮安	1974	贵州水利水电工程移民局处长、党委委员，正处级	
45	李仕华	男	汉	1957	瓮安	1974	九届政协常委、老山十五勇士连连长、州食品药品监管局纪检组组长，正处级	
46	兰　岭	男	苗	1958	瓮安	1975	省府驻珠海办事处主任，正处级	
47	杨筑萍	女	苗	1957	瓮安	1975	黔南州州委委员人大常委，八、十一、十二、十三人大代表，副厅级	
48	许兴平	男	汉	1959	瓮安	1975	广西柳州市检察院政治部主任、党委副书记法警支队政委，正团级	
49	刘京伟	男	汉	1959	瓮安	1975	省发改委国土经济研究室主任、研究员，正处级	
50	李洪久	男	汉	1957	瓮安	1975	上校军衔，自卫反击战立一等功、省教育厅离退休干部处长，正处级	
51	龚慕霞	女	汉	1957	瓮安	1975	贵大马列主义教育部骨干教师、教授，硕导	
52	龚　玮	男	汉	1958	瓮安	1975	重庆交大教授、硕士生导师、广电系主任	

续表

序号	姓名	性别	族别	出生年	籍贯	毕业时间	职务职称	备注
53	张士进	男	汉	1959	瓮安	1977	贵州预备役师政治部主任，副师级	
54	刘作易	男	汉	1959	瓮安	1977	博士生导师、教授、贵州农科院院长，正厅级	
55	刘志琴	女	汉	1959	瓮安	1977	主任医生、教授、硕士研究生导师、省管专家	
56	李文军	男	汉	1960	瓮安	1978	北京科大化学系教授、化学与生物工程学院副院长、博士	
57	邓瑞新	男	汉	1960	瓮安	1978	贵州大学计算机科学与信息科学基础教学部主任、博士、副教授	
58	王贤光	男	汉	1960	瓮安	1978	省安监局专员，正处级	
59	曾光善	男	汉	1960	瓮安	1978	省气象局政策、法规、人事处长高级工程师，正处级	
60	闵路明	男	汉		瓮安	1978	都匀市委常委、政协副主席，副厅级	
61	孙小娟	女	汉		瓮安	1979	国际软骨肿瘤分子生物学治疗主任、研究员，医学博士	
62	杨承志	男	苗	1962	瓮安	1979	省政协十届常委、州政协副主席、民革州委主委，副厅级	
63	倪祖尧	男	汉	1963	瓮安	1980	加拿大多伦多大学教授，博士生导师，博士	
64	蔡远利	男	汉	1963	瓮安	1980	西安交大博士后、学者、教授、博士生导师，中科院学者	
65	犹家仲	男	汉	1963	瓮安	1981	广西师大对外汉语博士生	
66	唐　忠	男	汉	1964	瓮安	1981	中国人民大学学院教授国际交流处长、经济学博士生导师	
67	丁　召	男	汉	1964	瓮安	1981	贵大理学院副院长、省管专家、理学博士	
68	周宁全	男	汉	1963	瓮安	1981	黔南州医院神经科主任医师、党支部书记	
69	张和松	男	汉	1964	瓮安	1982	重庆市八中党委书记、副校长、特级教师，正处级	
70	王观玉	女	汉	1964	瓮安	1982	教授黔南民族计算机系主任、省计算机学会理事	
71	徐明芳	男	汉	1965	瓮安	1982	高级工程师、黔南州交通设计院院长、书记、交通建设公司总经理	

续表

序号	姓名	性别	族别	出生年	籍贯	毕业时间	职务职称	备注
72	雷 鸣	男	汉	1965	瓮安	1982	省国资委政策研究和法规处处长，正处级	
73	刘胜军	男	汉	1965	瓮安	1983	都匀市委常委、常委副县长、市长，正处级	
74	范良松	男	汉	1965	瓮安	1983	省消防总队政治协理员兼党委副书记（正团上校），正团级	
75	熊海燕	女	汉	1966	瓮安	1983	省动物卫生监督所主任科员，正处级	
76	李继新	男	汉	1964	瓮安	1984	中国烟草总公司贵州省公司科技处长、研究员	
77	黄 山	男	汉	1966	瓮安	1984	省临床检验中心主任技师，硕士研究生导师	
78	王国剑	男	汉	1977	瓮安	1996	珠海市委组织部，法学博士	
79	张友辉	男	汉	1967	瓮安	1986	瓮福磷矿党委书记、纪委书记、工会主席	
80	杨兴华	男	苗	1967	瓮安	1986	罗甸县委副书记、政府党组书记、县长，正处级	
81	王 彬	男	汉	1969	瓮安	1986	贵州省桃源融资担保股份公司、白云黔信小额贷款公司执行董事兼风险总监	
82	杨 立	男	汉	1970	瓮安	1987	国家精密微特电机主任，贵阳航天林泉电机公司总工程师、研究员	
83	曾光明	男	汉	1970	瓮安	1987	省经济和信息化委员会企业改革与发展处长，正处级	
84	李 俊	男	汉	1969	瓮安	1987	贵州师范大学教授，处级干部；中国作家协会会员、省电影电视协会主席	
85	罗 翔	男	汉	1967	瓮安	1987	贵州四力机电设备有限责任公司总经理	
86	兰美海	男	汉	1969	瓮安	1988	黔南州中级人民法院工作，法学博士	
87	商 宜	男	汉	1972	瓮安	1989	工程师、重庆煤矿安监局、监管局党组成员纪检组长党委书记	
88	王文光	男	汉	1970	瓮安	1989	成都军区空军装备航材处航空四站党委常委高级经济师	
89	刘红梅	女	汉	1976	瓮安	1990	全国女子自由式摔跤锦标赛第二名，世界锦标选拔赛冠军	

续表

序号	姓名	性别	族别	出生年	籍贯	毕业时间	职务职称	备注
90	赵明昌	男	汉	1972	瓮安	1991	贵州省黔南药业有限公司经理	
91	宋荣彩	女	汉	1975	瓮安	1992	成都理工大学能源学院福院长、博士、教授	
92	文永辉	男	汉	1976	瓮安	1993	贵州师范大学法学院副院长、硕士生导师，法学博士	
93	刘　毅	男	汉	1974	玉山	1993	省水运工作质监站监督航运建设扩建工程高级工程师	
94	张　恒	男	汉	1976	瓮安	1993	第三军医大学泌尿外科主治医师，医学博士	
95	王永军	男	汉	1975	瓮安	1993	贵州电网公司市场营销部副主任，高级工程师	
96	刘　谨	男	汉	1975	瓮安	1994	贵州师范大学外国语学院院长、教授、硕士生导师	
97	兰安军	男	汉	1974	瓮安	1994	贵州师范大学硕士研究生导师、博士	
98	董泽军	男	汉	1974	瓮安	1994	中国科学院昆明植物研究所国家重点基础研究项目主要研究员	
99	陈永娥	女	汉	1977	瓮安	1995	文体研究与文学教育博士生、黔南民院教师、行办主任	
100	向　嵩	男	汉	1979	瓮安	1996	贵大教材与冶金学院教授	
101	胡　希	男	汉	1979	瓮安	1996	从事博士后研究工作，经济学博士	
102	李　忻	女	汉	1978	瓮安	1996	清华大学信息技术研究院无线与移动通信技术研究中心，博士	
103	朱　洪	男	汉	1977	瓮安	1996	海军陆战队某旅任副参谋长，军事学学士	
104	陈静梅	女	汉	1979	瓮安	1997	贵州财经大学文化传播学院副教授、硕士生导师，文学博士	
105	石　峤	男	汉	1979	瓮安	1997	深圳市远界管理咨询有限公司顾问、项目总监，中山大学文学博士	
106	唐　娟	女	汉	1975	瓮安	1997	贵州大学宣传部副部长，博士	
107	杨　波	男	苗	1980	瓮安	1997	中央民族大学，博士	
108	周乐欣	男	汉	1980	瓮安	1998	贵大理学院副教授、硕士生导师、管理学博士	

续表

序号	姓名	性别	族别	出生年	籍贯	毕业时间	职务职称	备注
109	汪建钦	男	汉	1978	瓮安	1998	中国农业发展银行总行财务会计部，博士	
110	李远航	女	汉	1983	瓮安	2001	湖南省分行信贷处综合科科长，经济学博士	
111	赵远波	男	汉	1984	瓮安	2001	北京大学博士	
112	刘成前	男	汉	1986	瓮安	2003	南京大学生命科学学院研究生毕业，芬兰赫尔辛基大学博士	
113	张仁远	男	汉	1985	瓮安	2003	加拿大多伦多大学电气与计算机工程系博士生	
114	张正建	男	汉	1984	瓮安	2004	中国奥凯航空公司飞行员	
115	张　鹏	男	汉	1986	瓮安	2005	国防科技大学政治部，硕士研究生	
116	田　甜	女	汉	1989	瓮安	2008	贵阳医学院生化博士	在读
117	邓楚涵	男	汉	1991	瓮安	2009	英国剑桥大学工程系博士	在读
118	刘如权	男	汉	1954	瓮安		黔南日报社社长、党总支书、高级记者	已退休
119	李　玮	女	汉	1986	瓮安		四川大学博士生	
120	刘泰君	男	汉	1988	瓮安		民康医院经理，公交公司经理	

三 、历年高考录取学生名录

1978—2013 年瓮安中学历年高考录取学生名录

1978 年

李文军　李　华　邓瑞新　曾光善　卫国强　王玉平　杨晓英　邹　利　闵路明
胡　刚　王贤光　杨正贵　李建开　丁丽娟　丁家友　孙仲时　李子忠　张　蔚
毛　惠　杨胜林　熊　惠　孙　敏

1979 年

王晓峰　罗　俊　杨水泉　杨承志　张剑屏　石　理　宋　华　闵　谦　刘　梅
戎　军　陈　芳　盛　林　孙晓娟　符　合　吴　兵　周正敏

1980 年

蔡远利　李文义　倪祖尧　丁敏生　李文成　黄栋全　罗　勇　李晓燕　毛模谌
康　宴　王秀山　胡益兰　陈　涛　商涛军　李昌军　李昌恒　江家恒　谢承德
孙　强　熊　珺　王小勇　刘　平　孙绍忠　杨祖模　胡　容　王观忠　杨正红

1981 年

唐　忠　杨兴贵　杨　东　谢　兵　潘兴米　周宁全　丁青山　韩真良　罗光全
熊　丽　李文通　邓建均　王观玉　陈　琴　黄俊松　李文平　易利亚　祁连州
犹家仲

1982 年

雷胜芳　雷　鸣　廖东江　杨　蝉　余吉东　吕　平　张合森　李　健　吴　屏
丁煌生　邹学坤　梁　筑　黄　静　谢玲玲　孙　智　朱琪崎　闵　杰　李英杰
高育林

1983 年

薛文涛　刘志春　单春华　宋克娟　肖忠华　向　导　吴树红　伍　斌　王小华
王朝科　范良松　李富豪　刘　莉　熊海燕　张应龙　罗友军　黎鼎刚　刘胜军
王远辉　王之萍　李　岚

1984 年

舒俊江　李文华　黄　山　张小瑜　邹　磊　邹勋武　王　进　申红卫　张　军
郑先才　刘仁奎　张润琴　顾德贵　王成祥　熊　伟　桂　铭　杜向阳　唐连开
王培育　罗庆华　黄才江　周学东　易松林　李维新　谢仕学　曾光丽　王其仙
黄雪瑶　王兴科　郑　梅　周红梅　田　川　许兴荣　姚群芬　宋　沆　付昌喜
胡朝志　周秀君　安　平　张泽勇　张清昌　郭雄建　杨新颖　尚广成　季　宏
贺　军　毛绍军　蒋永初　尚朝良　贾志忠　胡齐文　夏景富　王　惠　潘建华
张兴加　邹　勇　胡黔芬

1985 年

苏　钟　高　翥　王建兵　袁愈辉　胡德馨　王卫红　罗友明　谢　静　李中华
谭仁全　刘文晓　钟文学　贾朝永　周明光　周君伦　李秀学　胡先兰　吴兴勇
刘龙芳　张万碧　郑晓学　向占雄　周照华　张绍宽　倪　敏　田茂辉　冯树奇
吴定能　胡正坤　贺　光　邓国平　童湿明　张显峰　陈　斌　兰新长　龙良海

1986 年

龙　毅　曹玉琼　高　佳　宋　涛　曹文婷　郭雄杰　向　旭　赵　洪　段凤强
杨兴华　胡齐芳　吴　军　唐文义　罗　铁　杨　权　周明均　袁仁书　程　华
徐德富　蔡　兵　肖卫东　刘建兴　刘大勇　罗　维　肖袖钰　王大为　陈　刚

丁文凯　陈兴华　雷秀凤　田　春　周　琨　彭福洪　龚丽娟　李荣强　周福远
杨晓波　童家贵　王登灿　聂奇敏　朱洪成　汪中秋　陈国星　王松利

1987 年

毛　红　王　彬　李长凤　杨　立　代前忠　陈　卫　张建勋　朱继泽　倪兴毅
周光建　田　忠　刘　林　龙大权　向　军　邓彩霞　陆素珍　朱仕明　张　辉
许正立　曾光明　王光坤　李文茂　潘仁辉　朱　俊　郭　健　王　晓　罗　毅
余吉西　周厚芬　陈发吉　徐　晖　王　黔　娄方明　唐　辉　李　毅　宋泽容
杨正先　何顺琴　向祖武　张大荣　金正琴　候显会　余　强　邓顺英

1988 年

邓丹凤　王国海　石玉海　李　宁　梁　山　游建华　陈雪梅　黄　进　张庆忠
曹代陶　韩　梅　谢承章　兰裕辉　姚福祥　任　俊　肖兴奎　刘　星　况昌宇
曾红莉　王绪栋　曹凯文　闵红莉　吴建强　刘　斌　郑志强　傅文忠　周再军
宋发友　包庆红　熊其江　罗亚林　杨胜华　何崇科　刘　帅　黄大山　周厚强
夏锦全　邱仁毅　李润发　何家林　曹植铭　王中梅　王永奎　张　辉　胡世合
杨　璟　李景明　刘国奇　卢林锋　肖大荣　肖忠明　张明光　刘洪国　况　飞
葛诗平　滕　浩　熊家荣　陈　均　黄胜华　蔡程志　金正会　蒙德敏　黄雪姣
夏吉美　龙沛雨　陈　军　谭国强　游　狮

1989 年

蒋静姝　李恩波　黄　谨　李荣川　宋晓恒　周　琼　王松毅　王学莲　郑　健
曹　凯　石学文　黎　明　陈清惠　金正平　陈茂霞　聂　垛　王小瑞　张宝禄
赵远军　黎　琳　潘锦鹏　周兴华　贺光群　刘会忠　商　宜　袁亚林　李邦仲
李　黛　黄飞跃　黄培咏　李子文　文儒俊　李晓云　蒋　雪　邓荣兵　赵应德
唐　丽　罗　茂　贾朝列　张晓军　成荣发　吴定祥　杨　平　谌　菊　殷　谦
夏忠文　倪化军　周福阳　池光亮　朱明兰　罗冬梅　胡声立　罗玉会

1990 年

王　琰　毛　颖　王　俊　黄　珂　金伯杨　赵　军　熊发荣　赵文俊　张春元
兰　斌　罗成戬　聂有福　夏开举　唐显军　曾孝辉　杨天勇　王富才　张元洪
况月怀　朱进梅　梁正林　肖　剑　洪　蕾　黄玲俐　周小兵　程兴祥　向　霞
张海银　杨邦华　代兴仁　刘　莉　李　班　赵泽永　胡元华　罗晓璐　谭德宇
胡祥中　罗　军　李荣华　王　华　帅本明　高贵书　彭小春　游　狮　罗清国
王　均　何应平　王　华　魏　旭

1991 年

袁丽萍　毛　成　卢光玖　潘　峰　何俭华　左　兵　胡　珊　吴昌祥
林　建（南农大）郑舟俊　王　仲　杨再兵　贾　锐　王　庆　聂应中　张　华
唐　建　陈德敏　李元庆　冯　犇　付小劲　黄国敏　韩　阳　宋纯禄　吴定伟

胡齐鑫	李秀锋	肖丕明	余 军	刘 洪	江 涌	黄 俊	兰美坤	饶兴辉
安 力	王观军	汪 松	王 静	唐志群	张立新	刘 铭	肖连均	雷抒翔
徐国生	付启贵	张应祥	朱仕红	陈章富	姜 华			

1992 年

向 昕	左 琴	陆 燚	卢 中	陈仕荣	李远坤	尹帮奇	宋荣彩	何国均
雷建军	聂 军	何 俊	张德春	蒋吉松	陈定国	张海建	赵慕琦	黄雪涛
李治平	曾祥远	张元华	张明琴	熊 杰	舒远辉	盛定勇	袁远松	詹先俊
唐文波	洪家喜	王 兵	冯小坤	张光志	陈 良	钱朝辉	宋钖章	何 玺
丁六刚	何克冈	犹登江	谢祥明	李登洪	徐本发	苏 畅	王大均	胡湘陵
林 莉	夏 斌	王支全	刘元文	何远红	石 顺	杨小莲	商正银	肖大春
荆方奎	曾 实	尹利霞	谭 星	王 静	黄丽琼	赵贵群	余益萍	

1993 年

谢治春	罗 颖	张 恒	陈古平	吴 婧	王 维	王永军	王荣方	张忠勇
解忠明	张海龙	李东麟	陈金林	曹质鹏	潘兴华	陈 嫚	陈 涛	黄尽晖
刘 毅	李恩奇	金延红	李 林	石成刚	习 旭	廖云辉	李 青	文永辉
曾祥远	宋 涛	夏洪贵	秦志洪	王 洪	郑龙平	徐念东	汪培已	潘家贵
张 帆	杨 华	袁昌国	高祖都	罗玉东	杨作富	牟世红	万福贵	谢治春
王宪毅	诸庆衍	王中轩	任晓丽	何明举	徐肇鸣	李洪波	宋晓艳	肖 力
颜方权	刘晓刚	李传毅	柏 勇	刘怀祥	蒋成利	陈 瑛	李绍芳	王兴平
罗 敏	罗劲松	肖祥明	唐光萍	邓湘兰	聂诗琴	杨文峰	陈绍芬	谭明全
曾 山	熊兴隆	樊啟华	胡春明	陈 飞	石州学	姚明亮	宋 军	吴现荣
商 露	刘德智	闵明晏	李 卉	李志红	祝亚峰	宋 辉	向学文	曾永发
犹正坤	李兴云	王华亮	熊树全	杨 曼	徐万华	陈 俊	王立春	王 静
陈晓梅	郑 松	张小燕	邹远富	白绍益	龙知学	商崇明	付成玉	向祖学
晏诗杰								

1994 年

赵 军	洪 浩	王松涛	李 均	袁仁华	李绍阳	曹 麟	谭 夔	徐林刚
刘朝霞	喻 林	刘文松	张 静	梁光时	张 军	周乐业	罗晓军	罗越飞
刘明万	徐必学	肖兴练	刘玉清	聂毓怡	陈春刚	商 莉	黄应萍	杨 帅
董泽军	杨寿昌	朱 鸿	宋 熹	王 茜	刘文俊	邓 勇	兰美兵	邓 梅
高 健	杨小宇	袁明建	陈平均	李成东	李 琴	曾 刚	陈 健	石正权
赵清红	兰安军	田文勇	朱成仲	陈隽松	陈伟发	何 峰	张 恒	杨光会
钟 华	邓江陵	尚玉飞	陈继坤	文 峰	陈 东	樊啟和	刘 谨	帅本秋
艾 波	刘永勋	张 勇	刘世宇	余 滔	杨 松	黄 波	王 勇	何德举
曾祥劲	谢崇芳	倪福建	陈 红	张凤明	刘 华	柴秀美	卢 松	王培权
杨顺刚	谭 影	刘 涛	邓安福	庞雪梅	刘 旭	刘 萍	张显军	袁愈均
徐国武	陈开伟	吴忠琪	倪 莉	胡德平	王正方	王光先	丁 乾	商 韵

李世尧　唐连松　肖福勇　周乐刚　尚荣志　代端红　李恩福　熊树全　蔡德惠
周汉林　宋　昆　张登琴　王登怀　周朝东　徐保国　贾治远　李长贵　况　敏
候显军　夏锦昌　黄必辉

1995 年

刘明星　陈吉龙　左　祁　兰华丽　朱丽琨　曾怡敏　友　寒　王　仲　宋钖玉
唐　梅　李小林　徐永梅　唐光灵　罗雪梅　刘　涛　姚　栋　唐书军　余国清
桂国令　钱家富　邓实敏　蔡　松　余宗哲　涂金舟　刘起胜　王栩频　潘光辉
卢道友　姚吉刚　韩方华　张友军　胡安然　犹永春　杨家文　何明荣　卢清田
曾　林　陈其斌　李恩福　欧　伟　陈　翀　杨光亮　唐　俊　赵正光　杨双巍
文朝丽　王成斌　罗开军　陈立科　陈　勇　李　昆　张崇湖　杨　青　张　健
周乐刚　唐　华　乔家国　代　忠　张德权　刘福平　宋　匀　许维麒　陈顺杰
朱　静　王国刚　毛建华　李景贵　曾义权　闵　端　方怀均　黄　兵　宋钖明
陈孝全　聂万洋

1996 年

朱　洪　陈　然　向　嵩　蔡　松　杨　欣　李　忻　杨昌毅　董维康　胡　希
况　彬　卢再发　赵远梅　曾　怡　商崇伟　肖劲松　田维林　吴　昊　刘雪飞
吴昌鸿　王国贵　王永建　邓思华　夏单元　周福勇　王明飞　王　梅　梁明军
张　玲　彭廷俊　李建全　陈　宽　李毓全　王国林　杨　毅　张洪进　黄国华
陈炳坤　范　群　彭长刚　汪志军　王国剑　何俭坤　周　洪　王维江　肖天伟
龙　吉　陈　欢　马伦军　贺　勇　王继松　李世海　李阳帆　李光洋　吴庆群
张永健　罗成良　田仁华　赵应发　何玉书　张　康　王玉莲　冯祥辉　唐　颖
陈传海　李文明　莫　星　陈　举　姚忠奎　张洪建　黎星福　杨　鳞　杨秀英
兰登成　陈　荣　李　阳　盛　怡　彭　波　易后银　余元成　付芝菊　石天俊
孔　祥　张正琼　饶正秀　曹代高　贾朝彦　犹敦会　罗　亮　李坤江　卢珍娥
杨友谊　唐　谢　闵建国　夏洪彬　杨春祥　邱兴全　卢光时　卢　勇　饶成宇
宋光辉　张英德　肖银莲　夏锦松　王兴元　徐　玲　袁常群　付昌洪　游祖国
黄进琴　李景发　殷永先　王军基　张远伦　何晓先　张中菊　王维武　倪祖俊
钟仁琴　刘兴琴　张国焕　帅本威　杨　琼　刘尚强　周荣坤　田茂玖　李仕江
犹晓斌　杨文静　彭福兴　尚崇芳　王培琴　蔡道荣　张崇仪　犹敦海　李景鸣
陈　军　敖德彬　周泽勇　朱庭宏　杨洪琴　杨彬缘　成荣海　杨胜荣　蒋凤琴
张素荣　李秀萍　鄢良坤　李春梅　方能思　赵卿武　罗　丕

1997 年

唐　国　周乐均　杨　卓　王秋月　田兴燕　王　滨　张　康　李　钰　卢　燕
杨绍坤　邓瑞振　金安利　姚正琴　陈静梅　唐　娟　杨　华　石　桥　潘　琳
杨富军　岳红梅　尹竹林　贾朝木　龚国栋　宋钖波　简　伟　何　玲　吴升伟
姜亚非　倪家明　石方红　张仕刚　何显平　谢　群　邹　建　徐绍涌　王　梅
李　勇　向洪建　王　轴　任正军　苟一凡　张　陈　王　兆　张颖业　余祥兴

伍燕	王琨	盛怡	金延刚	刘胜陶	范忠豪	王建军	黄海飞	肖三
丁昌武	付建军	犹军	肖艳	邓国品	蔡仕军	刘忠礼	顾大康	肖安海
戎剑	夏草源	穆治春	尹晓山	兰银锋	任锐	李质刚	刘开艳	苏远涛
蔡贵洪	杨波	邹浩	赵玉	江鉴	刘德忠	周子伦	犹洪兴	徐玲
桂成超	陈龙喜	王文龙	李文全	贾朝美	胡春芳	郑宇福	范兴山	瞿兆阳
兰登吉	陈杰	罗永仲						

1998 年

杨波	朱成安	张松	宋邦先	赵友才	邹德刚	王伦贵	韩华	王鹏
谢春元	陈冬明	王大忠	万仪	唐枢秀	胡益梅	吴德辉	刘瑶	刘怡昆
安斯扬	阮小飞	邹斌	王飞	杨顺飞	陈铖	麻继昆	雷成华	朱成安
吴霄	罗永刚	伍永春	刘国全	罗燕	熊天贵	朱世业	宋泽亮	彭小云
周乐欣	周文琴	黄陈	聂敏	王福平	陈松	杨波	汪建钦	冯晨
吴鑫	潘兴梅	杨志军	李海	宋江学	陈浩	王颖	肖婵	商红章
冷德安	王伟	汪明坤	华仕松	陈国友	董采彩	王彬	张校俊	杨立洪
张独兵	丁惠群	华宇	雷应琨	卢兵	朱仕康	沈松林	苏远涛	赵宇
胡正松	何攀	张斌	蔡毅	丁明广	雷江开	周朝洪	简正军	甘我飞
张明锋	冯明友	宋泽坤	邓实群	张快	兰美鼎	李安顺	谢汽卿	穆贞军
罗莎	张大艳	乐群	廖沙	田飞	宋泽兵	张敏琴	代辉	蒋忠勇
黄宏楠	杨昌春	张连宽	赵远兵	池榜华	王治勇	何远艳	刘毅学	刘言军
兰吉琴	唐光武	程剑	肖兴群	彭菊	袁仁凤	张林高	张群	王建
蒲建奎	丁光红	王兴群	毛以智	赵仕平	戎阳生	范兴晏	兰仕富	黄远凤
陈绍攀	张国黔	王尧	宋珊	冯忠会	袁大兵	张敏	秦治德	王敏
向华	毛模英	冷继凤	陈群	何忠平	夏开祥	肖正伟	毛飞	黄友
张龙	刘航	刘庆菊	朱梅	石佳鹏	宋春	徐永丽	敬鹏	胡世敬
周绪凤	张卯林	徐宏	刘坤	周大治	何正刚	杨文忠	王小刚	倪红
刘汉颖	张林江	许祥杰	钟艳阳	张德应	贺礼涛	程俊华	樊啟意	谭鑫
徐孝元	唐晋华	徐志军	袁昌会	袁林	赵正海	王大锋	彭小燕	廖天琴
卢会	杨万祥	廖海林	何宣洋	周江	胡明	余海	王毅	周后胜
袁累忠	孟显宇	胡进祥	陈玉军	赵丹丹	梁大剑	李作英	黄仕刚	余凤禄
肖连菊								

1999 年

吴家颖	徐仁义	付仁勇	何启国	冉景禄	李守军	陈念	唐洪波	欧家祥
梁明凤	王维薇	胡珊	黎宪波	陈盼芳	胡银祥	周辉	霍永春	高显梅
李恩花	陈康	王道邦	赵俊	章玉丹	冷啟礼	陈绍彬	王开祥	张弢
张隽	袁昌浩	张彬	麻继坤	周露秋	赵振江	胡志鹏	左老杰	冷继国
席江	曾鸣	宋春先	胡玉	张春美	朱海霞	蔡志武	吴礼坤	韩小菊
黄燕	朱海燕	张维	李毅	邓盛全	刘汉臣	犹敦鸿	陈阳华	杨敏
叶时建	刘荣孟	况明辉	彭官辉	曾松	何建忠	李霞	杨红	陈全松

赵卿春	谢春梅	阮天群	陈　健	代　忠	陈　方	余文元	牟祥会	黎显禄
王大权	宋良康	万　婷	沈小伟	石天辉	陈　勇	陈　超	宋泽宏	柴立琴
余万能	胡元明	李正刚	邓正书	王再辉	张培兴	陈友军	刘泽继	胡远梅
王廷国	刘宜菊	周　丽	左黎明	田先丽	熊邦文	余星宇	方伦武	杨小理
王忠奎	黄宗蔚	杨仕江	倪　琳	曾亚林	唐良芳	兰飞龙	江海波	聂昌鹏
田蒙松	蔡明丰	雷　娟	卢光廷	牟松芳	龚　波	胡坤映	熊兴奎	瞿兆远
蒋孟玲	江美红	黄付英	王　玲	兰金成	杨　惠	陈发军	张太玲	易新卓
刘　丽	舒远霞	倪　琼	梅红宇	尚小宇	杨　桐	袁晓旻	李孝春	杨　昆
张晓风	杨　华	周晓芸	陈盼碧	王启立	龙良发	肖兴莉	陈　义	谢晶晶
龚金美	张　勇	谭建川	兰天海	王荟荟	张玉新	朱前科	李　萍	李小娥
周文莲	贺　兴	杨　赟	李志香	杨胜林	王绍君	兰　坤	罗　文	罗　旻
汪鲁俊	王仁华	倪祖建	岳小群	蔡晓惠	赵雪梅	霍永萍	熊茂荣	刘成祥
刘远华	刘汉颢	桂成忠	龙　军	李佳芳	徐春梅	张　涵	韦会全	高　丹
张宝芳	胡　峰	许　彭	徐　杰	杨崇银	谢治旺	李　俊	宋　薇	李建全
肖　飞	石婉君	陈　挺	鲁　帆	夏开兵	张怀安	何再丽	尚崇春	石胜琴
李小波	龙和华	李治敏	贾朝文	周　英	樊有群	朱金书	范祖俊	张荣光
王　成	宋绍丽	马云华	雷　晟	马启文	赵越超	张毅宽	冷永祥	胡显平
胡智琴	王　俊	邓安丽	黄安庆	斐　兰	姚　佳	李　岳	袁群先	李子梅
白清泉	邓　娟	向正东	方寸艳	赵远坤	贾朝伦	陈国营	张　华	曹商莉
夏　芬	何　勇	张福林	刘　江	龙兴刚	何　群	张仕芬	何瑞林	王　恋
冯朝丽	陈志恒	牟成良	何艳丽	刘元菊	李玉林	陈开权	许　璐	黄　勇
王华江	方　敏	袁仕秋	娄　毅	习　波				

2000 年

宋国强	唐　钷	帅本平	毛国会	蔡　军	李开伦	冉隆贵	曾考松	曹植莹
张　晋	邓荣霞	刘先锋	周忠兴	徐元莉	饶小松	陈安都	阮小明	文仕军
杨开伦	徐光成	张文静	度金鑫	雷　蕾	曾　维	徐永强	李袁圆	黎宪勇
郎开松	陈吉元	闵耀琳	李　玲	胡友兵	冯光松	尚小峰	李　恒	蔡天科
聂　丹	谭　莲	谢　缅	张兴宇	张仕伟	高元伟	朱文英	柯昌署	肖　金
王忠刚	陈长友	曾庆波	游家豪	罗　军	赵禄红	唐　高	邓永进	田维忠
廖满坤	罗　鑫	蔡秀伟	曾亚林	杨　瀚	刘　磊	席林鸿	石燕坤	黄晟文
宋　杨	周永鲲	王家顺	王　鞯	杨耀东	王永锋	黄　杰	曾　茗	卢章会
李子红	熊邦文	邹　城	王梅娟	熊兴杰	杨昌国	杨康森	余荣军	熊德辉
周景阳	李玉鑫	何长江	杨天奎	邹　强	张从永	徐　晶	李　韬	向　艳
张国平	龚　群	杨　娇	何　碰	付君福	罗　铠	谭周礼	李东虎	柴安筑
刘　颖	刘祖飞	李启华	吴辉州	余德方	徐林科	朱发宪	吴小琴	胡万波
张天盛	杨　飞	杨　茜	张举友	田　珊	周泽丽	李卯华	陈　刚	潘　靖
陈三义	张光华	蒋国飞	陈　锦	徐有昌	陈安全	谢云春	严　进	李　骄
邓仁远	徐　源	汤华剑	肖　练	刘小利	兰　轩	吴松松	文久江	刘　伟
毛天友	商崇菊	唐代举	邓安友	贺金城	石　军	吕　鸿	黄生福	付　章

袁风柏 张连海 顾成菊 顾成菊 周正琴 张先林 周鹏 吴朝杰 黄友
黄敏 吴玉龙 李苹 邵鹏 胡文艳 曾彦艳 张海永 石玲莉 李绍斌
李发碧 梁正安 廖从江 蒋吉兵 梁光福 蔡进 祝远林 李兴龙 李发琴
张德兵 何克平 徐贵平 王吉先 付艳 张晓玲 顾成会 兰梅 陈先菊
王国洪 刘欣 周青青 唐勇 犹松 陈天波 王旭德 彭伦祥 郑秀学
杨光伟 谢堃鸿 刘兴发 王维峰 张俊美 秦华军 杨顺阳 马登仙 周毅
朱光耀 鄢家品 王本富 张真祥 冉艳琳 杨正洪 王道庭 段启群 刘辛
雷成鹏 李传坚 甘元章 施家鑫 董良 程晓芬 娄义坤 代虹飞 黄明维
李昌涛 方银 熊欣潞 黄玉 彭羽 赵清兰 樊小娟 欧光进 袁杨
潘浩东 赵飞燕 陈体芳 赵模 赵亮 赵显香 韩祥 倪暇 崔丽娟
赵一镁 饶顺方 尹先红 唐仕均 贾朝艳 田兴丹 刘芳 葛群先 马青
李洪刚 许艳 简永福 罗国忠 白清泉 刘汉静 丁康 杨见君 庹建新
夏义 王碧敏 朱洪琨 张晗 颜可江 胡后菊 方刚 李珊 余苡
王新 胡朝霞 邓娟 叶晨 邱绪红 赵怡 杨春利 石野 罗松
王波 袁远飞 黎璟 何勇 王会文 李治奇 李婷婷 丁正波 刘丽
赵伟 何道鹏 付支前 陈朝应 陈和松 王珺 杨邵钧 粟朝艺 李健
杨勇 张毅 葛深立 陈松 金辉 陈亮萍 犹睿 陈维伦 徐景军
胡钰 刘重显 朱文勇 贾婷 安仕珍 徐吉斌 王俊 崔馨 邹开会
陈品东 罗文静 蔡志凤 周开艳 赵越 蔡铭 韩忠信 肖仁均 胡建芬
陈涛 罗永芳 李流 李隆科 廖谊 何江 帅斌 曾前珊 周开群
陈发立 曾毅 邱金鸾 陈坤 刘靖 张欣 商崇元 刘远德 李清菊
黄益河 候义刚 程俊安 闵杰 邬培杰 陈明 潘国安 王志明 李跃东
向朝阳 蒋维坤 胡承伟 安兴华 曾德静 黄云逸 赵清松 黄胜勇 伍怡
罗国宽 赵敏 王栋 廖君 谢飞 方廷 胡海 冯文峰 杨卓
（是年起专科生不再录入）

2001 年

商崇智 陈浩 费明琦 曹南煜 杨祖率 犹昌龙 安斯耀 冷德洪 冉杰
吕雯欣 谢缅 谌毅 张红 曾灿 黄文 唐洪娅 陈建兵 陈丽
宋江贵 柏年福 王文章 王兴飞 苟德国 石伶俐 罗靖 黄贤峰 赵兴才
鄢家品 严进 冯建林 陈安都 游家豪 陈娟 朱世伟 蔡翱 赵远波
胡礼俊 杨天奎 朱海维 赵晓旭 刘玉桥 蔡军 李兴会 杨毅 付昌友
邓孔刚 张毅 秦文 肖龙刚 谭国礼 李光黔 董良 何家龙 唐弘
邓国辉 张国莹 殷启群 施家鑫 谢光龙 蒋吉兵 杨廷飞 李登建 曾礼梅
李大荣 罗义 袁吉萍 张永星 彭光武 朱代军 刘元贵 李文魁 赵禄峰
黄远 娄钦 胡伟 商崇慧 江平 何仕俊 刘汉静 李永涛 吴铁
简崇玺 陈勇 犹品鹏 沈桃波 方忠全 王泽洪 张君友 冷德书 祝群风
祝坤龙 文建平 龙跃 何碰 冯金坤 商娟 孙承刚 陈绍康 龚贤丽
陈天波 商航 陶贵忠 刘承源 曾锋 朱世波 刘继松 谢文 吴永军
石军 倪天成 邓荣光 吴石勇 余露 何琼 刘学达 张鹏 蔡斌

陈永雷	刘涛	曾钦俊	蔡昌春	邓军	杨晓宏	廖福芬	赵吉勇	邱先志
何唯	王翌	曾俊	陈三春	龙晓梅	伍顶方	黄健	张婕	王兴会
文忠海	吴昕俐	夏华祥	谭启双	谢珊	刘利彬	谭元松	刘华	张坤
谭正辉	杨菊香	穆勇	袁化琴	兰永红	刘松	付春贤	刘兴斌	唐念
兰昌明	徐银发	李弘	付应贵	何冲	彭国婧	王国都	方伦坤	王兴章
毛仕福	戎成均	邓小伟	闵媛	绍兴春	黄孝慧	陈静	张大珉	陈盼江
罗坤	赵远奎	李杨洪	曾凡英	付权	龚仁会	罗建	杨秀光	陈志达
邓群峰	付昌发	邹永发	罗仕勇	刘梅	钱家松	王晗	舒远奎	秦艳
刘邵林	李洪湖	张德刚	徐永江	张永静	徐秀杨	舒建	诸庆丰	冯芝全
宋锡丽	邱全舟	田祖涛	宋金林	黄海	何明红	兰树斌	满奇军	姜平超
宋邦富	曹永康	谢君锋	刘明会	江西军	王道全	李远航	王海	陈娅楠
许涛	甘元章	王秋云	黄沫	宋钦宇	罗彬	犹俊刚	王昭	潘登
罗仕松	雷胜	丁富进	柴伟霖	骆吉逊	周万福	张泽辉	娄丽娅	杨再勇
杨林	吴应祥	邓涛玲	兰成松	朱连秀	宋荣发	钟波	贵诗芹	宋江明
罗吉江	商华选	陈大海	宋艳	陈登发	冉孟祥	王超	汪月翠	王小艳
李思俊	汪元	刘保群	石方坤	兰英	陈剑	蔡平基	朱仕炯	唐纯芳
张银松	李元菊	朱仕熠	刘艳	吴廷芳	陈福全	刘福梅	陈永群	练军
张天芬	何延俊	蒙泽海	杨昌伟	谌福军	李珺	李军民	黄廷书	陈启才
张兴旺	李登亮	唐璐	愈皇飞	李高伟	姚文建	廖兴军	宋群飞	李艳
李志平	杨莉	冯勇	徐江勇	江家伟	胡彪	何岭	龙玉林	何先游
谢霞	王强	石德进	袁代富	王富刚	兰代群	蒋仪杰	瞿友富	杨碧静
王梅	袁丽	吴喜艳	雷绍奎	张小红	胡万飞	胡松元	周继安	姜钱飞
刘发宽	王道坤	金鑫	杨昌毅	韦会福	蒋家顺	聂万碧	向应雷	刘朝勇
张波	徐伟	李婧	范乾姝	唐华强	陈先学	陈光秀	周敏	蒋文祥
刘龙涛	李朝友	夏仕丽	付晓婷	余琴	周红梅	栗方琴	陆玖林	宋俱敏
何沛英	卢昌俊	刘欣	何茂松	雷微	犹悠	宋霖杰	唐宜坤	卢光杰
郭璐秋	王明	倪文全	杨洋	刘松	肖友昌	张仕友	王华梅	殷启惠
郑中友	樊厚瑜	段启惠	马伦兰	张仕友	胡远洋	张述莉	张楠	倪明胜
马艳	王锟	陈平	王振悦					

2002 年

王大德	田小熠	杨一帆	刘宜飞	沈洁	邓江洪	谢显亮	罗嘉	温成欢
杨飞	吴超	简会勇	陈天友	华东	聂啟相	邓九刚	王鹏	蔡平基
郑婷	刘文祝	朱仕伟	李瑞佳	王静	孔言言	刘国华	杨建	罗恒
黎芳	李仕谷	任永伦	张银松	唐可忠	蔡晖	蔡秀佳	黎捷友	毛国锋
犹锋	罗玉伟	龙国瑜	穆渝涌	游丽	马建松	付林	柏年福	何毅
张菡	张夫	姜琴	陈正海	冷德霖	石有坤	陈仁俊	杨明	谭大勇
宋如飞	刘绍林	刘泽继	康强	唐健程	李瑶	蔡小波	陈仁宽	何柏洪
李刚	袁桂湖	毛绍全	邓代平	冉光静	刘知洪	王进	张禄松	张贤文
华举	袁昌盛	陈登发	李志光	王飞	张光彬	华庶开	邬亚其	肖洁

杨　超	丁山东	班远超	郭小会	刘朝军	杜天鹏	李　涛	李正先	马仕会
王远霞	何　川	陈国龙	陆晓波	袁明敏	姜钱飞	石云峰	郭　松	肖　林
丁正辉	刘怀林	罗泽宽	鄢中航	沈　清	王道瑜	龚青云	沈　芳	唐雪飞
黄郅淋	吴升文	李仕福	张思敏	李志萍	张明婧	余香琴	杨本学	陈倚琴
李显政	贺礼辉	冉　彬	周林森	杨　坤	余克顺	宋泽瑞	王冬武	黄　鑫
何建开	王　贤	顾大建	刘占宽	于　峰	刘元升	冷继成	雷馥名	杨　丹
任　慧	涂志群	商正帮	黄　海	彭方波	王建红	王怀兴	刘朝明	刘成江
高小东	刘发宽	向　艺	刘　丽	张　雄	秦志国	陈　鹏	宋　艳	刘　宏
王　飞	张莲花	雷晓青	蒋　涛	王欢欢	唐　波	龙　梅	孙　凯	黄廷龙
舒甫超	宋江明	驛　明	任　静	李　鑫	雷晓超	聂钰纱	尚海燕	余正银
陈再先	李贵霞	周清林	聂治学	冷继菊	兰永贤	代　强	田维钢	李志琪
杨　松	胡　彪	蔡　斌	李　平	万星琳	向单儒	吴海俊	韦会福	娄义红
杨成刚	石孟群	杨秀元	欧　艳	卢　雯	石佳鹏	杨俊喜	田　薇	李恩情
唐汁华	潘　勋	柴秀丽	杨秀林	肖时梅	童显志	熊学平	何奇坤	董　茜
代时军	彭乾芳	赵明勇	朱文超	石　文	杨应权	李泽举	陈　康	江　赢
冷继茂	李金成	冯越飞	邓龙才	高维常	薛　文	刘佳富	蒙友艳	杨　珊
王大勇	刘康江	唐　军	聂　宁	宋茂华	田德建	杨庆银	刘　银	董成龙
陆柏邑	鲁彩云	王　娜	施加飞	左华亚	尚崇亮	向映怡	韩泽均	胡会琴
吴　烨	冉龙岗	陈锡梅	秦　莉	廖青松	罗永静	秦大贵	余星谋	刘兴发
蒋光明	杨小翠	刘林涛	李奇松	肖兴茂	陈永刚	丁　维	何　涛	赵泽凤
张大梅	文　峰	邓　青	吴永芬	刘应丽	林延波	冷放群	张启义	王远坤
谢蕊露	田维霖	蒲　粲	王开基	张明美	左方敏	桂如静	杨碧静	何开远
兰建华	杜俊佶	屈万红	黄　驰	刘　健	余　波	周吉昌	周昭辉	杨　勇
张　亚	廖天柱	丁富进	龚　智	夏万敏	冯家庆	王　宏	田　波	李远富
谢　鹏	刘雁嘉	王顺怀	唐　姚	邱金陵	龙海霞	金帮涛	黄建华	田应连
唐　琼	周　友	陈婷谦	周远飞	丁明举	向高国	刘　海	刘　俊	王　禹
张崇庆	贺诗维	吴　刚	熊　晏	王振洪	杨忠平	潘小艳	兰成其	朱春源
将忠建	王启进	郑维庆	陈鹏清	宋　亮	屈万春	李　超	罗　会	刘　燕
夏　松	罗玉珍	刘朝彬	刘　凤	杨万琴	卢怡竹	倪　松	王小丹	刘丽香
彭光斌	赵春阳	卢　清	姜国红	邓尚琴	石德红	陈　艳	田　琳	吴秀兵
郑　娇	蔡泽燕	张正军	王　辉	王碧霞	白伟宏	张金彬	赵　刚	王考群
潘龙燕	杨　红	石　巍	黄益进	钱家宇	邱正洪	康太林	付家玲	唐顺芳
何克文	刘　霞	黄　华	邓国辉	杨　刚	张　魁	蔡　磊	林举华	姚正琴
王　江	刘怀菊	宋正军	帅光宇	毛木建	马　丽	黄晓峰	戎　凡	舒兴福
王国元	孙　逊	刘海军	周吉群	丁　锐	朱龙巧	符　猛	张　梦	何　冲
肖佳福	熊朝祥	赵　进	李　斌	张　塬	陈书彬	洪　艳	丁　胜	文　杰
冉丛齐	高绍兵	田文杰	徐得昆	蔡卓君	王　琳	周云霞	程小霞	刘兴洋
杨利娟	微雨微	肖景洁	朱立波	黄耀文	华　梅	潘　勇	张渟亭	王华友
陈明宇	张　睿	漆　艳	何汶政					

2003 年

王　博 潘小艳 陆安宁 刘泰君 吴　莎 田应琼 江　湖 王　鑫 李恩情
倪祖儿 李泳佳 万品宏 杨　坤 丁瑞青 刘登英 刘祥龙 刘　顿 李春艳
何汶政 周　林 石　文 宋茂华 冉道飞 舒甫超 罗泽宽 杨万琴 马　微
李　坤 尚欢欢 宋赣江 张仁远 向前锟 朱文超 石华刚 罗煜亮 陈　雨
李春明 周　友 刘　波 刘泽继 梁正坤 朱仕刚 代时军 向成建 陈　斌
宋　微 欧晴慧 周　辉 鄢国华 张　莎 赵　军 袁明敏 何明龙 邓华湘
文　静 张　静 吴　秋 唐　琼 张义良 黄　松 郝福前 冉龙江 张慰亲
曹文博 丁　超 李　竹 王华樯 邓才龙 王　霁 张钰容 何再丽 刘成前
林　海 邓国辉 王梓霖 何建开 肖　军 蒋　涛 谭才兴 卢　叶 李成刚
张　童 余　群 陈　飞 张德志 任芯谊 彭乾芳 王中华 贾朝琦 秦明霞
陈林芳 刘　俊 马　骏 田德建 马建喜 杨红梅 汪海波 陈晏岑 洪顺琴
王大红 张金坤 邓懿平 王少松 屈万春 游丕坤 卢德云 向成英 吴先觉
李志萍 邱　彬 黄富俊 高　瑜 刘成金 谭文默 朱玉琴 邱　陵 刘　银
黄武林 陈福松 王家祥 张叶丹 杨　君 周　梅 潘青春 江　洁 梁　正
代发茂 李太珍 李忠涛 汪　丽 陈　康 李立敏 徐尚琴 卢凌雁 曾广宇
唐海林 周杨喜 王　健 杨艳军 赵著梁 张和宇 刘富国 周银祥 夏　松
王绪举 黄安松 朱立林 谭雪睿 谢蕊璐 陈炫佶山 熊金林 田应连
王　茂 李　林 谢良坤 金险峰 何明琴 卢昌杰 张远杨 邱　新 熊宇衡
李贞举 杨胜权 倪祖祥 况　霞 刘汉易 廖福平 张先进 王青松 杨昌宇
戎乾坤 岳龙萍 懂存龙 谢鸿鹏 宋泽瑞 蔡　青 刘朝明 李咏奇 余绍锋
崔　霞 严万元 袁昌莉 张仕坤 杨雪花 冯越飞 陈星池 邓代平 刘　毅
刘咏糕 徐　静 赵　恒 何柏洪 邓文海 于小倩 杨小翠 郑　娜 陈　俊
胡坤明 杨继天 李亚群 王怀兴 唐小江 向静源 余　琦 左华燕 宋江琴
夏天丽 冉光俊 施加飞 刘朋涛 黄明全 张先永 李兴梅 谭大春 潘启赋
顾德俊 朱小娟 梁　浩 余文广 彭方波 朱　丽 丁立军 文明露 贺　艳
万　翦 李　玮 唐　臣 蒋安顺 范海艳 王　鑫 白　忠 蔡泽艳 陈锡安
李宗琨 陈泓辛 李　松 杨　俊 李佳娥 吴升闻 袁仁静 刘占宽 王立志
何建文 周智先 吴　胜 吴海燕 肖兴茂 商　娟 攀启乾 刘　会 温恋艺
方运进 张世婷 李金成 王佑进 张　梁 王国元 兰绍群 孙　健 刘长春
熊　学 陈光静 王　莎 陈兴琴 毛　露 王涵洁 宋　敏 彭相波 沈　孟
冯元樯 李跃江 赵　波 蒙应才 孙露贤 何　静 张　敏 刘江波 熊正高
杜武海 任芮函 王症山 罗玉珍 韦钧耀 王荣军 李长春 刘成万 卢　波
宋　焘 唐　强 刘　粲 冷　浚 蒋太明 黄　海 伍志平 王承军 杨昌建
甘元超 杨吉勇 张瑞先 周轩宇 唐　静 唐广松 何诗浩 吴　云 朱占涛
刘承铭 付发红 简　明 冉丛齐 杨　成 周艳智翔 周昭飞 黄　娟
韦会华 刘红红 化　群 雷安曦 李　明 邓成鸿 刘　勋 李明祥 陈昱伶
陈　洪 方靖宁 唐国盛 谭　慧 谢玉薇 宁锡军 张　铖 殷廷阳 陈仕群
刘志坤 杨　勇 黄　燕 李淋穗 聂　霓 袁　洁 黄　丽 周　晶 窦　梅

刘　颖	敬　毅	傅　璇	彭　微	何　琴	高显燕	肖兴耀	翟胜男	王　维
王家胜	吕文先	付　娜	王兴江	庞成姣	倪元梅	黎贤军	张　琳	黄　勇
张　琦	李凤姣	朱祥安	李　勇	黄明伟	史国新	李淑建	朱云霄	张天鉴
胡齐忠	刘林瀚	白丽娟	杨光荣	马秀琪	冉　岚	罗永海	戎承芳	张守非
田小娟	兰仕金	杨　涛	张赐涛	周海洪	高科辉	卢　飞	商正英	杨　浩
陈　维	朱晓波	罗洪梅	胡昌花	吴洪琴	何松杰	杨小华	兰兴杰	徐文峰
陈炳平	钟　海	王再富	张金菊	郑　姣	王　辉	左立艳	王　俊	谭正江
顾　桥	周远兵	谭晓莉	周世海					

2004 年

姚　超	赵明波	潘文兵	王　进	邱　王	田维亮	肖　达	张坤明	杨　帆
唐　娇	陈洪明	王惺春	娄金萍	顾大明	汤仁福	杨贵蜀	兰　亮	孙绍凯
谢　飞	毛　翔	汤仁福	陈友平	向仕进	文明露	陈友平	朱　毅	罗定欣
夏　敏	成思楚	杨立秋	张永琪	朱艳秋	宋江伟	肖　丽	谢　秋	赵　婧
邓小驹	王　芊	邹亚宗	冯　茜	孙绍凯	何大龙	张正建	陈锡会	潘金祥
万孝顺	李大艳	柴鹏飞	刘长春	左　莎	汤小伟	杨　方	邹学永	陈　宇
欧光飞	黄安军	闵登军	刘洪强	谢文杰	殷　琴	谢盛松	阮小亮	谭才兴
何　涛	黄明全	胡荣林	唐旭东	曹龙海	卢凌雁	张利剑	王立秀	黄馨潞
刘　宇	陈锡江	张　葳	李天学	杨胜全	王晶晶	向静源	汤仁辉	刘小芳
李泽举	王洪兴	黎　念	刘洪建	唐弘毅	罗亚宽	王武卫	朱海莲	梁明中
冉茂坤	李　玮	朱仕香	卢起进	冉龙江	邹　琳	龙泗成	杨东林	雷照海
尚荣江	黄　聚	舒兴智	杨雅淋	张荣燕	唐明武	商　岳	朱代昀	黎庆芳
于子钦	张　鹏	江　椿	陈　都	毛先强	邓琼芳	戴洪鹏	邹　军	胡　静
简崇海	窦　梅	唐思杨	姚白军	浦　江	王立福	周远兵	廖清阳	李德菊
黄　俐	袁仕成	凌中才	陈盼建	赖章武	李兴明	秦靖沂	刘　杰	何向菊
严文涛	席忠飞	贺心怡	黄　燕	罗　园	张钰琨	犹昌进	陈洪霞	吴　兵
周小松	陈　都	蒋　杰	陈　兴	杨再文	张　铖	朱祥安	刘胜宇	吴倩青
刘成金	邹春柳	杨秀芬	周世梅	谢淋洁	雷江福	陈洪印	陈锡安	刘　樱
李绍华	龙国庆	赵仕俊	周成后	蔡　茂	邓华波	石广辉	李跃江	黄富俊
徐友芳	向　瑜	李　弦	唐　湘	肖湘蓓	吴　英	王显贵	王大苇	石　敏
何开萍	王冰逸	李元碧	高晓芬	龙大姣	刘宾宇	杨　州	余　庆	刘华春
付支斌	李志光	何晓波	宋　海	何泽勇	曾庆友	戎承方	代时坤	王吉宇
张　涛	孙洪光	谢奇志	曾慧海	潘　松	肖大江	代德阳	牟　堃	吴　岘
李泳沙	陈　靖	刘　湘	周珊珊	尚子颜	王维亚	文仕杰	蔡　青	王婷举
王培阳	陈艳玲	秦正宇	丁　超	李治云	刘滨宇	覃　杰	邓小杰	戴凡清
杨　飞	张　鹏	邓华湘	童少艳	张　坤	许园景	张　禹	宋荣发	田　姗
鲁家敏	张志学	罗　艳	李　娜	罗　飞	秦　琴	龙润平	庞成娇	黎有敏
刘文芳	黄延娟	刘　会	王荣魏	江友福	李　颖	李俊杰	赵湘桥	秦贵松
喻皇敏	江　雪	熊丹妮	杨　梅	安小波	王兴祥	何冬蕤	谢　涛	王大均
杨　明	廖俊峰	戎成燕	张乐璇	闵　翼	李　坤	何　熹	何廷鹏	彭　辉

谭正江	王荣军	张娟	王艺成	周全	王振翮	华朝锋	金方娟	曾庆尧
杨吉庆	戎珊	姚支福	陈超	犹飞	杨钦	肖妍武	邬连奎	李勇
陈美	鲁家辉	冷韦刚	商体丽	刘春华	杨骞华	盛金凤	龙永芬	胡杰
兰蔚伦	成冬梅	赵光春	吴胜	余万江	毛远凤	任道安	周末	杨贵英
周钦	张敏	五知松	朱波	李宗伦	代虹飞	倪健	熊伟	张啸天
李永光	邓成鸿	刘伟	五有富	宴立超	敖磊	余靖	詹珊珊	王新荣
尚良帮	罗肖	胡忠	陈谋会	李凤姣	刘维海	潘鹞	张传豪	陈文碧
张新东	黄中鲔	黄光宇	李梅	何宇	张长江	谢霞	帅德翠	刘艳
张远扬	袁兴	传远江	杨勇	邓文	李端	石天超	商小伟	王再富
席德建	代兴平	王华均	张津祥	吴文林	陈友源	郑莹莹	李方菊	王佳
黎艳	蒋安清	张小梅	刘晓琴	牟元飞	贺心怡	张林春	周小路	饶顺均
杜娟	戴雪飞	叶仕江	杨欢	陈全焱	张高俊	何明松	陈丽	安有素
刘国娇	祝钲洋	熊炯嵩	余家静	杨永仙	田燕	刘知怡	胡坤明	张良景
蔡玉	潘运伟	邓凯丽	张琳	陈洪	钟海	郑娜	石雪	李忠涛
江远国	潘勇	黄建红	王兴国	吴召军	周雪	徐舟	周谷	邓家乾
马国军	杨俊丽	江黎黎	文松	向高健	蒙友波	张林斌	向燕	黄乐为
张艳	戎粲	何欢	程世碧	朱靖	陈俊	商辉	卢昌劲	陈小斌
李静	张玲	麻堂会	赵红梅	陈光华	唐华涛	方丽	张润骛	汪辉
龙福清	唐可杨	李明飞	胡娟	王昭	张钦虹	毛国录	肖光毅	张金元
胡娜	蔡玉霞	杨帆	王韦华	夏洪凯	谭杨	刘洪友	李承律	李倩
唐钰汶	廖路滑	肖艳苏	苏薇	张琨坤	胡礼禹	付龙乾	陈惜湄	张先永
熊胜群	徐端	王天智	文梅	兰兴杰	朱勋晟	聂子淮	陈珊	张自然
王秋枫	黄笛	罗伟	赵兵	田本松	周莉	吴先觉	汪吉会	罗元龙
何院军	苇清海	犹政	冯梅	柴汝俊	熊金林	李杨远	胡生琴	熊丽
陈光兴	周兴海	宋文建	穆昌友	尹洪波	王支伟	冉婷婷	张举斌	梁梅香
李发林	张连方	张洪	毛华兴	邓志祥	邓熙翔			

2005 年

张鹏	蒲江	谢松	刘炫江	陈旭凌	骆丰	潘松	张道林	王斌
向高健	陈重建	张偲钦	万欣新	吴仕坤	孟育琴	李松	张进	杨昌桂
池大帅	胡明乾	郑德辉	陈虹非	宋庆丰	王芬	朱绍波	张祖滔	简思鹏
李林	赵娥	熊兴菊	唐修福	谢召发	潘玲	陈贞敏	卢小宏	罗定欣
梁云强	吴双	刘建军	唐凯	廖文明	罗江飞	李沅霖	张建华	王成源
盛全	罗雪	周万军	田菲	张永琦	成思楚	周刚	黄清平	欧莲
周杨	胡薇	田米	潘银琴	刘云桥	石馨	杨阳	邓安丰	袁诗琪
邓浩然	骆科文	李家坤	刘远江	江黎黎	沈洪奎	黄积莲	曾贤	谢其彬
王建华	任道永	吴秀丽	陈安	戴凡清	严文涛	胡坤明	袁贵涛	李芝平
刘江	邱朝群	王方	张仕娟	熊宇衡	张杰	马家军	刘杰	卢俊
倪浩	童方艳	兰洋	李少龙	桂腾	陈盼建	刘俊成	王文渊	倪健
曾亿伦	倪德兴	韩继龙	程立江	张鹏	赵明波	夏菌	杨俊	邓华波

罗　春　姚启萍　王艺成　冉　欢　李少伦　夏泰林　肖兴毅　刘洪友　徐万明
李杨远　胡中菊　游丕坤　杨　庆　李　倩　晏国琴　喻忠德　朱廷莲　陈光兴
王惺春　庄　勉　王　玮　杨明艳　吴文松　聂　洪　戴洪鹏　谢涛华　胡礼禹
韩忠琴　王正松　刘　涛　毛远凤　敖　扬　张　涛　石　雪　夏文波　何宗彦
姚　波　张　宏　宋文建　刘兴波　盛金凤　张　宏　杨　菁　冉应波　谢利萍
熊金林　李晓艳　陈昶伐　舒星智　黎　念　罗国菊　杨利民　张　超　金仕建
安　康　严　春　陈玉刚　赵永飞　谢先进　何院军　李　莉　赵　斌　华　桦
张　鹏　李　珊　刘汉芸　尹洪波　谢　忠　朱文峰　洪　彦　徐海峰　王吉利
李刚桥　倪　梅　胡菊滢　郎　斌　龚亚琴　杨锦辉　黄支静　喻吉胜　唐　俊
曾　文　周　磊　徐琳坤　朱　佳　犹　江　黄胜超　王　婷　黄承城　余　方
陆俊州　张　琴　魏间喜　姜明发　李佳佳　何　洁　王应江　李刚强　安　霞
黄钟山　李恩柔　宋荣发　刘国涛　邓小杰　陈光华　王　君　罗小会　杨春福
姜应兵　杨金凤　姬晓凤　夏洪凯　李　梅　龙映均　赵　苇　罗顺俊　胡　霞
冯正国　万　娇　张　洛　蔡　娜　胡礼敏　邹国平　梁正霞　甘德超　兰永涵
曾　午　欧乔云　罗　琳　罗成勇　方　露　陈祚进　周建福　胡　珊　胡玉晓
周小路　陈春梅　柏少杰　徐明群　杨家华　向成红　丁光贤　陈　梅　罗国福
罗颖异　向高吉　张福明　张柏胜　张　俊　赵　丁　石富伦　庞泳洪　陈　彦
陈应勋　黄万丽　吴安顺　陈　敏　周朝飞　尹全刚　方金宝　张　俊　杨　兰
苏明伟　王文菁　杨星瑜　姜　钢　周谷雨　宋北银　赵桂铭　沈　阳　罗玉鹏
陈　秀　周　莉　王文章　顾凡雨　潘龙权　聂荣华　李承律　谢兴国　周文建
代　林　余　鸿　兰成烨　任光陶　张金源　戎成信　李文波　张国松　宋江睿
孙浩森　谢　松　刘　莲　唐　艳　陈大敏　尚泽松　李杨杰　朱小斌　邓正春
刘怡竹　李显明　王支伟　倪　超　邱德江　郎　慧　李诗阳　谢欣彤　白　云
严文倩　姚知进　余忠艳　李佳佳　王宏伟　田本松　罗泽宽　冯金桥　王国燕
蒙应林　曾发敏　邓　婷　李培安　景之隽　裴相松　朱玉庭　贺晓波　曾光友
张　烈　赵小燕　吴仕华　张华玉　彭　辉　俸　霞　王兴祥　黄雨曦　宋泽佳
金方伟　汤　鹏　王兴群　谢丽萍　汪晓虹　黄海燕　陈　玲　张菊香　杨　超
杨春洪　王　刚　胡　京　何　飞　袁文志　卢鸿非　岑忠祥　李　梅　史正兆
李易霖　胡　建　张钰靖　商　超　朱　艳　肖顺江　杨　东　叶仕瑛　马　佳
袁　鸣　刘　丹　姚　杰　张先明　徐　端　蒋岱忠　梁建均　刘春梅　陈　云
吴铠辛　代小盼　杨　薇　罗国强　岑忠生　姜　华　汪福桥　黄祖方　阎　红
商琮婧　王振翩　高　阳　龚家华　刘　浩　尚国辉　王晓俊　李忠涛　梁大江
杨　盛　黄明俊　吴鼎添　周小松　李　伟　卢　佳　贾　静　田吴原　张　迪
王　美　王军权　杨秀忠　冯昱瑛　张林洋　王鹏豪　林　梅　何　飞　陈　丽
陈飞龙　王　荟　潘　娟　黄崇品　谷　敏　杨乾坤　安　健　陈晓军　李华祥
郑　重　王　荣　王　美　唐欢欢　罗　艳　陈　静　文仕杰　夏开德　石恒早
冷飞云　刘　慧　六朝选　熊金燕　陈　梅　李　静　洪志文　李治文　柏　洁
唐　斌　何孟春　潘明梅　曾庆尧　李　忠　徐莛婷　王立飞　黎平会　饶婷婷
刘　敏　戎成林　刘人杰　韦会华　李鹏飞　犹文修　陈　玲　张　彪　陈　清
王　扬　曾春敏　刘月彤　蔡　玉　黄学会　黎朝鲜　犹代飞　宋海宁　杨进松

黄伟	安庆	李恒	肖鲜	唐青	靳玉红	罗玉涛	董丽	陆超
朱仕州	罗建国	唐韬	柴年华	包汉卿	王大苇	马铫	吴先觉	王倩
冯璇	陈林华	孙璐丹	余万辉	丁明玲	兰勇翔	马富	田茂兵	唐仕宇
骆运来	夏嘉宏	兰兴碧	蒙韬	肖伟	李小凤	袁立春	罗志娇	杨桦
王斌遇	朱丽	张松	犹飞	谢娜	陈珍会	刘冬梅	朱毅	张钰杭
吴永英	孙新	彭治才	刘云飞	刘海英	杜刚	李景黔	杨文霞	龚娅
陈超	易厚艳	冷安辉	姚静	赵珈	王佳佳	王天智	刘亦安	杨秀宏
丁正云	何明菊	唐葵	王子丽	商体艳	彭国翠	邹大洪	余伟	蔡皓东
张玲靖	周吉芬	赵大春	董艺	陈谋雨	杨光荣	江显飞	胡建江	杨春芝
何盛乾	王开梅	文毅	王吉	卢昌凡	周玉明	杨开明		

2006 年

敖扬	李莉	白云	桂腾	蒋迪	孔垂松	李治云	彭治才	冉露瑶
石芯瑜	宋仁杰	孙浩淼	唐伟	杨贵英	赵显莉	周裕博	廖娇	冷德安
陈阳	刘琳	李梅	龙国庆	欧银光	彭中发	任远超	魏毅	张国清
张华玉	丁泳崴	王刚	刘文锋	雷坤江	陈梅	刘云飞	严文倩	杨薇
向菲	尚月	毛正琴	刘长洪	任祷锦	李晓艳	荣海超	刘丹	张凉境
罗阳罗园		卢定川	徐光军	李幸发	李秋意	刘洪友	杨潇	兰飞彪
聂铟	左世建	宋丽娟	赵兵	胡伦兴	欧远	殷德兵	覃杰	黎星恋
彭国龙	黄明俊	曾发敏	蒙友建	夏文波	张小坛	代贵友	马兴海	毛周刚
洪志文	李奕宏	梁兵	代方鸿	杨明艳	钱安维	杨龙海	廖咏捷	唐思杨
顾颖	唐倩	袁兆晓钊		王立红	张超	徐远海	陈昶伐	贺晓波
胡德庚	王超	陈堂煜	杨顺敏	余禄军	粟贵军	姜明发	王毅	熊富
杨成军	王凤霞	黎庆玺	王美	李波	王予丽	犹庭淇	黄廷芳	王小翼
熊廷福	马孝江	朱玉庭	毛浩然	宋星旺	周正怡	简证瞩	何开举	贺黔红
聂卫坤	安仕平	陈应杰	钱江	娄金荣	孙新	李大方	张有波	王奎
罗玉松	王大芸	王艳	陈跃凤	朱小训	何淳	顾德菊	牛黔梅	胡远峰
潘祖武	罗瑾	袁政福	蒋汰宏	刘海英	刘开红	刘春邑	肖艳	商丹梅
龙福青	李珊	陈正江	商体艳	马佐鑫	李高禄	王惺飞	姚涛	李水艳
尹琴	陈松	潘怡君	李洲荣	杜洪江	高红	况忠丽	胡小利	李佳
颜忠琴	吴婷	邱德江	班吉利	姚知进	沈桃艳	徐亚	杜娟	董希文
尚泽松	罗德洁	何国凤	许源	王玉全	王家祥	王代银	李高全	冷小艳
熊高红	陆高剑	冉瑞彬	胡建刚	刘佳	胡乘陶	牟建春	邓婷	江显禄
张胤	夏井华	晏清美	何贤勇	陈淑银	陈欢扬	杨非	周春	邱金燕
潘龙	钱坤	何仕波	黄选梅	陈天才	李太宇	冯福静	何明菊	唐葵
张艳	夏芳	韩忠琴	邓孔建	杨佳佳	王红梅	唐书滔	黎婷婷	余江
李君鹏	胡玲雨	郑欢	肖扬	李刚桥	吴泽军	杨开明	丁明玲	张琴
兰梦	杨娟	景立明	邓婷	张健	卢金姹	陈龙	犹荟亲	杨醒
牟仁委	邓伟	彭国翠	袁林	李扬远	易厚燕	陈祚进	高鹏	何建梅
周琨	徐峰	张勇	王晓游	程龙涛	罗德洁	朱练	徐铭江	朱文燕

万坤境	朱仕州	熊宗会	陈立静	孙　秋	李培安	柏　发	汪昱廷	倪　黎
代厚军	张林春	黄　慧	杨华俊	黄陆翠	赵海燕	王逸波	李　娇	毛　鑫
张　淋	唐土浦	罗印辛	华　桦	顾大明	谢小方	莫　彦	犹昌艳	任为人
周刚明	刘银燕	毛国银	牟小丹	于春旺	范华均	龙　锟	刘文明	吴礼海
余照西	王佳佳	廖天超	陈忠华	何建江	杨　东	王怀规	皮　俊	丁正东
王开萍	孙　逊	谢　忠	刘友松	张莉涓	张钰琨	王　婷	卢光松	罗　丽
向幸帮	陈元树	李杨梅	黄　鋈	李玉秋	刘代友	魏路玲	李金林	杨晨曦
张　建	赵明峰	彭　敏	周叶舟	谢邦先	杨　洁	郭璐丹	许仙稞	杨永发
胡丽梅	郭元果	莫　箐	万　云	张　浩	胡洋川	秦　伟	余海霞	刘星延
商崇楠	刘昕昕	杨峻珑	黎春梅	覃　朗	杨保利	邓　潇	杨明艳	饶承佳
何师宇	王支华	彭缨越	李　敏	李　娜	张德锟	邱　辰	罗　婷	唐顺娇
曹潆丹	周　鑫	黎春梅	于　琳	谢　钦	邓仁燚	丁　聪	江　余	刘　黔
向正艳	蔡青茂	李金梅	朱星波	陈思伦	陈国庆	宋　平	邵彩丽	李　程
冉　婧	黎　茜	赵显匀	张陈伟	詹　茸	朱文峰	吴炫霖	李昆芸	梁　晨
韩凤绪	马莉娜	王智民	熊钰城	桂庆军	刘安奎	王长富	谢盛勇	姚正胶
粟贵林	胡　奎	周林莉	蒙正麟	刘榆久	梁　松	陈　刚	杨国敏	郭毅华
王显壮	陈　青	涂榜权	廖天静	蒋安利	徐先美	吴明红		

2007 年

李成果	蒋　昭	龚福海	黄　梅	华欣鉴	罗　飞	赵　龙	王　刚	张铃昀
白永华	黄子然	安　键	卢　会	陈　娇	张　进	张　杰	刘浪平	杨贵川
汪　琼	杨思吉	赵明峰	闵耀明	余禄军	周殷玄	黄　俊	宋星旺	付　婧
杨泽发	刘信涛	宋容春	陈谋钦	况　勇	施　超	张　慧	唐小清	刘艾明
田逸云	邓　婷	袁仁瑜	郑天静	彭　文	王　祥	郑　龙	文乾映	岑　红
赵明超	尚国玺	顾　颖	赵　乾	曾雪寒	犹　杰	周小松	冯春娥	谢盛勇
刘银燕	周英菊	肖开琴	罗　娇	王玉全	宋　钊	李星运	张有波	陈明娜
聂　浩	江　海	刘华菊	刘德菊	蒋岱忠	杨胜万	潘　佳	秦思宇	丁元坤
陈锡鹏	宋金委	徐　超	田贵兵	石冰玉	王维维	李金梅	况　丹	宋泽龙
王　莹	陈俊钢	张小飞	吴泽富	吴德圣	韦红尧	刘少轩	李　霞	李元蛟
周　行	陈　刚	陆钰婷	彭　敏	李仕勇	冯　福	方聪波	陈应杰	李文祥
郑钧宁	陈玉梅	吴　平	徐　辉	李云萍	张　超	肖　刚	罗忠华	梁　松
代禄江	商维制	代后军	鄢富坤	王曦曼	李　享	邱金元	李思贤	张淇杰
吴　娜	闵　迪	倪明权	蔡必发	王　前	罗　成	赖章敏	刘文华	黄　霞
安　秀	汪元洪	闵　丹	王　勇	王长富	李玉秋	李忠禄	周　阳	犹　菊
宁桂先	刘　朝	杨俊秀	付君洪	陈小芹	陈　欢	涂榜权	韩继艳	谢玉江
陈纪桦	熊高鸿	张富先	徐立言	杨盛胜	杨　洋	周章玲	谢林朋	杜洪伟
李忠键	杨吉莹	黎星池	王　宇	蔡　玲	唐　韬	周沿勇	黄　刚	潘付林
刘祖江	陈梦雪	罗　晶	刘利波	何知润	邹　创	犹昌艳	王惟大	文记祥
陈怡辛	谢邦先	余　伟	杨　静	龙祥月	杨序林	刘运成	林枫迎	王　沣
田　雨	袁瑞沂	国　晰	黄　伟	唐　沁	聂　江	何连江	黄选贵	陈善力

苏 迪　田 松　邵曦霖　姜 进　曹 熙　淩毛滔　刘 丹　陈 艳　李 刚
刘燕会　吕 健　何 云　肖 静　曾 洋　陈焕妮　彭明海　陈 玉　陈 林
张 蓓　郭 玲　王 贤　谢在涛　朱容莉　蒙应安　华素娅　朱 练　程盼盼
周 桥　宋 冰　蔡 洁　邓 钰　刘 军　陈庆丰　尚 松　陈 昆　刘 锴
陈 恳　王送飞　王鹏豪　余禄松　杨薪玉　苟仕会　刘泽宇　袁仁月　胡洪涛
刘华丽　陈 雪　伍苏思　雷 凯　张 俊　戴发耀　吕学荣　罗光辉　刘 斌
曾 妮　雷光杉　谭 璟　胡 吉　肖 皓　刘志骏　吴凡刚　桂雅鑫　杨 平
龚 浪　张正敏　何 峰　胡 莉　彭 仟　王 兴　陆 燕　黄延娅　贺龙海
王 敏　余万辉　王小杰　刘 晓　严 语　马 富　罗贵洹　刁达成　石 维
王天智　黎其玮　刘弟刚　刘晓鹏　何建刚　张金辉　邹 君　刘安奎　谢松言
彭小伟　杨正弈　欧 阳　张天祥　张福建　陈再进　王 静　罗永娇　李百露
李文琳　鄢家亮　代发湘　王国艳　冷红潞　蒙 萌　陈益交　赵 俊　石广威
李君鹏　杨昌美　唐 涛　张建举　袁 海　张 敏　彭飞媛　胡 浩　朱小训
李 坤　兰 姗　余天亮　石庆玲　方天碧　华 吉　罗 婷　丁 毅　周 成
周 斌　袁开华　李绍江　陈 燕　熊 鑫　冷 霞　曹 义　邓 琳　陈 刚
余 河　李小丽　杨佳佳　刘 云　腾 飞　赵小邦　肖 莉　何倩云　袁 溢
陈强龙　陈德龙　蔡自发　熊兴飞　王 艳　况时环　陈念娥　沈桃武　赵显康
蔡道敏　徐明朱　兰玉凤　冷小艳　马 敏　陈大海　龚成娇　贺 俊　曾凡莲
李景奎　余红燕　曾 会　何兴华　陈雨杭　杨 静　黄毓波　黄 鹂　张 恒
彭传婕　雷元秀　秦 维　郑莎莎　赵久凤　徐光明　李元霞　邓 超　王大红
焦登琴　周 芳　黄 元　杨 澜　周丽高　敖会琴　尚红霞　李廷建　景 霞
王 意　段小青　陈泓妍　周永霞　蒋仪杰　廖益龙　卢 伟　王丽娜　李昱潼
刘 昆　杨 薇　周德芳　陈家居　夏 敏　郭元果　李宇宇　陈 飞　汪娜娜
张亚念　马燕莎　赵显梅　周永梅　粟 凤　杨忠佩　陈钇霖　莫 箐　李晓英
胡显文　冷继明　李 涛　胡卫莉　朱虹桔　龙安全　蔡 涛　程 程　贺元杰
吴孟俞　岑忠琼　庭 蓉　李雨潼　高 飞　伍 健　赵 军　付春秀　蒋贵峰
滕建云　王德中　邓安平　龚凤飞　陈 薇　罗 欢　王仁丽　廖龙艳　陆胜贤
丁访丽　黄选梅　余白鑫　罗 斐　韩继海　刘少远　王 瑜　晏 飞　杨忠菊
秦 燕　邓正敏

2008 年

陶 燃　石人刚　邱德清　杨昌兴　周 阳　杨 毅　詹 垒　肖开琴　曹正轩
兰 兴　罗镔锋　肖 宇　叶函江　舒 敏　袁贵松　宋丽娟　李云萍　张文春
杨 旭　徐 辉　李欣沅　陈少彪　唐顺静　李 享　张 超　李元霞　杨 平
尹 勇　徐立明　闵 迪　陈 鑫　夏梦娜　陈 实　王 鹏　丁 毅　黄镜语
高 飞　李 涛　张 凯　吴 平　伍仕红　姜 进　段正兵　周 伟　兰 杨
闵 欢　袁与婧　肖 胶　尚荣军　雷焱童　江泳锋　洪顺军　张载湖　陆胜贤
陈 刚　刘兴涛　周阳帆　张吉民　廖 凯　李光陶　严定海　夏文书　牟祥国
王建业　张 涛　刘 青　宋正华　宋居明　刘源超　吴小东　张 会　刘燕会
毛楠洁　王 杰　潘喜发　张连湘　黄星瑞　熊高鸿　刘羽瑶　李中友　王成义

尹井辉	陈　维	王　俊	姬　静	李进刚	王　艳	黄毓波	夏井华	徐　焱
肖　静	金仕毅	王立彩	犹荟亲	付文宪	欧铠玥	黎星池	安　立	张　敏
张正丽	刘旖睿	张　良	蒋忠伦	陈福会	王玉祥	顾　美	腾　飞	许　丹
唐禹杰	余　河	卢勇君	邓淋娟	谭周行	汪　剑	黄　杰	邱长福	周　成
熊兴志	吴绍雄	黄俊澄	倪福原	杨家宇	秦洪洋	廖明军	朱秋实	周　云
周镜光	王先进	田松菱	孙成渭	王枝茂	王清钦	吴　进	熊高松	周　坤
郑　珊	沈红钱	张　炜	彭德松	李　丽	魏　力	邓清月	黄　敏	陈　林
蒲　江	向璐璐	曾祥禹	黄潇瑶	曹　义	涂　霞	夏景祥	丁国方	陈　玄
李家玲	王耀雪	张　蓓	李　琪	蔡　涛	张娅琳	刘荣松	黄　俊	杨施嘉
周　鹏	姚　明	高建才	文转坤	何仕星	王　贤	吴再兴	陈　军	胡大常
余香涛	宋移律	彭小伟	秦　维	廖益龙	戎成江	秦家立	许　英	商体松
武鹏佳	华　吉	张再磊	李章平	彭庆丰	孙悦荣	邱仁军	袁　睿	彭芳庆
周　凯	黄选泽	杨秀玲	张林永	周祥光	张　颖	赵　建	丁国方	田智勇
杨亚霖	罗　魁	李　盼	陈　庆	龙成美	赵显敏	徐光明	汪　海	谢　科
池光洋	罗　丽	蒋岱忠	沈　颖	潘金富	付安全	李昱驹	袁开华	王治东
母永华	陈　康	肖　芳	罗贵斌	何兴会	邓正东	贺建坤	杨　璐	毛　宏
汤金柜	周　全	曹双封	兰　娜	唐　豪	陈首作	徐　佳	杨　洋	朱俊涛
王康武	彭方才	郑洪佳	张　杨	田　甜	洪　康	谢　达	刘小颉	张　梅
王　玮	兰仕进	杨　会	李景福	王晴宇	何　刚	周家佳	刘　平	董维兴
刘文怀	熊　飞	姜应凤	秦思宇	余禄超	肖仁国	陈兴旺	杜俊江	李元龙
何　云	刘垠椿	田　米	熊　鑫	周　玉	张　莉	何　运	赵桂钫	朱春华
付　竹	刘贵先	杨施嘉	刘　琴	潘　磊	刘　丹	刘朝政	刘　杨	王星力
邓丕然	陈泓妍	田兴鹏	宋　华	熊兴海	舒利江	张华英	张　涛	李小兵
王　茹	何　海	赵泽俊	万海涛	杨　海	卢锡娥	廖　飞	焦登琴	韩继海
黄清霞	董仕坤	尹祥作	全再胚	刘　凯	潘　磊	董丹钦	黄镜溢	张常姣
冷飞艳	唐可禹	樊安宏	刘　欣	刘　丹	石金芳	黄光平	彭方涛	尚　松
童方会	任有军	谭　波	赵　平	李文宽	王定茜	杨孟静	刘兴安	邓仕发
张立芳	金伯富	陈光奎	腾召梅	刘廷举	陈思妍	吴　玲	杨永龙	商　建
蔡　源	犹利波	张林华	朱仕保	骆　松	唐　忻	卢　欢	熊宗翠	夏　林
谢在涛	刘　婵	姚卓凤	姚伦干	岳庭丽	冷安邦	许　杰	刘祖建	陈文祥
付元飞	郑维冬	王　影	夏浩普	李巧玉	骆运民	刘夕菱	王　琴	李明鹏
秦铭翼	肖年庆	李安超	胡双文	廖明才	鲁　霞	周钰婷	赵先进	汤玉洁
苟仕会	魏天艳	王建红	李佳丽	沈桃梅	李　洋	赵癸闳	赵　兵	陈　玉
李东山	冯福晟	娄芳霞	赵元林	朱恃兴	李乔艳	袁中森	邱瑜丹	郑　秋
丁炫一	倪　瑗	刘银春	刘成亮	肖　懿	刘定江	胡坤香	周　艳	陈焕妮
刘玉敏	李青春	刘　杨	刘诗绚	田维龙	陈　敏	陈　薇	蔡道敏	李　丽
周　斌	何崇兵	宋锡吉	徐丽珊	马　钦	黄　刚	刘　翼	蔡　涛	王清榆
陈弟梅	唐成香	刘文丹	邓代雪	罗婷婷	蒋国荣	宋正喜	王代兵	鄢　敏
陈　丹	陈　燕	刘柯君	胡　颖	商娇娇	王应宽	潘红艳		

2009 年

石人刚	熊高鸿	邓楚涵	敖 扬	陈运佳	肖 芸	周后骁	任 丹	兰 杨
任永欢	孔样遥	董 维	雲华清	刘兴安	向 鑫	周琳渊	毛 州	石 圆
王治晶	张艾菲	郑维富	刘 欣	邓正东	廖 勇	周续源	刘旖睿	张 力
张禄洪	董维兴	周荣怀	吴昆泓	谢 科	兰 集	邓清月	陈 婷	徐锦林
刘 凯	宋 艳	谢志华	汪天露	陈通翼	王 玮	马 钦	黄 敏	李明泽
陈 果	龙成美	肖 静	莫永杰	张吉民	钮小东	王 松	蒲 江	杨婧懿
彭庆珊	刘兴涛	李华彬	邱文韬	董长青	王 坤	欧 巍	陈 实	詹 垒
黄艳林	黄道来	罗贵赋	伍仕红	张元健	尹 勇	汪天飞	卢 欢	潭大江
张竣杰	李 亚	杨昕涧	胡平潞	李佳丽	王 燕	李 健	黄 茂	李 睿
潘光珍	顾小琼	黄潇瑶	杨 旭	郑其丽	冉隆飞	张 勇	何 海	田小金
罗崇彬	龚贵龙	付文宪	谢 达	罗 敏	陶 燃	郑 珊	刘 源	黄旆闻
汪 涛	兰 皓	熊建林	龙云静	沈桃梅	张 旎	唐成林	陈 义	陈美竹
李国芳	黎容乾	金伯富	张乃先	廖廷菊	张 帆	肖兴艳	冷安邦	何仕星
杨明东	池光洋	刘骅标	朱代飞	田兴鹏	石金芳	吴 昊	柏淙瀚	姜应凤
李定全	宋小娟	黄 旭	胡 梅	刘志涛	彭 松	吴怡玲	娄方玲	舒利正
乔忠元	于继斌	贾小安	任 丽	张 程	王 军	何继刚	陈 俊	廖从奎
张凤灵	陈玉娇	王 娜	闵明明	刘吉宽	蔡长成	龙成霞	谢早桂	蒋国荣
任荣佳	张 颖	周文江	蔡贵香	李扬清	吴 静	陈小龙	陈继敏	肖育杰
张常芬	龙平海	杨胜凡	王希子	张兵河	李转红	秦沙沙	袁国恒	李扬云
向 薇	周 杰	冷光莹	刘鹏程	刘 宇	刘可美	夏晓舟	付支会	赵 丹
方 微	唐彩群	吴大杰	敖钰东	杨 华	冉 超	王 浩	李 坤	李星月
冉海燕	秦 杰	江 娜	韩 霞	徐丽珊	张洪群	丁涛梅	李青青	朱星霖
朱海琴	刘 璐	倪天琴	方天艳	肖华丽	何 丰	闵德艳	熊玉琴	曾贵霞
蒲启茂	刘 姣	张思桥	张 波	陈锡丹	王 琴	施家峰	张羽红	张连英
陈建岑	钱力恺	陈 艾	李文敏	陈 鑫	李泽敏	宋泽渊	徐 俊	石美菊
魏光俐	王时亮	李兴春	贾家富	岳俊吉	徐旖竟	吴 宇	王江丽	吴珊珊
徐 航	任远飞	谭 杰	李 宁	娄福红	罗 芳	杨 红	陈强梅	胡琨敏
向登福	滕建洁	唐 娇	曾贵芳	王德群	黎登辉	唐连云	胡冬群	田 园
李家念	余 飞	罗 芬	郑兴敏	胡少群	孙 琪	田 园	宋 秋	马佐江
方金奇	曾祥敏	唐华玲	黎 旭	李显宇	蒙开敏	王文海	刘 丹	王美娇
曹代锦	罗 乐	张廷涛	商 超	陈 婷	卢锡桥	周永菊	李俊杰	董利益
廖洪霞	蒙友高	朱仕娇	帅 溢	王安进	田钐甬	陈群吉	罗 达	朱立会
余 勇	胡德洪	谢在涛	余 海	王 斌	陈荣会	李 宁	顾 星	刘定江
刘鹍鹏	秦正飞	朱仕雪	邱兴建	吴三华	罗 舜	谢 鑫	王华美	何 进
张 丽	田 源	赵 松	彭传俊	李大松	刘 波	李 丽	夏单霞	余 昆
陈 瑶	余相霖	姚国庆	秦忠兰	顾 晶	张 婷	兰 娜	刘承程	白常萍
皮成俊	周玄红	陈兴华	王应宽	付国雍	朱航宇	郑继旭	梁坤江	周荣友
罗 松	何敏婷	查远梅	周 研	宋正林	余佳静	张天丽	杨 顺	杨 坤

钱　俊　万力宁　陈星兆　张林华　章　雷　李巨擘　田　辉　闵　鹏　高　刚
张明海　林　彩　罗　翔　苟德凤　王　链　杨　清　楚　磊　苏　印　陈娅芬
宋　娇　袁中淼　谢　韵　董仕坤　兰　建　杨道菊　肖　枭　秦冬梅　李绍琴
刘　丹　郑　鑫　王红艳　梁翰月　陈胖才　吴　丹　唐　磊　郭　丹　谢　欣
毛婷婷　池大艳　李守伟　王　娇　魏　红　张宇杰　文鑫海　刘江均　陈朝胜
周正亚　黄　怡　刘治腾　何沂芳　龚福莉　王后先　陈明星　徐　芳　刘禄先
皮庭钰　段幅容　孙钰汶　胡岳芳　李庆宏　王仕军　李治颖　吴大勇　赵　琨
王　飞　王　念　邓　舒　周新委　唐昌远　张桂鸿　杨　春　田桂洪　王　海
杨　竹　何　芳　唐雪飞　袁昌谷　李泳辉　王　砚　吴　松　杨　颖　王正乾
杨　阳　周勇吉　陈坤湛　黄正敏　金　龙　郑玉萍　李　卿　王启银　冯福明
苏文娇　陈仕珍　尤　菊　何　敏　赵　云　何建丽　徐沁云　曾庆露　宋贵琴
陈云龙　杨万利　张婷婷　董长明　胡厂文　陈家红　庹怀仁　方　平　宋梁瑞
犹艳伟　黄尧河　冉　珊　王大喜　刘　咏　叶小静　冉　勇　黎君军　刘　鑫

2010 年

任永欢　刘　茂　钮小东　王镜淋　赵多俊　李　诚　邓诚毅　吴　毅　贺程程
蒙　清　申　灵　姚仁贵　孙启飞　廖建兴　谭仕琴　孙丽飞　胡香勇　杨成敏
刘国建　李雪梅　杨　竹　李定全　王　毅　陈　林　蔡　亚　晋国杰　肖　立
任　为　何　灿　黄　鑫　李秀志　兑靖冬　倪　涛　黄明波　张晓宇　金安亚
闵　渝　高腾举　杨　欢　张文静　杜　松　籍元雪　方　正　宋　欢　徐　彬
潘　恒　邓爱文　赵泳强　熊　伟　董维娜　岑　剑　宋正喜　胡德松　张冬梅
李泽敏　王嫔钥　江以静　陈洪武　曹　迪　谢祖发　冷　霜　黄道来　龚继豪
陈崇瑛　龚寿涛　袁　豪　廖　洋　雷　剑　王　艳　龙　图　陶　顺　彭　西
朱　迪　涂　飞　徐　佳　黎健红　谢　丽　陈吉莉　胡科秀　刘　利　彭朝婷
张　丹　陈昱廷　侯显军　刘承程　潘虹江　宋移江　彭崇华　丁万飞　宋保来
覃兴伟　袁若淋　周绪艳　李　卿　周小春　赵礼仪　陈　梅　陈　露　金祖霞
张绍伦　王　婷　黄启峰　兰天捷　王立贵　范骅苑　马登芹　张运茂　陈　杰
张　静　钟　彪　王元美　鲁　建　蒙晓松　田　鑫　谢曼丹　范　云　李星旺
王秋荣　王天敏　王　鑫　周安涛　赵　丹　何　林　龙　松　阮运超　尚中笑
雷鑫辉　倪得茚　喻　红　文　莉　鄢浩淼　杨成杰　冯向坤　刘玄成　肖仁飞
杨秀成　周　志　杨　琪　汤运林　杨超东　伍廷伟　卢令雪　何　森　晋培淞
冉　毅　牟风帆　杨　韦　李继雅　左　悦　何家佶　石　倩　杨　春　魏　清
何贤洪　王　恒　犹田修　刘　颖　吴雨阳　刘　恋　覃炫宁　陈　霞　程　娇
余家州　李　辉　张　芬　邱庆泉　倪祖杰　王　念　陈天贵　刘念念　唐雪飞
田小伶　张　杰　陈　丽　何钟艳　胡静劲　肖爱玲　杨钦雯　邓安元　陈春凤
杨　涛　李宛霖　吴　宇　陈云霞　陈胤吉　游佳斌　唐　建　刘　枭　王后喜
王后琳　蔡昌健　欧家祥　李瑞霞　李真海　熊秉贵　陈　林　刘春燕　唐相吉
陈媛媛　任崇勇　孙　红　袁贵仁　吴　博　杨雪梅　杨　帆　冯育军　付法荣
犹敦棚　何　毅　李　咏　王　月　朱桂姣　黎登洪　陈祥庆　田　香　朱前庚
熊兴菊　张　俊　张业芳　龙光照　吴让伟　周春分　肖丽华　谭周领　姚忠娅

王　伟	成　倩	蔡贵芬	冉茂娟	黎登梅	席德海	刘忠群	徐光武	徐　惠
李沭烨	陈星辰	杨　珊	苏起渼	曹　玲	李春霞	梁正英	潘　栩	王　弦
张蓝兮	简秋雨	毛建梅	李桥友	李成伟	蒙　丽	何国芬	胡舒星	冯爱源
李汁宏	王　娇	王大萍	刘　刚	赵　静	尹利坤	杨　婷	罗　毅	邹星羿
刘汶鑫	胡林炀	贾朝勇	伍后红	周贤智	李咸锟	王　菡	张　海	詹　顺
白清松	万　玲	王志俊	唐培育	陈　红	刘　蕾	夏江洲	邱金云	陈　诚
秦　梅	廖　雪	杨光富	周　毅	冉应会	刘　露	常　艳	洛科军	邹　芸
李　清	龙沛雲	杨令军	陈朝廷	张礼雪	丁　桥	闵　珊	丁泽云	郭　欢
王文宇	李高勇	王　璐	朱　腺	唐彩群	吴三华	李丽君	姜　健	刘　蔓
兰　敏	杨明明	龚诗高	李素辉	罗　欢	张连东	李星静	刘成碧	向正松
宋　恋	何家洪	许　昊	方　雯	姜小会	王　松	王唯锦	刘红宏	罗怀毅
张　林	肖年童	梁　琴	杨荣波	贾治敏	何德伟	林禹彤	任安盼	徐兴剑
张　欢	张中梅	杨志群	朱仁宏	彭　成	杨　斌	陈　浩	徐　勇	宋泽坤
邓竹竹	吴　勋	董如坤	吴　鹏	何国梅	熊　霜	金安萍	粟忠俊	孔　瑞
周贤智	龚诗高	夏光绪	李咸锟	李素辉	李　星	王　菡	罗　欢	范华菊
张　海	张连东	帅铃琳	詹　顺	李星静	谢裕平	白清松	刘成碧	熊　妍
万　玲	向正松	何林昆	王志俊	宋　恋	朱前会	欧文蛟	毛友海	陈炳勋
母永飞	朱自会	吴凤建	张　坤	陈蒙利	李　婕	蔡　旭	陈炫印	谢　娟
肖永钱	尤智锟	兰薇薇	张德里	王启露	罗　雪	赵　丹	熊　杰	陈　涛
聂晓舟	曾　琦	刘盛江	董仕坤	刘禄松	徐　玲	朱容剑	冯城城	颜廷勇
罗贵春	秦　幻	李廷林	刘华超	罗丹梨	朱鹏非	张瑶忆	王文成	于　艳
张小菊	莫仕美	杨徐亮	江　露	向映锴	李宣霖	胡　峰	高海淇	曾　丽
杨　靖	张友芳	陈宣兆	周建仁	帅开英	陈　霖	杨　洋	周　丹	杨　涛
冯光辉	朱迎春	谢云虎	吴雪念	彭庆富	金　柱	张清华	谭开祥	林　建
蔡廷春	向应红	林骏怀	刘　彩	沈　超	周珉吉	王　武	杜　明	赵喜永
莫　旭	王　林	汪生坤	董利益	李　跃	甘浩然	杨　铭	文德相	兰建华
彭传俊	敖　敏	赵显圣	田　勇	刘成恋	王克永	潘泓丹	杨　洋	张　婷
母永香	黄　楠	蒋　荧	黄镜溢	龚福路	兰　珊	刘　彬	刘　俊	戒方爽
王怀红	徐金艳	陈锡霞	张艺千	叶思宏	代　媛	周忠晓	邹　桂	刘龙琴
刘　娅	宋泓亚	张明义	汪立宇	张　涛	刘　珊	王得凤	施必凯	冉　菊
王碧青	胡佑勇	郑明锋	罗　玲	何仕星	邓塬洁	郑继刚	代哲云	田　健
徐林活	杨　亮	陈淑波	王　勇	张雅菲	张忠梅	胡会梅	宋移昕	陈　力
李乔芳	周玄红	张铃茂	王云珍	杨成丽	高　冬	林国宏	唐　红	杨　洪
曾　超	曹光毅	付兴春	田景鹏	徐　燚	张　涵	罗　毅	唐书元	粟忠俊
罗　玮	王　欢	蒋　炜	宋梦娇	杨　云	简正芳	李国刚	丁　婷	吴娜娜
韦彩金	陈小军	张婷婷	向洪昀	何敬涛	涂银波	杨勋微	史玉娇	赵　蓉
刘　帅	陈富兵	向胡龙	钱　珽	刘　尧	齐泓景	郑　春	王　涛	杨兴梦
杨　欣	刘　宇	蒙　淼	梁颖坤	颜　松	申长江	王　承	余映奇	蔡　源
蒙开敏	兰成芬	胡松涛	刘启东	廖天娇	彭　隆	陈语希	谢适逊	丁光练
杨　杰	陈　超	卓帮忠	向登建	魏兴定	袁　华	李少伦	吴　键	罗　凯

徐　宁　陈阳松　姚　淞　吴文英　石人韩　黄　治　罗文忠　张思进　蔡明奇
叶宪斌　胡　晓　张远东　陈　皓　蔡　晴　周洪春　张　鹏　柯　迪　李　飞
周湧胜　范雯搏　甘原滔　夏　宁　夏铭江　张林东　林远俊　郤星旭　潘宗凯
张仕俊　李大华　周跃勋　尹　伟　尚国香　陈相竹　秦　英　胡琨建　樊启文
秦　明　刘玉贵　张永飞　刘朝群　宋　露　梁　桃　李　茂　胡坤媚　施必坤
兰家丽　徐梦花　谢　涛　胡俊伟　封　海　徐　磊　杨桂全　彭耀兴　陈　键
陈　和　宋　敏　詹皓琪　汪天祥　王万银　谭永厅

2011 年

申　灵　王镜淋　吕秋谕　杨秀洳　王贵松　项　宇　潘籼志　周占文　谭正文
李　琪　唐实孛　钟　娟　岑忠击　朱自飞　王健江　郤星竹　李　辉　余　瀚
周　易　徐梦花　谢祥军　彭芳涛　胡仕刚　周志祥　郤星旭　任　越　张　靖
徐　潺　周跃勋　邓泽文　冯永跃　吴　亮　黎　方　罗春苗　黎　阳　廖瑞兴
郑钛珑　林　健　罗永松　谢美元　詹皓琪　黄　倩　韩月婷　陈炫滔　冉应兵
唐煦非　谭正莹　袁小传　游佳斌　王大珊　王晓敏　舒兴婵　禹甚合　倪元俊
陈　琴　张良霞　魏书贵　雷桂花　宋炆俊　宋怡霖　周家喻　梁婷婷　冯小琴
蒙　渺　李安翼　秦正洪　王立贵　戎　映　胡桅可　余有文　向雪宁　黄廷凤
石小磊　吴小举　邵家莎　刘支勇　赵礼仪　蔡　僮　王显发　周明卿　康继夫
李镟颖　王　松　罗　燕　韦东良　莫朝凯　张　卫　杨　欢　周亚亚　张　姣
刘　鑫　田　洁　邱德勇　王建旭　彭国宇　王广坤　黄乙峻　朱正丹　王　维
杨明远　刘泰岑　刘　松　黄　敏　邓思捷　王铈翔　李儒童　李乔芳　许　霞
唐明跃　龙　图　王兴红　王孝林　邓安举　刘春梅　罗忠圣　张　波　李庚玉
潘　勇　贺思云　黄　炼　彭俊菲　熊辉美　高大芸　吴　杰　李贵娟　李小连
黎　艳　谢　波　周　坤　陈吉升　林艺辉　袁亮超　甘亚菲　徐　飞　彭玉雪
刘　冬　祝　文　冯小敏　冉光菊　犹　恺　邱　晗　胡　敏　倪福原　吴锡超
潘　毅　顾　景　成　赟　范　玲　梁坤慧　郑　兴　罗　美　杨明明　苟顺奕
常继坤　蒋　雪　李松霖　游佳群　李星静　石　鑫　杨昌剑　罗　轶　卢忠民
袁晓帆　肖龙霞　陶　顺　康正姜　张　千　冉　凤　王得龙　杨佳杭　付明登
郑维美　叶凯伟　杨佳杭　宋姹姣　蒙友青　骆科军　丁万琴　冯忠建　何　秋
罗　健　彭永洪　吴　静　陈　昊　丁光彩　张　月　赵禹闵　尚雪梅　黄　魏
陈　凯　谌洪梅　蒋鹏杰　王　娇　唐　芳　韦弘春　左明星　计　峰　文　坤
余泽东　毛敏霞　聂正江　张开寅　陶小敏　董　姣　谢志琴　李　会　王桥发
张坤文　谭　梅　池光兴　王杰霖　唐树静　樊启勇　邓孔全　王元明　康国斌
毛　欢　董鹏飞　唐　建　黄守坤　龚继波　梅　均　罗　娅　唐培育　李　洋
赵桂轩　廖明峰　肖官菊　杨士心　曾祥丽　王克昌　余秋霖　杨嘉锋　王　义
宿华飞　朱纹青　张源源　王元顶　刘春梅　唐帷鑫　罗　毅　许祥菊　向孔松
石　燮　宋国庆　张　婷　罗帮洪　谭清匀　宋胡宁　李沛颖　刘义超　陈　林
杜　漩　许祥瑞　卢金磊　伍开琳　陈红蕾　唐春娇　周福勇　金先丽　李梦瑶
李　欣　陈亚青　任泳星　罗晓翔　陈　超　王海宁　张娅飞　胡　玮　任永发
晏　菊　陈先栋　龚家林　徐肖刚　杜　明　冯光宏　周芷伊　严　琨　谢海燕

杨梅	尹利作	刘文顺	左浩	李婷娟	张鹏	简睿	贺华平	黄宏强
谢丽凯	申小義	陈松	况小安	吴庭佳	犹毅	王保	王立婷	杨雪
方曦	李高飞	牟仕秀	王娟	商旭	王时凤	兰唯	汪昱彤	刘云
张敏	徐民庆	陈慧贤	秦楠	庹颖	唐泽烨	黎吉前	金秉峰	陈浩
胡洋瑞	邓萍	周易	付品铭	陈贞旭	兰薇薇	李鲜	王绍兴	曾令舜
余香坤	宋霞	白明霞	李双江	夏贞富	曹代华	刘鑫	张清云	金玲
王钦杨	熊兴春	冯育兵	欧阳州	柯红	雷庭来	王才兴	张林丹	林小冬
李雪梅	朱琳	宋江成	左仁娟	邓乔月	封雪	尚洪进	于春海	罗华溢
张丽	周相助	曾祥军	刘婷	高飞	闵建	杨斌	田应军	熊发扬
安然	陈永艳	高琼	陈灿	胡铃昊	王远超	欧家祥	易腾达	李文军
唐大林	李成加	龙光照	胡孔杨	游建	钱兴	谢裕平	朱发莲	卢昊
刘敏	熊妍	向茂	李伟	李秀梅	闵德馨	陈银	张坤	林杰
赵博成	谢美丹	席德飞	谭周庆	何梅	叶函超	李晋荧	左人及	朱萍萍
刘念	江婵	犹欢	周绿红	徐本兵	王晓会	柏晓苇	王世建	袁昌健
任远丹	潘芳	宋娇娇	余武军	卢珊	曾苏意	王飞	唐建红	刘建兵
黄永燕	黄方	兰美	胡晨	马凯	胡晨	王大夫	孙毓蔓	邓丽梅
蔡文武	张灵	王光明	张建安	池雪锋	金仕隆	李庭宇	刘静	李发菊
陈安财	徐敏	黄旭	雷华南	袁沧虎	宋香琴	吴万军	陈吉静	曾庆伟
张世超	黎仕林	袁琳	闵伶	商煜林	张远娅	李恒曜	胡代龙	余江
张艳	李才维	李跃	田孟梅	李雪梅	刘婧	宋晓梦	胡敏	卢昌勇
郑松	熊芳	杨镇合	李先成	王维	郑晴	张先丹	杨青	肖启艳
王露露	李文江	冷浩	安民	吴元龙	王小娟	韦晓云	徐莎	胡家进
彭方彪	雷国明	余蘇霖	犹三	安毅	王国鑫	王涛	邓小莉	吴石梦
张瀛	唐俊	袁茜	赵海莲	高冬	邓丽婷	张兰兰	孙洁	张静
吴云清	唐强	范蕾	宋显显	陈柏吉	李华涛	赵梅	顾毅	陈潘凤
王昆	张先敏	李超	周丽	焦登奎	夏瑶	安旭	周江娥	杨青
张越	吴晓林	吴静	袁亮晶	王蝶	柏衷羽	李小祥	张鹏静	叶子
龚超	张艳	胡艳	郑小方	赵云	徐志明	尚毅	袁世雄	屈龙军
娄方豪	冉丽群	王德艳	严杨凯	罗曦	李质锋	邓爱梅	徐梅	毛娟
李宋文	石金梦	赵雪英	陈康	刘超	郑春利	刘桔运	何俭	蒲天庆
黄程	李安妮	方涛	宣全	王历目	唐旭	肖曼曼	李秀	谭周玉
曹光秀	刘建中	陈华松	蔡廷红	张立	尚凤武	彭胜银	王浩	娄朝洋
龚子璇	付君杰	犹合坤	高翔	陈中恒	刘朝群	张镇	彭波	杨熙
魏星	熊香	罗开艳	周赟	冷仕群	刘云亮	伍崇娇	朱明杰	谭咏
黄选东	周桥艳	朱留烨	汪金银	胡媛媛	罗人宽	王海	石丹	刘珊
徐明月	孔瑞	廖廷芳	彭雨阳	杨庆双	朱美霖	赵江	吴云鹏	朱章青
彭国梅	蔡昌丘	许亚薇	张坤	王家婧	苟顺毅	游家杰	赵翊	陈祥兵
李贤霞	吴小兴	邓宋艺娴		张莲	黄涛	杨华桥	李昀玻	任礼
李倩	严杨盛	王朝阳	王文彩	唐茂林	王永河	王瑜	刘琴	曹永兴
周勇村	宿华敏	王姣	刘智勇	赵璇	王兴立	赵敬文	唐庆	王筑颖

朱柏桦	李 曦	霍隆禹	邹祖文	赵 雅	王康凯	阳庆丰	彭浩桂	蒲启苇
董 维	聂 方	王 佳	邓金婷	唐铭奇	袁 涛	苏 野	刘 江	

2012 年

罗 飞	张 芳	杨 波	朱 莹	张连浪	吴雪娇	刘仕铭	刘 鑫	张礼娜
罗 珊	张文峰	颜 林	何正鑫	张立松	兰 杨	李仁飞	杨 洋	龚成琳
张国富	文秀秀	任庭松	付世莲	吴庭佳	施家浜	蒲正清	王 卿	王龙江
郑雪黎	吴 洪	宋 超	卢 群	夏 露	梁正洁	王 胜	吴国华	彭 芬
陈荣信	潘缘逸	余相灼	张 娟	陈 东	杨显红	鞠羽翎	邓菊星	彭小华
吴光毅	刘 臻	吴万付	蔡 凯	陈 诚	王 震	尚雪梅	陶荣泽	李明焰
顾 景	张 卫	周 易	何治霖	张 丽	吴 珊	朱仕望	林伟珍	舒 茂
梁 敏	陈 悦	祁一洋	鄢国望	刘 成	范兴宣	苏传琦	蒋怡玥	贺 誉
黄 蕊	潘秋杭	王正微	陈富健	林传发	贺贤举	周家杰	何永春	简正阳
吴红燕	董鹏飞	汤 环	田兴鑫	王何艺	胡佳吉	肖 敏	余海浪	何发达
朱 燕	杜伦阅	刘 松	白明娇	卢 健	王安平	康国斌	吴 泽	王 堑
田 坤	何 锟	何加玮	李家杰	吴 倩	粟 松	徐 坤	杨 华	丁思月
李小连	闵 荣	王 尧	王中宝	黎红香	申晓叶	龚春澜	蒋怡帆	梁龙刚
都 欣	李春芳	简 乾	姚 星	沈红梅	莫佰仪	陈星余	彭 韬	张 义
卢咣霖	李 顺	陈 艳	蒋志娇	谢云龙	刘文睿	王 芬	舒方陶	杨 珊
黄 晓	兰晓映	王华江	周 雪	郑武湖	张礼镜	向 淋	陈 程	王定东
杨铃丽	杨嘉锋	刘 畅	何方永	袁沧虎	彭 珊	王丽婷	吴 桐	王 芳
王 岚	文高军	王桂丽	李克辉	吴秋鸿	胡世程	韦小丽	潘 毅	张 波
陈强松	熊兴鹏	王克昌	赵 玥	尚思建	朱 俊	陈 杰	伍垚旭	胡魁梅
刘俊杰	邬 川	李 健	付文扬	王文丽	宋 雄	宋赣源	陈 飞	朱红建
余浩然	陈昌静	郑明慧	補 怡	张 新	胡家进	丁万波	兰尹汶	舒 富
蔡小杰	蔡国顺	王元芳	王 东	蔡 晶	冯 倩	杨 林	谢松益	常云云
王洪欣	郑再鑫	宋跃东	童相瑒	王 建	周寒冰	李 勇	杨传梅	李庆祝
杨心玫	陈 林	万祥珊	闵淳一	张杨鸿翼		冉 超	肖官菊	王得群
王 昱	犹子仪	宋 云	李昱鹏	李先森	王 义	杨秀林	罗丽云	赵 玙
周显辉	杨仕芳	汪金银	王国闽	高 艳	陈 静	张鹏静	王福群	王 珩
胡 志	谭文建	田桂坤	晋云贵	黄海帮	魏鹏飞	何贤勇	段风美	王德静
徐立帆	余 红	蒋安有	栗 舰	吴 卉	李 珊	景灵旺	王 森	余 媛
余 伟	熊兴春	张 杭	兰茂宁	冷继旭	解韵竹	杨 芳	冯元琼	陈 雪
刘 瑛	李俊佑	刘 涛	丁本川	张 迪	陈垚羽	程 欢	符有梅	张 雯
邓有瑜	王芝星	王文吉	周 睿	张常芳	周江娥	吴 韦	吴德茱	赵小昆
秦 菲	李沭龙	费长飞	谢玉长	张运丹	黎 虹	代发兴	陈鄯宇	秦 凯
陈发奎	何 超	陈兴懿	潘 椿	庞成诗	李政潭	李俊宏	陈星灼	李俊宏
刘沁枚	瞿国恒	徐肖刚	冯 涛	秦 宇	程 芬	刘 飞	胡 艳	聂 玮
龙帮富	洪 峰	黎金东	严杨凯	蒙小娟	刘 智	陈 华	许洪远	商体康
犹俊圯	罗贵海	唐 杰	罗茂林	黎 丽	赵吉红	姚文芳	包文超	张良玉

徐前阳	方　阳	董　鹏	马　凯	李昱莹	石小艳	犹兴群	张远倩	兰文波
石　磊	雷国明	孟　刚	周　明	吴亚霖	刘　石	简小龙	雷朝霞	曾仕敏
胡齐巧	王贵辉	王维昊	李文凤	陈光兰	李　兴	刘义超	犹　春	廖陈君
王　娜	喻　梅	邹书梅	朱　艳	朱正欢	莫　京	敖　宇	王国林	蔡　杨
刘成贵	宋泽天	陈亚青	孟青青	张　娅	刘贵文	廖定刚	王小平	陈　艳
罗汶凤	陈远方	张莉兵	陈良杰	王思齐	张荣乾	龚成建	兰　鹏	梁安平
叶宪超	张　文	唐彩青	王程潞	黄民峰	丁泽坤	蔡利祥	犹昌丽	杨　乔
刘昌举	黎巳玮	付　敏	杨　月	肖维红	吴海霞	潘秀洋	周昀同	李明英
李林博	严荣高	谭周庆	贾佳琦	周　宇	张立娇	刘　阳	程龙喜	黄煜钦
黄国军	肖朝平	兰　娅	黄　梅	黄映红	肖　敏	何志华	陈　璇	王　敏
刘济春	冉　欢	罗秀芬	尹仁清	黄朝玟	宋星胤	石庆松	李　超	陈坤银
黄钟漫	徐　梦	周家立	谢　磊	邹　静	曹胜锋	江润梅	严　梅	刘海深
张廷俊	王成洁	柏　杰	刘　莹	赵出辉	张　测	范秀超	彭福燕	付品铭
彭定舟	王　欢	何跃松	林　燕	焦登奎	冉景强	夏燕茹	刘德望	肖　桐
况　洪	闵明盛	景福琴	陈　丹	柳开友	李　芸	方　颂	罗长菊	熊　坤
石朝进	周　伟	吴　迎	江　浪	陈　兴	徐　帅	谢露欣	卢　莹	刘镇玖
李　袆	陆小飞	唐顺欣	牟代飞	张　洪	贾　茂	宋泽芳	吴甚廷	杨荣杭
王　顺	陈在兴	郑上上	胡　刚	刘显军	张文齐	王　松	邓子伟	简福兴
罗　菊	谢　梅	陈　默	郎开珍	尚凤伍	犹泽鑫	吴　丹	税荣华	王发贤
王婷霏	邓　青	刘仕豪	彭逸菲	禹荣丹	龚　钦	王　静	梁小康	曹开志
夏虹彩	徐华利	郑　仲	张大平	瞿继豪	卢德贵	王　娇	孔德特	骆帝宏
舒兴胜	林　燕	梅小静	何国桃	刘兴扬	朱立山	姚　菊	宋娇娇	朱永芬
胡咏茚	蔡昌丘	蔡　倩	刘　国	吴杰春	李泽生	刘　辉	李　云	彭传奇
向龙进	徐友洪	张　青	敬　诚	王　丹	张良友	魏书旭	屈万杰	刘　仙
吴国静	张　艳	陈　鹏	李治缘	余清波	陈孝运	杜娅娅	宋安楚	杨　倩
唐文碧	犹家金	张祖洪	袁　玲	伍朝瑞	李家维	胡　波	李　杰	胡声伟
刘　元	何　莉	潘文林	胡亚丹	何德会	陈　靖	霍　旭	李明静	陈启洪
袁驰鉴	黄　倩	兰文釜	陈　良	龚　鹭	吴　余	牟仕林	白明辉	刘　颖
张　松	彭国媚	文泽秀	陈太伟	胡国丽	杨　丽	犹合松	徐鹏飞	冯其富
冉应乾	柏晓波	黄大飞	伍昱亭	白方吉	朱柯夷	罗振江	欧　琴	罗钰春
王　芳	曾　亮	李茂瑛	罗钲威	张　群	卢再萍	刘　晗	娄金莲	李坤红
张平先	陈　敏	罗　铭	吕学军	刘志豪	田飞杨	刘　磊	张朝胤	吴正涛
刘瑞雪	廖天月	黄进宏	向登菊	朱　敏	姚正荣	杨　凤	张雅昳	李仕英
倪江茂	龙言芳	兰　丹	陈　念	商　勋	杨　春	姚强强	兰圣忠	聂贵林
夏贞有	江　波	袁　进	王振昆	邹雪梅	李　坤	文德香	熊　涛	杨虹蕾
任安强	宋　婷	朱　钰	卢瑶瑶	王德财	周建宏	冷开建	倪　江	谢云春
袁　红	严国静	王　靖	张宽萍	黄廷廷	兰文俊	漆家萍	潘誉丰	熊纹竹
张兴珑	张红梅	喻皇境	王　寅	马雪洁	李家丽	龚程鹏	龙　灿	唐　银
闵钰婷	简学凤	何　耀	王　露	冉茂明	刘　卿	杨　景	何　溪	黎　晨
刘正宏	徐正辉	李正吉	邓金婷	张　逊	蔡茂盛	冷继映	周　星	袁国钧

罗　兰　梁思欢　郭元勇　胡孔丽　曾　露　王　韬　胡明霞　卢昌勇　谢成林
何沅超　商婷云　莫云凯　商体素　兰小念　苟综利　胡坤波　刘　菲　徐　烈
黄　亮　袁　清　魏湖凌　李孟韦　敖　浩　张艳群　曹礼青　段怀臣　勾乙吉
刘晓丹　何振镧　彭国滔　熊　源　王远超　席　欢　周　阳　杨奭宸　商　倩
邓　钰　宋　斌　李禹虹　蔡开飞　冯明东　汪　琪　余　耀　范胤祝　谢祥军
王新健　黄坤龙　叶真香　彭庆松　冯明昆　谭　景　贺俊灵　游丕霞　蔡廷红
李　颖　陈彦伶　刘元丽　魏　宇　李洪静　杨文炳　杨玉明　陆柏合　张　洪
吴　涤　梁　洪　周　建　张祥先　黎　桃　王大青　张添昱　杨　念　尹小燕
王春烨　许春红　盛中志　吴泽敏　夏银宏　徐　琪　梁　云　周钲烊　蒲永凤
罗　芹　王　媛　杨　春　张　卫　李　豪　谭路遥　卢晓霖　周昌杰　黎金东
何　秋　肖继红　钱　毅　邓安刚　鄢成超　何致缘　冉景刚　曾华东　董蜀黔
牟辉浪　余　瀚　徐　伟　倪元俊　潘　睿　王清塬　沈广文　杨胜坤　宋　佳
卢锡飞　唐　雪　代义琴　曾　勇　刘　璐　张　婕　张挽澜　温光瑶　杨　财
李　维　毛凯迪　谢玉勋　邹　康　卢　鹏　廖廷梅　赵　丹　韩刻霖　刘　璐
宋　佳　王基超　陈大池　蒲　端　沈广文　杨胜坤　张　婕　方　亮　刘翔文
梁　杰　李星枚　谢玉勋　夏泰盛　田　铭　王剑锋　陈正荣　胡梅梅　余柿委
谢佳敏　杨森淼　沈元津　吴中勇　吕志超　赵兴梅　王真祥　邓朝莉　潘　燚
田进辉　毛金艳　白宇豪　杨泺霖　秦安艳　李正航　吴显伦　陈　琳　丁元熙
周昱君　黄小川　李发菊　吴泽莹　李　凯　袁宗琴　高小龙　龚　超　赵江红
卢　鹏　廖廷梅　赵　丹　杨泺霖　罗钫切　姚浩男　张　园　谢　丽　宋　毅
苏启涛　周　竹　姚浩男　陈昱名　杨明君　李　云　谢仕宗　何克江　滕野郎君
李　航　丁　雪　陈鄯旭　周煜涌　王星越　李秀梅　张　杨　刘　峰　漆　毅
卢　渊　李　佳　陈泓廷　廖　蓼　顾　超　姚　艳　李治镇　赵　坤　商正艳
罗吉昇　张　娇　苏阳丹　徐瑞丰　李　希　曾祥军　田　曦　冷昌郦　黄　旭
余柿委　冉丽群　徐瑞丰　苏阳丹　梁明玉　陈　璇　范　容　王　芳　石云勇
郑力尧　杨蝉境　张　美　黄跃进　姚　娜　李吉灿　谢贵春　周　莉　曹　敏
余香勇　秦　然　冉　春　龙德恩　徐　梅　陈晓静　朱俊艳　周　华　张　超
刘汶铫　宋干荣　宋明媚　丁光娅　简娇娇　宋　羽　余　韬　肖　欢　蔡　烨
李亭竺　肖　凤　黄坤建　赵海燕　闵明镇　肖怡冰　杨春莹　邱隆江　滕　超
周　林　冯小敏　宋　颂　唐卫民　丰家行　毛　婕　王　芸　李　宣　马蓝宇
罗春燕　毛程霖　冉丽群　张　娇　苟　顺　李　希　李天东　李政澄　郭钦静
钱　兴　章洪铭　赵　璇　何配玮　黄官琴　张昌木　李涛坤　杨华舟　吴举伟
陆　福　朱　婷　张林茂　粟　连　杨　杰　肖　桐　黄　倩　卓林俊　王启米
杨仕亘　许克龙　赵巨松　李玉欣　石茂轶　吴　松　何承晋　闵　建

2013 年

游　雅　张玉娇　童邦珺　周远馨　简正阳　李太坤　杨庭娅　刘定禄　杨孟锦
金　鸿　赵　菊　王　竹　王　伟　余斌鑫　王　易　李俞娴　周洪艳　吴　旗
李　汀　蔡　航　赵　超　罗创文　犹和椿　蒲幸禹　杨　洋　徐　卫　付国檐
伍　超　田　湉　唐郅非　陈爰余　罗广超　罗亭利　张德兵　张天影　包天杰

冉诗泽	吴　峰	李林洪	张　进	古祥龙	郑　义	范　闵	邬　川	林伟珍
宋　媛	王亚铃	李承艳	秦家禄	李　惟	周家杰	张煜鑫	李小涛	赵乾溶
刘金艳	邹玲玲	宋　凯	兰娇娇	屈万奎	颜小刚	张正鸿	罗登高	邱劲超
李　林	万　晴	兰姣姣	陈　雯	游宏亮	李仕刚	龚红银	蔡　东	徐光婷
王华琼	李成玉	娄丽麒	万丹阳	李荣松	詹崇庆	谢如琴	徐孝莹	黄群惠
犹代兴	彭高友	谢治珺	田盛梅	邓国富	李安阳	夏　爽	陈　刚	徐国露
倪　巩	徐明谦	陈雨虹	曾祥欢	曾　耀	何春瑾	贺　睿	尚玉芳	陈新文
陈春花	蔡璟洪	符凯凯	代义松	雷　涛	徐　英	刘　宇	秦　涛	吴小健
伍元海	杨　枫	王得群	李　恒	王　焕	王德鲜	田　松	吴　丽	刘彦会
朱晓青	何林晔	陈文娇	李德顺	王广会	毛文凯	刘　桢	崔家雯	王　睿
刘易铨	陈星蓉	粟　莎	粟　成	周　弢	何　砂	向成松	周荣梅	胡国祥
肖海鹏	何　珊	汪蕙心	韦泽杰	符业毅	李爵位	刘昱彤	邱　菲	陈华坪
倪　珂	帅琳方	邓剑斌	靳利成	熊晓芸	蒲天双	蒋　波	黄成艳	刘　珊
张仕凤	秦邦燕	王　丽	朱鸿丽	唐崇彬	袁伦华	黄振东	李天辉	王　倩
陈英杰	杨学顺	石胜丹	陈　慰	冷　毅	宋定衡	陈大池	陈友德	雷　乾
潘家圆	王真祥	陈南憬	文德旺	李　晶	贺黔晨	孙颖天	刘　铃	黄六霞
李明踊	刘任糠	胡　棋	石崇毅	李　建	张林芳	刘　杏	熊　晨	陈　飞
尚　旭	罗国宇	袁　充	陈亭焰	宋　颖	周彤燕	黄进厅	杨明俊	黄　娅
杨　琪	李　吉	李志松	黄家菊	雷国珍	陈　阳	谢　梅	宋金艳	陈　洁
康圣钰	焦婵娟	荀德菲	朱世琪	宋丹丹	董承红	王小莉	周召橙	石春霞
熊文敏	王　林	向　杨	郭清玮	黎朝霞	倪　静	许婉姿	李绍元	吴密密
杨竣杰	陈金堂	黎　婕	骆弟燕	陈怡廷	方荣东	柏　瑶	刘安进	王发明
宋　露	陈光胤	艾　玲	王　广	饶　萌	邬连梅	苏　丹	陆　杰	李诗佳
王　森	周　鑫	吴仕碧	杨　丹	赵才林	刘江燕	刘大丽	张爱媛	曾唯益
王利芳	吴　静	刘雍华	蒲天成	田春梦	王　兴	杨　婷	赵　文	诸淑香
倪　波	刘文品	陆　福	陈良杰	李　宁	沈广文	张福鹏	范　淳	范胤祝
简正鑫	李晓丹	任崇伟	葛永恒	杜伦娴	谷文凤	曹　峰	陈　娟	肖红菊
张　纯	杨　林	吴正涛	王　曦	周文鹏	张　御	孟艳霞	何　倩	龙进海
邓守刚	熊辉莲	张　福	颜胜淋	陶小梅	李运乾	刘国梅	冉光琴	兰秋月
张　杰	胡明艳	黎　芯	李良懿	肖诚宇	陈　强	唐悦文	张毓鸿	刘　可
勾乙吉	骆　康	张永成	何光海	黄　飞	刘　学	邹　政	岳　丹	毛国旭
谢玉芳	赵　磊	兰付永	董汶源	唐　珊	王基超	谢明江	杨朵合	吴国富
罗　靖	曹婷婷	王　涛	彭国滔	胡籍云	陈炳勋	石　娱	张　露	腾绍文
刘显敏	陈　星	赵　峻	易佑立	白　莹	任小端	夏宁鸿	涂鉴芮	禹荣丹
陈小会	李云鹏	黄　馨	王仁恋	鄢华红	任　航	杨胜坤	刘治呈	肖梦姁
曹　可	陈光亿	张远阳	何明明	田维婧	黄小川	雷志成	王　丽	谢　东
刘元宏	王德丽	杨　勇	梁廷凯	李洪运	周　正	陈　鹏	杨洁琳	张　凯
方久坤	罗　丹	郑上上	杨诗铭	李正航	周逸华	黄　倩	何　旭	何永松
王　波	王　琪	宋　超	黄贵鹏	何振镧	张良杰	肖兴美	徐　飞	郑琦学
叶　春	周星余	刘文汇	陈关福	魏兴成	王家莉	张涛涛	宋江莉	杨贵福

邓仁翠　杨选亚　张静　蒲启雪　袁累康　唐培帅　宋丽　林启江　刘庆涛
肖兴学　周全龙　舒凤　张德俊　张飞娥　袁佳佳　刘文　方芳　商倩
冷启会　王典仪　赵兴茂　刘源青　李维　陈善修　何静　杨江辉　宋娅
沈广成　杨明姗　余佰鑫　彭芳　刘靓婧　陈朝文　黄桦骏　袁姣姣　李天宇
周进　姜维　李小会　赵芬　刘仁志　李秀伟　屈龙俊　谢裕蛟　杨秀迪
张新益　杨倩　金延清　张炳珍　李绍江　郑启学　漆昊　蒲国源　方贵东
魏廷婷　吴中勇　周乐洁　毛国丽　蔡蔓玲　陈富亿　顾鼎　刘超　宋正阳
闵德荣　肖成云　梅飘飘　任泰毅　李群　田林　王小康　陈青松　罗颖
陈曦　唐雪　王飞　李世玉　宋汶蔚　汪申夕　彭旺杰　姚正端　晏乐英
石朝爽　李志　邓涛　葛永凯　彭潇　钱安桥　汪立富　王娇　鞠骢
杨建红　付家伟　董世英　闵皓　王文霞　李荣燕　陈伟　陈尧铭　何建红
杨杰雯　杨肖　李红　兰丹　刘欢　王治超　朱燕　赵林云　吕正高
代明武　聂昌妍　宋文　王灿东　方敏　钱刚　姚远　何坤　梁大美
夏国芬　李远精　李洪静　任西军　犹昌辉　王燕　周世乔　蔡泽鑫　李雨霏
陈丽梅　梁明东　王椒　梁明东　严莉莎　周丹　石金敏　曹敏　潘鑫
秦先会　龚雪艳　王念　陈亚　张雯滔　陈姝丽　王关培　张前松　杨林
甘雪梅　刘华涛　杨忠敏　李庆珊　陈泓廷　温光灿　唐国伟　杨丽　舒婷婷
徐茳莨　任安强　吕志超　倪旭　罗威　黄坤建　陈光兴　熊欣莉　周建
王勇　聂昌颉　倪元维　魏楷筠　李育英　刘盛松　冯义　王开民　杨兴
杨胜男　李纯　曹国毅　袁盛涛　黄美清　左伟　冯大鱼　杨涛　顾大度
郭钦静　黄娇　卢红雨　陈柔冰　李宣　蔡怡青　陈堂云　杨帅　王阶
刘露　朱荣涛　张梅　黎贤坤　熊文璟　张杨　张显坤　何靖　杨崔琴
唐娜　安薏伊　蔡开飞　彭娅　周婷　赵丹　刘洪金　赵鑫鑫　邓丕杰
罗洪　罗国江　夏莉　杨洵　王庭婷　胡德成　余珊　张波　王莹
吴超　余臣瑶　余虹烨　谢静　陈绍波　喻是霖　龚庆东　江波　何绍付
杜鹏程　娄方梅　张远霏　张大鹏　张然松　罗敏　李顺福　何泽运　王国美
张家程　黄成　王丹　刘诗晗　杨鸿毅　粟彩霞　左双双　胡万琴　刘念
邵斐　胡岳全　龙冰琍　陈春香　廖廷梅　王维　黄祝君　李惠松　毛儒琴
禹爽爽　杜松　罗娇　王奇睿　罗百斌　杨雯雯　陈静　邹航　王欢
王兰　冉浩晖　卢鹏　娄释玄　卢美宏　何光涌　袁铭骏　童明炜　郑其梅
方聪进　张辽　查远远　杨艺　胡建　张家露　漆毅　王冰　黎伟
杜琴香　陈明凤　王正威　吕秋蓉　陈波　陈海迪　刘群　刘昱廷　罗倩
谭景　李忠梅　张敏　庞开菊　熊静　杨杰　王家琴　雷鸣　梁犇
王力　刘翔文　罗明静　刘学威　赵伟　陆柏合　陈堂方　犹鹏　文梃沣
尹红　吴德静　谢云松　黄廷端　何松　何林璋　陈吉婷　何程　李君娇
邱隆燕　刘丁群　刘军　吴甜甜　邹海洪　彭婷　袁婷　邓安梨　李思尧
何奇颖　王盛隆　白方青　况红俊　王婷　段德江　赵飘飘　方永琴　张鹏威
李维　刘浩　犹合坤　张鹏润　兰永欣　雷娟　李丽　徐荣阳　宋航
杨珊　瞿朝霞　商乾坤　李化都　胥弘　许鸥　王德忠　吴昌先　童兵
郭全进　王立美　郭娅　伍莲莲　刘飞　邱小雷　龚贤文　石杰　张念

王方金	骆　婷	卢　会	冷　锐	伍城娥	陈　颖	鄢国圣	陈安文	胡永超
徐思禹	周关勇	宋赣祥	莫仕玉	谭姣姣	刁加玉	吴佳柔	冯　艳	陈永祥
杨奇琴	杨　迪	刘兴蔚	朱水清	蒙正远	陈　洋	王芸娥	姚三林	敖小玉
徐仕祥	石　军	任孝进	王茁旭	张　涛	全　蔓	吴和进	杨仕玖	陈信宏
王定佳	犹品琦	徐　胜	王朝序	冷安碧	陈开敏	田　菁	邹永梅	李雪峰
钟善旺	罗上轲	唐　瑶	犹　敏	张开艳	李文香	丁　辉	黄　飞	丁本成
任启连	黄　松	杨昌敏	华庭辉	刘　艺	范　浩	张学全	刘　新	李昱东
胡远航	张廷福	唐疏盼	朱　玲	安帮华	王大梅	唐真婷	杨再艳	宋大双
宋　垚	万华鹏	黎　佑	宋　红	高顺江	黄　娟	陈阳海	李文青	蒋永艳
黄　琪	金龄琨	刘维维	蒋云娥	何林领	何建平	邓正会	黄　沛	李治婷
李　剑	李　波	王时江	张连连	邹德乾	刘　灵	吴正荣	刘　丽	蔡　毅
陈鄯旭	常　宇	张明娅	朱待霖	刘胜芸	李　松	刘义安	程　鹏	王　君
杨昌杰	刘清荣	王泽涛	刘滋珺	刘　悦	罗友宽	李质洪	丁光鹏	冉丽洪
龙　杰	黄方坤	郑才茂	罗　刚	池大言	梅良群	任桃静	张仁婷	朱兴谕
杨　娅	刘朝红	赵　露	夏丹宏	孙舞键	卢城涛	罗　鹏	陈小艺	犹　毅
卢凌娜	刘婉婷	廖明坤	蒋佶霏	王　丹	蔡贵菊	罗胜男	周乐露	王　涛
石云勇	刘　亮	冉　迪	李霞林	刘　浪	付天豪	卢　怡	田应秀	刘露莹
敖世坤	李　旭	陈　杰	周一航	王　旋	余光明	冷　达	张远云	王碧琴
王振鑫	张余梅	谢美金	段怀洋	姚敦基	张　晗	王小青	卢德飞	向德刚
杨玉芳	陈远军	胡　伟	周　念	徐　强	唐明桥	李微君	陈绍伟	唐书孝
李　波	贾应该	成　靖	黄朝会	陈俊江	周燕梅	何克伟	倪桥林	冉晋文
周　静	蒙世月	王仕兵	张昌敏	李显鹏	余　洁	卢　波	代永阳	王　治
王树军	任金桥	滕　丽	周世航	文继德	陈开媚	肖　雄	毛培喜	闵明杰
朱代发	冉　瑶	陈海浪	吴正威	何承晋	兰中政	李星枚	张纹茜	王治开
犹　米	朱仁红	王德芬	杨　安	朱星宾	吕田芬	魏　洪	王二凯	丁万霞
龚贤姗	苏　青	夏唯唯	钱　刚	邹　康	吴昭庆	袁仁乾	朱立锋	姚大方
肖凯平	吴思佯	赵昱凯	刘　静	陶宏燕	刘　双	陈姝宇	王刚兵	唐书发
田秋静	雷　宇	方海波	蒋　毅	陈　阳	李　娜	刘立兴	叶　欢	王顺群
赵　磊	袁顺武	朱黎阳	刘　娇	杨利冬	贺建宇	唐疏浩	唐春成	蔡　东
魏　微	郎姝妤	赵　梅	颜胜菊	古裳宏	何　霞	李显海	杨　晓	刘国军
尚海艳	王　宾	刘　涛	吴烨城	文祎倬	李　遥	刘　云	刘　梦	杨　东
周志友	杨　玺	李　阳	陈　江	黄　黔	柏　星	张钦智	雷佶也	李秀松
戴　誌	周楚涵	左仁敏	盛　琦	商正洁				

四、历届毕业生名录

民国时期省立瓮安初级中学（1~36期）毕业生名录

第一期

谢会昌　杨义贤　王开文　黄治华　宋伟才　宋锡贤　王方文　王文超　肖显仁
柴若愚（缺8人）

第二期

王大本　任忠经　付应錞　张敏学（缺29人）

第三期

王道暄　王道源　付应钺　胡德新（缺31人）

第四期（缺38人）

第五期

张昌骥（缺34人）

第六期

全班解散（缺38人）

第七期

樊哲芝（缺42人）

第八期

袁有华　陈世贤　王齐芳　李朝仙　徐廷忠　姚士珍　田　英　何德光　肖显贵
马连贵　晏安文　徐明书　罗陈谟　杨敬书　刘　炎　宋贤芳　王在璇　杨福宇
彭纪元　熊大德　丁选众　商文才　何世荣　杨宗明　黄泽荣　黄世初　罗嘉谟
张克明　刘昌龄　宋之勤　孙德华　商崇伦　陈逵民　徐光舜　袁正明　姚　书
陈启鑫　李国梁　胡明德　张德保　刘荣科　杨品全　陈嘉善　袁家文　刘仁风
杨　霖　杨培泽　胡德维　张大伟

第九期

刘贵思　陈　谟　王正盛　陈嘉裕　田应星　卢文凤　吴　槐　刘永贵　陈光丙
唐永昌　郑维钰　王大元　舒宗文　刘敞文　何士美　李济堂　郑　彬　宋亚群
田仁贵　马中锐　戴华玉　李宗烈　朱文宗　谭仁富　宋贤芳　杨宗明　孙德华
陈嘉善

第十期

张万镒　游俊民　王礼民　李家仁　陈禄高　陈禄寿　朱朝湖　谢德光　赵立彦
陈祖谦　陆祖衡　吴　桂　何天荣　杨诚心　赵明馨　罗应禄　杨盛心　周茂钱
邓荣奎　王元士　刘进诗　钟昌宗　王宗廉　刘　瑛　杨奎文　周泽章　葛世安
肖玉佩　赵吉昌　董宗尧　李泽民　李显中　郑远伦　王寿仁　刘昌益　张应武
商崇伦　吴　楠　商学端　吴　林　商文显　冯应嵩　汤文科　张世哲　张世杰
杨秀峰　安之伦　李泮香　高星獒　饶景华　朱明铮　陈佩君　闵敞夏　谢士魁
朱贵祥　赵正祯　龙国富　李元松　肖文钰　张一安

第十一期

冷开晟　冷开星　杨宗尧　曹洪武　王方国（印江）　游俊民　王礼民　朱建德
吴明贵　胡　伦　宋国基　杨国栋　商　辉　胡绍尧（平越）　吴　林（平越）
吴明远（开阳）　冉书铭　蔡泽林　邱兆武　邱兆书　夏锦岳（余庆）
戴廷训（印江）　张先文　张昌骑　肖文玉　王有信　戎家祥　吴　桂
吴　木（差9人）

第十二期

陈国栋　赵以仁（石阡）　贾奇麟　皮顺培（开阳）　黄麟章（营平）　陈祚风
徐大蒲　夏国荣（余庆）　唐文轩　陆农林（余庆）　邹隆华　王腾芳　袁有富
宋之学　王道渊　胡绍祖　周光霖　丁华昌　张恒光　胡启后（余庆）　张齐光
陈光福　任德文　曹开一　刘仕长　席光奎　杨承文　毛翼鹏（余庆）　王为政
刘光炤（余庆）　吴荣昌（平越）　任达五（余庆）　陈仕林（余庆）　李申福
王泽恒　毛其珍（余庆）　谢福星　刘长清　赵祥贵　谢能经　刘经纬　王化成
何玉金　任立远　熊国镒　蒋学荣　杜维成　蒋永贵（余庆）　陆大椿（余庆）
毛廷显（余庆）　何知理　杨兴利　田仁刚（余庆）　毛克成（余庆）　梁仕祥
任贞明（余庆）　张柱国　王兴德　施汝和　祝仕清　郑道安　李洪斌
任贞信（余庆）　何知言　游纯熙（遵义）　田儒荣（余庆）　蓝大生（差1人）

第十三期并女子班成十四期

梁正朝（余庆）　蒋　斌（黄平）　刘　渊（开阳）　陈亘禄　汪万梁
游承华（余庆）　杨承谟（平越）　何德伦　胡庆春　席光宗　张齐学　李万华
张政学　刘正刚　杨作仁　蒋学荣　丁琴修　任忠镛（余庆）　米屏书
夏朝荣（余庆）　王为谟（平越）　徐大渠　陈梁栋　冯应辉　易仲先（余庆）
王道瑜　袁家毓　唐开选　刘玉筠　程兆麟　彭太端　朱国才　李大德
何举卿（余庆）　孙　琨　王泽劲　王道宏　陆大春　王庭玉　宋之灏　李成衡
李景和（平越）　赵正书　王泽三（平越）　付治家　晏安廷　赵明才
汪廷良（余庆）　余祖华（余庆）　王泽美　谢能猷　宋锡多　邱兆文
陆兴哲（余庆）　张　良　任永镇　徐玉明　李素莲　丁　刚

第十五期

冷开明　刘昌华　李易贤（开阳）　穆大经（习水）　王为文　蒋廷怀
陈万坤（余庆）　魏尧书　商文奎（平越）　刘崇德　王泽美　简思明　冷祥仁
皮瑞邦（开阳）　张碧先　李成衡（开阳）　王泽劲　杨承文　毛荣北
吴明光（开阳）　胡庆华　胡启方（余庆）　刘崇宽　安之伦　刘大赐（开阳）
何德明　孙齐英（平越）　杨祥云　杨立纲（遵义）　杨新元　李正潮　陈光文
向兴科　何玉镜（平越）　谢廷膏　刘凤仪（平越）　冯琴声　段安邦　谢应榜
高星云　魏尧书　王绍元　李国才　王选伦

第十六期

张荣鑫（开阳）　费湘麟　朱建遗　刘有干（思南）　宋鄂生　孙　萍
黄远绍（开阳）　蒙德业（清镇）　邹隆宣　李永和　施碧霞　刘祁英　王天华
李正朝　胡崇权（开阳）　冷承智　何知俭　周齐礼（平越）　戎家绂　陈廷荣
陆启清（余庆）　杜廷学（余庆）　杨宗敏（平越）　陈　荣（开阳）　杨德香

商文培（平越） 胡德容 陈相贵（开阳） 舒国文 毛翼成（余庆） 刘祥开
李再丕（开阳） 卢继周 苟再兴 刘崇文 毛克配（余庆） 丁宽义 刘荣锦
都隆宣 司国炌（开阳） 夏木天（余庆）

第十七期

丁　章 魏守义（赤水） 刘庸诗 张大鹏（余庆） 周德润（开阳） 张保箴
毛荣寿 付世莲 罗皋谟（余庆） 杨昌友（余庆） 冷德昌 刘述龄（余庆）
商九章 张茂龄（余庆） 岳宗仁 陈正华 胡德容 陈裕为（开阳） 王志芳
张天成 杨宗鼎 陈　荣（开阳） 杨耀寰（余庆） 张清才（开阳） 郭义华
刘崇武 赵吉林（平越） 谢德敏 陈大经（余庆） 杨昌明 刘祛非 叶盛国
毛荣洲 陈绍虞 刘毓英 胡宗琪 吴树清（贵阳） 李朝荣 徐恩赐（余庆）
朱建中 黄各森（开阳） 徐先国（余庆） 刘明谟（印江） 易本烈 王治民
谢能庄 刘启明 黎和海（余庆） 褚堡林（安徽） 陈桐富（开阳） 郝淑琴
梅祯祥 商阴寿 宋国良

第十八期

邓啟俊（平越） 饶国玺（开阳） 邱兆熙 林大兴 邱兴明 李存礼 刘启明
戎家绂 金德富（余庆） 何德恩 熊德全 林朝富（黄平） 骆开德 蔡泽惠
刘远祥 肖德懋 田景文 宋护基 唐文烬 熊国举 晏永高 冷德全 杜润痒
王必能 徐明星 宋鸿基 袁祥晖 丁宽义 曾有华 黄芳亚（黄平）
殷启华（黄平） 徐　奎 李存礼（黄平） 商峨章 李应科（思南） 谢能庄
刘毓英 商应春 邱兆明 张怀珍（沿河） 王为俊（平越） 余定帮（余庆）
孔维臣（开阳） 徐先周（余庆） 邹淋琴 陈德昭（余庆） 刘启后 金严凤
徐　星 傅纶才 孙　映 张明权 施厚珍 任义远 冯应崇 兰区先
刘尚新（开阳） 赵光祖（黄平） 陈大铨 商仲逆 张开慧

第十九期

冉广质（凤岗） 王承谦 曾庆善 孙容 犹中兴 胡再帮 李余光
姜朝武（余庆） 曾荣宗（平越） 犹华兴 王开华 雷道隆 邓泽荣（余庆）
张吉儒 李万全 宋选俊（平越） 雷进隆 戎家琦 杨勤章 谢福均（湄潭）
蔡泽宽 张元定（余庆） 杨耀宇（余庆） 刘廷玖 黄维华（平越） 戎绍娥
柴廷藩 宋泽华 王绍虞 高良玉 郑纪银（黄平） 毛克舜（余庆）
唐宗汉（余庆） 田德仁（余庆） 刘府高 曾庆衡 孙昌银 蔡济荣（余庆）
刘积英 周发祥（余庆） 张朝喜 李申禄 宋文科 杨昌林 汪元宗（开阳）
田兴举（余庆） 昌登邦（余庆） 范中义 李永全 刘崇光 田应时（余庆）
何国衡（黄平） 郭朝臣（黄平） 张秀己 樊孝伦 谭德巍 张以坤 刘廷贞
杨耀宇 张开智（余庆）

第二十期

罗应钦 犹盛兴 王之楷 王天富 周发祥（余庆） 符治堃 赵明藻 张吉光
吴学林 朱学林 王兴国 贾泉芳 任道远 韩明亮（余庆） 万映华 贾奇骥
戎克继 邬书文（凤岗） 刘希尧 杨昌霖（余庆） 商进章 袁家贤
付余松（余庆） 冯德富（余庆） 甘兴权（贵阳） 肖德骥 贺世忠 陈定业
胡德滋 余长江（余庆） 毛廷献（余庆） 张前宽（余庆） 商瑶章 张祖德

金家治（余庆） 何映文 甘兴元（贵阳） 徐益才 胡纯安 毛克智（余庆）
刘崇信 黄万庄 宋选俊 费学竭 黄维英 任远纯 杨竭章 曾庆瑞 胡庆荣
杨素荣 余元碧 饶国卿 王代华 杨通文 苟正才（开阳） 王泽斌（余庆）
晏顺华（余庆） 田景香 龙国万 郑金良 张光延（黄平） 刘安民
张恩榜（黄平） 刘文渊 肖为善 刘崇杰 尚明进 王峯华（余庆）
杨兴贞（湄潭） 张之定（董平） 刘昌鹤 邓泽云（余庆）

第二十一期

黄奇文 袁家瑶 徐大行 蔡凤翔 王祖宇 陈全 甘勋权（贵阳） 丁 壁
丁 梅 蒋光秀（余庆） 史新鉴（余庆） 罗光弼 潘应学（石阡）
袁世耘（余庆） 刘崇光 曾繁武 刘其勋 习新发（余庆） 杨宗飞（平越）
曾晓义（湄潭） 宋汴城 宋成松（余庆） 袁有珍 赖宽 陈廷柱（石阡）
龙国华 夏政权 曹义厚 朱文宇 杨中衡 袁家壁 杨时厚 闵登藩 毛以合
刘啟礼 张学仁 周耀泉（思南） 杨宗兆（平越） 张开奋（黄平） 余长江

第二十二期

甘礼文 杜敬书 符光荣 王开宇 魏守中 宋啟芳 余长江 王显宗 费湘蘭
范同铸（平越） 卢裕厚 代泽治（平越） 任达相 曾绍明 刘永福 刘廷珊
高良文 任祥麟 梁正权 龙国泰 何国芳（余庆） 商崇孝 赵保邦（思南）
夏坤义 杨大济 蒋光明 蒋荣光（平越） 黄可发 闵登瑶 安永隆（余庆）
陈材栋（平越） 郑家玄 龙国珍 葛世珍（平越） 谢朝正 宋宣基
夏治宣（余庆） 宋佩其 吴业精 傅应邦 杨励章（余庆） 宋应奎（开阳）

第二十三期

胡连华（开阳） 莫绍先 李万伦 田念慈（贵阳） 徐益伦 陈亘学 姚永明
霍世光 李清明 胡若俊（贵阳） 王道斌 邓光炯 林大发 王漫芳 向兴廉
李泽民 张国栋（余庆） 孙文瑞（平越） 何玉辉 符光耀 何国衡（余庆）
李建芳（余庆） 李益顺（余庆） 王惠民 谢德超 徐英杰 吴学诗（开阳）
胡德生 尚明扬（平越） 向汝蟠 姜国忠 李永端 陈文珍 犹家惠 李朝华
龙会云 刘仁端 向鸿光 谢福雍 宋天赐（湖南） 丁淑宜 龚南鑫 杨统章
宋之瑜 曾繁惠 徐孝泽 易守然（余庆） 宋惠基 戎克秀 李培初 丁光瑶
顾文德 赵士才 黎光卿 谢德元 沈永福 冷德元 吴业森 吴鸿宾 毛光彩
曾高明 石国忠 刘荣杰 彭宗武 何泽宽

第二十四期

吴业帅（湖南） 张先进 方景爽（安徽） 卢廷铭（平越） 黄祖尧 金德荣
杨毓群（贵阳） 刘明开 戎家麟 宋仙琪 何光才 刘开荣 徐乾章 刘家学
宋荣基 刘承濬（平越） 王国富 宋泽西 郭宗义 庞定贵 邓家玄 宋惠琪
胡骞（浙江） 闵建本 田宝群（贵阳） 方景堂（安徽） 余光华
卢廷铭（平越） 张品怀（湄潭） 肖士狱（湄潭） 柴端泽 罗来英（平越）
习佩（平越） 丁宽文（平越） 施厚义 罗兴柱 杨仲良 夏秉浩
罗来宣（平越） 董德香 赵正容 蓝维刚 刘成濬（平越） 王明诗（平越）
徐明道（平越） 卢有九（平越） 何明书（平越） 胡庆伦（平越） 莫承汉
何德泽 颜启邦 罗哲友 陈光英 林鸿昌 李成典 邹吉文 郭元亮 安之礼

宋泽宇　田宝铎　罗开祥　李景琦　石国志　王树学

第二十五期

黄文书　余光国　赵正禾　韩家兴　柴瑞敏　姚本良（玉屏）　张清明　陈世碧
佘烈武　黄奇武　顾问耀　周玉伦　周显杨　卢光恒　冯治昌　黄廷芳（余庆）
袁家俭　冷开科　冷光辉　柴端明　刘远中　杨基武　王大忠　罗应琴　米玉书
钟立隆（遵义）　冯惠忠　骆庆常（遵义）　冷先明　段为学　冷先杰　肖德懿
李淑媛　周敁荣　杨胜乾　陈治全　贺洪恩　冯绍龙　肖维伦　胡仲举（石阡）
胡元庆（余庆）　沈明臣（湄潭）　韩惠贞（湄潭）　杨远智　李学儒（余庆）
马永志（黄平）　郑启才　李家兽

第二十六期

王毓芳（平越）　李惠民（平越）　王宗创　陈广注　熊祥祯　米宇俊　陈广亮
李守谷　杨诚意（余庆）　周辉智　刘开炯　贾正雄　曾庆余　王坤德　卢超凡
高良父　李余华　童邦壁　胡星临（平越）　卢章云（平越）　邱寿林（平越）
邱兆琪　卢伦邦　刘宗义　黎文江　华儒士　杨庆先　杨大淮　冷淑勤　龙万全
商仲凡　何乾抚（习水）　米惠书　邬淑贤　李景琦　杨国瑞　任德明　李守先
王伦高　范同钧　肖德容　闵登权　戎家智　邹积昌　杨必华　刘承嵩　方天福

第二十七期

杨仲文　谭在兹（余庆）　杨昌华　李庆云　袁家让　陈素珍　朱学松
冉美云（贵阳）　邓启材（平越）　曾庆书　邱兆琪　周启云　丁宽泽（平越）
唐可兴　严金伦（贵阳）　戎家祥　戎家祯　蒙学深　孙文义（平越）　熊祥光
李学书（平越）　陈耀辉　李万成　卢玉屏　刘崇武　何正荣　陈位才　顾肇兴
施厚光　车邦淑　曾庆鸣　陈耀祥　卢章荣

第二十八期

冷淑勤　左全安　王道一　刘福森　冯琴成　曾应鹏　祝中文　冯应珍　肖天柱
冷光海　杨举柱　李景衡　何德深（余庆）　雷选隆　吴栋治　王道和　袁有志
陈鹏（湖南）　祝忠文　唐明敁　张得光　黎友陶　曾庆鸣　陈栋沼　闵大光
汪博业　刘崇华

第二十九期

陈培德　陈亘思　袁朝光　聂正昌　谭光明　卢光繁　赵祥瑞　敖荣会　肖维翰
张绍群　张义方　王念中　甘晓容（女）　甘勋发　犹国兴（女）　韩明义
皮明学　夏坤仲　刘庸礼　赵光明　罗时林　伍春明　李泽民　张元逵　任绍昌
张正国　杨汉雄　蔡国才　陈世容　曾顺芬　冷继端　杨正高　杨大燦　高筱藩
唐宗馥　刘光星　米瑞书　刘孟春　曾兴国　童玉祥　彭光喜　杨正德　李治乾
刘开远　肖国安　徐世郁

第三十期

罗宗策　张承旭　彭光裕（余庆）　贾正权　宋锡松　杨昌煜　雷德海　李家骅
邱耀祖　胡身舜　雷德福　谭在知　袁良珍　陈世芳　彭光德（余庆）　徐以权
胡学贵　曹尚华　杨正高　陈福斌　李有光

第三十一期（初三下）

杨大荣　冉毅彬　黄国华　商体六　魏尧安　戴厚安　何玉碧　罗时乔　程先伦

谢应春　刘仁杰　何孟起（重庆）　杨德沛（石阡）　唐基林　张盛丽（遵义）
符光行　孙必宾　孙敬书　张淑芳（平越）　谢德君　朱先学　刘永发　徐成第
王伯尧　宋成基　邓宗富　谭文贵　孙情绪　王文模　商正国　熊德明
张延福（余庆）　王家祥（余庆）　王为碧　王家兴（余庆）　杨德洞（石阡）
蔡祖隆　周述忠　余忠夏　向仕孝　车泽治（湄潭）　陈元章　蓝远兴
王安富（石阡）　李泽立　方天禄　安之江　刘其瑶　王应富　彭廷章　刘德兴
许显先　谢应春　方琳琳（江苏）　张一鹏

第三十二期（初三上）

何正荣　田松茂　蒋中文　田兴瑞　李世学　冉毅彬　刘永蘋　卓仕富　李明权
季汝福　廖泽云　丁慧蓉

第三十三期（初二下）

杜继蘭　丁健民　魏定国　吴栋奎　孙必定　安之琪　来国章　杨济群　李绍伦
胡有钧　陈世尧　陈举明　顾启华　刘光星刘能学　游天全　毛克孝　任永学

第三十四期（初二上）

李建寅　吴正兰　李文榜　黄世民　熊体光　黄储章　黄培松　文贤仁　程柳才
瞿运仪　王秀傑　朱秀清　谭顺尧　梁占中　卢光溪　罗文轩　杨禹章　符光禄
吴业大　张吉武　卢光炯　周治伦　张元隆　何永均　何孟超

第三十五期（初一下）

李泽立　冉政修　倪兴德　李槐书　田念思　陈元章　陈克襄　江大才　李涌方
李文科　宋泽立　王治伦　张国成　杨业正　杨直群　张学优　傅欣举　罗应书
丁敬容　赵孝权　刘懿英　张仕俊　宋钖纯　冷继斌　陈宗培　罗燦兴　戴吉祥
唐登云　向天明　杨秀华　李崇伦　阎俊明　张元钧　顾应学　周纯会

第三十六期（初一上）

袁家奎　袁家廉　李文光　况行安　何开星　张伟学　丁良榕　李贵权　杜继忠
张盛祥　陈家壤　李泽忠　闵登伟　黄寻义　卢文玉　戎家璠　商瑾章　邱兆弼
况行文　张明绪　徐安邦　周玉贤　王振南　李守信　向兴益　顾文光　李松固
刘承禄　王岱芳　魏定华　袁家珩　曹光远（平越）　杨秀华（余庆）　张国樑
何国基（余庆）　李崇伦（余庆）　闵俊明（四川）　席光荣　杨诗美（湖南）
王有禄　谢朝中　张吉武　晏乐杰　周治伦　张元隆（余庆）　何永均（余庆）
胡有钧（广西）　陈世尧（平越）　杨昌华　李明权　李汝福（河北）
张培远（平越）　赵渠（平越）　卢玉厚　杨伟群　廖泽荣　江博亚

民国时期省立瓮安中学高中学生名录

第一期：（1946 年 7 月）

毕业生：付笔基　刘远祥　伍时春（平越）　王明英（平越）　曾庆瑞（平越）
冯应崇　王械柑（江西）袁祥晖　邱兆熙　田　衡（余庆）　赵顺芳（遵义）
宋鸿基

肄业生：张朝学（遵义）　刘学武（平越）　李谦（沿河）　黄炎武（石阡）
任道远　邓启后（平越）　蒋廷怀　余家富（余庆）　宋昌仁（石阡）
邓启俊（平越）　杜明燦（修文）　田景文　冯应辉　李德舜（湖南）　熊德全

商娥章　刘毓英　宋宏图（黄平）唐炯昭　陈溥霖（黄平）罗昌傑（遵义）
范德益（遵义）　董　普（安顺）田兴高（石阡）彭元文（黄平）魏守义　张天成
杜润庠　岳中仁
第二期（1947年7月）
毕业生：曾庆善　胡德容　赵明藻　戎克继　陈正容（余庆）韩明亮（余庆）
肄业生：刘以宽（黄平）　张廷栋　戎家琦　刘希尧　石正荣（黄平）　周致恺
王之恺　王新国　甘勲元　贾泉芳　王家麟　贾奇骈　刘廷玖　罗应钦
彭秀英（思南）　付治坤　罗英俊（南昌）　杨勤章　张祖愈（遵义）
吴安文（思南）　李传光（湄潭）彭高尧（湄潭）　戎家绂　姜知伦（平越）
第三期（1948年7月）
毕业生：袁家瑶　刘崇荣　毛善文（余庆）刘荣杰　张明权　袁家璧　王承谦
犹中兴　黄维华　犹华兴　宋啟基　王兴邦　甘礼文　王开宇　严金式（贵阳）
肄业生：（差24人）
第四期（1949年7月）
毕业生：张吉儒　王道斌　张先进　徐乾章　戎家麟　吴业帅（湖南）　石明信
何玉辉
肄业生：刘家学　曾繁武　杨毓群　刘明开　宋荣基　刘开荣　张心科（余庆）
宋鸣科（余庆）　犹家慧　王国富　陈祚源　金家治（余庆）　郭宗义　刘成濬
庞定贵（平越）　王家麟　宋鸿均（余庆）　邱尔咸（思南）　宋贤能（平越）
吴天华　朱学松　罗宗策　张承旭　彭光裕　彭光德　徐以权　胡学贵　曹尚华
杨正军　陈福斌　李有光　贾正权　袁良珍　宋錫松　杨昌烜　雷德海　李家骅
邱耀祖　胡身舜　陈世芳　雷德福
第五期（高三上1949年12月瓮安解放止）
余光国　向汝璠　卢超凡　贾正雄　冯治昌　熊祥祯　韩家兴　顾文耀　卢玉厚
李守谷　姚本良（玉屏）　黄奇武　刘开炯　周辉智　李惠民（平越）
王毓芳（平越）　曾庆余　宋贤能　张元祥（余庆）　钱克明（平越）
唐延明（湄潭）韩照　冷光晖　霍世光　赵奇志（平越）
第六期（高二上）
冯治龙　陈广注　陈广亮　杨仲文　杨昌平　唐可兴　杨举柱　陈天明　严金伦
夏坤义　杨胜宗　冯琴成　胡怀云　刘福森　陈素珍　冯应明　曾庆书　吴栋沼
袁家壤　肖天柱　张培远　左余安　刘远中　费湘南
第七期（高一上）（缺）

1950—2002年瓮安中学初中毕业生名录

1950届
安之江　程柳才（女）　黄储章　吴业大　孙昭　王平　杨禹章　刘其佩（女）
1951届
杨立正　李万勤　杨惠群　闽俊明　冷继斌　杨大荣　冉启修　冷继端　刘其瑶
1952届（是年起实行班主任制）
班主任　华天谷

彭发贵　陈克襄　戴吉祥　李槐书　陈元章　周啟福　冷文景　王绪浦　周玉英
吴在东　曾庆模　陈明英　曾顺书　陈世华　商祥章　周后云　姚德先　黄万成
徐益建　樊孝昌　樊孝仲　袁良才　吴耀中　贺士颜　屈光华　周光福　冉政祺
袁良楷　邹学源　罗洪祥　赵著芋　刘廷瑶　张承乾　刘其煤　谢文光　王　健
贺仲国　冷继才（女）　尹继才（女）　任永银　蔡国信（女）　郑元屏
芦光昭　芦光信　芦化春　张正英（女）　邓三益

1953 届

班主任　袁绍喜

张国咸　冉政修　陈宝琳　周玉贤　徐乾麟　陈文华　戎家璠　安之平　商瑾章
李碧之　李守信　雷德骧　王光明　鄢安材　陈全楷　李松固　冯国祥　周承欢
冷继端　王美德　安德厚　安德宽　李纲烈　贺国杰　戎家铭　魏定华　王振南
曾顺华　左华仁

1954 届

班主任　曹文德

文光伟　李少生　袁家珍（女）　马光明　甘勋义　闵文景　刘蘭英　袁良德
商文媛（女）　王岱芳　袁家奎　彭发贵　张伟学　周启福　戎端筑　吴耀文
王道勋　顾文光　杨枢群　熊兴民　袁家廉　犹品素

1955 届

班主任　曹绍庸

熊华丰　袁宇星　罗玉忠　胡朝礼　郭应铨　梅文林　彭道明　曾庆茂　曾金华
丁慎蓉　刘兰芬　田应荣　李昌华　周福华　金朝凤　柴端琴　周玉兰　刘远菊
丁锡伟　郑继贤　胡奇新　石正卫　贾奇仁　谭崇栋　马世英　商崇俭　华　仁
赵美霞　聂秉铨　徐顺成　吴宏书　左全邦

1956 届（缺）

1957 届（缺）

1958 届

三（1）班班主任　熊翼盛

袁毓才　杜正荣　欧阳淳隆　尹昆　都克勤　兰育明　柴端敬　罗兴贵　郭习伟
陈恩波　余福利　邓三福　余福安　陈恒伦　邱耀松　鄢安先　刘进贵　王明芳
柴端辉　林德刚　唐良学　蒋忠祥　张容己　张会容　李绍南　蔡国明　张国志
刘世才　陈有先　陈会远　文光才　唐刚德　李伦维　贾克珍　曾顺康　王明芳
晏开贵　王诚书　甘立森　肖国黔　田应上　李朝富　刘时举　向忠富　颜邦华
鄢文笔　李泽华　袁朝荣　龚禄明

三（2）班班主任　马德称

刘支举　陈世屏　宋锡林　曾昭映　钟文华　周世烈　袁仕荣　黎正辉　卢增位
黄万明　黄祥伦　姜杏怀　杨永怀　倪心忠　余其明　刘开文　鄢安仙　卜世碧
罗连珍　尹子碧　陈明建　邹学文　张声贤　段长书　李国正　宋锡锦　罗俊华
杨永贵　张伦学　宋锡华　范大学　周太明　杜正发　张世俊　孙文彩　孙太伦
郭跃明　蔡泽芬　张国志　刘国书　朱定国　王振东　丁光禄　张祥云　兰毓明
徐廷书　颜邦华　国永芳　王维珍　曹利利　唐光夏

1959 届（缺）

1960 届

三（1）班班主任　黄明高　三（2）班班主任　张心灵

柴端祥　刘祖才　欧正权　吴景华　李敬禄　张长明　杨德充　李国忠　刘安福
周元友　刘培佑　赵光学　张伯友　孙忠贤　周明英　李　琴　黎福星　钟毓惠
王化莹　谢学文　陈昌碧　罗贵书　曾贤云　廖朝富　熊正荣　田银高　黄旭芳
胡朝信　于莲芬　范贤祥　贺遵铭　尚玉波　王维刚　尹素珍　黄育堪　梁隆碧
袁家伟　文光智　王维先　孙礼元　曹维浩　朱显中　周辉祥　杨永良　刘廷琦
张先明　戎瑞忠　马跃银　李书院　唐世忠　聂勋德　石志立　谢承厚　冉茂元
熊子兴　徐光友　李永芳　李大成　赵洪涛　徐应林　丁锡连　徐显华　任学礼
徐世元　赵正文　刘源贵　熊应和　杨乔书　张明书　陈永平　肖维莲　顾少洪
陈体华　张仲蓉　朱桂荣　蔡永智　郑廷光　蒋忠明　冷启中　王明志　商崇剑
袁富科　晏　强　冷继荣　王坤全　何崇富　尚风达　陈积厚　贾正新　罗开禄
黄敏文　全琴华　蒋正仁　张登启　刘忠义　余其武　邓景玲　钱家学　田景荣
杨兴林　杨举源　郑朝榜　戎中文　秦培珍　吴学诗　吕爱兰　张登杰　朱朝渊
李大勤　陈文端　陈宗志　毛桂俭

1961 届

班主任　张荣魁

卢甫林　吴方文　万最贤　牟光廷　雷啟碧　倪邦声　王忠发　戎　彪　王泽礼
高昌平　廖金荣　莫方明　杜啟磊　黄进东　刘戌文　李家德　唐朝明　李邦怀
袁冬荣　胡朝相　李国一　陈逢金　姚子敬　许梦锂　伍志阳　姚学贵　杨桂琼
石明合　向贤富　邓功文　罗开祥　李绍华　辛守成　刘泽容　赵福元　刘康德
杜润炎　王承林　陈宗志　付荣华　胡朝信　刘大清　王顺华　向志荣　张有富
李应群　白绍煊

1962 届

班主任　姚永鉴

袁子慧　芦甫荣　周辉菊　罗忠琳　李德珍　尹昌明　胡元荣　许琼玲　袁云屏
范新华　吴国科　徐乾仁　杨盛元　史计碧　蔡明久　陈新福　胡星灿　任开荣
刘国语　华胜利　赵美琴　陈文俊　陈立仲　杨碧秀　刘碧珍　丁常宇　何　瑛
周清荣　黄惠松　胡朝云　陈　据　尹素云　左华礼　张若玉　赵惠珍　张正群
邹学忠　聂庄碧　王泰祥　全　谊

1963 届

三（1）班班主任　胡元煌

刘明书　赵义发　杨昌荣　付德康　杨俊群　赵宗林　彭启英　赵素琴　李俊德
王复文　王明杰　高昌国　熊振声　刘守黔　程嗣雍　张绍霞　龚定蓉　周乐前
刘清华　何玉平　钟文礼　蔡明久　罗忠琳　尹昌明　王泰祥　王慕琦　张庆芳

三（2）班班主任　袁绍喜

金邦奇　杨宗勤　顾大先　杨昌乐　戎筑君　左全春　冯文碧　杨泽兴　赵明珍
王国才　汤天惠　倪邦远　万新林　钟才湘　蔡世竹　黄福生　熊俊声　李报泽
杨定国　李远华　于莲琴　龚晓烈　熊兴余　顾大荣　张先英　兑麦修　陈立仲

胡玉华

1964 届

三（1）班班主任　黄明高

龚果英	任开华	李怀琴	陈家德	杨秀碧	顾文华	游学荣	钱家贤	黄卉兰
王泰宇	王金荣	刘泽碧	曹惟录	陈碧华	梁毓珍	倪兴文	郑志新	蒋碧英
黄后德	雷龙英	田应吉	黄泽榜	彭文翠	唐国祥	全　端	李凤莲	刘志祥
杨惠碧	黄育飞	盛文献	田念芳	戎家碧	段君林	李世碧	钟文礼	兑麦修
金邦奇	李运华	熊俊声	彭文翠	王明杰	张华伦			

三（2）班班主任　黎师韩

华和平	唐朝林	李世碧	肖　蓉	杜国林	戎应梅	周厚群	王德扬	郑绍忠
任丽俠	王正祥	李德祥	王治国	张淑英	张兴友	费天顺	丁惠松	凌中碧
钟良英	刘成中	曾光兴	陈文英	唐广玉	任全书	方远琴	潘昭云	商玉平
江长礼	康长录	许庆保	张文明	左　明	陈思法	肖玉琴	姜远程	

1965 届

三（1）班班主任　张世忠

邱跃东	颜　碧	王绍连	谢绍芝	杨远贵	王维华	黎崇书	黄锦林	周辉瑶
任　华	陈文举	杨相垣	高正忠	胡兰芬	张承应	谢　弦	郭锡才	陈颖娉
李绍勇	唐贵奇	华世芳	杨应书	李德才	蔡朝伦	曹尚烈	陈廷友	康碧华
伍家犹	曹尚节	犹登强	赵大碧	徐　路	丁丽芬	左业舟	陈禄中	谢瑞平
刘静怡	周平忠	徐成忠	周仕学	杨华珍	郭德祥	刘正华	彭玉英	邹玉龙
柴汝会	张贵琼	刘石虎	郭钖才	谢　弦	蒙大德	黄卉兰	袁庆伦	黄泽榜

三（2）班班主任　王毓翰

王德辉	舒榕容	王德龙	尹素英	郑继琴	汪黔英	聂正永	蒋碧英	王碧珍
杨建华	邓德俊	高国富	刘能章	石昌礼	王振芬	卢华刚	王润兰	贾思菊
周锡义	刘经全	陆炳发	苟福生	雷胜其	韦瑞华	冯明书	聂勋华	陈福录
蔡大仙	章新中	赵荣宗	肖厚魁	韩忠平	杨继华	袁仕泽	熊其义	何德先
宋智伦	辛守明	王祯贵	杨昌林	敖洪德	李长珍	兰世贵	祝廉明	蒋中元
张泽云	刘德明	朱政权	熊贵祥	刘　苹	胡朝贵	杜国林	刘泽珍	刘兴贵
张明英	田景宣	杜继刚	杨廷轩	蔡泽芳				

三（3）班班主任　曹绍庸

邹玉碧	杨润英	金正先	胡朝友	谭华中	叶华彬	蔡水生	吴炳荣	王小平
李家松	任宏生	曾顺竹	胡玉英	王再学	万森伟	肖远碧	宋锡仙	朱继业
李绍文	马延安	田维舟	李国大	肖和良	谷生碧	马光国	周继民	陈亘志
曹尚蓉	左都群	刘支田	张兰珍	黄贤珍	余洪英	王锡维	蔡世华	吴明高
况正元	罗华中	商惠章	李文模	王永富	罗忠淼	商崇杰	刘瑾瑜	杨立兰
袁永芬								

1966 届

三（1）班班主任　王坚定

李正强	刘开贵	易光文	张明国	周家玉	卢光明	廖继家	陆龙海	黄祖廉
刘泽华	彭树珍	邓志风	赵惠英	刘文才	任永香	肖维钧	廖兴珍	宋锡伦

郑维福　周菊英　余贵平　王丽君　李文典　杨相垣　王小石　金朝玉　杨昌明
梁明举　李怀琴　黄后顺　徐大伦　杨应书　唐仕学　赵大荣　赵昌禄　游学伦
杨华珍　张豫北　谢德勤　宋庆学　帅怀碧　石维启　李顶志　何知举

三（2）班班主任　姚永鉴

罗忠烈　张万贵　商正明　谢丞宇　谢会军　张绍成　向洪玉　黎明英　段明涛
朱荣贵　雷大香　邓瑞民　谢永忠　周辉禄　王元华　李国珍　钱银莲　康长顺
何学均　刘定书　张宗远　费锡成　况正元　商谨章　吴远彪　陈光辉　何朝宗
陈玉忠　李绍明　刘碧珍　袁庆碧　丁惠敏　卢永近　张正屏　商崇瑜　刘永富
舒家华　陈植书　刘廷荣　兰才伦　杨金言　周仕海　刘经全　石维强　敖洪钟

三（3）班班主任　袁绍喜

蔡泽宽　蔡泽祥　徐朝华　黄金宝　郑选伦　王家琪　杨淑英　杨　林　刘润新
戎兴武　徐其麟　谷生友　任保先　徐乾勇　周　云　罗碧珍　廖玉德　罗朝碧
朱大伦　粟应先　任开英　张虹明　伍承富　黄育通　胡　荣　钱家吉　夏明学
段承英　田应禄　朱碧珍　唐永书　赵开祥　黄开江　唐连智　吴治兴　李天友
张国恩　邓志足　李长征　兰龙贵　戎家碧　潘光武　宋锡先　饶文锦　唐广柱
敖洪能

三（4）班班主任　黄兆强

卢　叶　曹惟龙　郭锡瑞　王绪忠　杨胜群　向廷珍　袁正书　陶文学　犹永甲
贺思荣　景应权　王其良　乔发书　雷德福　吴成章　沈绍珍　代洪英　王光全
方能仲　陈治方　赵国学　刘泽光　杨光平　丁元培　胡远志　秦楚贵　王跃荣
吴琴芳　童廷友　宁治中　张治根　刘国海　李正成　商崇发　凌瑞英　邓芙蓉
姚先仙　傅国伟　傅清华　杨继华　张大贤　宋锡林　李大智　敖洪益　刘德明

三（5）班班主任　向义文

刘忠信　敖洪昌　龙金书　张仲文　柴端菊　牟天怀　彭善均　张进芝　熊立德
刘明远　陈志全　宋锡寿　李大勇　傅国竟　王维光　张国华　王昌明　肖明英
徐朝明　高庆书　梁明宽　王木森　王兴华　杨淑兰　邓积玉　宋泽均　聂奇敏
李治文　刘德宽　杨润元　朱世福　王金贵　王镇祥　万翠英　黄　荣　张凤金
熊碧珍　吕建苹　班凤仙　李新民　王祯贵　蔡大仙　敖洪德　卢华刚　黄锦林

1967 届

三（1）班班主任　谢朝军

张祥会　谢天珍　潘德学　宋锡先　王益伦　胡林志　廖天智　周继民　李天友
刘　林　阳美琼　朱永筑　王兴荣　倪天祥　张丑英　黄绍荣　郭锡瑞　李君林
韩应芳　赖仕刚　曾共联　龚　平　石维芬　张维华　罗贤俊　吴仲全　瞿照明
黄廷敏　朱仕学　钱维帮　唐正立　敖德金　万后祥　余正明　胡桂英　刘廷惠
孙学书　王正书　陈永学　杜继尧　熊其书　丁小平　彭友华

三（2）班班主任　李绍芳

彭银芳　黄上国　邹学洪　钟才宁　彭帮富　谢泽州　贺遵祥　犹家成　黄世义
陈安伦　王平英　贺黔英　范志贵　薛章勇　蓝才伟　余明元　罗国华　瞿运中
李荣进　杨光银　张国华　杨通全　何顺仙　黄光碧　李志文　任开玲　简思华
唐亚中　丁丽琼　况明宇　朱世福　董毓元　蒙友发　高航昌　袁毓中　蔡泽祥

罗成兰　王贵平　邱省权　吴成章　黄绍思　周家玉　祝廉瑜　蓝华敏　唐祖学
商正明
三（3）班班主任　王忠华
赵国通　李继书　张仲益　何玉均　傅发远　杨昌衡　彭道兴　雷德福　周有华
任开智　邓荣立　李富强　陈光辉　张维仁　刘积太　王幼石　冉茂平　何知凡
高孝兰　何建兴　何冶全　宁治中　罗碧珍　黄群英　廖玉德　林　华　何世荣
肖庆伟　卢甫英　任开瑛　商琳章　左光美　许世华　刘华忠　何学均　罗放生
谢宇芳　刘德明　周继发　高玉琼　廖继家　李芬如
三（4）班班主任　曾定荣
吕忠明　何崇蓉　周远珍　王正碧　何崇海　简美志　沈红光　彭科伦　陶文学
李报德　欧正新　宋国尧　吴明全　余家治　杨淑仙　周福祥　汪贵珍　夏明学
谢金祥　梁明举　彭道宽　周　祥　李绍琼　黄银仙　徐正碧　张发书　杨润英
况时昌　雷廷兴　朱远镇　凌瑞英　邓志亮　王绍龙　胡廷宽　陈历才　杨家华
赵开元　熊其纲　赵家智　肖志芬　毛忠位　李　英　黄荣玺　胡文久　马延孝
朱万友　冉隆贵　曹惟龙
1968 届
三（1）班班主任　黄明高
陈贵定　丰松华　李家福　张泰华　李澄江　皮高明　费锡林　刘长星　廖启碧
娄必云　范文昌　刘培书　石荣华　何清学　胡登邦　蔡朝均　胡祥文　杨胜碧
陈吉书　雷大祥　倪兴祥　赵泽雨　欧阳机珍　夏德君　赵奇芳　邹雨碧
江登碧　陈碧荣　熊碧珍　余明华　陆兴才　肖　屏　李光学　易树群　王春泉
谢启半　梁大荣　余后祥　刘再羽　朱建贵　谢承昌　尚泽祥　饶绍伦　金德良
王亚凡　商正全　高玉华　张伦会　赵仕华　周全珍　侯显祥　丁润生　骆祖英
彭香奇　李学珍
三（2）班班主任　张世忠
袁仕新　蒲仲祥　吴仕荣　朱成英　沈银珍　向德忠　彭跃芳　董德宽　周长林
费光银　杨正榜　雷兆书　胡乾忠　蒋蒲芳　彭先其　姜万奇　傅永发　毛世伦
黄先进　李治光　陈德书　王利平　游学富　白长玉　丁碧祥　陈应海　肖世忠
朱德怀　刘志英　李廷亮　龚惠琼　杨巧荣　周国华　夏德全　毛小菊　费锡荣
冯朝碧　于　玮　杨泽忠　袁家惠　喻光伦　舒庆德　梁大丽　戎家菊　肖全珍
杨大学　熊开珍　何治福　严前昌　沈德奎　胡朝琴　方锡华　蔡廷明　黄维刚
三（3）班班主任　余国民
张良富　朱臣祥　赵明星　况业辉　严国勇　孙　忠　罗文均　张吉明　李万成
杨建文　陈克祥　谢兴荣　李红光　彭文学　谢兴华　梁翠芝　任代珍　熊治华
田茂德　肖福祥　犹家福　吴洪友　彭世奇　冉茂海　唐光宇　李绍香　李绍书
胡学明　饶绍奎　梁小帆　王宗华　王仲一　滕久书　夏洪碧　陈治国　蒋志强
邓顺华　谭文才　廖继业　石志锦　苟福英　杨兴碧　黄绍书　刘友华　刘德贵
聂勋瑞　孙贵生　李汝学　罗明文　吕伦富　帅先友　华学进　冉如云
三（4）班班主任　王毓翰
於抗美　何玉珍　兑云霞　王中平　王运中　袁子友　陈文书　邓志宽　曾宪文

谢贤芝　王进先　倪绍友　夏仕举　李明学　吴现中　李业贵　李汝合　蒋永先
刘素芬　聂万荣　唐有余　庞明江　康应菊　彭胜珍　李德华　谢新平　张德书
胡德伦　商典章　牟忠奎　谢启华　宋锡凡　吕珍明　李治光　徐泽民　朱桂碧
刘勤芳　余天学　王远珍　赵正荣　倪兴科　方碧书　张集元　胡进云　杨惠琼
王志发　张金学　罗运华　李业豪　钱发勇　李成银　张长寿　喻阳坤　王卫赤

1969 届

三（1）班班主任　谢朝军

杨昌国　但华平　刘华富　李贤勇　冷启发　杨平静　周贵月　李前林　孙少平
覃碧书　曹良友　杨光荣　肖维孝　钱发中　王再云　彭光祥　赵分礼　彭远初
高希仲　王德荣　金银中　陈德昌　韦翠碧　赵开汝　蔡泽礼　罗朝华　刘龙祥
许新建　陈学碧　丁常荣　熊碧华　吕建华　陈玉林　黄　敏　裴廷礼　曾庆华
罗教国　凌绍华　张明先　李吉高　傅兴华　雷德宇　杨廷忠　秦正群　宋伦祥
刘万明　廖平富　张泽良　薛明燕　曾德芬　张德华　黄坤碧　代洪友　彭明书
杨兴国　宋国钧　吴武明　张庭菊　康清亮

三（2）班班主任　孙功绪

李洪仙　李洪光　刘江诗　杜小强　王诚菊　肖水碧　郭　琴　王金华　谢良志
胡德先　蓝永贵　唐怀荣　宋志平　向光荣　刘志方　商崇伦　罗登高　蓝才美
王宗锡　周金亮　王泽学　曹玉书　蔡成英　吴真科　幸小菊　龚必书　邹玉群
蒋志力　顾克书　汪开云　邓金莲　邹启武　官黔玉　古绍忠　张爱莲　肖德贵
杨选华　蒙志明　李秀华　王福志　张登信　任德明　卢国英　冉　奎　何伦高
刘碧科　王开祥　李桂兰　刘树清　罗忠尧　李长学　罗玉华　张贵安　龙泽礼
赖银华　朱顺文　江以明　徐大章　王换才　熊邦忠　杨宗发

三（3）班班主任　吴宁

苏远香　武永书　朱建珍　程隆珍　张庭学　张素元　代前凤　潘爱华　王正学
张华思　杨碧元　吴家华　王文书　杨淑芬　范良斌　杨光文　夏传诗　蓝永莲
傅祥昌　黎志贤　刘成良　王如伦　陈明开　杨传忠　代观文　秦光明　刘作诗
袁华伦　陈云方　王朝志　栗翠云　梁贵福　张建华　胡廷菊　罗章兴　吴万钱
谭仕仙　罗复忠　陈有杰　张碧书　牟志华　黎明

三（4）班班主任　李惠超

邓云松　刘江书　熊贵忠　唐连菊　熊贵群　向时方　代洪江　刘银开　龚远伦
吴少华　吴安定　李绍明　宋泽伦　袁明书　王启全　刘志祥　朱臣福　常易贵
葛昌荣　王之瑞　李思奎　曹玉福　黄仲生　冷祥莲　费锡猛　吴方敬　苏文英
张天明　吴远祥　杨兰珍　卯照必　陈兴明　余祥燕　刘志芬　史润生　刘仕祥
张绍友　卢芳才　杨德文　傅永奎　黄昌杰　彭华祥　冯应学　叶臻贵　管道英
唐树贵　夏文奎　张贵厚　刘树云　张贵忠　张仕有　李邦全　赵久华　胡坤书
黎德蓉　李仕国　胡德学　龙　平　杨启惠　袁家伦　傅开祥

三（5）班班主任　张炳芝

周志才　蒙应举　丁志碧　汪家荣　易惠琴　代洪新　陈光其　滕久云　宋锡芬
杨奎书　张世良　杨恩才　陈银发　刘大才　董碧珍　赵仕元　况光富　瞿喜祥
陈昌炳　王培祝　卢光明　杨碧书　冯明友　赵贵进　刘庸菊　李长英　陈　杰

黄福珍 赵兴平 胡益萍 蓝维学 蔡远兴 邹玉全 谢少萍 罗永明 蒋兴国
郑继华 罗玉刚 陈善有 徐泽忠 陈诗明 雷 奇 章功全 杨开明 田兴成
陈代全 冉茂平 温文华 叶正华 朱贵平 田大明 彭发书 贺思发 张安云
傅发祥 宋国珍 张义芳 石 明

1972届

三（1）班班主任 吴朝国 三（2）班班主任 郭大华
三（3）班班主任 张国荣 三（4）班班主任 谢朝军
三（5）班班主任 杨德镛 三（6）班班主任 曾定荣

石家明 李长江 李长明 刘少德 李超英 聂明勇 凌忠义 任周祥 聂启香
张延明 闵明礼 杨 忠 刘 健 代洪燕 邓云富 李绍宽 苏光平 周 平
刑桂芳 刘泽富 李泽珍 杨丽萍 赵月敏 郭湾照 薛召芳 满光群 陈应忠
王章禄 杨天才 王桂林 陈雪贵 刘平菊 丁常林 王绍碧 张先平 田德珍
伍开英 倪忠华 雷雪琴 肖维碧 陶义忠 黄桂英 段天祥 杨成林 周朝举
杨芳荣 晏洪发 唐光会 周双林 刘大康 黄庭忠 谷生洋 卢甫群 袁敏群
蒙小芬 周正祥 徐 敏 庞文斌 李亘生 尚多风 尚多有 陈翠英 谭 全
付发绕 田建国 夏国富 林泽远 任远华 潘国学 何崇玲 晏湾龙 王克碧
杜显碧 羊友生 张明仙 卢召华 卢永福 郭 勇 刑昆明 刘再德 周东林
曾光灿 彭祝其 王雪飞 胡先明 杨宪华 乔贵平 骆祖林 邓能刚 何开玉
王玉祥 王玉高 刑召林 杨小明 洪玉乾 朱万发 辛春荣 杨万涛 阮文书
张 松 张功其 张功菊 廖启安 廖启碧 杨 琴 蒋成忠 聂万明 蒙应恒
王小明 欧阳敏 欧阳宪琼 况明勋 李 灿 张国发 冷启碧 吴春芬
刘玉平 刘泽林 任国远 兰文学 张庭英 商崇珍 沈召学 尚多安 蒋小琴
叶正荣 罗碧荣 胡朝映 夏锦书 徐国元 毛 敏 李银辉 江罗汉 周学贵
李亚华 况时华 马大荣 李锦书 魏坚侦 张延明 李 军 杨建强 胡黔英
蔡吉明 毛 雲 王 义 王秀兰 黄先会 杨玉华 韩玉平 代黔瓮 彭华刚
张 俊 唐国明 颜文学 唐光亮 李金国 李锦昌 王续武 杨芳明 浦光高
罗国蒲 邓瑞芳 陈云霞 赵桂华 赵桂明 王利华 王照林 王松琴 严胜利
胡 华 徐升刚 徐升强 付应举 潘金国 罗贵书 高建平 石帮亮 王小民
梁贵发 李国蒲 周贵平 商崇贵 田德华 王应群 尹庆林 余玉黔 李行英
石振东 陈维忠 自超文 李玉芬 王永奎 蒋隆光 范新泽 刘翠荣 朱文模

1973届

三（1）班班主任 李绍芳 三（2）班班主任 杨德镛 三（3 班班主任 彭家寿
三（4）班班主任 向义文 三（5）班班主任 汪宗淦 三（6）班班主任 任道远

赵仲才 卢继权 张福安 冯贵林 陈忠明 冯光文 胡益林 闵 燕 唐文才
罗荣琴 龙泽志 石小燕 梁寿文 郑友琴 杨建美 殷 煤 胡碧美 蒙朝珍
倪 萍 李国先 潘金德 陈昌模 陈斗森 黄顺群 李开荣 李天衡 潘照祥
黄良平 朱前元 李 绚 廖继强 王小明 陈华荣 张运荣 周兴龙 潘玉兰
胡玉松 方从亮 田 刚 刘朝林 王 磊 杨宗富 邓安明 刘飞祥 何兴华
王友光 张爱萍 何前香 孙树贤 周国忠 黄远先 陈毅平 周惠群 李润荣
兰忠会 陈全碧 方 琴 李代碧 梁 云 陈 炀 郑 红 夏明珍 秦德勇

钟云学 李金华 蔡匀生 杨华 李双琴 陈雪莲 刘金菊 兰明生 潘玉辉
张林 王良书 何平建 杨明 王天国 聂明章 陶传国 张明 简思颂
饶荣仙 李荣莲 刘惠 冷惠琴 刘盛琴 李清凤 刘云华 汪广友 张群义
袁路云 李桂云 段亚飞 王新黔 肖敏 倪冬奎 代永忠 李顺朝 闵陆军
王明思 安贵书 何成忠 严华 刘龙英 刘光贵 彭明星 张兴衡 李朝华
卢甫贤 田润碧 罗亚丽 侯平 王平举 李昌发 刘元珍 刘成举 彭兴友
朱先华 刘京伟 罗平 何长英 左国祥 熊子琴 胡黔明 崔建华 师先祥
邹玉华 陈家福 张仲良 童义国 阳广才 秦发军 杜冷仙 陈友明 张廷书
李平 蔡远书 王平饶 薛飞 宋志文 张登敏 陈琼 陈康 龚慕霞
胡玉英 周朝书 李水书 李诚碧 黄朝芳 周西敏 彭发轩 王维碧 刘友全
桂琴 黄健 张奇平 王大定 唐光勋 简崇福 任刚友 胡桂芳 蔡国祥
铭再学 梁龙才 高朝华 曾凡碧 雷息敏 赵琴 王小林 李贵平 龚利利
彭跃丽 王树梅 夏书平 张为勇 皮高英 谢兴平 金正祥 卢永林 黎玖伦
张敏 黎化伦 李素琴 李景碧 王英 莫让芳 贺启芳 陈应学 唐小宇
叶兴学 黄廷国 曾三妹 唐光前 张小萍 龚有珍 朱应碧 姜桂菊 何崇珍
丁宁中 李书华 罗碧书 何明景 倪福芝 杨雨前 李泽茶 龙德芳 谭永英
刘伦高 代洪飞 潘光政 刘志琴 滕军 宋钖怀 李顶珍 汪延安 舒极昌
袁朝奎 周前欢 李刚 毛和书 王秋月 任建华 杨哲 刘国玉 肖显琴
罗光伟 钱贵华 李景洪 陈能霞 况正祥 胡立英 卢兴才 毛荣华

1974 届

三（1）班班主任　马跃银　三（2）班班主任　黄栋贵

张莲芳 田玉娥 肖琴 田景碧 袁坤英 卢健 娄佩华 潘跃华 王利平
廖泽碧 刘元珍 孙红 郭贵海 黎兴林 谢启元 余玉芝 文斌 刘刚
冉达莉 兰银英 王世杰忠 荀明生 赵玉华 罗华伦 王念红 伍凤兴
樊启育 邓维兵 杨忠华 李绍会 李碧仙 郑绍银 倪忠先 邓刚志 毛草碧
冯桂玉 张和平 许兴平 巫海燕 李文敏 罗志平 徐永才 彭华科 王亚飞
陶义奎 吴桂玲 段天碧 罗钦 秦远珍 何仁全 汪声明 况兴林 任应琴
王碧仙 王启伦 张朝明 王富英 陈友芳 肖志敏 吴远伦 刘成才 杨春孝
杨映霞 肖庆祥 张国礼 刘康莲 吴玉英 陈俊玲 郭家丽 蒲金平 邱志芳
陈仁珍 周兴元 郑朝中 吴远飞 杨光华 杨天秀 申敬华 徐洪品 张正全
熊德光 石明 胡益华 丁万 覃家祥 李志勇 尚明跃 邱龙高 兰维莘
犹华 谢晓红 陈桂英 马龙英 刘志华 王勇 任全翠 雷忠英 黄平书
徐德菊 蔡吉安 敖德举 李天学 雷应菊 何永琴 唐光泽 曾大贵 张维琴
曾云祥 贾朝贵 欧健 张群会 闵陆英 李必成 刘丽华 毛筑安 郑应碧
肖平禄 朱家祥 韩忠奇 江登志 吴华忠 冯晓丽 程明 黄凤岗 罗朝国
刘贵霞 谢兴义 董云才 王兴武 苟福荣 孙国晏 黄远才 卢学方 李云昆
李宪辉 况大云 任正权 朱碧祥 韩予湘 罗教碧 何崇华 周书萍 肖志明
张承新 唐贵黔 谢维友 龙万军 胡明华 孙荟 王诚先 邹亚琳 蒋正平
周荣霞 陈瑞英 兰兴奎 袁朝伟 宁华英 兰绍仙

1975 届

三（1）班班主任　郭大华　三（2）班班主任　杨德镛
三（3）班班主任　钟才宁　三（4）班班主任　吴文富
曹地明　李志论　田德荣　苏开祥　陈德禄　何宇先　王开学　熊　梅　赵应珍
张必书　杨正荣　周荣碧　周玉书　高玉群　卢必忠　韩群祥　张元伦　闫贵福
陆兴明　李德群　黄维先　石安才　赵正峰　朱应林　王邦碧　黎祖智　唐庆富
赵仲才　卢继权　张福安（余缺）

1976 届

二（1）班班主任　王仁学　二（2）班班主任　李绍芳
二（2）班班主任　王辉　　二（4）班班主任　唐瑞琳
雷永忠　田维忠　程　碧　张念先　任润清　张国泉　王　英　朱应勤　吴进华
简思琴　夏洪荣　陈明刚　蒋福泉　代永林　丁丽娟　赵贵荣　李建林　陶安琪
吴明碧　李文先　毛华明　杨昌华　宋钖先　黎先荣　代和平　何　平　刁建忠
辛守宜　王亚群　毛　敏　余昌伟　姚显明　刘群英　陈美平　杨建新　徐仁富
秦世荣　胡用琴　罗建国　孙代富　孙仲时　陈润芝　李亚芬　王苏娅　郭　猛
刘泽书　黄兴权　柳晓春　陈惠娟　谭小平　肖前洪　何大荣　孙　谊　杨巧兴
赵明惠　雷　莉　邹跃红　代刚良　袁正斌　李全荣　柳晓英　江登菊　张汝芬
王绪琼　唐　敏　薛　燕　赵丽碧　黄忠敬　刘黔华　莫　翔　陈建州　蒋　建
张家明　梁云霞　邹　琍　张远明　陈志碧　吴忠书　吴亚林　杨怀荣　唐朝忠
李家前　杨胜林　聂启高　蔡强生　郑喜兵　何黔蓉　冷登仙　宋锡荣　杜满珍
宋碧芬　徐正巧　杨正贵　周正萍　袁映霞　杨丽萍　李建华　滕六荣　黄宗祥
周家祥　李平华　李　华　邓金华　汪楠林　费添杰　田　珍　陈远堂　蓝远娥
龚惠芳　华学菊　汤中信　顾大书　刘金凡　郑楠平　熊　宁　饶太平　朱胜荣
周　梅　李子忠　刘泽学　肖维琴　杨碧芳　何桥源　朱明秀　费钧平　王玉平
杨通元　肖　莉　张爱华　袁庆仙　代前路　羊满珍　张　伟　况正菊　覃忠学
冰碧仙　钟凤琴　罗亚东　潘　珍　宋邦珍　邓顺荣　顾小平　陈华英　刘国惠
王　仙　王晓珍　张明先　田玉凤　李景兰　田应群　朱四节　李太祥　赵泽平
张永贵　熊万祥　金德兴　罗玉科　冷先国　杨胜叶　孙　敏　谭学军　陈长虎
王松菊　彭远珍　王爱明　彭国先　王荣苍　康长先　刘伯恩　邹学琴　彭发菊
王进会　王文先　张　沙　金正永　丁丽雪　卫国祥　李文军　彭光贵　周顺琴
晏　瓶　熊　惠　丁常林　胡　刚　张　伟　龙义芳　庄鲁平　李建国　杨殿群
杨华华　刘培芬　李汝华　刘仲恩　张贵凤　张仕芳　李刚建　王吕芳　徐显碧
胡立萍　田茂松　李　琪　汪礼霞　罗碧书　龙华清　宋跃祥　姚智会　张　蔚
黄桂菊　郭秀霞　毛成书　周永奎　胡成林　冉如林　杨筱平　王再祥　张　林
丁家友　罗小平　刘国庆　李明尧　李舒群　冯晓安　章　宏　游国祥　陈玉仙
陈跃明　夏明琴

1977 届

二（1）班班主任　张国荣　二（2）班班主任　李贤福
二（3）班班主任　吴文富　二（4）班班主任　郑友明
余之文　安　敏　殷　冰　张兴华　石正宁　罗承敏　冷　琴　吴　平　刑景平
邓绍荣　向法书　谭玉琴　吴莉萍　闫贵华　王吉周　张立德　郑喜民　余承泉

郑翔　聂群　肖铃　罗奕　唐广玲　戴迎春　郭贵秋　王继凡　高进
田霞　赵大敏　朴小琼　石理　高战荣　陈华　黄廷荣　刘康华　赵润英
李宏　赵世芬　丁亿　狄忠　彭松严　李汝军　章艳　徐加德　肖志玲
单雪华　刘松林　王群　赵贵林　闵千　张春霞　唐文栋　陈明先　兰绍波
李大菊　冯明菊　国辉　张桂兰　李贵菊　孙晓娟　周翔　韩玉前　肖前贵
李红　董友华　范良敏　刘仲珣　张玲琍　吴明忠　李小成　刘荣英　饶平
王燕翔　郭玉　袁爱梅　王良碧　王美荣　吴吉会　吴道平　任忠伦　龚利平
张春琴　梁敏　龚小山　张群华　朱应坤　向洪林　周正敏　吴刚　刘盛碧
杨水泉　冷雪艳　冯琳　戴永安　刘正江　张家素　黄文　罗俊　高红
聂万素　毛荣伦　郭林　石正泉　盛林　庹万平　刘忠珍　桂琼　邓安华
倪燕　郭建云　刘梅　苟福珍　韩继琴　肖松　刘艳　黄永蘋　刘维霞
胡成碧　倪福章　秦孝平　罗霞　毛建　赵艳敏　刘志敏　欧阳碧　胡志明
符合　刘艳菊　王运香　潘光菊　王燕　杨成志　宋华　孙和平　李长春
刘忠明　刘安江　何黔丽　周本利　陈绍碧　刘孝林　吴华　商崇华　王宣群
王正碧　肖建祥　徐黎清　代利琴　邹学惠　游小黔　杨祖模　吴龙　高志
刘志荣　王贵远　田霞　陈玉琴　任何清　谢兴荣　徐东来　熊寿山　张军飞
石小玲　刘忠林　梁黔生　石帮英　熊洪贵　刘本英　丁常敏　苗庆琴　宁竹
廖东海　王晓峯　李建国　薛新涛　张刚　陈芳　杨利亚　段立　林敏秀
郎永林　潘明　唐小勇　谭仁华　王小谦　梁云飞　胡林祥　唐纯义　黄正华
易胜利　聂啟刚　蔡承叶　王苏文　银登玉　高燕平　顾章先　聂明碧　刘云荣
何小琼　兰友芳　滕明　杨英　邓祥　张应初　余世林　熊跃玲　高兴润
任世芳　唐秀全　王春林　毛筑平　刘开琴　马健华　车小平　王松英　吴平
肖玲　任何荣　杨先祥　黄梅　吴荣萍　颜勤志　宋文举　陶安红　罗建军
欧杰　苟光明　刘香萍　潘光举　罗泽红　何大德　李红秀　陈长利　韦笔峰
张金贵

1978 届

二（1）班班主任　杨德镛　二（2）班班主任　郑友明
二（3）班班主任　李惠超　二（4）班班主任　王坚定

蔡远利　王翠仙　孙绍忠　熊丽　李文义　李洪伟　李文成　李晓燕　毛模湛
盛梅　黄小平　刘平　熊永琴　余吉车　杨康晏　罗亚琴　谢兵　杨万华
王秀山　吴平　杨建琴　邹旭　潘光年　王小勇　张斌　罗平　胡益兰
陈静红　李雪玲　胡萍　胡世全　徐琨　孙祥　高志荣　曾若霜　龙绪波
陈雅堂　石昌文　邹啟英　蔡培德　刘大洪　李金萍　周英荣　毛萍　张娟
金帮立　商涛章　关菊燕　郑彦　王勇　陈利毅　王吕荣　郑平　陈润英
吴明仙　刘宝黔　李安东　彭华先　周良琴　车小平　金正明　郭黔林　周本芳
黄雪萍　倪沁雪　田景平　司贺英　王谊勋　刘忠洪　赵兵　张玲　陈玲
徐东芬　袁仁霞　肖钺　易车林　龙泽菊　赵宝军　宋正祥　任开菊　刘琴
左奇　徐世宁　赵丽平　任琼　王绪凯　邓荣美　蔡明丽　卢永芬　江安忠
刁建国　董玉忠　宋必武　吴定群　刘艺　田穗　张会　向琳燕　何廷革
鄢家忠　杨开琴　吴开祥　汪超　徐清茂　熊芳　代永琴　蒲世芳　李景华

李秀巧	雷 燕	王群香	张贞惠	代洪珍	蒋永黔	卢继伦	郭家洪	袁 勇
郑全芬	陈 万	梁 荣	王小祥	李景忠	袁业云	张秋琴	彭润英	王先菊
李 辉	王 萍	周庆明	郭永丽	任孝菊	胡祥碧	罗方菊	赵润林	苟光明
余世林	肖前方	张 军	向秀群	刘俊芬	刘昌莲	龚晓荣	肖平惠	李顺忠
张官正	刘兴科	杨发贵	廖 禹	周 华	胡立丽	闵贵平	朱盛兰	田玉梅
王孝红	孙 平	熊跃学	刘 荣	邓志明	文 毅	刘守明	王 林	李小兵
吴文霞	王松英	颜勤平	王黔平	李晓菊	赵群香	罗 曼	杨润珍	肖 敏
郑光杰	罗 平	李长征	袁忠珍	刘支华	吴顺霞	杨珍书	闫 红	周西翠
周荣英	张亚明	丁利生	李洪林	苗庆平	侯 建	张 燕	吴 萍	江贵其
邓传华	王诚忠	兰进弋	丁家惠	晏 惠	张 明	黄晓凤	李子先	冷登明
吴 鹏	彭 勇	孙 琴	杨秀华	樊 英	周 群	胡 崇	郭建宝	张国文
王春华	胡 俊	周治华	刘江秀	李金贵	李双英	张济芬	胥德英	王银友
景诗梅	唐文娟	王发忠	谢兴琴	张泽琴	黄新梅	肖前群	王国碧	梁润琴
王 英	饶 剑	熊跃林	何瑞明	李光跃	喻兴华	王海霞	岳龙仙	潘光琴
张平康	胡 健	汪正东	吴忠祥	张会				

1979 届

三（1）班班主任　郭大华　三（2）班班主任　汪宗淦

三（3）班班主任　黄明高

李洪加	廖 勇	肖 铀	黄 麟	丁 召	罗吉全	蒋永初	肖爱莲	段仕荣
张富敏	严 励	张 秀	罗 玲	李文革	徐显才	朴华忠	罗 平	刘 健
李光芝	李文静	朱盛兰	张兴灵	周 文	况 宏	王道兴	罗桂华	闫 红
孙仲坚	杨 静	樊 忠	文久会	陈春燕	刘卫东	朱成瑜	杨吉军	宋兴明
岑德友	刘 序	黄雪松	熊光年	莫 龙	陈 玲	彭润英	吴明忠	安 惠
邓顺菊	郭贵荣	黄 琴	曾祥菊	杨正泉	潘丽华	林清华	张盛琴	余映梅
王大葵	田 车	王 进	朱红英	刘爱民	刘光健	蒋忠书	李景先	石仁菊
沈丽亚	胡 萍	龚晓荣	夏吉惠	赵晓林	广万群	唐有群	张 惠	张凤娥
刘本琴	周安敏	王景鹏	吕 克	蒋兴群	汪 琴	邹宽友	商正华	李凤霞
陈仕琴	肖平惠	汪 琴	邬开琴	毕 军	蔺正荣	陶 丽	杨 平	雷 清
谢兴琴	谢培琴	周远琴	熊之干	王 建	周 安	张富强	朱永忠	张 红
廖光祥	袁仁琴	周齐华	辛春琴	周英一	龚凤英	向开平	陈文琴	张碧霞
李 燕	蔡承敏	周家华	肖 敏	谭 政	左国霞	李长福	刘忠书	周 丽
吴洪章	唐大翠	王 蓉	卢雪碧	苏 琴	王忠洪	田茂会	袁仕刚	冷园祥
赵丽群	范儒荣	秦顶军	曹 红	景明英	韦朝先	赵泽敏	张正碧	陈 影
王银学	兰家银	杨富先	赵 华	徐绍飞	徐德富	李国秀	张安辉	汪正东
彭湘黔	王维新	商菊章	王 健	邓传华	闫华平	刘志荣	刘荣书	张维菊
王玉兰	袁仲文	徐世菊	唐德华	陈家敏	陈云红	钟辉友	丁家惠	罗国军
李家举	王芝平	王小平	周志发	胡 建	袁仁刚	冯大伦	张为祥	顾章美
邓光会	张友会	刘文富	田德贵	李文珍	王福琴	王素英	陈玉平	樊 智
周贤文	王会平	倪秀英	陈平菊	董雨梅	付方冬	肖前学	沈 利	杜林江
王华玉	周福英	叶国菊	金正辉	宋泰珍	刘忠华	邹世平	刘英莲	余之林

杨　萍　戎家政
1980届（缺）
1981届
三（1）班班主任　张世忠　三（2）班班主任　黄栋贵
三（3）班班主任　张若玉
罗　菊　梁　洁　刘　莉　邹　磊　闵国经　吴树红　陈　卓　熊海燕　夏吉飞
宋　沅　李　丹　刘志春　梅　丽　孙　娓　廖　敏　向　宇　肖　颐　陈前艳
张润琴　田　英　蔡　玉　蒋　飞　朱　建　安　平　冯文英　薛文涛　李长安
代永建　熊　伟　单春洪　黄雪瑶　李　琼　曾凤琴　费潘宏　程　斌　陈　萍
汪礼春　王忠芳　张晓瑜　陈家华　谭仁礼　杨殿祥　闵陆斌　王国春　丁文霞
卢　维　伍　斌　彭云东　刘基伟　陈　红　费贵华　董忠军　李才军　朱敬祥
梅端菊　孙润碧　倪祖敏　聂　鲜　邓荣娟　田景芬　徐德智　龙　芳　孙国永
刘忠祥　庞碧辉　张正文　段兴红　王　惠　张富惠　王小华　张　平　蒙小红
许兴荣　赵贵珍　王　静　周志强　李顺武　聂明祥　顾德贵　顾德祥　邓正华
钱西鸣　罗　松　吴应琼　周英菊　王维碧　邓顺英　王发鑫　卢前进　杨　红
冷春平　赵学平　王　强　曾昭文　张绍珍　李仕碧　刘基凤　李　智　丁　磊
杨建瑶　吴红艳　刘正先　李　梅　谢秦珍　孙菊霞　唐　红　王　玟　刘康会
余应竹　赵泽学　梁国庆　李全富　王春国　鄢家鹏　赵庆兰　江登群　梁翠兰
刘福琴　叶玉好　范荣珍　刘国英　伍尚风　刘华平　王云碧　彭千荣　贾正惠
王应菊　贾正玲　王珍荣　秦明英　罗时元　罗时宇　黄兴民　王　勇　袁仁平
杨　俊　宋爱群　杜敞胜　肖维林　何兴平　杨光福　赵录会　郎维刚　张国祥
张朝琴　张登志　潘秋云　杨田海　周志伟　王文英　关燕霞　何大珍　丁丽欢
赵艺梅　孔凡祥　刁红艳　肖寅富
1982届（缺）
1983届
三（1）班班主任　李惠超　三（2）班（并入其他班）
三（3）班班主任　吴文富　三（4）班班主任　王仁学
陈　卫　杨兴华　陈兴华　游　鹏　张红宣　夏中文　刘大勇　杨跃辉　肖秀钰
张德先　王　萍　丁昌群　王　艳　徐明琴　王　丽　周志军　宋　涛　钟　位
陈润伦　陈志刚　莫利华　杨昌秀　车贵平　顾大兵　龙　义　商碧松　毛　红
张元碧　程　华　罗秀丽　王小艳　徐德华　周福先　龙河明　陈国友　林连斌
江登群　余　竹　余　群　陈崇惠　雷胜会　王　健　朱敬兰　袁仁书　周世学
万　军　杨晓虹　林青学　罗建华　金惠群　王　俊　杨昌荣　杨昌利　杨玉琴
宋丽英　施晓红　罗　欣　陈　军　黄大山　朱世惠　熊高菊　杨祖会　黎　毅
邱跃书　李仕平　郎永丽　周英燕　王先付　罗满建　成荣江　陈孟军　宋忠友
苗庆菊　杨昌富　杨昌忠　宋国琴　段世勇　徐忠琴　荀明丽　陈冰燕　叶玉仙
文　丽　梁菊英　吴正英　夏传书　戎晓惠　兰裕文　王　惠　邹　晗　田应雪
肖太菊　丁文凯　谢　伟　李　彦　熊　敏　杨　捷　彭永利　蒋建辉　李晓峰
刘毅华　赵　洪　张元红　汪中秋　杨　琼　汪　丽　王晓红　舒辅刚　李荣秀
蔡　霞　向雪艳　王　彬　卢　勇　时学茂　冯晓华　杨富宁　唐书平　王　刚

金帮群 罗捍红 周智娥 李形艳 李 艳 刘昌敏 冷启荣 张文先 王群先
李 会 刘如奎 汪 勇 宋兴碧 罗迎春 石正艳 李金林 严来华 张福匀
王吕勤 刘本秀 胡廷先 高 佳 徐 晖 周后祥 刘 军 兰金义 刘绍昌
白洪祥 卢 祥 陈 艳 王 英 彭晓利 王 军 张庆忠 李显涛 冯福碧
向祖平 杨正萍 瞿 祥 马家法 刘 静 胡 梅 吴海燕 李 超 高立勋
罗俊书 杨树林 熊四海 肖寅贵 王会红 王国芳 刘维菊 商正碧 顾德忠
陈桂芬 王老六

1984 届

三（1）班班主任 刘正权 三（2）班班主任 黄栋贵
三（3）班班主任 李惠超 三（4）班班主任 余国民

丁家华 潘光云 冯福康 陈文选 伍 祥 宋泽君 左小祥 王福民 李华云
罗开莲 王昌会 沈林海 黎先娥 王桂荣 张先丽 王 洪 龙沛雨 陆素贞
郭 建 熊雪梅 孙 丽 邓彩霞 倪兴义 余应松 张 敏 李耀宇 刘 进
张建勋 王 课 先晓东 曾光照 张大军 李长风 彭永红 李 晓 汪延皓
朱琪琳 闵 牧 龙 卫 罗仲华 向 岚 杨建珉 陈 琪 王东明 伍 霞
严 刚 黄毕祥 唐 艳 黎 兵 郎维军 杨新梅 向 梅 唐 辉 王 晓
韩 梅 肖 莉 倪祖玲 王雪萍 向 寰 金正碧 蒋双华 蒋双莉 高群策
彭荣凯 陈艳骐 罗 琴 白 文 刘素琴 刘素碧 张 林 李 春 刘文俊
杨 丽 赵 兴 冷代洪 刘荣珍 李国军 林连斌 聂其彪 唐广健 冷启桥
况明洁 夏 青 朱应梅 陈家会 尹丽霞 王 丽 谢启娴 谭 林 陈 红
梅兰英 李文茂 王 昱 张君伟 张洪福 朱 松 张兴黔 李志祥 黄 健
罗文丽 杨惠琼 东 梅 雷胜霞 李建平 郑喜云 程 丽 谢兴霞 聂明凤
李 静 徐 斌 商 兵 杨 丽 廖成军 雷胜涛 王田华 王 铁 杨正菊
陈德华 陈善菊 罗 剑 杨正祥 周本英 何 健 李选林 左国路 叶太先
王 珊 肖兴林 张康云 黄国丽 郭忠亿 王文先 张 容 张安松 韦正书
杨 灏 韩群秀 毛克岑 向文德 廖满会 郤 勇 陈永胜 赵黔丽 陈文松
李德学 姜小燕 石绍玲 赵细琴 陈忠祥 王 红 苏红江 王 艳 吴建祥
黄海春 赵红梅 窦建华 郭黔明 毛 灿 张晓伟 张 红 唐 杰 王昌海
何维英 王卫红 吴 红 刘金琴 杨昌议 潘光文 禹玉海 张正武 甘元先
王志会 张伯玲 张 丽 王绪娥 刘 权 郭兴琴 徐绍霞 龚玉英 夏传珍
王先坤 秦益仕 苏甫常 宋 凯 吴小彤 李 宏 刁建华 陈俊莉 茍九妹
郑金红 童兴碧 钟玉新 周山林 旦 黔 赵正英 李 林

1985 届

三（1）班班主任 顾文卓 三（2）班班主任 孙 玲
三（3）班班主任 田景材 三（4）班班主任 朱大森

宋时林 莫良军 李 浩 石玉海 蔡 晖 黄雪涛 陈学梅 罗 艳 曾红莉
任 艺 谢承章 梁 山 叶世章 陈勇奇 朱占徘 时学林 杨 华 杨万菊
杨 兵 向璐瑶 王华霞 宋泽举 徐宏伟 陈开齐 肖新建 郭永连 张德中
王绿合 王先格 李国福 黄 青 陈茂霞 吴建群 陆治群 黄继红 姜书林
吴小勇 杨昌菊 左治革 徐绍俊 吴正端 罗云涛 胡祥军 李吉红 王 江

袁愈飞　杨晓松　吴小芬　王　华　宋　军　童小毅　陈吉平　吴　彤　高群会
刘荣会　方　印　张艺丽　黎　静　宋晓红　胡亚菊　杨友发　陈　莉　夏光秀
姚　惠　马福燕　裴友丽　张祥菊　唐文其　陈全芳　谭　琼　陈华丽　朱占林
冯文端　陈　梅　王发平　谢玉兰　王　敏　朱占红　胡伦惠　赵明友　潘　艳
聂　丽　陈世敏　商正霞　商　静　莫　燕　柳运先　王小飞　聂明霞　向初志
蒋明学　孙小刚　袁仁富　袁老五　兰华密　张富芳　周显英　邹启会　赵明艳
刘希梅　张影宽　张榜册　蒋兴怀　李才兵　顾大敏　伍　丽　吴　华　徐中武
蔡碧荣　王文光　伍进红　张维学　张亚平　王方贵　周昭涛　陈长英　张德军
兰　瑛　冉崇碧　顾章贤　商崇远　郭昌伦　黄　娅　熊家祥　兰永春　郭兴玲
吴海洋　秦昌凤　潘　红　周英佑　刘艳玉　吴升红　夏吉美　唐　利　田述强
罗　惠　杨从容　游　狮　陈　莉　安　力　石　刚　刘志杰　王其元　袁贵明
袁愈琴　兰裕晖　何维林　袁仁康　冯银贵　张和清　曹　艳　郭黔芳　金邦祥
顾章严　黄长青　戎成刚　杨胜高　王群会　吴　英　丁聚群　胡兴容　王宣敏
肖维菊　曾吉明　罗　群　蔺正群　梁菊先　袁仁艳　袁庆红　刘国龙　杨　光
陈西萍　唐凤琴　张绍华　周学军　杨　擎　黄良平　张仕明　刘　斌　罗　琼
戎小山　彭　山

1986 届

三（1）班班主任　呈定明　三（2）班班主任　吴文富
三（3）班班主任　杨碧芳　三（4）班班主任　曾昭映

丁　露　王文钰　王文静　王雪莲　王建华　王小瑞　王　琰　毛　颖　毛　翠
文永生　吴定慧　周　丽　周福扬　马嘉强　陈　艳　陈　红　陈润莲　罗冬梅
候　丽　倪祖旅　张　琴　张应祥　张健康　曾　蔚　潘锦明　彭雄翔　肖玉玲
徐　松　姚　毅　宋晓恒　郑会先　苏　红　钟　艳　蒋　习　杨　阳　李廷辉
李晓云　李叶梅　李荣川　李　建　王　静　申清明　郑　健　桂　敏　李丽霞
况明华　陈　亮　胡　刚　杨殿雄　夏传军　潘　立　郭仕林　宋　旭　李乾福
李万忠　吴文松　康　静　彭　艳　朱敬梅　陈继位　张思前　姚玉平　刘　琴
易利平　梁光菊　刘　勉　倪　鸿　肖兴红　童明艳　李　丹　陈德书　杨富娟
邓　椿　梁正菊　付朝江　郭进成　王启书　广具祥　朱克亮　冉崇兵　邓宇群
黄玉会　卢克平　周　静　徐永芳　邓海霞　何玉红　杨先林　李　阳　吴　林
商正达　陈益平　宋　虎　王立春　黄廷琴　戎　琴　时建全　邓朝向　犹品菊
袁春生　朱秀英（余缺）

1987 届

三（1）班班主任　陈全福　三（2）班班主任　李景辉
三（3）班班主任　张和森

梁玉标　王　俊　张红娥　罗成戬　聂明志　周小松　费明湘　王　仲　吕　黎
李　琴　吴应昌　沈林群　陈仕玉　冷国燕　董维群　黎　明　李英黔　邓雄鹰
黄　轲　钱清莉　杨　琼　李坤远　陈　惠　陈　敏　戎成梅　杨文怡　李享念
许　容　卢　玲　李发明　张建军　罗殿军　向　伟　王福军　谭仁先　罗　敏
赵贵明　彭荣建　伍明军　李克华　左国福　吴宗卫　谭建军　杨　杰　刘　军
杨　欢　周荣利　余福勇　余开发　李　勤　杜新群　侯安全　丁昌俊　石瞿波

廖满琴 徐 勇 许元英 张举会 张 强 范良俊 邓忠英 陈泽驹 陈右康
王 勇 宋 達 向祖华 刘 敏 邓国菊 张 兰 杨云翔 胡延安 唐秀奎
刘 红 刘兴伟 杨 明 张标论 龙 凤 戎承先 王文先 王文玫 汪礼松
陈小飞 刘晓玲 王玉鹏 常 林 陈永君 苟晓平 谭 琼 戎老六 吴 平
蒙应刚 田 丁 柏 松 张平宽 周昭元 向 霞 肖 剑 兰裕静 梁玉莲
高 山 刘文会 祁连军 陈鸿飞 王维荣 王维飞 孙家俊 孙朝丽 李汝军
许 健 张丽萍 傅天亮 廖朝琴 刘 洪 姚玉全 彭小春 周亚群 闵陆终
杨顺东 谢端琴 胡文博 柳运琴 陈小军 邓小东 汪 湧 国荣梅 郎维忠
王建军 赵 孝 张 进 聂其超 向碧莲 安士丽 刘志群 刘 六 谷民娟
余成菊 罗 兵 彭国敏 任世杰 张维莲 胡 扬 张玉梅 杨 凤 王小梅
张朝群 邓荣娥 陈明娟 赵 莉 黄玉荣 罗雪梅 王永富 贾浩平 商体群
姜 荣 田庄勤 尚顺琼 文久艳 伍 艳 陈西萍 刘万凤 孙国莲

1988 届

三（1）班班主任 丁惠敏

黄丽琼 陈小军 陈德敏 贾 锐 肖玉明 聂应忠 姜 华 何 元 罗秀军
陈 敏 陈 丽 王 萌 陈俊芳 毛 成 朱臣易 刘 华 冷国庆 吴正菊
张顺琼 黄国敏 李 桦 马 刚 邱 静 潘映林 曾 兵 简 红 何俭华
冷 怡 杨 敏 樊啟华 姚启祥 凌 艳 苏 畅 陈远明 何 珩 聂 军
杨 蔓 刘 涛 赵明昌 罗成彦 谭红光 任昌恒 冉 惠 肖玉祥 向 刚
唐 建 王凌雪 李迎春 陆玉珊 雷春华 韩方圆 宋 玮 胡廷翰 刘洪霞
钱贵芳 余映雪 许 海 彭载琪 马志荣 廖贞陆 张 惠 左国斌 高南驹
王祖军 娄 亮 曾祥富 潘 梅 马德军 贺光琴 费明湘 毛国忠 任昌松
田德勇 谷明娟 邓新桥 左 兵

三（2）班班主任 单灵华

冉 红 石昌州 刘兴萍 李德华 王 敏 陈定华 简 单 郑会君 麻继红
莫良苗 麻继群 杨俊非 付 建 杨 敏 金 涛 肖 力 宋国梅 曾 敏
刘朝阳 胡德军 周普伟 王玉琴 蒋忠元 白 松 胡远群 史德凤 陈 祥
黎 军 曹 映 黄德建 冷啟碧 徐镜波 何俭群 张 静 阮 露 毛木瑞
石玉华 吴红萍 李德琴 李 艺 刘兴志 蔡志华 雷青云 宋莉萍 雷 蕾
叶 波 旦朝东 吴应雄 罗开发 夏忠柒 韩 阳 杨 玲 罗文会 蒋宏菊
江 洪 代高明

三（3）班班主任 王顺德

杨明先 谭建娥 胡后林 张秀云 郭 莲 刘 刚 刘文英 秦 军 刘 鑫
戎小石 冯 敏 伍世杰 贾忠武 张福凯 杨再英 吴燕双 顾得平 朱 琴
廖福建 兰才禄 熊会利 陶安英 蒙志琴 李 敬 曹质刚 兰银会 李 敏
陈俊莲 李 平 龙和忠 左国福 管 禾 张 进 王元丽 周荣丽 李井祥
杨富祥 周小荣 蔺正军 王 琴 杨文远 蔡泽芬 杨丽华 周大群 杨建平
兰再琴 蒙得乾 张朝荣 唐 兵 朱 应 李志云 易松菊 朱明慧 胡仁会
龚思琴 曾庆会 李清霞 赵润荣 唐才勇 周大春 李志军 张友斌

三（4）班班主任 李景辉

黄　群　何廷芳　钱安妮　吴昌祥　宋泽先　秦益权　刘江奎　梁龙君　许晓红
黎兴财　杨　珍　康长洪　王启荣　石　慧　王开艺　葛明霞　韦朝碧　李香莲
刘文斌　黄晓燕　张关会　潘真平　王　风　潘光书　刘迎春　周　静　何　杰
樊启菊　汪永霞　肖翠娟　田景琼　熊洪贵　李廷军　周永平　杨　孟　赵著群
王　维　王亚平　王　勇　谭立东　郭　荣　蔡　康　戴洪霞　李传平　谭德敏
胡莲萍　向劲松　肖　艳　桂风琴　罗泽会　马云萍　邓　晓

1989 届

三（1）班班主任　吴定明

毛模秀　赵显梅　罗教会　杨　慧　张秀梅　陈星月　邹　瑾　郑　婧　袁仁健
戎承艳　鄢　红　谢国丽　彭　先　苏建群　王玉碧　罗建军　高群力　柳运祥
黄建安　徐龙福　罗　艳　谢良群　田小云　肖平娟　袁远松　周　洪　宋　宁
陆　焱　于进江　夏吉友　袁仁全　李家奎　张伟宽　顾大维　张　忠　石俊峰
王和亮　支　寒　朱　平　冷启琴　陈　怡　邓湘兰　吴建业　邹世琴　全再秋
蒙　彪　陈　波　张　娅　田应忠　石　礁　罗　勇　文　霞　周遗先　刘国美
彭文会　犹德宏　谭德昊　段　炼　唐红梅　夏锦梅　高群丽　蒋　波　莫　健
杨光林　秦　勇　盛定勇　雷建军　张　华　姚　菊　兰永奎　杨兴江　张　骥

三（2）班班主任　吴文富

姚明亮　彭宗木　陈念龙　丁　敏　赵贵琼　余天彩　张维亮　杨富兵　张　强
胡　涛　王大军　倪祖斌　谢光琼　石成刚　王开佬　曾今全　金邦全　张江波
张华平　梅永明　熊　毅　彭华琴　邓　华　史德寿　陈　灿　王玉华　郭双凤
蒲春艳　张　玲　习黎明　陈启敏　吴逢军　瞿远明　陈　松　聂万红　刘　军
黄　敏　杨荣明　杨胜富　冷啟娣　龚亚丽　陈贵密　蒋清华　陈　燕　周利平
覃　进　常菊英　杜启明　兰金群　李万屏　汪培己　周亚坤　胡丽青　王大友
陈　刚　唐　艳　孙丽霞

三（3）班班主任　杨碧芳

严　跃　谢启发　夏锦宏　冯章荣　周　远　徐国伍　李　冀　赵泽青　李　林
黎志和　李亨波　杨顺进　王建国　朱世龙　蒋成德　李乾银　唐瑞雪　张　颖
彭小红　周　舸　洪　浩　王贵芬　彭国风　陈世兰　王兴平　钟　丽　许维敏
杨　海　黎兴全　张　弘　陈　坤　李　驰　伍　勇　杨　艳　左　琴　廖　群
宋娇艳　谭　红　刘　露　向　昕　董雨敏　陆海燕　唐光萍　唐　昆　莫良荣
顾　娟　陈章碧　周　炼　顾中书　饶成艳　李德友　罗晓霞　张建军　羊冬林
黄艳红　冯　俊　罗　荣　王　岚　卢　静　兰华群　赵远群　华君武

三（4）班班主任　曾昭映

陈　荣　彭　惠　蒋成环　吴　涛　兰维惠　李　霞　王太全　陈忠福　潘惠琴
肖荣健　黄尚富　赵世益　王文华　何晓宏　汪晓燕　顾吉敏　范儒平　周厚见
龙　海　王　毅　简崇刚　商　华　蔡德惠　朱榜文　何明芳　吴　勇　马孟德
郭方平　何应菊　罗元琴　汪　俊　朱成勇　兰　江　周　海　许维梅　杨仕荣
安贵书　熊树全　刘国丽　杨兴才　冷继芳　张世菊　康国华　唐才梅　熊吉群
王　健　王昌琴　沈清风　陈　兰　陈　文　成荣举　文久宏　王　琼　赵慕琦
苏　丽　蒙泽林　杨顺英　管吉佳　高登仙　张应松　谭建娥　孙　刚　苏　华

1990 届

三（1）班班主任　王仁学

曾怡敏　卢　毅　刘　杰　杜　林　肖　波　王　洪　卢　珺　唐　义　曹　刚
梁　艳　高祖都　刘　芳　王江华　黄文松　胡文举　蒋臣英　李　松　鄢　梅
文永辉　张海龙　周禾倪　罗雪梅　袁仁华　左国波　刘金毓　杨小宇　彭　松
周　浩　杨　玲　李小映　金　瑶　陈至雪　王　茜　李　崑　周　建　黄匀贵
麻继才　李海波　李家珙　韩方华　曹云燕　朱应红　袁贵平　张崇华　谭　影
曹登素　尚碧波　王培军　刘泽美　王大华　任应秋　马梦蛟　庞　丽　张清春
李鸣翠　袁仁松　陈　建　毛建华　刘　平　杨　辉　夏万丽

三（2）班班主任　杨胜林

易发海　邓　海　方能恩　刁　旭　宋　涛　陈　镁　苏　猛　王　璐　游　雪
李锦松　夏锦元　蔡天祥　朱成友　简　瑜　张　星　魏　川　蔡飞莉　刘小荣
叶世德　姚玉洪　邓　明　倪　莉　刘朝霞　邹应军　黎　璞　刘春艳　陈　林
周禾刚　李志洪　李家应　宋　匀　谢启春　陈家林　潘显多　杨　兵　郑小虎
商崇先　张　春　陈　奎　吴　剑　周荣祥　雷锋莉　杨光美　兰美晋　曹福元
王永和　胡明忠　兰密茂　黄　河　刘正琪　张　勇　余京燕　罗　杰　吴忠琪
苏　俊　陈安华　欧阳玉梅　刘明珍　李　军　李恩福　丁小凤　冷启贵
黄林忠　罗昌全　犹家勇　李景忠　吴定坤　欧登俊　张　凤

三（3）班班主任　李子忠

王　华　江建伟　陈刘直　王成茂　石国栋　万　飞　周　军　石正权　廖远谷
叶荣材　周远富　龙永祥　董雨彬　周　奎　宋锡琴　李国伦　商崇筑　商崇菊
黄　山　陈德举　顾德江　蔺正平　肖新泉　王红伟　杨　刚　孙加艳　魏　参
姚志权　戎成理　卢　平　吴洪艳　高五星　李恩奇　潘龙飞　赵大学　李继斌
朱永生　尚国周　姚　琴　戎成宇　刘　军　潘兴华　陈　林　陈应菊　李　群
聂中秀　粟顺会　陈　群　郭庭义　仇　芳　邹　云　汪吉凤　米付珍　丁光莲
黄建红　李帮胜　丁晓荣　谭学平　梅安奇　蒋吉安　李　军　康国旭

三（4）班班主任　赵坤

张　静　黄文静　张远会　陈文志　杨祖秀　张志林　周福跃　顾红霞　官保妮
黄　辉　朱敬雪　吴瑞荣　杨育忠　郑忠华　陈　华　张林碧　廖小强　张军宽
李亨志　李国菊　万　娜　吴　霞　胡　敏　潘光发　周月黔　邱龙波　徐保国
姚子军　胡国群　李大中　杨万会　黄庆敏　潘光珍　田　霞　刘　翔　贾志江
刘金益　戎成艳　马孟琴　顾章旭　王小歧　陈国伦　蒋吉秋　兰再贵　向　芸
李建芳　龙玉水　张世文　李德兴　余　梅　黄　春　韩继红　瞿　明　王世艳
贾雪兰　赵榜利　李　松　赵廷宽　张胜安　潘光巧　陈　敏　刘朝晖　张　艳
梁金英　周　红　徐晓会　谭明全　孙易孝

三（5）班班主任　刘世君

赵远菊　姚正国　王德永　李春华　张　衡　徐贯芬　罗永烈　胡亚军　周国恒
陈家梅　谢益兰　李亨莲　杨秀奎　何明建　王　忠　周　辉　郑金华　左国寿
向　蝶　罗　俊　兰文飞　周喜莲　申润菊　李　进　杨再和　李绍兰　王开田
潘家贵　唐光英　岳庭芳　涂卫华　林　杰　兰华丽　邓荣军　刘小平　陈雪兴

黄丽娟　韦朝忠　徐本学　李　芳　方钖伟　向志奎　罗开军　殷启菊　王启坤
彭　浩　樊时勇　秦昌云　苏　俊　吴瑞奎　杨昌平　王菊先　肖兴安　王成红
罗玉荣　赵久斌　伍　红　李坤恒　孙从军　秦安群　姚正方　向志英　刘安录
范华琴

三（6）班班主任　唐广惠

赵榜礼　邹莫先　杨　敏　史泽河　黄永明　郑　萍　谭啟先　杨秀忠　刘定义
文朝丽　周贤志　何林茂　彭　祥　陈洪燕　李景松　贺运良　杨光亮　郭　剑
杨　彬　李海洋　王　定　卓荣斌　董泽军　杨　仙　胡　军　陈顺杰　赵泽碧
唐　贤　吴正云　徐大群　任光明　吴礼刚　乔家庆　叶贞才　黄　辉　李厚云
柳太忠　戎俊生　聂奇建　雷抒云　邓安珍　夏锦昌　黄建兴　蔡德贵　黄文松
彭国风　贾治江　兰才陆　杨玉书　高维松　陈能明　谭国华　朱仕春　冯　涛
陈体先　袁昌燕　王国安　刘文林　王　胜　李佑琴　黄明忠　尹维江　夏开艳
李跃群　张举霞　石　践　贾治辉　张　跃　杨　杰　魏赐琼　周　舸　万坤元
杨　艳　朱发全　冯知渊　麻继才　涂卫华　秦大荣　丁昌敏　郭　印　徐本利
范仕清　叶　伟　柳应祥　杨庆明　雷　利　唐映梅　宋泽政　彭华先　张　春
张　娅

1991 届

三（1）班班主任　周双林

胡祥宇　张思元　周　艳　张建伟　杨富行　周显明　徐东鸣　刘　丽　艾　波
龙小霞　许维松　黄小翠　丁明艳　庞成云　姜　坪　贺全安　左国松　刘　芸
朱丽琨　袁亚萍　冉光轩　时学会　刘　艳　王君丽　朱　劲　张德志　王道志
唐　梅　毛长春　陈　勇　王小燕　吴升丽　雷　红　杨光惠　李大琴　马茂蛟
杨　青　王　艺　宋　熹　麻继刚　董　跃　刘鹏飞　张　菊　曹　麟　彭发刚
唐　俊　曹　灵　周　娜　张　艳　金　瑶　杨荣杰　周荣祥　左国禄　周　浩
邓荣君　陈至雪　唐　涛　龚国山

三（2）班班主任　孙　玲

刘少东　陈应权　张德会　甘昭辉　陈　凤　李景明　杨富金　刘保琴　王玉平
肖　芸　向　娟　李顺明　陈雪梅　郑慧敏　麻继芳　方正武　颜德兰　马福明
陈志玉　尚亚秋　钟　明　李　霞　胡正平　邓华会　胥德才　盛泽忠　蒋吉莉
夏中碧　商　韵　商崇莲　唐　育　陈　锋　彭杰会　何建梅　冷啟平　张文超
兰建军　孙国举　李秋月　周安军　夏　志　刘秋红　宋　杨　聂明军　石海芳
唐书军　陈　艳　罗越飞　唐光林　李仕龙　周　松　赵素娥　张　杨　王　平
杨住文　潘　敏　邓　艳　卢　会　谭明凤　黄时文　辛春艳　胡强伟　张可可
王培驹　王　鹏　赵　莉

三（3）班班主任　许兴荣

张伯芝　商正菊　潘　芳　吴　燕　胡　艳　周　薇　聂　红　陈　剑　潘光东
肖　艳　任晓文　孙　燕　陈启惠　肖　勇　王达芬　张江平　王建华　庞雪梅
周　颖　谭德盛　龚　健　魏尚书　刘平奎　徐　松　廖　春　刘泽光　向　菊
陈复娟　袁碧翠　石国莉　冉光梅　袁仁兴　况　敏　陈　田　杨　琦　兰中林
唐书林　周治彬　杨俊涛　潘小会　陈远凤　岑德元　马　勇　李兴丽　陈复海

李南荣　向明江　何　毅　李文全　黄光宇　张福军　赵小平　陶　莉　王　平
兰永开　王　建　吴光成　吴　芸　杨　琼　王元丽　杨昌齐　刘前新　罗小林
罗小军　刘大山　邓安福　宋荣冠　周乐刚　徐贯芬　陈　奎　姚　栋　艾　波
张　弘

三（4）班班主任　杨碧芳

张　建　余京哲　汪建红　陈惠堂　梅红菊　黄国萍　徐志兵　邓　勇　陈　林
赵　晨　宋　昆　蒋成富　尚　伟　王玉红　徐国武　潘龙开　杨秀祥　刘为琼
彭凌琼　陈德举　潘兴兵　宋泽茂　刘　忠　刘金亮　陈福兴　蔡德举　吴云安
唐光武　兰忠才　高显松　易松梅　成荣宁　聂万霞　刘　慧　谭明高　吴晓碧
陈洪丽　柏　敏　杨　艳　兰才红　刘兴元　周福群　麻继萍　肖　芸　田　恒
张　军　姚　勇　曾怡敏　刘　涛　许　玲　刘元军　安邦江

1992 届

三（1）班班主任　吴文富

冯光萍　唐晓娟　杨胜平　顾大伍　杨玉龙　彭　元　彭载红　夏锦琼　许维菊
熊复平　杜　英　伍　军　袁晓红　邓学军　兰登莲　段仕芬　刘尚光　汤仁杰
李　平　倪邦友　夏　艳　肖剑玲　陈丽群　陈玉先　蒋清英　王小利　樊佑琴
周　苹　商　艳　刘　翌　方怀德　龙绍菊　赵显国　肖祥菊　胡春芳　邵　敏
代显德　李　艳　左　祁　雷秀松　刘　远　周　艳　王建平　麻继刚　王　艺
徐金菊　蔡承林　王　睿　叶　芬　郑　洲　付　群　曾　丽　何林霞

三（2）班班主任　盛邦伦

罗晓军　李景贵　杨　齐　陈　强　邱龙俊　王发仙　宋锡明　罗　会　张继军
李红丽　范荣军　任国民　喻　霞　姜国波　胡廷杰　王绪模　蒋丽娅　王安芬
杨晓强　陈　智　杨代伦　彭载国　李　平　黄光运　刘　静　肖成远　谢良艳
倪福娣　王大明　吴　鹏　罗邦宏　兰银峰　兰明海　易福利　刘元刚　王健康
吴　康　蒋吉露　何明会　伍再德　唐书娜　黄　林　杨光军　王　昆　尹小山
张　奇　张国焕　田　刚　肖　艳　黄云梅　赵素娥　周　松　陈　勇　康国宇
廖清济　郑龙海　吴逢会　饶成会　黄旭江　杨兴梅

三（3）班班主任　徐华

熊必忠　李　春　丁国友　范　群　杜兴红　刘　丰　李子刚　李秀林　李　逵
黄光政　唐小红　赵　华　周其念　蒋志琴　王　建　王定群　李　霖　周富勇
戎成林　王大敬　黄安碧　罗安平　胡祥菊　王华东　肖庆萍　张仕晓　王立新
董维奎　田维林　犹晓斌　桂国林　赵桂杰　李恩毅　黄可乾　舒普毓　孙成霞
曹　玲　罗亚丽　刘大山　许维松　唐书林　龚　健　黄　艺　张克力　何　坤
姚　琴　饶承兵　邱　铸　唐　华　谢　娟　陶　丽　李秋月　杨再祥　杨　琦
任正群　杨　涛　王　军　黄新莉　官　毅

三（4）班班主任　张应龙

彭　辉　周汉群　赵贵菊　张　健　朱仕梅　黄安珍　郑南兵　韩忠玉　柴立琴
王文琴　顾德军　陈　林　周　霞　秦朝珍　袁正杰　毛模林　李德碧　周荣娟
龙　杰　黄华群　王华敏　伍　敏　聂小红　王小春　赵定琴　张国平　李　辉
张登琴　赵　梅　杨俊杰　刘明尧　冷小梅　肖　芸　蔡　松　何啟萍　王芝学

贾朝晖　邓　军　王君丽　于静涛　王廷富　唐　梅　周　娜　邓　艳　周明谦
吴荣军　吴　芸　王映霞　杨友美　刘　琼　叶　芳　宋玉龙　罗泽琴　郑慧敏
唐显锋　廖清华　熊华荣　朱儒忠　古吉仁

三（5）班班主任　孙　玲

李仕云　高明松　罗新华　涂金舟　董利军　田庆银　陈文志　付　俊　石中友
王顺友　许克强　何　兵　邱金荣　张汇平　芩德元　刘万江　刘万均　张文超
刘泽丽　周志群　李　密　周小琳　金邦义　孙国建　陈友文　谢　兴　吴明华
沈海洋　孙崇军　张德全　唐建华　董延琴　王秀琴　刘　云　黄　珊　黄　艳
赵亚琴　柏明丽　宋移军　张　平　卢　勇　柴立娥　华湘建　唐雪梅　冯福建
严桂琴　陈　林　黄时文　张建伟　谭明高　罗玉菊　刘文燕　彭凌淋　罗晓林
戎承理　李松菊　郭　庆　王和芳　苏　明　唐才莲　黄　静　毛　军　向　迪
周　辉　胡　林　刘昌芬　刘远琴　郑舟文　王　磊　倪天侠　李佑琴　代继海
罗　春　陈小元　郎永群　潘　军　李大琴　邓丽芬　刘天志　柳应祥　刘元富

三（6）班班主任　蔡光平

周子兰　田小云　郭正开　田茂美　杨　林　刘平奎　熊远惠　陈福刚　高显松
李荣惠　王富芬　柏　敏　陈洪勤　王开佬　杨昌齐　瞿兆琴　赵安福　张兰云
唐光武　李　香　姚志全　朱仕杰　蔡飞莉　宋　红　韩胜玲　王达先　陈福平
何明星　钟　明　王建华　刘　丽　谢云书　胡　建　尚崇方　陈国伦　岑成双
陈福军　邓　芬　丁小凤　冷啟娉　周太发　丁光秀　左国禄　费跃军　李　群
胡　勇　李永春　杨正先　陈　剑　何开坤　赵小平　贺川菊　郭　印　李永华
王大金　唐书菊　李君勇　王维全　高维嵩　邹啟军　毛　红　赵清风　张　娅
任　嵩　宋泽飞　陶　飞　黄明华　李家莹　兰永开　肖新全　唐　勇　李仕成
罗晓红

1993 届

三（1）班班主任　王仁学

吴昌鸿　邓随进　李秀平　蔡天敏　刘　波　刘保中　成荣礼　李扬帆　袁　建
唐　颖　唐晓红　郑　嫦　顾忠斌　张世宽　唐　飞　雷小华　张景廉　周　琳
袁仁燕　何建芬　宋泽诗　刘志诚　陈兴琴　王兴元　罗劲秋　顾忠奎　龚仁军
王世德　张　康　唐金福　张国燕　王贵宾　吴　祥　蒋　莉　胡　松　何明祥
刘晓云　王知进　魏科群　刘晓平　周厚丽　林　虹　余之伦　汤　林　向凤莲
杨跃英　何明英　赵清玉　杨　琼　杨昌举　彭小艳　饶林艳　宋泽军　任建华
张旭先　唐　静　范祖建　彭文萍　唐文杰　商　艳　周雪松　商崇伟　赵明翠
黄幼华　宋　春　邓仕勇

三（2）班班主任　刘世君

吴　知　杨　欣　刘雪飞　王永健　杨　毅　袁　宇　宋　会　代　艳　朱　红
冉　劲　胡成春　袁仕锋　饶德美　胡连先　管婷婷　雷安梅　雷龙会　罗永辉
张文艳　王　珺　姜　会　黄春艳　罗朝兵　唐双会　杨瑞华　王　敏　邹前林
兰登成　胡连菊　叶洪冀　蒋兴杰　周　都　卢　勇　陈　菊　刘　敏　蔡承发
张　靖　杨　敏　罗來玉　徐怀敏　廖琴珍　唐小波　胡齐璋　李　萍　游　静
陈昌辉　刘　艳　蒋冯琴　江廷友　丁明辉　胡朝强　张　奇

三（3）班班主任 倪祖芳

范中豪 周复勇 肖 三 肖安梅 黄海飞 余元成 卢昌国 杨 涛 金延刚
况 斌 胡廷辉 卢 燕 黄华宏 冷啟松 刘 群 李景明 龚 艳 盛 怡
李绍兵 唐广军 李国辉 朱恒基 王国群 唐健康 刘庆涛 麻继敏 贺承元
江真英 王国州 卜永龙 王会忠 蒋成贵 刘文菊 莫书贵 张伯英 成荣梅
何小攀 王维琴 黄启艳 范开莲 张先美 杨作华 韦 伟 龙小红 何 俊
张登才 陈 娅 倪祖怀 宋雪飞 田先菊 张 雯 王 华 邓晓林 王 梅
谭孝琴 王 琴 赵 芳

三（4）班班主任 吴定明

陈 然 王继松 贺小念 胡 希 董维康 向 嵩 肖劲松 曾 怡 张 敏
廖 坤 朱 俊 向 琼 陈福康 王桂华 陈正忠 兰美鼎 罗文德 吴 勇
王维学 成荣海 吴瑞梅 管 丁 徐德艳 王丽华 曹 静 陆春丽 倪祖艳
宋志宇 苟兴琴 龚福刚 杨胜华 任保权 黄宗兰 赵 艳 杨 莎 肖建红
黄贤龙 莫良进 廖方勇 杨再军 吴举琴 向初玲 蒲永昌 徐明恒 兰朝俊
岑 梅 兰树红 刘春奎 孔 祥 陈秀娟 王 莉 李明全 余 梨 李龙仙
黄 群

三（5）班班主任 顾大忠

冷小梅 王晓春 宋钖立 宋钖培 吴照辉 杨兴龙 朱方琳 蒋清英 王秀琴
徐 进 王建娥 刘礼军 黄洪建 彭德丽 陈华菊 高显松 宋 芳 郎永群
向仕俊 罗泽琴 张应群 梅安雨 叶含美 徐光菊 肖兴福 文 斌 龙晓明
饶永会 张玉文 万再军 李世江 沈 兵 丁小凤 杨昌平 张 会 谢玉会
何正奎 熊建军 王道锋 李世云 华军美 何启平 徐本映 牟成玉 徐金菊
王富芳 彭文科 康国庆 王 建 王 彪 尚国美 陈 林 倪兴伦 毛模林
陈光菊 梁 倩 廖清华 陈 鹏 肖 红 王培琴 倪祖林 兰美东 唐书江
王 梅 宋桂林 胡大全 李文军 唐应辉 袁天会 曹 灵 李天兵 龚仕会
石忠武 倪 旭 曹代高 陈 军

1994 届

三（1）班班主任 王建军

张文峰 陈静梅 高显毓 汪 鋻 李大伦 刘万红 任重春 左国林 陆燕玲
夏草原 王达群 龚国栋 刘廷刚 何林乡 罗元才 宋 义 陈立林 陈 河
肖 艳 沟一凡 刘金宏 贾 练 赵发林 梁五莲 杨显伦 刘 建 朱 彪
戎成华 张小霞 尚 高 李天伦 袁昌会 杨 梅 唐友静 余秀艳 肖成香
王世兴 李明军 王 丽 邓邦婕 樊启琴 瞿远春 陈启刚 吴 嵩 肖建红
李大勇 敬 松 赵正海 谭德丽 吴应菊 周 燕 王小林 杨顺奇 刘 慧
谢玉林 李 林 陈正松 李 力 张 军 杨道俊

三（2）班班主任 杨碧芳

王 苏 王秋月 席 娟 王 铀 杨 波 田 梅 周乐钧 蔡秀娟 张国黔
王道灿 柏 毅 王 鹏 商 涛 胡宏杰 田维波 向 玲 秦丽娜 邱金美
杨 梦 杨云峰 袁 奇 李 勇 丁 丽 张小兰 袁忠诚 王 军 赵光峰
屈 娅 田小双 陈 梅 刘 艳 娄小敏 石 毅 龙丽娟 王发宽 周 燕

邹启学　毛建英　陈　兰　罗　刚　邓远霞　邓　洁　梁正鑫　刘雪源　肖建丽
刘尔丹　王　琴　袁严才　姜亚飞　莫良进　舒　美　刘　霖　田　江　宋泽林
张友益　冯　军　张　宇　何小英　袁　伟

三（3）班班主任　刘忠信

戎　静　谢　瑶　蔡　静　朱仕奇　兰永毅　朱仕荣　李　松　金安丽　商　磊
陈会琴　朱正军　冯冬秀　赵　玉　马　莉　石德鲜　夏　艳　彭载琴　李廷川
王　娅　冷启婷　陆方丽　刘　春　黄文洁　赵　松　邱金艳　杨　卓　熊高丽
李安全　方春艳　张永梅　马云先　孙德胜　王胜莲　吴春霞　邱德志　黄　勇
伍　燕　杨邦黔　金延香　伍吉军　李克会　岳红梅　余祥兴　李质凤　顾忠武
伍　茜　蒙德斌　黄小芸　付孟铭　袁正佳　刘文仲　姚　丽　邹　浩　王　玲
曾志全　黄宏椿　杨昌平　王国武

三（4）班班主任　雷国志

彭露娟　石　峤　商崇敏　付朝渊　杨运美　周　燎　潘小会　赵　丹　冯　燕
赵显奎　杨　佼　宋　姗　宋　波　王　梅　张秀琴　王　兆　兰玉军　兰玉芳
张　莉　王志欧　王　彬　周朝显　潘　琳　廖　丽　谢　群　刘昌奎　杨付军
杨昌菊　尚华艳　雷　莉　倪天华　陈天荣　罗　勇　刘　玲　台　艳　彭一桂
兰兴书　李文军　李文秀　龚亚芬　肖　娜　张　群　廖满全　任建化　池榜华
廖海林　姜国斌　冯明华　苏　杰　秦　为　潘光琴　李玉华　章玉刚　金安春
杨海燕　段思文　毛建平　杨敬松　林安全　谢启香　肖安亚　何小青　唐艳平
雷国俊　蔺正会

三（5）班班主任　胡朝志

吴惠敏　黄　艳　肖平会　陈远刚　刘　勇　向祖俊　王远辉　孙月霞　唐明华
何忠平　高　虞　徐　峰　蔡贵洪　吴升伟　蒋忠祥　夏仁仙　袁庆治　胡大军
肖玉银　肖丕林　罗莉娜　简正红　李　勇　谭仁芳　王錫琴　林　扬　梁大燕
罗　斌　黄少东　罗信荣　廖满华　刘尚俊　刘天军　蔡　端　岑德会　徐辉忠
刘希琴　冉　丽　陈洪仙　邹　建　雷秀梅　陈应富　冉　劲　陈益群　丁明江
肖兴颜　徐　洪　卢　兵　黄　涛　简　伟　宋小波　彭文松　余昱锦　吴原璋
刘支继　刘华志　李成江　朱德钦　陈茂松　雷丰钰　唐　洪　谭明举

1995 届

三（1）班班主任　张应龙

李宗蔚　朱　刚　宋泽贵　石皖军　江奇峰　冷昌波　戎晓婧　龙　璇　商崇敏
张春福　杨乔林　王华明　罗鹉鸣　兰成彦　谢青青　黄　庆　潘　攀　潘广林
罗永梅　金　梅　向敬文　周乐祥　赵明俊　罗　梅　杨昌春　刘雪松　苟顺军
卢昌秩　伍　红　张　仪　许　燕　李凡英　丁　亮　冯章永　赵明进　杨远荣
杨再红　曾发祥　吴　矩　张发友　邹佳佳　兰金礼　张天智　王君梅　兰登进
陈庆平　朱艳丽　李树梅　杨胜友　刘　坤　刘　印　兰金燕　何腾祥　王开国
况泽武　丁　香　朱兴权　李立刚　王　辉　邱金琳　邓　祥　谢　煜　吴小健

三（2）班班主任　盛邦伦

罗　燕　范兴晏　周乐欣　商　梅　袁昌浩　朱精书　涂江春　秦　兵　贾治宏
况月鹏　田　飞　王学梅　田前忠　邓万伦　麻喜平　李大玉　周明坤　戎成美

黄光浩　何远艳　冷向阳　刘　刚　邹　敏　旦光军　王　霞　岑忠菊　吴　玲
文明生　金春霞　刘国金　陈　燕　黄光琴　孙学丽　戎成先　谢啟翠　刘国燕
李泽玉　黄晓云　刘大兰　胡　烈　时学森　李　宁　陆艳青　兰大仙　陈正军
张泽红　蒋维佳　张德会　范古德　吴　鸿　郭　超　杜　江　曾旭东　彭学科
解忠菊　彭利娅　李景辉　赵桂霞　袁正江　吴东平

三（3）班班主任　杨俊超

黄　积　黄宏楠　黄　俊　袁仁凤　罗　莎　朱仕康　徐碧兴　董　芳　朱仕群
王　恋　周治文　刘　英　陈　挺　黄　陈　胡　燕　胡　刚　李　军　李志飞
张　娟　冷启梅　黄　旭　王发政　周　猛　宋　赟　岳小祥　陈章琴　廖凌峰
范小平　陈善东　刘顺祥　许维芳　杨　杰　蒋成东　刘　霞　卢克权　毛天银
邓志琴　李兴云　朱德平　杨秀伦　王立志　孙廷群　李艳梅　余　梅　邱金菊
周汉香　宋红莲　顾大艳　宋泽兵　陈德秀　王富祥　万坤林　赵贵象　胡天喜
张兴富　罗丽娜　周文莲　向传波

三（4）班班主任　朱模忠

刘　瑶　伍仕俊　张　龙　余忠新　李家英　罗永会　田前强　吴　莉　胡利娟
何　忠　孙凡春　陈冬明　彭兴明　樊安全　肖玉安　倪祖红　邓华林　肖荣刚
赵贵军　袁远波　聂庆书　王一军　李冬霞　姜群艳　彭光群　朱晓坤　罗　锦
伍永泰　彭小云　田祖艳　胡　刚　张小敏　胡连梅　裴　兰　罗　斌　宋泽亮
冷德安　杨顺松　袁顺祥　陈国友　唐冬梅　邹德松　肖玉菊　安　剑　刘德荣
周文琴　田亚飞　关国美　王　艳　宋文栗　刘　坤　王华敏　罗朝兵　邹建红
徐　梅　盛光秀　田祖奎　林莲萍　肖建琴

三（5）班班主任　杨胜林

丁惠群　王　琦　麻继坤　向正东　姚　霞　李小娥　姚志明　苏志敏　熊明英
陈代芬　刘　刚　李雪辉　杨　敏　闵　婵　华　宇　雷　轶　高显凡　梁小丹
秦德斌　王泽陆　晏定坤　张　勇　张如梅　尹　惠　周廷海　陈德才　周露秋
漆　敏　旦　庭　周亚运　李光润　刘顺英　田景见　袁仕秋　李志敏　商　业
董汉源　李环志　王　建　王　宇　汪　熙　张　松　杨　骁　刘怡昆　周　英
张景玉　张天杨　罗文军　蔡小会　郑　静　徐　海　李明军　倪星蔓　阮小飞
杨　勇　王小茂　刘　扬　张　快　王玉菊　陈　燕　吕晓梅　商崇芸

1996 届

三（1）班班主任　吴定明

朱海艳　张小凤　杨光伟　谢晶晶　刘　丽　朱光星　郑　影　刘　覃　刘　波
况月霄　周林夏　袁晓旻　陈　娅　陈　伟　刘　令　田　黎　许　艳　蒋定尧
王　伟　吴　品　王发祥　刘晓静　彭　敏　向　军　腾丽娟　陈清风　苟坤平
盛定华　梁树文　王家顺　夏　丽　李大志　李吉树　郑　重　郑　兵　倪兴梅
陈正丹　陈雪坤　倪天贵　陈继业　刘开毅　涂榜琼　陆　灵　戎小嫣　商体才
朱海霞　何小艳　黄付英　王珠君　黄启凤　章玉丹　赵显美　舒再敏　舒甫军
王秀基　王　静　陈　林　刘　峰　刘继盼　吕　兵　李先凤　刘　霞　张　梅
李　珊　倪　艳　杨志宇　余文元

三（2）班班主任　李景辉

刘　雍　邱金礼　胡远海　祝　叶　代玉凡　姚　望　段　辛　兰小坤　曾前珊
陈维伦　李　刘　段绪花　李啟富　邹开会　梁明凤　陈　彪　徐泽菊　姚　佳
陈体顺　王碧敏　叶丽娟　周　芃　王维薇　马建芳　朱光熠　夏丹丽　朱　娅
蔺正超　屈　艺　刘　坤　伍永芬　肖春阳　范华富　胡厚菊　刘立菊　梁飞灵
罗洪霜　任肖丽　潘广英　李孝春　陈　康　吴家颖　李洪全　袁　海　万　婷
霍永春　杨　敏　倪祖艳　梁大军　罗小莉　杨　昆　邓　兵　何建忠　赵飞艳
彭　涛　胡　海　康国健　唐洪波　张太玲　杨胜平　欧家祥　王　筑　陈全毅
李继全　顾忠桥

三（3）班班主任　张应龙

张　红　袁中国　谢　恩　邓荣燕　罗泽碧　柴小琼　刘忠华　尚忠红　罗泽军
闵　松　董　妮　王　燕　欧成华　刘　英　陈庆菊　吴　剑　张扬风　兰国芝
张华章　李章银　尚小宇　谢椿梅　王道邦　赵中会　陈　虎　陈　亮　陈友军
兰飞龙　蒋太鹏　赵　俊　邓帮洁　向　军　魏东书　王清建　杨　飞　潘冬霞
王大鸿　尚华飞　熊　艳　王宗扬　宋锡丽　阮会军　黄安庆　但孟军　陈　念
周晓芸　游　丹　兰　毅　宋　薇　邓安丽　尹　婵　高显梅　李子梅　张　建
何　浩　雷　晟　宋春先　刘国会　胡　珊　石小鸿　魏科禄　刘光先　朱定安
杨先燕　范付群　吴松鸽

三（4）班班主任　陶义奎

张　骏　张德学　江美红　叶红梅　左　健　曹杏茹　徐　彦　雷　娟　王　艳
徐　东　蔡秀伟　李　毅　宋泽凤　易新卓　张思海　黄　焕　赵奇松　陈邦前
陈　勇　魏科翠　许维江　兰　俊　余松林　袁仕霞　余福兴　李　辉　黄长华
陈国营　刘　婧　龚　波　宋　斌　张兴鹏　罗永碧　王立梅　王光文　文　艳
袁立建　罗来堂　刘　肖　宋　霞　潘乔有　岑菊仙　肖玉林　徐贵平　倪祖全
胡家宇　朱德兵　李守军　刘　敏　商喜坤　田蒙松　黄安敏　代时兵　蒋　勇
李　俊　商　利　付小波　胡　燕　冉　浪　石　静　罗安菊　罗安宁　徐光会

三（5）班班主任　谢友容

李　勇　邱德凤　邱红梅　郑忠燕　李　貌　王国江　邱兴尧　刘　芳　杨能淦
李长敏　徐　刚　王显菊　毛荣军　陈　娟　阳大江　顾大参　顾大定　陈盼芳
王喜基　帅光辉　陆兴艳　邹　强　肖建梅　兰　鹏　江　敏　冉　瑜　戎承洪
陈人正　贺方美　胡大禹　杨光琴　顾忠涛　顾大春　潘来菊　陈　靖　赵榜建
郭贵军　顾大丽　娄　刚　王国洪　熊　莉　张　华　周宏山　罗知全　谢　春
王　成　彭　斌　杨　滔　杨光春　万明梅　张　维　袁　俊　聂昌鹏　黄宏柳
胡　燕　陈学艳　刘阳飞　苗秀李　田茂兵　王　红　杨明军　李祖江　王　勇

三（6）班班主任　朱仕宇

王光齐　杨　娟　谭德琴　王敏荃　冯建华　蒋　超　杨　红　刘无锡　陈荣富
蒋登薇　阳大庆　倪　宁　张德军　江真武　舒甫莲　邓绍林　彭兴平　石子琴
黎崇军　秦大春　陆久红　刘　印　张亚琼　孙成鲜　蔡兴勇　彭载伦　周智琴
刘元钧　杨　红　曾　华　袁远菲　雷秀珊　刘志娇　郑　营　彭　亮　吴小坤
蒋　敏　邓荣霞　曾　剑　廖满坤　王　勇　罗知全　吴　炬　徐　飞　金延方
曹　琴　田德安　张　皓　陈　芳　徐　皎　王红梅

1997 届

三（1）班班主任　王仁学

张　晋　徐元莉　吴　松　胡发兵　李　娇　袁　扬　庹金鑫　陈　刚　崔丽娟
冷德书　费明绮　杨　帆　秦　军　李　恒　张文静　李煜鑫　陈安邦　陈　康
马　青　邵　鹏　江莉玲　蔡　峰　田　进　徐　梅　粟海洋　戎成都　陈佳佳
白　帆　粟　毅　李晓云　易宗福　曹娇娇　杜　阳　黄匀刚　陈家英　吴秀军
兰　坤　徐付祥　张扬兵　陈小琳　陈海燕　徐光艳　兰玉剑　谢光亮　兰玉波
兰玉才　兰　厚　张德平　熊宇军　高登会　袁正武　商正红　刘付丽　罗泽勇
兰远平　肖家兵　吴旭刚　胡登云　杨　青　张仕伟　吴　娜　付　静　陈　锦
饶晓松　田茂涛　毛国品

三（2）班班主任　胡朝志

彭国婧　田　珊　戎成龙　兰　海　王　娇　左　剑　谢仲勇　陈丽丹　曾凡英
邓　欢　张　毅　王　飞　袁雪飞　闵宣文　杨　阳　李　瑜　丁　剑　周　丹
蔡　娟　刘　洁　卢昌恒　陈天波　王小惠　陈德才　龙　跃　聂昌勤　王　军
谢小伟　唐文海　兰小利　周　峰　凌　礼　凌　盛　犹　鹏　刘万凤　罗永松
陈　研　罗　铠　丁　锐　黄　鹂　袁寿武　秦朝南　沈　刚　刘绍营　王泽红
周禾琴　荀明川　吴桐氏　彭　梅　黎吉春　王　芳　宋泽富　舒甫奎　田本东
邱　玉　祝运林　刘开义　滕丽娟　谢堃鸿　李晓兵　黄　薇　夏　江　刘明科
樊启兴　张德福　杨　艳　舒　鹏　古吉昌

三（3）班班主任　倪祖芳

王春燕　肖　金　顾凌燕　王　靖　尚小锋　杨　超　李袁圆　段启群　曾钊俊
何　蹝　李　璐　熊　璐　肖　洁　蒋菲菲　盛定军　段启军　陈德良　张　锡
潘　月　陈亚兰　舒　建　蔡　军　陈建国　陈金祥　舒甫艳　王雪飞　吴　磊
陈　丽　王顺发　吴小贵　盛泽惠　陈　婷　刘　颖　任丽娜　商崇慧　张发方
张廷军　张友善　杨福华　兰　海　舒鸿雁　宋泽欢　刘文华　刘泽琴　陈　吉
樊小娟　张举友　金安国　黄治远　王志峰　黄长江　彭　松　任道军　陈兴菊
李　玲　李　貌　鄢良军　张奇武

三（4）班班主任　游　鹏

游家豪　石玲莉　鄢家品　向应雪　岳廷松　李杨宏　邹　青　汪克平　张小敏
王　辉　段启慧　王兴会　阮小明　蒋佳节　冷红杨　李　鑫　张思梅　商正艳
吴小琴　朱传忠　郑万松　徐　晶　周小飞　商体选　付　艳　王　劲　钟明进
熊兴发　沈　静　陆兴萍　杨吉林　谭文新　陆　燕　付兴凤　宋泽春　彭南洋
廖　敏　冷德军　贾朝艳　宋长英　魏绍华　王显祥　余　敏　杨毓刚　周青青
陈　亮　陈　坤　杨秀斌　杨秀才　王成刚　陈光学　李大鸿　徐　飞　胡　坤
曹　琴　金延芳　田德安　谭　莲　张　皓　陈　芳　徐　皎　王红梅　刘志娇
郑　营　吴小坤　况小伟　秦文丽　蒋　敏　邓荣霞　曾　剑　廖满坤　彭　亮
刘元华　刘达勇　邓　剑

1998 届

三（1）班班主任　杨碧芳

金　剑　杨胜利　邹永贤　卢荣祥　曾　灿　杨　云　刘明会　杨祖章　喻忠莲

朱海维　宋薇　伍永利　刘毅　李娟　陈坤　商崇慧　胡伟　骆吉迅
李远航　郑金林　袁文琳　刘艳　雷晓超　戎凡　顾洁　邓利平　王凤
王军　王振悦　喻育文　王建红　全芳俊　刘亮　王成碧　彭静　唐成文
夏家琴　吴刚　田俊　杨俊艳　赵春　蒋成坤　袁丽　江真凯　金方林
王昭　粟义　邹勇　江真艳　樊佑军　袁朝飞　宋泽贵　吴光祥　范天才
姜春碧　丁锐　代荣军　向应雪　周扬喜　王华梅　杨成　杨洲　陈龙富
张桂　余露　商崇智　丁胜

三（2）班班主任　邬培祥

刘成江　刘成金　任碧佳　周健　刘峥嵘　王怀懿　田密　代洪玉　沈梅
王世近　韩峰　商娟　林敏　孙健　石康　姚宁娜　易忠银　袁红
田伟　张桂云　张善宁　陈盼江　田维香　李光黔　梁兴文　罗其红　陈啟友
杨显群　包金芳　李娟　刘曦　潘光万　陈春　徐群英　苟兴翠　吴定艳
曹登勇　卢国栋　陶磊　周余敏　黄强　陆军　赵清　华莉　邓帮会
谢娜　李国清　朱荣凤　唐雪飞　王国先　郑道学　曹稳　潘明春　邹琴
黎治友　卢昌杰　颜桂红　董成斌　杨艳　张守忠　胡远凤　王立祥　杨忠
何光洪　吕艳　罗安忠　刘强　代兴勇　王道坤　王道全　王斌　冯家庆
徐孝菊　江真琴　何澜　曾孔梅　邓万群　王书念　宋贤　宋霖杰　刘玉龙

三（3）班班主任　朱模忠

张宏　吴华莉　张琴　欧大伟　胡江　洪艳　涂江重　李恩俊　张世英
刘全军　杨永刚　顾春娥　刘勇　冉艳　王小燕　王小鹏　田贵霞　涂江时
张军　徐新梅　王坤　刘昌梅　宋洪义　姜华军　陈洁会　戎成刚　张兴
张时敏　涂红江　蒲艳　谢云兵　李孝琴　王先会　黄积义　左小卫　龙成书
麻喜红　何明翠　吴静　赵贵红　陶军　张国媛　陈华江　向明　刘尚先
严菊　廖平　张天佑　吴学辉　周乐英　任开梅　陈善美　吴会勇　广花荣
汪丽　徐刚　赵道菊　赵泽红　王劲　张念安　陈浩　蔡峰　李扬宏
犹鹏　安斯耀　杨青

三（4）班班主任　盛帮伦

赵琼　张国宇　余南霖　熊代祥　周慕南　谢娥　李举荣　刘华高　胡友富
周国会　龙江　冯运飞　康国发　卢花　涂武　陈万翠　王立新　陈丽
刘元升　罗仕华　倪计　杨昌伟　蒲璨　刘怡亮　陈福松　顾吉坤　唐娟
曾兴发　郑冬　卢山　顾红宇　卢清贤　蒙德亮　陶贵忠　王华江　卢艳
黄艳　王珊　肖讴　冷先友　蔡函义　郑国玖　代兴富　张建松　徐兴军
唐洪友　许维亭　王敏基　王维信　王兴琴　卢俊　罗明友　蔡会　蔡平基
宋杰　税荣琴　王华桥　陈光友　任国丽　黄丽　梁俊　董维先　朱仕宇
杨俊桥　郑万波　黄安乐　罗飞　刘光禄　刘丹　周健　何建波　李永会
朱仕庆　苟明坤　兰才军　胡开发　顾大伟　肖春平　胡远洪　简正军　谢启吉
廖清媛　高显江　刘勇　秦敏忠　陈勇　简正惠　肖建军　鄢良学　张战平
冷啟祥　陈登发　陈军　王嵩　傅文忠　傅刚　周云夏　卢明　邬莲琪

1999 届

三（1）班班主任　李景辉

杨一帆　于　峰　孙　逊　田　薇　陈春梅　孙　凯　商正莲　苏　林　苏志刚
刘　曦　李景英　董　研　张　鑫　郑　婷　闵国洪　宋正军　吴升文　顾大章
谢　平　刘　青　李　竹　王　靖　张思敏　黄成龙　袁明敏　田维霖　伍文兰
周　喻　李远富　万坤香　李　明　刘　禁　刘　红　王　琼　任　辉　王　娜
袁明靖　王　方　段富荣　丁　维　简思鹏　张　云　石　巍　李　进　周智玲
陈　琳　陈　睿　胡燕群　刘晓松　秦游广　王　丹　马　郎　朱　云　经　琦
徐光秀　余香毅　涂金玲　刘兴祥　陈坤英　杜俊杰　杨　笛　郭　燕　刘　涛
易松彦　石　康　王　鹏　卢凌雁　刘　畅　刘　爽　蔡基艳　周志会　万坤霞
薛　交　郭月梅

三（2）班班主任　雷国志

谭雪睿　张　菡　雷安曦　吴　云　王小丹　郑　娇　黎　芳　王佑进　舒甫超
马仕会　罗　丹　游　丽　冷仕举　黄春梅　王兴江　王玉春　张丽芬　冷小刚
蒋　涛　张　卓　丁禾山　谢　玟　徐　静　张　春　顾忠香　王　娥　梁大英
肖兴茂　文靖宇　潘晓艳　赵　芳　江　涛　程晓露　付　娜　雷晓青　赵　进
汪月桃　谭德富　文明丽　吴名梅　吴春丽　刘金彦　姜　霞　陈启芬　费明亮
廖　勇　林华军　刘志友　陶贵英　齐　玲　周后成　杨昌宇　熊　琪　邓　芸
刘正朝　杨晓玉　刘春林

三（3）班班主任　王静

李恩情　何　琴　袁仕凡　向单儒　邓红英　何俭开　黄　磊　王　丽　丁明举
罗　嘉　王碧霞　冉　建　何　静　宋　斌　潘　勇　向　艺　陈　维　王康萍
秦昌珍　李文丽　代洪琨　商崇亮　顾大建　熊　雁　袁　敏　张群英　杨艳红
余忠江　李炳军　陆兴怀　卢克芬　王　伟　杨永艳　葛深友　李洪昌　陈章贵
肖春华　杨　旭　李　青　肖　红　费付江　冉　群　易红云　王国鲜　温成欢
顾黎黎　朱恒琴　余德忠　刘星华　袁远梅　罗国仙　杨昌琴　邱龙淼　李福卫
赵　涛　袁昌盛　廖　梅　宋纯著　陈　燕　肖　琴　夏　峰　宋　维

三（4）班班主任　张应龙

王　茂　王　飞　兰　萍　蔡秀健　张智慧　朱　丽　夏太红　宋　敏　李　清
任开军　张国平　何　毅　谢先亮　黄　鑫　张灿先　周　君　兰飞虎　丁明饶
黄　静　王秋霞　袁代林　龚福海　陈小进　文　杰　周乐毅　黄世琴　朱仕东
秦　凤　陈国立　江　赢　徐　瑶　王仁贵　朱仁芬　朱汉林　邓志平　杨　明
兰永江　邹继红　倪福友　赵　旭　刘光涛　何明锋　杨应会　林延波　周　涵
周乐春　赵著梁　唐光杰　董　进　李　俊　陆　靓　倪福琴　兰永燕　任道艳
张　超　文　燕　何　逊　毛　琴　周　熠　漆晓露　郭礼忠　宋　亮　王小霞
王大勇　王大俊　周　薇　高显辉　陈仁杰

三（5）班班主任　陈清玲

邬连波　舒光富　石　毅　田德健　徐明红　王　辉　王　会　唐晓芳　米兆幸
丁智慧　陈　聪　王文鑫　蒋光明　宋锡军　廖　洪　李东菊　张启义　唐　源
李仕伦　曾凡琴　唐光海　陈　凤　台宇忠　蔡文彬　况群菊　杨昌娟　殷永波
陈　全　邬连兵　王朝忠　邹贵兰　李仕谷　唐晓芬　杨俊喜　梅中会　李　松
邓雪琴　邱金陵　祝远松　王怀兴　王仁春　华　东　田应莲　石　伟　刘宜飞

袁明光　倪兴春　康大林　谢启竹　潘　飞　韦随辉　赵春阳　全　鑫　刘　芳
韩小飞　王　敏　刘　俊　黎治江

2000 届

三（1）班班主任　张明光

邓懿平　曹文傅　周　玲　朱燕秋　代发茂　宋　薇　罗元芳　欧晓慧　袁　星
王　露　王　鑫　左　静　商体红　刘　宇　周　敏　冯晓飞　李远华　王显贵
杨俊会　胡银菊　王　洁　朱小丽　任荣峰　谌乙安　周志华　朱仕俊　罗　雯
戎小松　罗　肖　石　露　刘　俊　陈　冬　曾慧海　蒋　志　胡大静　陈红秀
李家宇　卢永海　肖　匀　肖玉贵　李永超　乔　柱　李发干　张德昭　赵　珊
郑　燕　何　菊　梁　康　谭　赟　王兴玉　彭　彬　李阳海　贾朝刚　李天福
李光涛　周昌娥　李晓海　王发德　代安国　朱世勇　蒋晓军　邓帮生　李　端
章玉珍　章　仁　景立春　王　勇　陈登杰　潘啟斌　张　茜　杨　美　蔡小青
周万富　税荣贵　马　宁　卢　杰　陈　坤　岳龙萍　唐　臣　陈华群

三（2）班班主任　倪祖芳

杨　骞　刘　健　王　婷　邹　平　陈　超　杨艳兵　陆青菊　王　科　张　琴
刘元波　张　琦　王　旭　陈　斌　彭波涛　冷昌丽　蒙　俊　邱　王　罗仕承
李　浪　袁　国　吴　莎　岑　胜　杨　勇　杨　娟　陈　涛　杨光剑　袁义勇
戎成江　王　霁　徐　静　苏佳佳　王国军　陈　婧　何再星　岳廷祥　胡　江
欧阳仙子　商　颉　刘　恋　吴秋艳　袁仁静　王　琨　邹凯　黄安松
张　静　彭　颉　杨　君　吴友杰　杨晓会　张　琳　刘　华　袁　梅　张　涛
刘维芬　周　明　谢洪梅　张　逆　汤乔林　朱仕锋　潘　涌　徐胜菊　肖阳松
冷光顺　蒙德爱　宋　鑫　刘　俊　彭　薇　刘　颖　徐　亮　张金菊　李　莹
陈　浩　商正洁　董立华　刘　星　瞿　芳　杨渝　陈三民

三（3）班班主任　盛帮伦

左华燕　胡菊滢　吕代娜　陈丹丹　夏小云　商正松　肖　蓓　徐元景　潘明梅
杨东海　陈　刚　胡廷娅　牟成凤　曾广露　张思春　陈钖剑　徐本丽　商正松
宋成志　王　洪　汪　宁　蒙应才　孙　杰　胡廷康　田茂刚　胡玉娇　周　波
李光念　戎成莲　林宗飞　彭　湖　周　凤　宋叶玉　罗　霞　杨方富　曾玲玉
倪　娇　张　菊　潘梅梅　冯　燕　王证力　幸　宏　肖安军　谢玉清　刘华开
罗小辉　田　超　李景福　陈　文　王成俊　况泽东　张富进　周承权　向静源
吴成会　蒲建魁　卿　宏　向贵元　陈　建　兰廷钰　胡　倩　王芝兵　岳廷军
张善成　陈　克　杨俊荣　张春梅　袁仕江　卢清春　张德先　刘朝平

三（4）班班主任　邓正富

洪　俊　顾大利　陈　艳　罗成金　庞成娇　罗文飞　班杰庆　甘元超　戎成方
罗光英　李俊杰　何　昆　罗　芳　黄小波　肖　富　曾凡丽　周　林　谢玉宾
田茂远　任兴旺　孙　康　彭仟恒　邓世英　田文平　杨　斌　袁正涛　王兴国
张明文　吴应碧　罗　姣　周桔云　胡兆艳　李小敏　吴晓林　李春燕　冯　茜
唐德先　龙良艳　刘光武　陈万青　彭　冲　张应乾　朱仕友　朱富胜　姜华琴
崔丽萍　刘华香　向仕进　杨昌霖　廖　巍　王子先　兰永德　周文才　肖兴耀
任道杰　黄小伦　李洋艳　于小倩　刘志友　王　健　冯家贤　倪祖凤　蒙泽刚

王兴祥　黎世坤　李长健　郑典波　刘顺子　盛定鑫　肖兴亚　杨　辉　张　丹
左　莎　陈家清

2001 届

三（1）班班主任　管治雄

麻堂会　谢　涛　聂　芸　张志秀　李晓静　安斯杰　盛中富　陈　江　赵贵琴
王　辉　张　涵　戎成忠　李安凤　兰远松　赵　娜　张林春　陈常春　李长江
邓华波　方天红　黄管宁　丁访梅　朱　蕾　李明飞　杨昌忠　董　艺　余厚会
涂江松　王　顺　张　羽　陈家本　蒋维刚　唐成江　曾　超　潘明建　李　姣
李　琴　闵　捷　杨　英　王　娟　邹　宇　曹万舟　王伦连　刘　涛　冯福芬
周仁丹　李小凤　王伦会　冯　浩　陈　俊　汪　露　李大健　潘　坤　侯　燕
顾　玲　刘　鑫　杨　剑　杨　毅　黄安兵　唐红飞　罗安宁　杨锦辉　邓华菊
汪建华　吴丽娟　刘　远　张小彬　王　云　肖平凡　程龙湖　杨俊福　张　丽
宋荣艳　郭月琴　张恩万　魏　鑫　冷光灿　周兴海　郑　然　刘顺霞　王春艳
刘小江　李　艳　马　佳　阮　亮　刘保安　陈超群　刘星宏

三（2）班班主任　毛红艳

谢进红　王　莉　黎　念　冉婷婷　方天美　胡　廷　梁光碧　邱龙浩　杨显瑜
张先奎　牟　标　陈章俊　罗　茜　刘　辉　陈龙先　鄢良毅　晏　飞　杨　英
熊铧秀　卢　飞　麻　露　李　露　麻　文　何大龙　罗定荣　韩　娜　吴正红
吴　华　邓华健　彭　捷　颜　琨　周志松　陈兴丽　顾忠刚　文明华　冷昌其
杨俊丽　简正洪　段建平　赵　明　倪福莲　张陈涛　谢錫美　陈全焱　金方伟
赵红梅　王有宏　李　倩　麻堂凤　黄　聚　胡银春　谢　秋　冉　娟　王小维
曹晓月　袁仁玉　胡添霞　羊　靓　商崇静　吴举荣　简　璞　张洪进　谢玉波
万后起　周　辛　陈洪飞　宋林静　兰卫能　张　莹　魏　荣　广宇龙　康　靖
罗　奎　吴应荣　周智涛　鄢良洁

三（3）班班主任　杨碧芳

孙游蝶　李桂松　刘云燕　毛　锐　胡进华　肖顺梅　曾祥华　杨昌盛　杨媛琼
张会敏　黄　盛　简正富　左　莎　麻东方　唐　娇　梁雪飞　卢　佳　吴　松
邓浩然　熊丹妮　郎　慧　雷婕婷　王　茜　舒兴智　周　雪　谢胜美　黄　茜
饶　静　王　宁　张　乐　左自信　金　璇　王振翮　姜　曼　刘　杰　王丽娟
秦建兵　卢金露　刘汉玥　丁访津　柏照林　袁人璐　邵　云　胡　广　李　堃
郑　重　汪胜男　朱生红　李方珍　李　念　周　林　杨昌艳　李德会　石恒军
张登春　王　军　李　文　徐　尧　赵　婧　马　铫　安　健　杜君燕　张玉坤
王　东　朱仕西　张　靖　聂　敏　马仕燕　黄付红　冷飞云　彭　洲　代荣敏
潘凤阳　曾　旭　丁光贤　赵　霞　罗文琴　邓　卿　曾　静　杨俊兴　汪　涛
郭银飞　任荣峰　蔡　霞　王　丽　蒙　燕　王佐先　田　艾

三（4）班班主任　王建华

倪　艳　潘　玲　王辉亮　罗永存　潘金祥　李　炜　何　淼　李　娜　张金翔
陈　佳　陈　营　刘　丹　袁吉丽　余　祥　陈　丽　彭华刚　杨　松　叶黔松
黄国成　胡进国　汪　姗　肖玉松　杨吉庆　刘海军　杨家斌　冷昌顺　顾忠宝
蒙仕季　王康秀　王　芊　李　珊　贺前勇　顾大蔚　刘华飞　许仲荣　宋荣丽

田前华　尹永祝　梁大成　王友艳　何　飞　尤美亮　潘小华　淦　泠　张容乾
祝长艳　付君勇　李政锋　张倩茹　倪德伟　苗文艺　代时坤　台宇安　杨小梅
叶荣波　成荣伟　孙　杰　兰　亮　王国龙　吴海艳　蒋青桐　谢忠华　兰忠琴
冉光阳　刘　勇　刘　敏　喻国华　娄　方　王宗菊　彭　涛　徐洪伟　蒙泽化
李阳海　李维忠　蒙泽丽　谢锡春　宋文建

2002 届

三（1）班班主任　祝亚峰

王　清　袁圭凤　黄　艳　张德珊　何　娴　谢启艳　杨　春　潘明宇　汪　渺
周　松　雷　涛　唐德泓　冷安江　潘　红　潘庆园　吴　丹　张　霞　余德贵
简　锐　杨　松　朱兴艳　代时飞　朱　艳　陈　姣　张　浩　杨　兰　唐连武
刘文兴　黄志友　袁　涛　杨　青　简崇飞　严　春　王冰玉　丁元坤　刘银燕
顾大辉　吴凌艳　王　斌　袁　丹　龚福艳　冯银平　朱传先　杜　娟　彭　健
刘　佳　杨明艳　刘　丹　李　佳　向　康　龙良松　宋晓桃　颜　安　徐　桃
陈启来　洪志文　陈　俊　龙训宇　唐　葵　饶晓虎　吴小明　王碧成　黄小政
张　云　孙　艳　胡　奎

三（2）班班主任　商正达

张　敏　杨昌彬　牟成斌　王伦红　张　彪　岑　军　邹　薇　邹继军　蔡志安
王　鹏　朱文波　冯建林　李政玲　彭文科　王　杨　涂江凤　周　婧　吴　江
杨进松　吕　倩　潘忠林　潘付春　王军伟　兰　莉　陈　洁　周　慧　齐　婧
邵　雨　王怀情　苟坤建　曾　贤　宋　梅　陈海鸥　朱章齐　贾　静　顾大飞
孙秋远　吴　聪　邱德江　罗华兵　龙河花　金方丽　刘元飞　贾朝亚　张　焱
李　莉　倪明菊　冯家艳　赵　亮　李佳佳　李　霞　景立明　梁　浩　简小伟
潘　艳　李黔沐　张　群　李　群　胡　珊　陈　静　刘　梅　冷松育　冷启剑
杨红云　何建军　周　琴

三（3）班班主任　潘光会

刘　坤　周纯吉　李大松　吕　美　吴美林　娄碧华　潘　勇　宋洪伟　朱仕俊
唐　敏　潘　娜　张　翔　张小燕　潘家吉　彭兴宁　冷小艳　黄代权　汪　建
罗　婷　刘建军　胡银富　潘富凯　刘　慧　谢建琴　何　意　骆科燕　王于琴
刘晓鹏　刘　静　蔺正娇　陈　竹　袁小波　赵　丹　潘明星　彭崇海　杨　松
喻建红　袁　韶　潘家军　罗荀军　李文林　杨东江　刘万群　杨　武　余代芳
杨家斌　王佳佳　肖　凯　董　毅　杜　昕　蒋贵红　陈永兰　罗照洋　唐庭飞
李少龙　娄方凤　黄倩萍　陈　科　袁　凉　潘光花

三（4）班班主任　王静

吕　扬　蒋　洁　李　恒　陈　婧　王　顺　沈　杨　宋　佳　唐　树　陈常梅
陈　秀　赵　斌　杨艳坤　吴　迪　李　丽　罗　静　陈闽竹　胡　建　岑忠祥
李小龙　代　坤　万　瑾　王　晶　周福燕　刘　俊　吴小飞　周昌美　杨　诚
牟　飞　江　熳　冷安辉　刘　星　范　劲　任　香　秦明扬　李明星　陈龙飞
刘　犇　杨俊珑　向　前　谢玉顺　谢玉富　向仕海　彭华娟　吴　双　赵大春
韩小顺　邓　熙　冉　欢　袁皓玥　胡　松　李微玲　李玲利　兰余利　罗　彪
唐　娥　宋洪红　倪　梅　周叶舟　王碧娇　贺小波　刘　梦　许　源　宋　飘

袁　涛　黎　松　罗　穆　陈　瑶　唐顺娇　冯　超　石　欣　张　琳　谢玉昱
张　涛　卢荣志　陈　阳　胡声伟　蒋杜华　杨　黎　熊安妮
三（5）班班主任　陈清玲
刘　涛　张　平　姚　瑶　顾凡雨　夏泰林　黄　伟　王　佳　冉　婧　张　露
荣　超　罗陶陶　闫　红　周　杨　孙浩森　倪　媛　刘怡祝　谢进春　于春旺
朱文峰　倪　黎　宋　杰　左晋吉　杨　威　王　静　王文菁　彭李君　蒋泰鸿
袁　森　刘　卫　王　倩　薛　倩　覃　朗　陈　鹏　杨俊林　邓　钦　李大丽
邓　婷　赵小蕊　倪　浩　谭　文　黄钟山　蔡　娜　刘　丽　唐贤文　王远基
石　瑀　蒋　建　雷　颜　周一鸣　倪　伟　庄　勉　冯翠萍　苟　伟　周　峣
周　磊　岑忠生　杨　毅　杨俊琴　张劲松　唐　梦　代　俊　卢　福　吴　婷
毛国顺　张　翼　胡　晓　张辉艳　陈清秋　陈清泉　黄　松　彭　俊　李兴学
田　俊　刘华毅　洪　彦　田　秋　张荣清　马仲元　唐　韬　杨　坤　张弛钦
倪德兴　赵　兴　李显勇　刘跃苹

1950—2013 年瓮安中学高中毕业生名录

1950 届
曾庆鸣　肖天柱　杨伟群（女）　曾庆书　李万钧　戎家祯　左全安　刘福森
王道一　余光国　冯应明　杨举柱
1951 届
徐以权　杨昌煜　吴在明　张承旭　甘晓容　甘勋发　陈世芳　芦玉屏　戎家祥
1952 届（是年起实行班主任制）
班主任　袁绍喜
杜继南　丁健民　任达远　陈举民　任永学　谢德君　何孟超　费自远　周述忠
丁锡钺　胡学贵　郭宗德　刘德兴
（之后高中停办至 1958 年恢复）
1961 届
班主任　熊翼盛
邱跃松　刘进贵　刘支举　刘永荣　张蓉己　王明书　曹俐俐　陈世屏　王振东
王洪儒　李大成　贺遵铭　周元友　邹宇培　王明忠　曾启益　蒋宗仁　何知品
牟堂海　程先智　李德辉　徐必昌　敖洪书　钟毓惠　丁雪沛　黄祯华　熊跃廷
孙礼芳　谢学文　赵正文　熊应和　文光智　李　琴　罗贵书　田维民　罗守文
罗寿云　李仁福　黄万伦　杨大洪　陈俊明　李松年　刘基华　丁丽华　谢忠富
喻忠海　胡芝学　田祖国　王益书　彭连方　宋泽义　王复勇　庞登华　庞金富
周述珍　傅仕策　杨　暄　王烈钧　王惠仪　张　平　李大钱　杨承贵　李大光
王维先　谭思敏　胡星刚　胡星奎　刘文深　刘开文　孙文彩
1962 届
班主任　徐乾麟
林长云　吴仕远　陈颖娟　曹延松　郑维錫　张惠玲　徐万玲　夏仲银　李　林
张若月　聂清娥　李荣良　刘承英　谢介明　李荣富　倪帮加　李炳志　曾雪岚
罗云仙　李君莉　华国庆　龚逸群　聂继娥　刘开祥　何天才　刘　惠　宋錫水

王泰华　蒋丕经　何崇开　付继中　熊华昌　郑继德　熊兴楚　吴治平　刘儒贵
田应学　朱大森　陈德贵　徐大学　胡祥辉　张显仁　陈昌业　刘治帮　付滔华
尚兴文　李兴国　彭振奇

1963 届

班主任　毛家俊

周辉祥　王化莹　王维刚　刘忠义　冷启中　袁家伟　马耀银　曹维浩　李国忠
尹素珍　顾肇洪　尹昌宗　刘开祥　谢介明　冷登亮　罗守文　王成忠　彭连方
黄万能　范群炎　胡之学　周述珍　丁丽华　刘廷琦　孙礼元　张显忠　陈德贵
胡莲坤

1964 届

高三（1）班班主任　李贤福　高三（2）班班主任　姚永鉴

辛守诚　钟家德　王昌德　张庆明　董进东　杜启磊　唐朝明　李国一　陈逢金
许梦鲤　王承林　陈宗志　胡朝信　陈绍周　陈益生　曾宪华　姜淑艳　王淑兰
陈金姝　王啟惠　阳桂琼　向贤富　刘泽容　刘康德　付荣华　汪炳彪　吴万文
戎　彪　王泽礼　高昌平　吴方明　兰天权　彭跃均　丁朝万　周德明　王荣武
刘正权　宋炼成　向永兰　廖啟祥　熊跃进　黄栋碧　张兴华　黎兴福　谢德寿
张有富　瞿地坤　周元发　潘启仕　陈忠仕　白绍澄　向志荼　陈友明　李绍华
管凤飞　宋泽书　冯兴华　任明发　齐祖亮　施厚昌　王荣成　彭光均　姬庆山
雷啟碧　王泽礼　王中发　廖金荣　唐朝明　梦开祥　李吉才　吴玉珍

1965 届

班主任　朱文模

何　瑛　聂庆碧　胡元荣　姚学贵　樊理书　冷继琴　许黔灵　张若玉　袁子惠
陈文俊　胡朝芸　龙淑芬　周辉菊　袁云屏　全　谊　范一平　周清荣　丁增孝
任开荣　谭敬昌　李应群　许开敏　邹学中　张正群　王开余　韩学龙　李庭举
罗兴炎　吴国科　陈兴福　周远双　华胜利　王成中　丁常宇　苏永福　李茂林
宋泽江　廖启平　袁安贵

1966 届

班主任　黎师韩

龚晓烈　宋华舟　李祖清　徐伟益　戎筑君　钟才湘　杨昌荣　付德康　黄慧松
闵国兴　袁仕庚　胡长生　李报泽　李　湘　付仕和　刘宗敏　曾孔祥　李德珍
彭启英　谢光明　何明发　李庆忠　王秀璋　万兴林　杨俊群　黄福生　陈大远
胡玉珍　蔡仕竹　宋瑞生　何玉华

1967 届

班主任　李贤福

刘泽碧　唐朝林　王金荣　郑绍忠　华和平　丁惠松　董忠烈　张文明　周厚群
盛文献　王德扬　王章林　王明杰　潘昭云　段君林　王复友　犹永俊　王德明
谭维伦　安之英　田应吉　金邦奇　曾　华　张伯友　陈碧华　李运华　王治钧
皮明义　方远琴　曹维录　黄扬平　王朝权　廖明才　杨惠碧　刘德富

1968 届

班主任　朱文模

管金玉 尹素英 蔡朝伦 李德华 陈廷友 周永明 皮富忠 宋锡群 何碧书
潘杨永 丁丽仙 杨绍华 刘泽珍 左业舟 郭德祥 杜继刚 黄贤珍 李大学
杨廷轩 黎祖群 张泽云 王碧珍 陈禄中 张天学 张宜华 高国富 李家松
陈邦奎 左仁礼 杨均才 张进华 邱跃东 邹玉龙 谢祝云 刘安碧 陈泽玲
贾思菊 胡朝友 周钖利 魏祝云 蒙大德 王桥林 杨立兰

1969 届

班主任 熊翼盛

黄祖廉 唐连智 犹永平 贺思荣 景应权 陆龙海 敖洪昌 李正强 胡远志
赵惠英 宋锡伦 胡 荣 刘泽华 杨光平 卢光明 张凤金 敖洪益 王金贵
龙金书 谭德珍 饶德珍 饶德先 黄 荣 朱代伦 周 云 吴武华 王木森
罗开发 徐天明 杜开兴 喻以祥 王松林 胡守玺 刘德权 贾治荣 甘宗仁
陈宝其 李汝华 田景龙 陈绍发 石让全 陈绍海 彭启珍 周明忠 陈隶培
胡良万 吕银堂 杨德强 张传美 罗中平 陈禄才 陈家学 聂奇敏 朱荣贵
易光文 况志华

1970 届（停招）

1971 届（停招）

1972 届

二（1）班班主任 黎师韩 二（2）班班主任 李贤福

黄光碧 张桂凤 陈左琴 梁翠艺 张国庆 陈文书 邹群英 王兴荣 付 芸
刘黔芝 兰远芬 王义书 张琦云 赵任华 龙治群 陈留勋 张胜伦 胡登邦
李廷亮 刘培书 吴洪友 梁隆兵 余天学 王春泉 杨大海 陈治国 王金贵
陈禄贵 杨 彪 王开龙 张安云 张兴贵 袁子才 曾朝贵 黄栋贵 蒋自力
钟泽宇 李治明 吴文富 谢承宇 邓荣立 杨秀华 杨淑先 戎家菊 兰兴友
李世军 李政新 季筑春 唐瑞玲 王翠萍 倪玉萍 张庭珍 李吉碧 王启珍
杨胜碧 汪礼芬 周志才 吴志军 杨再银 朱臣祥 王素珍 潘家华 任正援
胡益萍 许兴建 易惠琼 任晓华 雷国志 李当学 朱德怀 刘仕刚 费锡猛
孙少平 赵保平 赵德明 聂启友 唐怀荣 何志贵 蔡远新 戴黔凤 王元学
向昌贵 廖泽惠 李仕忠 邓国华 姚本华 杨建文 吴宪忠 吴超平 赵仕华
赵泽宇 游学祥 张儒伦 肖水碧 张胜伦 洪兴德

1973 届

二（1）班班主任 余国民 二（2）班班主任 黎师韩

二（3）班班主任 罗洪祥

杨官志 熊席忠 张兴祥 杨正其 刘绍魁 梅小菊 饶绍荣 李禄忠 申修富
张永辉 杨兴伦 唐家才 蒋永富 方天学 邓国会 宋泽富 兰金学 任国学
张明飞 卫国亮 毛彩明 郑舟祥 龚家华 郑显平 唐建华 陈启文 王成华
郑舟华 王治海 郑以富 刘廷友 袁泽义 张进红 代元书 梁 军 黎祖智
李 华 赵泽书 杜定全 朱章荣 李光辉 牛庆菊 周治平 曹玉珍 赵明星
陈家忠 刘儒全 李绍明 代能寿 刘玉平 兰永錫 蒙应举 顾绍忠 周明学
王芫蓉 王登祥 王碧珍 代洪平 叶增光 唐广益 亢德勤 马朝刚 傅方宇
宁顺华 卢清静 刘成福 刘建华 汪才兴 何林荣 何德才 杨知华 杨淑军

谷云方　谷生林　任华江　陈文彬　陈仁碧　陈合伦　陈全福　杜文德　李家友
李福祥　吴大琴　吴卫东　刘文海　周乐康　项文莫　郑治方　胡黔芳　张莉平
张治华　张榜样　姜大国　黄祖贵　黄福仙　黄福伦　顾大忠　顾吉发　蒙应恒
曾顺芬　廖金祥　彭开忠　岑化贵　秦光华　漆明贵　瞿生扬　谭显能　谭国扬
李霞春　黄训奎　张连军　黄平高　谢亚平　张万碧　赵仕俊　徐金鹏　姚思兴
黄德刚　柏全福　张贵平　张燕祥　张福元　刘顺荣　倪光伦　犹永会　庄鲁黔
谭显军　陈明祥　龚晓明　滕久阶　杨巧高　李跃华　李书林　袁亏生　龚远华
兰丽祥　廖翠兰

1974 届

二（1）班班主任　李贤福　二（2）班班主任　王忠华
二（3）班班主任　张国荣　二（4）班班主任　谢朝军

唐忠碧　张连云　杨兴祥　彭光正　刘志忠　汤天敏　况明刚　杨显华　雷兆明
刘元碧　马延忠　周胜华　周玉书　谭敬学　任家祥　张胜华　张光华　犹永坤
兰　军　刘文军　李巧珍　刘惠毛　胡朝映　张兴全　胡黔荣　赵粤敏　羊友生
王少碧　郭海照　李大会　唐国民　邓云富　李银辉　谷生洋　王玉祥　辛春荣
田德华　徐泽民　邢昆明　谭　泉　刘如全　杜定全　朱模忠　唐文先　周　平
蒙晓芬　彭祝奇　王小兰　何大忠　曾光灿　杨录高　袁良军　谢培忠　杨丽萍
袁启艳　潘兴奎　商多友　严胜利　张先平　毛荣菊　蔡伟生　冉银会　邓三忠
陈维启　白启文　李永芬　蔡泽书　雷应武　况国发　罗碧荣　邓顺芬　欧家均
田德珍　廖启荣　李长江　杨发生　李光华　倪忠友　李加贵　聂启香　蒲光高
张　松　江苏贤　秦德勇　夏志书　肖维碧　杨通源　倪祖学　张绍连　段天祥
何开义　刘　健　代黔瓮　阳　敏　周英序　刘平菊　邓正伦　孙光贤　袁敏群
代洪燕　章功菊　闵明理　庞文斌　唐光会　廖泌华　袁良金　兰荣亮　梁启木
方光富　李仕华　方光友　孙　惠　付应举　陈学贵　乔贵平　李洪永　李长明
周正祥　杨　忠　王小玲　夏锦书　张正勇　潘国学　杨开财　晏洪发　李金国
王六九　陶义忠　王章禄　郑伦贵　聂明勇　阳羡琼　杨　彪　余豫黔　周双林
黄廷忠　高建明　卫坚贞　周朝举　陈应中　王桂林　王松琴　杨怀书　李景昌
李善德　兰绍举　丁常荣　周车林　杨选华　梁正才　王雪飞　雷錫琴　兰兴成
胡　华　任远华　卢昭华　李再兰　潘玉华　尚多安　林泽远　犹志修　阮文书
王应祥　刘翠容　朱万春　胡先明　罗国善　王玉高　张洪娥　黄国碧　郑万忠
李绍银　韩玉平　王绪武　陈天祥　尹庆林

1975 届

二（1）班班主任　彭家寿　二（2）班班主任　黄明高
二（3）班班主任　余国民　二（4）班班主任　黎师韩

罗邦京　王治贵　龙德福　卢方书　兰成荣　向兴林　杨筑萍　李洪久　龚慕霞
龚　伟　赵承国　石　燕　杨廷友　万前富　张群义　胡益林　王明思　张登敏
张　林　段　炼　腾　军　李天恒　龚慕霞　王苏娅　李双琴　石晓燕　高玉群
杨碧芳　胡立英　韩予湘　毛筑安　国荣霞　刘云化　秦远征　王帮碧　杨剑英
何崇珍　罗教碧　张爱华　胡桂芳　李荣莲　李天学　周西敏　王永智　刘盛琴
孙　玲　刘　惠　陈　琼　李　萍　闵　艳　刘亲伟　蒋正平　李宪辉　彭发轩

杨忠华（余缺）

1976 届

二（1）班班主任　谢朝军　二（2）班班主任　汪宗淦

周元书　赵仲才　张福安　刘飞祥　卢碧忠　黄维克　兰中会　苏开祥　杨跃兴
李德祥　李志伦　黄远才　刘贵霞　龙泽志　韩群祥　冯桂林　田德荣　陈　谦
薛　飞　唐庆富　王友先　闵陆英　李代碧　何仕华　江登志　黄凤刚　肖平禄
吴华忠　陆学芳　陈忠明　樊启育　张莲芳　罗荣琴　孙国曼　陈德禄　韩忠琪
唐文才　邓安明　董云才　陈　明　赵应珍　郑　红　肖　琴　曹地明　梁受文
陈文平　熊　梅　李双华　倪化伦　熊亚群　邓维兵　赵正峰　孙树贤　张　敏
李素琴　刘丽华　闫贵福　范正琪　陈启华　胡志刚　宋泽萍　刘菊芳　张兴福
王正华　杨兴远　邹奎亮　张立胜　刘朝嶺　魏天学　张登莲　蒋　刚　王元祥
倪　刚　姜贵东　江显清　卢从英　刘志平　李兰英　刘泽华　类义帮　刘祖武
吕雪梅　金学云　罗朝菊　李扬惠　陈贵菊　李　红　庄鲁进　陈碧琴　张　隽
曹桂英　周治荣　黄　松　代绍贵　李贤萍　吴进珍　卢　泽　王文菊　曹玉琴
周英伟　李洪文　田茂祥　唐文辉　杨通平　李承书　陈仕荣　时群力　彭华前
张建萍　王忠明　方忠贤　张贵黔　周厚前　肖水利

1977 届

二（1）班班主任　余国民　二（2）班班主任　熊翼盛

二（3）班班主任　罗洪祥　二（4）班班主任　向义文

二（5）班班主任　马跃银

吴才华　罗亚丽　徐洪品　何德平　李治伦　方光富　彭跃丽　谭英杰　韦忠云
何黔香　喻荣珍　余厚先　雷应菊　钱世华　饶明珍　卢继泉　崔建华　黄远生
曾国仙　张世进　王华祥　喻兴莲　曾凡碧　张朝碧　吴运河　张群惠　刘继瑞
杨祥禄　黄先林　吴世明　简思才　李贵平　孙　红　洪家进　戴官华　张芝仲
肖显琴　郑应碧　兰银英　梁云霞　张志宽　陈世芳　杨代明　高兴友　王富英
董德益　夏志书　张绍莲　汤兴禄　陈泽玉　胡　琴　陈德珍　李肇惠　赵正华
舒极昌　敖德举　胡益华　赵　琴　余玉芝　肖仕惠　龚利利　毛荣碧　李仕荣
冷洪贵　张远荣　龚晓萍　张晓红　潘跃华　何仁全　赵仕英　王维书　刘作惠
李存碧　邱龙高　杨昌碧　任应琴　任建华　袁仲华　陈文英　王再荣　唐广惠
王志成　王基明　石安才　王　英　汪声明　刘满华　吴　群　兰才义　倪祖明
卢　松　谢啟仁　马　荣　熊昌贵　王利平　丁　万　朱光琴　彭正碧　任帮碧
王明祥　张爱萍　杨正奎　周家华　夏书萍　舒家全　王德学　欧　健　张维富
王玉祥　费舜芳　刘伦高　刘　刚　犹　华　邬培祥　唐广丽　李润荣　王秀峰
费天杰　刘作易　杨胜泉　向洪碧　杨雨前　石　明　李光华　姜桂彩　毛文忠
王少均　王永惠　王世忠　王兴黔　王素梅　邓正伦　倪大海　倪忠先　戴永祥
刘平飞　刘金菊　李大琴　李立菊　李碧成　李应琴　李志勇　邹学英　杜元明
陈大荣　陈云兰　陈世碧　陈华银　陈俊华　张廷举　张清荣　宋錫惠　夏锦仙
胡黔明　赵世尧　凌　伟　龚家贤　唐光前　唐顺武　唐连礼　陶义奎　徐德菊
曾　敏　黄　健　袁朝奎　喻友仙　蔡成良　蔡泽仁　谢兴建　谢兴毅　兰碧荣
谭联忠　潘兆祥　龙玉华　陈绍兵　戴洪飞　刘文发　卢益俊　肖维康　陈应国

苟福荣　刘志琴　王传泉　程大庆　李才荣　胡玉松　吴道琴　李建军　王本元
赵华忠　刘忠祥　冷德方　闵正明　徐智元　向祖文　况兴林　马龙英　谭连英
刘朝英　罗增富　兰金仲　杨　华　简思颂　戴高平　李开荣　冷强武　蔺廷贵
王　菊　邹吉仙　陈贵英　刘志琴　陈应红　冷啟勇　杨田富　丁宁忠　杨光华
罗跃德　黄志勇　袁仁群　宋錫义　谢　忠　黄　龙　朱扬平　彭永华　张绍菊
简儒珍　田景碧　唐发珍　朱应碧　苟正德　许兴平　李文敏　徐家海　杨春孝
汪礼安　王跃乾　冯文芳　张廷华　邓丽平　袁坤英　张世英　杨光荣　罗朝祥
彭华科　朱敬民　刘正海　李景碧

1978 届

二（1）班班主任　张世忠　二（2）班班主任　徐乾麟

二（3）班班主任　谢朝军

孙仲时　李文军　卫国强　邓瑞新　邹　丽　闵路明　曾光善　李　华　柳晓英
胡　刚　李建林　王玉平　王贤光　李子忠　毛　惠　丁丽娟　朱明琴　丁家友
杨正贵　张　伟　蔡强生　杨胜林　朱胜荣　孙　谊　张　沙　刘群英　江登菊
吴明碧　黄宗敏　毛　敏　王亚琴　赵桂荣　冰碧仙　邹学萍　何黔荣　谢亚颖
陈文先　彭远珍　倪大光　郑继华　冉如林　田应寿　庄鲁平　潘　玲　饶太平
张明先　王荣科　陈学敏　欧家均　周凤琴　吴艳芳　丁丽雪　罗小平　张永珍
金秉先　肖　丽　徐永才　王荣基　赵光洪　王明刚　陈显学　谢搅吉　谢国文
莫　翔　辛守宜　任家常　罗明贵　杨莜平　李建华　滕文康　刁建忠　王小慧
王开怀　王再祥　王吕芳　王维才　田茂胜　刘卫红　刘仲恩　刘光明　朱代奎
朱明秀　孙　敏　陈惠娟　陈良才　陈建州　陈美萍　陈能霞　李亚芬　李兴珍
李明书　李嘉成　吴克明　张庆明　杨文全　杨丽萍　杨昌琳　杨润荣　况正菊
何伦祥　何崇德　周　梅　周西美　周家祥　罗建国　郑楠平　金正永　胡　兴
赵泽平　赵丽琴　徐显碧　唐　敏　袁　军　袁映霞　陶安琪　顾大贵　董友碧
雷　莉　谭小平　熊　惠　蒙应娥　潘德珍　代永林　丁　敏　代刚良　丁常林
李志强　张远明　兰维安　李　琪　孙国权　李继华　顾小福　吴进华　孙代富
饶绍琴　钟凤琴　张念先　华学菊　王绪琴　吕建惠　程　碧　宋锡刚　王　仙
蒋　建　李建国　李景兰　邓发开　景　平　舒远翠　罗长先　李书群　黄志平
罗碧书　李辅荣　李孝碧　王永志　李永生　彭发菊　蒙大琴　周正平　汪礼霞
吴忠英　张汝英　罗玉科　杨显武　彭国奎

以下肄业：

张桂凤　商崇林　张　蔚　彭国先　陈仕英　黎光荣　卢树轩　陈国志　景明珍
兰明友　兰永福　何昌林　罗再明　金德友　袁映霞　饶绍琴

1979 届

二（1）班班主任　李贤福　二（2）班班主任　朱文模

二（3）班班主任　彭家寿　二（4）班班主任　向义文

史继琴　夏传志　丁常敏　吴　龙　李良奎　张永祥　董玉高　赵仕会　吴吉会
朱成莲　冷雪艳　周雁翔　聂正其　董啟华　王国志　黄朝仁　陈兴远　潘金明
龚小山　彭金秀　石正荣　夏锦荣　吴定娥　康定坤　石帮英　罗建文　刘荣英
高燕平　肖维勇　吴道平　陈友祥　江家华　潘光菊　冯明前　陈明先　王吉国

陈　益　熊树琪　赵开奎　邱省先　李素碧　兰才祥　唐广祥　聂万群　任华莲
王永贵　杨丽萍　潘映霞　胡林祥　盛邦祥　王远高　柴承永　李家会　何崇碧
张登宇　王中先　卢昭鲜　彭　梅　姜翠兰　李泽琴　李天权　陈登国　段　冰
王伯友　舒家荣　桂　琼　王晓荣　龚丽萍　郎永林　徐朝松　彭松年　犹　忠
黄亚飞　黎　明　李桂菊　王　燕　梅荣菊　伍海云　潘　明　韩继琴　范良敏
曾吉梅　倪　燕　潘美华　沈德芳　肖维莲　罗开宇　陈　碧　黄　文　潘玉琴
邓邦忠　柴汝健　刘切平　蔡泽刚　宋錫近　袁正斌　宋錫琴　朴小琴　代永琴
聂　琴　赵润英　蒋福林　郑继英　蔡成叶　蔡成惠　罗德琴　李　芬　明正祥
孙晓娟（余缺）

1980 届

二（1）班班主任　余国民　二（2）班班主任　徐乾麟
二（3）班班主任　李惠超

潘光军　陈维堂　左　奇　余吉东　李文成　蔡远利　苏培楼　商涛章　李洪伟
陈　涛　刘　平　刘大洪　金邦立　王小勇　黄小平　王秀山　杨康晏　邹　旭
吴　屏　王　勇　谢　兵　毛模湛　倪祖尧　李文义　孙绍惠　陈进红　罗亚琴
关晓燕　高志荣　陈刘毅　吴明先　毛　萍　李书林　罗　平　王翠灿　黄雪平
熊　丽　孙　强　祖　模　王吕荣　熊　培　徐　琨　张　娟　吴宗琴　任　琼
石小玲　宁　竹　李晓燕　杨建琼　李晓燕　李昌军　罗　勇　丁敏生　黄栋全
李景恒　杨康晏　胡宜兰　谢承德　余惠平　张　琳　冷　林　陈泽辉　王泰伦
黄山（余缺）

1981 届

二（1）班班主任　刘正权　二（2）班班主任　刘康德
二（3）班班主任　黄明高　二（4）班班主任　汪宗淦
二（5）班班主任　向义文　二（6）班班主任　王忠华
二（7）班班主任　余国民

杨正权　毕　军　曾德明　吴　梅　王芳友　龙金贵　王家荣　犹品高　刘清平
徐大军　黄栋祥　犹家仲　刘长刚　颜可和　余应梅　龚国兴　单灵华　王承天
王　平　冉茂怀　韩增良　欧廷学　胡文书　张福强　蒋忠远　李质华　陈国荣
陈华明　吕贤贵　刘长平　黄雪松　余天权　杨福忠　沈寿方　曹　红　李志荣
马银华　罗凌云　闵国胜　李子忠　周太奎　冉瑞林　祁连州　文　会　王定礼
方国利　罗应斌　杨　东　冷德军　闫　江　张　弘　彭润英　伍桂华　张兴灵
李洪加　肖媛莲　赵　勇　王元芬　向祖武　李德军　魏錫开　杨昌敏　岑德友
吴明忠　向宏超　莫祖立　雷　鸣　张永久　蒋永初　熊　辉　朱廷磊　刘云英
颜德林　陈　洪　朱红英　杜雪艳　田　华　田　川　彭学忠　廖　勇　邓四平
田　萍　冯桂露　刘卫星　陈一芳　王大奎　张百芳　肖德安　周　安　廖志平
谢兴林　梁大忠　杨家云　朱光学　帅金芳　孙丽霞　夏书林　孙华忠　熊荣兴
曾祥贵　朱世忠　余康平　杨绍洪　袁桂琴　江　琴　赵贵平　袁永惠　王　丽
张廷裳　韩双念　张　静　陈贵琴　苟连英　杨　静　毛　惠　吴吉梅　李志莲
吴升菊　潘丽华　李水洪　蒋兴群　张金奎　朱成瑜　任应宏　左明华　胡长军
岑德书　陈华礼　苏孝奎　周国祥　樊啟燕　兰文富　王　建　余崇英　王文平

范乾芬　刘淮兰　邹学礼　刘志富　罗玉禄　陈德英　黄　琴　胡　连　周喜琴
龚大伦　张富敏　陈春燕　段世荣　陈家龙　朱玉英　唐文锐　郭贵容　邓顺菊
李成惠　韦惠会　刘正荣　刘志惠　张维伦　李应谊　兰定国　杨　琼　童礼荣
张林菊　高　露　聂明菊　余田芬　刘　红　赵　华　伍国发　瞿仁华　王振金
刘昌贵　冯永红　胡　静　张和丽　许修菊　王丽红　陶　丽　金远明　石国林
何　斌　江登仁　邓传华　陈德康　黄文兴　邱金正　肖秦华　徐大贵　王景鹏
王　惠　王碧录　张国伦　张承江　刘艳玉　李珍华　肖　前　代　世　冷德超
康定芬　李保珍　杨正萍　王　军　安　宁　龙万惠　陈国华　刘维莉　商正华
钟　琼　谭　政　刘　毅　刘　健　郭国忠　李跃辉　黄俊松　周宁全　吕　平
周厚福　陈　琴　李培根　陈开梅　卜金荣　邓廷军　石正敏　袁　敏　刘艺红
王绪坤　秦正莲　李文远　唐　忠　张和松　罗庆忠　黄雪平　齐明祥　潘兴忠
余启书　徐　华　杨幼平　左才贤　邓安文　熊善会　曾昭俊　陈建平　王隆俊
刘小庆　徐家良　易利亚　杨兴贵　严　丽　宋应平　熊敖辉　陈善福　景明奎
黄吉国　刘　羽　李文萍　王观玉　丁青山　罗杰全　伍尚琴　胡桂凤　汪礼兰
连祝昌　杨　蝉　石　伟　黄　麟　王道兴　王华蔚　徐安碧　邹宇平　张碧宽
宋新民　蔡国海　徐镜明　陈育波　秦影军　孙仲坚　杨光友　杨永先　康　琴
邓陆英　杨继松　胡　军　陈友华　黄承杰　卢崇友　黄国友　彭发亮　蔡华频
于　斌　徐显才　代林荣　朱明祥　刘伦祥　唐历法　兰美刚　邱金万　王先光
陈万学　秦志英　文久惠　肖维富　杨富尧　丁明祥　符　华　莫　龙　黄桂明
林青华　罗桂华　夏洪明　杨映辉　廖瑞平　郑　彦　刘光健　余乐全　宋应兰
欧家祥　欧阳爱萍　万举荣　杨珍珍　肖生荣　杨昌龙　朱盛兰　李文静
杨德权　李仕洪　张忠发　吴明英　邓岗书　潘小琴　熊启书　周元录　陈永霞
田海芳　广万群　谭爱碧　周庆明　谢贤成　黄绍宽　罗明菊　姚明采　刘　序
王　忠　邓荣会　金德丹　焦跃进　兰小东　朱仕罗　任开忠　刁文举　张邦武
潘玉华　王应红　李秀巧　郑志先　曾秀英　黄　梅　周荣会　李茂霞　黄祖德
周树伦　张登举　胡德高　罗荣华　王华伦　吴世碧　冯福平　张廷平　王　强
黄菊荣　罗忠勤　李明高　李碧安　李应红　曾祥菊　郭　毅　卢章祥　文玉荣
杨吉军　徐孝均

1982 届

二（1）班班主任　彭家寿　二（2）班班主任　李贤福
二（3）班班主任　吴文会　二（4）班班主任　谢朝军
二（5）班班主任　黎师韩　二（6）班班主任　杨德镛

李文碧　童　艳　刘之富　任德友　杨正春　汪　燕　东　方　张贵停　陈　萍
王承均　程文菊　韩增荣　黎银凤　胡章德　吴　祥　徐德富　李儒武　余应全
冷国辉　曾吉凡　肖忠华　肖克娟　冯时荣　李永先　吴家玉　王春平　谢升祥
汪家志　王　刚　万光洪　徐本林　张德舜　刘文祥　潘金洪　谭　强　杨信勇
王正奎　潘　霞　王绍军　杨华学　曹福庆　刘长富　刘兴华　犹永国　李义全
陶代贵　夏锦富　马永廷　陈忠心　李富豪　陈玲芳　胡全强　王德书　张立明
刘昌华　李明祥　罗　亚　兰泽君　宋昌友　陈继迁　任　立　李绍忠　王德荣
郑绍林　王志萍　龙泽书　张登伟　于　雷　王开武　刘国祥　徐朝美　黄菊惠

赵国荣　戎珊珊　刘正华　吴定能　王远辉　何亮平　吴明兴　张承友　任华钧
陈云钦　罗仁贵　李家贵　陈泽书　邓恩华　田应华　邹吉军　李永俊　张群飞
杨林忠　孙代林　王成刚　顾绍钧　顾德富　张玉金　苏　琴　闫瑞萍　邓帮华
刁建民　申道奎　朱文友　朱成帮　姚正发　李继文　潘兴宇　辛春玲　刘光菊
吴明富　吴帮兴　赵小龙　李碧富　吴　静　罗学平　高显涛　贺丽霞　徐明芳
张泰平　王怀德　钟云华　刘玉堂　蔡仕平　杨庆福　王国和　商东生　周辉刚
张维祥　李成会　彭　丽　李优贤　周厚平　谢绍明　饶德华　毛世奎　杨光钧
赵修平　杨育高　戢第宽　蔡天益　王劲松　罗吉春　陈小静　陈德伦　田景刚
张元利　华万书　张世超　戎晓松　安德辉　陈　艳　贾朝永　熊坤米　廖少财
张　骏　华学友　杨再利　肖　敏　文　慧　王文国　王忠跃　王昌华　王朝科
毛光书　毛绍君　邓光中　邓祖祥　宁孝伦　方廷忠　冉　春　申月华　华仕红
刘凤兴　刘廷奎　冯泽荣　何　祥　吴正文　吴远林　李　林　肖志刚　张友权
张以森　冷时荣　陈章会　陈杰忠　陈克宇　胡廷洪　宋　杰　金正贵　卢怡学
唐广清　梁龙平　杨正菊　徐本菊　黄选军　蒙应菊　聂其康　熊坤平　蔡成军
谢国友　彭发富　潘　华　李建平　欧阳辉　唐　惠　王　梅　袁兴群　杨秀连
余怀林　陶文祥　龚兴华　龙素荣　宋锡山　熊品仙　诸维宣　韩玉仙　张　枚
彭光芝　潘德江　夏志富　邓朝彬　张德友　张仕贵　钟永富　方崇禹　王建军
毛荣多　丁建生　苏远琴　刘　飞　张正荣　杨　进　高绍龙　向赞雄　蔡贵奇
闵国忠　冷祥平　唐建明　郑　燕　王开志　谢朝举　陈刘愚　雷应刚　周天英
刘芝碧　胡正坤　李家举　张友万　陈永安　杨兴权　刘萍英　毛以平　李　忠
袁永凤　向禹仙　朱　林　廖东江　孙　智　邓庆禄　周炳全　周明军　兰胜举
牟　涛　陈　丽　王贵琴　丁煜生　吴　杰　雷胜芳　梁　竹　杨幼君　石昌玉
姚　巨　郭　蓓　黄　静　邹学昆　杨汉全　冉义忠　陈仕平　罗　玲　胡　湧
雷　鸣　刘胜军　邓云贵　张廷华　君俊生　谢琳玲　胡天燕　李英杰　刘莉华
倪祖万　朱淇涛　陈春兰　周　康　石重友　徐　玮　闵　杰　汪　玉　雷　静
杨兴茂　曾晓丽　秦　岚　袁晓桃　曾宪明　秦　忠　李　健　张小英

1983 届

三（1）班班主任　张世忠　三（2）班班主任　余国民
三（3）班班主任　黄明高　三（4）班班主任　孙　玲

王其先　刘　莉　张小瑜　王艳华　吴树红　熊海燕　朱　健　曾　江　薛文涛
张应龙　舒俊江　向　宇　伍　斌　单春华　刘志春　邹　磊　黎鼎刚　熊　伟
陈贵平　穆永才　刘　洪　梁正江　罗友军　熊孝武　范良松　王　进　李天元
曾光丽　唐成坤　李景辉　高登武　倪　伟　石安刚　龙　苏　黄雪瑶　郑　梅
陈辉发　王国才　胡　群　谢培琴　李　智　王小华　汪礼春　卢锡坤　左天民
赵文科　李　琼　许兴荣　宋尔贵　付昌喜　张　岳　黄中林　王　海　倪天琴
蒙小红　杨　红　安　平　卢　维　刘曲海　桂许成　严　立　夏光忠　兰新长
谌礼辉　杨昌俊　倪兴云　杨士军　陈　斌　史昌平　曾顺奎　刘顺贤　冯家国
韩亚军　张　华　张学智　丁富学　刘兹荣　王怀勇　吕德志　汪珍翼　罗裕国
张道会　罗　敏　王大军　吴明华　赵清龙　冷祥琴　张国宇　刘泽明　张承宽
黄才江　鞠传伦　黄桂林　韦大兴　周安碧　兰吉祥　唐广翠　王宗祥　周英懿

王先芬　汪礼霞　刘志杰　严国松　唐仕华　张泽华　王应全　罗庆海　刘錫美
杨胜奎　李伦梅　费　宏　聂其怀　姚群珍　王　贵　宋泽伟　姜书英　张　萍
吴凤英　唐　勇　李　平　王　琴　冉瑞金　张君梅　袁雪梅　樊　勇　陈　菊
李四群　罗学梅　杨远林　施银碧　李冬芝　卢芳碧　何喜富　宋治东　王正荣
赵学年　夏　柳　林敏会　张建军　付权昌　张国学　曾祥忠　敖德云　毛光志
谭　梅　王黔玉　陈应先　熊荣碧　顾绍先　张学会

1984 届

三（1）班班主任　张世忠　三（2）班班主任　孙功绪
三（3）班班主任　李惠超　三（4）班班主任　孙　玲
三（5）班班主任　许琴琨　三（6）班班主任　汪宗淦

陈菊萍　闵献国　余　劲　商崇珍　李群芳　徐海燕　刘　鲜　蔡志仙　倪祖雄
连玲昌　李黔峰　宋永基　刘华帮　龙知音　周红梅　张玉仙　高应梅　张　泉
胡朝志　兰登勇　唐　红　毕　红　王兴科　柴汝桃　李宝碧　刘龙芳　宋钖萍
刘兰萍　袁仕文　黄华兴　商正琼　杨胜莲　张志平　高朝金　商　宇　罗　松
陈　红　黄德平　胡德模　洪庆平　杨廷舟　吕开元　钟云学　余明祥　唐文江
赵润生　补华明　徐德智　王成祥　张远奎　吴远香　胡贵安　顾德贵　陈乾奎
黄远学　宋　勇　朱兴元　周江林　孙晓贤　张志恒　兰安健　沈桃高　陈文才
王登超　赵开前　胡德馨　邓正华　孙菊霞　汪　琴　卢　毅　吴厚军　尚明志
柏启忠　黎明进　郑先才　麻继强　葛永卫　孙国永　周志祥　曾祥静　蒙应军
葛诗权　宋志高　徐明峯　闵建华　敖德金　余　江　田　春　陈金学　刁红燕
刘仕林　汪政林　张润琴　易松林　丁　磊　冯树奇　唐连开　李文华　袁正菊
潘建华　郭雄建　犹永光　冉义光　张兴加　高　煮　罗庆华　杜向阳　王培育
邹勋武　周　容　罗友明　蒋　飞　尚广成　文儒敏　陈　美　周元坤　李　梅
胡黔芬　袁仁琴　胡齐文　黄德忠　何平章　钟　成　周和平　徐本富　周绍忠
邓正琼　龚晓荣　谢世学　李继新　兰树平　方国贞　余福生　王　静　王平菊
刘立霞　杨武进　樊佑多　伍正祥　邓德忠　黄　山　蒋永初　龙良海　庞必辉
汪　琼　高　峰　杨建香　阮经碧　张仕茂　罗安荣　安永康

1985 届

三（1）班班主任　李贤福　三（2）班班主任　李长华
三（3）班班主任　吴文会　三（4）班班主任　彭家寿

王　毅　王　昶　王建安　王　立　王大为　王绪红　刘顺允　苏　钟　陈　东
倪天荣　倪　敏　周泽烈　周泽斌　华君团　王永红　汪业惠　章　丽　张　洁
张　奎　张松林　张万碧　张　杨　张治宽　张　宁　李忠华　李洋芬　李秀学
袁愈辉　桂　红　谭志全　谭仁权　秦贵州　梁玉琴　郑光黔　曾昭毅　赵志全
孙祖芳　周明光　李　兵　董延永　甘　红　甘宗锦　田　英　田茂辉　付勤勇
金绍静　刘文晓　邹天云　吴会忠　莫　玲　邓正松　胡武华　胡先兰　孙学忠
彭忠友　陈　霞　兰文海　周福辉　李天友　王成华　王桂兰　邓荣娟　朱明菊
熊家桂　帅怀先　黄桂平　曾庆志　沈忠英　赵应珍　宋锡才　冉光云　戴林忠
杜启胜　任永富　聂正霞　刘　玉　吴兴勇　郑文学　周昌忠　李才军　徐光荣
雷　虹　顾德祥　冉启忠　刘　华　黄　林　刘　军　张顺才　张林军　贺　菊

谢 刚 邹永凯 彭林忠 雷书学 黄吉辉 石明岗 周君伦 李维忠 谢承静
蒋莉芬 周明华 王先刚 毛筑全 陈永胜 秦永忠 陈秀洋 吴礼鋻 王先琴
戎 怡 秦晓青 李 萍 黄 荣 唐 虹 梁 春 石艳发 犹永安 罗晓碧
赖红伟 胡 蓉 石绍兰 徐朝军 王成礼 刘生祥 刘华帮 郭廷才 张显峰
蒋臣芬 陆定文 周英菊 陈 华 陈 斌 杨哲云 童显明 徐时丰 谭光平
贺光权 陈天银 邓国平 刘正先 丁文霞 刘 筑 张登高（余缺）

1986 届

三（1）班班主任 张世忠 三（2）班班主任 杨德镛
三（3）班班主任 陈全福 三（4）班班主任 黎师韩

王 彬 罗 维 胡齐芳 吴 军 袁仁书 杨兴华 李荣强 李大勇 程 华
肖袖钰 佘吉西 王晓红 毛 红 向 旭 陈 燕 刘伦芬 龙 毅 万 军
彭永利 周 琨 向 军 周 翔 李 斌 刘 虎 王绪峻 向建军 梁光辉
赵 洪 罗 轶 唐文义 朱洪成 潘仁辉 侯显惠 张 文 汪中秋 聂 刚
宋 涛 向建文 陈茂军 张碧先 朱 俊 邹 晗 黄 俊 赵 琼 胡会章
蒋文明 张光奇 张友辉 陈发吉 刘之翠 施家瑞 罗招云 陈开燕 刘生菊
乔丽霞 蒋雪琴 马治元 段风祥 蒙德敏 张发友 管晓丽 陈国星 刘正书
黄胜华 余晓武 况 飞 何宁宽 高国先 罗泽美 肖玉柳 朱平荣 李金林
宋国胜 罗华建 王 黔 宋建华 邱成云 宋忠友 伍国德 韦忠富 赵义兵
蔡 兵 杨 权 徐泽华 陈杰书 胡 梅 胡淑碧 何贤忠 李洪燕 张成宇
卢继红 董家贵 刘洪国 彭开碧 田应祥 彭福洪 罗荣平 王松丽 田茂书
龙光明 刘建兵 郭宏杰 何崇刚 龚胜平 毛世琼 王治刚 梁显群 莫利华
郭兴全 犹郭林 宋泽容 王登仙 王友华 刘安学 王贵珍 杨 军 卢 军
裴廷先 邓森碧 丁 丽 邓顺英 邱晓红 贾朝明 王绪刚 徐德富 邓朝芳
徐礼先 蔡 霞 夏锦英 聂奇敏 卢林锋 冯明开 袁远光 袁 江 朱成智
胡 波 周福远 张元红 赵著华 余松林 丁文凯 伍建珍 陈兴华 张顺彪
龚丽娟 江 涛 王小旻 陈 蔓 吴传俭 娄方明 杜能云 王华松 彭 艳
罗华均 王宗梅 田应梅 倪祖芳 韩豫红 周明忠 李 均 杨胜利 犹敦科
高文胜 刘毅华 李 芳 王金华 王惠先 沈德兰 陈小梅 刘长安 宋丽英
李荣秀 武 华 杨 琼 刘丽华 冯 琴 张绍武 李顺会 何老林 李德顺
钟红芳 刘盛智 陈桂芳 施小红 顾小梅 吴海燕（余缺）

1987 届

三（1）班班主任 邓裕和 三（2）班班主任 曹求真
三（3）班班主任 王顺德 三（4）班班主任 李贤福
三（5）班班主任 孙功绪 三（6）班班主任 谭敬昌

唐 辉 刘玉云 李秀伦 倪学毅 熊其江 冯泽友 万 军 彭荣凯 郭 健
刘 进 陆树珍 邓彩霞 王雪萍 戴前忠 皮劲松 杨炬辉 李文茂 贾朝阳
吴定祥 刘 星 龚有刚 李珍刚 张建勋 杨 立 王 晓 曾光明 田应雪
彭艳梅 宋国琴 邹玉莲 向 寰 蒋双莉 蒋双华 李长凤 王用华 龙光琴
金正琴 罗洪梅 周光建 蔡承志 王先坤 杨 雨 犹永立 邓庆武 付启贵
兰登跃 张大荣 张 华 罗 毅 谭国祥 黄大山 李 毅 许正立 雷照荣

王　刚　陈启碧　周均祥　王方平　张显洪　林连斌　金安华　陶文志　张明强
王　进　陈　菊　万坤明　倪福秀　肖忠明　欧正龙　刘昌娅　徐吉美　彭胜红
张庆忠　徐承礼　周太刚　安德义　杨　平　刘　林　朱继泽　吴荣华　杨　艳
成荣江　徐鹏泽　梁大才　况月勇　黎隆均　陈胜勇　何顺琴　魏天赋　安　洪
何永宗　高桂书　李家宏　王　均　严礼涛　赵文秀　张明光　熊其文　杨晓荣
卢昌礼　陈冰燕　彭跃学　李碧英　张念军　莫　超　吴榜碧　胡绍华　向洪梅
王德香　田茂清　李　宁　吴晓彤　李晓峰　宋　凯　周玉新　李景明　朱仕明
周永祥　蔡香富　成荣发　舒甫刚　张大军　王宗轩　蒙德美　彭明刚　龙沛雨
吴升群　张明中　周厚芬　王　琛　曹凯文　唐德胜　李文祥　石让东　李润发
曹代陶　张　华　彭开杰　何林松　冯泽忠　李应禄　熊玉碧　李　慧　李家翔
卢林峰　皮禄江　郎永秋　冷春萍　杨建民　杨　丽　黄显宏　谌丽娟　韩群秀
彭　惠　桂书兰　李俊良　潘建萍　安　丽　王荣菊　文　丽　兰裕文　白　文
徐　辉　蒙大菊　刘维德　刘成美　杨小惠　李德顺　毛　燕　景小波　熊　逊
郎维军　彭胜利　田　毅　张光军　余吉西　雷瑞林　王志元　罗　翔（余缺）

1988 届

三（1）班班主任　肖必录

陈雪梅　肖兴奎　游建华　李　宁　余映松　任　俊　石玉海　王国海　刘　斌
倪祖玲　陈　琪　谢承章　郑志祥　曾　涛　肖大荣　李　利　周乐虹　周建强
谢　聃　梁　山　文儒兵　彭　智　黄　进　先晓东　邓丹凤　田茂丽　游　狮
兰裕辉　王松毅　杨胜华　曾红莉　许应红　滕　浩　李杰峰　伍　英　罗　燕
安仕新　刘金琴　朱世惠　刘希梅　李贵平　龙河明　黄雪娇　杨秀芹　滕　洁
李杰峰

三（2）班班主任　顾晓福

商　静　付文忠　何家林　张静春　熊家荣　熊　兴　李　春　袁小芬　邵德才
杨晓凤　黄显林　卓林森　韩　梅　饶　霖　何玉川　王群惠　唐　林　胡　奎
黎化军　罗玉会　蔡德珍　杨晓虹　颜吉云　袁诗杰　张爱群　罗仲华　徐明付
高文香　王　昱　丁丽珍　吕泽明　刁建华　陈开齐　柴汝全　张　萍　杨秀斌
罗云莲　罗迎春　李　政　江　涛　付殿军　陈　钧　李荣华

三（3）班班主任　罗金元

肖双全　周厚强　罗　卉　唐　丽　闵国锋　唐辉文　周绍林　何从科　兰美海
王绪彬　邱仁毅　陈仕勋　王永奎　刘玖华　张　辉　金正会　夏吉美　罗庆碧
兰维跻　秦忠平　葛诗平　李文友　滕建勇　商正华　倪邦灿　曾宪群　苏　蓉
张元建　杨怀丽　张泽风　敬燕萍　杨定强　熊孝国　王啟国　石国帅　兰胜军
余　霖　黄大华　敬燕萍

三（4）班班主任　蒋丹英

姚祥福　刘　帅　况昌宇　鞠传志　夏忠文　严　刚　郑文军　陈善菊　王绪栋
范良军　罗成林　廖　斌　钟永贵　唐辉菊　田维举　刘成刚　傅应禄　王国海
刘　平　冷　华　余德亮　宋纯锋　王成云　罗亚林　王　丽　王德亮　张錫祥
连艳昌　郎永莉　陈艳旗　周英佑　魏光宇　何永林　牟仕华　柴汝远　丁正忠
雷江平　贺祖碧　彭光伟　刘廷华

1989 届

三（1）班班主任 李贤福

文永生 王小端 王 琰 王雪莲 毛 颖 田 甦 旦朝梅 刘会忠 刘志杰
朱克亮 吴 波 李恩波 李荣川 李晓云 李 天 李洋兵 宋晓恒 陈茂霞
陈润莲 罗 茂 罗 松 罗 琼 周兴华 周昌琴 钟晓燕 赵远军 杨巧宪
金正平 郑 健 黄飞跃 黄 谨 潘锦鹏 黎 琳 黎 玥 徐 磊 舒洪江
曾宪嵩 蒋 雪 易利玲 殷 谦 殷 彤 袁亚林 谢能松 聂 嵘 陈 慧
黎静

三（2）班班主任 曹求真

朱金喜 朱仕福 刘知祥 张德泽 黄雪涛 王 静 胡廷松 蒋静姝 洪 蕾
王文光 李 勇 周福阳 张小君 杨正群 李 伟 朱明若 游洪全 熊孝坤
聂 明 简雪曼 朱 松 李吉洪 曹 敏 池光亮 刘少开 李邦书 彭良志
吴昌琴 童翀彦 谢其江 何玉刚 雷德洪 胡声立 敖 侠 周 勇 兰金尧
石 会 曾 蔚 杨 平

三（3）班班主任 黎师韩

胡远奎 邓荣春 罗继荣 罗秋国 张宝禄 石安建 黄德利 周绍林 孙 红
李 斑 陈俊莉 王凌虹 万江达 商 宜 石 涛 王文静 朱应梅 李 俊
曾丽东 全 刚 任国举 贺光群 文儒俊 陈德华 唐 琴 杨天勇 胡 敏
王富荣 曹 凯 刘 莉 杨 兵 潘盛谷 张云辉 徐忠武 黎崇远 甘俊文
杨正奎 赵名德 史泽锦 杨邦华 许长会 景明常 杨再安 犹永忠 陈 旭

三（4）班班主任 黄黎莪

何倍霞 王绍仙 罗冬梅 卢光驰 曾庆嵩 张泽迅 何应平 但 黔 刘光武
安 力 汪晓春 张 华 刘 龙 犹正学 杨 勇 黎显洪 李廷辉 李邦仲
张仕平 周福齐 刘志成 杨巧先 朱明兰 陈开平 陈辉能 何俭勋 黄华惠
黄华国 刘仁美 谭英群 熊兴菊 商崇宽 李 伟 唐 飞 邓国才 邹 梅
陶文志 李坤海 王升云 范兴国 莫良君 石 会 谭朝忠 徐 洪 邓绍伦
王 英

1990 届

三（1）班班主任 黄万成

杨云翔 王维文 向 霞 彭小春 向 玺 杜运林 肖 剑 王 庆 郑舟俊
曾孝辉 谭永忠 杨再兵 骆德宽 王 静 黄 芳 黄建交 汪 松 邹永福
张志忠 张玉玲 杨哲刚 麻继国 唐仕伦 刘廷松 曾永斌 李 松 黄 江
刘国友 邱云亮 尹修春 张顺光 丁 涛 王升斗 刘 红 张明琴 徐孝红
苏 波 熊家祥 徐宗然 李 云 王文友 周兴元 张元洪 赵文俊 张 军
孙玉梅 石 涛 刘仁美 黄贤高 徐云峰 付应禄 毛 颖

三（2）班班主任 谭敬昌

梁玉林 王富才 王 俊 唐显军 代兴仁 张春元 黄 轲 金 陈 朱敬梅
熊发荣 冯 犇 程兴祥 况月怀 卢光玖 罗成戬 赵 军 魏 旭 王 仲
张元华 张 雨 牟雨均 汪远学 张海银 朱正敏 李景洪 冯明霞 代 静
王观军 肖登仙 张汝凤 王 华 尚顺程 吴文红 谢德菊 谭德宇 谢培兴

王宗义　周　鹏　黎庆权　何崇刚　杨晓莲　雷朝龙　罗晓璐　彭文明　李　瑛
罗继文　李开会　谭　宇　石　顺　卢　焱　蔡泽奎　敖　选　卢　林　彭福江
徐　明　李　辉　欧德银　朱奇华　李世权　尹修竹　付文香　陈辉能　何应平
张昌祥　高富均　王永刚　张云辉　李　均　景明常

三（3）班班主任　肖必录

丁文岚　毛天伦　王　华　王明辉　冯　弢　帅本明　穆治群　刘　云　伍顶国
肖成福　宋　军　张泽进　张崇书　张红娥　张　红　张海健　张洪福　李　明
李正义　李东煊　何建华　罗　军　周贵洪　周　斌　吴先瑾　陈天进　陈章福
李必刚　邵　为　邹永会　侯安全　赵煜忠　赵　兴　赵泽勇　唐仕平　唐国丰
唐文举　聂万明　聂奇军　钱家潘　黄代龙　梁　勇　谢祥群　蒋国发　熊　杰
胡湘林　李云华　黄雪涛　罗仲华　王　茜　敖　侠　黄　诚　毛荣书　罗玉会
谢其江　卓林森　肖小燕　蒙德美　张德泽　周　勇　吴　波　官剑升　周福阳
李黔峰　陈　艳　张　鹏　聂　鹏　朱明若　朱金喜　胡祥忠　朱仕福　曹　敏
雷　赟　张忠华　柴汝全　杨正群　唐　雯　兰全光

三（4）班班主任　孙玲

李　斑　赵贵军　杨天勇　兰　斌　张登华　张光祥　朱克亮　曾宪嵩　曾宪琼
曾庆嵩　刘开建　田德坤　雷国琴　王红艳　杨帮华　唐　飞　刘春英　蒋铁涛
刘光武　吴夔昌　杨　剑　范兴国　刘　丽　伍　英　李吉锋　商从林　杨维礼
黄德利　许长会　汪晓春　商崇宽　柴汝达　龙　狮　谭　林　谭英群　王富荣
杨　俊　龙德祥　许德祥　许祥斌　何俭霞　刘昌翠　李立琴　周昌琴　滕建勇
宋正国　倪祖玲　田茂丽　邓　芳　谭昌发　罗钦国　许应江　杨　勇　杨巧仙
王　英　付启贵　夏　杰　卢光驰　陈乔培　胡世碧　郑文军　王　莉　骆　康
牟仕华　李　伟　张海英　袁仁义　郑喜云　罗绍华　吴　奎　刘易芬　吴　刚
漆　箭

1991 届

三（1）班班主任　华和平

贾　锐　肖丕明　冷　怡　王文军　商正莲　毛　成　曾　兵　潘　峰　李　轲
刘文江　赵显宏　陈　佳　顾忠伦　黄国敏　简　红　陈　敏　袁丽萍　付发全
张立新　胡　珊　王　松　苏　畅　刘朝阳　高其林　罗　敏　雷春华　左　兵
王建军　李刚林　吴定伟　贾治富　盛帮权　龙登海　王劲木　杨　刚　李　琼
何明光　丁明军　李家龙　彭晓怒　范兴明　韩　阳　彭定兵　李荣忠　聂应忠
肖忠贵　夏仁杰　陈泽驹　陈美霞　许　海　杨文群　陈德敏　宋锡兵　吴雪梅
皮惠松　刘　阳　胡庭翰

三（2）班班主任　罗金元

李德祥　牟世洪　罗泽开　聂奇坤　詹先俊　吴宪兵　方金刚　郑万松　石　伟
唐智群　杨小平　张光志　聂　军　秦志洪　邵　见　戎成梅　陈　慧　付天均
吴昌祥　毛　健　付　建　夏锦惠　宋纯禄　张罗安　宋姜华　吴永祥　李绍芳
刘　敏　肖年军　刘应忠　谢光祥　贾朝洪　李远书　邓朝国　卢　忠　罗殿华
左国福　陈正安　张君路　杨育平

三（3）班班主任　田应辉

王福平 唐顺祥 石正辅 陈玉亮 李尹健 曾理 王雪 李秀峰 易后祥
曹代明 杨光勋 许继成 李才华 徐本发 吴华 程文军 龙清梅 陈德琴
胡天才 罗富友 刘德志 余军 李国鼎 牟桂芳 何明军 刘光勋 陈安华
周乐忠 文久永 唐健 方崇高 陈海 吴国兵 宋志飞 邓庆尧 曾宪华
黄吉奎 张国宏 何俭华 宋锡章 陈仕奎 钱朝晖 熊健 滕建莲 余跃群
夏锦翠 兰美坤 李开雁 张真龙 向珩 罗纹松 毛国忠 安仕清 邱先云

三（4）班班主任 王顺德

舒元 张杰 廖瑞军 刘红霞 吴雪梅 宋锡彪 黄丽琼 李志平 张友国
赵明昌 雷琼玲 沈江峰 贺晓林 任昌松 周永恒 犹和新 林登莲 黎明江
毛忠群 张进 龙光才 段锡文 刘庭忠 李远刚 徐国林 陈古丽 郑兴宏
龚有禄 姚玉平 方奕敏 唐芳 林森 彭建飞 毛国忠 张玉梅 赵仕松
毛翠 胡莲萍 周荣丽 蔡贞友 潘正凤 宁诚 肖治国 宋霞 聂鹏
王宗轩

1992 届

三（1）班班主任 黄黎莪

潘华 牟春 张国宏 丁六刚 邱云亮 李英黔 吴宪兵 李刚林 许兴祥
李发明 何发全 宋锡利 尚顺程 刘光文 黄少敏 雷江林 童邦全 马刚
唐仕伦 王国建 邓朝国 刘龙 钱朝晖 毛建 李德祥 王兵 方全刚
滕建莲 夏锦翠 陈德琴 余跃群 杨小平 陈美霞 曾理 郑万松 陈庆德
曹代明 石顺 罗玉龙 贾治富 文朝坤 聂奇坤 张君略 熊健 徐本发
龙清梅 杨晓莲 何远红 谢祥明 陈超 郑大伦 杨光勋 陈定华 邓林
陈俊 苏波 何玺 张军 商露 梁春 李荣忠 罗殿华 商正银
蔡泽奎 孔令超 罗富友 王文军 刘文辉 谭昌发

三（2）班班主任 李凤奇

张颖 向昕 袁远松 曾祥远 王书法 彭小红 郑文平 王大军 安贵书
何俊 王兴伦 杨竣非 兰娟 李文勇 皮禄海 华君全 杨再友 蔡鑫
宋泽芳 胡德军 李文学 付成玉 向学文 范中贵 谭星 周艺 张元珊
杨青 冯林双 阮明洪 杨俊 何琳芳 王英 宋忠荣 邱仁菊 张仁贤
陈其斌 谭朝引 陈家常 周艳 石冰 周元福 熊惠梅 王维奇 舒远辉
邹门光 潘金义 周风 夏斌 熊杰 兰胜奇 罗明 刘洪敏 刘远坤
莫良菊

三（3）班班主任 曹求真

宋锡章 张宏 秦志洪 吴永祥 陈仕荣 李明艳 王荣芳 蔡秀峰 袁仁全
宋荣彩 何燕 张德春 唐文波 石茂刚 洪家喜 陆毅 王定国 陈绍芬
梅华 何国军 李远坤 毛俊 王曼 陈平碧 徐志荣 倪邦奎 田茂琴
邱俊 刘朝云 余天江 蒙志琴 张明忠 冯洪祥 王华亮 何友权 龚贤义
莫良菊 朱仕龙 刘仁福 朱代森 赵贵群 倪福建 唐才勇 周军 夏红杰
胡钦友 樊启华 代进平 刘光强 安仕敏 魏刚 沈孟才 蒋成利 吴正成
包庆松 熊兴龙 卢忠 蒋吉松 犹登江 易后祥 李绍芳 熊加张 袁鑫
刘敏 杨育平 牟世平 贾朝洪 杨俊 陈敏 雷春华 赵强 聂军

三（4）班班主任　邓前轲

田景平　陈坤华　诸庆衍　李　冀　何克强　张顺宇　王德富　余益萍　陈　宇
杨作富　张宝康　胡　刚　夏锦宏　伍绍伦　朱　琴　安德成　尹邦奇　王　维
王运碧　彭　伟　罗开友　邓湘兰　王　宇　陈　松　祝亚峰　陈　军　宋娇艳
冯晓坤　赵慕琦　雷建军　范兴林　柏　茂　盛定勇　陈春浪　杨荣建　周元军
倪　梅　熊树权　余素巧　兰邦华　汪中山　石明贵　张顺宏　赵　李　陈国海
肖大发　覃　云　葛明开　李泽燕　王永富　刘泽江　左　琴　商　莉　贺大洪
罗　敏　方从高　何建东　吴　松　陈体莲　张光志　何　松　曾　兵　刘朝阳
邓宏伟　李　轲　杨清文　吴　维

三（5）班班主任　王顺德

刘秀禹　吴前钧　王支全　张友国　徐效超　肖成富　姜　娅　任昌松　冷玉坤
宋志飞　陈修军　吴　磊　姚玉萍　雷应举　李洪坤　王代银　曾庆伟　潘正凤
候安全　罗建平　张　杰　钱家潘　龙光才　陈天进　安芝梅　张剑飞　蕲方奎
谢云菊　童　铃　毛　翠　刘健忠　肖治国　赵明昌　兰金尧　苏　静　胡湘陵
黄丽琼　张　英　刘文英　钱复琴　张　进　林　俐　周君亟　宋钖彪　李治平
徐国林　廖瑞军　胡莲萍　邱金勇　刘　康　陈建华　曾永发　王　静　黄雪涛
曾　实　兰金海　刘　颖

三（6）班班主任　邓裕和

陆　松　夏　超　陈远明　任林刚　邓庆伟　陈古平　吴雪梅　苏　畅　刘　豫
王宗义　何崇刚　刘光勋　刘应忠　郑辉全　商　毅　唐　璘　陈　扬　陈泽驹
王建军　杨再均　王　松　尹修竹　徐宗然　潘正林　商正莲　朱前勇　刘廷松
左国福　宋　进　卢　林　刘　斌　吴国兵　彭定兵　贺正华　卢光驰　蔡　明
施后松　沄其明　龙登海　张罗忠　邱润碧　盛邦全　李　琼　杨文琼　张贞龙
范兴明

1993 届

三（1）班班主任　李贤福

杨洪宗　何玉福　郑志军　舒　林　谢天翔　张仕海　吴兴山　徐万华　商崇刚
陈春刚　宋晓耘　田茂琴　柴秀梅　李恩奇　王丽珊　何能国　曾祥劲　吴应超
肖兴模　熊治辉　倪祖国　谭卯发　李志鸿　王应霞　李应忠　梅安奇　王丹祥
周惠荣　张继华　夏锦刚　谢浩春　罗　颖　陈仕奎　徐肇鸣　张　清　曾　林
王正芳　黄明会　肖　力　宋　琳　刘晓刚　徐景忠　张玉兵　何仕权　白　益
杨　松　杨兴才　卢　毅　陈晓梅　王国营　徐念乐　文永辉　卢全国　李兴文
杨怀敏　范山刚　陶荣华　曾金权　蒋显碧

三（2）班班主任　肖必录

陈忠福　潘家贵　汪培已　张承海　晏诗杰　何明举　付家琴　张　艳　柏　勇
张海龙　解忠明　李传毅　徐国武　张　旭　张忠勇　张国琼　张德琴　黄尽辉
宋　辉　李　青　陈章菊　杨寿昌　梁　艳　周　敏　周德祥　黎　钦　蒋忠权
万碧光　简　坤　徐忠泽　李兴卫　陈　刚　李荣刚　王军传　陈发云　叶　波
卢　珺　商崇明　邓朝忠　陈志友　杨文锋　石良方　王　红　王湘平　罗　平
宋邦全　王道练　时学梅　冉启卫　易顺全　韦朝忠　韩克义

三（3）班班主任　谭敬昌

潘兴华　余　滔　张　恒　陈　嫚　高祖都　李　林　张　静　李洪波　王　洪
吴雪莲　洪　浩　吴　婧　刘　鹏　曹质鹏　宋　涛　刘永勋　邹元福　姚启祥
王开田　罗劲松　朱天学　刘　松　倪祖斌　桂国全　李文国　田文勇　刘怀祥
袁　鸿　冯林华　刘　杰　习　旭　张凤明　聂诗琴　陶代刚　胡　建　石　慧
桂　华　唐瑞雪　陈全林　王　勇　任皖丽　唐光英　郑龙平　宋志会　倪　莉
陈　涛　帅本雍　杨光怀　张　智　李晓冬　刘　露　谭　影　曾　山　谭德浩
吴中琪　兰　江　曹　昱　谭明全　罗　祥　兰美伦　宁　毅　黄艳红　冯　俊

三（4）班班主任　刘明林

王永军　王宪毅　杨大庆　颜方权　唐光萍　颜启彬　陈　璞　廖云辉　彭文峰
何德举　邓　冰　李　军　罗玉东　孙国彬　高五星　刘华宇　王小龙　王成刚
李廷军　喻　林　郑　松　施加明　张定成　李清霞　朱榜文　史　浦　李东麟
犹敦发　万　明　颜德军　刘　毅　宋　军　陈贵发　杨　曼　郑小虎　庞　峰
廖雪峰　吴观荣　吴岳军　陈　红　刘朝霞　柏明霞　李成英　陈　静　刘　军
杨大春　廖　群　刘　瑾　陈小俊　何定海　倪兴权　彭耀祥　余斌禄

1994 届

三（1）班班主任　田应辉

李永嵩　刘　勇　刘世禹　姚　栋　袁仁华　刘明万　余京哲　庞雪梅　刘　涛
邓　勇　刘仁才　戎小石　刘文松　陈福海　尚荣飞　王成义　况　敏　王培驹
王登伟　秦　忠　汪吉凤　余　会　孙　波　王松涛　刘世勇　徐兴全　毛建华
王开明　曾　刚　都　军　康国华　王小歧　张明军　王光先　朱兆荣　孙学贵
谭宏念　周贵军　何明荣　李德军　陈吉龙　曾宪军　周安军　罗荣贵　宋　匀
王登怀　蒋合军　杨家文　林　艳　朱发权　李海波　姚玉洪　陈金武　周朝东
蔡天祥　兰　海　陈开伟　肖兴练　龙涛波　徐林刚　易松梅　刘　韵　陈　建
赵喜刚　陈　翀　李　琴　蔡昌永　严国艳　周伟高　吴明友　柏朝华　刘永勋

三（2）班班主任　华和平

曾怡敏　王　茜　李明贵　赵　婕　杨　青　朱丽琨　史　迪　刘　瑾　杨光会
陈永康　邓安福　李大明　王　英　文　峰　周乐刚　杨小宇　徐保国　邓　梅
胡孔兰　金正行　林　会　陈　莺　犹翠修　张　勇　张　军　陈　田　王　定
陈　东　乔家园　夏　志　穆侦琴　朱　鸿　宋　熹　宋　昆　曾小丽　汪金芳
杨　琼　严　斌　袁亚平　何　峰　陈　锋　艾　波　李　昆　朱成仲　何国宇
唐书军　左国寿　黄国华　刘秋红　宋小勇　商　韵　代端红　向绍平　王永奇
宋泽俊　曹　麟　罗雪梅　雷　盼　丁　乾　赵正光　聂其俊　唐　涛　吴锡友
帅本秋　周泽杉　陈　忠　方怀均　商正昌　李长贵　陈辉烈

三（3）班班主任　谭仁华

王顺学　叶贞才　梅红菊　何　琳　方能恩　聂　红　张兴奎　邓江凌　候显军
陈明合　石世敏　柴秀英　董泽军　袁明建　杨昌明　石正权　李　松　兰美兵
赵　玖　刘明星　邵　琪　陈顺杰　韩继旭　陈平军　张宝江　张红梅　刘成美
尚亚欧　贺啟琴　杨　帅　谭啟先　曹质俊　王友群　王开琴　袁明娟　王明菊
刘元奎　唐连松　毛国志　刘燕文　李　瑜　郑显锋　童小会　张应菊　龚贤林

刘金亮　徐碧学　卢 伟　徐泽琴　宋 勋　张世举　张显华　李晓彬　唐恭群
杨顺刚　龚子碧　蒋臣恩　聂奇建　张全江　王江华　冯知渊　秦明芝　尚玉飞
杨祖秀　潘龙开　金 鑫　李景松　杨 斌　朱克栋　董汉泉　罗玉筑

三（4）班班主任　杨雨前

何 山　张安中　鲁家兴　赵榜礼　赵书宏　王国刚　刘 慧　胡正平　张 建
徐国武　杨 林　邓 明　陈大林　赵清红　文朝丽　何 建　刘元军　任远江
王富会　刘 萍　陈 瑶　王达芬　宋定伦　雷应平　李 霞　杨勋丽　犹和群
唐光灵　杨家兴　谭国华　王天喜　罗越飞　刘 华　贺建军　贾朝阳　谢培会
樊启和　卢 敬　石让友　熊碧华　喻行春　陈其兵　谢绍会　杨秀祥　商正高
孙润菊　姚本敏　喻泽武　田茂勇　方 梅　王泽书　苟 伟　黎怀满　李 均
陈隽松　张从福　兰才红　何 毅　毛木秀　刘支琴　李荣明　彭昌刚　王志华
石仁华　刘 军　张应宏　杨再菊　宋其武　吴道勇　王金光　安德举　邓华会

三（5）班班主任　罗金元

谢忠祥　朱仕刚　蒋 艳　王文军　李学军　胡廷山　肖福勇　卢 艳　郑小华
黄应萍　何崇尧　刘成东　吴礼刚　宋昌华　余 洪　陈继坤　许维麒　周汉林
胡德平　刘元俊　牟元松　卢 军　王 伦　黄必辉　刘春松　曹 薇　李恩福
苏志贤　许 燕　兰安军　何建江　聂诗群　张福军　夏泽刚　李坤涛　余永祥
王小波　向 燕　李富裕　杨 慧　杨 平　胡正春　黄胜松　郭中剑　周庆华
刘先觉　杨润发　王 俊　周志彬　陈茂伦　秦 勇　钟 华　黄 辉　夏锦昌
邓洪明　杨顺举　彭发友　犹永春　刘 宏　张德豪　张汝强　邱龙坤　罗晓军
熊兴祥　黄明忠　周乐业　李朝华　王诸虎　李 枫　何宣柱　李 霞　陈文俊

1995 届

三（1）班班主任　蔡光平

张卯先　蔡 琴　曾 丽　瞿远桥　田维林　张玉国　左 祁　田 刚　罗晓军
肖祥菊　陈克礼　刘朝辉　唐书娜　冯明兴　赵定琴　江远霞　徐永梅　唐 俊
陈永柏　易后银　瞿兆阳　熊兴魁　邱金荣　张正琼　宋锡玉　朱 静　蔡仕军
罗 刚　杨再祥　方怀义　彭载洪　陈光照　犹骑驹　杨洪琴　田茂菊　杨光亮
黄 兵　郑明友　郭正开　夏单元　尹晓山　吴 娟　谭 平　李绍均　李 纲
赵应发　王国贵　卢清田　彭成荣　王 智　肖 艳　杨兴梅　刘 丰　李秀林
杨 忠　王健康　张 松　黄华江　陈顺杰　陈 桐

三（2）班班主任　刘仁奎

刘元刚　陈传海　王 铭　尚泽忠　李汝国　彭福兴　张 平　罗邦丽　刘再东
刘开元　赵再全　陈孝全　蔡 松　詹志文　罗玉坤　陈天强　梁明军　贾洪彬
甘立奎　李 香　张志权　陈光俊　田兴惠　卢 勇　宋宗奎　倪祖友　张德全
蒋文俊　黄胜中　陈芝文　冉龙辉　刘宇波　代继海　聂万洋　杜全禄　黄廷钢
田 铭　宋晓宇　涂金舟　张 强　王支学　莫 星　聂其平　赵桂杰　犹晓斌
唐 梅　王文高　范兴山　张友军　刘 利　杨昌齐　钟 明　邱 铸　肖大海
肖国英　曾 林　潘先辉

三（3）班班主任　王顺德

唐 华　刘 琴　黄云梅　吴 鹏　饶成惠　钟仁琴　李洪丽　柴立琴　刘 琼

陈永娥 邬培英 李大群 赵素娥 田应飞 王玉莲 兰 梅 袁明娟 吴永群
彭 辉 王开佬 石家刚 周德平 吴荣军 陶 海 肖大秋 李小林 赵先国
王振武 周 松 朱儒忠 李景发 刘尚光 李景贵 杨茂益 瞿远飞 张强发
卢再发 陈永第 伍 军 万天方 刘尚强 周 军 刘福平 杨代才 蒙 嵩
张国焕 杨富华 涂乔乔 徐国进 陈 举 肖成远 王 海 何家宽 陈忠凯
蔡成林 周志彬 刘 飞 何配方

三（4）班班主任 顾大忠

周泽勇 顾大春 王芝学 张 霞 王中林 许克祥 姚绍兵 倪兴建 曹代高
陈明忠 易福刚 范兴辉 熊发荣 宋玉龙 贾朝彦 江从波 陈 勇 宋锡明
胡廷杰 何建英 杨勋丽 付芝雨 顾大武 杨 平 冯忠琴 刘成飞 马家祥
袁玉忠 李军勇 何俭坤 王正先 罗邦宏 陈 强 胡安然 饶承兵 任国明
范荣军 雷秀松 王志荣 林 和 潘兴发 胡世贵 刘 东 李绍安 徐本江
范 群 蒲茂兴 冉 军 石从军 朱仕敏 张兴丽 黄可乾 刘明波 彭 元
郭 卯 李 密 陈艳群 刘奉元 王 劲 张谷光 张崇伦 徐孝银

三（5）班班主任 袁子进

王文军 蔡昌永 余兴禄 周安军 曾东初 何国宇 王国刚 陈 勇 龙登祥
许 燕 刘元奎 姚 栋 王 俊 邱仁杰 姚玉洪 刘明星 聂奇建 朱丽琨
黄盛松 毛建华 宋 盾 姚吉刚 尚雪莲 周乐华 刘家永 朱发权 李海波
陈立科 朱兆荣 王小波 宋 匀 何 山 余京哲 张小霞 胡道军 卢 伟
贾朝益 黄文强 冉茂志 朱臣友 林 艳 张应菊 彭长刚 余 洪 刘先伟
陈 莺 闵 端 王莉萍 曾令权 王成斌 杨昌国 许维麒 谭崇江 兰华丽
卢道友 袁华仙 黄 勇 罗开军

三（6）班班主任 华和平

刘信友 宋纯军 金伯玉 冯知鹓 戴 忠 田龙发 黄国华 乔家园 吴礼刚
黎怀满 胡正平 李荣明 何明荣 邓华会 王友群 李 昆 杨 青 刘 松
郑显峰 谭文峰 刘洪文 戴 青 邓时敏 蒋合军 熊寿碧 杨 敏 杨正光
赵 玖 聂诗群 姚丰敏 罗 竹 王小歧 张 凯 刘秋红 贺成荣 赵书宏
李时峯 易松梅 罗雪梅 石仁华 龙永春 龙 胜 刘 勇 郭忠剑 张崇湖
谭国华 龚贤林 犹翠修 韩方华 王善利 陈其斌 苏志贤 曾怡敏 鲁加兴
王永基 付军权 王培驹 马明才 王永奇 李明军 李德军 钱家富 周乐刚
唐书军 王大兴 罗贤洪 唐光灵 陈吉龙 林 会 吴明友 罗华祥 王开琴
王绪虎 黄晨羽 何宣柱 黄明忠 宋 勋 徐孝银 杨家文 徐 超 陈辉烈
贾 松 方怀均 王 定 兰 竣 宋清国 方能恩 李恩福 冉啟卫 黄天祥
张应洪 欧 伟 张 建 余永祥 颜德军

1996 届

三（1）班班主任 李凤奇（该班高三拆并其他班）

三（2）班班主任 顾晓福

曾 怡 李 忻 江贞英 王继松 黄维康 罗昭武 丁昌武 李光祥 张仕刚
熊茂荣 赵卿武 何松赋 杨春祥 李仕莲 左顺华 黎显福 王贵宾 汪廷友
李家军 倪家明 陈福康 周荣品 成荣海 贾锦松 肖天伟 谭万福 犹敦芳

王国培　张祥波　杨绍坤　李仕海　饶玲燕　张洪进　付国华　李秀萍　余朝银
刘礼军　张远伦　卢　江　蒲永昌　王军基　王芳梅　孙正华　帅德志　胡朝强
张红健　邱兴全　毛光举　刘文菊　田　福　周荣坤　龙　洁　曾化辉　谢先松
刘　鲲　王维江　胡明荣　刘　艳　肖　三　吴　昊　邓恩华　邓国品　帅本威
杨友谊　陈龙喜　兰大建　王国剑

三（3）班班主任　陈全福

杨　欣　刘雪飞　胡　希　杨　毅　陈　然　刘泽成　肖颈松　石忠武　杨胜容
刘怀武　肖安海　唐　颖　王文龙　王小军　陆　军　李学鸣　卢光时　戎　剑
黄海飞　谢志彪　彭　波　冯祥辉　向　嵩　余元成　朱廷洪　吴　云　胡　丽
黄世琴　况　彬　赵远梅　田　均　刘宗礼　王　梅　盛　怡　宋　春　兰登成
林方华　李希龙　雷晓松　杨秀英　周绪坤　李毓全　孔　祥　蒋凤芹　曹代刚
王兴元　鄢良坤　朱　俊　杨　涛　周　洪　李元俊　江　河　李杨帆　李文全
雷小华　陈体红　徐泽书　王荣香　范中豪　高显松　汪志军　李仕江　徐　玲
彭载国　邹前林　陈正忠　全再勋　蒋成富

三（4）班班主任　谭敬昌

王永建　杨昌毅　朱　洪　陈炳坤　周福勇　张　康　犹　军　饶正秀　付建军
邓瑞振　田仁华　李文明　石继飞　丁明辉　张赐强　金延刚　王国华　唐　谢
彭晓艳　张永刚　蒲永龙　张永健　胡生利　犹祖国　罗成良　王国林　刘　松
犹敦海　欧光琼　卢玉梅　李　阳　谢祥海　罗泽琴　吴昌鸿　张贵福　邓晓林
张　雯　宋志宇　简从海　杨作华　李春梅　唐　飞　宋国明　罗朝斌　王培琴
倪祖文　曹开芳　刘旭东　唐书江　王　韬　卢　燕　李茂安　杨彬禄　商崇伟
陈　荣　贺　勇　张明伟　张燕云　林　凡　饶成宇　陈　宽　黄佑培　犹敬会
王　进　唐文杰　胡　忠　宋泽思　谭啟松

1997 届

三（1）班班主任　刘忠信

潘光福　刘尚兵　邓子军　宋泽坤　刘昌奎　何建勋　胡明建　陆燕天　张仕芬
王观宇　李万会　李先洪　石方红　张平忠　帅　统　陈绍攀　邹　建　龚国栋
简　伟　卢小兵　郑金才　钟云琴　李明伟　刘庆涛　李　敏　王　敏　蔡秀娟
毛建平　柳太江　罗应宽　刘　勇　温成华　余　红　刘漫霞　王　青　杨　梦
柏　毅　兰玉兵　贾朝模　冯　军

三（2）班班主任　谢承宇

吴升伟　黄仕刚　罗建忠　宋锡波　刘开艳　何　玲　甘　阳　陈正松　兰　义
罗玉文　张廷松　王吉林　张秀琴　陆方莉　何贤怀　张玉新　钱　龙　陈　英
姜亚飞　陈永兵　李大勇　吴会娥　王　勇　李朝圣　刘怀信　龚龙凤　苏　涛
周兴贵　朱仕高　犹永义　王福国　倪天华　李刚果　金延香　刘　江　李瑞刚
朱正军　袁　伟　曹小平　刘　琴　邱跃武　孙全碧　明之俊　吴　乐　刘元兰
江　波　石　毅　吴禄建　宋　波　王　实　徐永利　赵丹丹　袁明秋　商　平
曾小波　李富春　毛国发　刘明尧　胡有惠　皮禄林　袁常勇　李志阳　郑荣志
许维琴　蔡戎军

三（3）班班主任　罗金元

杨　卓　李　勇　向卫华　周乐军　邹　浩　廖海林　谢　群　金安别　蔡贵洪
周江胜　尚荣平　柏杨松　姚正晴　徐绍湧　李大庆　王　铀　杨　波　邱金美
王　梅　曾志权　李文祥　宋纯丽　唐宗应　杨万祥　李才福　刘　琴　杨　军
秦　办　石世军　李天伦　罗明乾　卻国松　石学群　秦　操　敬　鹏　何显平
赵远群　谢　瑶　潘　琳　简正军　张明秀　陈立意　龙小芬　晏乐军　刘廷刚
莫良进　江福顺　荀雪梅　李　平　宋泽林　张德刚　张泽兵　李　松　胡　龙
何志贤　曹开连　沈　海　杨再英　瞿远恒　王立惠　江　波　陈元碧　商　涛
周后丽

三（4）班班主任　孙智

王秋月　王　兆　刘德忠　黄　艳　江　鉴　丁访涛　苟一凡　刘会军　向洪建
张颂业　何忠平　任正军　刘　忠　尹竹林　张文峰　蒲建奎　刘友武　周茂谷
余　海　石　峤　陈天荣　方春艳　唐　娟　牟成良　杨吉菊　张　靖　丁明江
曾　飞　杨再红　胡友发　王　鹏　刘　玲　田维波　王道灿　张　敏　梁正鑫
彭露娟　武东棋　杨跃英　刘华志　罗　勇　黎清福　钟　声　商崇敏　戴洪松
周子能　袁严才　宋　珊　袁昌会　王　婷　范兴群　罗安军　冷启婷　陈　艳
李兴艳　陈发勇　兰　群　简丛河　刘　勇　犹君修　廖满权　犹洪兴　苏　琼
况照梅　王　德　帅宗琴　蒲永梅

三（5）班班主任　李子忠

王　琨　田兴燕　郑　中　王　滨　石　斌　杨　华　张宝丙　陈静梅　李玉华
雷德波　黄廷琴　童忠琴　杨兴军　冯景双　陈朝忠　冯明华　刘　领　林安全
胡　明　冷继凤　张　彬　陈　河　冷小梅　李家财　王恩群　葛登秀　陈元珍
陈文春　唐小波　梁正琴　黄光明　张春娥　宋泽平　肖兴颜　岳红梅　杨富碧
黄少东　唐广军　舒　美　邓　丽　贺楚芳　陈平燕　杨子春　赵正海　蒙友会
冯林松　陈洪全　胡明志　杨　军　肖亚林　袁　奇　龚亚芬　王振义

三（6）班班主任　杨雨前

杨富军　袁大兵　胡　群　宋锡丽　赵　玉　李远奎　丁明广　邱　焱　杨恩艳
邱德志　刘尚俊　冯明友　冯明军　余祥兴　秦志德　杨　军　况泽良　喻　兵
李天厚　罗信荣　邹永松　饶显刚　袁常素　蔡志雪　姜晓红　王洪胡　伍吉军
胡　波　吴应菊　穆治春　张敞芬　犹　峰　兰树勇　薛章芬　张友益　伍　燕
袁仁静　潘光琴　廖满华　吴　洁　石佳彭　廖　健　贾朝丽　夏草源　李志军
王发宽　顾忠武　杨　彪　刘雪源　陈玉军　张彭成

1998 届

三（1）班班主任　谭仁华

王　颖　王　伟　王　恋　汪　坤　石皖君　刘　瑶　刘　坤　刘天荣　刘祖平
夏开兵　吴德辉　吴　涛　肖　婵　谢治卿　谢治旺　罗　莎　张　松　张卯林
张　快　张　军　张辅东　张　清　张小龙　邓兴群　杨　敏　杨秋兰　李顺刚
李天举　李安顺　李　林　李泽红　黄碧沾　陈　睿　蔡　芬　蔡　端　周大沾
冷德安　康才红　朱　刚　徐　宏　穆贞军　苟顺军　颜德顺　邓柴林　杜兴宇
余先珍　鄢中飞　商红章　犹昌均　兰美鼎　赵福敏　凌　荣　黄德玲　周绪凤
况仕强　胡前飞　徐大鹏

三（2）班班主任　徐华

安斯扬　麻继昆　刘怡昆　阮小飞　雷众华　杨顺飞　陈全成　张大艳　王　飞
邹　斌　张敏琴　田　飞　万　勇　刘远华　范乾宽　刘汉颖　宋泽兵　莫　勇
张怀安　王伦贵　袁仕秋　杨忠文　杨晓恒　卢远碧　代　辉　曾德江　龚　碧
廖　沙　袁成相　周朝显　王小刚　李志敏　宋邦先　邹德刚　何正刚　周廷海
余天海　陈胜平　乐　群　赵友才　夏志琴　王振先　倪　红　邱金莲　徐　金
赵孝春　张天扬　杨　军　王德松　何世兵

三（3）班班主任　孙仲时

朱成安　罗永刚　赵远兵　罗　燕　蒋忠勇　刘国全　刘言军　杨昌春　伍永泰
韩　华　熊天贵　华仕松　骆品相　张林江　刘毅学　徐祥杰　罗洪才　柴　洪
兰吉琴　张连宽　杨兴兵　陈国友　张宝芳　钟艳阳　殷廷春　杨　丽　向金阳
邵　琴　何远艳　刘福敏　张德辉　黄宏楠　李治兵　彭乾艳　罗永静　许　璐
冯文富　王志勇　周仕军　苏志敏　王　艳　黄廷敏　李汝燕　池榜华　郭　超
宋红莲　文　风　吴　雷

三（4）班班主任　王顺德

张玉新　张顺松　张立艳　张　娟　张养兵　张　进　张国军　张德应　张　发
王　斌　王　志　王　燕　王治书　王振文　王光会　李志香　李素娟　李恒兵
李　忠　杨小俊　杨胜友　陈冬明　陈永扬　陈忠武　陈章碧　程　剑　董彩彩
周文连　朱世业　肖兴祥　宋泽方　岳小群　董利新　彭　菊　田维灿　宋　涛
兰金星　刘　刚　赵雪梅　周建红　石让平　庹建新　肖文波　樊启春　龚娅芬
袁昌浩　林连萍　邹启琴　吴　玲　华明会　余明琴　卢昌轶　黄绍玉　袁　梅
丁　亮　祝德红　罗　文　邓小驹　蒙应军　宋文粟　谢　琳　兰金礼　丁志勇
董斩琴　汪勇俊　罗鹉鸣　徐　梅　贺礼涛　兰绍敏　唐光武　谢春元　李　春
张　勇　刘　勇　邓　豪　王　鹏　何建勋

三（5）班班主任　刘仁奎

张小俊　杨立洪　胡　刚　袁仁凤　彭小云　王吉坤　刘先仕　张吉贵　明文会
王光群　宋泽亮　陈建权　张独兵　周乐欣　程俊华　毛　智　祝德松　赵仕平
陈　云　沈成惠　张　群　曾光梅　杨　江　王大忠　雷　轶　彭秀洪　许维飞
张林高　周文琴　黄选琼　丁光红　朱代华　高显丹　杨万春　万红才　李　乔
宋　毅　杨　敏　华树俊　宋　波　蒲建奎　胡友发　胡　恋　曾令菊　周　燎
霍永萍　刘　容　陈吉学　付国军　姜贵洪

三（6）班班主任　华和平

曾庆飞　毛美霞　周禾会　雷应混　陈东松　杨顺松　陈　勇　朱仕康　杨　琴
李　敬　唐净华　任刚富　赵普忠　周　露　邓万能　黄　陈　邹开凤　朱金书
丁惠群　兰金城　程兴奎　李　拉　万　仪　华　宇　李　俊　熊　超　王福平
陈泽勇　叶舍菊　徐考元　徐志军　范兴晏　黄　秋　李仕云　丁大卫　王书法
兰仕富　石胜富　戎阳生　聂　敏　娄利军　李海鸥　卢　兵　李培松　谭　鑫
唐书秀　周哲又　李继兰　冯井其　郑　州　黄远凤　黄毓娣　李建全　张明富
王成芳　况德华　樊启意　龙＊＊　张＊＊

三（7）班班主任　刘忠信

沈松林 袁昌会 张玉梅 彭小燕 邱 松 杨 波 柳 荮 秦志德 袁大兵
王大锋 邱明瑶 陈平艳 张 敏 陈少攀 冯中会 刘 江 陈远松 杨胜林
龚定祥 廖海林 牟 彪 赵正海 卢 会 宋 珊 朱前科 邱德治 刘远治
向 翔 刘 星 蔡志霞 赵远群 潘光福 胡 明 袁严才 廖天琴 肖 瑜
杨时奋 龙跃明 江 波 陈 菊 宋树林 袁 林 董世安 李付春 杨万祥
张仕芬 毛永苏 喻 兵 梁正琴 宋泽平 李 敏 付启泽 周英鸿 邓 丽
秦 超 胡华群 龙小芬 邱耀彬 李学荣 舒 坤 雷胜军 张国珍 刘华志
王 尧

三（8）班班主任 邓前轲

牟成良 王书碧 陈燕灵 李 莉 何忠平 袁 忠 毛模英 张友益 龚龙凤
陈 群 周丘凯 何 攀 杨 纳 杨 梦 赵 玉 邓光发 汪 鉴 毛国防
简正军 朱 俊 何伟华 许继琴 丁坊涛 方 敏 丁小英 况调梅 常方莉
王国华 尹维华 黄 福 汪福顺 唐如兵 冯祥辉 蔡 勇 简从河 苏 涛
杨兴黔 陈远文 杨 虹 胡正松 赵丹丹 陈玉军 丁明广 彭仕店 毛建平
兰 义 罗明乾 贾治友 李先洪 周 后 廖正奎 刘学军 刘怀武 王恩群
张平忠 余 海 杨富碧 廖满全 雷江开 王 群 蔡贵洪 蓝 宇 王达俊
周朝洪 李小明 吴会娥 谭兴强 冷继凤 张 斌 张壬松 肖兴河 袁明秋
唐广军 杜仁军 曾志权 王 敏 柏杨松 何贤怀 胡进祥 吴禄建 毛国发
黄廷琴 王 琨 罗玉文 欲国松 刘尚俊 刘开艳 王金贵

三（9）班班主任 曾佐藩

田小波 席忠辉 肖建菊 张明坤 李水山 徐永利 刘支武 肖兴顺 毛文春
石佳鹏 张金炳 袁常炳 王洪福 刘 松 杨昌丽 杨正明 毛祖军 夏开祥
毛 飞 龙兴刚 范祖俊 唐世军 张 宏 毛木琴 赵泽芳 唐兴梅 雷小松
林世民 张全平 倪清福 余录凤 杨 琛 李 海 冯明友 陈正松 甘郘飞
王文杰 杨吉军 黄佑华 陈立宽 张 龙 敬 鹏 刘成祥 宋江学 张明峰
潘兴维 黄世刚 杨应刚 罗 浩 明文俊 何正海 毛永兴 黄 友 谢启红
朱 梅 龙 斌 梁大钊 李 松 蒙友会 陶华元 张春娥 蓄诗华 石世军
厂学辉 何吉贤 罗末军 王资方 罗教慧 刘庆涛 李作英 宋 春 胡世敬
宋泽坤 吴世美 罗玉辉 肖正伟 石德祥 袁仁静 犹永毅 杜 飞 宋锡培

1999 届

三（1）班班主任 顾晓福

朱海燕 曾 鸣 陈 念 付仁勇 李守军 胡 玉 蔡志凤 王 成 冷继国
张 维 蔡志武 冷永洋 席 红 犹敦鸿 邓胜权 徐林辉 马启文 王永锋
罗 坤 李 毅 赵越超 刘汉臣 罗永芬 李隆科 张毅宽 张春英 谯神琴
陈阳华 宋海霞 吴海英 李 刘 韩小菊 金帮玲 雷 晟 吴 品 叶昌明
周昭俊 黄 艳 杨昭军 肖仁军 宋锡阳 宋绍丽 王 俊 付支前 肖红霞
吴礼坤 刘晓瑾 陈 坤 宋春光 丁正波 胡显平 刘洪豪 蔡志伦 冯兴彬
方怀举 戎家模 朱 斌 马云华 王显华

三（2）班班主任 陈友华

王维薇 夏奕富 杨 敏 彭 辉 葛申立 李启富 王富强 何德江 万 婷

胡　珊　谢春梅　曾前珊　阮惠君　周智琴　贺思秀　梁明凤　苏　娇　夏　丽
柳应琴　周远明　陈　健　曾　松　毛光贵　牟祥会　安仕巧　刘家荣　阮天群
付维伦　邓代富　唐洪波　沈小伟　王大权　胡文斌　谢　琴　赵卿春　张　梅
张　佑　杨　胜　王光前　欧家祥　陈发立　陈吉敏　刘荣孟　代　忠　尚国建
万德松　兰　勇　黎显禄　陈亮萍　李　霞　何　盾　杨志兰　况兆辉　张大会
宋良康　陈　砦　邓卫红　杨　红　白　桦　王家顺　叶时建　何建中　陈全松
毛文飞　刘　刚　周开艳　赵　俊

三（3）班班主任　徐孝红

高显梅　周　辉　黎宕波　陈　操　李思花　胡银样　左黎明　柏俊坤　刘兴气
李正刚　刘泽继　肖献签　陈　勇　徐孝科　唐　键　黄安庆　邓安丽　晏国俊
陈盼芳　王再辉　王臣国　罗玉志　陈大前　余方雄　帅本波　商崇元　王　强
田先丽　韩忠信　王　俊　刘　洪　赵丽莎　朱龙平　刘　婧　卢　美　胡　梅
张培兴　贾朝荣　柴立琴　罗国宽　雷永春　胡　海　刘宜菊　练　敏　王志明
陈友军　宋泽宏　姚　佳　潘乔友　严显江　蒙志喜　熊帮文　胡元明　潘东海
余星宇　石天辉　方伦武　李　岳　邓正书　张先义　何君国　陈　松　杨小理
程俊安　裴　兰　田小宇　杨　肠　周　丽　李志彬　贾朝勇　胡世祝　张　毅

三（4）班班主任　李先富

陈体顺　王国红　晋飞岳　陈永坤　李　珊　许维毅　唐顺梅　吴　伟　邓　娟
康国建　何　浩　冷德秀　但孟君　杨正娇　李远国　犹家平　刘倡凤　杨春香
田德安　倪星熳　王　辉　张小梅　王碧敏　李家福　陈建业　曹　琴　朱海霞
罗永莲　刘　建　兰飞龙　王昌江　阳大红　王维菊　毛　群　李荣会　王忠奎
杨茂盛　张小亚　袁群光　李仕梅　张　建　张正英　丁　康　罗锡先　陈　会
唐良方　张　美　倪　琳　刘　宇　唐书福　熊兴会　高朝红　倪　艳　杨仕江
罗　鑫　白清泉　邓　进　段世权　刘尚兴　向正东　杨光平　李帮菊　杨登会
王泽文　王　建　曾亚林　方文刚　游　珊　毛天才　马　飞　晏　杰　倪祖全
陈　军　宋　参　余先国　李子梅　陈开全　黄宗蔚

三（5）班班主任　陶义奎

章玉丹　熊兴奎　王道邦　汪海波　陈　康　陈绍兵　胡坤映　崔云曲　牟松方
江美红　赵远坤　蒋孟伶　冉景录　贾朝伦　赵　俊　冷启礼　瞿兆远　陈国营
田蒙松　蔡明丰　雷　娟　龚　波　卢兆延　方寸艳　安兴华　余秀康　王　玲
刘　波　王维波　邹金秀　田　静　周　银　卢　林　卢錫林　黄付英　何伯群
倪祖全　杨　惠　龙表红　赵青松　杨午碧　张大兵　梁大军　蒋　勇　秦　琴
邹开会　邬连洪　朱德彬　况泽建　李安镶　邓远梅　聂昌鹏　邓邦浩　张　超
代　飞　李安卿　鄢　凌　肖春阳　王金美　刘德英　蔡长军　冉程友　王忠林
贺体元　何伊禄　李怀斌　向国春　杨　军

三（6）班班主任　袁子进

舒远露　商　莉　张福林　李孝春　王启立　吴松鸽　梅红宇　张太玲　倪　琼
刘　丽　龚全英　陈盼碧　王会会　夏　芬　黄安敏　杨见军　吴家颖　袁晓旻
张晓凤　况仕洪　刘志娇　周晓芸　袁远菲　肖新莉　陈发军　舒甫敏　闵国畅
蔺镇超　杨　华　王开祥　张　涛　何　勇　马凯鸣　袁一梅　邓　斌　卢　维

张德军 谭德梅 杨 桐 谢晶晶 张天军 龙良发 杨光春 刘 敏 陈大梅
刘元辉 文德敏 陈 义 邱绪红 杨春利 王启立 肖祥松 李 宁 尚小宇
况世运 胡后菊 周照群 华朝远 李金键 石小鸿 李昌宏 王国孟 顾忠桥
赵 恒 张小军 张 欣 易新卓 张 华 杨 昆

三（7）班班主任 王顺德

罗 晏 袁代龙 宋 凌 李 毅 卢光琼 唐修云 党仙华 杨胜有 刘 江
张 勇 牟成良 王亚军 倪祖建 黄贤勇 庹建新 周 坤 李杰香 许正江
何 琳 周 连 张 秀 秦 超 何艳丽 李 平 苏晓惠 谭建川 黄 积
岳小群 黄朝琴 陈琪惠 王 恋 袁昌浩 周亚运 吕昌义 张 娟 姬梅山
兰 坤 王兴芹 邱德菊 万坤林 李小娥 杨胜林 王光会 程兴奎 杨 斌
张思丽 冯朝丽 杨秀菊 王 飞 刘远菊 余仁先 肖时平 李 春 唐明男
兰金礼 贺礼涛 张 琼 赵雪梅 汪鲁俊 杨仕军 蓝王海 华洁会 陈志恒
张玉梅 王仁华 王荟荟 王绍君 梁云丰 王立志 张玉新 罗 文 陈开权
徐瑞抒 朱前科 谭 飞 田维恒

三（8）班班主任 徐华

赵远兵 李 俊 胡启刚 周露秋 鲁家庄 杨崇文 张卯林 田 飞 许祥杰
罗 镔 周 英 刘汉颖 徐孝元 韦会全 徐春梅 孙明贤 刘远华 宋 薇
石皖君 谢治旺 李建全 娄利均 桂成中 陈 挺 高显丹 张怀安 张宝芳
杨秋兰 何再丽 霍永萍 明文会 贾朝文 莫 勇 邓兴发 刘温霞 方 敏
曾德江 王华江 华树俊 龙 军 荀顺军 蒋维坤 樊有群 曾庆意 龙 璇
张容先 彭乾艳 袁仕秋 陈广建 胡 恋 赵孝春 郭 坤 陈朝华 沈威英
陈 云 石胜琴 许 璐 刘福敏 陈坤明 蒋 芳 付道群 冯 恋 胡安琴
廖 宜 朱 刚 李 燃 朱金书 李 桥 熊 超 杨文平 程祖江 尚崇春
李治敏 李汝燕 杨 敏 李 拉 李天举 李小波 邓 洪 张明富 张美应
赵福敏 邱金燕 黄德庆 张天扬 鄢中飞 宋泽霞 罗玉松 飞 波 黄仕仲
宋小兵 郑昌鹏 王德责 郑中国 孙原军 黄益军 卢远波 曾凡清 李兴华
王健龙 邓瑞珍 张永芳 李佳芳 张登宇 胡 锋 熊茂荣

2000 届

三（1）班班主任 罗金元

徐林科 刘 颖 高贵梅 何克健 付君福 周乐欢 梅 华 许继芳 邹 蓓
杨 姣 方忠茜 邓 林 赵才菊 王思强 杜冬梅 兰畜菊 柴汝碧 柴安筑
王 兴 向 艳 毛国会 顾凌燕 陈娅兰 帅本平 罗 钢 张天盛 邹 邻
李启华 李 韬 张清伟 余德芳 闵跃挺 张德华 张国平 刘顺阳 何长江
王大兵 李开伦 罗 飞 何 碰 谭周礼 徐 晶 龚 群 朱光熠 龚仁会
黄明琦 谢方鸿 犹家英 杨天奎 朱文美 黎 会 彭国娟 刘兴斌 刘兴发
胡万波 毛世娟 黄培敏 舒远飞 李昌毅 曾凡英 刘祖飞 黄永芬 李冬虎
周乐琴 王真奎 王绪德 朱发宽 吴辉州 兰成应 徐兴忠 袁景洪 柴汝洪
杨光伟 谢玉松 李 键 赵元建 蒲天金 赵 艳 简忠莲 王 健 王华进
岳廷松 何仕明 吴小琴 罗 成 卢 浩 蔡 华 邹 强 倪 强

三（2）班班主任 李阳刚

唐　钷　张　晋　徐元莉　曹植莹　杨　飞　张君宽　周忠兴　刘　键　陈三义
冉隆贵　饶小松　阮小明　李卯华　刘成司　陈安都　陈　锦　张举友　杨　茜
严　进　王仁兵　犹　刚　邓荣霞　胡孔彬　张光华　李　骄　徐　源　周泽丽
汤华剑　彭伦祥　田　珊　蒋菲菲　邓仁远　冷　每　陈安全　刘先锋　李贤玉
庹金福　谭礼刚　谭礼举　汤德贵　贺明菊　聂昌勤　徐有昌　张俊英　王显祥
陈　刚　蒋焱杰　张　军　唐文海　陈善品　郭民忠　蔡雯雯　谷　惠　刘翰景
商雪松　采　静　沈　刚　刘文全　何　冲　张思梅　兰　厚　况君莲　邹开会
杨毓刚　刘仁杰　陈室佑　李吉军　谭光林　何　刚　戎成军　秦正芳　刘　云
马登仙　徐红飞

三（3）班班主任　张松林

庹金鑫　吴　松　邓安友　刘　伟　张文静　文仕军　胡友兵　雷　蕾　肖　练
郎开松　黎宪勇　石　军　唐代举　李袁圆　曾　维　吕　鸿　黄生福　徐永强
尚小锋　罗吉江　付　章　黄　敏　胡文艳　贺金成　代正委　文久江　赵正万
刘　利　陈　燕　兰　轩　吴玉龙　邓　梅　王天友　张先林　杨开伦　阮丽丹
陈天波　石茂华　谷　鹏　曾彦艳　李才琼　田　芹　周　香　章显刚　曹万洋
陈体利　吴朝杰　邓　华　李安印　秦显进　兰家菊　陈光学　顾成会　王　军
徐德宏　卢增桥　商崇敏　邱晓娟　李　艳　龚雪琴　王　宏　陈　莉　桂双权
胡大秀　蒋　超　田　平

三（4）班班主任　蒋丹英

谢　缅　石玲莉　张仕伟　李绍斌　谭　莲　聂　丹　江　平　蔡天科　胡远洋
冯　艳　犹　敏　祝远林　李发琴　晏路年　吴文发　王明洪　金安国　熊会勇
唐高艳　闵光辉　李发碧　魏治安　刘启鸿　卢再波　田维兵　梁正安　王启刚
李兴龙　王仁强　赵　滨　刘支俊　张宝颜　张富勇　梁光福　商正燕　肖开发
田兴惠　苏　坤　熊　宾　张德兵　张兴宇　赵　阳　陈文发　邹治斌　徐洪先
黄　沫　丁　建　况明会　冉茂祥　张晓玲　刘龙菊　王开齐　张　珊　周青青
赵　磊　付　燕　聂万碧　周朝丽　蔡　进　陈开天　刘元芬　卢　琴　朱成兴
徐贵平　刘　号　江真梅　刘元正

三（5）班班主任　吴定明

李　玲　潘　靖　曾孝松　唐　高　唐　勇　廖从江　李洪刚　刘　欣　朱　仪
秦华军　陈兴菊　雷成鹏　兰　梅　刘宗仁　王晓峰　彭小红　何克平　聂万娟
李增群　文忠海　黄启凤　杨秀怀　盛定军　姚景华　牟成江　兰永琴　朱　娅
曹　娇　倪祖艳　张永珍　胡大仙　张　涛　李质坤　舒孝艳　王振容　王立会
赵明园　唐宜坤　曾　健　黎远林　丁正奇　韩贞春　舒　建　尹　婵　张海永
黄　建　卢再勇　朱光俊　廖大辉　陈德良　王　飞　何　俊　漆　江　张　进
张邦才　郑　钢　蔡志勇　汤德兴　王福兵　周　教　田祖猛　唐富余　高建文
犹　松　王吉先　谢云春　胡厚权　龚　闵　邓大华　方景加　颜朝富　许强南

三（6）班班主任　胡朝志

游家豪　肖　金　邓　祥　刘　率　吴晓贵　犹黄杰　黄　庆　鄢家品　李　乾
熊　璐　殷永梅　冉艳琳　段启惠　段启群　樊小娟　袁雪飞　陈明群　徐光艳
黎忠明　教忠永　陈长友　陈长平　娄义坤　邬连菊　王兴章　邬连凤　柯昌暑

王　刚　刘忠敏　胡贵艳　胡　建　刘　艳　唐辉碧　马　艳　陈章丽　李昌涛
施家鑫　黄明维　张克祥　王启军　甘元章　胡忠俊　曾庆波　惠增邦　代虹飞
欧光进　董　良　李远建　杨正洪　李绍春　犹万群　王之华　陈明健　兰玲玲
方　银　黄　玉　程晓芬　田兴海　李景高　肖长城　贺诗桥　李德荣　李富莉
赵远志　赵清兰　罗永胜　殷中强　李军民　王道庭　黄　凤　赵泽凤　何　松
罗德明　胡　建　王本富　丁方亮　谌晓菲　李煜鑫　谢卫鑫　杨仕军

三（7）班班主任　祁连州

赵飞燕　梁　艳　罗　鑫　蔡道超　魏　青　赵一镁　饶顺方　潘浩东　贾朝菊
唐仕钧　犹敦发　陈　远　赵　模　陈体芳　方荣杰　张定红　杨俊琴　邓永进
贾朝能　刘　芳　陈廷松　唐仕巧　崔丽娟　陈秀贵　田洪丹　古吉昌　马　青
袁　扬　罗　军　姜永雁　周洪全　龙登军　许　艳　赵文波　王明华　陈　秀
韩　强　葛群先　张承敏　曾宪荣　蔡清洁　谢　春　张国俊　赵显香　杨　波
邓正峨　李　飞　倪　海　廖满坤　罗玉龙　赵禄红　江建科　李　俊　许维均
赵　亮　尹先红　刘保群　刘　梅　王友才　王振军

2001 届

三（1）班班主任　刘乾坤

李作林　计可荣　李远菊　张　梦　王家胜　严文敏　陈兴云　犹　维　刘福梅
何　琴　梅安祥　杨选珍　刘明开　张　远　王福万　张　章　王　丽　王红会
赵万志　娄方强　谢君锋　刘峥嵘　陈启材　杨潮美　犹　鹏　胡礼俊　钱家松
张清伟　刘法宽　罗仕松　袁仁祥　张顺利　宋　艳　邓孔刚　瞿友付　姚文建
宋江贵　覃启双　兰昌明　柏年福　夏华祥　罗　进　王文章　陈　群　廖福芬
冯金坤　杨春凤　张时燕　唐　姚　蒙泽海　谌　毅　邹治中　李洪湖　刘绍林
犹正明　覃　彪　冉　杰　柏小安　罗　毅　李登建　张明婧　张天芬　陈三春
陈　平　冯支全　黄贤峰　苟德国　朱世伟　周文娣　穆　勇　王道坤　陶贵中

三（2）班班主任　华和平

倪天成　宋霖杰　赵吉勇　杨　成　朱海维　邱先志　张　毅　扬　珊　商体选
方怀峰　犹　鹏　杨沂忻　郭建林　曾　灿　鄢　顺　毛文民　卢　礼　王贵军
张　宏　邹永贤　唐　璐　王　飞　杨再凤　唐可兰　李考琴　刘开念　黄　远
陈绍军　蔡平基　王维勇　徐　强　王　松　余　琴　刘祖军　孙绍才　薛　建
陈　剑　王泽鸿　蒋忠伟　郑　刚　杨泽辉　李恩俊　朱发敏　洪　莲　洪　艳
郑　冬　周云霞　雷　薇　朱钦宇　赵　霞　安斯濯　田应贵　张　坤　商崇会
陶　磊　周　坤　邓　强　石高华　陶叶洪　陈明宇　李永涛

三（3）班班主任　孙仲时

赵远波　付昌友　陈　浩　秦　文　黄　文　何家龙　李兴会　肖　刚　谢先龙
曹礼梅　曾小旭　刘　涛　冯　勇　徐明发　张永兴　诸庆丰　杨廷飞　夏仁利
谢　霞　刘继松　张银松　符　猛　胡　彪　钟　波　马伦兰　朱世波　谢陪香
卢　山　王大美　骆吉迅　袁　丽　闵　媛　谢　珊　胡　玲　舒远奎　朱世炯
张　群　汪　元　陈大海　欧　洁　刘怀菊　梅　丽　杨昌伟　李正敏　郑金林
王书令　彭定兴　杨　林　张　刚　刘　城　宁可双　夏志兵　陈福泉　郑其明
王　昭　廖星君　田　俊　方天莉　叶　龙　张富宇　陈荣政　陈开明　喻皇飞

宋居黔

三（4）班班主任　刘仁奎

邓国辉　商崇智　孔言　唐洪娅　刘龙涛　王俊懿　彭国婿　冷德书　张国莹
赵兴才　何唯　陈登发　宋帮富　李光黔　孙承刚　杨青　何仁俊　邵兴春
陈建兵　龙梅　韦会福　朱具敏　袁文琳　毛仕福　杨祖率　杨阳　王明
商娟　谭正辉　犹锋　冯家林　吴华莉　姜前飞　潘登　王永梅　李朝友
郑中友　陈静　何先游　魏智军　涂江重　黄海　何先会　骞书林　刘利彬
犹会　丁胜　刘彬　胡伟　曾钊俊　伍廷群　刘有全　雷胜　沈焱
何冲　何建松　李宏杨　刘明会　文明凤　宋金林　胡孔江　胡万飞　詹薇
史玉刚　贺刚　蒲廷飞　田祖涛　蒲朝东　冷红阳　王忠华　王泽武　肖正安
肖大莲　黄晓峰　唐华强　吴会松　张刚　董泽剑

三（5）班班主任　邬培祥

娄丽娅　刘华　汪元翠　徐井会　刘作飞　李江洪　王有艳　秦艳　邱金舟
李立梅　朱前欧　骆鹏　兰成松　彭兴春　王国都　商正帮　兰英　冉学琴
周荣琴　卢昌荣　李林　蔡昌春　杨成刚　冯家庆　徐永江　彭胜会　岳廷松
吴静　蔡小波　经泽辉　邓诗灵　杨秀光　杨胜东　张龙　吴廷芳　张德刚
卢花　熊小燕　胡俊　李家凤　潘喜琴　陈盼江　张正琴　黄健　杨成兵
雷绍奎　黄远仁　李景松　唐纯芳　徐海　旦江皮　左方宇　李文魁　王梅
王卫　朱连秀　胡琼　张琴　王小丹　丁富平　唐军　谭元松　吴正春
陆琴　付春琴　王国先　伍明方　丁富毅　李鑫　袁忠学　余湘琴　杨茂梅
胡朝先　邹宽轮　陈发艳　柴会　刘霞　王海

三（6）班班主任　刘忠信

余万丽　陈菲　冉燕　犹俊香　雷晓超　沈清　廖青松　袁代富　文峰
熊琴荣　任会　沈成霞　任碧佳　吴刚　张鸿　陈德安　兰代群　廖育会
张倩　刘凤　田琳　梁霞　谭奇超　秦莉　姚琴　谭光进　颜德满
梁大军　郭路秋　邹小东　陈玉勇　赵华芳　王小鹏　熊会勇　王坤　毛科文
彭启先　熊荣琴　熊荣霞　马丽　王玉梅　黄永芬　张良琴　周福　王双
周林森　张睿　周正洪　刘学达　阮雪梅　姚正琴　吴罡　卢光杰　何克文
王建红　王凤　杨欣　熊兴会　赵静　商娟　毛国波　张敏　张小敏
陈修利　王振悦　许建　彭小林　张维　石德洪　王江　冷曼　麻喜红
陈绍康　唐麟　刘正言　何茂松　吴荣辉　吴定艳　方艳　赵清　向应雪
陈洪　袁松　袁吉萍　李娟　徐怡　何培英　胡会琴　周伦高　石德进
杨松　蒋文祥　包安荣　牟远　陈雪　戎帆　吴永军　岑吉辉　刘毅
潘月　卢桂林　柳太文　宋刚　唐成义

三（7）班班主任　何家林

宋江明　龙林雨　韩世茂　刘兴宽　栗方琴　李志平　龚贤莉　余露　宋永达
陈丽　夏锦松　陈春　黄建　文建平　陈明健　张夫　伍永利　樊后琴
卢青　刘燕　聂锋　顾大松　李煜鑫　彭谦伟　席德挺　王道金　柏朝正
王欢欢　李厚美　邱德益　邓小伟　王华江　张战平　徐坤平　文松　向高国
杨昌毅　倪明胜　韩书友　刘成江　江家伟　邓义丹　赵禄丰　贺诗维　罗萍

刘　静　邓　红　张全斌　赵久华　刘玉娇　丁　松　黎世星　罗玉花　张永静
田维玲　蔡　斌　潘明春　何　岭　陆久妹　何藩艳　刘子军　王大丽　胡　鹏
王　毅　杨　坤　宋纯菊　廖　羽　冯　杰　刘　凌　杨　静　高大利　喻忠莲
杨　莉　李元菊　贺诗琴　邓正美　张　婕　刘元贵　张遗葱　张　莉　唐文海
贺礼辉　赵金秀　黄孝慧　柯　剑　刘元刚　毛国成　李元航　邬连琪　王华梅
蒙小菲　张达林　罗德军　赵显红　杨信春　方忠权　欧　燕　张　欣　王　建

三（8）班班主任　何平章

林宗秀　何崇群　王维凤　邓荣光　刘　松　魏后渎　蒋永忠　刘怀松　邹国兴
舒远鹏　祝坤龙　龙玉林　杨红梅　李乾芬　李昌喜　刘德辉　江西军　方　淞
雷秀超　李念娓　贾朝飞　刘　乾　向志康　华树开　李仕喜　徐　伟　刘　涛
练　军　贾　梅　李坪莲　黄乐玉　舒正易　张晓红　朱世熠　费德萍　周　铜
张仕友　付应贵　余朝学　刘长松　付家林　黄　梅　杨方斌　杨碧静　朱代军
陈书彬　杨方权　杨兴红　王　帅　何　敏　田　春　姜万菊　范乾妹　吴喜艳
袁忠剑　胡钦英　毛国川　涂江时　刘常义　姜　裘　王建军　谢祥坤　杨兴林
潘龙兵　江平超　黄　夷　杨再勇　杨菊香　田　梅　罗　彬　邓大华

三（9）班班主任　顾晓福

付昌发　陈开天　杨俊琴　刘洪斌　郑　峰　蔡　翱　王　建　王　迅　王章娇
王振春　刘朝勇　付　权　张仕伟　刘承源　犹昌龙　陈志达　宋荣发　熊荣海
李兴洪　袁　桃　童显刚　刘　建　杨应碧　周　敏　肖仁方　杨　凝　曾凡英
李德荣　石　军　王启刚　胡　野　张大双　李登亮　王经伟　邓祥峰　唐　念
张兴旺　唐　弘　李学敏　犹俊刚　贾朝银　蔡玉怀　罗　坤　符业建　冉孟祥
向光辉　况明会　唐高艳　谢　文　简高艳　谢　文　简远梅　龙晓梅　罗仕勇
陈安都　葛明忠　赵　仪　黄泽海　程玉英　蔡　军　曾　凤　陈　勇　赵光会
刘世明　兰永红　蔡清杰　胡松元　李大荣　吴　苗　李　弘　张　波　王明洪
杨天奎　李　彦　兰树斌　满奇军　黎　会　兰成应　宋锡丽　郑朝辉　周虹佃
祝群风　刘　倩　舒远飞　肖友昌　商崇敏　高援淋　王家华　江负伟　石佳鹏
鄢中飞　毛　娟

三（10）班班主任　胡朝志

李高伟　冷昌林　谢　缅　赵远奎　简思莲　柴汝宏　张善松　林连祥　周乐琴
犹黄杰　马　艳　肖长城　何　碰　文忠洪　简崇玺　李恒柬　黄治江　甘元章
王远坤　鄢家品　黄廷书　李军民　余登兮　陈　涓　曾　俊　罗永胜　何　琼
吕　鸿　董　良　闵国建　梁金凤　王兴会　胡忠俊　陈娅兰　犹昌荣　段启群
许　涛　雷　敏　龙　跃　朱　仪　刘宗仁　敖扬胜　徐兴佐　王开艳　牟成江
雷秀珊　刘　松　张　琼　杨晓红　李珍群　唐书江　袁红惠　舒方红　聂万碧
何　艳　龚仁会　陈　远　李发碧　李发琴　陈明群　施家鑫　谭周礼　刘制健
邓　军　胡远洋　义　坤　何明红　黎忠明　安小明　犹万群　王兴章　蒋焱杰
杨秀怀　曾令艳　赵　艳　陈长平　游家豪　敖永勤　陈　勇　刘　艳　徐宗桥
蒋家顺　张　滔　殷永梅　金安国　李国江　李小军　张　涛　戎成均　王开齐
桂国梅　张富勇　聂　纱　王　超　蒋吉兵　石玲莉　刘保群　李　飞

三（11）班班主任　吴定明

胡大仙　倪文全　段启惠　王　强　袁雪飞　谢　瑶　刘翰景　罗　建　陈光秀
胡登云　周继安　金　鑫　晏　丽　夏洪波　王　翌　王　飞　付国丽　陈天波
王有权　刘汉静　庹金福　吴　铁　王富刚　兰　勋　熊学元　王仁强　蒲仙武
杜冬梅　刘　念　陈善品　杨明瑞　熊国仙　何　俊　陈德良　李　艳　刘兴发
赵文波　方　炗　蔡志飞　张　梅　兰　厚　陈　慧　贾朝鹏　杨菊玉　张军友
盛定军　田祖猛　黄耀文　王平均　张　永　李吉军　刘洪铭　王有才

2002 届

三（1）班班主任　杨友发

冉龙刚　杨庆银　李远富　万星新　贺体勇　李天琴　田　秀　张　静　李成宽
王冬武　毛绍兴　余正银　聂　春　黄自强　刘禄江　冷启辉　杨胜运　刘宽琴
刘元红　朱立波　刘德飞　屈万春　秦大贵　杨　明　吴　烨　郭　松　杨秀月
刘　银　富麒麟　张　豪　唐　波　李　江　黄小会　华　举　孙绍芬　李弦娇
夏兴旺　罗元勇　邹德江　毛启春　陈　梅　李东菊　李佳娥　刘　芳　杨　红
吴海俊　田文杰　周光辉　朱　舟　尚家岭　杨　勇　董利华　陈福平　陈永会
华　东

三（2）班班主任　徐德志

张顺菊　陈　琴　宋春梅　胡永刚　代时军　黄　磊　谢　彪　杨一帆　高绍兵
程自悦　金　鑫　周光菊　赵　刚　袁仕凡　曹晓明　刘明松　李家苹　丁明举
潘　飞　徐明红　向成英　何正毅　李林永　徐得昆　贺体华　蔡昌珍　张群英
罗锡棵　李　丽　刘金彦　林华军　李仕熊　丁明饶　何开远　唐顺芬　邓洪英
刘高发　倪福友　唐模静　何　琴　陈　维　刘宽宏　肖德福　张　琦　王　梅
温成欢　潘　勇　刘德富　柏朝前　李泽举　刘元后　杨艳红　谢早孟　何崇林
谭明福　王佳佳　冷继茂　廖从刚　徐进华　周靖林　王国鲜　尹着辉　张贤文
杨俊喜

三（3）班班主任　曹植铭

屈万春　罗玉伟　刘　丽　王碧霞　李奇松　王怀兴　宋　亮　李　超　陈仁宽
何柏洪　唐光杰　朱翰林　陈　燕　李　丽　王华乔　吴　颖　吕文先　贾志春
田　薇　刘朝彬　郑　姣　陈锡梅　曾　丽　谭　芳　宋梓榕　宋　斌　熊华强
石祥宇　毛仕琴　闵国盛　向孔建　任　静　潘龙英　张春明　周洪彬　刘云梅
王　丽　唐晓芬　龚福英　李　清　周　君　熊正伟　周吉群　刘　波　丰家楷
杨昌宇　张　英　彭　静　李炳军　刘文芬　袁家林　杨小玉　李金成　魏雨薇
袁昌盛　李　群　邱龙森　黄　静　邱礼军　何仕鑫　熊　阔　倪　明　谢　宇
胡爱萍　郭小林　陈　睿　欧　鑫　王恩琴　杨泽金　徐方永　杜天鹏　黄世琴
戴洪琨　蔡卓君　陈启芬　陈立国　张桂云　刘　文　邓　青　杨中文　郑　权
付仁琴　顾大健　张　波　潘劲松　唐晓芳　蒲泽敏　吴　江　周福彪　邱跃勇
杨光松　赵应超　王　建　闵国红　王天综　吴海波

三（4）班班主任　李景辉

蔡秀佳　刘文祝　肖兴茂　杨　坤　罗泽宽　唐小江　杨万琴　李　竹　刘占宽
王兴江　夏　松　余　红　林举华　于　峰　李　平　陆兴怀　涂志群　毛木建
蒋光明　李志光　余　丽　曾庆玲　石孟群　卢凌雁　王考群　唐雪飞　罗玉珍

蔡泽燕 彭方波 王仁辉 张 梁 罗忠银 卢 雯 范如美 潘小艳 毛正娥
牟 忠 向 艺 刘 俊 王有富 石 巍 何 权 徐 萍 何玉芳 蔡 磊
邹 琴 龙之明 廖天江 汤小伟 田维霞 李天玲 罗 会 蔡道章 吴 靖
何明峰 卢 佳 华 梅 吴 丹 邱 荣 雷 霞 邹贵南 冷蓬青 贺礼艳
张 晴 王顺英 姜 红 黄 艳 王 琼 王 鹏 罗德江 陈贵发 犹永红
程晓露 王佑进 王朝洪 李文武 袁明先 丁 香 胡大莉 王 林 王玉春
卢 莲 李 旭 汪吉美 李天青 陈红伟 李林娜 李 彪 田 珊 王再祥
张 丽 赵著亮 杨铁刚 王国艳 胡大军 袁严富 文靖宁 马 林 刘 宏
徐 怡 杨 宝 王 靖

三（5）班班主任 李子忠

杨 洪 沈 洁 范乾江 陈福兴 杨 松 陈立权 鄢杨国 杨 俊 汪月涛
陈洪波 卢增群 冉洪刚 黎治江 邱光梅 黄孝春 李亚群 周 左 袁 敏
龙德俊 卢锡举 李正光 马仕会 经天梅 吴兴会 张 敏 李贵霞 陈 敏
张 艳 李华琼 林安东 施家飞 倪春丽 张 来 李明彪 余建辉 朱 斌
肖开祥 李小华 宋茂华 杨华燕 冉 坤 倪 松 余禄辉 唐广松 师光宇
朱仕东 张富强 班远超 李 波 李德章 邓家乾 张 魁 胡齐忠 黄选军
丁 毅 黄 华 邓志平 牟 高 张永波 杨科华 罗昌武 童 应 安德舟
邓正前 文明露

三（6）班班主任 陶义奎

周依平 张世梅 邓代平 桂如静 李仕福 罗 嘉 陈 康 刘成金 王顺林
廖天柱 周杨喜 汪福荣 刘耀文 潘龙燕 宋泽瑞 冯余飞 龙良芳 廖雪佳
陈 凤 何 静 杜俊佶 宋昱霖 张 进 熊学平 朴举文 曾庆涛 涂金玲
王 丽 孙 逊 吴 超 李 涛 王 茂 李 明 超 航 赵明勇 张明勇
张会琴 杨显梅 周远飞 高 瑜 张小红 田维刚 何国庆 朱 丽 漆 艳
刘 曦 王 荣 陈 金 万 飞 顾忠香 费明亮 刘 建 江 赢 漆家兵
王仁贵 康太林 谭德富 黄 江 宋锡军 刘前松 旦江波 聂钰纱 吴 敏

三（7）班班主任 徐孝红

聂启相 兰永贤 刘 海 兰飞虎 高维常 唐连云 丁 维 王国元 黄建华
娄义红 邱 新 杨秀林 左方敏 张思敏 张莲花 朱秀丽 王开基 杨 丹
王启进 何登国 蒙友艳 张 丽 谢 平 邓财龙 王大勇 彭乾芳 袁代林
谢芳艳 杨 涛 黎捷友 吴忠贵 洪 娅 田 波 刘海军 张 菡 杨光军
卢增东 尚海燕 陈 平 金帮涛 杨小坤 雷安曦 张承高 蒋忠建 聂 宁
肖 林 周昭辉 黄临江 聂治学 商 耀 陈永刚 唐 静 朱兆章 李明主
宋 敏 周乐春 王大俊 黄 鑫 张富魁 刘元开 余 波 郑维庆 陈 鹏
陈黔军 刘开念 李瑞佳 刘开念 李瑞佳 朱文超 杨 健 方景阳 蒲 灿
陈再先 谢 鹏 吴永芬

三（8）班班主任 陈友华

江 涛 李显政 宋 涛 唐汁华 赵 进 熊 晏 韦钧耀 杨 笛 闵阳红
刘廷梅 杨小翠 鲁彩云 王建强 朱仕春 文 杰 刘焱嘉 张义芬 田维霖
朱 钦 林函波 任芯宜 黄 驰 毛 姣 付 娜 尚崇亮 何仕杰 聂万敏

龙海霞　邓财兵　姚明海　郑　锋　文良鹏　周后成　左华亚　杨应权　雷晓膏
万星亮　熊　海　王　进　刘光涛　余克顺　刘　爽　刘朝明　郑　磊　王　莎
聂　林　薛　交　谭大勇　李松霖　吴　云　何健开　冉从齐　朱麦冬　周　璐
赵九富　王宗高　张琳波　周吉昌　孙　健　李智峰　肖时梅　刘贵兰　张启义
赵春阳　王庭元　陈　瑶　任国凤　顾大章　黄廷龙　龙国瑜

三（9）班班主任　顾晓福

郑　婷　蒋　涛　刘国华　任永伦　孔　方　柏年福　毛　金　何　川　石　文
陆晓波　付　娜　罗　恒　朱世伟　唐汁华　赵　进　邱金陵　田小熠　康　强
谢鸿鹏　兰成其　向单儒　刘宜飞　李仕谷　田应莲　邬连波　舒兴福　姜　琴
毛国锋　石友坤　相正辉　舒甫超　吴升文　袁明敏　孙　凯　王　鹏　王　娜
刘丽香　陈正海　王华友　代　强　李恩情　朱龙巧　宋正军　袁桂湖　黎　芳
王小丹　况　霞　何　毅　唐　琼　邓江洪　王远霞　李体琴　杨　超　胡昌伦
陈天友　李春明　游　丽　董成龙　黎捷友　王大德　李　松　黄　燕　李文群
张明美

三（10）班班主任　孙仲时

黄晓峰　刘佩佩　詹　薇　张银松　刘　松　姜　黎　刘峥嵘　杨　珊　何　敏
唐　姚　蹇书林　白伟宏　陈明宇　丁可双　王家胜　肖艳骅　卢　礼　张　梦
陈光英　王　丽　洪　艳　王应坤　杨　清　文明凤　沈　芳　冷继菊　犹　维
商正艳　余启琴　贾朝飞　杨方斌　陈书彬　黄远仁　华庶开　涂江时　杨　咏
宋　艳　潘　勋　付　林　刘怀松　张禄松　雷　鱼　蔡平基　王　宏　商正帮
张仕友　岳廷松　罗春琴　冷继戎　张富宇　张正军　朱　静　李锦松　余香琴
卢怡竹　丁　胜　孙绍才　杨　刚　余成玉　刘　霞　蒲朝东　杨红梅　张　颢
韦会福　吴正春　倪天真　邓孔刚　马建松　杨廷飞　陈兴云　何思齐　李志琪
徐盛华　黄　茜　唐可忠　刘　健　冯兴科　高雪松　黄　海　刘帝义　符　孟
郭建林　胡　彪　龙　梅　杨　涛　李家福　王凤娟　黄乐玉　贺思金　陈室佑
何海林　王　飞　兰建军　杨碧静　范乾妹　付家玲　王茂锦　宋进云　张　童
彭光斌　周　婷

三（11）班班主任　王顺德

曾龄靖　肖立宪　伍永刚　余星谋　杨利娟　陈熔谦　方　艳　张婷婷　王立丽
吴　刚　罗永静　张　维　杨　坤　刘　凤　董玉会　杨　欣　英永芬　何克文
刘应丽　赵久华　任　慧　蔡文章　刘兴宽　王建红　商　娟　龙　江　罗德军
袁雪飞　唐　麟　刘　燕　冷德芬　周云霞　沈　清　沈威霞　张晓敏　戎　凡
周云霞　周　罡　钱家宇　肖新梅　袁　松　袁中学　王　禹　向应雷　向高国
贺诗维　欧　彦　蒙　飞　廖青松　林　琳　麻喜红　邱德益　周林森　樊厚瑜
邓义丹　龚青云　王小丹　刘子军　刘国安　赵　清　邓钰清　邓松涛　雷晓超
聂　峰　张大梅　文　锋　陶叶洪　黎文林　宋江明　张全彬　刘吉贵　卢　青
盛　佳　杨本学　田　琳　邬亚其　宋如飞　姚正琴　简会勇　邱正鸿　刘小义
尚　昕　王　江　李志平　王道瑜　梅良锋　陈修利　王欢欢　卢桂林　王振悦
秦　莉　刘秀玲　张　夫　肖　清　陈佐先　刘朝华　刘成江　何　涛　陈　琴
顾　婕　蔡　斌　谭文默　张晓彬　骆书友　胡会琴　雷馥铭　石德江　刘兴发

晏 丽 柏朝政 马 丽 冉 彬 赵泽凤 李万飞 张崇庆 肖景清 杨宇凌
秦志国 岑吉辉 贺礼辉 李 鑫 黄跃文 马单明 毛科文 赵文波 吴秀军
邓尚琴

2003届

三（1）班班主任 游鹏

夏洪林 胡 鹏 陈福松 王荣军 张德杰 兰成义 艳艳军 王兴祥 黄 维
唐仕超 张先维 娄方涛 胡 杰 杨 成 章 化 陈 骞 陈明飞 黄安松
王仕涌 李永春 罗 洪 陈 涛 兰 超 卢德云 刘 毅 彭 湖 冉 军
王文章 张正建 王小兵 肖兴耀 王 波 王永华 饶顺军 韩泽均 罗锡兵
游丕坤 吴召军 廖俊峰 杨 君 黎贤军 张举斌 张 玉 何再星 罗廷书
朱艳秋 蔡小青 袁 航 尚欢欢 胡玉先 卜金琴 李凤姣 刘 敏 班克群
袁仁静 陈燕玲 谢 薇 邹 萍 刘 畅 张 琳 商体丽 张金菊 陈 艳
龙婷婷 郑 娜 毛 露 李 浪 石 露 骆第容 杨 颖 李 莹 余 群
刘 颖 郑南芳 李兴梅 沈曼丽 王 婷 马 薇 王吉琴 陈珊珊 冉 岚
陈仙琴 李 晨 肖湘倍 向 瑜 肖开娇 王 娟 谭 慧 王成秀 谭雪睿
岳龙萍 李昌梅 罗万丽 苟 毅 毛凌叶 张 瑶 王 琼 刘 艳

三（2）班班主任 张明光

刘 会 邓懿平 杨 明 余玉敏 袁昌莉 杨 涛 黄明伟 王显贵 陈洪明
梁正坤 周昭飞 赵 波 刘凯丽 王 宇 罗洪飞 黄 俐 张先永 李太珍
冉光俊 马建喜 周 梅 杨 俊 江友福 张仕坤 贺 艳 朱国庆 欧光霞
王成俊 梁 超 张长江 叶仕江 潘启斌 蒙应才 商正松 谢福珊 严万元
杨雪花 王成军 李吉先 马 驹 杨志刚 张瑞先 卢 飞 彭启明 王培阳
胡 沣 杨 波 杨 林 夏文福 王涵洁 张付昆 商正高 张廷华 袁政兴
田晓娟 朱成彪 敖松林 王祖群 郭 勇 徐文峰 李 端 肖大奎 犹 俊
陈 超 丁立军 张杨辉 瞿路龙 彭方政 章玉珍 余香毅 兰永成 尚良帮
刘玉刚 王立飞 肖水运 袁 艺 邓胜祥 郑典波

三（3）班班主任 何远红

刘元惠 杨 娟 刘福俊 何松杰 李 露 田晓波 王 俊 彭 微 覃长荣
柳应江 兰中萍 吴成会 张林芳 熊文群 廖育丽 梁 杰 张 玉 唐 梅
商正莲 谢 娟 王怀永 张 莉 吴成梅 刘明娟 陈清美 谢春艳 陈 玲
郑 坤 余崇丽 刘福芬 谷 艳 陈章梅 杨 凤 谭正江 徐绍莉 吕仕卿
陈 果 陈荣先 尤良燕 刘晓敏 谢海燕 沈松惠 谭晓莉 李荣建 赵忠仙
龚福江 倪祖凤 李忠纬 曾春兰 敖 静 谭 云 郑朝菊 陈华丽 刘梦松
戎乾坤 刘元萍 张宗雯 卢增游 丁明竞 万坤毅 付英宏 犹俊国 冉 银
田玉峰 林国梅 岑 凤 赵 欢 李 芳 刘兴科 沈小雨 曾凡军 欧阳旭
曾庆才 周志华 李富艳 廖家坤 马 骏 杨 坤 车远涛 张国金 尚广辉
徐国群 唐木兰 欧阳德会 柳应敏 张显娥 钟 毅 谢治松 王克碧
李属凤 丁武松 成荣庆 杨永艳

三（4）班班主任 徐国武

白丽娟 陈太荣 李 勇 罗 平 朱洪波 况泽志 杨昌霖 杨俊荣 刘 会

袁贵娥	曾凡丽	杨　程	余　昆	朱仕波	杨正俊	于小倩	蒋世萍	向静源
陆　靓	袁　洁	曹　丽	王国丽	龚福珍	龚娅雪	江　宇	张思春	胡钦宪
倪元梅	兰永庆	王文芳	吴小林	张仁蝶	商体鸿	王泽武	夏万菲	王　俊
陈　燕	吴明江	石德霞	朱祥安	尚国琴	吴晓夫	冷　缙	张淋美	高文敏
聂应华	顾　桥	田景艳	谭雅婷	王维贵	杨　琴	蒋光祥	董　超	汤顺美
覃　勇	陈仕群	殷　华	田景丽	熊长洪	李洗波	徐国柱	熊守恒	卢　叶
朱成洪	庞成娇	黄小丽	漆丽娜	陈家刚	徐　静	何廷建	牟元莉	李华莲
冷永永	罗　俊	王家祥	冯元樯	程　琴	兰兴杰	安小波		

三（5）班班主任　谭仁华

张国萍	向怀菊	徐尚琴	秦　霞	杨应琴	唐可涛	王小菊	杨　盼	宋泽燕
刘德琴	刘廷菊	刘　霞	鄢华凤	班杰庆	牛晓琴	朱　靖	田茂琴	饶兴英
熊　敏	林　婕	童　瑕	徐园景	赵才琪	王　维	秦明霞	邓　娟	熊跃琴
张群珍	冉松坪	陈　斌	何　亮	张永刚	蒲天才	刘　刚	陈志然	李　伟
王庭权	袁代贵	李光徽	陈　进	李　春	徐锦燕	曹正香	杨胜利	史国新
熊　明	盛忠国	韦会华	犹昌劲	陈雪晴	李景坤	汤仁松	杨光华	冉龙飞
胡　涛	邱德政	甘元超	李　倩	樊厚成	蒋安顺	黎　明	宋　涛	兰仕金
杨　浩	冉清山	曾令成	贺金芳	孙露贤	王兴国	潘兴位	孔祥俊	余文广
廖从安	卢增志	沈　孟	张平东	石再飞	张远杨	周兴群		

三（6）班班主任　祁连州

江　洁	王大红	陈　婧	王再富	晏立超	吴　群	李方菊	陈炳年	陈　利
朱占涛	张金坤	余德丽	徐　静	肖会琴	王绪举	冷继文	丰　云	蔡　玉
敖国凤	翟　芳	许付利	柳应青	扬吉勇	任为学	邓成英	陈　姗	田兴季
张兴良	龙大芬	兰绍群	刘　湘	郑　南	扬忠敏	何　沙	颜　丽	黄廷飞
余家群	顾风吉	景立春	伍朝艳	吴明乾	王小峰	周德胜	金险峰	童显春
肖文娟	商崇红	宋　健	古钦文	张　莉	唐顺霞	林举伦	周智先	范乾春
孔剑江	谢崇梅	张光琴	何明志	方　宇	唐尚均	苗文林	袁　梅	蒲天琴
万　翦	刘志艳	胡　丽	李德洪	余典懋	许德风	曾兴兰	胡昌辉	张国平
田清江	王本礼	胡生文	胡应贵	顾德俊	张尉亲	黄光宇	胡廷倩	马佐红
张　俊	罗煜亮	王国元	罗　飞	钟　海	蔡成武	唐　强	卢昌杰	

三（7）班班主任　徐华

杨　帆	郑贵学	唐　臣	何　静	汪　丽	陈锡安	兰冰峰	邹德华	周昌槐
刘仓城	张　会	洪顺琴	刘顺子	谭正红	崔　霞	华朝锋	余　庆	王　杰
刘光武	吴石进	张　军	刘汉艺	周　艳	陈　洪	何光建	李　薇	宋泽燕
陈大松	黄　伟	洪　俊	朱玉琴	李春艳	姜　涛	管启羽	杨长义	霍隆超
兰成万	李天学	张灿光	邱金陵	罗洪梅	李　琴	刘远江	尹仁福	郑兴发
罗　静	曾春龙	卢昌金	王　霁	冉　杰	何明龙	张　涛	桂国刚	邓　居
周永坤	杨再锐	贾朝琦	朱小娟	刘长春	张　静	毛国禄	陈善芬	张　丽
胡海锋	黄贤刚	仙　子	何　熹	殷廷阳	樊启乾	吴　胜	吴昱江	李　涛
陈洪春	韩忠义	袁明靖	张　逆	张蔚婷	向成建	倪　勇	邓于迁	庄龙溪
蔡道凯	刘显华	旦小进	梁　颖	陆晓波				

三（8）班班主任 吴定明

夏天丽 曾慧海 欧晴慧 胡坤明 徐 飞 李立敏 徐发茂 朱立林 曾广雨
卢 波 刘光涛 黎庆芬 周远兵 刘红波 张次涛 其承信 陈林芬 唐 湘
刘明涛 周世梅 赵光春 王益德 张叶丹 杨 勇 李叔建 犹敦信 向桂源
朱仕锋 肖会容 王泽敏 刘红红 吴有杰 胡 娜 杨 骞 张德祥 顾成英
陈体坤 兰 越 张世婷 杨 成 方 松 王 洪 犹家礼 刘兴元 王德发
葛忠伦 杨泽会 何家莉 邓志祥 邓风平 池明达 王地博 兰树坤 张东方
石 凤 许志祥 李明亮 梁小兵 张启明 犹 毅 刘朝进 李天义 杨忠学
陆 江 何国军 陈锡锋 何国宏 彭 辉 聂 坤 曾德位 戎承论 李 梅
杨海波 唐 珑 朱 林 张 毅 刘 勋 犹家应 王 露 王 俊 王 霁
陈 飞

三（9）班班主任 洪庆平

邹 军 谢蕊璐 李琳穗 能正高 刘 创 余德学 唐小波 谭大春 刘光甫
王 兵 舒前方 马 艳 王章庆 张大勇 张林海 张贵先 陈 景 周光常
夏飞龙 胡 宇 胡元会 宋 娅 商正英 范华丽 黄廷娟 王克成 谢崇庆
陈兴兰 兰 飞 刘 军 徐仕江 张进潇 何建文 刘祥权 王维波 邓 文
任华群 商 杭 梁 浩 朱云霄 杨贵兴 杜武海 熊会林 张 龙 帅德翠
王 江 赵清锋 高贵福 余化龙 刘元飞 廖福平 张 静 周海洪 鄢国华
左华燕 付发红 何明琴 费明亮 刘成万 刘家华 汪吉春 毛 楷 胡德童
蔡 刚 张 健 邬连波 石 文 文良云 陈光静 舒方娟 王 春 蔡国伟
袁 武 雷国位 邱金禄 罗宽进 王承兵 彭盛涛 唐程亮 何盛乾 聂 萍
李 林 唐海林 杨 毅 左立艳

三（10）班班主任 邓超

杨再勇 江 鑫 朱荣华 莫先源 李志琴 张 敏 潘小丽 齐家群 朱海发
崔丽萍 李杨剑 刘维贵 王顺康 杨 春 刘万莲 漆 丽 杨丽琨 余 瑜
卢 艳 吴安顺 王 旭 魏金品 王文军 金 飞 顾大明 刘 俊 成 渊
郭 勇 杨方富 余 琦 潘明生 汤仁福 李晓海 毛光忠 岳贵钦 周万军
卢金龙 张 韬 叶荣珍 曾凡莉 李孔江 葛启茂 韩小坤 夏卓军 刘泽洪
张蛟先 吴洪雷 王文娟 犹 俊 范安贵 张时春 兰廷玉 简恩鹏 陈虹非
许德方 刘智丹 罗 纪 伍锡艳 顾 强 吴仕坤 梁建君

三（11）班班主任 朱模忠

王维江 罗泽良 李奇峰 蒋贵忠 龙润平 华 熙 梁明松 王 芳 王永林
胡庭凡 郭登权 廖路滑 杨 帆 周 全 魏荣明 晏 斌 何 辉 熊华桥
杨东海 罗永宽 陶方亮 罗 春 邓安东 罗成炉 朱 江 王大先 江显飞
秦 坤 赵志琴 覃兴发 戎承芳 陈常娥 葛兴文 罗灿勇 李昌忠 杨昌槐
杨建宏 田维松 张朝勇 朱国青 李明琴 王 艺 杨忠琴 胡 燕 邱耀兴
宋成志 李兴顺 李成丽 冉景兰 沈双燕 张爱村 周 晶 冷 力 李万红
梁 康 谢 微 李 禁

三（12）班班主任 陈友华

刘登英 刘成前 曹文博 秦正宇 张仁远 倪祖华 宋 微 谭才兴 刘 顿

李　坤　周　林　刘祥龙　周棉亮　吴　秋　江　湖　周　辉　赵　恒　田应琼
刘咏糕　汪海波　李　玮　丁　超　潘　勇　王　鑫　郝福前　刘　波　张　莎
黄富俊　廖兴洪　杨胜权　张守菲　吴先觉　邱　彬　窦　梅　黄明全　朱占梅
吴　莎　张义良　刘富国　张先进　潘青春　黄　松　吴洪琴　陈泓辛　石华刚
张思燕　卢　军　林　海　黄武林　毛先强　邓成鸿　邓华湘　陈　聪　刘承铭
陈绍林　吴　宪　卢　叶　陈昱伶　舒甫超　李　焱　胡昌伦　石慧敏　李忠坤

三（13）班班主任　孙仲时

唐广松　陈　祥　黄　燕　陈　宇　王　荣　雷安曦　杨　超　谢先璋　李　松
田应莲　顾大章　李远富　陈　凤　邓代平　陈　康　林举文　周银祥　周　锦
付　娜　刘廷梅　刘朝明　任芯宜　李泳佳　陈体琴　何建开　吴升文　王华友
冯跃飞　赵　刚　牟　高　杨　勇　刘　银　王　茂　杨　峻　王安前　李　春
冷开丽　傅　璇　林安东　鄢国杨　陈　维　张泽珍　李佳娥　况　霞　王小丹
袁明敏　邓国辉　刘友刚　冷　俊　万品宏　宋茂华　王立志　唐　琼　田德建
张钰容　朱仕刚　邓才龙　彭乾芳　宋正军　秦　景　向单儒　董成龙　黄　海
王庭元　谭才福　方运进　刘万章　尹着辉　周　友　赵喜兵　杨立平　唐国盛
宋　涛　王秋平　代时军　周杨喜　刘　玉　吴　云　王　梅　黄　娟　余　波
朱　钦　张　豪　卢钧耀　杨小翠　刘高发　冉义学　黄　勇　杨　洪　丁季斌
王　健　陈　金　胡齐忠　范洪江　倪祖祥　朱文超　冷启书　简　明　赵　航
周　璐　赵　伟　任国群　肖滟骅

三（14）班班主任　李景辉

王　鑫　袁玉芳　杨昌宇　王　山　任道艳　曾兴鸿　徐景刚　任芮函　范海燕
文靖宁　李贞举　卢凌雁　罗泽宽　潘小艳　李　群　刘　璨　付卫红　杨红梅
张先敏　王怀兴　王大富　冉道飞　聂　倪　王　莎　张承高　杨　秋　黄　勇
刘泽继　贺诗菲　陈国立　龙芝明　罗锡棵　温恋艺　何柏洪　张道勇　刘　文
唐小江　吕文先　袁桂丽　范如美　张桂云　唐良红　邓文梅　郑　姣　刘占宽
王文松　罗忠银　王维娅　李志会　龚福英　谭文默　尚　昕　夏　松　易传兵
伍志平　蔡泽燕　蒋太明　杨　坤　杨万琴　王兴江　陆柏邑　彭方波　王光军
张　梁　徐泽凤　李　洋　吴　靖　袁明先　屈万春　徐　怡　吴海燕　陈　曲
宋　斌　王　梅　李志萍　余万丽　赵著梁　刘志坤　谢　宇　李金城　赵华群
王佑进　赵显杰　李志光　张和宇　汤小伟　罗玉珍

三（15）班班主任　刘明林

张国平　谭德宏　向　阳　赵九富　高　瑜　李　涛　孙　健　李智峰　朱麦冬
赵　楠　郑　锋　王建强　林　松　童　应　李亚群　张　义　张顺菊　何正毅
梁小淞　罗永梅　刘　俐　梁正芬　兰登艳　马晓敏　徐　宁　高绍兵　李　明
张会琴　张　靖　王大俊　张义芬　黄孝春　吴礼松　宋　敏　杨小坤　宋小琴
朱　艳　高显燕　王少松　李长春　周依平　沈仕能　米兆幸　汪月涛　张　鉴
黄选军　王中华　朱　丽　赵仕菊　朱晓波　杨小华　陈　俊　李远杨　王绪福
宋纯祥　王国鲜　刘成金　吕　艳　黄小会　何林奇　阮江洪　张宝波　何国庆
何　琴　朱俊美　吴兴会　贺　靖　吴应陆　冉坐齐　冉　建　付麒麟　李明彪
柏朝前　张天梅　戎乘良　谭明福　金　勇　刘成海

2004 届

三（1）班班主任 刘仁奎

刘国娇 李昱燕 曾 旭 张 宏 王国龙 倪 健 王 辉 赵红梅 张 禹
粟贵军 李扬远 徐 林 毛 锐 宋 鑫 李 玲 金晓绘 江黎黎 唐华美
何 飞 李 弦 顾 玲 潘玫兵 夏境坪 何院军 刘 辉 徐海浪 任远华
杨盛娟 朱 波 曹代莲 田本松 方小蓉 胡 敏 何明松 陈 超 柏红娟
丁泽兵 袁玉军 王绍将 毛文强 蒋青桐 杨东林 卢义荣 宋正岚 林远坤
倪帮华 周谷雨 蒋 杰 刘 梅 敖 磊 邓启敏 邓小驹 彭盛飞 游佑梅
周玉明 宋 飞 袁治发 曾 剑 唐均美 成晓梅 邹春柳 王 刚 杨秀举
吴 黎 李华祥 李凤霞 刘海军 曾令秀 李 鹏 王吉利

三（2）班班主任 管志雄

曾庆尧 夏丹猛 朱 磊 赵小燕 余忝龙 陈 静 李绍华 王大苇 樊青青
姚白军 龙文久 周 跃 蔡子春 冷飞云 龙国庆 李 林 龙大娇 赵才仙
张明坤 胡 娟 罗 姣 况仕飞 姚绍波 杜 飞 骆科涛 卢正清 刘承维
袁 剑 陈光华 倪德香 周义群 熊小伟 王 秀 田 珊 蒲 刚 王 玮
龙福清 犹 健 犹红群 胡 忠 李家菲 曾令霞 张 茜 李小凤 黎安军
周德福 陈瑞忠 孔凡健 乔福军 马国军 张林春 陈吉春 杨华菊 谭云芳
冯雪永 李美霞 万启鹏 李小涛 唐 川 苟 敏 卢配燕 王 梦 刘 成
彭跃江 周兴海 台宇安

三（3）班班主任 胡容

赵元禄 黄关宇 何大龙 肖兴义 冯 茜 宋文健 肖兴进 陈光凤 陈延俊
白 扬 张 茂 伟 洪 胡 静 张 燕 雷兆海 蔡明亿 张 标 甘良杰
叶荣波 黎平会 宋余继 倪嘉峥 方 中 陈锡会 殷金成 胡大海 戎 珊
王 青 冉 娟 杨冬梅 罗 魁 刘文明 唐思会 谌香梅 任兴梅 王朝凤
刘 春 何克金 陈全燚 张 琦 罗 俊 邓 琴 李 念 潘凤阳 刘 丹
姚 超 彭 娟 向世进 张陈涛 方天美 王 丽 陈山发 冉光阳 李安凤
谢琳洁 潘明梅 陈 浩 杨 欢 宋庆峰 黄 霞 练真伍 罗定荣 李 雯
金方娟 冉志松 刘诗羽 王 淄 周珊珊 王小莉 何 原 刘 伦

三（4）班班主任 石世学

石国平 江 雪 骆科文 姚知进 廖 松 文仕杰 牟仕红 陈志凤 梁显康
张 敏 唐 海 赵 婧 赵仕俊 肖 丽 张玉坤 汪 燕 向小亚 犹 飞
张忠杰 吴石毅 胡生琴 区光飞 张时刚 商 辉 罗安宁 李军桥 孙 凌
牟 坤 李兴旺 余 伟 杨秀芬 张 涛 王宗永 罗成勇 曾凡梅 殷 琴
廖育顺 陈建平 张 鹏 龙永芬 张良礼 朱 毅 龚娅琴 王小琴 陈文碧
盛 全 杨贵蜀 王仲坤 鲁家辉 朱龙安 鲁家敏 严豪举 唐华涛 王秀敏
罗玉鹏 徐正莲 丁合元 田茂辉 何廷鹏 黄 青 杨 飞 周 丽 严文涛
潘 玲 夏开德 石德玉 甘德超 田中辉 余 靖 陈 丽 罗 伟 周朝海
皮真宁 尹洪波 张龄蔚 田维亮 刘洪强 彭 庆 周林建 冯 璇 谌益安

三（5）班班主任 刘乾坤

杜君燕 杨 洁 彭仕成 蒋维英 冉光琴 安其梅 刘 江 方 旭 罗开强

刘　慧　舒兴智　简崇海　王海燕　唐　娇　曾　丹　徐本荣　刘冬梅　贺晓霞
唐世凤　黄贤良　田　燕　袁立春　刘宗平　邓正青　袁诗琪　谢其彬　商小伟
张小梅　卢明清　雷婕婷　陈　俊　犹华俊　张琨坤　杨立秋　卢清明　刘洪友
邓　杰　李天军　毛　翔　周　钦　晏书松　吴　红　犹　政　柴汝俊　赖章武
张子发　邹　林　王　芊　覃　杰　邹　宇　肖　匀　王大坤　李红静　李泳莎
张　松　肖顺梅　陈大敏　章翠友　李　静　易候菊　李　兵　朱　艳　吴文林
梁大江　杨　芳　贾合兵　唐　励　刘文兵　余　庆　王永梅　江远国　刘兴江
王　龙　商从静　陈　松

三（6）班班主任　张友军

周　松　周　刚　陈　江　孙绍凯　张晓敏　夏洪凯　万　梅　冉光群　赵　兵
刘小方　王　英　甘亚萍　李治春　王洪兴　张志秀　杨　兵　王　群　罗安静
廖天宇　王　华　唐晓凤　梁大发　左　菊　李锦黔　石　琢　陈　菊　李红菊
兰文芳　胡天霞　陈小亮　蔡玉霞　白　京　何向菊　黄金艳　谢建国　韦善伦
尹权刚　李远清　何孟春　向中华　韩克虎　尚荣江　刘开梅　陈　芳　韩　敏
黎　梅　王成源　蔡长耘　王　府　姚绍全　邓资辉　蔡辅江　喻皇敏　王　进
付支兵　张大松　付支燕　谢光静　姜克凤　盛正会　简学艳　李忠琴　刘兴馨
龙　波　冯小春　宋锡敏　商崇军

三（7）班班主任　龙光明

蔡明洋　兰　亮　申俊杰　卢　敏　张　鹏　夏单敏　杨　渝　王　陶　张小燕
刘云丽　张林坤　蔡天亮　邓正凡　钟　丹　毛远凤　杨　春　张国清　方　丽
李绍群　刘春菊　罗元龙　陈兴军　王元飞　张志学　周　芬　陈立进　唐华江
张金元　周智涛　陈胜海　张祖彬　肖　艳　李明惠　黄小伦　刘　欢　杨锦辉
段　波　邹前红　唐书群　何　欢　陈谋会　潘　峰　尚国引　蔡昌菊　卢清有
李天学　张　鹏　李志琴　唐婷燕　李　宏　蔡义松　卢小林　黄安兵　陈洪印
牟元飞

三（8）班班主任　王建华

谢文杰　刘　丹　谭周艳　罗亚宽　王芝琴　梁正玖　陈盼建　张津洋　胡齐兴
唐明武　李安安　汪　辉　刘维海　卢　伟　李治云　安仕萍　王　芬　李　伟
李　珊　蒙友江　张未先　曾旭波　胡　静　熊光海　杨晓军　黄建红　闵　惮
旦小杰　钱　义　肖　妍　张林斌　潘金祥　陈　清　张良景　王秋菊　余洪菊
石　雪　程　胜　喻忠梅　付　波　陈　凤　付君勇　刘文芳　徐　端　苟明霞
黄官武　唐明凤　杨选龙　雷江福　潘　鹞　胡菊莹　吕代娜　李大伟　朱文霞
姜　凤　陈炳菊　穆昌文　商　超　王　伟　刘如江　张　坤　罗　艳　代时坤
熊　丽　王树斌　冉婷婷　张　昀　张仁进　刘　忠　秦贵松　张文杰　陈朝秀
刘　梅　李　娜　陈　都　杨再文　罗乾松　潘　松　何朝红　向　燕　倪　艳
安　健　顾大蔚　胡大鑫　唐思扬　马应琴　黄乐为　熊胜群

三（9）班班主任　胡朝志

谢　满　卢洪波　邓小杰　商　洁　犹　铸　兰　叶　向正义　胡廷辉　周召娥
王　丽　王　林　张路兵　谭志坤　卻兴成　方金宝　曾祥红　兰卫能　何玉峰
简正明　丁光艳　夏　芳　王春燕　赵　潇　麻堂会　金　璇　戎　璨　蒲　江

张杨勇　黄廷峰　陈　美　邓小俊　李些颖　郑玉菊　朱海莲　朱代英　王　庆
尚国晖　何晓波　李俊江　秦靖沂　田　昆　陈锡江　万　梅　倪福莲　王振翮
陈小斌　陈黔安　陈文彬　袁仁誉　彭方飞　周福荣　张　玲　李癸汾　何红梅
胡先智　彭　洲　熊丹妮　张钰靖　马登秀　赵　辉　胡荣林　罗　雯　冉毅华
陈长发　王　云　张　显　李　健　余家静　戴凡清　倪祖毅　冯　艳　叶仕英
罗国强　付龙乾　邱瑜霞　盛金凤　王在杰　李立业　李恒飞　敖　飞　蔡青青
李俊杰

三（10）班班主任　罗晓安

刘　江　罗沅枋　杨昌艳　黄　胜　张方灿　吴池凤　郎　慧　石开碧　邓华波
王益贵　黄　聚　柴鹏飞　罗　园　谭　宇　贺顺志　周　雪　谢　涛　夏　敏
付　丹　张宝清　李才立　汤仁辉　邓政凤　董　艺　谢　忠　杨青山　杨　静
冯　坤　杨文霞　张福鼎　程建英　朱　丽　黄文宇　徐明忠　蒙友波　林建辛
罗定欣　戴洪鹏　汪吉会　谢文锦　姜　曼　张　杰　廖天静　李之敬　向高键
侯忠伟　金　鑫　黎成军　周小琳　蔡孟林　汤仁游　吴忠林　周　洪　颜学渊
陈锡梅

三（11）班班主任　邬培祥

童方艳　喻　红　陈洪霞　王　艳　刘华春　王天智　胡春艳　唐　练　陈超群
李承律　文明书　杜明菊　梁正香　倪朝鲜　邱定波　吴瑞枫　胡生美　刘　青
席忠飞　吴丽娟　江培亮　李　露　罗　艳　龙清黔　潘运伟　王　星　蒲双桥
晏国足　黎有敏　吴正菊　徐贵琴　吴小玉　成荣香　雷华建　张　婧　张慧敏
邬连奎　谢　飞　卢小松　李金红　王友坤　邹　凯　宋江伟　曾庆友　熊　伟
杨明艳　方　华　罗　杰　蒙泽丽　梁　杰　张安美　王文斌　余　鸿　史泽亚
刘兴业　王道俊　陈　玲　廖益贵　闵雪梅　尤志勇　宋国先　何元梅　马　铫

三（12）班班主任　何家林

肖大江　李　倩　刘　鹏　胡　念　江　椿　蔡贵勇　曹龙海　石恒早　吴文松
杜春林　李治坤　李忠阳　石国方　陈　亮　吴　兵　陈伶俐　向大芬　左　莎
唐旭东　谢励松　戎成燕　陈　军　何克洪　顾　芬　黄　笛　廖　敏　刘　燕
曾上怡　黎　念　安有素　张荣燕　胡　娟　冉茂坤　赵　明　杨吉庆　高　芬
戎　颖　冯　斌　商　岳　王恒颖　朱仕香　杨廷菊　秦　琴　罗　芳　杨俊丽
李元碧　郑开军　陈光兴　张　松　刘峰彩　王　勇　钟林翠　田清永　邱　王
姚知福　杨　轶　方金国　贺诗艳　张钦红　周　末　张道林　犹登山　赵清薇
罗　肖　赵　江　杨春红　袁　兴　张小莲　朱春燕　杨　涟　陈　宇　陈　兴
代明星　王佑刚　杨　波　何林军　胡秋菊　方容凤　刘　樱　杨　树　郑莹莹
吴安顺　张　韬　王　喜　杨永艳　金晓绘　唐华美　倪德香　任兴梅　张时春
欧　菊　李　偲　刘开勇　李杯权　熊中琼　安斯杰　秦大明　余天敏　张国旗
何　勤

2005 届

三（1）班班主任　杨友发

宋正喜　陈　静　姜　钢　杨　飞　杨　庆　安　康　唐　树　赵　珈　闵明俊
李世君　王　涛　冷安辉　陈善奎　冯　友　张　翼　吴应海　宋北银　孙　新

李刚强 夏丹亮 罗 春 倪 浩 王文箐 蒋 洁 蔡 娜 庄 勉 陈敏竹
陈 婧 沈 阳 石富伦 朱远娇 向幸帮 吴洪梅 马光英 王支伟 刘亦安
刘春梅 舒 芳 聂昌林 张 超 杨秀宏 许望明 吴铠辛 梅国娥 罗 琳
倪德兴 朱海清 刘海英 陈珍会 王 芬 杨 涛 聂啟龙 向达文 余 飞
陈 实 徐莛婷 姜 华 金仕建 吴雪峰 于春旺 安 霞 何 洁 刘 坤
丁正云 彭高才 华 桦 夏 菌 孙浩淼 李君竹 岳贵全 许 源 唐 韬
石 灏 娄 欣 杨 忠 姚 静 张 莲 谢 松 兰勇翔 郑 重 商崇彪
张永刚

三（2）班班主任 商正达

杨 兰 肖 凯 文 毅 余忠艳 刘可平 池大文 李崇波 张 琴 杨 威
曾 贤 张 彪 谢欣彤 江培红 李顺江 胡 珊 刘明刚 贾勇杰 王 佳
犹 江 邓安平 张 颖 冯家艳 贺晓波 张 燚 吴小明 刘邦辉 吴安顺
闵 蝉 孙秋媛 唐贤文 犹文修 梁光玮 聂荣华 商体艳 刘 坤 唐 艳
蔡长会 商体俊 倖 霞 犹 圳 罗永平 犹 丹 彭启艳 金爱明 王予丽
武茂春 唐修福 马 玲 李 珂 王小敏 梁云强 黄胜兴 刘云桥 赵 芳
邱德江 杨 琴 赵祥芳 卫文波 任 凤 赵显惠 余明亮 金方伟 袁文逸
骆运来 余 湘 余天敏

三（3）班班主任 殷谦

刘 卫 朱振环 蒋素宇 岑忠祥 李君鹏 王 杨 王建军 向成丽 卢青翠
徐仁东 倪心林 唐永香 杨 丽 张承倩 赵 苇 王洪敏 倪心宇 简 波
王 云 何家恒 杨建辉 马光梅 王柱延 赵鸿飞 欧乔云 熊荣霞 张荣香
唐 青 胡 建 周 磊 邓浩然 罗 乐 罗 杰 罗玉清 袁诗琪 梁 维
熊宗会 程 敏 李丽娟 彭光银 周 进 王斌玉 曹代艳 陈帝踴 陈 秀
李恩柔 李 群 陈光辉 代时飞 唐 丽 夏 梅 王 英 吴承沅 沈洪奎
杨 勇 金 锋 谢朝海 贺思源 刘 余 熊宇霞 华 雪 王群艳 赵 凤
唐书娇 骆运霜 陈林华 蔡尚忻 张绍飞 马 丽 左春芳 陈 美 韦开建
谢 娜 赵国辉 唐钰汶 陈启纲 王本燕 付元先

三（4）班班主任 陈清玲

饶成佳 刘 丽 方 静 胡丽梅 倪首琴 孔 艳 万 瑾 陈明刚 陈松林
王德琴 冷启先 王远基 尚 月 黄 伟 汪 毅 黎现级 李景琴 张荣青
周正兆 陈 斌 王永骥 卢光彪 陈清跃 刘安奎 裴 进 岑忠生 任运超
熊高红 唐道军 赵桂彪 孔垂松 周承坤 袁贵涛 张 松 廖永捷 胡 霞
冷德辉 卢 涛 李如秀 胡礼智 杨小春 严国江 袁学菊 陈玉刚 曾前清
肖兴孟 晏国琴 谢进春 张 伟 汤 鹏 邓国成 马光辉 陈正军 李 松
方金霞 黄 敏 毛启坤 方金佩 毛国银 刘德涛 杨家福 吴秀丽 杨洪菊
谌福飞 王代飞 胡伦兴 吴先凤 蒋泰鸿 杨 洋 蒙应林 喻忠德 杨 泉
周正明 丁登云 张 伦 鄢国阳

三（5）班班主任 祝亚峰

李进梅 肖 瑄 杨进松 倪 梅 唐 葵 何明菊 陈正江 杨 东 杨光红
谢 松 宋泽佳 杨怀君 姚童均 范兴旺 谢召发 何林洲 何建军 朱金秀

黄道清 陈昌前 梁 飞 路 燕 李 梅 石耀刚 熊金艳 罗贵江 周建福
何国凤 李晓艳 王 超 邓安豪 严 春 赵平斌 刘 昀 刘祖兵 杨昌平
李文林 王朝玉 宋 艳 王 刚 杨青林 谭大洪 刘用伦 袁 勇 高 阳
杨 俊 谭礼梅 胡建江 龙 顺 徐 桃 黄道芳 陶代琴 鄢华容 林安建
刘 婕 杨光萍 汪 婷 黄陆翠 韩忠琴 姜应兵 蔡道俊 彭 建 骆 丰
池光明 卢小波 雷 顺 黄晓兵 杨 毅

三（6）班班主任 顾晓福

顾凡雨 夏泰林 邱朝群 胡中菊 石金艳 王 君 张 洛 李刚桥 丁元坤
李少龙 冯金松 刘俊齐 沈桃燕 丁明玲 黄 慧 黄万丽 唐似海 石芯瑜
马家军 王 斌 王辉亮 陈 进 曾发敏 景之隽 冯福静 阎 红 荣 超
周纯吉 李 佳 刘国涛 田先勇 陈 彦 余海霞 王凤霞 张小英 龚家华
左晋吉 姚启萍 桂 滕 何仕波 何 淳 吴 婷 丁光贤 谢兴国 东腾飞
刘开红 王文渊 梁 军 刘人杰 欧 远 张 玄 刘汉芸 宋 杰 李恩蕾
向高杰 杨予鑫 顾 飞 邹国平 王 刚 张 杰 简正嘱 柏 发 冉应波
田 米 张 进 殷德斌 钱 江 孙 艳 唐增强 毛 雯 王君权 杨 盛
周 靖 梁 鹏 梁正霞 黎 念 王 方 蔡子娟 何院军 宋雪雪 黄胜超
贺小军 付 洁 宋居勇 刘 军 向高健 韦 坚 何再林 柏小松 夏文波

三（7）班班主任 陶义奎

王立红 贺 娅 郑 丹 廖天涯 胡大芸 何华伦 石 磊 倪 超 杨坤坤
陈坤阳 胡 京 蒋安莉 卢 鹏 吴礼海 袁仁红 罗 穆 胡坤美 江 坤
罗 丽 吕仕文 周文建 杨家华 王 宇 胡章莲 肖仁亮 陈山发 晏乐敏
张顺国 董朝勇 李 庆 宋 飞 贺明刚 王元艳 陈国强 钱 丽 周桂臣
何小亚 杨福辉 何德芬 王小艳 任明凤 熊坤娅 谭德刚 陈跃勇 粟贵林
雷 霜 叶荣涛 张 燕 高家勇 全再静 马 念 邓正发 陈佐盛 陈文斌
陈中建 冯 坤 郤 敏 王玉仙 陈怡霖

三（8）班班主任 刘昌荣

陈吉燚 陈 丰 张述敏 刘宽群 郑 敏 陈谋韵 陈 会 顾 颖 廖朝荣
陈 杉 王维艳 吴国萍 黄宝会 吴 丹 邱志祥 罗万坤 胡瓮中 王 杰
雷国远 唐杰华 聂丽丽 杨开明 黄祖方 李微玲 冉 欢 杨盛娇 冉 进
敖俪铧 唐国军 陈云匯 吴祖军 曾 春 柴 峰 池 俊 雷广陶 康明远
黄 愿 邓文波 袁正福 朱 艳 袁 涛 魏间喜 潘龙权 李昌金 杨 醒
黄支静 王 美 尚荣惠 马佐鑫 龚家智 胡 敏 熊春钱 毛文忠 刘开美
周永胜 张 健 张国彬 张 雍 万欣新 兰 娟 蔡道江 朱廷莲 张 敏
李昌发 杨再文 代时坤 胡淇星 王忠敏 廖明星 兰绍洋 胡礼禹

三（9）班班主任 赵慕琦

尚泽松 梁光黎 何 飞 李培安 余 芳 姜明发 腾建兵 张国松 李文波
罗德洁 江德富 黄 敏 刘 海 杨玉香 彭辉梅 朱仕州 李 霞 刘 玮
吴春艳 王国艳 陈 乾 广宇发 刘福会 黄海燕 余洪艳 陈国艳 夏雪峰
张 贵 谢 柳 熊 婷 任道永 梁明湘 蔡志军 罗 琼 冷小艳 康 靖
江明琴 姜先宇 胡 奎 王国旭 廖文明 刘 霞 李 立 何 舟 冯兴发

陈康 张彪 张迪 犹敦红 林安乐 钟海 高超 谢香 池大帅
尚超 王万春 袁晓波 王恩芳 唐斌 刘其顺 罗思民 周英进 吴军
刘佳梅 黄倩 杨辉菊 郑朝惠 熊文静 李波 袁家椤 钟德付 盛宇
冷军阳 朱忠杰 赵青春 吴涛 李守权 娄竣 魏靖 肖茂 王家林
向筑波 杨春 晏梦 陈永飞 聂晓林 张先永 温光武

三（11）班班主任　徐德智

冉利斌 丁武琴 张陈伟 蒋永材 罗建飞 李幸发 付仁兵 罗泽宽 张林洋
廖福刚 程立江 冯超 夏云 李华 卢再刚 张钰杭 邓杰 陈顺
朱艳 刘静 卢艳 蔡青茂 唐鸿飞 黄国文 黄帅 程龙江 刘鸿
邓安位 唐小伟 关照勇 吴泽勇 唐春旺 帅德培 朱斌 龙良洪 陈洪健
韩春 张浩 庞闵 罗琴 杨正奕 敖升吉 吴定乘 邓正民 王荣正
马佐敏 王显忠 蔡光福 陈松 刘江 任仕华 张烈 兰兴碧 毛晓斌
李晋 罗茜 李廷民 李云 周惠 曾凡勇 徐明忠 范华军 何朝红
潘坤 李洋森 朱仕斌 聂益飞 谢丽萍 王会 宋锡敏 卢正清

三（12）班班主任　徐孝红

徐明群 周朝飞 代小盼 易厚艳 赵明 兰洋 牟红兵 何开玲 蒲茂涛
袁清友 赵光平 陈安 赵斌 裴相松 李恒 杨春芝 范安凤 犹代飞
胡礼敏 赵永飞 杜青勇 蒙友建 陈梅 张莉娟 陈天莉 聂万霞 夏俊
陈军 徐大波 徐大浪 王代银 陈学建 刘朝选 赵军 李敏 刘涛
张乾洪 刘佳 张沥 黄钟山 万娇 敖阳 陈阳 杨明艳 何艳
张仕娟 刘莲 赵小波 郑玉鸿 洪志文 黄友福 毛国顺 彭俊 蒋建
杨金云 牟小波 杨金凤 杨利民 雷维 张小玉 王兴群 刘敏 陈飞龙
杨应立 李绍伦 杨超 李显明 杜鹃 舒星智 石成 杜君燕 贺晓霞
李珊 姚波 犹政 覃杰 曹霞 石雪 胡群 胡小燕 刘杰

三（13）班班主任　张玉胜

王佳佳 唐余 刘敏 宋丽 兰湘晔 袁吉凤 吴凡 史正兆 苏婷
李家先 李家坤 李涛 陈天才 卢锡荣 何承映 余怀毅 卓仕奎 张辉
肖心龙 江胜男 李易霖 朱佳 杨盛 邹大洪 袁林 刘锐 汪娜
王本会 陈涛 李恒飞 黄静 杨梅 杨凤 雷颜 卢佳 吕倩
龚娅 马佳 周勇 贾静 李凯 国淇钧 候艳 刘波 梁静
徐菊 夏青 唐凯 王小戈 王丽 唐寅 张明 刘忠鉴 贺诗兰
王顺峰 陈兴禄 覃兴友 王毅 何正平 谢小芳 郭元果 李庆滨 张建华
唐洪 李冰斯 黄志祥 罗静 戴洪芳 杨显瑜 王静 龙吉飞 罗瑾
刘汉璐 邓婷 彭玲 况照钰 姚杰 魏萍 周映贤 夏艳 欧莲
田菲 宋小桃 赵榜春 王国梅 刘静 王大进 吴进 罗赟宽 程世学
黄清萍 王静 杨祖福 陈红 刘福芬 王大枫 郑安平 张丹丹 王海燕
王月 张波

三（14）班班主任　李景辉

王启友 方露 赵红梅 陈光伟 吴让萍 代林 韩继龙 陈玲 吕杨
冷天 犹翌 余克美 王红梅 张琳 陆俊州 吴双 杨阳 李莉

马　富　车佳庚　李　林　钱　坤　刘银燕　袁　鸣　吐仕风　刘维敏　陈仁凤
刘　军　冉毅华　余万辉　杨铁飞　罗　雪　赵泽银　王　娇　詹　茸　洪　彦
朱文峰　黄志友　江　珊　刘　静　张　腾　赵大春　田　娇　王　倩　游丕建
黎登明　吴远群　张　帅　王安琴　彭国翠　袁代梅　向正艳　曾　文　曾　武
熊春艳　陈白璐　石　馨　杨　莉　安　庆　喻吉胜　杨恩勇　刘怡竹　饶　婷
陈珍敏　杨　丽　杨　莉　周子琳　张先明　李佳佳　田维娟　王碧娇　洪　娟
胡　薇　杨玉琳　李　琳　曾春敏　李　江　杨　会　向成红　马艳佳　李小丽
李昊博　周崇峻　唐微莉　李景奎　蔡崇进　刘　慧　陆　超　刘仁君　王应江
田　芳　雷贵群　汪晓虹　宋锡丹　赵　丁　郑国瑜　罗国钟　夏　芳　何　飞
张　浩　徐海浪　雷骅楗　卢昌杰　姚知进　卢小林　蔡义松　何元梅　吴　琳

三（15）班班主任　邓前轲

戎成林　向大芬　李　静　毛　莹　兰开玺　王恩飞　殷承坤　李扬杰　徐万明
牟仕华　曾祥敏　习祥春　王益贵　罗凤羽　周志会　杨　静　程昌龙　刘家海
莫朝华　潘绍栋　谢小勇　朱玉庭　曾祥惠　王祖仁　杜　刚　喻泽刚　陈　龙
王立飞　宋红柳　蔡　玉　邹德昌　陈文聪　方　华　李鹏飞　金邦艳　潘　平
王恒颖　唐庆华　王　丽　吴先觉　杨平志　幸贵川　肖顺江　王　辉　杨　彬
徐林霏　袁文志　幸　晖　蒲　刚　陈晓军　张媛媛　熊廷安　雷云龙　胡建军
赵才琪　李秀菊　李佳佳　王朝莲　王元永　李　莉　王旭群　肖滟苏　张玉娟
王　吉　黄　靖　李建新　龙永芬　卢鸿非　陈　娟　谭　宇　罗　渊　何开敏
陈代丽　朱进恒　宋正岚　曾光友　王元武　胡明乾　刘明乾　刘显锋　田茂兵
谢远梅　邓正春　吴鼎添　王晓俊　杨选龙　杨再美　陈绍坤　张天柱　曾　辉
卢　永　冷飞云　戎成信　董汉武　喻朝军　曾祥会　李扬远　吴永英　李　兵
黄积莲　邱国恒　任光琴　罗成敏　毛　竹　刘仕飞　李志琴　熊欣利　王惺春
胡宪娥　谢向平　韩　敏　黄光宇　张发军　王友坤　张　滔　陈应飞　梁　浩
尚国辉　柳应清　罗建国　姜　波　樊名乾　方贵钟　田　燕　兰文芳　文垣桔
刘　燕　汪　洁

三（16）班班主任　胡朝志

胡代平　罗颖异　宋江睿　杨家福　田青松　丁仁平　李　伟　蒙友波　彭　洲
胡玉晓　郑　萍　聂洪江　王　进　杨征武　丁光艳　陈洪明　幸海梅　蔡青青
戴凡清　邓小杰　田昊原　廖天静　卢正海　李小波　麻堂会　周小琳　王献璋
郎　慧　吴秀辉　杨　乾　王　竹　潘明彪　罗朝发　何桂黔　杨　桦　陈小斌
陈黔安　谢　满　方金宝　谢卫菊　江黎黎　张　显　商琮婧　马　铫　黄胜超
罗国强　李小斌　冉　青　吴瑞枫　黄文宇　简正明　唐华江　胡兴谣　李承律
曾祥红　腾明远　苏鲸鉴　邓艳萍　陈朝阳　谢学辉　周小路　唐　筠　蒲　江
张　霞　刘洪友　叶仕英　张明扬　戎成彬　黎平会　顾　玲　徐正莲　袁仁誉
周　睿　张　玲　唐德丽　徐　端　穆昌友　王韦华　杨　艳　代　阳　王正松
刘宗坪　王右刚　谌益安　王振翮　徐飞飞　杨永美　杨　帆　丁　杰　罗名旺
王丹昀　陈长发　刘　洪　罗　勇　黄元礼　刘　江　曾凡军　罗顺俊　胡坤明
罗国福　粟贵军　姚元文　杨忠荣　丁本军　石庆红　帅德翠　罗开强　唐欢欢
董　军　陈　丽　谢　涛　盛金凤

三（17）班班主任　夏忠富

吕代娜　顾大蔚　李　倩　徐贵琴　吴文松　陈　都　朱　丽　陈光凤　杨云霄
杨　波　黎玉进　卢崇志　张金源　陈大敏　毛远凤　王克银　周吉芬　王合军
王文斌　宋文建　王　陶　杨青山　黄宗品　周钰欣　潘　峰　任定正　郑开军
杨　芳　曾　丹　刘　鹏　黄明伟　张椋境　熊　丽　潘　松　张国清　张晶翔
李治雲　丁榜开　张　松　张恩荣　袁立春　倪　健　柴年华　邓　琪　陈盼建
张　鹏　李芝平　陈庆辉　唐诗会　陈延俊　李家桥　陈应勋　张陈清　卢　俊
陈光兴　尹洪波　张　敏　张　念　文仕杰　罗成勇　罗小会　徐琳坤　王佳鸿
朱春艳　况仕飞　刘　伦　石恒早　周小松　汪福桥　卢小宏　罗先昌　陈蒙祥
罗　魁　陈丽娜　罗　艳　商　超　熊金林　肖文源　赵祥权　廖　敏　丁　宏
宋海宁　谢　忠　冷韦刚　杨　波　杨华菊　卢　伟　倪　艳　肖华平　邹立芳
彭盛飞　杨秀举　简应权　王　毅　赵　兵　刘兴业　林　梅　龙　军　尹权刚
陈兴华　肖兴毅　谢利萍　罗国菊　董　丽　陈　云　犹　飞　张　宏　王吉利
谢奇志　方天美　代贵友　张　鹏　田维卿　彭　娟

三（18）班班主任　王顺德

罗　伟　罗志姣　肖　云　周谷雨　周智涛　张钦红　张　迪　张　杰　张小燕
张文丹　张林春　张　涛　李　忠　李　宏　李远清　李景黔　孟育琴　杨　飞
杨　欢　杨乾坤　宋庆峰　宋　丽　欧光飞　甘德超　汤顺美　田茂才　龙福清
龙国庆　曾凡梅　冯　璇　陈　超　陈　清　陈　菊　程　琴　陈立进　陈荣兰
董　艺　王漫丽　王　荟　王　艺　王大苇　王天相　王瑞雪　王宏伟　黄　笛
方　旭　蔡吕菊　龚娅琴　刘春菊　刘建军　刘元启　刘文明　向成美　谢其兵
谢小丽　郑　然　邓国建　梁　杰　吴红顺　丁仁惠　戴　清　靳玉红　曹　敏
习达亮　闵　艳　犹　铸　朱荣华　朱万琴　熊亚梨　徐伟佳　柴　娴　包汉卿
胡秋菊　姚绍波　徐　立　贺诗艳　唐华涛　彭　庆　周　刚　潘明梅　何柏洪
童方艳　陈勋依　肖　艳　宋海飞　周　聂　李扬剑　赵　飞　罗清月　潘　玲
陈昌梅　庞成姣　孙　浚　王忠正　张柏胜　王开宇　袁中华　付永祥　梁建军
曾令建　陈春梅　夏嘉宏

三（19）班班主任　张元忠

严文涛　杨文霞　唐邦娥　唐均美　张钰琨　谭玉芳　潘　娟　胡菊滢　朱绍波
余　伟　周　莉　游丕坤　杨　敏　盛正会　廖益贵　柏　洁　赵　娥　杨　璐
黄学会　李小凤　胡玲雨　兰永涵　徐元超　杨明艳　杜明菊　付支艳　罗明跃
周洪帆　曾庆尧　赵小燕　邓孔建　张　鹏　刘胜智　唐仕宇　石茂松　郎　斌
李　梅　向　宇　张　婧　李天军　黄小伦　牟孝梅　李　健　安　健　曾地军
帅　伟　何孟春　黄承诚　王　婷　曾繁菊　黎朝轩　牟世洪　余承奕　陈　燕
石广辉　周　跃　周宇衡　吴　勇　张钰靖　余照西　陈　玲　袁念霞　张　腾
乔福军　王天智　陈绍云　郑国富　夏洪凯　姬晓凤　蔡子春　车　宏　罗江飞
张景超　骆科文　卢清明　吴仕坤　王文章　丁合元　欧　菊　杨锦辉　余焕江
吴永红　王　府　宋聚材　王兴祥　李明燕　夏单敏　唐　练　冯秀英　孙璐丹
余星宏　胡世洁　简思鹏　邱开梅　刘维华　喻　红　黎　梅　王　丹　蔡　刚
何　轶　岳廷雨　郑南芳　钟开芝　苟雪娇　许家玲

2006届

三（1）班班主任　宋志飞

彭忠发　陈元树　熊廷福　娄金荣　王　超　熊朝海　夏境辛　伍　健　胡礼智
晏清美　龙明俊　陆安剑　况时环　余伯鑫　马天友　况　丹　谢邦先　唐成敏
唐　涛　王　明　沈待恒　石晟于　龙　颖　刘少远　谌福飞　王　盈　秦　燕
张德兵　王　彪　付天凤　邓永鑫　范　翼　窦兴元　付士兵　陈小娟　陈贤江
何知润　王洪梅　李春英　徐前莅　舒芳俊　娄金敏　倪　松　张林安　尚广琴
杨　程　周世洪　邓正波　邓　选　唐道君　李　飞　宋　霞　赵贵彪　郑　鹏
胡章莲　杨辉菊　娄　皎　龙文杰　雷　杰　蒋永洪　罗　松　蒋开兴　刘立晶
陈　娟　周德富　彭春燕　王克军　叶函勇　田　进　陈　进　王忠英

三（2）班班主任　祁连州

周裕博　陈　艳　林　春　陈津慧　孙　秋　邱金艳　何　江　李小红　杨　慧
程祖燕　莫　彦　朱晟瑶　杨　洁　杨　静　王长富　许　可　徐明江　马　敏
付君琴　费烈文　卢清菊　刘青翠　刘顾洁　蔡必发　易　思　霍　龙　陈淑银
陈　凯　刘金建　李　勇　李秀琴　张建军　邓　春　金宗静　吴　杰　刘　建
赵显俊　陈琨兵　王习艳　郭登权　舒远秋　杨　梅　王　丽　毛　宇　张先鹏
张承卫　李丽平　朱春林　刘军成　杨孟静　兰少倩　王茂盛　陈　鹏　袁文慧
岑忠勇　杨　龙　马　驰　尚泽强　刘榆久　代泓俊　张劲松　袁博志

三（3）班班主任　游鹏

张玲昀　白　云　黄明俊　周　轲　黄　梅　李红梅　沈桃武　涂江凤　李　霞
赵　欢　唐书滔　石冰玉　熊　艳　李　科　刘文华　向武丹　杨　曦　杨馥毓
唐仕会　袁　海　李　敏　黄　鎏　吴念婷　袁兴星　李昆芸　李　玲　牟小丹
王发稳　潘　飞　张　红　黄廷芳　曹潆丹　冉　婧　王文淑　刘欣羽　郭璐丹
张远恒　李　程　张林菊　秦洪伟　赵　庆　孙　艳　陈　兰　袁　宏　赵显匀
张　娜　丁　聪　宋　平　冯　其　姜　余　雷　静　韦　露　周丽高　杨俊珑
宋金雨　邓　灿　魏路玲　朱劲濠　景立明　程　静　李成红　康　佳　邓　潇
邓　熙

三（4）班班主任　徐华

李成果　宋星旺　兰　梦　唐　倩　余禄军　杨龙海　杨显林　彭　仟　王　敏
任荣跃　牟建春　任道景　丁　毅　赵明锋　江　潮　彭　敏　黄延胜　胡洋川
尹鹤翔　姚国军　傅君洪　蔡　洁　陈雨杭　宋金委　刘　洪　冯复霖　罗婷婷
韦　欢　邹　创　胡成坤　邹　安　梁　晨　郑石阡　张　恒　刘昕昕　黎现及
唐　渊　李　丽　黄　华　陈　钢　蒋贵红　罗　潇　刘　春　罗开飞　杨适州
刘小清　李厚台　徐　凯　蒋沂晨　华宏伟　徐　健　袁瑞沂　赵　俊　秦　亮
杨　鹏　简　锐　袁仁英　王　雄　李　坤　刘华毅　李如秀　何沿龙

三（5）班班主任　吴定明

王大芸　王怀规　赵显莉　余克波　杨华俊　袁　钊　莫　箐　姚　涛　李文敏
戎　鹏　李绍琴　韩飞飞　高　红　杨国敏　叶真杰　喻道军　曹　靓　王　英
蒋维操　艾奇伟　刘友松　邓安琴　邓正刚　刘华菊　罗正坤　刘天锋　郭义萍
邱喻涛　罗　松　辛　然　王宏珊　李　梅　王　潞　杜启静　代艳群　杨　飞

张　英　田维德　邓　艳　郭毅华　刘　菊　兰　阳　李　杰　宋正江　周永轩
商　娜　况兆孟　杨俊林　帅小艺　陶克明　罗学康　宋太斌　谢兴朴　陈国庆
顾福坤　犹和东　张　扬　何　林　袁文杰　张俊芳　杨　海　龙继武　徐申权
任　桂　王海涛　汪柚宏　黄彩云　黄　薇　吴照洋

三（6）班班主任　鄢小梅

李　腾　彭　琳　刘文贵　齐　婕　廖育鹏　赵海燕　杨道会　徐坤梅　兰　娅
杨佳佳　朱兴波　李永群　薛　倩　涂榜权　杨绪奎　罗　婷　陈念娥　冉　会
周钢明　王　洁　孙华超　杨贵英　周绪娟　蔡明妍　刘　俊　蒲茂霞　王　玢
倪　冰　张佳菊　宋晓珊　夏丹林　胡　晓　邓正敏　彭传婕　尚丹梅　何　芳
李　芳　晏　飞　张　蕊　李治迪　潘　艳　唐维娅　张立凤　吴炫霖　廖育航
王　莹　田　春　陈真琴　田仁会　周　美　王文丽　吴　鑫　潘付林　李兴梅
杨　娅　张　洁　鄢　榕　周晓婷　李　姗　蒋丑英　彭方会　邹　婷　黎　茜
杜洪江　胡　昊　罗佩莹　曹前芬　张小珊　卢　飞　夏　芳　周德芳　陈秀英

三（7）班班主任　王支全

马孝天　杨　阳　王　兴　何建梅　赵　黔　王先芝　蔡志鹤　刘　翼　张德锟
陈　惠　吴　俊　于　琳　蔡　青　陶　霞　周　青　林　石　蔡辅健　王本红
龙　俊　张　倩　潘纹静　赵小娟　王　亚　吴大菊　王　静　赵泽凤　周婧婧
陆　玉　高顺英　彭文科　宋居韩　蒙友江　秦　伟　陈丽佳　周　静　刘菊香
何正元　江云云　吴正成　刘　毅　唐连忠　刘丽娜　王世亮　宋昕璐　王怀亚
付君红　王支华　王言钊　顾　伟　张德仲　蔡秀青　罗　云　蔡　龙　欧林海
袁大军　唐德权　宋居城　费　翔　张　涛　刘　黔　郑君华　龚　坤　雷　东
夏孟军

三（8）班班主任　朱前红

陈贵华　丁　威　陈堂煜　陈　刚　况忠丽　朱　州　雷坤江　罗光辉　华朝显
刘文明　王江秀　刘　帅　冷继明　李元蛟　朱　芳　张林永　尹　琴　卢　艳
曾庆凤　吴明红　王　杰　苟国琴　陈　菊　余　梅　罗　毅　钟志军　曹　艽
陈吉林　兰兴碧　马盆静　徐孝春　郑君炜　郑　静　彭　丽　郑才丽　罗玉娥
却　丽　徐立亮　胡远峰　夏　宁　潘祖武　吴　芳　付昌发　廖天鹏　唐书法
刘　梦　杨家权　曾庆素　蔡志江　姚祖权　雷　毅　吴明先　岑泽模　陈祥梅
廖　城　李章鹏　蔡青茂　向达进　曾庆康　秦利梅　陈冬妹　蒙德芳　蹇晓松
张　用　秦正海　彭　松　方锡柱　朱仕海　闵　籍　钟　松　苏期琴　陈祥会
王泾伍　杨　仙　韦华佳

三（9）班班主任　何远红

蒋　迪　严文倩　张华玉　顾德翠　欧银光　王　刚　潘　龙　胡小莉　万　云
周　诚　徐　峰　胡文进　代彭程　王　姗　杨　潇　廖咏捷　冉瑞兵　王福军
犹昌燕　卢金姹　胡　浩　肖　杨　秦家立　曾　琦　胡卫莉　李　鹏　王大琴
梁国正　穆丽娅　牟宴民　蔡志俊　肖长琴　况　勇　陈　娟　伍仕凤　姚　军
袁　月　魏　凤　李昕坤　周叶舟　胡卫林　雷　洋　杨勋竹　犹　陵　倪祖进
曾豪迪　蒋明文　兰仕宽　廖　娅　刘星延　吴振宏　张　珊　蒙正鳞　陈　静
罗　凤　王小艺　熊　敏　孙　青　王富伟　卢　炼　夏银花　黎美玲　熊文东

蔡青松 黄荣辉 米华松 梅 媚 宋 平 程 雁 黄 丽 刘用明 谭正锋
王玉娟 甘 超 庞友明 覃 朗 陈元华 甘 泉
三（10）班班主任 王静
代录江 陈红艳 裴克娟 肖 刚 宋 飞 朱文艳 张 珊 王 瑜 黄 鹂
杨文汐 顾 德 国 辉 向正琴 晏丽娇 田 松 华 莉 赵远鹏 梁显坤
孙 权 何 松 曾由武 赵显康 黄选梅 姜玲丽 王芬燕 秦治群 罗志敏
陈 灿 罗 茜 王诗淇 马莉娜 邱 辰 罗 丹 罗春涛 何 意 秦明才
王定梅 聂卫坤 韩风绪 杨明剑 詹 玲 江 飞 罗松林 宋林静 刘 茸
蔡 珊 陈红年 余 翔 余 敏 简 栗 蒲天剑 毛国发 罗平宽 骆 飞
三（11）班班主任 邓正富
王逸波 谭 凤 曾 会 宋志飞 王久建 刘 沙 陈应杰 吴 娜 李杨梅
刘 静 张 露 周 露 余红艳 罗 波 周吉丽 陈启艳 李 娜 邹 君
王 宇 邓家燕 周福燕 谭代艳 陈 罡 李环恒 吴忠菊 刘春邑 张国霞
漆 丽 陈昌艳 丁 滔 张首群 魏科举 李家红 刘 昆 李金林 邓家荣
皮 俊 唐 丽 桂 花 宋美松 雷光彬 赖章敏 刘开亮 廖育龙 刘 俊
张 靖 吴文武 汤 列 吴世臣 毛荣祥 朱仕宽 李结坤 梁龙俊 严来福
三（12）班班主任 倪祖芳
李星运 向 菲 陈 青 李汶倩 孙 逊 刘 博 谢智远 张 静 杨顺敏
陈跃凤 王大鑫 黄 丞 牛前梅 祝 军 桂庆军 郑 欢 倪 黎 刘 珊
廖乾德 何师宇 张正慧 涂江海 王忠秀 周思蕊 韦琦婧 犹 泳 何建刚
吴德圣 张 艳 张 健 肖大清 李政玲 龙 坤 邓 婷 李 庆 吴举玲
田景峰 熊 静 张 琳 李光进 刘帝佑 袁 静 蒲天凤 范华彬 王益飞
袁方林 苏起漳 陈思伦 王 清 李永峰 邓文辉 刘洪炜 金小琳 杜明祥
刘春燕 吴 洪 陈晓明 张 理 文记祥 苟宗艳 雷广陶 陆运贤 袁世青
罗成高 郑 杰 徐 毅 张洪会
三（13）班班主任 何俭霞
彭国龙 朱 练 徐光军 熊兴志 王玉权 王 艳 朱晓训 梁 栋 王 勇
李 波 邓丽亚 钱安维 代厚军 陈忠华 刘明刚 彭 义 梁 松 黎友春
任唯仁 冉 林 张 俊 欧 阳 吴 刚 龚吉睿 代厚丹 朱弟红 李金武
钱安琴 王开萍 王峻峰 朱代发 张红梅 李东海 王时高 夏毓绩 程龙涛
谢秀先 董利春 余成梅 张 念 陆 艳 熊长美 唐座勇 李家虎 董利明
王定海 吴泽军 彭小伟 王宏基 黄启群 刘龙宽 王红应 杨 芬 肖 玲
舒方丽 汤 进 张 彪 蔡道霞 余光科 安仕平 徐 飞 石国方 蔡贵龙
谢万方 黄 静 何林霞 肖仁敏 张会玲 陈文波 余 宝 胡永利 杨 虎
李 茂 黄 芳 王 岳 李文芹 吴 红 黄腾飞 刘安贵 舒远雪 何明军
田 俊 江 松 袁 婕 黄华刚 彭方元 安仕富 谭志鑫 刘 奎 张 波
三（14）班班主任 洪庆平
张 波 刘秋意 刘长洪 刘文锋 廖 娇 聂 锢 毛 鑫 马兴海 罗玉洪
周 春 张 勇 刘 琳 王显壮 熊春春 聂 江 左世建 王 奎 胡德庚
罗小宇 王惺飞 杨成军 李丽玲 张小坛 黎 松 廖天超 犹 清 孙 柱

秦洪洋　刘元林　陈　琨　刘泽宇　吴　娇　肖　雪　李照月　董希文　鲍安妮
秦　超　曾　乐　犹朝俊　刘　军　詹崇锴　陈　锴　肖　浩　唐　君　毛海峰
刘文丽　何大会　彭章静　罗　姣　胡洪清　刘成旭　顾绍红　何兴华　毛国青
谢　钦　雷　鑫　刘成昆　聂　惠　王正江　周英恒　刘　迪　袁明清　郑均宁
唐顺娇　吴　乐　曾庆艺　兰飞彪　班吉利　刘　斌　刘　锴　顾成山　黄科豪
杨　静　周鹏飞　戴方鸿　唐振华　李文林　尹旺盛　李恩淋　宋丽娟

三（15）班班主任　席德杰

李周荣　熊竹婷　龙金兰　张　霞　李水艳　许德永　杨明艳　樊露莎　何师莉
黄艳娇　黄道清　尹红霞　陈荣会　冯　凯　兰玉凤　王　兰　郑洪佳　徐　梅
倪　莎　江显禄　冉光松　王家祥　黄冬梅　代时梅　兰咏霞　方聪波　罗　丽
张　俊　徐远海　贺龙海　黄贤邦　白方兵　吴　京　陈　龙　杨秀江　李　坤
杨俊来　颜方强　闵　扬　冷继维　宋江军　黄明仁　王永春　何正梅　田庆明
欧林勇　张德兴　张小宽　盛宗凯　何佩佳　金仕城　潘胜建　杨盛祥　熊钰城
方　华　丁栋跃　宋　举　钟　亚　郑其美　刘　会

三（16）班班主任　邓前轲

夏文波　欧　远　犹　政　毛正琴　周　靖　陈　进　聂文超　李刚桥　尚　坤
田先勇　何仕波　杨正菊　王军权　黄　慧　杨起松　李毅超　张顺国　孙建友
宋　平　景之隽　梁光黎　冷小艳　潘红奎　朱　泽　钱　江　陈开智　刘　文
闵国敏　张时俊　吴雪飞　陈延俊　王祖仁　胡建军　黎兴鸿　袁　飞　敖红梅
高　超　毛国银　粟贵军　李　娇　杨金云　毛禄汉　杨　超　饶成佳　余海暇
胡建刚　李秀平　王平心　王显忠　杨红菊　唐　树　彭　俊　莫朝华　陈山发
吴邦林　张庆勇　廖育顺　赵洪江　何政宏　陈德林　王　陶　龙　芳　沈桃艳
聂　英　李青松　刘德菊　黎　飞　王　茜　夏义英　王喜英　贺　娅　吴兴俊
焦熊军　王　芳　纪定辉　戚　健　田　梅　李　景　贺　黎　文　敏　罗朝富
罗　贤　罗　丽　宋名龙　龙永芬　张圣用　王应勇　吴　琴　黄　敏　金邦艳
戴娜娜　江仕彪　章翠友　李智彬　冷德军　盛　宇　袁学菊

三（17）班班主任　胡朝志

赖建举　代园园　李欣妙　荣　超　王凤霞　范国华　龚家智　李清湘　朱　艳
李晓庆　马克鹏　袁　艳　胡发林　丁明玲　康明扬　曾发敏　罗德洁　刘贤英
周良慧　王　刚　唐春旺　商崇楠　刘秋琼　罗　林　周文雯　周科永　高胜柳
周　静　张正龙　张　豪　王　美　丁元坤　柏　发　刘　昀　杨仁智　张　桃
石金艳　罗兴旺　黄海燕　闵大军　王炳章　蒋永材　王兴华　熊高红　梁　军
丁武琴　欧阳天仙　杨　乾　牟仁委　杨　林　姜东煦　徐先美　徐彭景
谢家鸿　陶承开　李　松　王　进　杨小敏　陈明东　郭昌敏　莫艳军　张　勇
田晓斌　饶　锋　刘福康　张祖万　韩　春　李文举　吴秀辉　陈志然　韦宗欧
谢　香　杨　帆　杨　薇　吴春燕　张　烈　蒋岱忠　陈昶伐　王大林　田兴季
廖天静　舒远斌　吴瑞枫　胡代平　欧飞飞　谢召发

三（18）班班主任　夏忠富

方贵钟　刘洪友　方运江　张国清　田　坤　龙明俊　杨开明　顾　飞　邓　伟
陈　松　王鹏豪　刘仕君　朱仕洲　池　俊　何　飞　杨正弈　陈正江　肖仁亮

吴泽富　倪　渊　王　毅　毛周刚　刘代友　吴应海　杨　醒　江　鉴　万　谨
马佐鑫　王　雷　蒙德群　王　进　熊坤亚　陈善奎　熊　富　李高全　王代银
李安奎　舒运富　倪　艳　袁立春　高　鹏　黄　敏　冯　静　姚正娇　郑玉鸿
李昌发　谢　忠　张陈涛　王　涛　刘　丹　李培安　黄陆翠　周永胜　宋泽熠
韩忠琴　冷启先　何贤勇　范　陈　袁　丽　汪　婷　黄　愿　黄绍恒　蒋安利
黄星虎　肖　暄　贺　菊　彭盛飞　罗国照　李昌金　唐国军　罗贤丽　李景琴
杨玉香　卢　涛　黄　帅　戴发耀　杨　波　李廷民　宋泽佳　杨永发　朱远娇
杨春洪　龙良鸿　龚成娇　胡丽梅　邓安豪　何国凤　汪世毅　张　贵　罗仕英
张　健　廖朝荣　刘福会　龚仁祥　黄建红　陈露杉　胡　奎　蒲茂涛　黄　勇
刘　伦　何　舟　刘　佳　黄友福　陈应波　彭　建　舒　芳　方胜锋　黄道芳
石孝方　宋居勇　鲜　燕　王远基　刘佳梅　蔡海琴

三（19）班班主任　杨友发

敖　杨　石芯瑜　李治云　黎　念　宋　杰　李　宇　张　超　华　桦　杨明艳
钟　响　蒙友健　李　恒　杜　娟　朱玉庭　桂　腾　顾　颖　覃　杰　罗光锋
李　梅　陈　梅　孔垂松　李金梅　李晓燕　赵　兵　蒙应林　姚元文　李幸发
胡伦兴　何　淳　周　宇　李　俊　冯福静　杨　东　刘建波　陈　阳　丁正云
洪志文　刘　坤　向开林　殷德兵　王立红　邓德成　裴相松　李　佳　任运超
姚　静　姜明发　石乘陶　张莉娟　谢小勇　唐　葵　彭志才　孙　新　周正北
张　浩　阮程宣　柏登胜　冷安辉　蒋泰鸿　向幸帮　曹　霞　吴礼海　王菲菲
田　米　尚　月　胡　敏　刘朝选　尚泽强　张君柏　唐　伟　范安凤　夏　俊
马光英　刘海英　唐　韬　杜　波　卢光彪　岳贵全　倪首琴　袁诗友　许　源
于子涵

三（20）班班主任　张元忠

张林春　肖凤阳　胡晓燕　王予丽　陈天才　谢家莉　郭元果　倪扣渊　张羽红
杨　丽　王　美　李君鹏　熊荣霞　杨青山　祝　韵　陈光伟　吴　婷　罗丽莎
潘科良　刘明刚　唐修福　王菁华　徐　翼　陈体勇　商体艳　杨洁（小）
梁光伟　罗　明　张洪铭　康　楷　张　琴　邵彩丽　王发益　兰　云　陈吉春
余伟　戴洪静　韦　玮　赵臣芳　韦秀霞　余照西　李　群　陈　坤　杨洁（大）
王光敏　龙超文　张　超　莫　薇　钟晓莉　唐　余　曹　倩　金　政　朱灵心
罗佳佳　王　静　张秋燕　王　琳　夏荣立　金帮锋　冯嘉彦　杨　琴　彭光银
罗永艳　张　敏　谢盛勇　陈　涛　王天智　徐元超　许宁宁　韦兴丽　何玉龙
张钰琨　邓孔建　罗明跃　赵泽银　龙国庆　宋泽丽　赵　静　安　健　陈荣兰
何元梅　罗明星　袁　林　陆琴琴　朱震环

三（21）班班主任　李景辉

李　莉　段咏红　贺晓波　刘银燕　杨　菲　向　松　刘开红　彭国翠　马　富
蒲先学　向　波　汤顺美　姚知进　陈立进　王本会　汪　娜　熊宗会　李恒飞
彭仕仙　张　琳　钱　坤　王红梅　犹　翌　余克美　犹文修　王佳佳　黎婷婷
李高禄　余　江　邱德江　宋定艳　张　柳　黎登明　雷贵群　王启友　宋昔焰
丁仁惠　代时飞　郑国瑜　汪晓虹　陈光辉　刘　军　邓　婷　王荣艳　方梓遥
罗宇英　瞿琳晏　李景奎　何　怡　刘汉璐　陈庆松　兰湘晔　苏丽佳　熊春艳

赵丹妮　赵　青　罗　江　罗正星　余忠艳　詹　茸　赵　清　何　青　李崇波
犹　圳　朱文峰　江胜男　曾宪云　高　流　刘　杰　罗　伟　王习贵　谢小芳
陈小虎　赵榜春　王　欣　马　丽　唐思杨　卢昌杰　李冰斯　吕　杨　汪　亭
罗　瑾　彭兴宁　杨铁飞

2007 届

95 班班主任　邓超

敖会琴　宋　浪　张晓林　王　顺　施家伟　犹　月　尚红霞　胡　欢　罗　琨
王大喜　罗　漫　金　棚　董正祥　龚成海　任　林　向文星　周沿君　兰文婷
唐代娇　葛禄群　邓　钰　徐　燕　江　坤　方　丹　何大前　瞿继梅　杨佳菘
杨昌美　吴文安　孙晓勇　黄　涢　李显坤　黄　瑶　陈　强　王　前　朱代明
张思刚　方红霁　景　霞　杨正洪　杨　澜　周安玲　彭　样　石　倩　汪小莲
雷　念　李小丽　姚南方　陈　珊　曾琳珊　吴文平　陈　萍　石德芳　赵永江
王江群　罗　俊　邹开云　梁龙江　罗　春　付之松

96 班班主任　卢怀芳

洪志坚　程　敏　陈秀梅　田　飞　杜　芳　刘福忠　秦　材　唐书清　余　琴
张　勇　谢　翔　周　波　刘涛然　李家银　何盛祥　殷中会　黎　群　罗锡斌
罗贵斌　吴大静　周　满　刘佳颜　赵洪琴　刘　云　黄　睿　蔡方吉　郭　静
彭乾林　田　军　张国新　何德强　丰元军　王先进　牛　勇　徐立言　鄢家亮
王大敏　冉海燕　尚明前　杨　梅　黄　春　石显艳　苏金龙　刘小颉　蒋　坤
卢洪海　刘星星　杨序林　金方林　卢怀燕　陈体俊　蒋艺蕾　陈　莉　姚祖波
沈仕美　熊国康　吕志刚　夏开珍　杨成静　刘弟龙　夏丹永　曹　义　张跃卓
朱　涛　白梓江

97 班班主任　邬培祥

刘显君　张宗礼　李　进　秦　杰　陈再进　陈冬梅　秦　璇　兰　珊　杨会婷
李智文　卢　伟　蒙　萌　李　凤　罗　成　简崇屹　张　颖　刘　宁　李松启
蔡　菲　张　义　周　蝶　宋　扬　张　勇　张天祥　潘　佳　冷　研　李　佶
陈金丽　沈士湘　胡岳凤　张　蓓　冷红潞　彭　露　宋凤英　熊国会　赵　东
吴　瑶　徐　忱　李仕瑶　李　刚　刘　洁　杨其惠　韩季海　刘秋莹　杜丽君
袁仁健　罗　晶　罗贵洹　曹靖雯　陆　世　龚　浪　陈建辉　毛　滔　田　雨
田　甜　王惟磊　胡秋婷　孙建青　龙祥月　张举秀　陈谋钦　蔡承呈　陈小姣
何成进　彭　飞　杨　旭　夏　珊　冷德会　李　娇　唐彩娇　杨　雪　梁诗伟
倪　雪　韩　杰　李　婕　张永宽　杨家莉　张　俊　杨胜燕　钟　倩

98 班班主任　刘乾坤

潘玉龙　潘秀明　刘　坤　兰飞华　陈锡滨　陈泓江　童邦洪　徐　进　付满钊
唐仕怀　张　鹏　何　涛　周　伟　龙友军　熊　鑫　严贤文　朱恃兴　龙　瑶
唐成香　方天碧　陈　娇　张树娥　廖龙艳　朱虹桔　姬　静　陈　艳　杨　薇
文　艺　程　盼　卢永苇　李华彬　李怡澄　吴　俊　张银兰　陈　薇　滕建红
张　曼　宋　姣　陈福会　岑忠琼　王　丽　金延群　付仁刚　苏　豪　方金伟
郑东方　吴绍雄　彭江龙　赵成龙　梁小龙　李阳鹏　林　涛　杨　松　陈　军
王钰凇　贺　俊　彭　俊　段正兵　钱　蓄　张金辉　张　凡　江　俊　张钰岫

王之凤　罗　洪　赵　姣　王　婧　朱玉琴　曹香封　刘文丹　黄选泽　陈　雪
伍苏思　舒　松　张银杉　张贤伟　李百露　吕坤鹏　兰　晶　樊桉宏　聂　泳
潘　海　冯新铉　陈　璨　马龙海　田　园　罗　欢　龚福萍　余　昆　李　旭
付　竹　李海雁　曹双封　张　凯　彭方庆　陈姣姣　张艾斐　周永霞　张美江
朱　莲　尹俊力　林江干　李君波　肖年庆　曾旭文

99 班班主任　肖连均

秦华海　冷昌进　吴俊松　刘　璇　彭德松　张　超　卢海枫　罗　华　黎其莎
杨金莲　杨青青　熊　英　熊江福　王银银　王流英　李龙刚　牟成飞　朱林川
胡显文　秦　林　兰　飞　吕学荣　陈文祥　吕学梅　毛宣成　代永凤　李高俊
兰代江　李绍江　彭　松　骆　浪　许　英　况红霞　汪　琼　张青林　杨泽发
陈青青　杨忠菊　汪立华　黄　群　刘　浩　黄　超　周　云　彭　娟　邓仕发
李晓芸　罗永娇　付春秀　熊建林　潘　欢　李高勇　岳　明　付国春　尹君君
张　杰　徐林超　李文宽　李　丹　冉龙松　陆　智

100 班班主任　潘家贵

聂万清　刘德高　刘　姣　赵远娥　刘盛光　安　秀　犹　俊　周湘鱼　何　娟
罗　斐　袁仕宽　陈之明　聂　萍　赵远敏　范小建　向洪丽　孙　琪　岳　丹
龚　瑜　赵　韦　蔡辅友　赵小蕊　梁　胜　王本香　曾祥禹　邓安源　赵　彬
何崇兵　范雯滔　犹和非　杨俊秀　陈　欢　胡钦毅　许尔芬　兰代琴　李巨擘
龙佳佳　龙琴琴　窦兴轶　向占辉　江远媚　蔡道敏　丰永东　邱金元　马　超
李家富　洪　河　王海松　毛与丽　陈　斌　黄进前　康国龙　邹乾方　潘德丽
聂万雪　余漫辉　陈　玄　刘垠椿　徐明珠　潘鹤亭

101 班班主任　张友军

黎　明　商　建　韦　杰　刘洪洋　陈善力　黄廷娅　陶　佳　李志琴　李　伟
黄光平　李昌奎　王　华　王小杰　牟仕会　伍承杰　毛楠洁　叶敬娇　谢林鹏
彭陈城　陈梦雪　李松义　邱瑜丹　张常姣　熊丽莎　李红霖　朱　华　程　浩
石庆玲　文欣龙　卢锡羿　孙　杰　赵　娜　向　芯　母永华　罗　霞　刘　邓
陈德元　罗诗林　梁司法　王佑松　杨　静　王　毅　郑喃樱　王丽娜　肖　莉
周　菊　王　义　陈兴旺　黄廷政　汤德君　陈之祥　宋泽兵　朱　虹　王运芳
雷洺凯　先志莎　袁小伟　李　俊　兰仕川　何方建　蔡兴云　宁帝鑫　肖生喜
曾　妮　宋　军　廖兴敏　黄　清　鄢富坤　周仙雯　宋泽龙　姚　梦　张　磊
李辉耀　龚凤飞　陈大勇　余　河　何倩云　骆　松　宋移律　毛国俊　彭明海
张钰杭　郑鸿松　余　川　周建华　陆　燕　李星坤　国　晰

102 班班主任　胡荣

吴小宇　徐光明　徐　磊　黄建廷　杨光佐　陈沿均　吴　平　卢增群　李　琪
吴正坤　王　沣　卢胜贤　马登洋　吴洪武　郑维富　李家富　李佳美　张海波
田桂兵　程建荣　陈祥瑞　何　珊　郑易学　张仁谱　班　超　王　龙　腾建超
周荣友　黄　刚　杨延延　白启涛　张小刚　杨　林　黎小华　黄海春　宋居铭
邓胚然　龙　涌　倪小艳　李　鸿　陈　怡　何国发　何永川　吕启权　李星月
袁开华　张　丹　曾发发　徐林程　洪启川　瞿远波　周怡君　雷万里　腾　飞
陈光奎　徐　奎　舒亚男

103 班班主任　王建华

杨盛胜	唐座青	舒　敏	宗　诚	李云萍	王　祥	钟　蕊	王淇霖	杜洪伟
李　享	黄选贵	黄　霞	石广葳	张苏贵	杨　璐	黄　俊	闵耀明	白永华
赵　龙	熊高松	李忠键	宋荣春	刘艾明	李　丽	付　倩	周　桥	陈玉梅
曾凡君	罗　飞	刘　丹	叶函江	刘　青	杨贵川	高　飞	帅雯均	肖开琴
唐顺静	卢　会	刘　杰	陈　恳	周　玉	刘　琴	李元龙	宋　冰	王送飞
秦　宇	杨秀玲	段小青	肖渝芳	龙遵俊	严定海	李仕勇	闵　欢	熊兴飞
曾雪寒	苏　迪	廖益龙	吴眉进	袁　睿	唐可禹	彭　文	肖　钦	邓淋娟
陈其玉	周子懋	聂　浩	陈　洁	林枫迎	刘浪平	李欣远	张　迪	

104 班班主任　刘乾坤

龚福海	杨家宇	周　阳	杨　洋	冯春娥	杨吉莹	周殷玄	王焕文	张　超
罗　魁	尚小杰	黄　莎	闵　迪	李小英	谭华毅	汪　剑	黄　微	朱荣莉
文乾映	杨施嘉	张　慧	赵明超	邓正东	邱德清	何珮玲	袁　松	肖　立
夏梦娜	肖座鑫	陈　娇	尹祥作	牟祥国	郭　玲	郑　龙	赵显梅	犹　菊
吕　健	汪泳锋	孙悦荣	倪福原	熊　海	黎　运	杨　平	徐　超	陈　瑜
刘祖江	倪明权	张　扬	王清钦	王维维	王　贤	李　涛	鲁　霞	田智勇
刘文祥	郑惠匀	蒋　昭	石小晗	卢　童	陈晓芹	朱媛麟	徐　辉	刘　晓
张润超	张海洁	唐　沁	陈　刚	刁达成	熊高鸿	王　燕	李　黔	王　杰

105 班班主任　刘仁奎

宋桂先	黎　丹	冯福晟	王成义	蒋　毅	王建琨	黄如波	戎韦泽	宁青松
郑天静	朱　琳	陈国梅	任　莉	张　健	张　松	吴成兰	李克飞	赵桂红
罗秀凤	伍龙飞	曹熙浚	吴优锴	李光陶	李灵立	蔡秀靖	韦　焜	张君宇
程　程	张　霞	华廷梅	张椋清	岑　红	李文琳	谭闲祝	刘玉桃	刘士殷
田景刚	瞿娇娇	潘朝松	刘华丽	周　凯	宋正义	商　玲	彭　龙	吴　猛
龙安全	段雯婧	陈庆丰	刘　建	刘　琳	谢玉超	冷飞艳	王治巧	钱安秀
张银云	秦　维	周　芳	段薇娜	周祥光	陈柯匀	杨忠佩	郑莎莎	谢　娇
王玉洁	黎　妮	郑玉萍	陈　庆	华廷林	彭发敏	唐良丽	伍世城	王德中
刘　坤	周荣飞	向二军	沈洪钱	张娅琳	邓　涵	孙成渭	伍崇丽	胡　吉
刘　婵	何先宇	黄兴德	兰素坤	刘文海	许德波	王科洪		

106 班班主任　杨应平

周　芳	张正菊	周　乾	张　飞	余禄松	程星润	石金美	犹　春	余天亮
黄　勇	李　洪	犹敦棚	曾　杰	李宗禄	吴文香	吴光香	杨永龙	犹显金
余　伟	卢配乾	刘朝刚	郑南梅	肖仁国	郑立凤	杨丹丹	丁国方	梁正荣
陈　飞	兰家金	李明英	王　娥	金芳芳	黄　巍	段建龙	杨　林	盛小亚
顾芳芳	何　刚	刘荣松	王正奎	张佳宇	陈　艳	李先超	王国里	周　红
张正敏	韩开梅	曾　艳	李德昆	朱前顺	刘　艳	袁　三	李忠友	张立芳
李中菊	陈　伟	张　维	袁　静	王治东	郑南姣	涂　霞	王本珍	王本先
周春梅	何　艳	黄　岗	姚知前	韩继艳	李　斌	袁代香	钟　坤	张绍传
王　皓	时晓艳	唐飞凤						

107 班班主任　王静

汤玉洁　周章玲　谭周航　张贵虹　刘利波　苏　会　赵永健　张富先　熊　琴
李明鹏　方运波　付　毅　赵洪英　文远刚　蒋科斌　犹利波　陈明娜　华朝茂
梅天悦　龙大琴　刘贤江　李大松　陈泓妍　袁继伟　冉　宇　宋　旭　张运飞
宋双兰　李光成　王　欢　陆庆龙　谢　浩　石德毅　刘华江　唐建鹏　李继辉
冉景碧　秦治英　唐双祥　邓安骥　冉志娵　方　正　吴国瑛　文　静　王国艳
刘德菊　杨李飞　罗　彪　杨昌俊　青　顺　王　洪　叶　超　陈　琳　陈锡鹏
廖华建

108 班班主任　管治雄

邓　超　管虹贵　夏洪茂　李景海　杨荣举　宋锡吉　蔡　涛　左　宇　周　彬
左艺恒　马家松　吴丽娜　周曹蝌　李乔发　王　焦　秦　臻　王发成　唐玖远
杨　弦　韦　微　冯明荣　刘定江　邓　扬　龙清敏　吴开智　王承德　石　燕
袁海珊　彭德龙　葛永成　雷元秀　班应飞　王石姝　何馥君　刘　禹　代善军
卢　坤　石学凯　闵　丹　李兴琴　郑　玲　王沙沙　刁　婷　王　娟　彭诚橙
王兴福　韦开柱　犹　铭　何　飞

109 班班主任　刘宜菊

周永菊　孔繁轩　李　娜　潘喜坪　邓义军　刘弟刚　唐禹杰　田景福　万海涛
王　毅　尚　松　肖坤燕　谢玉江　皮永健　王　利　唐晓波　余　飞　龚家红
张　超　何　云　李顺军　潘仕丹　毛涛亮　禹华北　雷　雯　王仁丽　陈艳旭
庭　蓉　蔡道敏　祝　颖　刘　建　李　俊　陈　林　罗水香　朱立健　赖显龙
张宇杰　盛定惟　王绘淑　刘　群　瞿荣华　周仕斌　黄道琳　李贵菊　方文卓
张国梅　王　艳　邓邦琼　娄伦波　罗乾羽　刘　杨　邓金明　范富龙　杜俊江
方　云　朱庆云　蔡　玲　淳　莲　朱玲玲　黄之云　王素珍　黄生乾　袁胜群
犹　杰　周　艳　张贵洪　王　飞　曾贵华　石东方　曾贵华　石东方　吴俊杰
蔡昌乾　李小艺　范朝霞　张　丽

110 班班主任　何平章

姜　进　陈朝建　韦红瑶　蒙　静　张　舟　邓永茂　陈　纯　陈　松　陈家驹
熊启会　朱金理　蒋贵峰　商体松　苟仕会　金　娥　赵　翼　谭国龙　宋泽露
华　吉　华树娅　谭　杰　蔡自发　邓正杰　杨薪玉　李　富　谢在涛　肖　依
陈纪桦　高建才　张　莉　张　敏　马明艳　严　语　任荣瞻　肖　静　张　健
刘福敏　尚荣军　袁代莎　谌洪波　谭　璟　杨光宏　黄　伟　陈怡辛　徐立明
刘　刚　李　婵　赵显英　张远松　张亚念　舒利娟　于　豪　唐　忻　李秀贵
刘　超　罗　婷　徐　佳　何林敏　张思桥　杨秋晗　冉龙群　杨胜万　李　嘉
李大维　何林波　罗　芳　张　镖　吴　婷　何　运　马煜超　刘冰娥　熊　飞
罗贵友　陈盼军　郑　莎　简应琼　侯坤萍　何　永　何兴会　夏　玮　徐常菠
袁永华　胡　莉　李元霞　汪溢江　蔡道敏　龚　芳　石仕红　陈　航　高明远
李春芳　宋　旭

2008 届

117 班班主任　吴定祥

江程程　张　芳　邹　浩　胡凤颜　龙俊延　罗　丹　陈　飞　周兴香　候坤鹏
唐礼行　张　婷　刘禄锋　李海燕　王　雍　吴　佳　田　雯　陈　程　康正香

熊俊　董炬　刘下琳　李娅　曾红梅　陈兵　张娇　杨洋　甘业
骆孝辉　刘咏　汪洵　兰成菊　江德涛　陈友军　张远艳　夏松林　郭芳
徐沁云　方天福　任兴平　贾硕　朱鹏　李仕香　任起锟　王珊　陈孝进
龙竹　犹航　杨小骅　冉义鑫　王仕伟　张祥艳　夏银池　邓洪艳　何芳
黄俊　犹艳伟　黄万丽　蔡莉娜　梁琴　杨秀娟　张浩　张顺　吴宏
肖亚军　李顺江　雷馥静　薛程　晏书钦　蔡洪羽

118 班班主任　徐国生

黄艺　彭方涛　董敏　罗建成　兰仕进　赵双午　陶秋碧　袁昌梅　郭丹
瞿远清　彭会　吴政绳　张国辉　郭清艳　秦正飞　曹前臣　李治颖　马俊
郑维冬　周之文　张萍　董仕坤　陈首作　杨娟　丁涛梅　姚松　犹意军
罗敏　张龙　李景福　覃千　徐刚　戎成江　庞有权　龚成敏　龚贤安
黎建　周英驰　卢增琴　袁兴群　倪胜　李绍琴　樊令兰　万坤宇　向正位
张华英　吴茜　汤运清　谢启俊　陈杰　张仕燕　刘代兵　赵小芸　王吉安
王正国　田维龙　蒲健　江敏　倪小英　顾培冰　刘江　王菲　袁淑雨
梁超　余婷　杨春　蔡新　彭乾林　潘腾　宋丽娟　周霖　梁明坤
朱黔湘

119 班班主任　蔡毅

廖明军　余洪勇　潘金富　李进刚　蔡长成　尚能剑　黎晓璐　王砚　廖礼斌
王文海　王华美　韩霞　钟甫吉　兰荣兵　余海　何海　万家发　晏敏
李伟　杨红　余飞　刘源　齐国瑶　宋江平　陈坤　周永菊　卢小玲
王春涛　熊敏　杨光祥　田洪军　王枝茂　廖明才　胡德洪　江继　冷仕林
熊正美　赵波　丁光泽　张薇　徐永兴　王金成　宋启军　梁正英　王元红
冯应忠　罗豪宽　王安进　王后先　冯丹　肖华丽　冯铭山　刘绍琴　刘辉
朱海丰　秦安喜　齐国红　邓华勇　刘均　张大飞　黎明　王清榆　王万贵
吴艳　毛秀　况娜　张梅　吴昊　金德仲　余欢　谢科　杨跃进
王月　王菁玉　杨谨鸿　吴成飞

120 班班主任　曹植铭

彭庆珊　范如强　刘贵先　王振佑　胡影　宁顺伟　顾小琼　王斌　白方焰
贺金洲　沈飞　兰娜　谢青青　娄芳霞　孙丽飞　刘诗绚　高凤　兰家尧
朱立会　朱容剑　周勇吉　龙云静　陈勇　罗小安　童方会　张洪群　王伯群
宋泽渊　潘红艳　冯荟莹　商娇　钟亚　丁根　罗仕福　蔡开利　蒙杨明
杜辉　潘光进　彭军　袁亮亮　骆科敏　黄春艳　宋秋　张莉莎　王琼琼
刘莉　刘福文　石本敬　袁超　韦开燕　吴丽　杨胜雪　潘佳林　陆东
唐健昆　丁凤

121 班班主任　刘元军

赵桂芳　孙红梅　王立丹　陈康　贾朝娟　杨波　王友　王兴国　孙鹏
柏泉毅　王平平　赵军　宋居文　田桂东　肖逍　李光友　刘文菊　龙成美
龙成露　朱刚涌　杨建福　李安洪　李坤　张湧　罗芬　杨万海　唐娇
宋波　李坤松　宋正会　刘珊　陈廷丽　顾美　王启伟　曹正香　曹正轩
蔡青青　蒙淼　向占发　黄秀波　罗小松　王文丽　徐俊　李磊　袁大艳

吴禄东　贾应利　张　静　赵远涛　岑　旭　熊兴奉　周兴艳　邓安敏　龙清莎
陈桂芳　肖　胶　张道河　吴小波　腾招军　周　林　余朝奎　杨　建　宋宏祥

122 班班主任　刘昌荣

熊佳佳　胡登会　陈　实　袁溢静　李安超　张　明　卿凡星　李　茜　杨　毅
肖　杨　李家念　卢荣江　罗　艳　项　奎　王　婷　潘　磊　肖中山　杨　丽
徐旖境　陈　丹　杨　洁　罗　兵　袁若淋　刘志涛　付元飞　王　玮　周海涛
张世荣　刘　晥　陈玉娇　田永林　吴　进　刘小凤　刘发敏　杨　旭　陈玉梅
陈绍燕　胡东群　郭中喜　向　微　韦　春　石　宪　苏秋霞　马　波　黄　勇
邓　君　张太俊　田　芬　陈光忠　张　欢　尹秋月　刘朝亚　李玉莲　帅本梅
杨　魁　冷德曼　蒲启慧　王爱淳　黄　瑶　贺明军　周　全　闵明明　郑　秋
潘　鑫　杨　涛　李　韦　唐　豪　吴昭艳　唐　磊　陈常毅　陈锡丹　余香涛
胡登美　肖云芳

123 班班主任　罗晓安

卢勇君　杨昌兴　兰　杨　王久贵　张晓宇　杨胜凡　李　丽　熊宗翠　邱仁军
帅　溢　黄　杰　何　洋　安　立　五仕红　罗贵明　陈　鑫　王理霖　文转坤
夏江州　胡大常　潘晨曦　张　凯　刘元超　毛　莎　蒋国荣　付安会　娄福红
王久艳　申长江　刘晓云　毛　宏　李　亚　刘兴安　李　盼　周家佳　尹景辉
任中秋　张　会　张桂鸿　王　鑫　林　豪　汪　锋　姚国庆　刘　杨　蔡　磊
赵　松　卢　欢　陈建军　李国芳　杨婧懿　商　超　尹　竹　文　建　张乃先
李佳丽　潘　运　梁　锋　刘　凯　戎方爽　周英杰　魏　力

124 班班主任　张立新

石人刚　陈　玉　田松菱　黄　敏　张　杰　王　影　蒋忠伦　汤金柜　陈弟梅
骆运民　兰　兴　潘利剑　熊　杰　袁中淼　胡坤香　刘　轲　姚伦干　彭方才
池光洋　李佳沅　李明雪　刘玉敏　李乔艳　肖　潇　洪顺军　夏景祥　王应宽
赵泽俊　杨小东　柳应菊　赵元林　王建红　黄松林　金仕毅　马　钦　陈　维
黄清霞　丰　江　彭亮清　李扬云　梁明丽　李恩坤　陈庆元　赵显敏　丁炫一
张　俊　陈　敏　王　茹　罗婷婷　黄璐文　龚仁兵

125 班班主任　顾晓福

秦铭翼　袁寿昆　刘柯君　宋相霖　罗镔烽　陈少彪　朴忠李　熊倡胤　杨亚霖
郑　珊　禹胜洋　夏浩普　方　杰　刘朝政　王建业　黄　婷　肖　芸　李家玲
张吉民　刘　欣　武鹏佳　全再丕　刘　青　谢　达　洪　康　谢　欣　刘兴涛
倪　媛　王　俊　张　良　贺建坤　高　刚　周旺泽　李明亮　陈贵凤　雷焱童
许　丹　袁与婧　宋正峰　王康武　陈鸿妍　肖　宇　陶　然　陈星兆　魏天燕
陈宣兆　张　涛　薛宛林　周钰婷　朱俊涛　冯福怡　赵显进　张　枨　张　璞
王鹏飞　周　鹏　况月飞　廖　凯　刘旖睿　周　林　夏文书　姜应凤　张毓艳
任有军　王希子　姚　明　吴　波　张黔勇　李东山　肖金松

126 班班主任　罗亚林

周小春　石佳媛　伍　飞　夏丹霞　黎　美　娄金玉　刘元庆　白明利　潘潮虹
姚卓凤　刘庆明　胡　芳　胡　扬　刘吉宽　龙忠义　张　琪　秦冬梅　赵泗淋
马洪辛　陈娅芬　李泽敏　李　游　刘朝波　陈林松　王国军　吴成桥　周　琼

吴婷婷 龚 雪 胡 浩 夏仕飞 滕召梅 张忠建 周国姗 李 宁 顾 星
万力宁 张仁琴 娄金勇 刘泓妍 蒲启林 罗 群 胡耀静 陈 宇 夏国庆
王 春 王忠一 熊辉香 贺前铭 蔡 冷 毛国龙 唐 艳 罗 翔 陈明星
周朝凤 廖莎莎 毛燕飞 张祥怀 杨 硕 彭方琳 张梨瑜 李双江 陈明先
犹 霞 刘明丽 刘 红 倪德全 王学志 张 露 苟 云 刘维猛 王广文
曾 理 王本源 邱金凤 龙小梅 罗 果 宋 丰 周晋贤 祝 凯 曾 念
杨志鹏 王 豪 唐木选 张 愉 张荣菊 戴青彤

127 班班主任 陈清玲

罗小梅 卢锡娥 何敏婷 杨秀成 梁明刚 闵 鹏 邱长福 张 波 蔡 元
冷安帮 杨继红 向璐璐 董维兴 何 进 张才玲 谭 波 王时亮 周 坤
余绿超 刘 云 任小龙 朱桉沙 崔红鑫 李昱驹 周 宏 陈金林 游雅清
赵本平 王大凯 谭 艳 刘 坤 刘洪玮 曾贵霞 邹 雷 周 甜 杨 明
卓仕坤 申小波 周新委 王旭东 杨 顺 韩方亮 吴俊丹 何倩梅 卢洪刚
李 霞 谷尚坤 代茂君 犹俊昌 蒲启丹 胡亚娟 黄 健 方 平 简 丹
饶晨慷 胡仙枚 温成娟 王昌宇 蒋维娟 简正芳 徐 瑞 何沂芳 吴 丽
杨 松 杨 涛 邓安琪 何明勇 孙协禹 皮晓梅 郭昌禄 王汶霖 颜 彤
朱新华 岑忠燕 赵春龙 张 益 杨 颖

128 班班主任 朱明兰

张台珠 刘文松 曹 丽 杨 刚 孙天文 王仕安 王克勇 任 伟 兰代娟
王 姝 肖兴翠 吴三华 王启松 王仕军 舒利江 舒利正 陈 婷 于继斌
石金芳 石美菊 魏 波 郑 鑫 李远鹏 胡琨敏 王 涛 石金洪 李坪兰
陈奕旭 苏利丹 李 娟 吴小宇 冯运松 陶 娅 黄 原 梁诗颖 梁坤江
王运军 邹湘黔 何 芳 犹 进 黎平容 母永香 欧阳知雁 冯向坤
金先冬 何远慧 卢谭发 唐成林 熊 伟 王仁松 范兴星 刘可美 陈 丽
王 琴 方贵林 余海浪 简学海 吴贵元

129 班班主任 祝亚峰

魏书平 田兴鹏 刘振州 杨 丽 陈昌志 王代兵 杨再琳 简学群 周 江
池大武 刘 梅 宋 娇 董 静 杨银花 杨胜香 杨 杰 简会洋 张远祥
程 印 蒲星竹 李 胜 王 滔 宋泽体 黄星澄 旦文敏 吴珊珊 周文江
张廷东 兰 皓 黄 旭 吴举涛 陈娟红 杨国江 周星宇 宣渝炜 董文毅
汪 洋 邹 婕 熊国伦 罗 颖 王 璐 孙泽彬 潘阳珊 田 甜 韦杨坤
杨小波 王建澎 付文羡 杜 芳 刘宇川 张人丹 邓代雪 夏 丽 王立彩
张业强 王 胜 张 伟 苏 豪 喻助飞 徐丽珊 刘炬杰 张显超 盛 胜
刘 丹 夏 娟 莫 婷

130 班班主任 徐德智

陈昱廷 吴 松 朱 州 潘显成 张 阳 张正丽 胡钟予 金佰富 杨程飞
吴 勋 陈 俊 杨 进 宋泽焦 刘秋红 吴正坤 熊兴海 黎登辉 兰天捷
曾令然 岳廷丽 商 剑 冯育军 苟顺飞 车 宇 廖梦莹 李显宇 莫永杰
谢 兴 宋 华 秦声明 袁代丹 李守伟 雷春凤 兰 静 刘夕菱 李坤丽
罗 舜 胡 颖 王文武 方天艳 王文飞 蔡利利 帅本彬 张 琪 高铣钟

何俭舟 张文艳 李丽坤 张 婧 陶 杰 蒋奉朋 王婷婷 何世星 唐 敏
李家香 兰 东 王 珊 陈 婷 唐庆阳 李 波 李艳梅 顾仕鑫 杨侍杭
王忠霜 王 曦 李贵康 王佑仙 赵永红 熊 欢 蒋 露 陈山忠 程文忠
程文菲 丁儇子 文德权 李 立 邓国斌 张 静 苟德端 刘元洪 冷昌玲
穆红梅

2009 届

131 班班主任 曾 山

黄 河 宋贵琴 刘 虹 何依楠 杨万利 陈雪柔 宋泽玲 廖国棉 漆 鑫
黄尧河 黎佳文 赵仁刚 杨 静 张德福 左承飞 李 丽 曾庆露 刘铧吉
邬 青 张 旭 江 乾 丁 婷 陈瑞松 李 骏 李 坤 商 操 李 莎
赵显杰 李富芳 李富梅 沈建祥 吴 波 张吉明 赵显圣 张婷婷 卢永坤
余成臣 兰 丹 李 帅 毛国松 梁 毅 陈 丹 姚文成 贾 鹏 熊亮亮
犹家魁 范孝华 张官印 彭国印 彭小丹 潘泓丹 邓 丽 伍廷委 朱 娅
童仲华 冉 姗 石 园 董正琴 陈孝明 谢 桐 李国刚 邹 娟

132 班班主任 朱前红

王江春 刘章亮 郭 莹 李俊成 邓书平 张天永 张兰凤 梁莎莎 张 海
何建超 刘 丹 张文镜 刘成练 况成琴 陈 康 董德婷 陈秋竹 刘 婷
曾祥陆 何家红 谢早贵 谢早椿 贾家富 毛友梅 冷光莹 殷德会 颜廷勇
王树青 田应瑾 朱尔纯 唐书元 尚忠笑 曾德丽 杨徐亮 杨乾春 冯爰源
刘华彪 吴锡超 刘冬宝 周小琦 宋迎亚 孙钰汶 王时申 苟雨佳 何 乾
陈 敏 王国鑫 李 兵 杨 珊 杨 兵 顾子沅 曾庆伟 周 婷 周湧胜
陈朝勇 杨成建 孙 超 廖廷菊 朱航宇 覃炫宁 段风进 安邦群 朱前根
姚仁贵 谢志菊 王 秋 白启美 李津骅

133 班班主任 黄富春

林远俊 黄 梅 赵 霞 王碧青 唐连云 苟顺亮 吴大杰 杨昕涧 张凤灵
郑 松 周正亚 吴 尘 彭 涛 赵永华 王启露 张小菊 胡坤媚 王 健
万吉丹 吕 忠 刘 锋 瞿兆鹏 邱金云 叶小静 周善毅 任 丽 任 青
罗 乐 陈前霖 廖天娇 王 婷 李 静 闵德艳 王树香 李定权 徐红菊
李富月 陈 健 杨俊炎 谭正富 魏兴凤 孔祥静 袁嘉遥 王寅颖 李贵萍
姜 凤 金祖云 丁 颖 余 勇 龙成伟 黎登红 李远金 郭贵辉 田桂洪
陈珍全 杨昌波

134 班班主任 蔡志武

吴兆清 毛国权 蔡德建 林 艳 周 兴 王才琴 李 露 罗 菊 唐维宏
雷 建 蔡崇华 周元茂 雷鑫辉 王偕徽 李 婕 杨 欣 刘 美 文泽琴
王 林 张 清 赵 烨 赵仕超 蔡德宇 李 伦 李 星 潘中霖 冷昌余
宋吉龙 杨 轩 陈云凤 孙 辉 孙 会 周海妹 蔡昌明 唐道溪 袁 娅
肖 洁 陈云云 李潮海 向 松 冷启红 谭周领 林 鑫 秦沙沙 刘大军
吴勋敏 兰淇羚 刘 洋 吕正琴 陈善钦 潘 栩 张荣方 姚 坤 岑 梅

135 班班主任 罗显英

刘 璐 陈继敏 王 畅 王 恒 陈 力 皮庭钰 陈家红 谭晶晶 邹春艳

罗　娅　陈　莉　宋　艳　熊　艳　秦　梅　郎　洁　文　莉　宋移昕　王卓异
苏启美　陈光林　包浃伶　张　程　陈朝胜　胡　静　犹田修　韦文献　张国琴
龚玉渊　王兴兴　李　芬　卢令雪　吴大勇　徐　芳　犹　毅　张　玲　段　永
何明忠　谢祥强　严来凤　王顺豪　蓝大杰　涂银波　吴　丹　刘　松　李肇昕
敖钰东　冉涛源　刘汶鑫　余怀健　唐若兰　徐　惠　杨明登　朱璞同　犹敦宇
杨　涛　王　丽　魏光莉　徐　健　王　海　罗　丹

136 班班主任　何俭霞

宋宏强　陈　佐　吴　宇　郑继旭　朱仕雪　董利益　商正勇　陈　坤　朱茂成
徐　巍　欧阳州　蒋　雷　熊兴菊　李汁弘　罗锦珊　杨钦雯　赵　丹　李　丹
王　燕　朱仕勇　杨光富　罗贵春　陈　婕　杨　燕　陈　辉　兰诗桃　熊　霜
蒋大勇　唐　雪　王天露　何国梅　谢志琴　罗华溢　胡　敏　周　清　阳大伦
陈　好　赵开和　苏　印　杨志群　杨小庆　唐文龙　王　海　李　飞　杨小庆
唐文龙　王　海　李　飞　任永鸿　李　艳　李　曼　柴汝昱　王光丽　岑　燕
安仕举　朱　晕　龙　梅　卢先锋　熊　辛　郑　毅　倪　成　陈明玉　张　鹏
黄　春　徐　梅　胡永静　李兴凤　张永飞　聂　英　刘玉蕾　代轶谦　谭才俊
谢玉香　陈小青　安人杰　唐泽虹　赵　清　詹　超　毛一燔　朱星玫　黄　旭
曾　珣　张　静

137 班班主任　宋　勋

杨　敏　罗诗杰　陆　涛　李光会　王淇淞　蒋直根　钱　凯　黄　云　刘　斌
熊启凤　蔡永安　廖洪霞　李明江　黄廷俊　李成伟　方　念　李　卿　张兴琴
张文齐　谢　飞　张　雯　杨　荐　杨凯博　朱　艳　陈　璐　方金奇　张　祝
张　霖　韩洪志　杨　洪　蒋维会　杨绘玉　陈谋计　安帮雪　甘原滔　秦　丽
林　晶　王后芳　李　刚　彭　波　何建丽　周　明　邹星羿　兰卫发　蒋国珍
徐光武　陈　恋　余　盼　王国凤　刘启东　王小娟　李　芳

138 班班主任　王瑞堂

陈锡霞　田　香　陈　岑　陈　丽　刘　珊　熊文美　田茂虹　陈　莉　林　麟
张　奇　熊文南　倪明坤　袁湛沣　邹　丽　冉义菊　李光群　林廷聪　周之易
江中勇　赵应江　邓　晗　赵　宇　夏　宁　朱海琴　郑兴敏　杨　丽　刘　倩
张运先　黄　怡　杨　洋　兰　海　刘　彬　宋　林　王大萍　林举富　廖　洋
徐银波　杨　婷　刘　帅　犹　菊　敖国柱　杨选飞　汪洋江　崔家毓　陈定祥
陈　媛

139 班班主任　何远红

朱　迪　罗　敏　欧　巍　赵　琨　周后骁　张常芬　林　丽　陈　姚　夏　彪
冯福明　秦　明　王德群　黎容乾　田景鹏　刘鹏程　张　帆　封　海　赵永强
田茂飞　胡平蕗　肖　静　郑天秀　吴　博　陈　和　蒙开敏　胡　梅　蒋　雪
范　云　陈　果　牟代军　田小金　程顺利　葛　洋　乔忠元　杨明东　王　松
龚贵龙　丁　桥　陈吉群　查远梅　谢志华　潘光珍　施家锋　赵　丹　杨超东
张　婷　王庆华　张世俊

140 班班主任　吴定明

廖　勇　方　鑫　张天丽　陈蒙利　史玉娇　郑其丽　罗崇彬　杨道菊　李政阳

周　研　周英腾　肖　立　张竣杰　倪天琴　邓　鹏　王江丽　方　微　王治晶
黄佩闻　娄方德　杨　伟　吴宜霖　袁中子　尹　伟　陈　霖　杨　欢　柏　梅
张　颖　陈媛媛　罗　雪　肖　瑶　简秋雨　罗　达　杨　铭　陈坤湛　李荣法
任荣佳　陈　艾　赖　建　唐德松　张远东　张　力　聂　铭　钱韦廷　杨　恒
朱　丹　田维宇

141 班班主任　杨友发

李转红　华　青　余佳静　蔡　旭　肖　枭　肖育杰　王　娜　陈　婷　黄艳灵
李　健　黄　茂　周琳渊　张元姜　楚　磊　王　坤　皮成俊　吴昆泓　施必凯
黄道来　宋良瑞　刘　宇　董维芳　张业芳　王文宇　肖兴艳　唐彩群　陈　皓
叶思宏　岑忠击　谢　韵　兰　集　任永欢　陈运佳　田　园　蓝　今　黎治红
宣　庆　陈小龙　鲁　建　梁翰月　庹怀仁　陶泳君　王　芳　杨雪梅　李　睿
唐华玲　黄　治　郑　春　邓爱文　张　勇　刘　蕊　余相霖　孔　媛　宋　娇
彭传江　唐　建　邓楚涵　任　丹　周续源　刘　莎　李远兵　钱　俊　钮小东
王美娇　王世君　曾贵芳　胡松涛

142 班班主任　邓正富

杨勋海　冉　红　冉　凤　刘禄霞　刘禄先　田　辉　何建彦　赵　涛　邱兴建
何建勇　罗　俊　朱迎春　兰代松　洪启江　宋赣渊　徐兴建　张　静　王　琪
钟尤龙　张飞浩　梁　红　张禄勇　张禄红　孟　芳　周绪艳　石云朋　彭景富
彭再兵　何正丹　胡岳芳　冯小敏　蒋卫兵　韦弘春　江　娜　熊国菊　李俊杰
龚福莉　龙吉东　王成飞　喻建菲　胡雅兰　唐松涛　田钐甬　杨铁红　张　辉
邓正位　金云飞　王成明　刘　玉　粟　驷　粟艳玲　柏　勇

143 班班主任　宋志飞

栗　洁　闵　珊　黄　辉　田　勇　孙丽莎　魏　红　许　昊　刘明宇　黄正敏
张　琴　刘华超　王茗嵩　曾　理　马明境　王春杰　蔡明琪　吴　勋　陈　波
兰　敏　杨　美　付国雍　吴举兰　肖　敏　方　雯　汪昱彤　罗成凤　付　丹
李　松　廖兴贤　吴　欢　马佐江　伍厚红　刘启念　蒲启茂　杨　阳　尚国静
段幅容　刘义娟　龚向娇　苟德美　谢邦洁　刘　亚　张　婷　邓源源　陈朝庭
陈忠杰　王晶晶　张国平　李　薇　张　郡　田　健　吴　键　顾　晶　苟德凤
刘　炜　欧阳坤　余星潭　李　青　李咸锟　刘柿佯　康斌赋

144 班班主任　席德杰

李　雯　刘　洁　蒙正德　何　森　岳国林　潘　勇　兰　剑　刘　俊　冯光辉
王家念　张忠梅　宋文杰　文兴海　肖明成　岑　剑　陈　超　付国栋　王小宇
刘承程　江　银　李兴春　郑义荣　尹义坤　胡香勇　席德海　陈　涛　杨　滔
王　娇　袁光群　宋江湖　李文敏　李　印　刘　江　唐德会　郑维美　任远飞
宋锡梅　陈　艳　陈松清　任保兵　龙　平　丁泽云　陈远丽　唐　红　焦三勇
莫　旭　罗　丹　段军红　李　咏　蒲启安　胡佑勇　张　兵　吴德潇　胡广文
刘　念　石　伟　白永香　胡　超　杨胜猛　兰成芬　曾　珠　黄安伟

145 班班主任　赵慕琦

毛　州　喻　江　张德亮　汪申富　刘　浩　马　婷　陈　涛　毛淇霖　肖爱玲
秦安羊　陈美竹　罗贵方　苏文娇　李大华　唐培育　张琪林　罗诗蕊　曾　浩

贾小安 朱仁弘 林国宏 罗钰泓 冉隆飞 谢玉先 邱 鑫 黄春琴 罗 翔
冉冬梅 王杰霖 罗 玮 方 超 汪立宇 吴 静 杨 竹 肖丽华 王 倩
杨成丽 潘广幸 石人韩 肖年童 谢宏兴 李贞海 陈星辰 蒲云娇 谢明艳
张羽红 帅中贤 蔡 红 贺佳飞 宋秋婷 胡小方 周 毅 龙首良 黄 韵
刘利娟 夏铭江 张 环 赵 伟 邓钰金 廖 康 黄 睿 陈 卓 陈胖才
夏光成 陈富兵 刘兴翠 徐 飞 方 明 周智艳 池大艳 向应红 蒲璐美
彭 绮 石 枭 董长明 金 龙 吴 昊 陈建芩 白礼萍 周秦汉 邓 华
苟 莉 黄 兴 龙夏晗 张志权 赵冬梅 兰定坤 杨 立

146 班班主任 王支全

万 珠 龚寿桃 黎 旭 蔡兴洪 覃 冲 刘 锋 张洪宽 柴立春 肖华菊
胡天才 肖华军 陈 均 杨朝文 何瑞雪 何光茂 吴制祥 肖廷静 赵永芳
王 剑 王支丽 江 露 李 宁 张林东 李乐会 廖 雪 肖成梅 冉 超
方进超 张德明 刘龙琴 王 壹 张明丽 胡齐群 王朝江 熊 杰 严国章
王 念 胡艳梅 吴太会 张德毅 张大维 何荣玖 霍海清 肖 飞 唐 芳
李 鲜 李 伟 杨 贺 李 凯 郑荣凯 林 云 曹代锦 王红艳 张大芳
赵 镜 梁大群 金延康 丁侨彪 袁贵鸿 梁坤会 付支会 蒙 军 付君松
袁贵仁 霍海东 杜 明 聂 丹 彭雄勇 丰小雨 邹湘黔 郑继刚

2010 届

151 班班主任 李长芳

雷娅丽 李小佳 王 函 王 涛 唐 甜 邓杰仁 胡俊伟 曾 竣 杜小波
卢金磊 吴 姗 朱桂姣 黄荣娇 徐 艳 林骏怀 龚 杰 李松明 鄢浩淼
游佳群 黄 佳 贾 隽 柏荣飞 马仲坤 夏光绪 王 承 胡舒星 任林华
王嫔玥 李扬鹏 田沅松 龙 松 魏 欢 李 曦 毛文学 张 立 胡洋瑞
潘 迪 夏贞富 张天刚 朱 敏 刘志康 朱明杰 刘丽娅 黎治均 曾 涛
周 婷 曾董龄 杨士心 李庚玉 王 梅 马 金 宋江成 方天俊 周 倜
艾 晟 余蘇霖 刘 念 李安妮 高 翔 龚家煜 邓良富 何 剑 胡 程
张顺清 姜浩洋 万 飞 唐 逍 刘朝群 范骅苑 张宁波 冯小龙 王 河
张钰烽 谢婷婷 伍科旭 商 旭 杨 静 郑 飞 陈怡君

152 班班主任 刘怀喜

代荣乾 陈 梅 左仁娟 李 飞 董儒坤 田 鑫 王元美 莫仕美 王 娟
黄明亮 袁 华 赵六豪 张先敏 张 镇 阮运梅 杨光亮 邓安举 杨 雷
肖启艳 张 坤 柳应杰 龚诗高 王贞艳 晏 菊 宋 文 王星玉 田小平
胡志银 王文成 杨永海 刘永虹 赵 喜 杨序文 杜 锋 万天燕 苟顺毅
张胜露 石开月 肖玉凤 刘 艳 付 梅 尹利作 王华艳 罗 美 熊辉姜
卢锡伦 高银池 喻 梅 潘吉芳 陈洪武 冷安奎 袁祥俊 曾凡春 方 菊
王亿鑫 郑天亚 陶代君 杨 丹 黄小娅 刘 青 陶 彪 陈 霖 陶 行
苟 敏 甘浩田 吴晓雪 孙明权 袁治鹏 陈蒙娜 张德吉

153 班班主任 王光先

欧家祥 张冬梅 黄艳方 尹利锋 彭国凤 何建海 杨 杰 粟 静 潘光艳
郭中珊 刘明雪 刘 冬 宋曼曼 李 跃 李 忠 胡志江 朱 腺 张 越

李庭宇 张 芬 曹德君 王显发 吴 静 姜小会 李 辉 雷园艺 张 宏
周 晕 向正松 唐大林 王 娇 邓国菊 赵 静 吴 成 徐志明 陈善钦
田孟梅 袁 韦 杨 苇 王 勇 李 青 沈 艳 吴 云 王 琳 罗 葵
董 娇 徐国波 敬 诚 胡再艺 李治燕 李 梅 苟国江 杨胜旭 张 林
杨 建 陈艳惠 罗苓娟 黎 毅 罗健超 任永发 袁正坤 杨胜秀 许志强
杜棋锋 程 浩 杨盛涵 刘仕清 陈昱名 商 景 邓朝富 王方磊 杨 程

154 班班主任 龙光明

王 松 张 林 徐 敏 付法荣 张铃茂 陈柏吉 杨 竹 冉茂娟 王历目
王才兴 万东阳 曾令坤 安 旭 王云珍 张 勇 彭方健 金安萍 罗 欢
张 红 朱黔兵 金秉峰 余成万 康正美 王 亚 吴 徐 王 飞 李梦遥
秦 幻 王爱杰 刘玄成 王元明 安仕海 高维涛 胡 智 王 娅 李 琎
张卢瑶 刘胜友 潘晓玉 胡孔杨 张 昆 杨承忠 曹 玲 李德翠 江金银
鄢富远 黎甚彤 吴 怀 赵正梅 周朝琴 吴万军 刘浩川 张荣艳 高健轩
宿华飞 杨 雷 陈 舰 吴晓江 刘成相 陆胜敏 谢 娟 刘定坤 张先亮
邵小镪 詹经韦 杨德建 张深闳 宋 平 文 梅 王兴业 李 立

155 班班主任 王瑞堂

李 丹 柯 迪 陈映宏 沈松静 唐 宋 余 盼 宋移江 陈 霞 尹 璐
张 洁 付小念 向映锴 王 江 陈洪远 赵奎景 黎登梅 吴 超 李 茂
龙 丽 钟 彪 林国辉 黎庆贺 李 玲 余采亭 李 莉 粟忠俊 陈 冰
秦家军 蔡廷春 陈文静 杨镇合 陈小军 姚祖俊 周文杰 赵柏树 杨华贵
马 丽 蒲兴宇 刘 颖 王流云 蒋金宏 黄福贵 岑德举 李元素 李 涛
陈孝运 孙正松 田美霖 潘唐望 朱 琳 陈胤霖 张 鑫 鄢 礼 吴 毅
田 方 张 梅 杨明明 成 倩 刘 卿 李治霖 张 念 袁仕梅 李 恩
贾应坤 游发高 陈修波 杨明珠 胡 松 刘剑红 李克慧 李克群 周 琛

156 班班主任 邬培祥

陈相竹 蒙晓松 施必坤 彭 西 李金芹 白方吉 何 灿 梁 艺 罗春苗
肖道会 王金强 冯小琴 丁 建 黄宏强 兰家丽 钟明超 龙 靖 颜 松
罗 焱 梁后圆 李 丽 王维金 李 妏 刘 江 王 姣 黎 艳 席德飞
王德艳 张玉丹 李姜坤 郑春利 皮茂历 王 义 易 磷 张 进 向龙印
杨家桃 王应赓 罗文忠 朱柏桦 赵 璇 李军屹 林 杰 李 雯 郭方菊
何 双 丰 宇 朱前会 陈玉婷 汤德玉 高 阳 何国燕 徐 瑞 顾 毅
朱 娅 白青菘 徐 腾 周 芳 方玲玲 张建安 况成勇 钟仁乾 李 想
吴 飞 姜 键 张 倩 杨令军 张 辉 娄芳竹 蒋 鹏 余 琴

157 班班主任 秦 飞

谢利凯 刘禄松 何林坤 丁 松 熊兴明 贾治明 冷仕群 吴中建 罗 雪
尹仁清 朱章青 任 勇 马 丹 叶宪兵 蒋 莹 张诗静 王 伟 王成群
张 娴 李 龙 罗 云 范华菊 王怀红 李 杰 潘显志 汤德刚 唐顺丹
罗 静 李高飞 王 丹 廖廷芳 唐 旭 彭庆松 陈 艇 黄春婷 向胡龙
李顺风 赵显飞 肖 敏 骆 林 肖杨福 刘庆宇 刘春梅 周玄勇 李 玲
黄世亮 诸赣健 韦彩金 曹 安 何正浪 王 洋 袁志飞 袁 晋 卢秋仪

张海馨　谭雯鑫　席福朝　王仕洪　游　浩　王发军　吴让伟　犹庭栋　兰尹汶
姚　松　黄恒恒　倪福斌　王陈宣　滕　杰　丁　凤　付　娜　李　青　杨勋微
刘益惠　宋　婷　余代红　张馨尹

158 班班主任　宋锡立

谢美丽　张绍伦　林小冬　李乔芳　谢祖发　袁庆军　张　华　袁　春　周云秩
饶　肖　刘　莎　张源源　陈　红　凌　丹　蒙友青　游丕霞　母永菊　曾宪羽
王远超　陈忠恒　刘　娟　张坤文　杨　鹏　张　青　韩成华　卢茂林　冯光宏
兰薇薇　蓝大杰　赵　云　王　毅　江　垚　何　洋　罗远文　蒋　臣　杨大林
蔡昌丘　卢　莉　卢金佳　金　柱　王　敏　吴举松　李　韫　陈　林　蒋正京
蔡长林　李景飞　李艳琳　苏贵川　冯明坤　蔡青苗　陈　林　王　建　张兴梅
陈明丽　兰　进　陈小梅　王桥发　雷　宇　陆远洪　张国群　杨　靖　冉　庄
黎子然　孔　瑞　张武媚　彭甲山　邹　敏　商体露　张　婷　彭国梅　杨　坤

159 班班主任　卢怀芳

赵多俊　朱自会　卢成宪　邹　桂　杨成敏　冉　婷　张　娇　李　宇　徐金艳
谢　丽　杨　娇　杨贵莉　常　艳　钟　娟　周珉吉　杨　琪　商海奇　张礼雪
涂　飞　陈　露　谢有云　罗　玲　陈春风　陈吉莉　廖禹闳　张海浪　熊秉贵
彭崇华　陈　丽　何国芬　雷旺盛　刘国建　汪生坤　张远娅　罗　应　朱兴凤
徐　花　帅开英　蒙　丽　陶顺顺　聂　玮　毛建梅　彭俊菲　谢蔓丹　吴　亮
刘　静　杨　欣　李小凤　张德里　罗　明　王　璐　姚茂石　张友芳　丰　菊
熊　妍　陈宗桦　杨成杰　盛中元

160 班班主任　王建华

黄　鑫　孙启飞　徐　彬　王镜淋　陈珊珊　陈弦印　张新迪　吕秋渝　潘　恒
李秀志　江以静　金蜓茂　闵　渝　籍元雪　方　正　刘　茂　唐明跃　潘　勇
刘　蔓　唐　吉　宋保来　刘　俊　廖建兴　游加兵　徐　磊　张　丹　谢适逊
王　月　肖永钱　龙智锟　谭仕琴　张　杰　吴　毅　彭耀兴　宋泽坤　马　芹
王后喜　许冬双　周耀勋　丁群艳　李素辉　刘　丽　魏书贵　陈　周　任　为
齐泓景　袁　豪　龚继豪　罗丹妮　王　捷　杨　亮　梁　栋　晋国杰　兑靖冬
朱鹏飞　谭永厅　冯铭韵　籍元雨　禹甚合　詹　顺　李　洋　倪德茚　李瑞霞
张永路　王得凤　潘鹏屹　王得龙　游家杰　陈　樱　刘　浩　曾　丽　詹皓淇
胡坤建　唐泽烨　杜　松　周志祥　刘春梅　贺程程

161 班班主任　张友军

申　灵　胡　晓　刘　祥　陈　昊　蔡　晴　杨兴茂　母永飞　徐　佳　陈　涛
宋　欢　冯向坤　龙　图　胡科秀　胡玲昊　冉景伟　宋晓梦　李　诚　曾　超
张远春　吕建毅　蒙　清　毛　院　王文富　彭国宇　李扬肖　陈阳松　梁　涛
刘　涛　张开寅　黄启峰　刘　尧　丁　竹　钱朝国　胡　峰　冉茂昕　王万莹
杨天艳　徐林活　倪　涛　陈光超　曾　鑫　汤运林　冉应布　曾令舜　徐　勇
林远杰　胡德松　何　林　向雪宁　文　坤　王维锦　陈　希　胡　晨　曹　迪
林　健　吴　鹏　吴雪念　吴黎黎　汪雪薇　陈　浩　周　雪　徐传坤　霍隆屏
石兴林　邓诚毅

162 班班主任　姚明亮

宋晓露　王　艳　赵礼仪　张连杰　欲红林　潘飞龙　陈天祥　赵　江　唐笠菠
余家州　刘文顺　潘宗凯　申程匀　李秀梅　陈叔波　刘　敏　刘　蕾　胡明娥
邓庆涛　王诗琦　闵　伶　徐　飞　高炼治　吴瑶瑶　张　琴　吴　颖　柴　忠
张　松　张艺千　黄小飞　高　进　柳应清　叶　勇　杨寒梅　卢正文　石庆喜
娄方豪　谭　勇　伍　毅　何世俊　兰卫红　张　薇　唐　薇　兰　唯　陈　涛
谭周玉　彭华章　费良玥　谢祥蛟　龚福路　施彦旭　冷昌莲　雷　松　钱　丹
赵　坤　李远亮　商　睿　王章杰　李秀娟　夏仕江　罗　娅　代露亚　黄天军
徐　锋　郑　曦　王安梅　袁再红　邹　芸　曹前勇　王云娇　胡兆江

163 班班主任　严国艳

梁颖坤　刘　松　潘　杰　罗　凯　周建仁　邓华江　王立贵　杨　剑　赵　蓉
吴文英　柏晓苇　张明松　刘　国　谢裕平　玉　赟　卢怀华　彭方彪　杨　帆
罗　焕　曹小龙　冉小锋　王　敏　蒋　炜　余洪江　段书美　何泽涛　陈　凯
申小利　陈　谨　严杨凯　蒲永飞　高腾举　刘　枭　舒方俊　刘智勇　蔡文武
曹光毅　贺红兰　骆科军　吴娜娜　曾利喜　王云刚　孙小亚　莫　畏　韩　竹
刘　恋　杨清碧　丁光练　杨　涛　宋干兴　陈　雪　严　涟　谢玉伟　鄢家明
何　洋　陈炳勋　李梦蝶　柴立胜　廖　蓼　江西瑞　刘　丹　兰家芬　周万艳
孙　全　刘文焱　李　锋　陈春毅　宋　玺　徐荧翼

164 班班主任　杨应平

犹　三　邓竹竹　刘　露　江　海　郑　兴　李林松　左　悦　何开群　蔡贵芬
彭　波　李朝洁　冉春菊　金义仙　况易莲　王元顶　黄明波　陈　雄　蔡　举
张　立　杨　超　邓义婷　严杨盛　商体委　王　涛　李星静　冯城城　何佳佶
龚翎娥　周　丹　雷小静　安　敏　邓安元　帅铃琳　李成勇　何志菊　戎仕凯
李雪梅　代德勇　石　涛　欧文蛟　牟风帆　齐国宇　刘大勇　黎德隆　刘　运
易亚俊　王荣杰　胡力凡　陈正权　龚富军　纪明尚　吴三刚　曹　雪　赵念念
陈　祝　周吉艳　陈　淼　黄永刚　聂　方　杜仁鹏　李质丰　王志飞　吕　娜
陈志江　满　念　李洪燕　敖　敏　张清匀　腾明怀　李秀勇　陈　姣

165 班班主任　鄢小梅

宋梦娇　倪菁菁　黄　楠　陈　浩　许祥瑞　谢　涛　向登建　阮　超　宋昕雨
李宣权　苟　毅　李秀梅　梁正坤　唐建宏　范雪博　刘章运　卓　韦　刘成碧
秦　英　吴　静　李媛媛　肖之强　邵春林　彭玉雪　高　飞　陈贞旭　熊志法
陈　涛　徐正成　杨　春　段黔顺　雷　雨　刘　义　黄　菊　胡贵红　郭　俊
马　云　商正刚　张雅菲　魏小青　何建江　李　倩　方　涛　郑　雪　代　媛
张文传　李天培　李　欣　余亭松　冯　蓝　范　婷　唐浩力　韩　锋　葛小群
张淙华　陈　飞　张义勇　王　兰　朱仕东　张飞凤　杨胜涛　曾前松　李继雅
张钰函　龙　梅　文　念　汪　航　左　璇　杨　玮　秦云波　李瑞雪　王邵祁
黎吉前

166 班班主任　刘乾坤

万　玲　蒙　渺　兰新尧　何　阳　谌洪梅　唐春志　胡代龙　陈　银　潘　芳
文　雯　李星旺　苏治桂　王维诱　王　茂　李　坤　陈　超　付兴春　罗　曦
刘　珊　张雪会　肖开菊　叶函超　张运丹　黄民芳　吴元龙　张洪锦　周义松

王　弦　戎　韬　张　灵　袁　冬　叶昌银　田景慎　宋　芸　董　维　陶　欢
毛　娟　吴　余　梁　娅　陆廷毅　刘　婧　柏政佯　卢忠民　赵小东　张先义
彭雨阳　赵　婷　罗国杰　江　澜　李春霞　陈小敏　彭浩桂　邹　欢　孟青青
冷　霜　张林进　安仕琪　张正健　毛　竹　冷　浩　杨　斌　王　婷　秦银姗
曾　林　李俐漫　钱莉家　袁昌倩　张　凤　程立娇　王代华　周诗棋　李一平
黄跃进　宋　庆　漆星见

2011 届

171 班班主任　张立新

陈　凯　唐茂林　李林博　黎巳玮　张黔友　付云龙　康国斌　冯忠建　刘兴泽
何建平　龙德恩　胡岳明　许　霞　龚　超　唐　俊　解韵竹　田　洁　邓时燕
陈潘凤　冷安娜　舒　辉　张　敏　赵显波　唐茂晟　毛国将　秦　然　周江娥
陈洋凯　周　易　瞿　涵　刘春梅　邓孔全　杨正丽　徐瑞丰　杨　潇　冷昌郦
宋国庆　宋江兰　刘正宏　周　宇　刘　艺　杨嘉锋　严　梅　屈龙军　范　玲
谢玉梅　张爱媛　李春林　梁龙刚　丁本川　陈　超　袁昌云　张兴星　苟德亮
何大川　杜　漩　何跃松　赵　秋　梁　杰　袁心海　白明辉　王国倩　曹代华
李　秀　冉应凤　张　敏　张　月　张波建　张　卫　张宝亭　冉光菊　高明丽
王家群

172 班班主任　林举华

王　昆　杨艳红　张显玲　曹娥娥　李　珊　秦　康　何建海　李　丽　方大斌
曾　杰　陈昌菊　黄富进　杨　丹　赵吉红　杨永莲　王开发　陈欲娣　张筵佶
叶宪超　宋锡梦　王光明　张　凤　石　杰　黄进伟　吴海霞　高大芸　陈吉升
熊　涛　朱仁飞　周芷伊　黎　桃　李亚娟　尚凤伍　姚知波　龚继波　黄　银
唐顺欣　鄢永江　韩克烈　刘　鹏　宋　昱　唐　静　蒙星余　黄利娜　余香勇
江　波　王兴涛　秦　楠　李贤霞　孙明星　彭国骄　卢　俊　何柏毅　曹前伦
刘　富　谢　露　杨　青　张翔威　段怀臣　胡　玮　何　秋　罗洪维　罗　兰
陈培林　杨俊凌　魏小芬　付　敏　刘济春　曹前开　李　岐　张　琳　闵明镇
陈　宏　陈　艳　杨　凯　余香坤　兰圣忠　王　超　罗娇娇

173 班班主任　刘昌荣

彭国媚　赵　燕　左明星　杨　浩　宋姹芳　邹书友　韩　月　宋姹姣　黄　敏
唐　庆　兰黔川　李开强　朱俊艳　张　露　陈　丹　杨　琳　何贤慧　张礼镜
周家喻　周亚亚　马　凯　袁亮超　王维昊　刘沁东　王　碟　李沁枚　梅　均
犹　恺　严　琨　肖龙霞　严荣高　王　保　牟世武　王　露　曾　勇　陈香琳
何国桃　潘文林　廖瑞兴　叶小静　李远芳　宁志祥　陈佑芝　陈　宜　李发菊
卢江林　张美方　杨成燕　卢昌勇　吴甚廷　徐银菊　陈香桦　林正良　陈盛梅
赵　洁　石莎莎　徐杨杨　代义琴　兰金春　朱杰杰　张　浩　黄小玲　魏　東
杨明宇　王艳云　王芝军　彭福波　龚钰婷　王国菠　邱　建　马　杰　洪明旺
肖开文　况易君　张鹏静　喻　娇　肖养凤　谭　珊

174 班班主任　何宣柱

汤德敏　彭子非　陈韦燕　余　伟　余泽东　罗晶烊　周　鑫　王大夫　张良友
刘　辉　戎　军　刘义超　秦　凯　张明刚　于春海　邹　静　华乾志　窦兴广

李先成　周英文　伍昱亭　胡天梅　郑　楠　肖正妙　赵志发　文德香　牟成峰
叶再红　李坤红　李文军　杨　青　赵　娟　黄　梅　伍兴凤　李　伟　赵　露
王　梅　兰　丹　刘　鑫　刘　仙　漆　毅　刘成贵　杜　波　陈启健　肖　杉
陈映霖　池光兴　廖　进　向　茂　胡礼芬　王　维　尚　毅　贾　丹　卢　进
廖定刚　岑成香　兰小念　宋　亮　黎　晨　李雪梅　黄　倩　张兴珑　穆　韬
王　彪　柯　红　黎仕林　张育波　肖维娥　熊　香　王　霞　兰文俊　田文杰
刘鹏飞　雷国明　张廷俊

175 班班主任　祝亚峰

李　希　张林丹　黄仁强　蔡利祥　张　勇　肖曼曼　尚国群　杨华龙　许　华
王　涛　付国昱　向登菊　尚明红　段金丽　黄　程　杨　光　袁沧虎　陈　超
曾小丽　漆家萍　王丽君　戎颜穗　梁　云　瞿运香　张　鹏　黄晓胜　李星霖
曹　豪　王才宇　陈　祝　杨秀林　林代芳　胡坤涛　犹　欢　徐前阳　朱正丹
李明静　常继坤　原贵艳　李　春　黄六森　雷庭来　方　颂　王孝林　犹　春
张胜文　罗　敏　袁　茜　王　丽　罗　健　陈亚群　毛艾琪　徐肖刚　徐　莎
罗定霞　贺俊灵　王　韬　李永红　王　凯　袁小六　蒲启苇　王　琴　丁亚菲
邓庆林　毛程霖　黄雯雯　吴　姣　袁　頔　罗钰春　王成洁　钱维丽　樊丽君
杨铁燕　王庆英　卢　昊　袁　琳

176 班班主任　孙典英

马蓝宇　杨泺霖　张　娅　黄茂迪　晏清欧　黄淑婷　邓媛媛　张兰兰　贾　玥
孙　洁　李恩勇　李小祥　彭楠清　敬　峰　田　铭　艾　丹　曹代宏　伍纹蝶
袁　维　李星瑶　陈文浪　吴　晶　田茂燃　蔡小杰　彭高松　丁虹丽　王立婷
赵雪英　李跃菊　郭怡君　罗　辉　魏天晓　余　敏　吕　虹　谭周庆　戎　映
周　亮　徐　滢　何劲纹　刘　琴　李宋文　任　丹　向孔丽　张洪斌　余代刚
刘丹丽　刘昌举　雷华南　冉芳会　何配玮　张群香　张赵会　兰代龙　唐春娇
严荣飞　尚应菊　徐必树　乔　远　张黎鹏　陈　娜　芶顺艳　王世建　张　松
刘延菊　陈　成　李恒曜　邓丽梅　王　飞　刘云丹　高　艳　孙兵燊　尚洪进
杨　柳　兰才芸　何　维　兰　美　沈猛富　李　超

177 班班主任　曹植铭

黄　涛　犹合坤　梁建发　杨秀洳　张宏宽　谢　韬　丁光彩　罗　琳　王健江
李　琪　卢　莹　黄　甫　傅世莲　方　曦　李　杰　何治霖　徐　潺　邓思捷
向龙俊　袁昌迪　樊启勇　杨佳杭　胡家进　杨　川　陈亚青　潘珍珍　康继夫
张　靖　魏　星　宋怡霖　张莉兵　黎　方　宋胡宁　王　庆　唐时李　王　维
毛　欢　邱德勇　李双江　计　峰　邱　晗　周福勇　陈　松　李　鹋　魏湖凌
莫朝凯　刘　莹　黄　尧　王　敏　陈晓楚　焦登奎　黄乙峻　王　虹　伍　烨
罗　秩　杨　雪　闵德馨　冷欣桐　谢从雪　王贵松　方荣靖　周　易　李　杨
罗永松　吴泗希　姚　星　金先丽　吴　杰　汪　琪　王　倩　吴　珊　刘　鑫
冯育兵　唐洪海　宋赣源　张德成　项　宇　赵桂轩　李涛坤

178 班班主任　鲁仕发

钱　兴　熊兴春　杨洸云　罗忠圣　李婷娟　付品铭　朱发莲　祝　文　周明卿
刘裔茜　石　鑫　贺华平　冉应兵　贺宁子　黄文力　伍开琳　陈　琴　刘怡君

石忠艳　况小安　吴庭佳　刘　婷　叶凯伟　董鹏飞　闵　建　刘作文　彭国璇
李安翼　徐明庆　赵博成　谢祥军　柏　莎　王建旭　宋炆俊　余　瀚　唐扬烜
张　坤　何振楠　谭清匀　王政杰　蔡　僮　付明登　郑钛珑　谭正莹　雷桂花
谢美元　邰星竹　贺思云　兰　杨　彭荣举　杨　欢　周占文　孙大丽　卢　珊
罗　宽　石金梦　江以坤　倪元俊　张良霞　吴　洪　彭　涛　杨昌俊　尚雪梅
余有文　舒兴婵　陈　杰　任泳星　陈永艳　刘支勇　吕启凤　沈红梅　邓爱梅
李晋荧　牟仕秀　闵　荣　谢志琴　石庆松　邓泽文　王　胜　余武军

179 班班主任　顾晓福

胡仕刚　王　立　张　波　肖官菊　甘亚菲　黄　菊　任远丹　李小连　黄廷凤
彭胜银　李贵娟　王广坤　梁婷婷　王晓敏　陈杨宇　刘治美　石小磊　计　松
朱自飞　游浩洋　张永鑫　陈光兰　付君华　石　腾　杨　念　吴亚霖　陈友艳
宋泽天　敖小玉　潘　超　伍崇娇　周相助　李　琳　易腾达　杨　奔　邓金孝
胡咏茚　曾红亮　潘　毅　乐　潘　曹光秀　冷继雪　黄　旭　李乔峰　代　林
蔡丹丹　喻　梅　黄民峰　朱萍萍　蔡道敏　彭永洪　张宽萍　刘瑞雪　黄　伟
罗　波　杨裕鹏　毛敏霞　宋　杰　周乐琴　何　梅　熊　杰　杨文炳　成　赟
李洪庆　张　菊　沈世军　徐廷熙　周家玲　李绍宇　黄　宇　苏　野　郑　毅
张　群　王文博　张莲　宋　杰　杨　雪　杨　春　黄永燕　黄坤龙

180 班班主任　何平章

王　佳　王文彩　张　莉　谢　磊　李治佛　朱仕凤　尚　云　左人及　朱星钥
简　睿　韦东良　徐林林　廖明峰　黄　方　付君杰　宋　霞　吴　泽　李儒童
庹　颖　陆定鑫　郭钰涵　邓　萍　李松霖　袁　玲　周　坤　莫佰仪　龚成建
胡　艳　袁　烨　庞成诗　吕志超　付君奇　张昌洪　黄钟漫　朱美霖　游　建
薛　程　陶　俊　李诗杰　贾应江　许亚薇　林　燕　吴　涤　冉丽群　吴小兴
陈太伟　罗　毅　雷　娟　何林涛　王　俊　宋江琴　李昀玻　罗　洁　张世超
杨　峰　尹　胜　唐彩青　朱海赟　曾苏意　高顺江　吴　静　文泽秀　刘兴扬
耿诗雅　熊华唯　王　松　王家婧　王兴江　刘家宏　倪　瑜　任安阳　王朝阳
任　礼　周煜婕　张锦程　吴东阳　黄　炼　宋居澄　刘　婷　李沛颖

181 班班主任　刘宜菊

唐　强　刘　云　邓丽娟　蒋大伟　王　春　张春霞　杨秀奎　唐成明　杨正坤
谭文建　黄荣香　曾青山　杨荣欢　张春秀　蔡晶君　徐　帅　宋　婷　陈红蕾
邓金婷　王国月　孙　用　王大青　周勇村　林　坤　陈祥兵　田仁义　李世友
梁　静　刘星余　韦祖德　顾　景　王康凯　刘泰岑　赵　梅　许期玉　熊　芳
杨庆双　汪　军　左　浩　熊发扬　陈华松　赵显相　李　洋　罗荣见　王长勇
范　蕾　吴云鹏　蒲星烨　吴　迎　尚　飞　徐　旭　龚程鹏　朱纹青　邓　钰
谭　梅　吕光权　张吉艳　余　鹏　张天安　王文丽　袁亮晶　王筑颖　江　婵
孙毓蔓　陈雨婷　赵敬文　冷　青　杨　熙　董　鹏　腾　毅　刘　曼　唐　伟
胡齐巧　王林林　陈星烨　宋娇娇　梁明玉

182 班班主任　徐国生

黄　莲　姚红华　骆帝宏　兰　燕　商煜林　张红梅　卜永凤　龚子璇　谢海燕
袁　涛　曾祥丽　谭永奇　宋　斌　丁可江　卢锡飞　董江梅　蔡廷红　刘婷嘉

刘　璐　黄　凯　赵　雅　吕炫材　蒋鹏杰　陈　健　唐铭奇　程　旭　吴红江
何　夏　开　泰　刘丽珠　郑　晴　商体敏　王　婷　张娅密　姚文芳　张　松
袁世雄　曾馨亿　朱定芳　潘　欢　张　瀛　刘显向　袁盛涛　张飞燕　张　梅
尚能静　曾祥军　徐　晶　吴端阳　张娅飞　王道武　卢虹秀　张　艳　周　丽
张　洪　林　燕　陈　敏　徐本兵　袁昌健　陈　兴　侯永财　王泽虎　胡　敏
吴佳坤　谢　梅　曾志强　祝　丹　兰　娅　雷　勇　陈屏竹　贾　隽　曾贵川
胡显贵　李　勇　王露露　王国林　苏　坤　李治缘　陈安财

183 班班主任　蔡　毅

王　俊　王兴江　张昌洪　付君杰　严　琨　任安阳　刘家宏　任国建　陆定鑫
刘兴扬　莫百仪　王　松　罗　毅　曹苏意　周家瑜　贾应江　廖瑞兴　黄宏强
马　凯　尹　胜　吕志超　高顺江　倪　瑜　熊华唯　耿诗雅　陈太伟　龚成建
吴　涤　徐前阳　冉小锋　陶　俊　王朝阳　郭钰涵　李诗杰　游　建　游　浩
石竞阳　蔡昌明　吴　静　罗　洁　周煜婕　胡亚丹　吴小兴　陈昌菊　黄钟漫
徐友洪　周　坤　韦东良　李昀波　方中彪　王　保　向雪宁　李松霖　唐彩青
廖明峰　庞成诗　朱海赟　袁　玲　胡　艳　宋江琴　简　睿　文泽秀　黄　芳
孙　洁　雷　娟　邓　萍　高明丽　王　丽　庹　颖　叶　子　张世超　许亚薇
林　燕　刘　丹　王大珊　宋　霞　杨　峰

184 班班主任　徐德智

梁　静　曾青山　罗荣健　严荣高　黄进伟　杨正坤　龚成鹏　陈修娥　陈　祥
王启米　许期玉　李远芳　曾　勇　李世友　王开发　韦祖德　李　洋　谭文健
王　昆　将大伟　刘星余　陈华松　熊发扬　徐　帅　潘文林　黄　云　汪　军
刘荣麟　田仁必　王长页　杨秀奎　孙　用　王慷慨　蔡昌君　唐　强　左　浩
周勇村　张锦程　白明辉　犹　恺　黄　炼　尚　飞　吴东阳　宋居澄　刘　云
杨庆双　杨荣欢　邓丽娟　范　蕾　邓金婷　贾　玥　王　春　陈玲芳　宋　婷
赵　梅　张春秀　李沛颖　朱纹清　刘　婷　黄荣香　熊　芳　江　萍　王大青

185 班班主任　赵　俊

郑　晴　蒲永凤　赵敬文　黄　莲　刘　露　孙毓蔓　谭　梅　赵　雅　林代芳
袁亮晶　王　婷　罗定霞　张吉艳　兰燕董　江　梅　袁　涛　宋娇娇　王林林
黄　凯　宋锡梦　骆帝宏　王筑颖　刘　曼　刘丽珠　姚红华　冷　清　陈星烨
陈雨婷　刘婷嘉　龚子璇　滕　鹏　吕光权　余武军　马　金　卢　昊　熊　涛
宋　斌　余　鹏　谢海燕　卢锡飞　常继坤　邓庆林　方　颂　张娅密　吕炫材
蔡廷宏　犹　欢　唐　伟　谭永奇　商煜林　董　鹏　陈　健　蒋鹏杰　徐传坤
陈　旭　唐铭奇

186 班班主任　潘家贵

李　勇　胡　敏　姚文芳　张仙丹　尚能静　潘　欢　潘家贵　罗亚林　陈屏竹
林　燕　潘正义　商前玉　兰　娅　彭　瑶　王成洁　张　梅　张亚飞　周　丽
吴佳坤　徐　晶　曾馨亿　黎小燕　王虹玉　张礼镜　张　洪　魏　宇　张飞燕
谢　梅　韦晓云　王欣露　卢虹秀　祝丹丹　张　瀛　张　艳　陈安财　王泽虎
胡显贵　安　毅　王道武　苏　坤　吴盛廷　曾志强　袁世雄　吴端阳　侯永才
曾贵川　王国林　刘显向　牟世武　袁昌健　陈　兴　袁盛涛　张　松　何　坤

敬　峰　卢昌勇　徐本兵　曾祥军　杨明君　张　浩　贾　隽　李治缘　贾德兵
任　刚　王　震

2012 届

193 班班主任　董　旭

杨钤丽　胡世程　陈　东　王文吉　商　倩　谢露欣　王　欢　张远倩　罗钲威
霍　旭　彭国滔　陈启洪　丁泽坤　卓林俊　王新健　刘　峰　谢祥军　王芝星
勾乙吉　徐华利　李昱鹏　郑启学　赵出辉　刘海深　王泽涛　刘　一　王正怀
张　测　彭逸菲　江润梅　张大平　冯其富　盛中志　卢　鹏　许春红　曹开志
张立娇　龚　鹭　宋　颂　陈　良　陈远方　何　松　肖　凤　张良杰　刘　浪
唐国伟　梁　杰　倪天平　郭全进　丰家行　肖朝平　冉　春　陈银松　张森堯
陈世杰　周一航　张明凤　陈应宏　杨雅筑　杨应梅　王　博

194 班班主任　蔡志武

吴　倩　郑才茂　王国闽　李　航　王中宝　任安强　吴万付　林泽宇　舒　茂
刘　亮　商体素　伍玲丽　周　雪　邹雪梅　唐　杰　瞿继豪　王　义　彭传奇
何　锟　倪江茂　刘婷婷　赵　丹　石　磊　周　婷　王洪欣　姚强强　李　杰
梁思欢　熊　源　陈大池　梁安平　贾　茂　周　伟　李　祎　潘誉丰　梅小静
郑　仲　陈堂云　周　华　唐　龙　任桄静　卢　渊　张廷福　丁万霞　黄安银
杨　雨　金庆礼　唐疏浩　唐卫民　王大松　唐永前　唐顺倩　陈修波　冉洪义
周万涛　漆洪林　周家严

195 班班主任　涂　刚

黎朝霞　黄　晓　陈星灼　王华江　秦　宇　蔡福先　李　健　童相瑒　郑再鑫
胡齐敏　姚　娜　袁中波　陈兴懿　杨　月　陈　天　陈　雪　徐　然　徐立姣
邓　焦　朱　婷　任孝进　蔡　烨　程　欢　王碧兵　陈正荣　肖维红　王基超
勾余梅　周　青　周　鑫　张荣乾　刘文清　粟　连　犹昌强　毛正敏　丁元熙
周　莉　冷继国　犹兴群　邓有瑜　黎　丽　杨朵合　熊泳鑫　朱　亮　刘元洪
王德中　刘福坤　王俊淇　马　涛　刘　磊　曾　亮　张　青　刘　晗　陈良杰
唐　银　孙语奇　李玉欣　宋凌云　王　寅

196 班班主任　何俭霞

黄　亮　周畇同　卢凌娜　都　欣　刘贵文　王德财　邓　青　况　洪　夏光兰
刘仕豪　冉景强　夏虹彩　欧　琴　熊文璟　张　雪　彭　韬　何　程　商婷云
唐海飞　柏　杰　孔德特　何沅超　洪　峰　徐　静　陈开敏　唐　涛　刘　元
莫云凯　滕　超　龚　钦　赵　康　朱柯夷　袁　进　杨　凤　夏贞有　喻代峰
肖怡冰　郭　伟　刘　颖　余　飞　杨　雷　谭　景　敖　宇　廖廷梅　刘晓丹
张　雨　兰文釜　朱仕坤　陈　航　陈盈余　徐正辉　余柿委　邹　康　周　星
冷继映　兰佳欧　刘国军　李星枚　胡坤雪　刘翔文　宋普成

197 班班主任　蔡开华

何发达　张　杨　商体康　周寒冰　冉进佳　徐　梦　蒲　端　郑武湖　朱立山
张一梅　尤敦峰　袁　清　陈文松　贺贤举　胡德成　谢云春　陈发奎　李政潭
宋石杰　刘文汇　王　君　鄢成超　吴杰春　吕学军　张文齐　黄进宏　杨　倩
犹炅佯　何志华　舒　富　赵海燕　肖　桐　胡声伟　兰　鹏　范胤祝　蒋　毅

蔡开飞 李洪静 朱永芬 黄海帮 郑力尧 彭定舟 冉 欢 杨虹蕾 胡 波
简福兴 李家维 吴举伟 杨 杰 李 宣 唐仕勋 宋泽芳 程 芬 犹家金
冷昌轩 张朝胤 张 洪 张 新 柳开友 牟仕林 方 阳 何 耀 林芳羽

198 班班主任 李志鸿

吴红燕 刘 飞 宋 雄 杨 林 范秀超 石朝进 王 建 李俊宏 罗秀芬
郭钦静 李泽生 张祖洪 彭福燕 吴 丹 王 静 沈广文 廖天月 何 莉
陈培鲜 卢再萍 杨胜坤 陈婷婷 陈 棚 姚正荣 席 坤 李仕英 朱浪浪
徐 梅 游顺德 杨玉明 罗 文 郑 玮 卢再成 严国静 朱宝玉 罗忠娅
邓绍岚 倪桥林 冉晋福 胡孔丽 严应富 苟国艳 刘丁群 刘静怡 罗吉昇
王振昆 李兴仪 白永进 朱秋玲 席 松 向小康 赵 坤 黄 黔 柴立进
梁颖华 张 明 冉茂明

199 班班主任 唐书军

肖 敏 吴 韦 张 雯 何方永 李 珊 白清莹 熊晓芸 顾 超 石小艳
苟 顺 刘 智 罗春燕 谢玉青 秦 菲 杨秀霞 张 超 王真祥 犹昌丽
张良玉 谭 靖 王 星 张祥先 蒙小娟 黄 旭 谢祥凤 任崇伟 赵兴梅
刘琪琦 杨 静 杨仕美 方久坤 王 芳 蔡昌青 吴中勇 赵 毅 莫 京
吴泽莹 雷雪飞 毛金艳 犹婷荔 谢贵春 周昱君 何小勇 毛凯迪 王朝丽
杨华琴 李 康 吴 莎 乔 宽

200 班班主任 汪举芳

王福群 罗 芹 杨传梅 兰晓映 滕野郎君 林宗亚 陶小梅 李沛泠
潘 燚 潘 椿 宋明媚 张 美 宋 超 蒋秋霞 刘源青 李明秀 陈光兴
简娇娇 李正航 杨 肖 邱隆江 袁 江 张 丽 王 媛 曾思捷 陈 璇
冉光梅 丁光娅 毛 婕 邓朝莉 周雪姣 吴登红 廖新烨 张治航 徐小敏
肖大印 周全龙 谭兴凤 李思含 刘俊林 李亭竺 黄煜钦 漆 昊 张远阳
刘 欢 杨心玫 刘汶铫 顾卓然 刘鹏费 杨仕亘 闵明鑫 杨春莹 贾应伟
张 晗 熊纹竹 范 韦 张天毅 肖星文 刘政杭 彭强俊 杨鸿毅 李志勇
陈 龙

201 班班主任 朱前红

罗 飞 王 卿 何正鑫 彭 芬 张礼娜 文秀秀 徐 伟 余海浪 陶荣泽
陈 悦 颜 林 张国富 钱 毅 何加玮 陈荣信 吴光毅 王正微 付文扬
杨显红 蒋志娇 朱 燕 粟 松 胡佳吉 邬 川 陈强松 李 颖 鞠羽翎
韦小丽 李明焰 李仁飞 常云云 谢松益 陈 程 刘 畅 陈 静 宋跃东
何致缘 宋 佳 彭 珊 杨 华 朱 俊 黎红香 冷继旭 鄢国望 文高军
蒋怡帆 李 顺 徐 烈 赵 玥 刘俊杰 王丽婷 黄国军 王德静 蔡 杨
简 乾 聂 玮 郑明慧 犹子仪 王 芬 申晓叶 宋荣洲

202 班班主任 何远红

张文峰 张挽澜 施家浜 杨 波 杨 洋 范兴宣 夏 露 曾华东 蒲正清
张 娟 补 怡 张 园 伍垚旭 田 曦 陈 林 王龙江 潘缘逸 丁思月
田兴鑫 王 昱 张 义 刘文睿 龚春澜 王定东 李克辉 潘秋杭 杜伦阅
吴国华 王何艺 田 坤 魏鹏飞 熊兴鹏 王元芳 徐 坤 李先森 余 红

冉景刚 吴秋鸿 梁正洁 陈鄯宇 宋　云 周　睿 兰文波 闵淳一 晋云贵
何贤勇 杨　崟 犹俊圯 张　杭 费长飞 周　阳 代发兴 李昱莹 刘　阳
汤　环 景灵旺 胡坤波 简小龙 张常芳 郑上上 吴国静 徐立帆 徐鹏飞
周　建 蔡　倩 王　娇 陈　靖 宋安楚 张　婕 刘志豪 谢小园 刘　石

203 班班主任　赵慕琦

邓菊星 潘　睿 苏传琦 朱　莹 董蜀黔 刘　臻 刘仕铭 吴雪娇 张杨鸿翼
龚成琳 周昌杰 陈　诚 张　芳 刘　成 祁一洋 王　堑 罗　珊 梁　敏
简正阳 陈富健 陈　艳 朱仕望 余相灼 苏启涛 田桂坤 谭路遥 李禹虹
贺　誉 陈　默 李春芳 蒋怡玥 李沭龙 黄朝玟 周家杰 王　尧 卢　群
温光瑶 程　璐 白天雪 王桂丽 邓子伟 张　雯 王　芳 符有梅 杨　春
王　娜 张连浪 蔡国顺 何　超 刘镇玖 李家杰 陈昌静 彭小华 廖梦煜
冉　超 伍朝瑞 许洪远 李　豪 卢晓霖 王　森 王思齐 杨　财 余浩然
杨　涛 林传发 宋　超 罗贵海 刘　涛 廖陈君 舒兴胜 闵明盛 吴　桐

204 班班主任　杨贤材

罗　铭 唐文碧 倪　江 李　佳 徐　彬 叶真香 王发贤 黄廷超 李俊佑
冯小敏 李　云 王婷霏 何德会 赵　玙 杨奭宸 秦小青 倪　念 任金桥
顾　鼎 魏楷筠 黄小青 刘华涛 王　林 卢　健 胡梅梅 张　娥 张然松
陈　璇 屈万杰 朱　敏 胡明霞 陈　烁 王小平 范　浩 周　梅 汪　伟
刘　菲 吴泽敏 朱正欢 杨　乔 王　波 陆柏合 余　媛 白明娇 江　浪
唐　瑶 黄坤建 冉应乾 尹小燕 陈垚羽 胡天柱 田飞杨 黄　漫 犹泽鑫
景福琴 姚　菊 张艳群 张　松 喻皇境 柏晓波 张　文 贾佳琦 刘炫绩
王　露 辛小康 何　溪 张国梅

205 班班主任　席德杰

余泓成 朱　钰 杨　丽 周显辉 刘德望 陈在兴 周家立 贺春梦 王家学
禹荣丹 谢云龙 黄朝会 秦先会 夏燕茹 李明英 李政澄 安　义 张添昱
石云勇 梁小康 叶胜愉 王春烨 黄官琴 王再忠 李茂瑛 张平先 牟辉浪
窦长宇 周建宏 任西军 方聪进 余　耀 朱仁红 李　云 张　凯 何承晋
周乐露 伍宗敏 卢　丹 魏　微 张禄勇 夏　旭 吕田芬 安　倩 何克江
苏阳丹 蔡贵菊 黄小凯 高小龙 苟综利 犹　米 伍　亮 黄嘉伟 代永阳
黄　琪 袁驰鉴 李　凯 兰永欣 犹合松 黄廷廷 郑登燕 王贵辉 蔡　梼
钟尤虎 蒋钞 宋江涛

206 班班主任　王支全

李孟韦 夏银宏 敖　浩 王　岚 张　迪 王得群 李庆祝 李文凤 曾　露
刘　瑛 王程潞 黄成艳 罗汶凤 兰茂宁 包文超 李迪聃 何光海 黄　静
姚正端 谢早清 李　宁 袁佳佳 夏国芬 席　欢 王　娜 张林茂 张　凯
兰吉波 范秀兰 黄　静 蔡兴梅 周　林 唐　雪 黎　虹 王　兴 肖　欢
李进海 龚冲敏 陈荣苇 张　梅 秦安艳 谢　佳 石金敏 王大权 李章艳
汪诗棋 王大鑫 唐小凯 刘　畅 丁　伟 解韵竹 雷　宇 谢佳敏 潘怡鄂
李　琴 马雪洁 叶　春 简学凤 武文静 丁光玫 罗　倩 闵　珊 吕宜曼
陈坤银 陈　坤 夏泰盛

207 班班主任　邹强

梁　洪　黄美清　刘　松　吴正涛　李　芸　林伟珍　王　丹　任庭松　罗　娇
王　东　袁　红　黄大飞　聂贵林　陆小飞　商　勋　向龙进　陈　颖　朱红建
曹礼青　陈　念　曹胜锋　王　莹　蒋安有　温光诚　杨荣杭　谢玉长　周世乔
李　婷　陶招进　刘　瑶　徐碧飞　曹　敏　黎金东　王　祝　谢成林　陶宏燕
王　顺　范　瑶　唐彩松　王秀先　吴　建　赵永兴　王　芸　赵桂普　潘　菲
廖菊二　刘　露　杨光辉　张雅昳　郑　永　肖春雪　陈晓静　牟代飞　李　波
牟仕平　周　丹　李治镇　王　建　娄方雨　吴明飞

208 班班主任　汪强

吴德莱　万祥珊　陈星余　邓恩念　王　珩　李　维　范　容　李吉灿　刘　兴
沈元津　石烈鸿　卜榜飞　吴红郸　田进辉　宋定珩　田　谣　余　韬　谢镇遥
肖销怡　秦　宁　徐　琪　杨蝉境　李子东　朱　艳　吴　卉　瞿国恒　黄　蕊
向　淋　尚思建　周　明　蔡　晶　赵江红　赵小昆　罗　娅　李　冉　冯小芩
韦　玲　栗　舰　古峻银　王星越　白宇豪　周　俊　王　芳　冯　艳　袁中亮
沈永东　刘世娇　张　峰　张　逊　闵钰婷　王德星　陈鄯旭　王　倩　周　竹

2013 届

215 班班主任　陈清玲

王　力　王茁旭　王　涛　陈明凤　邓守刚　李显海　熊　骍　梅飘飘　张天影
杨秀枫　张　力　何玉鲈　宋江鸿　黄钰淇　朱待霖　郑　翱　陈阳海　朱　玲
魏彩红　葛育青　范婷婷　江美芳　张　辽　雷佶也　汪生财　沈　航　李秀松
杨江辉　石　杰　廖　灿　毛茨菲　任泰毅　雷　娟　王奇睿　夏　姣　陈绍波
蔡　杰　夏丹宏　杨　东　贾应该　杨洁琳　陈绍伟　兰钦铧　王关培　谢裕蛟
陈　强　陈　阳　贺建宇　闵德荣　刘任糠　曾庆焓　林启江　罗上轲　方荣东
邹永梅　汪立富　查远远　李　松　曹　峰　梁明东　孙舞键　陈　鹏　杨　洵
周　丹　陆军宏　梁　犇

216 班班主任　谭阳辉

娄释玄　肖凯平　杨　清　张　渊　王　维　张　鸿　刘显敏　宋正阳　兰中政
周　念　罗　威　邓正会　黄　成　王　丽　金龄琨　滕建新　徐光黔　郑其梅
文祎倬　李国瑞　刘　浪　冉　瑶　杨　廷　杨明俊　宋　垚　余光明　徐茳莨
陈开媚　宋志欢　付　杰　陈　霞　王缓熙　王登鸿　陈　静　胡万琴　李治婷
朱水清　勾陈德　雷定发　杨再艳　王开民　伍城娥　管莎莎　张明锋　郑明菊
方久花　靳正梅　方　敏　李　志　顾大度　周祺杰

217 班班主任　张英波

徐　俊　王盛隆　唐成龙　李　涛　刘婉婷　宋定杰　李德顺　王泓超　喻　群
赵渝菠　杨建红　徐　强　陈　丽　唐可娜　兰绍杰　袁累康　倪　梅　何家德
张　念　黄坤海　倪　敏　陈瑶瑶　石　军　陈　星　周世露　沈广成　刘雍华
吴昭庆　卢　会　肖兴美　陈发金　左双双　卢　凯　庹　丽　金延清　陈　江
袁　艺　周　艳　宋　丽　毛昱水　陈素修　易佑立　龚贤文　周家杰　杨　林
华庭辉　李彰莹　李显鹏　曾　镜　李惠松　夏唯唯　蒋佶霏　罗　倩　田应秀
张　琴　徐正昌　王碧琴　黎星龙

218 班班主任　周学东

龙冰玥　周乐洁　犹颖　张垚　陆远扬　田维玲　吴炬磊　肖靖松　周嘉隆
汪蕙心　文艺　张峰　黄飞　卢雯　王曦　艾玲　冷丰　左伟
赵林玲　粟莎　石欣　李高锐　彭婷　冷毅　蔡蔓玲　方海波　冉浩
刘君琴　何迪　刘晓涵　陈姝宇　宋航　胡岳全　舒凤　罗登高　黄馨
周真清　李雨霏　粟成　杨秀静　曾洪坤　万语清　戎晋欧　吴兴星　杨胜男
阮运梅　杨睿　张洪丽　田林　徐世民　李云鹏　冷启会　田佳　李瑀焓
王芳芳　蔡怡青　周怡　许鸥　黎婕　李纯　张飞娥　付鹏　龚雪艳
袁姣姣　安薏伊　古裳宏　张德端子　张昌敏　梁杰　蒋卫英　杨奇琴
林霖　张福鹏　余昌艳　聂钲洋　汤静　方芳　李富赟

219 班班主任　黄丹丹

周华　陈旭杰　熊俊　吴思佯　张德俊　段德江　徐荣阳　何倩　李君娇
郑琦学　徐胜　彭潇　王婷　张静　李小会　文德旺　王川红　杨昌杰
姜林　刘大丽　孙颖天　梁小宇　徐飞　腾绍文　杨选亚　王青　陈亭焰
李武静　刘福旺　赵兴茂　孟艳霞　王玮　吴昭艳　刘铃　彭泷铖　张俊峰
黄永鹏　许婉姿　钟胤　肖兴学　韦泽杰　赵文吉　任小端　李红　倪珂
谭文春　赵文　何砂　杨阳　余敏　龙正丹　陈慰　李清　李晓丹
袁婷　冯　　黎芯　魏志红　杨浩　蒲启雪　任荣浪　冉粒敬　郎慢
姜维　袁清　黄倩　谢永椒　杨迪　陈丽梅　徐英　卢萍　邱隆燕
何旭　王德丽　田华琴　罗丹

220 班班主任　杨应平

赵明　蔡毅　杜鹏程　何林璋　陈伟　谢世杰　陈阳进　石豪　贺礼杰
张敏　黄维凤　袁华檀　熊志勇　马方勇　杨旭　杨珊　刘文武　颜胜菊
田秋静　文继德　陈恩洋　周倩　李文香　程鹏　杨利冬　廖雪梅　谢伦辉
杨玉芳　丁光鹏　刘云　刘娇　邓仁会　宋娅　王登攀　张鹏润　张明娅
赵伟　焦婵娟　刘朝红　邱兴瑜

221 班班主任　卢怀芳

罗创文　董承红　兰姣姣　赵超　饶萌　陈星蓉　吴国安　聂昌颉　骆弟燕
刘靓婧　童邦珺　陈光胤　陈怡廷　秦邦燕　周星余　邓国富　张婵　万丹阳
娄丽麒　李秀钰　汶源　郭清玮　陈思静　李惟　田春梦　杨婷　杨贵福
曾唯益　罗亭利　李仕刚　陈南憬　游雅　崔家雯　陈雯　葛永恒　周彤燕
唐娜　周召橙　李俞娴　王竹　王易　何春瑾　张仕凤　金鸿　符凯凯
兰娇娇　徐明谦　曾耀　谢如琴　吴静　田湉　李汀　刘定禄　宋媛
刘珊　王亚铃　黄振东　陈飞　杨书梅　涂鉴芮　杨丽　涂锐　雷歆妤
朱世琪　陈爰余　周逸华　蔡航　黄娅　刘诗晗　黄群惠　陈刚　刘彦会
周洪艳　犹代兴　韩珍秀　冉诗泽　罗国宇　张德兵　万晴

222 班班主任　王建华

朱红蓉　潘家圆　蔡璟洪　袁充　何泽运　李林　李质洪　王小莉　陈姝丽
李小涛　彭高友　陈尧铭　张家程　甘雪梅　鄢华红　邓仁翠　简正阳　邓剑斌
张远霏　陈娟　吴小健　袁涛　夏爽　詹崇庆　唐郅非　陈英杰　杨林

邱 菲 刘安进 张正鸿 犹和椿 熊 晨 曹国毅 苏 丹 唐培帅 彭 芳
赵 菊 杜伦娴 何林晔 王 林 宋 凯 张 御 周远馨 何 珊 刘 杏
李化都 李成玉 刘昱彤 张煜鑫 张 进 秦家禄 王 伟 魏廷婷 倪 波
杨竣杰 黄桦骏 吴国富 宋汶蔚 邱劲超 刘易铨 康圣钰 王 倩 刘 宇
屈万奎 赵鑫鑫 胡 棋 包天杰 王定佳 王方金 杨秀迪 杨 枫 犹昌辉
冯大鱼 郑 义 罗 靖

223 班班主任 杨友发

吴 旗 杨孟锦 谢 梅 周 弢 万华鹏 徐 卫 肖诚宇 代义松 宋定衡
陈雨虹 倪 巩 邹玲玲 李太坤 李良懿 游宏亮 卢 怡 杨庭娅 余斌鑫
张玉娇 赵乾溶 蒲幸禹 柏 瑶 伍 超 贺 睿 唐悦文 徐国露 朱严严
肖 昱 陈富亿 李明踊 杨 琪 罗 颖 王 睿 田盛梅 王发明 刘 学
陈新文 袁伦华 肖海鹏 毛文凯 李 恒 周世航 杨 洋 任 航 王 冰
陈关福 符业毅 颜小刚 李 建 刘 可 付国檐 屈龙俊 蔡 东 冯 义
古祥龙 李林洪 曾祥欢 吴 丽 石崇毅 徐孝莹 刘 桢 龚红银 杨学顺
贺黔晨 陈春花 蒋 波 李承艳 吴 峰 简正鑫 谢治珺 黄进厅 蒲天成
李安阳 徐光婷 袁铭骏

224 班班主任 刘怀喜

陈 曦 李天宇 曹婷婷 李思尧 余 洁 李绍江 王骏逸 宋赣祥 石春霞
向 平 吴甜甜 石朝爽 宋 露 兰秋月 周荣梅 冉光琴 胡籍云 曹 可
犹 毅 张 福 唐崇彬 赵才林 何光涌 犹品琦 朱晓青 冉晋文 赵才能
余臣瑶 苟德菲 熊辉莲 刘金艳 冉丽洪 吴密密 魏兴成 龚庆东 尚玉芳
蒋昕烨 杨诗铭 李 吉 刘 义 王 广 黄贵鹏 雷 成 王振鑫 李绍元
母 杰 石 娱 李顺德 田 松 王家琴 骆 康 罗广超 雷 涛 刘 欢
蒲天双 江正泉 诸淑香 李天辉 熊 静 刘胜芸 李运乾 谭姣姣 朱鸿丽
葛永凯 刘 悦 范 闵 石峻青 黄家菊 邱小雷 何 坤 冉龙珍 兰永清
袁海鹏 张永成 肖红菊

225 班班主任 廖朝勇

何林领 刘露莹 陈永祥 朱 涛 陈春力 赵 磊 罗 鹏 李昱东 王 椒
王晓瑜 全 蔓 方天露 刘 灵 刘 新 刘 群 左仁敏 朱自然 李顺福
王治超 张 涛 张连连 宋丹丹 瞿朝霞 钱 刚 梅良群 唐明桥 刘元宏
陈 杰 李 娜 成 靖 石胜丹 雷 鸣 杨 帅 钱 刚 杨 晓 蔡修毅
项 宁 王小凤 喻崇凤 陈小艺 黄 松 宋 红 何永松 袁寿军 莫尧尧
冷 锐 王 燕 谢 静 徐立军

226 班班主任 童江

罗 飞 何建秀 漆佳鑫 陈文娇 邹 航 李小冬 王正磷 瞿国伦 田凤仙
胥 弘 罗 丹 唐琳峰 杨程景 王 兰 赵永莲 赵 芬 冯兆彪 陈 洁
李 晶 王兴岳 岳 丹 张玉竹 邓 涛 吴佳柔 邹佩玲 方贵东 雷国珍
陈 亮 邹宽念 何昱锌 杜丹丹 王广会 张 梅 倪 静 瞿已淞 吴 超
胡明艳 王 欢 童仕军 吴 锡 卢星谏 刘 文 颜胜淋 张仁婷 谢玉芳
李松宏 李庆珊 兰佳佳 骆 婷 陈华坪 尹 红 潘显俊 毛友平 罗 丹

黄森林　毛儒琴　刘文品　倪元维　聂兴飘　李荣燕　王德鲜　付开美　欧　美
王　路　王元亮　陈珍琴　钟　运　王　焕　高维秀　范　淳

227班班主任　刘长青

陈天河　李之瀚　李仕林　陈正瑶　黄方坤　冉浩晖　王灿东　谢从坤　王德芬
唐　珊　卢美宏　田　菁　向　涛　李相莹　陈海迪　田冬梅　赵　露　商乾坤
李　波　周朝亚　李　维　谢美金　刘　丽　鄢国圣　王家莉　杨仕玖　王仁恋
李宣强　夏锦群　赵军三　吴　川　张　琴　丁　辉　朱　燕　李世玉　张开艳
乐　露　罗　洪　郭　娅　朱珊珊　况红俊　王大梅　王百美　柏　林　王国美
陈春香　王　耀　李秀伟　叶　欢

228班班主任　龙光明

叶婷婷　曹　智　练贵英　王　浩　夏小银　白　莹　夏　洋　帅琳方　李荣松
欧阳定坤　金　莎　欧洲豪　彭　鹭　吴秀娥　陈婧冉　李爵位　夏仕云
杨　凌　胡科梅　宋　文　张天毅　袁朝阳　夏福玉　余佰鑫　施弼瀚　杨兴娅
朱　芬　薛　彪　秦　涛　李大旗　殷密成　贺明友　张　婕　邬银银　刘德怀
罗　娇　袁忠楼　彭国星　苏　青　王永盛　江林蔓　赵发丽　沈永耽　刘成远
张茗瑜　蒋　筑　刘　毅　包嘉诚　曾钦学　李　娜　刘　涛　韦　维　但武莉
陈　洋　刘治呈　余朝菊　李诗佳　江　缓　李　霞　唐远源　唐泽海　刘兴蔚
唐　娟　伍世豪　冉景虎　付　钰

229班班主任　宋锡立

任健康　肖梦昫　张纹茜　粟彩霞　王二凯　杨昌敏　刘义安　黄廷端　邹德乾
彭旺杰　刘滋珺　黄　丹　彭方奎　胡芸菲　张林芳　罗　刚　詹　雷　魏　波
张　静　王　勇　黎　婷　何建红　蒋金燕　杨　兴　罗胜男　兰付永　吴正威
杨　娅　莫仕玉　陈柔冰　张　晗　白方青　蔡秋宇　申恒辉　李俐林　刘　润
周　进　唐疏盼　郎姝妤　李文青　陈　江　胡　尧　唐　雪　冉光艳　倪　旭
吴小菊　王　豪　刘　念　侯豫黔

230班班主任　王瑞堂

商正洁　罗友宽　黄泷筠　刘远杰　李贤娴　胡礼欢　陈继康　黄　飞　张远云
简　凯　张家露　朱　杰　李霞林　尚海艳　张婉秋　卢　波　周文鹏　邱　波
刘　飞　李　剑　冉　迪　何　静　严荣彪　范兴财　周　正　邓安梨　王顺群
盛　琦　石从刚　刘志煜　汪申夕　黄祝君　张前松　杨勋毅　黄　茂　吴文琴
赵　梅　谷文凤　刘维维　卢　微　吴德静　李　冰　张炳珍　毛培喜　王立美
向德刚　刘立兴　李洪运　犹　鹏　王　岚　李　昆　宋　超　刁加玉　魏　洪
刘清荣　张鹏威

231班班主任　曾毅

罗明静　周燕梅　潘兴欣　谢　东　黄六霞　曾　静　唐　靖　余　佳　常　宇
王　旋　胡　伟　杨忠敏　罗百斌　蔡林彤　徐仕祥　李　群　杨　艺　舒贵金
张余梅　刘昱廷　王忠杰　黎宪丹　何绍付　刘　军　彭　娅　卢昱辛　雷志成
周智露　陈善合　陈华鲜　肖　云　陈盼胜　闵明杰　刘国梅　龙进海　王成建
刘雨荷　谢治德　滕　丽　王　涛　麻堂林　陈胥旭　刘仁志　蒋云娥　任启连
盛　莉　袁国琴　方永琴　冷　达　文梃沣　潘　鑫

232 班班主任　卢国勇

伍元海　刘学威　陈远军　王　宾　王治洪　黄　沛　姚　远　吴正荣　张大鹏
闵　皓　钱安桥　池大言　丁本成　杜　松　刘　双　闵德吉　吴正彪　何建建
李微君　丁伶俐　张测明　周关勇　姚三林　唐真婷　王庭婷　何　霞　宋大双
刘庆涛　张涛涛　毛　顺　钟善旺　赵云飞　王树军　黄　娇　滕召坤　毛国丽
晏乐英　陈　亚　唐春成　黎　伟　文高超　朱立锋　吕佳芸　王　阶　刘　阳
李　旭　赵　峻　丁本娜　王小青

233 班班主任　曾　山

乔　宽　刘　润　向成松　贾　东　伍莲莲　陈　喆　刘明源　蔡翊成　朱星宾
吕国兰　黄　芳　李　莎　白　涛　王　方　向　丹　夏　莉　张　秋　秦　丽
丁合丹　何腾飞　赵飘飘　邱娉婷　李忠露　曾小颖　雷远强　陈诗庆　秦　丽
商　律　苟　菲　杨　玺　熊珞钧　王　念　王　兴　姜　恒　滕建华　彭　春
邹圣鲲　刘　静　田锦淞　姚文飞　艾中南

234 班班主任　王光先

陈俊江　王　琪　李　阳　陈元渊　向　杨　彭国俊　王治开　曾建江　李　旭
赵昱凯　喻是霖　刘　梦　姚敦基　陈青松　陈吉婷　杨雯雯　谢治秋　胡丽娅
陈信宏　龙从洋　王　丹　袁仁乾　周楚涵　冷安碧　肖　青　卢城涛　李佳霖
宋卓俊　邵　斐　冷德琦　吴烨城　蒙正远　张　涛　赵　琪　杨杰雯　靳利成
王　凯　潘越凯　张雯滔　陈延桃

后　记

编纂《贵州省瓮安中学志》，不仅是中共瓮安县委、县人民政府的统筹安排，而且是几代瓮中人的愿望。

根据国务院《地方志工作条例》、贵州省人民政府《地方志工作规定》要求，为全面落实国家、省、州地方志编纂委员会的指导意见，加快推进县乡镇志、部门志、专业志编修工作进程，确保在2020年全面完成任务，中共瓮安县委办公室下发了瓮委办字〔2012〕104号《关于印发〈瓮安县部门志乡镇志专业志编纂工作实施方案〉的通知》。瓮安县部门志、乡镇志、专业志的编纂工作全面启动。

是时，《贵州省瓮安中学志》的编纂工作业已步入常态。

——早在2010—2011学年度第二学期结束前，瓮安中学李凤奇校长就在全校教职工会上宣布，学校决定返聘退休教师刘忠信，领衔成立瓮安中学校史编纂室，着手准备《贵州省瓮安中学志》的编纂工作。2012年5月27日，在瓮安中学年鉴审稿暨瓮安中学校志编修会上，学校领导采纳与会人员的建议，决定聘县史志办退休干部万森伟、县政协退休干部王再科、永和镇退休教师刘明远到瓮安中学校史编纂室工作。2012年11月12日，瓮安中学180年校庆过后，校史编纂室的刘忠信、袁子敬、万森伟、刘明远即着手构想校志框架，拟订校志篇目、编纂计划，开始校志档案资料的查阅工作。而中共瓮安县委办公室104号文件制发于2012年11月15日。

学校历经“书院—学堂—中学”的演变，迄今已有180多年的历史。180余年来，在瓮安人民的悉心呵护下，在历届政府的重视支持下，经过数代瓮中人坚持不懈的努力，瓮安中学已从纤纤树苗成长为参天大树，已从垒土建造发展为九层之台。遗憾的是，由于种种原因，瓮安中学始终没有一部相对完整的校史资料。于是，编纂《贵州省瓮安中学志》，便成为几代瓮中人的夙愿，成为上一届和本届学校领导班子成员不敢自释的责任，成为校史编纂室的几位老同志免遭“靡不有初、鲜克有终”之讥，拼死拼活都要完成的任务。

三年多来，校史编纂室的几位老同志，两次赴省、州档案（局）馆，查阅卷宗1300多卷，拍照5000余张；两次至县档案局，借阅档案346卷；整理查阅学校档案68盒；阅读《贵州教育史》《黔南布依族苗族自治州·教育志》《平越直隶州志》《黄平州志》《福泉县志》《桑梓述闻》《民国〈瓮安县志〉》《瓮安县志》《瓮安县军事志》等史志资料以及校刊《教书育人》；完成3000余万字的相关史料阅读量，撰写毛稿200余万字，六易其稿，爬梳剔抉，成书100余万字。

在编纂过程中，县史志办地方志编纂委员会范祖贵一行，多次深入学校调研、指导，提出许多宝贵的意见和建议；学校领导班子成员、各处室负责人和各教研组教师均参与审稿、校对；退休老教师王开宇主动提供5万余字的手稿；校友颜迈（贵州师范学院终身教授）亲自为校志写序，丁朝北（中国美术协会会员、正教授）亲手绘制“民国时期的瓮安中学（花竹书院）”全景图。

可以说，“这部校志，是精神文明建设的硕果，是集体智慧的结晶，有‘详史之略，补史之无’之用，实现了几代瓮中人的修志愿望”。（颜迈《序》）

由于编纂人员水平有限，加之迫之时日，其纰缪谫劣，贻笑后世，知所不免。

但民国《瓮安县志》的总纂人朱勋说得好：“唯当此绝续之交，不敢自释，力以草创自任，俾后之有志斯文者，有所凭借，而不坠吾邦之文献。”

诚如是，庶可以安其心矣。

贵州省瓮安中学校史编纂室